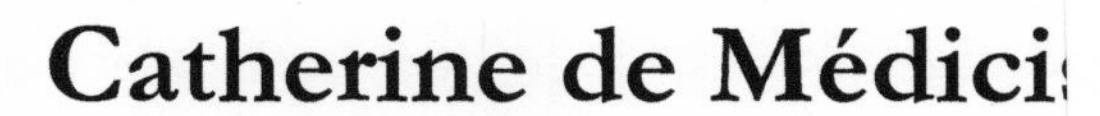

# Catherine de Médicis

Jean-H. Mariéjol

**Alpha Editions**

This edition published in 2024

ISBN : 9789361476815

Design and Setting By
**Alpha Editions**
www.alphaedis.com
Email - info@alphaedis.com

# Contents

# PRÉFACE

Cette biographie n'est ni un plaidoyer, ni un réquisitoire, ni une satire, ni un panégyrique, mais une histoire aussi objective que possible de la vie et du gouvernement de Catherine de Médicis.

Le sujet n'a jamais été traité en son ensemble et il est en effet vaste, complexe et divers. Née d'un père florentin et d'une mère française, élevée en Italie jusqu'à l'âge de quatorze ans et depuis fixée en France par son mariage avec un fils de François Ier, Catherine participait de deux pays et de deux civilisations. Épouse aimante, docile, effacée d'Henri II et Reine-mère très puissante, elle dirigea presque souverainement les affaires du royaume, pendant plus d'un quart de siècle, au nom de Charles IX et d'Henri III, ses fils. La lutte entre le parti protestant et l'État catholique commençait quand elle prit le pouvoir, et elle le garda jusqu'à sa mort parmi les résistances, les troubles et les guerres que provoqua dans toutes les provinces et dans toutes les classes le conflit des passions religieuses, des intérêts politiques, des ambitions personnelles.

Mais l'œuvre est difficile moins par son étendue et sa variété que par l'effort d'impartialité quelle exige. Le massacre de la Saint-Barthélemy est si odieux que l'horreur en rejaillit sur tous les actes de celle qui le décida et qu'on a peine à se défendre de la juger uniquement sur cette crise de fureur. L'excès contraire, et celui-là inexcusable, ce serait, par réaction contre cet instinct d'humanité, de vouloir l'absoudre et l'innocenter en tout. Mais, tout en répugnant au paradoxe d'une réhabilitation, on a bien le droit de se demander si ce crime de l'ambition et de la peur est l'indice d'une nature perverse. La plupart des historiens représentent cette grande coupable comme indifférente au bien et au mal, n'aimant rien ni personne, fausse, perfide et foncièrement cruelle, en un mot, comme une criminelle-née. Ils ont l'air d'oublier qu'elle passait pour douce et bénigne et qu'au début de son gouvernement elle se montra capable de bonnes intentions et de bonnes actions. J'ai vérifié les causes de cette réprobation absolue et j'expose ici le résultat de mes recherches. Je pense avoir découvert une Catherine assez différente du Machiavel féminin de la légende ou de l'histoire et qui n'est ni si noire ni si grande. Peut-être me suis-je trompé, mais c'est de très bonne foi, et l'on se convaincra, je l'espère, après m'avoir lu jusqu'au bout, que mon erreur, si erreur il y a, n'est pas sans excuses.

Avant que la correspondance de Catherine de Médicis fût publiée, je n'aurais eu ni le moyen ni même l'idée d'écrire ce livre. Les lettres, surtout les lettres familières, où l'on n'a pas intérêt à dissimuler, sont la source d'information la plus sûre sur les pensées et les arrière-pensées. La plupart reposaient dans les Archives publiques ou privées, et le peu qui en avait paru était dispersé dans toutes sortes d'ouvrages. Le comte Hector de La Ferrière entreprit, et, lui mort, M. le comte Baguenault de Puchesse, avec une méthode rigoureuse, acheva de réunir l'inédit et l'imprimé dans un seul recueil. Le tout remplit dix volumes de la Collection des Documents inédits relatifs à l'Histoire de France et mérite d'être cité, à côté des Lettres Missives d'Henri IV, comme une œuvre qui fait très grand honneur à l'érudition française. S'il est étrange que le premier en date des deux éditeurs ait, pour rendre ses préfaces plus alertes et vivantes, coupé en dialogues des rapports et des dépêches d'ambassadeurs, s'il se rencontre en cet immense travail quelques erreurs de datation ou d'identification, la coquetterie de la forme et de légères imperfections de fond, qu'un erratum peut facilement corriger, ne doivent pas faire oublier l'importance du service rendu.

Que saurait-on exactement, sans toutes ces lettres, du caractère de Catherine, de ses goûts, de ses sentiments, de ses projets, de ses illusions, de ses rêves, de toutes les manifestations de la personnalité qui échappent le plus souvent à l'histoire officielle? Si elles n'apprennent rien sur son éducation italienne, elles permettent d'apprécier, au cours de sa vie en France, sa formation intellectuelle, son tour d'esprit, sa sagesse mondaine, l'agrément de son commerce, ses qualités d'épistolière, de diplomate, d'orateur, de politique. Elles expliquent ses ambitions, ses variations, ses contradictions, ses complaisances: amour conjugal et partage avec la favorite Diane de Poitiers, tendresse maternelle et jalousie du pouvoir, tolérance religieuse et guerre d'extermination, alliances catholiques et alliances protestantes, lutte contre l'Espagne et capitulation devant la Ligue. Lues et relues de suite et de près, complétées, éclairées, rectifiées l'une par l'autre, elles aident à deviner sous la teinte des attitudes une femme d'État dont la maîtrise sur elle-même fut la grande vertu. Assurément, ces investigations ne sont pas toujours favorables à Catherine, et souvent elles lui sont contraires. On la prend, malgré ses échappatoires, en flagrant délit de mauvaise foi, de ruse et de mensonge. Le principal mérite de sa correspondance, c'est que, sans le vouloir, elle s'y peint elle-même au naturel en bien comme en mal.

Aussi est-elle mon meilleur témoin. On voudra bien se souvenir que j'écris une biographie de Catherine de Médicis, et non l'histoire de son temps. J'ai donc raconté en détail les événements où elle a joué un rôle, mais je me suis borné pour les autres aux traits et aux circonstances qui pouvaient servir de cadre et d'éclaircissement à son action. Les lecteurs qui seraient curieux d'en savoir davantage sur l'administration, la politique générale et la guerre n'ont qu'à se reporter au tome VI. I de l'Histoire de France de Lavisse. Grâce à ce départ, j'ai pu resserrer en un volume de quatre cents pages le cours de cette existence et si longue et si pleine. Qu'il s'agisse de l'enfance et de la première jeunesse de Catherine en Italie, de son mariage avec un fils de France, de sa vie de Dauphine et de Reine et de son gouvernement pendant le règne de ses fils, c'est d'elle toujours et principalement d'elle qu'il sera question.

Mon sujet était si restreint et si particulier qu'il n'exigeait pas absolument de nouvelles recherches d'archives. Il suffisait, pour mener à bien une étude psychologique de cette Médicis française, de recourir par-dessus tous les autres documents, à ses Lettres. Même réduite à cette proportion, c'était, je crois, une œuvre utile. Cette correspondance risquerait, comme tant d'autres monuments imprimés, de dormir dans le silence des Bibliothèques du demi-sommeil de l'inédit, si quelques indiscrets, dont je suis, ne s'avisaient de les toucher d'une main amie. Les Préfaces même, ces préfaces si bien informées, qui pourraient servir tout au moins de guide aux curieux, font tellement corps avec les grands in-quarto qu'elles restent comme eux un objet lointain d'admiration et de respect, major e longinquo reverentia. Il est bon que des vulgarisateurs se dévouent, pour la gloire même des érudits, à signaler au public lettré, dans des livres plus maniables, ce que ces immenses travaux de découverte, de collation, de critique ajoutent à la connaissance du temps passé et aux progrès de la vérité historique. Et ce n'est même pas assez. Il serait mieux encore de choisir dans la masse des textes ceux qui sont le plus capables d'aider le lecteur à se faire une opinion aussi personnelle que possible des événements et des hommes d'autrefois. J'ai à cette intention cité dans ce livre, et presque à chaque page, les lettres de Catherine en prenant le soin toutefois d'encadrer ces extraits et de les mettre en leur meilleur jour. Je l'aurais laissée parler toute seule si je l'avais pu. Mais il y a telle époque, comme celle de son enfance, où Catherine ne pouvait pas se raconter, et plus tard des circonstances où elle ne l'a pas voulu. Il a fallu alors de toute nécessité que j'intervinsse pour reconstituer sa vie à l'aide d'autres témoignages.

J'aurais voulu épargner à mes lecteurs l'effort auquel oblige l'orthographe du XVIe siècle. Elle n'est pas seulement différente de la nôtre: elle est incohérente, parce que personnelle. On ne peut pas parler de faute et d'ignorance quand il n'y a pas encore de règle établie. Les imprimeurs naturellement tendent à l'uniformité, mais ils n'ont d'action directe que sur les écrivains et les rédacteurs de papiers publics. Le reste, c'est-à-dire à peu près tout le monde, écrit à sa guise, d'après le souvenir imprécis de ses yeux ou de ses oreilles, et quelquefois, dans la même page ou dans la même phrase le même mot se présente figuré de deux ou trois manières. Aussi les publications d'inédit de notre temps ont un aspect d'autant plus rébarbatif qu'elles sont en général plus consciencieuses et plus fidèles. Ajoutons que, pour augmenter la bigarrure, les minutes étant souvent perdues, il ne reste que des copies faites plusieurs années ou même un siècle après par des gens qui dénaturaient à la mode de leur époque l'orthographe du modèle. J'avais pensé d'abord à corriger tous ces textes et à les ramener à une forme commune, mais quelle forme? Celle de mon choix, puisqu'au XVIe siècle il n'y en a point d'universellement admise. Mais je ne me suis pas senti le courage, n'étant pas grammairien, de prendre une pareille responsabilité. J'ai donc reproduit les textes tels qu'ils se rencontraient dans les meilleures éditions dont je me suis servi. C'est un habit d'arlequin, j'en conviens, mais il n'en faut accuser que la diversité des temps et des personnes. Quant à la graphie de Catherine, elle est parfois si purement phonétique, que j'ai été obligé, pour comprendre certains passages, de les lire à haute voix au lieu de les parcourir des yeux. Le mélange de sons et de mots italiens la fait paraître encore plus étrange. J'ai, pour la clarté du sens, modernisé ou francisé entre parenthèses ce qui me paraissait inintelligible. Et même dans les citations les plus longues, quand les obscurités abondaient trop, j'ai pris le parti de reproduire l'original et d'en donner en note--le mot n'est qu'un peu fort--une traduction.

Il est probable que j'ai commis dans le récit des événements des erreurs de dates ou de faits (sans parler des fautes d'impression), mais je ne crois pas qu'il y en ait d'essentielles et qui infirment mes conclusions, et c'est là ce qui importe. Assurément il vaut mieux être exact jusqu'à la minutie, mais, outre qu'il n'est pas toujours facile de mettre d'accord les contemporains et qu'il faut choisir quelquefois, sans contrôle possible, entre différentes indications chronologiques et historiques, il est inévitable que l'auteur, en un si long effort, soit sujet à quelques défaillances. Se tromper d'un ou même de plusieurs jours et sur certains détails, le mal n'est pas bien grand quand l'ordre des événements n'est pas interverti et que l'effet n'est pas pris pour la cause ou réciproquement. Ce sont peccadilles qui paraîtront, je l'espère, pardonnables surtout à ceux qui auront le plaisir de les relever.

Je m'excuse enfin de n'avoir pas joint à cette courte biographie une bibliographie très complète; il y faudrait celle des trois quarts du XVIe siècle. Je me suis borné à indiquer en tête du volume, et surtout au bas des pages, les recueils de documents et les livres dont je me suis le plus servi. Je renvoie pour les autres, c'est-à-dire pour le plus grand nombre, à l'Histoire de France de Lavisse, t. V. 2 et t. VI. 1[1]. On y trouvera catalogués à leur place les ouvrages que j'ai consultés ou suivis pour le récit général des faits, sans avoir pris toujours la peine de les citer à nouveau. Mais je n'ai pas manqué de dire et même de redire mes références toutes les fois qu'il s'agissait de rectifier une erreur ou d'établir une vérité dans la vie, le rôle et le gouvernement de Catherine de Médicis.

**Note 1:** (retour) On trouvera la plupart des indications bio-bibliographiques réunies dans le *Manuel de Bibliographie biographique et d'iconographie des Femmes célèbres, par un vieux bibliophile*, (Ungherini), 1892. Turin-Paris, Col. 133-135;--*Supplément* (1900), Col. 94-95;--*Second et dernier supplément* (1905). Col. 39-40.

# CHAPITRE PREMIER

## LA JEUNESSE DE CATHERINE DE MÉDICIS

CATHERINE de Médicis, la Catherine des Guerres de Religion, bru de François Ier, femme d'Henri II, mère des trois derniers rois de la dynastie des Valois-Angoulême, et qui gouverna presque souverainement le royaume sous deux de ses fils, Charles IX et Henri III, n'était pas de pure race florentine. Elle avait pour père Laurent de Médicis, petit-fils de Laurent le Magnifique, mais sa mère était une Française de la plus haute aristocratie, Madeleine de La Tour d'Auvergne, comtesse de Boulogne.

Ce mariage d'une jeune fille apparentée à la famille royale avec le neveu du pape Léon X, fut, comme le sera celui d'Henri de Valois avec Catherine de Médicis, nièce du pape Clément VII, un calcul de la diplomatie française.

Après la victoire de Marignan et la conquête du Milanais, François Ier, désireux de changer en alliance la paix qu'il venait d'imposer à Léon X, avait pris rendez-vous avec lui à Bologne, et là, dans les entretiens où fut ébauché le plan du Concordat (déc. 1515), il lui parla de ses projets sur Naples. Le Saint-Siège étant le suzerain de droit de ce royaume, dont les Espagnols étaient les maîtres de fait, il offrait au Pape, en échange de l'investiture, de favoriser ses ambitions de famille[2]. Léon X, qui avait autant à cœur l'intérêt des siens que le repos de la chrétienté, accueillit bien les avances du Roi et ne découragea pas ses prétentions; des avantages qui s'annonçaient immédiats pouvaient bien être payés d'un vague acquiescement à des rêves de conquêtes. Les Médicis, qui avaient recouvré leur pouvoir à Florence en 1512, après un exil de dix-huit ans, devaient craindre que le parti républicain, mal résigné, ne cherchât, conformément à ses traditions, encouragement et secours auprès du roi de France. L'amitié de François Ier, leur proche voisin à Milan et à Plaisance, les garantissait contre les complots et les agressions. Elle leur permettait par surcroît les grands desseins.

**Note 2:** (retour) A. de Reumont, *La Jeunesse de Catherine de Médicis*, ouvrage traduit, annoté et augmenté par Armand Baschet, Paris, 1866, p. 247-248: lettre de François Ier à Laurent de Médicis, 4 fév. 1516, dont on n'a pas jusqu'ici tiré parti.

De la descendance légitime de Côme l'Ancien, il ne restait que trois mâles, le Pape, son frère Julien--qui mourut d'ailleurs à la fin de 1516,--et Laurent, le fils de son frère aîné. Sur ce neveu reposait l'avenir de la dynastie. Léon X le fit reconnaître par le peuple chef de la République (après la mort de Julien). En même temps, il le nomma capitaine général de l'Église, et il lui conféra le duché d'Urbin, un fief pontifical, dont il dépouilla le titulaire, François-Marie de La Rovere, que son oncle, Jules II, en avait investi. Il n'aurait pas risqué ce coup d'autorité (1517) et la guerre qui s'ensuivit, sans la connivence du maître de Plaisance et de Milan. François Ier applaudit à cet acte de népotisme. Dans une lettre d'Amboise, du 26 septembre 1517, il félicitait le nouveau duc de ces faveurs qui en présageaient d'autres, ajoutant: «C'est ce que pour ma part je désire beaucoup et de vous y aider de mon pouvoir et en outre de vous marier à quelque belle et bonne dame de grande et grosse parenté et ma parente, afin que l'amour que je vous porte aille s'augmentant et se renforçant encore plus fort (*rinforzi piu forte*)»[3].

**Note 3:** (retour) Reumont-Baschet, p. 251. Le texte de la lettre est en italien.

Les Médicis étaient des parvenus de trop fraîche date pour n'être pas flattés d'un cousinage, si lointain qu'il fût, avec la Maison de France. Laurent n'était, comme Côme l'Ancien et Laurent le Magnifique, qu'un citoyen privilégié entre tous, investi par un vote du peuple du droit d'occuper, sans exclusions légales ni condition d'âge, toutes les magistratures, et qui, s'il ne les exerçait pas, employait les moyens et les expédients légaux pour y faire élire ses parents et ses clients. Il était, non le souverain de Florence mais le chef de la Cité (*capo della Citta*). Aussi ses prédécesseurs avaient-ils longtemps borné leurs ambitions matrimoniales à s'allier avec les autres grandes familles florentines ou avec l'aristocratie romaine. Laurent le Magnifique avait épousé une Orsini, et fait épouser une autre Orsini, Alfonsina, à son fils Pierre. Des trois sœurs de Léon X, l'une, Madeleine, était mariée au fils du pape Innocent VIII, François Cibo; les deux autres, Lucrèce et Contessina, à de riches Florentins, Jacques Salviati et Pierre Ridolfi. Sa nièce germaine, Clarice, sœur de Laurent, avait été, pendant le long bannissement des siens (1494-1512), fiancée à un simple gentilhomme, Balhazar Castiglione, l'auteur du *Cortigiano*, ce célèbre traité des perfections du courtisan, et finalement elle était devenue la femme d'un grand banquier florentin, Philippe Strozzi[4]. Mais Léon X, après le rétablissement des Médicis à Florence (1512) et son élévation au souverain pontificat (1513), prétendit à de plus hautes alliances. Il avait marié, en février 1515, son frère Julien à une princesse de la maison de Savoie, Philiberte, laide, quelque peu bossue et maigrement dotée à titre viager de revenus patrimoniaux, mais sœur d'un prince régnant de vieille race, Charles III, et de la reine-mère de France, Louise de Savoie[5]. Il accepta bien volontiers l'offre d'un mariage princier en France. Il fut question pour Laurent d'une fille de Jean d'Albret, roi de Navarre, mais, la négociation matrimoniale traînant, Madeleine (Magdelaine ou Magdeleine) de La Tour d'Auvergne, comtesse de Boulogne, fut choisie.

**Note 4:** (retour) La généalogie des descendants de Côme l'Ancien, dans Litta, *Famiglie celebri italiane*. t. XII, tables VIII-XI. Cf Roscoë. *Vie de Laurent le Magnifique*, trad. Thirot, t. II. p. 190.

**Note 5:** (retour) Samuel Guichenon, *Histoire généalogique de la royale maison de Savoye*, 1660, t. I, p. 606.

La mère de Madeleine, Jeanne de Bourbon-Vendôme, était une princesse du sang, veuve en premières noces d'un prince du sang, Jean II, duc de Bourbon, le frère aîné de Pierre de Beaujeu. Son père, Jean III de La Tour, mort en 1501, était de la maison de Boulogne qui faisait remonter son origine aux anciens ducs d'Aquitaine, comtes d'Auvergne[6]. Il possédait au centre du royaume les comtés de Clermont et d'Auvergne et les baronnies de La Tour et de La Chaise avec leurs appartenances et dépendances;--au midi, les comtés de Lauraguais et de Castres, «et autres choses baillées par le feu roy (Louis XII) au comte Bertrand (père de Jean III) en récompense (en compensation) du comté de Boulogne», dont les rois de France s'étaient saisis;--et çà et là, en Limousin et en Berry, quelques seigneuries: toutes terres et droits[7], qui ensemble, avec les propres de sa femme, lui constituaient environ 120,000 livres de revenu[8].

**Note 6:** (retour) Baluze, *Histoire généalogique de la maison d'Auvergne*, t. I, Préface et p. 350-352.

**Note 7:** (retour) Sur les biens de cette famille, Baluze, t. II (Preuves), p. 687-692.--Cf. Testament de Catherine, *Lettres*, IX, p. 496; oraison funèbre de la Reine-mère, par l'archevêque de Bourges Renaud de Beaune, *Lettres*, IX, p. 504; une note de 1585 sur la garde des châteaux du comté d'Auvergne et de la baronnie de La Tour, Mercurol, Ybois, Montredon, Busseol, Copel, Crems, de La Tour, *Lettres*, VIII, 485-486, et X, 471. Catherine, après la mort de sa sœur et de son beau-frère avait recueilli tout l'héritage de son père. La bibliothèque de Chantilly possède un beau terrier illustré du domaine de Besse (près du château de Montredon). Brantôme fait valoir les grands biens de Catherine, *Œuvres*, VII, p. 338.

**Note 8:** (retour) C'est-à-dire 470 000 francs de notre monnaie en valeur absolue, et peut-être un million en valeur relative. D'Avenel, *Histoire économique de la propriété*, etc., I, p. 481, estime que la livre tournois (monnaie de compte) équivalait, de 1512 à 1542, à 18 grammes en poids d'argent, c'est-à-dire à 3 fr. 92 de notre monnaie. Les tables de Wailly, *Variations de la livre tournois*, 1857, donnent un chiffre un peu différent.

La sœur aînée de Madeleine, Anne, avait épousé un Écossais, Jean Stuart, duc d'Albany et comte de la Marche, tuteur du roi d'Écosse, Jacques V. Les demoiselles de La Tour Boulogne étaient donc de très riches partis.

François Ier espérait tant pour ses entreprises italiennes de son entente avec le Pape qu'il célébra le mariage à Amboise avec autant de magnificence que si c'eût été celui d'une de ses filles avec un souverain étranger (28 avril 1518). Il donna à l'époux une compagnie de gendarmes et le Collier de l'Ordre (de

Saint-Michel), il dota l'épouse d'une pension de dix mille écus sur le comté de Lavaur. Au banquet de noces, il les fit asseoir à sa table. Le service était solennel; les plats arrivaient annoncés par des sonneries de trompettes. Trois jours avant, au baptême du Dauphin que Laurent tint sur les fonts pour Léon X, il y avait eu des danses et un ballet où figuraient soixante-douze dames, réparties en six groupes diversement «desguisés», dont un à l'italienne, avec masques et tambourins. De nouveau, le soir du mariage, à la lumière des torches et des flambeaux, qui éclairaient comme en plein jour, «fut dansée et ballées jusques à ungne heure après minuict». Un festin suivit jusqu'à deux heures, et alors, dit le jeune Florange, qui enviait peut-être le bonheur de cet Italien, on mena coucher la mariée, «qui estoit trop plus belle que le mariez».

Le lendemain se firent «des joutes les plus belles qui furent oncques faictes en France». «Et fut là huyt jours le combat dedans les lisses et dehors les lisses, et à piedt et à la barrière, où à tous ces combatz, estoit ledict duc d'Urbin, nouveau mariez, qui faisoit, dit avec quelque ironie le narrateur jaloux, le mieulx qu'ilz povoit devant sa mye.»

Ce que Florange ne dit pas, c'est que le duc d'Urbin n'était pas complètement remis d'une arquebusade à la tête, qu'il avait reçue pendant la conquête d'Urbin. Aussi se garda-t-on de l'exposer dans un tournoi, qui représentait trop fidèlement le siège et la délivrance d'une place forte, «contrefaicte de boys et fossés», et défendue par quatre grosses «quennons (pièces de canon) faictes de boys chelez (cerclé) de fer», tirant «avecque de la pouldre». Les assiégés, renforcés par un secours, que le Roi leur amena, sortirent à la rencontre des assiégeants. L'artillerie des remparts lançait de «grosses balles plaines de vent, aussi grosse que le cul d'ung tonneau», qui, bondissant et rebondissant, frappaient les hommes et «les ruoient par terre sans leur faire mal.» Mais le choc des deux troupes, «ce passe-tamps... le plus approchant du naturel de la guerre», fut si rude qu'il y eut «beaulcoup de tuez et affolez[9]».

**Note 9:** (retour) *Mémoires du maréchal de Florange, dit le jeune Adventureux*, p. p. la Société de l'Histoire de France par Robert Goubaux et P.-André Lemoisne, I (1505-1521), 1913, p. 222-226.

Le Pape fit même étalage de contentement. Il envoya à Madeleine et à la famille royale des cadeaux qui furent estimés 300 000 ducats. La Reine-régnante, Claude, qui venait d'avoir son second enfant, eut pour sa part la *Sainte Famille* de Raphaël, et le Roi reçut de Laurent le *Saint Michel terrassant le Dragon*, deux tableaux symboliques, qui comptent parmi les chefs-d'œuvre du Louvre.

Léon X avait, plus que François Ier, lieu de se réjouir; il ne se repaissait pas seulement d'espérances. Il avait déjà retiré les profits de l'alliance et, à part soi, il était décidé à en répudier les obligations. Sans doute, il appréhendait la puissance du jeune roi de Naples, Charles, déjà souverain des Pays-Bas, de l'Espagne et du Nouveau-Monde, et qui hériterait à la mort de l'empereur Maximilien, son grand-père, des domaines de la Maison d'Autriche et peut-être de la dignité impériale. Mais il estimait que les Français, s'ils joignaient Naples à Milan, ne seraient pas moins dangereux pour la liberté de l'Italie et l'indépendance du Saint-Siège. Il voulait, unissant Rome et Florence, constituer au centre de la péninsule une sorte d'État à deux têtes, ecclésiastique et laïque, assez fort pour se faire respecter de ces grandes puissances étrangères et capables avec l'aide de l'une de s'opposer aux empiètements de l'autre. A-t-il rêvé encore, comme le racontait plus tard le pape Clément VII à l'historien Guichardin, de détruire les «barbares» les uns par les autres et de les expulser tous d'Italie? Mais, même pour servir de contrepoids à la prépondérance espagnole ou française, il fallait que le groupement romano-florentin fût compact et durable. Léon X avait donné le fief pontifical d'Urbin à Laurent de Médicis, moins pour accroître ses revenus de 25 000 ducats[10] que pour resserrer les liens du Saint-Siège avec la République de Florence. Lui-même, n'ayant que trente-six ans en 1513, lors de son exaltation, pouvait compter sur un long pontificat. À tout hasard, il avait fait cardinal son cousin germain de la main gauche, Jules, pape en expectative et qui le fut en effet, mais non immédiatement après lui. Deux autres Médicis, des enfants naturels encore, alors tout petits, Hippolyte et Alexandre, en attendant les fils de Laurent, s'il en avait, et sans compter les Cibo, les Salviati, les Strozzi, les Ridolfi, qui étaient des Médicis par leurs mères, assuraient le recrutement de la dynastie ecclésiastique à Rome. Il y avait même une autre branche des Médicis, proche parente de la branche régnante, et que son chef, Jean des Bandes Noires, illustrait à la guerre[11]. Mais Léon X se défiait du fameux condottiere et préférait les bâtards de son oncle, de son frère et de son neveu à cet arrière-petit-cousin très légitime.

**Note 10:** (retour) C'est le chiffre donné par Pastor, *Histoire des Papes*, traduction française, t. VII, p. 122.

**Note 11:** (retour) Litta, *Famiglie celebri italiane*, t. XII, table XII.--Gauthiez, *Jean des Bandes Noires*, Paris, 1901. Il y avait d'autres lignées collatérales, mais plus éloignées. L'un de ces Médicis, de la branche des Chiarissimi, Ottaviano, fut le père du pape Léon XI, qui ne régna que quelques mois. Voir Litta, *Famiglie*, t. XII, table XX. Le pape Pie IV (1559-1565) était un Médicis de Milan.

Les contemporains, qui avaient vu les deux Borgia, le pape et son fils, s'acharner à la destruction de la féodalité romaine, supposaient que César Borgia avait voulu unifier l'État pontifical pour l'accaparer à son profit, ou, comme on dit, le séculariser. Ils s'attendaient toujours à quelque recommencement. L'ancien secrétaire de la République florentine, Machiavel, disgracié à la rentrée des Médicis et qui occupait ses loisirs à établir les lois de la science politique, dédia à Laurent son livre du *Prince*, où il exposait dogmatiquement, sans souci du bien ni du mal, les moyens de fonder et de conserver un État (1519). Suspect, pauvre et malade, il parlait au chef de la Cité, non en quémandeur, mais en conseiller. Machiavel était de ces Italiens qui rêvaient d'indépendance, à défaut d'unité, et qui détestaient la monarchie pontificale, ce gouvernement de prêtres, comme incapable de la procurer[12]. Mais ils la savaient assez puissante au dedans et assez influente au dehors pour s'opposer, soit avec ses propres forces, soit avec l'aide des étrangers, à toute tentative qui ne viendrait pas d'elle. Aussi ces ennemis du pouvoir temporel voyaient-ils avec faveur grandir un fils d'Alexandre VI, comme César, ou un neveu de Léon X, comme Laurent, hommes d'épée de l'Église, et qui pourraient être tentés d'usurper sa puissance au grand profit de l'Italie[13].

**Note 12:** (retour) Francesco Flamini, *Il Cinquecento* (t. VI de la *Storia litteraria d'Italia*, éd. Vallardi), s.d. ch. I de la première partie. *Il pensiero politico*, passim, p. 24-25, 31 et bibliographie, p. 527 sqq., et surtout le terrible passage des *Discorsi sopra la prima Deca di Tito-Livio*; liv. I, ch. XII, qui commence ainsi: «Abbiamo adunque con la Chiesa e con i preti noi Italiani...», éd du *Prince* et des *Discours*, Turin, 1852, p. 139.

**Note 13:** (retour) L'idée de fond de Machiavel, elle est probablement dans le chapitre XXVI et dernier du *Prince*, où il exhorte les Médicis, appuyés de leur «vertu» et favorisés de Dieu et de l'Église, dont l'un d'entre eux (Léon X) est le souverain, à saisir la bannière et à marcher, suivis de tous les Italiens, à la «rédemption» de l'Italie. Pasquale Villari, *Niccolò Machiavelli e i suoi tempi*, 2e éd. 1895, t. II, p. 413-414. *Il Principe*, ch. XXVI, éd. de Turin, p. 99-101.

Mais Laurent de Médicis emporta en mourant les rêves du penseur laïque et les espérances du Pape. C'était un brave soldat, sinon un capitaine. Il passait, comme sa mère, Alfonsina Orsini, pour orgueilleux et autoritaire; il s'isolait de ses concitoyens, et Léon X l'avait, dit-on, sévèrement repris de les regarder comme des sujets. Il ne s'était jamais complètement remis du coup d'arquebuse reçu dans la campagne d'Urbin et aussi, s'il fallait en croire quelques chroniqueurs français ou italiens, d'un mal qui aurait dû retarder, sinon empêcher son mariage. Madeleine aurait épousé le mari et le reste[14].

**Note 14:** (retour) Florange, p. 224, Cambi, *Istorie* dans les *Delizie degli Eruditi toscani*, p. p. Ildefonso di San Luigi, t. XXIII, p. 145.

Cette belle jeune Française avait fait son entrée à Florence le 7 septembre 1518. Elle tenait à plaire et elle y réussit. C'était, dit le frère Giuliano Ughi, «une gentille dame, belle et sage, et gracieuse et très vertueuse (*onestissima*)»[15].

**Note 15:** (retour) *Cronica di Firenze dell' anno* 1501 *al* 1546, Append. à l'*Archivio storico italiano*, t. VII (1849), p. 133.

Mais elle eut juste le temps de se faire regretter: le 13 avril 1519, elle accoucha d'une fille--c'était la future reine de France--et quinze jours après (28 avril), elle mourut de la fièvre. Laurent, qui, depuis le mois de décembre, gardait le lit ou la chambre, ne lui survécut que quelques jours (4 mai).

L'enfant avait été baptisée le samedi 16 avril à l'église de Saint-Laurent, la paroisse de Médicis, par le Révérend Père Lionardo Buonafede, administrateur de l'hôpital de Santa Maria Nuova, en présence de ses parrains et marraines: Francesco d'Arezzo, général de l'Ordre des Servites, Francesco Campana, prieur de Saint-Laurent, sœur Speranza de' Signorini, abbesse des Murate, Clara degli Albizzi, prieure du couvent d'Annalena, Pagolo di Orlando de' Medici, et Giovanni Battista dei Nobili, deux ecclésiastiques, deux nonnes et deux membres de l'aristocratie florentine[16]. Elle reçut les prénoms de Catherine et de Marie, l'un qui lui venait de sa mère ou de son arrière grand'mère paternelle[17], l'autre de la Madone, à qui le jour du samedi est plus particulièrement consacré. François Ier avait promis de tenir sur les fonts baptismaux le premier enfant de Laurent et de Madeleine, si c'était une fille. Mais l'état des parents ne laissa pas le temps de prendre ses ordres.

**Note 16:** (retour) Acte de baptême rapporté par Trollope, *The Girlhood of Catherine de Medici*, Londres, 1856, p. 345. Le nom et le pays de la mère ont été dénaturés par le scribe ou le copiste: Maddalena di Manone Milanese (*sic*) in Francia allevata.

**Note 17:** (retour) Le prénom de Romola, qu'il était d'usage, paraît-il, en ce temps-là d'ajouter à celui des nobles Florentines, en souvenir de Romulus, le prétendu fondateur de Fesulae (Fiesole), métropole de Florence, n'est pas mentionné dans l'acte de baptême. Celui de Catherine, que personne jusqu'ici ne s'est avisé d'expliquer, fut donné peut-être à l'enfant en mémoire de sa bisaïeule en ligne paternelle, Caterina d'Amerigo San Severino, mère d'Alfonsina et grand'mère de Laurent (voir Litta, *Famiglie celebri italiane*, t. XXI, table XXIII). Une cousine germaine de Laurent, fille de Madeleine de Médicis et de François Cibo et femme de Jean-Marie Varano, duc de Camerino, s'appelait aussi Catherine. Mais il n'est pas impossible que ce prénom vînt à Catherine de sa mère. Celle-ci n'a pas d'autre prénom que Madeleine dans l'arbre généalogique de la maison d'Auvergne dressé par Baluze, mais il n'en faut pas conclure que ce fût nécessairement le seul, ces sortes de tableaux étant souvent incomplets. Le contraire peut se déduire d'une lettre où Vasari, un peintre florentin, fameux surtout comme historien de la peinture italienne, engageait l'évêque de Paris, Pierre de Gondi (5 octobre 1569), à recommander comme une obligation de bienséance à Catherine de Médicis, alors toute-puissante pendant le règne de son fils Charles IX, de fonder à Florence un service pour le repos de l'âme de sa mère, de son père et de son frère naturel, Alexandre (Vasari, *Opere*, éd. Milanesi, 1878-1885, t. VIII, p. 441-442). C'étaient, disait-il, de tous les

Médicis les seuls qui n'eussent pas leur obit. Il proposait de placer celui de la mère de Catherine le lendemain de la fête de sainte Catherine: celui de son père Laurent, le lendemain de la saint-Laurent, «comme le jour après saint Côme il se fait pour Côme l'ancien». Le service étant, comme on le voit par l'exemple de Côme et de Laurent, placé le lendemain de la fête de leur patron, il n'est pas déraisonnable de conclure que Madeleine s'appelait Catherine comme sa fille, puisque la messe de *Requiem* devait être dite le lendemain de la Sainte-Catherine (26 novembre).

En août, Catherine fut malade à mourir. Léon X en fut très affecté, contrairement à son habitude de prendre légèrement les mauvaises nouvelles. Elle se rétablit vite, et, en octobre, elle fut amenée à Rome par sa grand'mère, Alfonsina. Le Pape racontait à l'ambassadeur de Venise qu'il avait été ému par le chagrin de sa belle-sœur, pleurant la mort des siens, ou, comme s'exprimait ce pontife lettré, «les malheurs des Grecs». Et ces paroles, continue l'ambassadeur, il les disait les larmes aux yeux, et il me dit encore quelques mots à ce sujet, et que la petite à feu D. Lorenzo était «belle et grassouillette[18].»

**Note 18:** (retour) Reumont-Baschet, p. 263 «Recens fert (Alfonsina) ærumnas Danaum». Ce n'est pas une citation de Virgile, comme paraît le croire Baschet. Introd. p. VII: cf. p. 62.

Cette enfant était le seul rejeton légitime de la dynastie régnante, ou, pour parler comme l'Arioste, l'unique rameau vert avec quelques feuilles, dont Florence partagée entre la crainte et l'espérance se demande si l'hiver l'épargnera ou le tranchera[19]. Si frêle qu'elle fût, elle comptait déjà dans les calculs de la diplomatie. Ses droits sur Florence étaient incertains, le principat n'étant pas une véritable monarchie et l'exercice des magistratures, qui en était la condition, excluant d'ailleurs les femmes. Mais elle avait hérité de son père le duché d'Urbin. François Ier, toujours préoccupé de ses projets d'Italie, réclama la tutelle de la fille de Madeleine, la petite duchesse d'Urbin, *la duchessina*. Cette prétention inquiéta Léon X, qui ne voulait pas laisser les Français s'établir à Urbin, et peut-être le contrecarrer dans le règlement des affaires de Florence. Même avant que son neveu fût mort, il avait, pour se dérober aux sollicitations du Roi de France, conclu (17 janvier 1519) avec Charles roi des Espagnes, un traité secret d'alliance où Florence était comprise «comme ne faisant qu'un avec les États et la souveraineté propre de Sa Sainteté»,[20] et même il signa encore avec lui (20 janvier) un traité de garantie mutuelle où Laurent était compris. Il prenait ses précautions contre François Ier, mais il ne rompit pas avec lui. L'empereur Maximilien étant mort sur ces entrefaites (11 janvier), il se déclara contre l'élection de Charles à l'empire. C'était un des dogmes de la politique pontificale que le même homme ne devait pas être empereur et roi de Naples, maître du sud de l'Italie et suzerain nominal ou effectif d'une partie de l'Italie du Nord. Il favorisa donc tout d'abord la candidature de François Ier et ne changea de parti que lorsque les électeurs allemands eurent marqué décidément leur préférence[21]. Mais même après l'élection de Charles (28 juin 1519), il continua de montrer une faveur égale aux deux souverains que leur compétition avait irrémédiablement brouillés. Toutefois il inclinait vers Charles-Quint, dont il avait besoin pour arrêter les progrès de l'hérésie luthérienne en Allemagne. La mort de son neveu avait ruiné ses grandes ambitions de famille: il s'en consolait, disait-il à son secrétaire Pietro Ardinghello, comme d'une épreuve qui le libérait de la dépendance des princes et lui permettait de ne plus penser dorénavant «qu'à l'exaltation et à l'avantage du Saint-Siège apostolique»[22]. Longtemps encore il pratiqua son jeu de bascule diplomatique, mais quand il fallut prendre parti, il aima mieux, guerre pour guerre, s'allier aux Impériaux contre les Français qu'aux Français contre les Impériaux. L'insistance de François Ier à réclamer le prix d'anciens services et son indiscrétion à rappeler de vagues promesses lui étaient la preuve que le Roi de France tout-puissant serait un tuteur tyrannique. Charles-Quint se serait contenté d'une alliance défensive contre son rival. Ce fut le Pape qui inspira les décisions énergiques[23]. Puisqu'il fallait rompre, il voulut une action offensive, c'est-à-dire profitable, qui chasserait les Français de Milan et de Gênes, et rendrait à l'Église les duchés de Parme et de Plaisance, dont elle avait été dépossédée par le vainqueur de Marignan (8 mai 1521). François Ier n'avait pas réfléchi qu'après la mort de Laurent de Médicis, il n'avait plus à offrir à Léon X que des exigences[24], tandis que Charles-Quint pouvait l'aider à se pourvoir. Il dénonça hautement «les malins projets du Pape» et sa trahison; mais Milan fut pris par l'armée pontifico-impériale le 19 novembre 1521. Léon X triomphait de ce succès, quand il fut emporté, probablement par une crise de malaria, à quarante-six ans (2 déc. 1521).

**Note 19:** (retour) Lodovico Ariosto, *Opere minori*, éd. par Filippo-Luigi Polidori, Florence, 1894. t. I, p. 216.

**Note 20:** (retour) Le texte du traité a été publié par Gino Capponi, *Archivio storico italiano*, t. I, 1842, p. 379-383.

**Note 21:** (retour) Pastor, *Histoire des Papes*, trad. française, t. VII, p. 223.

**Note 22:** (retour) Reumont-Baschet, p. 260.

**Note 23:** (retour) Sur le revirement et les dernières hésitations de Léon X. Nitti. *Leone X e la sua politica.* Florence, 1892, p. 412 sqq.

**Note 24:** (retour) *Ibid.*, p. 428. François Ier ne voulait pas prendre l'engagement formel d'aider Léon X contre le duc de Ferrare, un vassal insoumis de l'Église, et Léon X ne croyait pas que le roi de France, maître de Naples, consentît à céder au Saint-Siège, comme il l'offrait, les territoires napolitains jusqu'au Garigliano.

Son successeur ne fut pas un Médicis, mais le précepteur de Charles-Quint, Adrien d'Utrecht, un théologien flamand très austère, qui se passionna pour la réforme de l'Église, et qui, par réaction contre le népotisme, laissa François-Marie de La Rovere rentrer en possession du duché d'Urbin. Catherine ne fut plus duchesse qu'en titre. Elle avait perdu sa grand'mère, Alfonsina Orsini, deux ans avant son grand-oncle (7 février 1520). Pendant l'absence du cardinal de Médicis, qui était parti pour Florence quelques jours après l'élection d'Adrien, elle vécut à Rome sous la garde soit de sa grand'tante, Lucrèce de Médicis, mariée au banquier Jacques Salviati, soit de sa tante germaine, Clarice, femme de Philippe Strozzi, une Médicis intelligente, vertueuse et si énergique qu'on l'avait surnommée «l'Amazone».

Avec Catherine vivaient deux bâtards, son cousin Hippolyte, né le 23 mars 1511 de Julien de Médicis et d'une dame de Pesaro, et son frère Alexandre, que Laurent avait eu, en 1512, d'une belle et robuste paysanne de Collavechio (un village de la Campagne romaine), sujette ou serve d'Alfonsina Orsini[25].

**Note 25:** (retour) Et non d'une esclave noire ou mulâtre, comme le répète Reumont-Baschet, p. 234. Voir Ferrai, *Lorenzino de Medici e la Società cortigiana del Cinquecento*, 1891, p. 71.

Heureusement pour Catherine, Adrien VI mourut après un an et demi de règne (9 janvier 1522-14 septembre 1523). Les cardinaux, las de l'outrance réformatrice de ce barbare du Nord, élurent un grand seigneur italien, ce cardinal Jules, que Léon X avait placé en réserve dans le Sacré Collège pour continuer la dynastie pontificale des Médicis (19 novembre 1523).

Depuis la mort de Laurent, il gouvernait Florence. Devenu pape, il voulut y organiser la dynastie laïque. Dans cet État singulier, qui n'était plus une République et qui n'était pas encore une monarchie, et où le pouvoir suprême réclamait un homme, Léon X avait pensé concilier les droits dynastiques de la fille de Laurent avec le caractère du gouvernement, en fiançant Catherine à son cousin Hippolyte, et en les déclarant princes de Florence[26]. Peut-être l'aurait-il fait s'il en avait eu le temps. Ce fut aussi la première idée de Clément VII. Hippolyte fut envoyé à Florence où il fit son entrée le 31 août 1524. Il fut reçu comme l'héritier des Médicis et déclaré éligible, malgré son âge, à toutes les charges de la République. Le cardinal de Cortone, Passerini, devait diriger le jeune homme et la Cité. L'année suivante, en juin 1525, arrivèrent Catherine et Alexandre avec leur gouverneur, Messer Rosso Ridolfi, un parent peut-être des Ridolfi, les alliés des Médicis. Ils passèrent probablement l'été dans la belle villa de Poggio à Cajano, que Laurent le Magnifique avait fait bâtir par son grand ami, l'architecte Giuliano da San Gallo, au milieu des arbres et des jardins, sur les bords de l'Ombrone, à quelques heures de Florence, et, l'hiver venu, s'établirent au Palais Médicis de la Via Larga[27].

**Note 26:** (retour) Reumont-Baschet, p. 264.

**Note 27:** (retour) Aujourd'hui Palais Riccardi, Müntz, *Histoire de l'art pendant la Renaissance*, t. I, p. 459. Sur Poggio à Cajano, voir Müntz, *ibid.*, t. II, p. 355.

Catherine avait, semble-t-il, plus de sympathie pour ce cousin, dont on lui avait dit peut-être qu'elle serait la femme, que pour son frère Alexandre. Mais l'avenir des Médicis fut bientôt remis en question. Après la défaite de François Ier à Pavie et son emprisonnement à Madrid, Clément VII s'était concerté avec les autres États libres d'Italie pour sauvegarder leur commune indépendance contre l'hégémonie de Charles-Quint. Lorsque Francois Ier fut remis en liberté, les alliés l'envoyèrent supplier de les secourir. Le Roi de France, malgré les engagements du traité de Madrid, avait adhéré à la Ligue contre l'Empereur et promis des subsides, une flotte, une armée (Cognac, 22 mai 1526), mais il ne s'était pas pressé de tenir sa parole. Les coalisés italiens, abandonnés à leur initiative et réduits à leurs moyens, n'avaient rien fait. Charles-Quint, faute d'argent, gardait la défensive. La guerre traînait. Mais au printemps de 1527, l'armée impériale d'Italie, où le manque de solde provoquait des mutineries furieuses, ayant été renforcée de dix mille lansquenets presque tous luthériens, se dirigea, pour s'y refaire, vers Rome, cette Babylone gorgée d'or par l'exploitation du monde chrétien. Elle la prit d'assaut (6 mai), la saccagea et bloqua le Pape dans le château Saint-Ange. Les Florentins étaient mécontents de l'administration de Passerini, un brouillon qui voulait tout faire et ne faisait rien, et furieux de ses extorsions fiscales. Ils profitèrent de l'occasion pour se révolter et bannirent Hippolyte et Alexandre de Médicis. Clarice Strozzi, qui, de tout son cœur d'honnête femme, détestait les bâtards et leur patron, Clément VII, arriva trop tard pour sauvegarder les droits de Catherine. Elle l'emmena à Poggio à Cajano.

Le gonfalonier élu par le peuple soulevé, Niccolô Capponi, était un homme de grande famille, doux et clairvoyant, qui n'aurait pas voulu rompre tout rapport avec Clément VII et qui, en tout cas, conseillait à ses compatriotes de rechercher l'appui de Charles-Quint; l'expérience montrait assez quel fonds il fallait faire sur une intervention française. Mais le peuple, fidèle à l'alliance des lis, imposa sa politique au gouvernement. Capponi, convaincu de correspondre avec Clément VII, fut déposé (avril 1529) et remplacé par le chef du parti populaire, Francesco Carducci. Les adversaires intransigeants des Médicis, ou, comme on disait, les *Arrabiati* (enragés), brisèrent partout les emblèmes de la dynastie, et détruisirent les effigies en cire de Léon X et de Clément VII, qui avaient été, par honneur, suspendues aux murs de l'église de l'Annunziata. Le Pape fut tellement ému de cet outrage qu'il déclara à l'ambassadeur d'Angleterre qu'il aimait mieux être le chapelain et même le «*stalliere*» (le garçon d'écurie) de l'Empereur que le jouet de ses sujets (29 mai 1529)[28].

**Note 28:** (retour) Dépêche de l'ambassadeur vénitien, Gaspar Contarini, au Sénat, citée par de Leva, *Storia documentata di Carlo V, in correlazione all'Italia*, t. II, 532.

Un mois après, il signa avec Charles-Quint, à Barcelone, un traité de réconciliation, qui stipulait le rétablissement des Médicis à Florence. Mais ce n'était plus Hippolyte qu'il destinait au principat. Pendant une grave maladie dont il pensa mourir (janvier 1529), il l'avait fait cardinal malgré lui. C'était couper court, s'il mourait, à toute compétition entre les deux cousins, qui eût aggravé la situation des Médicis. Peut-être jugea-t-il que, bâtard pour bâtard, Alexandre, fils de Laurent était, d'après les règles de succession dynastique, plus qualifié qu'Hippolyte, fils de Julien, pour prendre le gouvernement de la Cité. Il vécut, et les avantages de sa décision se révélèrent encore plus grands. Il put, au traité de Barcelone, en arrêtant le mariage de son neveu avec une bâtarde de Charles-Quint, Marguerite d'Autriche, intéresser personnellement l'empereur à la réduction de Florence[29]. D'autre part, l'élévation d'Hippolyte au cardinalat laissait la main de Catherine disponible pour de nouvelles combinaisons diplomatiques, et par exemple pour une entente avec la France. Réconciliation avec Charles-Quint, accord avec François Ier, c'était le retour au jeu de bascule dont l'abandon lui avait été si funeste. Naturellement, le Pape ne dit à personne ses raisons. Aussi certains contemporains, surpris de ce revirement, soupçonnèrent à tort Clément VII d'avoir eu pour Alexandre une affection qui dépassait celle d'un oncle.

**Note 29:** (retour) *Ibid.*, p. 535. Le traité dans Du Mont, t. IV, partie 2, p. 1.

En tout cas le sort de Florence était réglé. Comme Capponi l'avait prévu, François Ier fit lui aussi la paix avec l'Empereur (Cambrai, 5 août 1529), et, moyennant l'abandon des clauses les plus onéreuses du traité de Madrid, il abandonna sans façon ses alliés et ses clients d'Italie, le duc de Ferrare, les Vénitiens et les Florentins au bon vouloir de Charles-Quint. Une armée impériale se joignit aux troupes pontificales pour attaquer Florence. En octobre 1529, l'investissement de la place commença.

La petite Catherine fit l'expérience d'un siège. François Ier avait bien offert aux Florentins, après le bannissement d'Hippolyte et d'Alexandre, de recueillir la duchessina, qu'il traitait de parente. Mais les ennemis des Médicis trouvaient qu'elle était déjà trop loin à Poggio à Cajano, et, appréhendant entre le Pape et le Roi de France quelque négociation matrimoniale, dont leur indépendance paierait les frais, ils l'avaient fait rentrer dans la ville pour prévenir une fuite ou un enlèvement. Catherine avait été mise d'abord au couvent de Sainte-Lucie, ou à celui de Sainte-Catherine de Sienne. De là, elle fut transférée, à la demande de l'ambassadeur de France, M. de Velly, chez les *Murate*, où il savait qu'elle trouverait bon accueil, en reconnaissance des dons et des faveurs dont les Médicis avaient gratifié cette communauté[30]. On se rappelle que l'abbesse en 1519--et peut-être était-elle encore vivante en 1527?--avait servi de marraine à Catherine. Celle-ci n'eut donc pas trop à souffrir de la perte de sa tante Clarice, morte en mai 1528.

**Note 30:** (retour) Sur les *Murate*, consulter, avec les réserves nécessaires, Reumont-Baschet, p. 97-100. Trollope, ch. IX, p. 129 sqq.

Ce couvent de Bénédictines ou de Clarisses, où l'enfant demeura trente et un mois, du 7 décembre 1527 au 31 juillet 1530, n'était pas une de ces retraites austères où les pécheurs s'enferment pour pleurer leurs fautes et les justes pour ajouter à leurs mérites. Il n'y avait pas beaucoup de ces couvents-là en Italie en l'an de grâce 1527, avant que la Réforme protestante eût suscité la Contre-Réforme catholique. Le nom d'*Emmurées* (Murate) n'était plus qu'un souvenir; il ne restait de l'époque lointaine où des recluses volontaires s'emprisonnaient leur vie durant entre quatre murs qu'un nom et une cérémonie symbolique. Lorsqu'une novice prononçait les vœux éternels, on la faisait entrer dans le monastère par une brèche ouverte dans l'enceinte. Mais les portes n'étaient rigoureusement closes que ce jour-là. Le cloître servait de retraite à de grandes dames. Catherine Sforza, l'héroïque virago, mère de Jean des Bandes Noires, avait voulu y être enterrée[31]. C'était aussi une excellente maison d'éducation où les plus nobles familles mettaient leurs filles. Sa réputation s'étendait très loin. Les rois de Portugal, de 1509 à 1627, envoyèrent tous les ans aux Murate--on ne sait pour quelle raison--un cadeau de sept caisses de sucre. Elles servaient probablement à faire des confitures. Catherine put apprendre, en mangeant des tartines, l'existence d'un royaume, où avait régné trois siècles auparavant une de ses parentes, Mathilde de Boulogne, et le grand événement des découvertes maritimes; savoureuse leçon d'histoire et de géographie. La communauté des Murate était à la mode. Les cérémonies religieuses y étaient très belles, et le grand monde de Florence affluait aux vêpres pour y entendre une musique et des chants si doux qu'on eût dit, rapporte le prologue d'un mystère de l'époque, «Anges saints chanter au ciel», et «qu'on se serait attardé un an à ouïr pareille mélodie»[32]. Les religieuses excellaient aussi à fabriquer de petits objets en filigrane. L'âpre réformateur, qui, conformément au plus pur ascétisme chrétien, voyait un danger pour l'âme dans tous les plaisirs de l'imagination, de l'oreille et des yeux, Savonarole, s'excusait presque en chaire, dans la cathédrale de Santa Maria del Fiore, d'avoir consenti, trois ans après la prière qui lui en avait été faite, à prêcher chez ces nonnes mondaines: «J'ai été aux Murate vendredi dernier... Je leur ai parlé de la lumière qu'il faut avoir, j'entends la lumière supranaturelle, et de celle qui fait qu'on laisse les sachets, les rets et les réticules et les brins d'olivier (*ulivi*), qu'elles fabriquent en or et en argent, ainsi que leurs cahiers de musique (*libriccini*)... et je leur ai dit que de ce chant noté (*figurato*) l'inventeur était Satan, et qu'elles jetassent bien loin ces livres de chant et ces instruments»[33].

**Note 31:** (retour) Mais elle n'y a pas passé les derniers temps de sa vie, comme le dit Reumont, p. 100. Voir Pasolini, *Caterina Sforza*, 1903, t. II, p. 337.

**Note 32:** (retour) Cité par Trollope, p. 370-371.

**Note 33:** (retour) Trollope p. 371 et p. 185.

Elles n'en firent rien heureusement; l'enfant entendit de la bonne musique.

On a quelques renseignements sur elle dans une chronique du couvent écrite, entre 1592 et 1605[34], par la sœur Giustina Niccolini, qui avait entendu «nos très vieilles et révérendes mères» parler du séjour de Catherine au couvent. Les «mères avaient bien accueilli et choyé cette mignonnette de huit ans, de manières très gracieuses et qui d'elle-même se faisait aimer de chacun»... et qui «était si douce avec les mères et si affable, qu'elles compatissaient à ses ennuis et à ses peines extrêmement». Le charme de cette petite personne fut si efficace que quelques unes des religieuses, la majorité peut-être, se déclarèrent pour les Médicis. Mais d'autres résistèrent à l'entraînement et la communauté fut partagée.

**Note 34:** (retour) Et non pas au moment même, comme ont l'air de le croire Trollope, p. 139 et Reumont-Baschet, p. 97-99. Cette chronique est aujourd'hui égarée, mais quelques fragments ont été recueillis par le chanoine Domenico Moreni. Il les a publiés, avec une étude inédite de Mellini, sous le titre: *Ricordi intorni ai costumi azioni e governo del Sereniss. Gran Duca Cosimo I scritti da Domenico Mellini di commissione della Sereniss. Maria Cristina di Lorena ora per la prima volta pubblicati con illustrazzioni*, Florence, 1820, p. 126-129.--L'époque où la sœur écrivit cette partie de la chronique est établie par l'allusion au pape régnant, Clément VIII (1592-1605), fils du chancelier Salvestro Aldobrandini, p. 128.

Le fait est confirmé par l'un des défenseurs de Florence, Busini. «La reine de France actuelle (Catherine de Médicis), écrivait-il en 1549, était pendant le siège chez les Murate, et elle mit tant d'art (*arte*) et de confusion parmi ces femmelettes (*nencioline*) que le couvent était troublé et divisé; les unes priaient Dieu (n'ayant pas d'autres armes) pour la liberté, les autres pour les Médicis»[35].

**Note 35:** (retour) *Lettere di Giambattista Busini à Benedetto Varchi*, Florence, 1861, p. 165.

Busini, l'ancien combattant, n'est pas éloigné de croire à quelque noir dessein contre la République. Un complot au couvent! Il oublie l'âge de la fillette.

Mais il est toutefois notable que Catherine, à peine au sortir de l'enfance, ait eu un pareil succès de séduction. Les nonnes, que sa bonne grâce enthousiasmait, s'enhardirent jusqu'à envoyer aux partisans de sa maison qui avaient été emprisonnés des pâtisseries et des corbeilles de fruits, avec des fleurs disposées de façon à figurer les six boules héraldiques (*palle*) des Médicis.

C'était une insulte à ce peuple qui, malgré le nombre des assiégeants, l'inertie calculée d'un haut condottiere à sa solde, Hercule d'Este, la trahison du gouverneur, Malatesta, la canonnade, le blocus, la peste et la famine, s'opiniâtrait à résister. Des furieux, Lionardo Bartolini et Ceo, parlaient de faire mourir l'enfant, ou de l'exposer sur les remparts aux coups des ennemis; d'autres, plus forcenés encore, de la mettre dans un lupanar.

Les Dix de la Liberté, qui dirigeaient la défense, s'étaient eux aussi émus de la provocation des religieuses; et comme d'autre part ils savaient que le Pape et le Roi projetaient de faire évader la pensionnaire, ils décidèrent de l'enfermer à Sainte-Lucie, une communauté de religieuses que dirigeaient les Dominicains de Saint Marc, toujours fidèles à l'esprit républicain de Savonarole. Un soir, tard, raconte la sœur Giustina Niccolini, des commissaires, escortés d'arquebusiers, vinrent la chercher, et, sur le refus des Murate de la livrer, ils menacèrent de briser la porte et de mettre le feu au couvent. Les nonnes en larmes finirent par obtenir un jour de répit. Catherine croyait qu'on allait la conduire à la mort. Avec une décision remarquable pour son âge, elle coupa ses cheveux et revêtit une robe de religieuse, espérant qu'on n'oserait pas porter la main sur une vierge consacrée. C'est dans ce costume que la trouva, le lendemain, de très grand matin, le chancelier Salvestro Aldobrandini, chargé d'exécuter les ordres de la Seigneurie. «Il la pria de bien vouloir remettre ses vêtements ordinaires, mais elle refusa d'en rien faire, et avec beaucoup de hardiesse répondit qu'elle s'en irait ainsi, afin que tout le monde vît qu'ils arrachaient une religieuse de son couvent. Par là, elle laissait voir la lourde angoisse qui lui serrait le cœur....» Aldobrandini la rassura, lui promettant qu'avant un mois elle reviendrait aux Murate, et la décida ainsi à le suivre. Elle traversa la ville à cheval, en son habit de nonnette (*monachina*), sous la garde de magistrats et de citoyens en armes, et fut conduite chez les Dominicaines, à Sainte-Lucie, où elle avait peut-être passé quelques mois avant d'entrer aux Murate (21 juillet 1530)[36].

**Note 36:** (retour) La sœur Giustina Niccolini ne dit rien de ce premier séjour à Sainte-Lucie. Ce serait, d'après elle, au couvent de Sainte-Catherine de Sienne que Catherine aurait été placée à son retour de Poggio à Cajano. La sœur Niccolini est peut-être exactement informée sur ce point, mais elle se trompe d'un an quand elle indique le 21 août 1529 comme le jour où Catherine a quitté les Murate.

Elle y resta jusqu'à la fin du siège. Florence, à bout de force, fut réduite à traiter (12 août 1530). La capitulation portait que Charles-Quint réglerait à sa volonté la forme du gouvernement, sans toutefois porter atteinte aux libertés.

Mais, en attendant, les partisans des Médicis s'emparèrent du pouvoir et mirent en jugement les hommes de la révolution, dont quelques-uns furent exécutés, plusieurs bannis, un plus grand nombre condamnés à de lourdes amendes. Clément VII laissa faire; mais pour ne pas compromettre la popularité de sa maison, il ne voulut pas qu'aucun Médicis restât spectateur de ces vengeances. Il fit venir à Rome sa nièce, qu'il n'avait pas vue depuis cinq ans (octobre 1530). Sa Sainteté, écrit un agent français, le protonotaire Nicolas Raince, lui fit «un cordial et vrai accueil paternel et s'est pu connaître que c'est bien la chose du monde qu'il aime le mieux. Il la reçut les bras tendus, les larmes aux yeux, mêmement (surtout) par la grande joie et plaisir de la ouïr parler tant sagement et la voir en si prudente contenance»[37].

**Note 37:** (retour) *Lettres de Catherine de Médicis*, t. I, p. p. Hector de La Ferrière, Introd., p. XI.

Le secrétaire de Clément VII remarque aussi qu'elle est «bien disante et sage au-dessus de son âge». Cette enfant de onze ans parle sans colère, ou, comme dit Raince, avec «fort bonne grâce» «du maltraitement qu'on lui a fait»; mais elle «ne peut oublier». Le vicomte de Turenne, que François Ier avait chargé de la visiter à son passage à Florence, en septembre 1528, écrivait au duc d'Albany, «qu'il ne vit oncques personne de son âge qui se sente mieux du bien ou du mal qui lui est fait.»

La première lettre qu'on ait d'elle, et qui est de 1529 ou de 1530, est une recommandation adressée au Roi de France en faveur du fils de son gouverneur, ce Messer Rosso Ridolfi, qui l'avait servie six ans avec un entier dévouement[38]. Après la reddition de Florence, elle sauva la vie à Salvestro Aldobrandini, qui, dans l'accomplissement de son devoir, s'était montré bon pour elle. Elle fit la fortune des fils de Clarice Strozzi. Elle garda toujours un tendre souvenir aux bonnes dames des Murate. Dès le plus jeune âge, elle se révèle capable de sentiment et de ressentiment. C'est un trait de caractère à retenir.

**Note 38:** (retour) Baluze, *Histoire généalogique*, t. II, p. 698.

À Rome, où elle demeura d'octobre 1530 à avril 1532, elle habita le palais Médicis (plus tard le palais Madame, et aujourd'hui le palais du Sénat). Elle y vivait avec son cousin, le cardinal Hippolyte, et son frère Alexandre, de six à sept ans plus âgés qu'elle, et qui aimaient les fêtes et le luxe. Ils inspirèrent leurs goûts à Catherine, si elle ne les avait pas déjà naturellement. Le vieux banquier, Jacques Salviati, le beau-frère de Léon X, qui habitait le palais, avait été probablement chargé par Clément VII de fournir l'argent et de régler les comptes de la maison. Économe et caissier, il conseillait au Pape de tenir les mains bien serrées et par là il se rendit si odieux à ces jeunes gens qui avaient grand appétit, raconte l'ambassadeur vénitien, Antonio Soriano, «de dépenser et de répandre» (*Spendere e spandere*) que le cardinal Hippolyte fut sur le point de tuer Salviati de sa main[39].

**Note 39:** (retour) Alberi, *Relazioni degli ambasciatori veneti al Senato*, série II, vol. III. p. 287.

Ce cousin de Catherine avait en 1531 vingt ans. Il n'avait d'ecclésiastique que l'habit, et encore ne le portait-il guère. Le portrait que Titien a fait de lui le représente en costume de cavalier, vêtu d'un long justaucorps serré à la taille, d'un violet sombre, et sur lequel s'accroche aux épaules un manteau de même couleur. À sa toque étincelle une double aigrette de diamants. De la main droite il tient un bâton de commandement, et de la gauche étreint son épée. Il n'a pas l'air commode avec ses lèvres pincées, son nez mince, son regard dur, et qui justifie sa réputation de «*cervello gagliardo et insopportabile*» comme dit un contemporain, ce que Brantôme traduit si bien, sans le savoir, par «mutin, fort escalabrous». Mais il était si élégant et si cultivé! Il aimait les beaux chevaux, les vêtements magnifiques et marchait escorté de barbares pittoresques: Maures, habiles à l'équitation et au saut; Tartares, incomparables archers; Éthiopiens, invincibles à la course et à la lutte; Indiens, habiles nageurs; Turcs, adroits tireurs et chasseurs. Bon musicien, il chantait en s'accompagnant de la cithare et de la lyre, et jouait en virtuose de la flûte[40]. Il était poète. Sa traduction en vers italiens non rimés du second livre de l'Énéide passait pour un chef-d'œuvre. Quelle merveille qu'avec ces goûts et ces talents, il ait fait impression sur cette fillette d'intelligence précoce! «J'ai entendu murmurer par quelques personnes, raconte en 1531 l'ambassadeur vénitien Antonio Soriano, que l'intention du cardinal de Médicis était de se défroquer (*dispretandosi*) et de prendre pour femme la duchessina, nièce du Pape, sa cousine au troisième degré, pour laquelle il a un grand amour, et dont il est lui aussi aimé. Elle n'a de confiance qu'au Cardinal et ne s'adresse qu'à lui pour les choses qu'elle désire ou pour ses affaires.» De la part de Catherine, cette affection si tendre, premier éveil du cœur, n'est pas invraisemblable; mais il est plus difficile de croire qu'Hippolyte ait partagé cette passionnette. Catherine ne fut jamais jolie, et elle traversait l'âge ingrat. «Elle est, dit toujours Soriano, petite de taille et maigre; ses traits ne sont pas fins et elle a de gros yeux, tout à fait pareils à ceux des Médicis»[41]. Dans l'inclination d'Hippolyte pour sa parente, il entrait certainement beaucoup de calcul.

**Note 40:** (retour) Pauli Jovii, *Elogia verorum bellica virtuis illustrium*, Bâle, 1577, p. 307-310.

**Note 41:** (retour) Alberi, *Relazioni*, serie IIe, vol. III, p. 282.

L'Empereur avait arrêté, d'accord avec Clément VII (octobre 1530), qu'Alexandre serait duc de Florence, à titre héréditaire, mais Hippolyte ne se résignait pas à son exclusion. Il affectait de mépriser l'élu, ce fils d'une servante. Lui se disait né d'une noble dame, unie à Julien de Médicis par un mariage secret. Il quitta secrètement Rome, avant que Charles-Quint eût publié l'acte d'investiture, et parut à l'improviste à Florence, pensant y provoquer une manifestation en sa faveur (avril 1531)[42]. Il put constater l'indifférence du peuple et s'en revint immédiatement. Le Pape était confondu de l'escapade de son neveu. «Il est fou, *Diavolo*, il est fou, disait-il à l'ambassadeur de Venise; il ne veut pas être prêtre.» Pour le décider à se tenir tranquille, il paya ses dettes, et lui donna une part des bénéfices du cardinal Pompeo Colonna, qui venait de mourir. Il fit partir sa nièce pour Florence après la fête de Saint-Marc, (c'est-à-dire à la fin d'avril ou au commencement de mai 1532)[43]. L'agent du duc de Milan, qui donne ce renseignement, écrivait encore le 15 mai à son maître qu'Hippolyte de Médicis avait consenti à rester cardinal. Le 20 juin, il fut nommé légat à l'armée que l'Empereur rassemblait en Hongrie contre les Turcs, et le 26 août il faisait son entrée solennelle à Ratisbonne. Cette renonciation aux ambitions laïques et cette mission lointaine sont intéressantes à rapprocher du départ de Catherine; mais peut-être n'est-ce qu'une coïncidence.

**Note 42:** (retour) Cf. Agostino Rossi. *Francesco Guicciardini*, t. I. p. 260-265.

**Note 43:** (retour) Lettre de l'agent milanais au duc de Milan, dans Reumont-Baschet. p. 290, Saint Marc tomba le 25 avril. Trollope se trompe d'un an quand il conteste, p. 243, que Catherine soit revenue à Florence avant le 16 avril 1533.

Clément VII avait intérêt à montrer aux Florentins l'héritière légitime réunie fraternellement au bâtard, chef de l'État, et autorisant en quelque sorte par sa présence l'organisation définitive du gouvernement. Le décret impérial promulgué en mai 1531 avait rétabli les Médicis dans les droits dont ils jouissaient avant 1527 et perpétué par surcroît Alexandre et sa descendance dans le pouvoir de fait que ses prédécesseurs se transmettaient de génération en génération. Mais si le Pape s'était réjoui que les Médicis fussent élevés au rang des familles princières, il lui était désagréable qu'ils tinssent leurs droits souverains de l'Empire à titre de vassaux, avec les obligations et les responsabilités que l'investiture comporte. Sous main il avait encouragé les partisans de sa maison à abolir l'ancienne Constitution que Charles-Quint prétendait maintenir, en la modifiant. Un vote du peuple (statuts du 27 avril 1532), qui était une manifestation d'indépendance à l'égard de l'Empire en même temps qu'une renonciation aux libertés traditionnelles, déclara Alexandre duc perpétuel et héréditaire de la République florentine.

Catherine, en personne sage, s'était prêtée aux volontés de son oncle, quels que fussent ses sentiments. Clément VII lui préparait une superbe compensation. François Ier n'était pas sitôt sorti d'Italie qu'il pensait à y rentrer. Il recherchait avec passion l'alliance du Pape, et, pour l'obtenir, proposait de marier son fils cadet, Henri, duc d'Orléans, à Catherine. La jeune fille était riche d'espérances: duchesse honoraire, mais qui pouvait devenir effective, d'Urbin, nièce du Pape. Aussi les prétendants étaient nombreux. Charles-Quint, pour l'empêcher de se marier en France et débarrasser son futur gendre Alexandre d'une compétition possible, voulait la donner au duc de Milan, François Sforza, qui n'était plus jeune et passait pour impuissant. Le duc d'Albany, oncle de Catherine, proposait son ancien pupille, Jacques, roi d'Écosse. Clément VII était surtout tenté par l'offre d'un fils de France; mais l'honneur lui paraissait si grand, comme il est vrai, qu'il refusait d'y croire. Il s'imaginait que François Ier, en le pressant depuis longtemps de lui confier Catherine jusqu'à la célébration du mariage, n'avait d'autre intention que de mettre la main sur la nièce pour diriger l'oncle, et qu'en fin de compte il se bornerait à lui donner pour mari quelque grand seigneur. Mais François Ier estimait tant le concours de Rome qu'il était décidé a y mettre son fils comme prix. Clément VII ne résistait que pour se faire prier davantage. Cette alliance si glorieuse lui était plus que jamais nécessaire. L'Empereur ne s'était-il pas avisé d'accorder aux protestants d'Allemagne une trêve religieuse, en attendant la réunion d'un concile général. L'idée d'une consultation de l'Église universelle était un cauchemar pour le Pape, qui, promu cardinal, malgré sa bâtardise, contrairement aux saints canons, et resté grand seigneur de la Renaissance en un commencement de réforme, craignait d'être déposé par une majorité de prélats rigides, d'accord avec l'Empereur. Il n'avait pas non plus oublié le sac de Rome.

Il consentit, par un accord qu'il voulait absolument secret, aux fiançailles de Catherine avec le duc d'Orléans (9 juin 1531)[44]. Il promettait en dot à sa nièce Modène et Reggio, et même Parme et Plaisance, et se disait prêt à l'aider à reconquérir le duché d'Urbin. Quant aux prétentions de François Ier sur Gênes et Milan, il les trouvait «très raisonnables». La célébration du mariage fut remise à un temps opportun. Les agents français, par indiscrétion ou par calcul, ébruitèrent la nouvelle de ce contrat. Charles-Quint, informé des pratiques de Clément VII, et bien instruit des liaisons du Roi de France avec les protestants d'Allemagne, le roi d'Angleterre les Hongrois et les Turcs, demanda ou plutôt imposa au Pape une entrevue qui eut lieu à Bologne (décembre 1532-février 1533). Il ne put obtenir de lui la convocation d'un concile; mais il lui fit prendre l'engagement écrit d'agir ensemble pour obliger François Ier, si le mariage se faisait, à embrasser de bonne foi l'affaire du concile, la défense de la Chrétienté contre les Turcs et l'observation des traités de Madrid et de Cambrai (24 février 1533)[45]. Il le força aussi d'adhérer à une ligue italienne qui défendrait contre tout agresseur le *statu quo* territorial dans la péninsule. Ces précautions prises, il jugea qu'il pouvait laisser à la maison de France les maigres profits d'une mésalliance[46].

**Note 44:** (retour) Le document dans Reumont-Baschet, App., p. 297.

**Note 45:** (retour) Hector de La Ferrière (*Lettres de Catherine*, t. I, p. XVIII), dit que Clément VII refusa de signer, mais Leva affirme le contraire, t. III, p. 109, d'après Guichardin. Voir d'ailleurs les articles dans Granvelle, *Papiers d'État*. t. II, p. 1-7.

**Note 46:** (retour) Henri VIII détournait aussi François Ier de cette alliance par trop inégale, à moins qu'il n'y trouvât grand profit. Trollope, p. 241 et p. 377, note 55.

Pendant que les cours d'Europe étaient occupées de cette question de mariage, Catherine vivait à Florence sa dernière année de jeune fille, dans le palais Médicis (aujourd'hui palais Riccardi). Le Pape l'avait placée sous la garde d'Ottaviano de Médicis, un vieux parent, qui pendant le siège l'avait protégée de son mieux, et il l'avait confiée aux soins de Maria Salviati, veuve de Jean des Bandes Noires, dont le fils Côme était du même âge que sa cousine et partagea probablement ses jeux. Elle avait en 1532 treize ans accomplis. Sœur du duc régnant et promise d'un fils de France, elle avait sa place immédiatement après son frère dans les cérémonies officielles et les fêtes. Jamais elles ne furent si nombreuses et si brillantes qu'en cette première année du règne, pour donner occasion aux Florentins de comparer aux misères de l'anarchie les plaisirs et les magnificences de l'ordre monarchique.

Il existait depuis longtemps à Florence des associations de gens du peuple et d'artisans ayant chacune son étendard, son costume, et des chefs aux noms ronflants, duc, roi, empereur. Les Puissances (*Potenzie*), comme on les appelait, paraissaient aux cérémonies et aux réjouissances publiques, défilant avec leurs enseignes et leurs lances de bois multicolores, paradant, manœuvrant et joutant. Mais, depuis les souffrances du siège, la famine et la peste, le populaire n'avait plus cœur à s'amuser. Alexandre fit revivre (mai 1532) les «Potenzie». Il leur donna de beaux étendards neufs «en taffetas», plus riches que ceux qu'elles avaient jamais eus, et décorés d'insignes symboliques: à l'Empire du Prato (*Lonperio di sul Prato*), un Puits; à *Monteloro*, un Mont d'Or; à *Città Rossa*, une Cité toute rouge; aux *Melandastri*, un guerrier à cheval: à la *Nespola*, une jeune fille au pied d'un néflier[47]. Florence reprit sa vie animée, et les cérémonies religieuses y eurent une large place.

**Note 47:** (retour) Sur les «Potenzie», voir, pour les références, Mellini, *Ricordi...*, 1820, p. 35.

Ce fut le 15 novembre 1532 l'entrée solennelle du nouvel archevêque, Andrea Buondelmonte. À cheval, en vêtements pontificaux, isolé sous un baldaquin de soie et d'or, et suivi de tout le clergé, il alla droit à San Piero Maggiore, une communauté de nonnes, dont une coutume immémoriale voulait qu'il épousât mystiquement l'abbesse, en lui passant au doigt une superbe bague de saphir. Pendant que s'accomplissait le don de l'anneau, les spectateurs, selon la tradition aussi, se jetèrent sur le dais et l'équipage et s'en disputèrent les parts de vive force. Des citoyens notables donnèrent l'exemple de se lancer à la curée. Matteo Strozzi, ayant conquis la selle, la plaça sur la tête d'un de ses serviteurs et la fit transporter chez lui au son des trompettes. Ce furent ensuite (décembre 1532) pendant plusieurs jours d'interminables processions, où l'archevêque, les prêtres et les réguliers promenèrent, dans une chasse recouverte de brocart d'or, à travers les principales églises et par les rues, les reliques de saints dont Clément VII avait gratifié sa bonne ville.

L'année suivante, au printemps, arriva à Florence, pour y passer quelques jours, la fiancée d'Alexandre, Marguerite d'Autriche, une enfant de neuf ans, qui s'en allait attendre à Naples l'âge d'être épousée. Catherine, «très bien parée», accompagnée de douze demoiselles ou fillettes de nobles maisons, alla au-devant de sa future belle-sœur jusqu'à Caffagiolo, une villa des Médicis, à six ou sept lieues de distance. L'entrée fut digne d'une fille de Charles-Quint, qui était destinée à régner à Florence. Gravement, en tête chevauchaient le cardinal Cibo, légat du Pape, un cardinal allemand, ambassadeur de l'Empereur, et le duc Alexandre, tous trois sur la même ligne. Derrière ces représentants des trois puissances qui dominaient sur la Cité, venait la troupe virginale entourant Marguerite et Catherine. La garde du Duc, à pied et à cheval, servait d'escorte. Toute la population assistait au spectacle. Les boutiques avaient été fermées, mais les prisons ouvertes par grâce souveraine et les détenus mis en liberté, à l'exception de neuf prisonniers pour dettes, crime impardonnable dans une ville commerçante. Le cortège se rendit processionnellement au palais Médicis (16 avril 1533). Les jours suivants, il y eut illuminations et feu d'artifice (*girandola*), place Saint-Laurent, et course de taureaux, place Santa Croce, à l'autre bout de la ville. Le 23 avril, fête de Saint-Georges, le Duc donna en l'honneur de sa fiancée un grand banquet où il avait invité cinquante jeunes Florentines, toutes vêtues de soie. Le palais était plus superbement décoré qu'il ne le fut jamais. Le repas, qui devait avoir lieu dans les jardins, fut, à cause de la pluie, servi dans les *loggie*. Pendant que les convives, le festin fini, se récréaient de comédies et de danses mauresques, au dehors, dans la rue, les quatre «Potenzie» populaires s'escrimaient avec leurs lances de bois peint, parées des brillants costumes qu'on leur avait distribués le jour même: Lonperio, en drap vert; Monteloro, en jaune; la Nespola, en tanné, et Melandastri en blanc.

Le 26 avril, Marguerite, avec le même apparat et le même cortège, sortit de la ville et se dirigea vers Naples[48]. Catherine jouait son rôle dans les représentations officielles; mais elle était naturellement vive et gaie, et, à l'occasion, le laissait voir. Le peintre Vasari, alors tout jeune mais déjà célèbre, avait été chargé de faire son portrait pour Henri d'Orléans, son fiancé, et il s'était installé au palais avec tout son appareil. Un jour qu'il était sorti pour aller dîner, Catherine et sa compagnie prirent les pinceaux et peignirent une image de moresque en tant de couleurs et si éclatantes qu'on aurait cru voir trente-six diables. Lui-même, quand il revint, allait être traité de la même façon, et enluminé comme sa toile, s'il n'avait descendu l'escalier à toutes jambes.

**Note 48:** (retour) Sur ces fêtes que vit Catherine, voir Cambi, *Istorie fiorentine*, dans les *Delizie degli eruditi toscani* p. p. Fra Ildefonso di San Luigi, 1770-1789, t. XXIII, p. 124 sqq. Mais Catherine ne put pas, comme l'imagine Trollope, p. 250-252, assister à l'entrée de Charles-Quint à Florence en 1536, puisqu'elle en partit en 1533.

Vasari, qui avait vingt ans, était ravi de cette espièglerie. Il promettait à un ami de Rome, Messer Carlo Guasconi, de lui faire une copie de ce portrait, après celle qu'il destinait à Ottaviano de Médicis, le bon vieux parent de Catherine.

«L'amitié que cette Signora nous témoigne, lui écrivait-il, mérite que nous gardions auprès de nous son portrait d'après nature et qu'elle demeure réellement devant nos yeux, comme, après son départ, elle demeurera gravée dans le plus profond de notre cœur. Je lui suis tellement attaché, mon cher Messer Carlo, pour ses qualités particulières et pour l'affection qu'elle porte non pas seulement à moi, mais à toute ma patrie, que je l'adore, s'il est permis de parler ainsi, comme on adore les saints du paradis»[49].

**Note 49:** (retour) Vasari, *Opere*, éd. Milanesi, VIII, p. 243.

Ainsi, tous les témoignages s'accordent à donner de Catherine l'idée d'une jeune fille précocement intelligente, libérale et prodigue, capable d'affection et de rancune, et qui avait à un haut degré le don de plaire. Mais ils ne disent presque rien de son éducation. Quels maîtres a-t-elle eus à Rome et à Florence, et que lui ont-ils enseigné? Que savait-elle quand elle partit pour la France? On en est le plus souvent réduit à des conjectures.

Elle a commencé à apprendre le français en 1531, quand il a été question de son mariage avec Henri d'Orléans, et probablement elle le parlait et l'écrivait en 1533, à son départ de Florence; mais longtemps encore elle correspondit plus volontiers en italien. En outre de ces deux langues, on lui a enseigné sans doute, comme il était d'usage, les éléments des lettres et des sciences, et par exemple, l'histoire sainte et le calcul. Mais c'était un minimum et, qui devait paraître tel, pour une femme de son rang, aux religieuses du couvent mondain des Murate. Sans doute, les Isabelle d'Este, les Éléonore de Gonzague, les Vittoria Colonna, pour ne parler que des grandes dames italiennes, qui égalaient par leur culture les hommes les plus cultivés, et qui les surpassaient par le charme et la distinction de l'esprit, étaient et ne pouvaient être que des exceptions. Mais, sans viser à cet idéal, les éducateurs de la Renaissance estimaient que l'intelligence des femmes devait être développée autant que celle des hommes, et que le moyen de ce développement, c'était, pour les uns et pour les autres, l'étude des anciens. Malheureusement, il n'est pas possible de savoir combien de temps Catherine a été soumise à cette discipline, ni si même elle y a été soumise[50].

**Note 50:** (retour) Rodocanachi, *La femme italienne à l'époque de la Renaissance. Sa vie privée et mondaine, son influence sociale*, Paris, 1907.--Julia Cartwright, *Isabelle d'Este, marquise de Mantoue*, traduit et adapté par Mme Schlumberger, Hachette, 1912. Voir aussi, pour la bibliographie, de Maulde La Clavière, *Les femmes de la Renaissance*, Paris, 1898.

Elle a eu à Rome, à sa disposition, la plus riche bibliothèque, celle des Médicis, où le cardinal Jean (plus tard Léon X) avait réuni les manuscrits de Laurent le Magnifique, dispersés par la révolution de 1494 et qu'il avait rachetés, les œuvres de beaucoup de philosophes, de poètes et d'orateurs de l'antiquité, des écrits à la louange de Côme, de Pierre et de Laurent de Médicis et tant d'autres livres: les *Commentaires* de Marsile Ficin sur Platon, le *Traité d'Architecture* de L. B. Alberti, etc.. Mais Catherine était-elle d'âge à profiter de ce trésor de connaissances et de ce puissant moyen de culture? Son éducation en Italie a dû se faire surtout par les yeux. Elle a passé à Rome ou à Florence ces années d'enfance et de jeunesse où les impressions toutes neuves sont si vives. Il y a des preuves directes qu'elle était capable à douze et treize ans--l'âge de la passionnette--d'une émotion esthétique profonde et même durable. Huit ans après son arrivée en France, elle demandait au pape Paul III le portrait de «Donna Julia» qu'elle avait vu étant enfant dans la chambre du cardinal Hippolyte et «pour lequel elle s'était prise d'amour[51]». C'était l'image de la femme la plus belle d'Italie, une très grande dame chère au Cardinal, qui l'avait fait peindre par le meilleur élève de Raphaël, Sébastien del Piombo. Beaucoup plus tard encore, reine-mère et toute-puissante elle offrait de payer d'un bénéfice l'Adonis «qui est si beau», probablement l'Adonis mourant de Michel Ange[52]. Elle a vu à Rome l'immense champ de ruines d'où émergeaient quelques monuments presque intacts et les débris peut-être encore plus impressionnants de la grandeur romaine. Elle vivait dans la Rome nouvelle que, parmi l'amas des églises, des couvents et des masures, les papes à partir de Nicolas V, et surtout Jules II et Léon X, avaient travaillé à construire, sinon à la taille, du moins à l'image de l'ancienne Rome, élargissant la basilique de Saint-Pierre pour édifier au siège de la Chrétienté la plus vaste église du monde, agrandissant le Vatican, le décorant de tableaux, de fresques, de statues et l'enrichissant de livres et de manuscrits pour en faire la plus belle et la plus noble des demeures souveraines.

**Note 51:** (retour) Romier, *Les origines politiques des guerres de religion*. T. I: *Henri II et l'Italie* (1547-1555), Paris, 1913, p. 17.--J'ai identifié cette Donna Julia». Voir ch. VII, p. 235, note 2.

**Note 52:** (retour) H. Thode, *Michelangelo und das Ende der Renaissance*, t. III, Berlin, 1912, p. 111, a l'air d'admettre comme Grünwald, que le sculpteur de l'Adonis est Vincenzo de Rossi. Cf. du même le tome I, p. 43-46, Berlin, 1908 de ses *Kritische Untersuchungen*, sur les œuvres de Michel-Ange et comme appendice à son Michel-Ange et la fin de la Renaissance. Mais il est douteux que la Reine-mère voulût acheter si cher l'œuvre d'un sculpteur de second ordre. Je reviendrai un jour sur ce point.

Catherine habitait le palais Médicis (aujourd'hui palais du Sénat), banque et palais tout ensemble, avec quelques vestiges de forteresse féodale[53], dont un guide du commencement du XVIe siècle, le *De Mirabilibus novae Urbis Romae,* vante les belles porte de marbre polychrome et la bibliothèque ornée de peintures et de statues. Elle passait probablement les mois chauds de l'été aux portes de Rome, dans la villa Médicis (depuis villa Madame), aujourd'hui abandonnée et délabrée, que Clément VII, alors cardinal, avait fait construire par Jules Romain, sur les dessins de Raphaël, au flanc du Monte Mario[54]. Le premier étage, où l'on accédait par une pente douce en venant de Rome, était une vaste salle, dont le plafond au centre s'arrondissait en coupole et dont la voûte et les murs étaient décorés en stuc ou à la fresque d'une foule de petites scènes d'inspiration bucolique ou amoureuse, que dominait de sa taille gigantesque un Polyphème pleurant les dédains de Galatée. La loggia s'ouvrait sur un jardin, véritable escalier de larges terrasses plantées d'arbres et de fleurs et vivifiées par les eaux d'un immense réservoir. Un éléphant, image populaire à Rome depuis la procession solennelle de celui que le roi de Portugal, Emmanuel le Fortuné, le découvreur des Indes, avait envoyé à Léon X, allongeait sa trompe en fontaine. Deux Hercules robustes, armés d'énormes massues, semblaient garder cette retraite de verdure. L'œil avait pour horizon, de l'Étrurie aux monts Albains, un cercle de montagnes bleues et la cime abrupte et souvent neigeuse du Soracte.

**Note 53:** (retour) Rodocanachi, *Rome au temps de Jules II et de Léon X*, Paris, 1912, p. 35, dit qu'Alfonsina Orsini l'avait apporté en dot à son mari. Mais Schmarsow, dans son édition (Heilbron, 1886), de *l'Opusculum Francisci Albertini, De Mirabilibus novae Urbis Romae*, note 24 de la page 27, avance que les Médicis avaient acheté leur palais de Guido Ottieri frère d'un «domestique» bien en cour de Sixte IV. Sur la bibliothèque, *ibid.*, p. 35.

**Note 54:** (retour) Il ne faut pas confondre cette villa avec la villa Médicis du Pincio où est installée l'Académie française des Beaux-Arts. La villa Médicis du Monte Mario passa à Marguerite d'Autriche, après la mort du duc Alexandre, d'où son nom de villa Madame; elle revint à Catherine à la mort de Marguerite et fut définitivement cédée par elle au cardinal Farnèse. Description assez inexacte de la villa dans Müntz, II, p. 355, avec un plan assez fantaisiste de Geymüller.

Nièce de deux papes et vivant dans leur intimité, Catherine circulait librement dans le Vatican, dont les cours et les jardins servaient alors de musée aux chefs-d'œuvre retrouvés de la sculpture antique: le Laocoon, le Torse, l'Apollon du Belvédère, etc. Elle a vu de ses yeux curieux d'enfant resplendir en leurs fraîches décorations sur les murs des chapelles et des appartements les sujets sacrés ou quelquefois profanes traités par les peintres du Quattrocento et du Cinquecento. Elle a regardé au plafond de la Sixtine la fameuse fresque où Michel-Ange a raconté, avec une grandeur et une poésie surhumaines, l'histoire du monde, de la Création jusqu'au Déluge et jusqu'à la conclusion d'une nouvelle alliance entre Dieu et sa créature en faveur des mérites de Noé. Elle a parcouru le long des «Loges» la Bible que Raphaël et ses élèves y ont illustrée, et dans les «Chambres» la succession des grands panneaux allégoriques, où le maître a distribué en groupes harmonieux autour du Christ, d'Apollon, de Platon et d'Aristote, et comme proposé ensemble à l'admiration de la Chrétienté, les saints de l'Ancien Testament, les docteurs de la nouvelle loi, les philosophes de l'antiquité avec des savants, des hommes d'État, des artistes et les plus grands poètes de tous les âges.

De cette Rome des papes, qui s'harmonisait si bien avec la Rome des Césars, Catherine a eu plusieurs années le spectacle[55]. Le sac de Rome n'en avait pas sensiblement altéré l'aspect. Les soudards de l'armée impériale avaient saccagé les palais et les églises, transformé en étables les plus belles chambres du Vatican et la chapelle Sixtine, enfumé les fresques, emporté les trésors d'orfèvrerie, dépouillé les autels, détruit ou volé nombre de tableaux[56], mais les édifices restaient debout et Clément VII, aussitôt rentré à Rome, avait employé à réparer le mal, autant qu'il était réparable, les artistes qui avaient échappé à la catastrophe, restaurant les palais, rafraîchissant les peintures et purifiant les églises[57]. Malgré les dévastations de ces nouveaux Vandales, la jeune fille quitta Rome les yeux pleins d'une vision de grandeur.

**Note 55:** (retour) De 1521 à 1525 et de 1530 à 1532.

**Note 56:** (retour) Pastor, *Histoire des papes depuis la fin du moyen âge*, trad. Alfred Poizat, t. IX, p. 295-321.

**Note 57:** (retour) *Ibid.*, t. X, p. 255-268.

À Florence, où elle a passé plus de temps encore qu'à Rome, le palais Pitti sur sa base de blocs rustiques, le palais Strozzi, en la grâce de son austérité, et enfin le palais Médicis, sa maison patrimoniale, avec ses cours et ses jardins animés de marbres antiques, répondaient à l'idéal classique et en renforçaient l'impression.

Et combien plus les œuvres qui l'intéressaient personnellement, comme les monuments funéraires de son oncle Julien et de son père, que Léon X avait commandés à Michel-Ange, et que Clément VII lui fit exécuter. Ils n'étaient pas encore en place dans la nouvelle sacristie de Saint-Laurent, et Michel Ange laissa ce soin à d'autres; mais il avait achevé les statues des deux Médicis et les figures symboliques des piédestaux. Il était encore à Florence la dernière année que Catherine y passa. Elle a pu voir l'œuvre et même l'ouvrier. Son père, idéalisé, en costume d'impérator, est assis, soutenant de la main gauche sa tête lourde de pensées. L'œil, qui semble se cacher dans la ligne d'ombre du casque, les lèvres closes sous les doigts, *il Pensieroso* médite un secret--quel secret? celui de Léon X ou celui de Machiavel?--que son regard ni sa bouche ne trahissent. À ses pieds sont couchés l'Aurore, une jeune femme, qui s'éveille tout alanguie, et le Crépuscule, vieillard fortement musclé, aux joues creuses, au front plissé et au sourire amer, sans qu'il soit possible de dire quel rapport il y a ni même s'il y a un rapport entre le principat de Laurent, si plein d'espérances, si court de durée, si vide de réalisations, et le matin et le soir du jour ou de l'activité humaine personnifiés en ces corps glorieux[58].

**Note 58:** (retour) Peut-être que l'Aurore et le Crépuscule, avec le Jour et la Nuit du tombeau de Julien représentent simplement les quatre parties de la journée ou les quatre âges de la vie. Les derniers interprètes sont allés chercher bien loin des explications. Celui-ci (Brockhaus, *Michel angelo und die Medici-Kapelle*, 2e éd., Leipzig, 1911, p. 64) explique l'œuvre du sculpteur par les hymnes ambroisiennes, où il est question du jour, de la nuit, du crépuscule et de l'aurore, comme s'il n'en était question que là: celui-là (Ernst Steinmann, *Das Geheimnis der Medicigraeber*, Leipzig, 1907, p. 78) à qui il convient d'ailleurs de reconnaître le mérite d'avoir énuméré tous les commentaires depuis l'origine, propose à son tour comme motif d'inspiration un chant de Carnaval, *le Triomphe des quatre complexions* de la nature et de l'homme: belliqueuse, amoureuse, flegmatique, mélancolique. Après ces belles hypothèses, je ne crains plus d'en risquer une autre sur l'attitude méditative de Laurent de Médicis et le sens allégorique des statues du piédestal. On sait que dans le fameux sonnet sur la Nuit Michel-Ange fait allusion aux malheurs de Florence. Pourquoi n'aurait-il pas pensé aussi aux rêves toujours renaissants et toujours déçus des patriotes italiens?

Catherine doit encore à sa ville natale une conception plus large de l'art. Le milieu florentin a résisté ou échappé à cet excès d'idéalisme qu'a provoqué ailleurs la superstition de l'antiquité. Le quattrocento où il a donné sa mesure et produit ses chefs-d'œuvre est une époque de sincérité et de spontanéité plus que d'inspiration savante ou de recherche éperdue de la perfection. Il ne s'est pas détourné de la réalité par dégoût de ses tares; il a embelli sans affadir. Michel-Ange est un génie isolé, qui, par delà les âges chrétiens, retrouve et traduit la grandeur de la vieille Rome et l'ardente poésie d'Israël. Léonard de Vinci, interprète pénétrant de l'âme et qui excelle à représenter en beauté sensible sa grâce et sa morbidesse, échappe lui aussi à l'influence du milieu et du temps. Mais la plupart des Florentins sont de leur temps et de leur pays.

Masaccio, Ghirlandajo, Botticelli, pour n'en citer que quelques-uns, sont les peintres véridiques de la vie et de la figure florentine. Benozzo Gozzoli, dont Catherine voyait l'éclatante fresque à la messe dans la chapelle de son palais, avait représenté le fils et le petit-fils de Côme l'Ancien, Pierre et Laurent, l'empereur d'Orient, Jean Paléologue, le patriarche de Constantinople, Joseph, tels que Florence, lors du célèbre concile de 1439, les avait vus passer en procession solennelle, avec leurs costumes éclatants d'or et de pierreries, montés sur des chevaux richement harnachés et suivis d'une troupe somptueuse de serviteurs, de soldats et de clients. Plus réalistes encore sont, à quelques exceptions près, les sculpteurs florentins de la même époque, Verrocchio, Donatello, etc., qui avaient peuplé d'images l'intérieur ou les façades des églises et des palais. Beaucoup de monuments étaient debout dont Vitruve, le théoricien consultant de la Renaissance, avait ignoré la forme. Le Palazzo Vecchio, avec son beffroi à mâchicoulis d'où Alexandre venait de faire descendre la cloche qui sonnait les assemblées du peuple (12 octobre 1532)[59], rappelait probablement de trop mauvais souvenirs à Catherine pour qu'elle fût sensible à sa grandeur sévère, mais l'avenir prouvera qu'elle a aimé, en la gaieté de leurs marbres polychromes, Santa Maria del Fiore, le Campanile et le Baptistère. Ce que Florence a de différent de Rome et de l'antiquité a laissé son empreinte dans l'imagination de la jeune fille.

**Note 59:** (retour) Cambi, *Istorie fiorentine* dans les *Delizie*, t. XXIII, p. 122.

Elle se souviendra de ce qu'elle a vu dans l'une et l'autre ville, quand, devenue reine de France, elle fera travailler à ses maisons de campagne, à ses palais de ville, au tombeau de son mari et de ses enfants. Que ces grands musées à ciel ouvert de Florence et de Rome et que l'atmosphère d'art où elle s'est mue si longtemps aient profondément contribué à sa formation intellectuelle, c'est ce que prouvent assez la préférence de ses goûts et le caractère particulier de sa culture. Les deux princesses, ses contemporaines, à qui son mariage avec Henri d'Orléans allait l'apparenter, Marguerite d'Angoulême et Marguerite de France, la sœur et la fille de François Ier, sont des lettrées; mais elle, elle préside au groupe des souveraines encore plus curieuses d'art que de lettres.

Cependant l'époque fixée pour le mariage approchait. Le Pape et le Roi s'étaient donné rendez-vous, d'abord à Nice, puis à Marseille, pour les épousailles.

Le duc Alexandre s'était occupé de faire le trousseau de sa sœur. Sous prétexte de se procurer des fonds pour les fortifications de la ville, il leva sur les Florentins un emprunt forcé de 35 000 écus, qui servit à l'achat de broderies à l'aiguille (*richami d'agho*), de bijoux, de vêtements, de velours, de rideaux de lit d'or[60].

**Note 60:** (retour) Cambi, *Delizie*, t. XXIII, p. 131.

Ces princesses, parées certains jours comme des idoles, manquaient souvent du nécessaire. La duchesse de Camerino, Catherine Cibo, que Clément VII avait envoyée à Florence pour assister sa nièce, écrivait à la marquise de Mantoue, la célèbre Isabelle d'Este, qu'elle avait trouvé la fiancée dépourvue de tout, et principalement de linge et de vêtements. Elle lui expliquait qu'il n'y avait pas à Florence d'ouvriers capables de faire les travaux de broderie qu'elle désirait, et la priait de vouloir bien «avec son humanité et sa courtoisie» habituelle choisir quelque bon maître de Mantoue pour confectionner deux corsages et deux jupes (*due vesti et due sottane*). Elle lui expédiait, pour les broderies, trois livres d'or, deux livres d'argent et deux livres de soie, promettant, si c'était nécessaire, de faire un autre envoi[61] (6 août 1533).

**Note 61:** (retour) Lettre dans Reumont-Baschet, App. p. 292-293.

Le Ier septembre 1533, après avoir offert un grand dîner d'adieu à nombre de nobles dames florentines, Catherine quitta Florence, qu'elle ne devait plus revoir, et alla s'embarquer à la Spezzia sur les galères françaises commandées par son oncle maternel, le duc d'Albany. Elle attendit à Villefranche (près de Nice) Clément VII qui arrivait par mer de Livourne, accompagné de dix cardinaux. La présence d'Hippolyte de Médicis devait démentir, s'il en était besoin, le bruit de l'amourette. Le Pape et sa nièce abordèrent à Marseille le 12 octobre, salués par les cloches de toutes les églises et par trois cents pièces de canons. Le Roi, la reine, Éléonore d'Autriche, les princes du sang, les grands dignitaires et la Cour de France les y avaient devancés.

Visites, entrevues, discussion du contrat commencèrent. Après l'entrée solennelle du Roi et de la Reine, Catherine fit la sienne le 23 octobre en grand apparat, précédée d'un carrosse de velours noir--véhicule nouveau en France,--de huit pages à cheval de la maison d'Hippolyte, habillés aussi de velours noir, et de six haquenées, conduites à la main, dont une toute blanche, couverte de toile d'argent. Elle montait une haquenée rousse, qui était caparaçonnée d'une toile d'or tissée en soie cramoisie et s'avançait escortée par la garde du Roi et du Pape, et suivie de Catherine Cibo, de Marie Salviati et de douze demoiselles à cheval, toutes vêtues à l'italienne et très richement.

Elle descendit au logis du Pape où se trouvait le Roi, qui la baisa et la fit baiser à son futur mari, le duc d'Orléans. Le 27, le contrat fut signé, en présence des deux souverains et des deux Cours. Le cardinal de Bourbon requit le consentement des époux, et prononça la formule d'union. Le duc d'Orléans embrassa sa femme; et soudain sonnèrent «fifres, trompettes, cornets et autres instruments». Le lendemain, 28, Clément VII assista à la messe nuptiale et voulut bénir lui-même les anneaux. Le Roi vêtu de satin blanc, avec un manteau royal parsemé d'or et de pierres précieuses, mena au banquet l'épousée, qui était «couverte de brocat (brocard) avec le corset d'hermine, rempli de perles et de diamants» et avait «sur sa tête une coiffe de broderie avec des perles et des pierres précieuses et par dessus une couronne de duchesse»[62]. Le soir, la Reine de France, avec toutes ses dames, accompagnèrent la Duchesse jusqu'à la chambre où les deux époux--deux enfants de quatorze ans--devaient cette nuit-là dormir ensemble. Le lendemain, de grand matin, le Pape, comme s'il n'eût été sûr de la validité du mariage qu'après sa consommation, alla surprendre les mariés au lit, et les ayant trouvés de joyeuse humeur, montra plus de contentement qu'on ne lui vit jamais[63].

**Note 62:** (retour) Bouche, *Histoire de Provence*, t. II, p. 567, d'après le manuscrit de Valbelle, témoin oculaire. Le portrait, très contesté de Catherine, qui est à Poggio à Cajano,--une princesse moldave, dit Bouchot,--répond cependant assez bien à cette description et à celle du témoin italien cité par Baschet. p. 321.

**Note 63:** (retour) Reumont-Baschet, *La jeunesse de Catherine de Médicis*, récit d'un témoin, p. 323.

Le Roi et le Pape étaient logés en deux maisons séparées seulement par une rue et qu'on avait reliées par un pont en bois, pour qu'ils pussent, à l'insu des indiscrets et des curieux, se voir et causer à toute heure.

François Ier pensait que Clément VII, en faveur de cette alliance, acquiescerait à ses entreprises italiennes. Dans le projet de traité qu'il lui soumit, il lui demandait de l'aider secrètement de ses conseils et de son argent à conquérir le Milanais pour le duc d'Orléans; d'accorder alors à ce fils de France, devenu prince italien, l'investiture de Parme et de Florence, et de contribuer à moitié frais à la reprise du duché d'Urbin. Mais le Pape était trop avisé pour risquer, au profit de la France, une nouvelle guerre avec Charles-Quint. Il s'était fait accompagner à Marseille par Guichardin, l'historien et l'homme d'État florentin, qui avait blâmé le voyage et l'entrevue comme une imprudence et presque une provocation[64]. Il le tint à l'écart des négociations mais il voulait l'avoir près de lui, pour rassurer l'Empereur. Il est probable, comme le suppose l'ambassadeur vénitien, Antonio Soriano, qu'il n'adhéra qu'en paroles, «desquelles il savait si bien dire», aux grands projets de François Ier. Même dans le contrat de mariage, il avait pris des précautions contre les revendications françaises sur l'héritage des Médicis. Catherine renonçait, en faveur de son oncle, à tous les biens meubles et immeubles de son père, et à tous ses droits et prétentions, le duché d'Urbin excepté, moyennant une somme de trente mille écus[65]. En considération de la Maison où elle entrait, Clément VII lui constituait en dot une somme de cent mille écus, dont il fit d'ailleurs payer une bonne part aux Florentins comme participant à l'honneur de l'alliance. Il y ajouta des cadeaux superbes. Il avait apporté à François Ier un coffret en cristal de roche, où le tailleur en pierres fines le plus habile du temps, Valerio Belli Vicentino, avait gravé sur le couvercle et les quatre faces les principales scènes de la vie du Christ[66]. Il fit don à sa nièce de bijoux magnifiques, qu'il chargea Philippe Strozzi de remettre au Roi, et dont la liste article par article, soussignée par François Ier, est à Rome[67].

**Note 64:** (retour) Agostino Rossi, *Francesco Guicciardini e il governo fiorentino*, t. II, 1899, p. 53-59.

**Note 65:** (retour) Le projet de traité secret dans Reumont-Baschet, p. 325-327; le texte du contrat (en français) dans *Lettres*, t. X. p. 478-484.

**Note 66:** (retour) C'est probablement le coffret qui se trouve au Musée des Offices, à Florence, salle des Gemmes, mais Trollope, p. 265-267, le décrit assez inexactement. Voir ses références, p. 266 et 384. Où Reumont a-t-il vu des figures d'Évangélistes aux angles, Reumont-Baschet, p. 180? Il parle aussi de vingt scènes gravées, et Trollope de vingt-quatre. Il y en a vingt et une.

**Note 67:** (retour) Le reçu, après vérification des joyaux en Conseil du roi, est du 13 février 1535. Il se trouve aux manuscrits de la Bibliothèque Barberini à Rome et a été publié par F. Cerasoli, dans l'*Archivio della R. Società Romana di Storia patria*, t. XII, 1889, p. 376-378.

Ils valaient ensemble 27 900 écus d'or. Les plus beaux et les plus chers étaient une ceinture d'or avec huit beaux rubis balais et d'autres diamants estimée 9 000 écus, une «grande table de diamant» de 6 500 écus[68], et, comme pièce d'une parure, une table d'émeraude à laquelle pendait une «perle en forme de poire»[69].

**Note 68:** (retour) «Una gran tavola di diamante posta in un anello d'oro smaltato di bigio, bianco e nero.»

**Note 69:** (retour) «*Una tavola di smeraldo*, incastrata in tre anelli smaltati in forma di punta di diamante con una perla pendente fata a pera.»

La légende courut--et elle a été recueillie par Brantôme--qu'outre la dot, les bagues et les bijoux, Clément VII avait à Marseille promis au Roi «par instrument authentique» «trois perles d'inestimable valeur», Naples, Milan et Gênes[70], mais il est certain qu'il n'a pris aucun engagement de ce genre. Il avait même peur qu'on l'en crût capable. Aussitôt après son retour à Rome, il s'empressa de confier à l'agent du duc de Milan qu'au grand mécontentement de François Ier, il avait repoussé l'idée d'une attaque contre le Milanais. Il fit même avertir l'Empereur que le Roi lui avait dit que, non seulement il n'empêcherait pas la venue du Turc, mais qu'il «la procurerait». Cependant François Ier, escomptant les belles paroles de Clément VII, fit au commencement de 1534 de grands préparatifs d'entrée en campagne. Il publia les droits de son fils sur le duché d'Urbin, poussa le landgrave de Hesse à reprendre les armes contre l'Empereur, et se concerta avec Khairedin Barberousse, qui venait de s'emparer de Tunis. Une mort prématurée, si fréquente chez les Médicis, dispensa le Pape de prendre parti (25 septembre 1534). Mais s'il eût vécu, il avait trop de raisons de manquer à sa parole; il savait ce que lui avait coûté en 1527 sa ligue italienne contre Charles-Quint. Il avait d'ailleurs avantage à tenir la balance égale entre les deux monarques rivaux et à leur vendre au plus haut prix ses promesses et ses signatures. En négociant des deux côtés, il avait fait de son neveu un duc héréditaire de Florence et le gendre de l'Empereur, et de sa nièce la bru du Roi de France.

**Note 70:** (retour) Brantôme, *Œuvres*, éd. Lalanne (*Soc. Hist. France*), t. VII, p. 340, et Lalanne, *Brantôme, sa vie et ses écrits*, 1896, app., p. 363-366. De cette légende rapportée par Brantôme et plus longuement encore par un historien florentin, Bernardo Segni, Lalanne avait cru pouvoir conclure que trois joyaux de la couronne de France: l'Œuf de Naples, la Pointe de Milan et la Table de Gênes étaient des apports dotaux de Catherine et symbolisaient les promesses faites par le Pape au Roi à Marseille, Lalanne espérait qu'un jour la publication de la liste des cadeaux de noces confirmerait cette hypothèse. Il ne savait pas que la liste avait été publiée depuis sept ans par Cerasoli. Or en comparant le document conservé à Rome avec les Inventaires, postérieurs au mariage, des joyaux de la Couronne de France publiés par M. Bapst, *Histoire des Joyaux de la Couronne de France*, Paris, 1889 (Inventaire de Henri II, 1551, de François II, 1559, de Marie Stuart, 1560, de Charles IX, 1570), on voit nettement que les trois pierres précieuses aux noms trompeurs ne sont pas venues d'Italie avec Catherine. L'Œuf de Naples était «ung gros ruby ballay à jour percé d'une broche de fer avec une grosse perle pendant en forme de poire»; la Pointe de Milan, «un diamant à six pointes»; la Table de Gênes, «ung diamant longuet escorné d'un coing à deux fons». Mais la perle piriforme de Catherine pendait à une table d'émeraude; celle de l'Œuf de Naples à un rubis. Il n'est pas question dans les cadeaux de Clément VII d'un diamant à six pointes, autrement dit de la Pointe de Milan. La Table de Gênes, ce «diamant longuet escorné», ne ressemble guère à la Grande Table de diamant qui figure dans le reçu de 1535. De plus, ces trois joyaux n'apparaissent pas, du moins avec leur nom, l'Œuf de Naples avant 1551, les deux autres avant 1570, bien qu'il soit question d'un diamant à six pointes, mais encore anonyme, dans l'Inventaire des bagues de Marie Stuart du 26 février 1560. Il s'agit donc de diamants achetés par la Couronne et auxquels on avait donné ces appellations en soi peu intelligibles, longtemps après le mariage de Catherine, en souvenir probablement des conquêtes glorieuses, quoique éphémères, de la France en Italie.

Que François Ier se soit flatté de lui faire abandonner un système d'équilibre si profitable, c'est une preuve entre quelques autres qu'il n'était pas grand clerc en diplomatie italienne. Il crut qu'en perdant Clément VII, il avait perdu le bénéfice de cette mésalliance: «J'ai eu, disait-il, seulement, la fille toute nue.» Mais il n'eut rien tiré des espérances si l'oncle avait vécu. C'est la moralité du mariage de Catherine de Médicis et des grandes combinaisons fondées sur le concours de Rome et de Florence.

# CHAPITRE II

## DAUPHINE ET REINE

Catherine avait quatorze ans quand elle fit ses débuts à la Cour de France, où elle allait s'élever par degrés jusqu'au premier rang, duchesse d'Orléans, dauphine et enfin reine. C'était un milieu très différent de celui où elle avait vécu. Mais elle avait une expérience au-dessus de son âge.

Dans les séjours qu'enfant et déjà grande fille elle fit à Rome, capitale religieuse et centre des affaires du monde, l'arrivée des ambassadeurs des divers pays, leurs entrées et leurs audiences solennelles lui avaient appris, en une suite de leçons vivantes, les noms et les intérêts des princes et des peuples, la géographie et l'histoire politique de l'Europe. Pour avoir d'elle une idée juste, il ne faut pas se figurer une infante d'Espagne, élevée dans une sorte de claustration, sans connaissance du dehors ni culture, ni même une princesse française du temps de la Renaissance, dressée aux élégances et aux bienséances de la Cour, et le plus souvent ignorante du reste du monde. Cette jeune Florentine avait le sens des réalités de la vie et de la politique.

Elle avait été certainement très bien élevée. Ses tantes, Clarice Strozzi, Lucrèce Salviati, et sa cousine, Maria de Médicis, à qui Clément VII confia successivement la surveillance de son éducation, étaient des femmes vertueuses, sages et distinguées. Mais la société des nonnes et des prêtres, à Rome et à Florence, a dû agir sur elle plus efficacement. Elle y apprit par l'exemple à contenir ses sentiments, à régler ses gestes et ses paroles, et même à masquer son irritation d'un sourire. Les compliments, les caresses, les flatteries dont elle fut toujours si prodigue, s'expliquent en partie par son sexe, sa race, et le désir ou le besoin de plaire, de convaincre ou de tromper. Mais la maîtrise de soi-même, si remarquable chez elle, est un don de nature, qui a été porté à sa perfection par le séjour au couvent et à la Cour des papes.

Elle n'oubliait pas non plus par quel coup de fortune elle était entrée dans la maison royale de France. Elle était la première femme de sa famille qui eût fait un si grand mariage, et elle sentit vivement toujours, avec une modestie dont l'expression cause parfois quelque malaise, le rare honneur qu'elle avait eu d'épouser un fils de roi. Plus tard, quand elle fut régente du royaume, après la mort de son mari, elle parlait de ses enfants comme s'ils étaient d'une autre race qu'elle, «lesquels je ayme, écrivait-elle à une de ses filles, comme du lyeu d'où vous aytes tous venus»[71]. Bien des complaisances de sa vie s'expliquent par le sentiment qu'elle avait de la médiocrité de son origine.

**Note 71:** (retour) 7 décembre 1560. *Lettres*. L. p. 568. En sa vieillesse, elle écrivait qu'elle n'aurait pas souffert, comme elle l'avait fait, la présence à la

Cour des maîtresses du roi son mari, si elle avait été fille de roi. *Lettres*, VIII, 181, 25 avril 1584.

De précoces épreuves y contribuèrent aussi. Elle avait vu le sac de Rome et la captivité de son oncle, Clément VII; elle avait vu la révolte de Florence et l'expulsion des Médicis. Elle avait craint pour elle-même un sort pire encore. Le jour où le chancelier de la République, Salvestro Aldobrandini, vint la prendre au couvent des Murate, pour la mener à celui de Sainte Lucie, elle avait cru marcher à la mort: terreur de quelques heures qui laissa son empreinte en ce cœur d'enfant et le rendit pour toujours pusillanime. Elle apprit à céder aux puissants et à leur complaire, à simuler et dissimuler.

Ce n'était pas trop de son intelligence et de sa culture pour s'adapter à la Cour de France. Celle de Rome était tout ecclésiastique: un prêtre pour souverain, un conseil de cardinaux, des clercs de tous grades et de toute robe dans les offices du palais et dans l'administration de la ville, de l'État et de la chrétienté. Les plus grandes fêtes étaient des cérémonies religieuses, qui nulle part n'étaient exécutées par tant de figurants, célébrées avec autant d'éclat, de pompe et de majesté. Cependant le Vatican n'était pas un monastère. Léon X avait sa troupe de musiciens et son équipage de chasse; il courait à cheval par monts et par vaux à la poursuite du gibier; il donnait des concerts et, personnellement irréprochable, se plaisait trop aux facéties grossières de ses bouffons et aux plaisanteries scabreuses de comédies comme *La Calandria*[72]. Clément VII, plus retenu[73], avait lui aussi les goûts fastueux d'un prince de la Renaissance[74]. Le temps des papes de la Contre-réforme n'était pas encore venu; mais il est vrai que celui des Borgia était pour toujours fini. Les attaques de Luther contre «la prostituée de Babylone» avaient accru les scrupules et imposé un grand air de décence. Le souverain de Rome n'oubliait plus qu'il était le pontife des chrétiens, et, sans renoncer aux ambitions temporelles, il affectait de s'intéresser avant tout à sa mission spirituelle.

**Note 72:** (retour) Pastor. *Histoire des papes depuis la fin du moyen âge*, trad. Alfred Poizat, t. VIII, 1909, p. 8, p. 60 sqq., p. 75.

**Note 73:** (retour) *Id.*, t. IX, 2e. éd., 1913, p. 191 et note 1; t. X, p. 242.

**Note 74:** (retour) *Id.*, t. X, p. 245 sqq.

Encore moins l'entourage d'Alexandre de Médicis, le nouveau duc de Florence, aurait-il pu donner à Catherine l'idée du monde où elle entrait. Le gouvernement tenait tout entier dans le palais de la Via Larga, la demeure patrimoniale des Médicis. Il n'y avait là ni passé, ni tradition, ni étiquette. Le Duc avait un train de vie plus somptueux que celui des autres grandes familles florentines, une clientèle plus nombreuse et le privilège d'une garde. C'étaient toutes les marques extérieures d'une fortune de fraîche date.

Le roi de France était le souverain héréditaire d'une grande nation, attachée à sa personne et à sa race par une habitude séculaire de respect et d'obéissance. Sa Cour était un petit monde de princes, de grands officiers, de prélats, de seigneurs, de conseillers, une France en raccourci, mais éminente en dignité, qui vivait avec lui et l'accompagnait dans ses déplacements et ses voyages, le centre de la vie politique et des affaires, une vraie capitale ambulante que suivaient les ambassadeurs, et où affluaient les solliciteurs et les ambitieux, quiconque désirait une pension, un bénéfice, une charge.

Son originalité, entre les autres cours de la chrétienté, c'était le nombre et l'importance des dames. Anne de Bretagne, femme de Louis XII, pour ajouter à l'éclat de sa maison et soulager les familles nobles, que la disparition des dynasties féodales ou leur destruction par Louis XI laissait sans emploi, avait appelé auprès d'elle des femmes et des filles de gentilshommes[75]. François Ier, qui ruina le dernier des grands vassaux, le connétable de Bourbon, hérita de sa clientèle, et, par politique comme par goût, accrut encore le personnel féminin. Les reines et les filles de France eurent chacune leur maison, où des dames et des demoiselles nobles furent attachées avec un titre et un traitement: dames et filles d'honneur, dames d'atour, dames et filles de la chambre, etc.

**Note 75:** (retour) Brantôme, VII, p. 314-315.

La présence de tant de femmes, dont beaucoup étaient belles, intelligentes et cultivées, changea le caractère de cette Cour, et d'une réunion d'hommes d'État et de capitaines, fit le lieu d'élection des fêtes et des plaisirs. Les divertissements prirent une très large place dans le cérémonial. Bals, concerts, assemblées chez la reine, banquets, défilés et cortèges, furent autant d'occasions d'étaler le luxe des vêtements et les magnificences de la chair. Mais l'esprit païen de la Renaissance, qui triomphait dans cette glorification de la richesse et de la beauté, inspirait aussi la recherche de plaisirs plus délicats. Le goût des lettres antiques gagnait les plus hautes classes: de très grandes dames se faisaient gloire de les cultiver, et celles même qui n'en avaient ni le temps ni la force respiraient dans l'air les idées et les sentiments que les écrivains y avaient répandus.

La famille royale était composée, en 1533, de la sœur de François Ier, Marguerite d'Angoulême, reine de Navarre, de sa seconde femme, Éléonore d'Autriche, une sœur de Charles-Quint, épousée par politique, et des enfants de sa première femme Claude: trois fils, le dauphin François, Henri duc d'Orléans, Charles d'Angoulême; et deux filles, Marguerite, qui épousa sur le tard le duc de Savoie, et Madeleine, qui mourut très jeune, en juillet 1537, quelques mois après son mariage avec le roi d'Écosse, Jacques V.

C'est le milieu où Catherine allait vivre. Étrangère, de médiocre origine épousée pour le secours que le Roi attendait du Pape dans ses entreprises italiennes et, depuis la mort de Clément VII, privée du prestige des espérances, sa situation était difficile. Sans doute, ces parfaits gentilshommes, François Ier et ses fils, étaient incapables de lui tenir rigueur de leurs mécomptes, mais quelques-uns de leurs conseillers n'étaient pas aussi généreux. La première relation vénitienne où il soit question d'elle, en 1535, dit que son mariage avait mécontenté toute la France. Elle n'avait ni crédit, ni parti. Les haines religieuses et politiques ont pu seules imaginer beaucoup plus tard qu'en 1536, âgée de dix-sept ans, elle ait eu les moyens ou l'idée de faire empoisonner son beau-frère, le dauphin François, pour assurer la couronne à son mari. Le dauphin fut emporté probablement par une pleurésie, et son écuyer, Montecuculli, condamné à mort pour un crime imaginaire, n'avait de commun avec Catherine que d'être Italien.

Devenue par cet accident dauphine et reine en expectative, elle continua comme auparavant à ne laisser voir d'autre ambition que de plaire. Elle s'attachait à dissiper les préventions et à gagner les sympathies. Elle se montrait douce, aimable, prévenante. L'ambassadeur vénitien dit ce mot caractéristique: «Elle est très obéissante.» C'était un de ses grands moyens de séduction.

L'homme qu'après son mari elle avait le plus d'intérêt et qu'elle mit le plus de soin à gagner, ce fut le Roi, que d'ailleurs elle admirait beaucoup. Plus tard, quand elle gouverna le royaume, elle se proposa et proposa toujours à ses enfants la Cour et le gouvernement de François Ier comme le modèle à imiter. Le Roi-chevalier était aimable, et même en son âge mûr il restait pour les femmes le héros de Marignan et de Pavie. Des sentiments qu'il inspirait, on peut juger par la lettre que lui écrivirent les princesses de sa famille et l'amie chère entre les plus chères, la duchesse d'Étampes, en apprenant qu'il venait de prendre Hesdin aux Impériaux (mars 1537):

«Monseigneur, nostre joye indicible nous ouste l'esperist et la force de la main pour vous escripre, car combien que la prise de Hedin feust fermement espérée, sy (cependant) nous demeuroit-il une peur de toutes les choses qui pouvoient estre à craindre, sy très (tellement) grande que nous avons esté despuis lundy comme mortes; et, à ce matin, ce porteur nous a resuscitées d'une si merveilleusse consolation que après avons (avoir) couru les unes chés les aultres, pour annoncer les bonnes nouvelles, plus par larmes que par paroles, nous sommes venues ycy avesques la Royne, pour ensemble aller louer Celluy qui en tous vos afaires vous a presté la destre de sa faveur, vous aseurant Monseigneur, que la Royne a bien embrassé et le porteur et toutes celles qui participent à sa joye, en sorte que nous ne savons [ce] que nous faisons ny [ce] que nous vous escripvons».

Au nom de la Reine et des dames, elles le suppliaient de leur permettre d'aller le voir en tel lieu qu'il lui plairait.

«Car, disent-elles, avesques Sainct Tournas, nous ne serons contantes que nous n'ayons veu nostre Roy resuscité par heureuse victoire et très humblement vous en resuplions.

«Vos très humbles et obéissantes subjectes: Catherine, Marguerite (de France), Marguerite (de Navarre), Marguerite (de Bourbon-Vendôme, plus tard duchesse de Nevers), Anne (duchesse d'Étampes).[76]»

La lettre est trop jolie pour être de Catherine, bien qu'elle ait signé la première en sa qualité de dauphine; on y reconnaît la manière de la reine de Navarre, ce délicat écrivain; et comme elle traduit bien, avec l'adoration de la sœur, l'enthousiasme de ces jeunes femmes.

La favorite en titre, Anne de Pisseleu, duchesse d'Étampes, qui signait avec les princesses, était une de ces triomphantes beautés, le désespoir des reines et l'ornement de la Cour de France[77]. Catherine s'était liée avec elle, sachant que c'était une voie très sûre pour arriver au cœur du Roi. En sa vieillesse, comme elle avait souffert cruellement elle-même de la faveur d'une maîtresse, elle s'excusera sur la nécessité d'avoir autrefois fréquenté des dames de médiocre vertu. «Aystent (étant) jeune, j'avès un Roy de France pour beau-père, qui me ballet cet qui luy pleyset (baillait la compagnie qui lui plaisait) et me fallet l'aubeir et anter (hanter) tout cet qu'il avoyst agréable et l'aubeyr»[78]. Mais il ne semble pas que l'obéissance lui ait coûté. François Ier avait formé une petite bande «des plus belles gentilles et plus de ses favorites» avec lesquelles «se dérosbant de sa court, s'en partoit et s'en alloit en autres maisons courir le cerf et passer son temps». Catherine «fit prière au Roy de la mener tousjour quant et luy et qu'il luy fist cest honneur de permettre qu'elle ne bougeast jamais d'avec luy.» François Ier, qui «l'aymoit naturellement», l'en aima plus encore, «voyant la bonne volonté qu'il voyoit en elle d'aimer sa compagnie»[79].

**Note 76:** (retour) *Lettres de Catherine de Médicis*, t. X, p. 1 et 2.

**Note 77:** (retour) Sur la duchesse d'Étampes, voir Paulin Paris, *Études sur François Ier*, 1885, t. II, p. 209 sqq.

**Note 78:** (retour) *Lettres de Catherine de Médicis*, t. VIII, p. 180.

**Note 79:** (retour) Brantôme, éd. Lalanne, t. VII, p. 344-345.

Elle se plaisait comme lui aux exercices de plein air. C'était un goût qu'elle tenait probablement des Médicis. Son oncle, Léon X, partait tous les ans pour les régions giboyeuses de Civita-Vecchia, de Corneto et de Viterbe avec ses cardinaux favoris, ses musiciens, sa garde et la troupe des piqueurs, rabatteurs et valets, en tout plus de trois cents personnes. Il traquait à cheval les bêtes sauvages, petites ou grandes, non quelquefois sans péril. Dans une de ces battues dont un poète de cour a célébré les incidents dramatiques, le cardinal

Bibbiena avait tué d'un coup d'épée un sanglier qui fonçait sur le cardinal Jules de Médicis (le futur Clément VII); le Pape, assailli par un loup, avait été sauvé par les cardinaux Salviati, Cibo, Cornaro, Orsini; l'éloquent général des Augustins, Egidio de Viterbe, avait fait voir qu'il valait «autant par le bras que par la parole»[80]. Avant de quitter l'Italie, Catherine, déjà grande fille, a dû suivre des chasses. Autrement on ne s'expliquerait pas qu'aussitôt arrivée en France, elle ait montré l'ardeur dont parle Ronsard, peut-être avec quelque exagération poétique:

Laquelle (Catherine) dès quatorze ans

Portoit au bois la sagette

La robe et les arcs duisans (convenant)

Aux pucelles de Taygette.

. . . . . . . . . . . . . . . . . . . .

Toujours dès l'aube du jour

Alloit aux forêts en queste

Ou de reths tout à l'entour

Cernoit le trac d'une beste:

Ou pressoit les cerfs au cours;

Ou par le pendant des roches,

Sans chiens assailloit les ours

Et les sangliers aux dents croches[81].

**Note 80:** (retour) Rodocanachi, *Rome sous Jules II et Léon X*, 1912, p. 66.

**Note 81:** (retour) *Œuvres de Ronsard*, éd. Blanchemain, t. II. p. 182.

Elle abandonna la «sambue», sorte de selle en forme de fauteuil où les dames étaient assises de côté, les pieds appuyés sur une planchette, mais ne pouvaient aller qu'à l'amble, et elle introduisit l'usage, qu'elle avait déjà peut-être pratiqué en Italie, de monter à cheval comme les amazones d'aujourd'hui, le pied gauche à l'étrier et la jambe droite fixée à la corne de l'arçon[82]. Elle pouvait ainsi courir du même train que les hommes et les suivre partout. François Ier, grand chasseur, appréciait fort cette enragée chevaucheuse, que les chutes ne décourageaient pas. Elle ne renonça qu'à soixante ans à ce plaisir dangereux[83].

**Note 82:** (retour) Cependant Brantôme rapporte que Catherine avait appris à monter en amazone de la duchesse douairière de Lorraine, Christine de Danemark, c'est-à-dire après sa venue en France. Éd. Lalanne, t. IX. p 621.

**Note 83:** (retour) En 1545, dans une chasse au cerf, la haquenée qu'elle montait s'emballa et se précipita dans une cabane dont le toit était très bas. Elle fut désarçonnée et se blessa au côté droit. En 1563, elle tomba de cheval au sortir du château de Gaillon et se fit à la tête une blessure si profonde qu'il fallut la trépaner. Bernardino de Médicis, ambassadeur florentin, à Côme Ier 29 avril 1545. Desjardins, *Négociations diplomatiques de la France avec la Toscane*, t. III p. 158.--Lettre de Charles IX du 19 septembre 1563 et du cardinal de Lorraine du 2 octobre, dans *Additions aux Mémoires de Castelnau*, éd. Le Laboureur, 1731, t. II, p. 288-289.

Sa vive intelligence, à défaut de ses habitudes de complaisance, lui rendait facile de s'adapter aux goûts lettrés de cette Cour. Elle avait très bien appris le français que d'ailleurs elle écrivit toujours en une orthographe très personnelle et elle le parlait non sans une pointe d'accent exotique, dont elle ne parvint jamais à se débarrasser.

Il n'y a pas dans ses lettres une citation, une phrase latine[84]. Au lieu de l'expression courante *in cauda venenum*, elle emploie la forme française «en la queue gist le venyn». Ce n'est pas d'ailleurs la preuve qu'elle ignorât le latin[85]. Elle savait du grec. En 1544, l'ambassadeur de Côme, Bernardino de Médicis, bon lettré et l'un des fondateurs de l'Académie Florentine, écrivait qu'elle possédait cette langue «à stupéfier tout homme» (*che fa stupire ogni uomo*). Même en admettant que ce compatriote de la Dauphine, qui était aussi son arrière-petit-cousin à la mode de Bretagne, ait un peu exagéré, il doit y avoir dans cet éloge une part de vérité. Avait-elle commencé à étudier le grec en Italie? Bernardino ne le dit pas. Elle a bien pu l'apprendre en France où elle était depuis dix ans. Il est probable qu'elle eut pour maître notre grand helléniste Danès[86].

**Note 84:** (retour) Une seule fois, elle aurait cité une phrase latine, mais c'est un verset de l'Évangile.

**Note 85:** (retour) Elle le comprenait assurément. Voir ci-dessous, p. 103, note 2.

**Note 86:** (retour) L'ambassadeur ne nomme pas Danès. Il dit simplement que des dix hommes très lettrés qui vont se réunir pour arrêter les articles à présenter au Concile de Trente, l'un est le maître de la Dauphine (Desjardins, III, p. 140, déc. 1544). Or nous savons d'autre part que Danès fut envoyé à ce Concile par François Ier et qu'il s'y distingua comme orateur. Voir Abel Lefranc, *Hist. du Collège de France*, Paris, 1893, p. 172. L'identification paraît donc légitime.

Un fait qui paraît bien établi, c'est sa culture scientifique. Elle est, dit François de Billon, dans *Le Fort inexpugnable de l'Honneur du sexe féminin*, 1555, réputée pour sa «science mathématique». Ronsard célèbre aussi en images poétiques «le comble de son savoir»:

> Quelle dame a la pratique
>
> De tant de mathématique?
>
> Quelle princesse entend mieux
>
> Du grand monde la peinture,
>
> Les chemins de la nature,
>
> Et la musique des cieux?

Ce qui probablement veut dire qu'elle était savante en géographie, en physique et en astronomie. C'était dans la famille royale une originalité. Elle se distinguait par là des autres princesses de la Renaissance française, qui étaient de pures lettrées.

Elle se lia étroitement--et ce sera pour la vie--avec Marguerite de France, plus jeune qu'elle et qui étudiait les anciens avec passion. Peut-être est-ce pour lui plaire qu'elle a commencé ou continué après son mariage l'étude du grec. Elle rechercha pour son intelligence et son crédit la sœur très chère du Roi, Marguerite d'Angoulême, âme tendre avec quelque mièvrerie, inquiète et joyeuse, conteur gaillard et poète mystique, claire en son réalisme et confuse en ses aspirations, et, malgré ces contrastes, ou même à cause d'eux, une des figures les plus attachantes de la Renaissance littéraire et religieuse du XVIe siècle. Catherine avait certainement lu ou entendu lire en manuscrit les *Nouvelles* de la Reine de Navarre, qui lui rappelaient un autre conteur célèbre, Boccace, Florentin celui-là. Elle et Marguerite de France résolurent d'écrire un recueil du même genre, idée d'imitation qui devait paraître à cette princesse de lettres une flatterie délicate. Aussi l'aimable femme s'en est-elle souvenue dans le Prologue de l'*Heptaméron*; et, vraiment généreuse, elle laisse croire que le projet de ses nièces était du même temps que le sien, ou même un peu antérieur, et n'avait d'autre modèle que Boccace; mais à la différence des Nouvelles du *Décaméron*, les leurs devaient être de «véritables histoires».

Toutes deux et le Dauphin «prosmirent» «... d'en faire chacun dix et d'assembler jusques à dix personnes qu'ils pensoient plus dignes de racompter quelque chose». Mais on se garderait de s'adresser à des «gens de lettres», car Henri, ce robuste garçon, à qui l'on n'a pas coutume de prêter tant de finesse, «ne voulloyt que leur art y fust mêlé, et aussy de peur que la beaulté de la rethoricque feit (fît) tort en quelque partye à la vérité de l'histoire.»

Les grandes affaires de François Ier et les occupations de la Dauphine firent «mectre en obly du tout ceste entreprinse»[87]. Quel malheur de n'avoir pas ce Brantôme en raccourci, moins les exagérations de crudité, un *Triméron* en trente nouvelles, sans embellissements romanesques, de la Cour et de la société au temps de François Ier. La correspondance restera l'unique œuvre littéraire de Catherine de Médicis[88].

Catherine venait d'un pays où toutes sortes de poèmes étaient chantés à quatre, cinq, six ou huit voix, que les instruments soutenaient. En France même, la tradition des jongleurs, conteurs et chanteurs, ne s'était pas encore perdue, et les poètes contemporains, comme Mellin de Saint-Gelais, s'accompagnaient du luth autrement que par métaphore[89]. Quand Clément Marot eut rimé en français les trente premiers psaumes de David, les grands musiciens d'alors, Certon, Jannequin, Goudimel, s'empressèrent de les mettre en musique. Ces chants où le musicien et le poète ont chacun, à sa façon, traduit et souvent trahi la grandeur, la couleur et la passion de la poésie hébraïque, eurent à la Cour de François Ier un grand succès, mais moins d'édification que de mode.

**Note 87:** (retour) L'*Heptaméron des nouvelles de Marguerite d'Angoulême reine de Navarre*, éd. Benjamin Pifteau, t. I, p. 28-29.

**Note 88:** (retour) Sous le titre: *Les Poésies inédites de Catherine de Médicis*, Paris, 1885. M. Edouard Frémy a publié, dans une biographie d'ailleurs intéressante, des poésies qui ne sont pas de Catherine. Il suffit pour s'en convaincre de les lire sans parti pris. Les idées, les sentiments, la langue ne répondent pas à sa façon de sentir et de penser et l'indication des lieux est en désaccord avec ses itinéraires bien connus. C'est aussi l'avis de M. le Comte Baguenault de Puchesse. Je renvoie à sa solide démonstration, *Revue des questions historiques*, t. XXXIV, 1883, p. 275-279. Ces vers rappellent la manière de Marguerite de Navarre, et ils en sont probablement un pastiche.

**Note 89:** (retour) Augé-Chiquet. *La vie, les idées et l'œuvre de Jean Antoine de Baïf*, Paris et Toulouse, 1909, p. 303-304.

L'amateur le plus ardent de cette musique sacrée, c'était le Dauphin, qui la faisait chanter ou la chantait lui-même «avec lucs (luths), violes, espinettes, fleustes, les voix de ses chantres parmi». Aussi les gens de son entourage, en bons courtisans, voulaient tous avoir leur Psaume, et s'adressaient au maître pour leur en trouver un qui répondit à leurs sentiments. Il s'était réservé pour lui le Psaume:

Bien heureux est quiconques

Sert à Dieu volontiers, etc.

et il en avait fait lui-même la musique. Catherine choisit le 141e[90], dont le traducteur est inconnu:

> Vers l'Éternel des oppressez le Père
>
> Je m'en yrai...

Dans sa douleur de n'avoir pas d'enfant, après neuf ans de mariage, elle recourait à Dieu, comme à l'unique espérance. Mais le chant des Psaumes était si cher aux hérétiques qu'il en devint suspect. La Cour laissa les cantiques pour les «vers lascifs» d'Horace, qui, disait un réformé, «eschauffent les pensées et la chair à toutes sortes de lubricitez et paillardises»[91].

**Note 90:** (retour) Le 141e de la Vulgate est le 142e du Psautier hébreu et huguenot, la Vulgate ayant réuni en un seul les psaumes IX et X du texte hébraïque original (O. Douen, *Clément Marot et le Psautier huguenot*, t. I, 1878, p. 284, note 5, et p. 285).

**Note 91:** (retour) *Joannis Calvini Opera quae supersunt omnia*, éd. Baum, Cunitz, Reuss, t. XVII, *col.* 614-615.

Catherine, toujours déférente, fit fête aussi aux «chansons folles»[92].

Ce n'est pas merveille qu'avec cette bonne volonté, elle ait réussi à retourner l'opinion. L'ambassadeur vénitien, Matteo Dandolo, disait dans sa Relation de 1542: «Elle est aimée et caressée du Dauphin, son mari, à la meilleure enseigne. Sa Majesté François Ier l'aime aussi, et elle est aussi grandement aimée de toute la Cour et de tous les peuples, tellement qu'à ce que je crois il ne se trouverait personne qui ne se laissât tirer du sang pour lui faire avoir un fils»[93].

**Note 92:** (retour) Etait-ce la traduction ou des imitations du poète latin faites par des poètes de la Renaissance, ou les Odes même d'Horace, que l'on trouve déjà dans un livre publié à Francfort, en 1532, mises en musique à quatre voix, sur des airs populaires de l'époque: *Melodiae in Odas Horatii, Et quaedam alia carminum genera*, Francofordiae, 1532. (Catalogue de la Bibliothèque de feu M. Ernest Strœhlin, professeur honoraire à l'Université de Genève, publié par la librairie Emile Paul et Guillemin, Paris, 1912). Consulter P.-M. Masson, *Les Odes d'Horace en musique au XVIe siècle, Revue musicale*, 1906 (t. VI), p. 355 sq.

**Note 93:** (retour) Alberi, *Relazioni degli ambasciatori veneti al Senato*, serie Ia, Francia, t. IV, p. 47.

Elle craignait d'être répudiée comme stérile, depuis que son mari avait su par expérience qu'il pouvait avoir des enfants. En 1537, lors de sa campagne en Piémont avec le connétable de Montmorency, il connut à Moncallier

(Moncalieri) une jeune fille, Philippa Duc, sœur d'un écuyer de la grande Écurie, Jean-Antoine, et eut d'elle une fille qu'il légitima plus tard sous le nom de Diane de France et maria à Hercule Farnèse, duc de Castro. Les anciens adversaires du mariage florentin crurent tenir leur revanche. «Il y eust, dit Brantôme, force personnes qui persuadèrent (c'est-à-dire conseillèrent) au Roy et à M. le Dauphin de la répudier, car il estoit besoing d'avoir de la lignée de France». Il assure que «ny l'un ny l'autre n'y voulurent consentir tant ils l'aymoient»[94]. Mais Brantôme n'était pas né en 1538 et ne parle que par ouï-dire. L'ambassadeur vénitien, Lorenzo Contarini, qui écrivait treize ans après la crise, rapporte au contraire que le beau-père et le mari étaient décidés au divorce, et que Catherine réussit à les fléchir. Elle alla trouver le Roi et lui dit que pour les grandes obligations qu'elle lui avait, elle aimait mieux s'imposer cette grande douleur que de résister à sa volonté, offrant d'entrer dans un monastère, «ou plutôt, si cela pouvait plaire à Sa Majesté, de rester au service de la femme assez heureuse pour devenir l'épouse de son mari»[95].

**Note 94:** (retour) Brantôme, éd. Lalanne, VII, p. 341.

**Note 95:** (retour) Alberi, *Relazioni degli ambasciatori veneti al Senato*, serie Ia, Francia, t. IV, p. 73.

François Ier, ému de sa peine et de sa résignation, lui aurait juré qu'elle ne serait pas répudiée. Mais elle appréhendait sans doute un retour offensif de la raison d'État. Elle employait tous les moyens pour avoir des enfants, prenant les remèdes des médecins, buvant les drogues que lui envoyait le Connétable, et recourant à l'expérience de sa dame d'atour, Catherine de Gondi, mère d'une nombreuse famille. Enfin, après dix ans de mariage, le 20 janvier 1544, elle mit au monde un fils, dont la naissance fit pleurer de joie le Roi et sa sœur Marguerite et fut célébrée à l'égal d'une victoire par Marot, Mellin de Saint-Gelais et Ronsard.

Une cause de chagrin qui s'éternisa, ce fut la passion de son mari pour Diane de Poitiers, veuve du grand sénéchal de Normandie, Louis de Brézé, une des plus grandes dames de la Cour. Henri avait en 1538, quand il se lia avec elle, dix neuf ans; elle en avait trente-huit, et pourtant il l'aima et jusqu'au bout lui resta fidèle de cœur.

On a imaginé que cet amour ne fut si durable que parce qu'il fut pur, une amitié amoureuse. Sans doute, les romans de chevalerie à la mode, l'*Amadis des Gaules*, qu'Herberay des Essars commença en 1540 à traduire ou à adapter de l'espagnol, et les autres *Amadis* de divers pays et en diverses langues qui suivirent, célèbrent, entre les paladins, ceux qui, chastes et constants, aiment en tout respect, adorent en toute humilité. Si cette littérature eut tant de succès, c'est qu'elle répondait peut-être à un réveil des idées chevaleresques et du culte de la femme.

La conception de l'amour dégagé de la servitude des sens, telle que l'expose Phèdre dans *le Banquet* et l'interprétation que donna Marsile Ficin de la doctrine de Platon, contribuèrent, plus encore que les romans, à élever les sentiments et à épurer les passions[96]. Le spiritualisme du philosophe grec et de son commentateur florentin, répandu par les traductions qui parurent à partir de 1540, eut pour centre d'élection l'entourage de Marguerite d'Angoulême «... Quant à moy, je puis bien vous jurer, dit un des personnages de l'*Heptaméron*, que j'ay tant aymé une femme que j'eusse mieulx aymé mourir que pour moy elle eust faict chose dont je l'eusse moins estimée. Car mon amour estoit tant fondée en ses vertus que, pour quelque bien que j'en eusse sceu avoir, je n'y eusse voulu veoir une tache»[97]. À travers ces nouvelles, qui sont pour la plupart très gaillardes, circule un fort courant d'idéalisme, et nul document ne prouve mieux le conflit dans la société polie d'alors entre les aspirations de l'esprit nouveau et la grossièreté des mœurs. Le «Pétrarquisme» des poètes de la Renaissance tendait aussi à spiritualiser la passion[98].

**Note 96:** (retour) Abel Lefranc, *le Platonisme et la littérature en France à l'époque de la Renaissance*. Revue d'histoire littéraire, 15 janvier 1896. Bourciez, *Les mœurs polies et la littérature de Cour sous Henri II*, ch. III et ch. IV.

**Note 97:** (retour) Dixième nouvelle, t. I, p. 148, éd. Pifteau. Cf. p. 157 et 158, et comme allusion plus directe à la doctrine platonicienne, p. 83 (huitième nouvelle).

**Note 98:** (retour) Sur l'influence de Pétrarque, Vianey, *Le Pétrarquisme en France*, Montpellier et Paris, 1909, ch. II: à l'École de Bembo et des Bembistes.

Ce rêve sentimental avait ses dangers. Il menaçait le mariage, qui n'a pas l'amour pour unique ou même pour principal objet, et, à vrai dire, il ne se déployait à l'aise qu'en dehors de lui. Les plus raffinés, parmi ces admirateurs de Platon, n'estimaient pas suffisamment héroïque une constance qui serait, après un temps d'épreuve, payée de retour; ils voulaient un renoncement sans espoir et un sacrifice sans récompense. Ce serait un sacrilège de ravaler à son plaisir l'être à qui l'on avait dressé un autel et un culte. Mais la nature a ses exigences et la vie ses obligations. Aussi la morale romanesque, pour concilier le besoin d'idéal et les nécessités physiques ou sociales, admettait comme légitime qu'on eût une femme et une «parfaite amye», celle-là mère des enfants et continuatrice de la race, celle-ci inspiratrice de grandes et nobles pensées. L'attachement du mari de Catherine pour Diane de Poitiers serait l'exemple le plus illustre, quoique rare, de ce compromis amoral du temps.

Voilà la thèse que j'ai fortifiée de mon mieux, comme si je l'avais adoptée. Et voici maintenant les témoins. Les Français sont récusables. Suivant les temps et les intérêts de parti, ils se sont déclarés pour ou contre la vertu de Diane. Pendant le règne de François Ier, les partisans de la duchesse d'Étampes, favorite du Roi, ne se firent pas faute d'incriminer les mœurs de la favorite du Dauphin. Après l'avènement d'Henri II, l'éloge de la vertu de Diane fut de règle: diffamation ou louange qu'il y a lieu de tenir pour également suspecte. Il n'est pas nécessaire de demander si Brantôme, qui enregistre avec tant de plaisir l'histoire et la légende amoureuse du XVIe siècle, pouvait croire à l'innocence des rapports d'Henri II et de la favorite. Mais les étrangers et même les Vénitiens, d'ordinaire si bien informés, ne sont pas d'accord sur la nature de cette liaison. Marino Cavalli, qui fut ambassadeur de la République en France en 1546, pense que le Dauphin était peu adonné aux femmes (en quoi il se trompait) et qu'il s'en tenait à la sienne. Pour ce qui est de la «Grande Sénéchale», il se serait contenté de son «commerce» et «conversation». Celle-ci aurait entrepris de l'«instruire», le «corriger», l'«avertir» et l'«exciter ... aux pensées et actions dignes d'un tel prince»[99]. Elle serait parvenue à lui inspirer de meilleurs sentiments pour sa femme, et à faire de lui un bon mari. C'est le rôle de la «parfaite amie» dans ces sortes de ménages à trois des romans de chevalerie. Cavalli n'affirme pas pourtant que Diane ne fût que l'Égérie du Dauphin. Lorenzo Contarini, qui, en 1551, résume l'histoire intérieure de la Cour de France, rapporte que, d'après le bruit public, Diane a été la maîtresse de François Ier et de beaucoup d'autres avant de devenir celle du Dauphin[100]. Giovanni Soranzo, dans une relation de 1558, ne parle que de sa liaison avec Henri, dauphin et roi. Il dit qu'elle a été très belle, qu'elle avait été grandement aimée, et que l'amour était resté le même (elle était alors dans sa soixantième année), mais «qu'en public il ne s'est jamais vu aucun acte déshonnête»[101].

**Note 99:** (retour) Alberi, *Relazioni*, serie Ia, t. I, p. 243, ou Tommaseo, *Relations des ambassadeurs vénitiens*, trad. française, (Coll. Doc. inédits), I, p. 287.

**Note 100:** (retour) Alberi, *Relazioni*, serie Ia, t. IV, p. 77-78.

**Note 101:** (retour) *Id.* serie Ia, t. II, p. 437.

C'est probablement la vérité. Henri aimait beaucoup les dames, et se plaisait «à aller au change». Si Brantôme dit vrai, ses nombreuses expériences lui auraient permis un jour de faire par comparaison un éloge fort indiscret de sa femme. Ses poètes favoris étaient Lancelot de Carles et Mellin de Saint-Gelais, qui ne sont pas des chantres de l'amour transi. Mais il est vrai qu'il n'aimait pas le scandale et se débarrassait vite des femmes qui, glorieuses de son choix, faisaient, comme dit Catherine, «voler les éclats» de leur faveur. Aussi donna-t-il congé à une grande dame écossaise, Lady Fleming[102], qui, ayant eu de lui un enfant, affectait les prétentions d'une maîtresse en titre. Et cependant il reconnut le fils qu'il avait eu d'elle, Henri d'Angoulême, comme il avait reconnu Diane de France, la fille de Philippa Duc. S'il n'a pas avoué l'enfant de Nicole de Savigny[103], c'est peut-être que la mère étant mariée, l'attribution de paternité restait douteuse. Il a eu bien d'autres caprices qui n'ont pas laissé de traces.

**Note 102:** (retour) Johanna ou Janet Stewart, fille naturelle de Jacques IV d'Écosse et veuve du lord Haut-Chambellan Fleming, avait accompagné en France, à titre de gouvernante, la petite reine Marie Stuart, fiancée au fils aîné d'Henri II.

**Note 103:** (retour) Cependant l'abbé Pierfitte dit que Nicole de Savigny eut cet enfant d'Henri II avant d'épouser son cousin Jean II de Ville, baron de Saint-Rémy. Mais alors pourquoi Henri II n'a-t-il pas légitimé le fils de cette maîtresse, une dame noble, et pourquoi celui-ci s'appelle-t-il Henri de Saint-Rémy, un titre qui appartenait au mari de sa mère? Abbé Pierfitte, *Journal de la société d'archéologie de Lorraine*, 1904, p. 101 et note 1 de la page 102.--C'est de cet Henri de Saint-Rémy, qui fut gentilhomme ordinaire d'Henri III, que descendait la fameuse comtesse de Lamotte-Valois, l'aventurière de l'affaire du Collier.

Est-il vraisemblable que cet homme de tempérament amoureux ait, dans l'ardeur de sa jeunesse, adoré de loin Diane de Poitiers, cette beauté savoureuse, alors dans l'épanouissement de sa maturité?

S'il ne l'avait pas aimée d'amour, lui aurait-il écrit pendant qu'elle était absente: «Je croy que pourés asés panser le peu de plésyr que j'aré (aurai) à Fontainebleau sans vous voyr, car estant ellongné de sele de quy dépant tout mon byen, il est bien malésé que je puysse avoir joye».--«Je ne puis vivere (vivre) sans vous».--Et il signe «Seluy qui vous ayme plus que luy mesmes».--«Vous suplye avoyr toujours souvenance de celuy qui n'a jamés aymé ni n'aymera jamés, que vous». Elle est, comme il le lui dit en vers, «sa princesse», la «dame roine et maistresse» de la «forteresse» de sa «foi», une «déesse», de qui il avait craint qu'elle «ne se voulut abeser» (abaisser) jusqu'à faire «cas» de lui[104]. Il avait, en 1547, quand il succéda à son père, vingt-huit ans. L'agent du duc de Ferrare savait qu'il allait à toute heure, après dîner, après souper, voir la Sénéchale. L'ambassadeur de Charles-Quint, Saint-Mauris, qui avait intérêt à renseigner son gouvernement sur les influences de la nouvelle Cour, avait appris d'Éléonore d'Autriche, veuve de François Ier, des détails qu'elle tenait de Mme de Roye, une très grande dame, dont le prince de Condé épousa plus tard la fille. Tous les jours le jeune Roi, qui s'était empressé de faire Diane duchesse de Valentinois, allait lui rendre compte des affaires importantes qu'il avait traitées avec les ambassadeurs étrangers ou ses ministres. Et puis après, «il se assiet au giron d'elle avec une guinterne (cithare) en main de laquelle il joue et demande souvent au Connétable, s'il y est, ou à Omale (François de Guise, alors duc d'Aumale) si led. Silvius (Diane) n'a pas belle garde touchant quant et quant les tetins et *la regardant ententivement comme homme surprins de son amitié*»[105]. Diane minaudait, protestant «que désormais elle sera ridée».

**Note 104:** (retour) Voir quelques lettres et des vers d'Henri II à Diane de Poitiers dans les *Lettres inédites de Dianne de Poytiers*, p. p. Georges Guiffrey, Paris, 1866, p. 220, 223, 226, 228.

**Note 105:** (retour) Lettre de Saint-Mauris à sa Cour, *Revue Hist.*, t. V, 1877. p. 112.--Contre la «thèse ingénieuse reprise récemment» des amours platoniques d'Henri II avec Diane, voir d'autres références dans le livre de M. Lucien Romier, *Les Origines politiques des guerres de religion.* t. I, 1913: *Henri II et l'Italie*, (1547-1555). p. 26, note 1.

Quelle adoration et qui s'accorde si bien avec ses lettres d'amant humble et tendre! Pour qu'il lui ait gardé jusqu'à la mort le même amour, et comme une sorte de reconnaissance émue, il faut bien qu'elle ne l'ait pas rebuté dans la crise de désir de sa jeunesse; et peut-être qu'éprise elle-même--elle avait en 1538, quand il la connut, près de quarante ans, l'âge des grandes passions,--elle se soit donnée et abandonnée.

La principale intéressée, Catherine n'avait aucun doute sur la nature des rapports de son mari avec Diane. Elle dissimula la haine que lui inspirait la maîtresse en titre tant que vécut Henri II, et même après la mort du Roi elle s'abstint, par respect pour sa mémoire, de trop vives représailles. Mais elle n'oubliait pas. Veuve depuis vingt-cinq ans, elle remontrait à sa fille, la reine de Navarre, dans une lettre du 25 avril 1584, qu'elle ne devait pas caresser les maîtresses de son mari, car celui-ci pourrait croire que, si elle se montrait si indulgente, c'est qu'elle trouvait son contentement ailleurs. Et, allant au-devant de l'objection probable, elle ajoutait: [Qu'elle] (ma fille) «ne m'alègue [mon exemple] en sela; car cet (si) je fesé bonne chère à Madame de Valentinois, c'estoyt le Roy (à cause du Roi) et encore je luy fésèt tousjour conestre (au Roi) que s'estoyt à mon très grent regret: car jeamès famme qui aymèt son mary, n'éma sa p...., car on ne le peust apeler aultrement, encore que le mot souyt vylayn à dyre à (par) nous aultres»[106].

**Note 106:** (retour) *Lettres de Catherine*, t. VIII, p. 181.

Il est possible qu'au déclin de son automne, la favorite, intelligente et avisée, comme on le voit par ses lettres, ait compris qu'un tel attachement, pour durer toujours, devait changer de nature. Elle pouvait craindre, à mesure que la différence d'âge apparaissait mieux, le ridicule et la désaffection.

Le rôle d'amie, prôné par les doctrines littéraires et sentimentales du temps, la gardait de ce risque. Ce fut dès lors, pour les courtisans et les poètes qui voulaient plaire, une vérité établie que Diane, plus belle qu'Hélène et plus chaste que Lucrèce, était chérie du Roi, dit Ronsard, «comme une dame saige, de bon conseil et de gentil couraige». Mais le souvenir de la possession, si la possession a cessé, resta si vif chez Henri II que, pour expliquer l'empire sans limite ni terme de cette femme qui n'était plus jeune sur cet homme qui l'était encore, le grave historien De Thou admet l'emploi de moyens magiques, le charme d'un maléfice.

Catherine avait pour l'infidèle, son mari et son roi, une tendresse mêlée de respect. Plus tard, au commencement de sa régence, en pleine période d'incertitude et de trouble (7 décembre 1560) elle rappelait à sa fille Élisabeth, reine d'Espagne, le temps où, disait-elle, je n'avais «aultre tryboulatyon que de n'estre asés aymaye (aimée) à mon gré du roy vostre père qui m'onoret plus que je ne mérités, mais je l'aymé tant que je avés toujours peur»[107]. Elle avait toujours souffert du partage, et quand Henri fut devenu roi, elle en souffrit plus encore, mais pour d'autres raisons. Henri II était aimable et plein d'égards pour sa femme. A son avènement, il lui avait assigné deux cent mille francs par an et retenu à son service «trop plus de femmes qu'il n'y avoit du vivant du feu roy, que l'on dit excéder d'un tiers»[108]. Mais personne n'ignorait que Diane avait la première place dans son cœur et sa faveur. Lorsqu'il fit son entrée solennelle à Lyon, en 1548, 23 septembre, les consuls, bons courtisans, imaginèrent de le faire recevoir, au portail de Pierre Encize, par une Diane chasseresse, qui menait en laisse un lion mécanique «avec un lien noir et blanc», les couleurs de la favorite[109]. Une Diane figurait aussi au fronton de l'arc triomphal dressé à la porte du Bourg-Neuf. Le lendemain, quand la Reine fit son entrée (24 septembre), la Diane arriva encore avec son automate qui «s'ouvrit la poitrine montrant les armes» de Catherine «au milieu de son cœur, et, à l'heure», elle «luy dit quelques vers». La Reine «lui ayant fait la révérence» passa outre et s'attarda ailleurs à des symboles plus plaisants. Dans les fêtes que donna le cardinal Jean du Bellay à Rome pour la naissance du quatrième enfant du roi (en mars 1549) un défilé de nymphes précéda le tournoi. «Desquelles, raconte Rabelais, témoin oculaire, la principale, plus éminente et haute de toutes autres représentant Diane portoit sur le sommet du front un croissant d'argent, la chevelure blonde esparse sur les épaules, tressée sur la teste avec une guirlande de lauriers, toute instrophiée de roses, violettes et autres belles fleurs»[110]. Lors du sacre de la Reine à Saint-Denis (juin 1549), Diane de Poitiers marchait à sa suite en compagnie des princesses du sang[111].

**Note 107:** (retour) 7 déc. 1560. *Lettres* I, p. 568.

**Note 108:** (retour) Saint-Mauris, *Revue Hist.*, t. V, p. 115.

**Note 109:** (retour) Théodore Godefroy, *Le Cérémonial françois*, t. I, p. 837. Cf. p. 851.

**Note 110:** (retour) Rabelais, *La Sciomachie*, œuvres complètes, éd. Moland, p 596.

**Note 111:** (retour) On sait que les reines étaient sacrées, quelquefois longtemps après les rois, et non à Reims, mais à Saint-Denis. Le récit du sacre par Simon Renard, ambassadeur de Charles est en appendice, p. 245, dans le livre de M. de Magnienville, *Claude de France, duchesse de Lorraine*. Paris, 1885.

La favorite et un favori, Anne de Montmorency, accaparaient le pouvoir et tenaient la Reine à l'écart des affaires. C'était, explique le Vénitien Contarini, parce que, malgré sa sagesse et sa prudence, «elle n'étoit pas l'égale du roi ni de sang royal». Mais n'en pouvait-on pas dire autant de la toute-puissante maîtresse? Les poètes et les courtisans arrangèrent l'histoire. Ronsard mettant en scène le dieu fluvial du Clain, un petit cours d'eau qui passe à Poitiers, lui faisait prédire à l'ancêtre de la maison des Poitiers une descendance royale. Il apparentait probablement de parti pris et confondait avec intention les comtes de Valentinois, la grande famille dauphinoise d'où Diane était issue, avec les anciens souverains du pays, les Dauphins de Vienne, qui se sont constitués, pour ainsi dire, par adoption une lignée royale, en léguant leur titre avec leurs domaines au fils aîné du roi de France. On imagine combien Catherine devait souffrir de voir exalter l'origine de la favorite et rabaisser la sienne. Et cependant, pour complaire à son mari, elle dissimulait sa jalousie et même faisait bonne grâce à sa rivale.

Les égards même que la favorite lui montrait ne devaient pas la lui rendre plus chère. Diane s'occupait des enfants royaux comme s'ils étaient siens. Elle servit à la Reine de garde-malade. Souvent, dit une relation vénitienne de 1551, elle envoyait le Roi coucher avec elle. Mais c'était une attention humiliante et qui n'était pas désintéressée. Sans doute elle aimait mieux qu'il prît son plaisir en lieu légitime que de courir les aventures, où, entre autres risques, il pouvait rencontrer une nouvelle passion. Les deux femmes s'étaient unies contre Lady Fleming[112].

Le grand amour de Catherine apparaît surtout dans la correspondance, quand son mari fait campagne. Henri II, à l'exemple de François Ier, s'était allié avec les protestants d'Allemagne contre Charles-Quint et, pour prix de son concours, il avait obtenu d'occuper Metz, Toul et Verdun, ces trois évêchés de langue française, qui étaient membres du Saint-Empire (traité de Chambord, 15 janvier 1552)[113]. Il alla lui-même en prendre possession avec une armée que commandait son ami de cœur, le connétable de Montmorency, et il y réussit presque sans coup férir[114].

**Note 112:** (retour) Toutefois, il me paraît invraisemblable, malgré l'affirmation de l'agent ferrarais Alvarotti (Romier, t. I, p. 85 et note), que Diane, ayant guetté Henri II, qui se rendait de nuit chez Lady Fleming, lui ait reproché de déshonorer la reine d'Ecosse, Marie Stuart, sa future belle-fille, en lui donnant une p..... pour gouvernante.

**Note 113:** (retour) Lemonnier, *Histoire de France de Lavisse*, t. V, 2, p. 145 sq.

**Note 114:** (retour) Metz fut pris le 10 avril, Toul le 13, et Verdun le 2 juin. L'armée royale poussa jusqu'au Rhin, et parut le 3 mai devant Strasbourg, dont les portes restèrent fermées. En juillet, la campagne était finie.

La Cour avait suivi de loin. A Joinville, en Champagne, Catherine tomba malade, en fin mars 1552, d'une fièvre pourpre dont elle faillit mourir. Le médecin Guillaume Chrestien affirme qu'elle fut sauvée par les soins et les prières de Diane. Mais Diane elle-même indique, avec peut-être quelque ironie, un meilleur remède: «Vous puys asseurer, écrivait-elle au maréchal de Brissac (4 avril 1552), que le Roi a fait fort bien le bon mari, car il ne l'a jamais abandonnée»[115]. En cet extrême danger, Henri II se montra pour sa femme si attentif et si tendre, qu'on en fut, écrit le 5 avril l'agent du duc de Ferrare, «stupéfié»[116]. Mais cette crise d'affection dura aussi longtemps que la fièvre.

**Note 115:** (retour) Guiffrey, *Lettres de Diane*, p. 96.

**Note 116:** (retour) Romier, qui rapporte cette lettre d'Alvarotti, I, p. 19, note 2, en conclut qu'Henri II entourait se femme de «soins» et de «respects», mais si les attentions du Roi causaient tant de surprise, «un stupore», c'est qu'elles n'étaient pas habituelles.

Pendant cette campagne, et pendant les deux qui suivirent, en 1553 et 1554, le Roi fut souvent absent de la Cour. Catherine alors s'habillait de noir et de deuil et obligeait son entourage à faire comme elle. «Elle exhorte chacun, rapporte Giovanni Cappello, à faire de très dévotes oraisons, priant Notre Seigneur Dieu, pour la félicité et la prospérité du Roi absent»[117]. Michel de l'Hôpital, alors chancelier de Marguerite de France, duchesse de Berry, disait en vers latins au cardinal de Lorraine, qui avait suivi le Roi dans ce voyage d'Austrasie. «Que s'il te plaît peut-être de savoir ce que nous devenons, ce que fait la Reine, si anxieuse de son mari, ce que font la sœur du Roi et sa bru, et Anne (d'Este) la femme de ton frère, et toute leur suite impropre à porter les armes, sache, que par des prières continuelles et par des vœux, elles harcèlent les Puissances célestes implorant le salut pour vous et pour le Roi et votre retour rapide après la défaite des ennemis»[118].

**Note 117:** (retour) Alberi, *Relazioni*, serie Ie, t. II, p. 280, ou Tommaseo, I, p. 358.

**Note 118:** (retour) Dufey, *Œuvres complètes de Michel de l'Hospital, chancelier de France* 4 vol. dont un de planches. Paris, 1824-1825, t. III, p. 193.

La femme et la maîtresse faisaient au Connétable, chef de l'armée, les mêmes recommandations. Veillez sur le Roi, écrit Diane, «car il ly a bien de quoy le myeux garder que jamès, tant de poyssons (poisons) que de l'artyllerye»[119]. Battez les ennemis, écrit Catherine (août 1553), mais tenez le Roi loin des coups, «car s'il advient bien come je m'aseure tousjour, l'aunneur et le byen lui en retournera; s'yl advenet aultrement, [le Roi] n'y estant point, le mal ne saret aystre tieul (saurait être tel) que y ne remedyé (vous n'y remédiiez). Je vous parle en femme.» Peu lui importe le reste, «pourvu que sa personne n'aye mal»[120]. Les lettres de la maîtresse semblent d'une épouse, inquiète sans doute, mais sûre de l'affection de l'absent; celles de la femme sont d'une maîtresse amoureuse. Catherine écrit à la duchesse de Guise, qui a rejoint son mari à l'armée: «Plet (plût) à Dyeu que je feusse aussi byen aveques le myen»[121]. Elle est irritée contre Horace Farnèse, duc de Castro, le mari de Diane de France, qui venait de capituler dans Hesdin, après avoir reçu d'ailleurs un coup d'arquebuse dont il mourut: «J'é grand regret qu'i (Horace Farnese) ne l'eut [reçu] avant rendre Hédin.» Ce n'est pas qu'elle paraisse sensible à la perte de cette place forte; mais Henri II étant retenu à la frontière pour la couvrir contre l'ennemi. Horace Farnese est «cause, dit-elle, de quoy je ne voy point le Roy»[122].

**Note 119:** (retour) Sur cette crainte assez inattendue du poison, voir l'explication de G. Guiffrey, *Lettres de Diane de Poytiers*, p. 101, note 2.

**Note 120:** (retour) *Lettres de Catherine de Médicis*, t. I, p. 78.

**Note 121:** (retour) Fin août 1553, *Lettres*, I, p. 50.

**Note 122:** (retour) Fin juillet 1553, *Lettres*, I, p. 77.

Mais lui n'est pas à l'unisson. Diane parait informée jour par jour des événements; mais Catherine reste longtemps sans l'être. Elle apprend en juin 1552, par l'entourage de son mari, qu'elle va se rapprocher de l'armée et se rendre à Mézières. «Mes, dit-elle, je ne m'an ause réjeuir pour n'an n'avoyr heu neul comandemant du Roy»[123]. Elle se plaint quelquefois de ne pas recevoir de réponse à ses lettres. Henri II laisse tomber la correspondance, peut-être pour éviter les effusions conjugales. Il n'aime que Diane et Montmorency, et c'est à eux qu'il réserve ses déclarations d'amour. Catherine en est réduite à demander de ses nouvelles à tout le monde et à se recommander par intermédiaire à sa bonne grâce. Elle multiplie les lettres au Connétable, qu'elle prie de dire au Roi la passion qu'elle a pour son service et pour sa personne. «Mon conpère, lui écrit-elle, fin juin 1552, je vis arsouyr set que me mandès teuchant ma maladye, mès y fault que je vous dye que se n'é pas l'eau qui m'ay fayst malade, tant come n'avoyr point dé novelles deu Roy, car je pansès que luy et vous et teu le reste ne vous sovynt plulx que je aystès ancore en vie: aseuré vous qu'il n'i a sayrayn qui me seut fayre tant de mal que de panser aystre aur de sa bonne grase et sovenance; par quoy, mon conpère, set désirés que je vive ay sauy sayne antertené m'i le plulx que pourès et me fayste savoir sovant de ses novelles; et vela le meilleur rejeyme que je sarès tenir»[124].

**Note 123:** (retour) Lettre écrite entre le 18 et le 25 juin 1552, *Lettres*, I, p. 66.

**Note 124:** (retour) *Ibid.*, Voici cette lettre en orthographe moderne:

«Mon compère, je vis hier soir ce que [vous] me mandez touchant ma maladie, mais il faut que je vous die (dise), que ce n'est pas l'eau (l'humidité du soir), qui m'a faite malade, tant comme [de] n'avoir point des nouvelles du Roi, car je pensais que lui et vous et tout le reste, [il] ne vous souvînt plus que j'étais encore en vie: assurez-vous qu'il n'y a serein qui me sût faire tant de mal que de penser être hors de sa bonne grâce et souvenance; par quoi mon compère, si [vous] désirez que je vive et sois saine (bien portante), entretenez-m'y (en la bonne grâce du Roi), le plus que [vous] pourrez et me faites savoir souvent de ses nouvelles; et voilà le meilleur régime que je saurais tenir».

Dans une autre lettre au Connétable (6 mai 1553), elle s'excusait de ne rejoindre son mari que le lendemain. Mais la lettre du Roi portait qu'elle devait venir le plus tôt qu'elle pourrait avec toute la compagnie, ses enfants compris. S'il lui eût écrit d'arriver tout de suite, elle n'aurait pas manqué de partir seule, même sans chevaux. Ce n'était qu'un retard d'un jour, et cependant elle s'en justifiait comme d'une faute, protestant que «... Dieu mercy, depuis que j'ay l'onneur de lui estre (au Roi) ce que je luy suis, je n'ay jamais failly de faire ce qu'il m'a commandé, m'aseurant qu'il me faict cest honneur de le croire ainsi dans son cueur, [ce] qui me faict estre contante et m'aseurer que j'aye cest heur que d'estre en sa bonne grace et qu'il me cognoist pour telle que je luy suis.»

Elle revient plusieurs fois, comme pour s'en bien convaincre elle-même, sur cette assurance où elle est de n'être «jamais esloignée» de sa bonne grâce, ajoutant pour le Connétable «tant plus quen (d'autant plus quand) je sçay qu'estes auprès de luy qui estes et faictes profession d'homme de bien[125].»

**Note 125:** (retour) *Lettres*, I, p. 75-76, 6 mai 1553.

Comme elle craint de déplaire! Et cependant, à la même époque, elle montrait quelque velléité de rompre avec ses habitudes d'effacement. Elle osa se plaindre de la façon dont le Roi, partant en campagne, avait organisé le gouvernement[126]. Il l'avait déclarée régente (25 mars 1552), mais au lieu de lui conférer pleine et entière autorité, comme c'était l'usage et comme il le lui avait promis, elle se découvrit pour compagnon le garde des sceaux, Bertrandi, une créature de Diane. Ainsi que l'écrivait au Connétable le sieur du Mortier, Conseiller au Conseil privé, c'est Bertrandi lui-même qui avait fait réformer le pouvoir de la Reine, lors de la première lecture qui en fut faite au Roi, «pour s'y faire adjouster au lieu même qu'il est nommé»[127], hardiesse qu'assurément, on peut le croire, il ne se fût pas permise s'il n'y avait été poussé par la toute-puissante favorite. En outre, les affaires occurrentes devaient être délibérées avec «aucuns grands et notables personnages» du Conseil privé, qui donneraient leur «avis pour y pourvoir». Ainsi la Régente partageait avec le garde des sceaux la présidence du Conseil privé, et dans le

Conseil les décisions seraient prises à la majorité des voix. Pour plus de complication, Catherine était autorisée--avec l'avis du Conseil--à lever les troupes que le besoin requerrait pour la défense du royaume; et l'Amiral de France--c'était alors Claude d'Annebaut[128]--avait charge lui aussi de s'occuper des mêmes choses concernant le fait de la guerre, dont il lui serait toujours «conféré et communiqué». L'Amiral ne savait comment concilier ses attributions avec celles du Conseil privé et du Garde des sceaux.

**Note 126:** (retour) En 1548, elle n'avait pas protesté quand Henri II, passant en Piémont, laissa à Mâcon le cardinal de Lorraine, le duc de Guise, le chancelier (Olivier), le seigneur de Saint-André et l'évêque de Coutances (Philippe de Cossé-Brissac), pour entendre avec elle à ses affaires de deçà (lettre du 27 juillet 1548). Il est possible, contrairement à ce que pense M. Romier (Bibliothèque de l'École des Chartes, t. LXX, p. 431-432), qu'il ne s'agisse pas ici d'un véritable Conseil de régence, mais simplement d'un Conseil d'expédition des affaires courantes pendant l'absence du Roi. En tout cas, Catherine n'y avait que sa place sans spécification de pouvoirs, et cependant elle ne s'était pas plainte.

**Note 127:** (retour) Ribier, *Lettres et mémoires d'Estat des roys, princes, ambassadeurs et autres ministres sous les règnes de François premier, Henry II et Françoys II*, Paris, 1666, t. II, p. 389.

**Note 128:** (retour) Il mourut le 11 novembre 1552. Lettres au Roi dans Ribier, *ibid.*, t. II, p. 387-388, Joinville, 11 avril 1552.

Le Connétable, ce vieux renard, avait refusé, sous quelque prétexte, de communiquer ce pouvoir à la Reine; et ce fut sur ces entrefaites qu'elle tomba malade à Joinville. Quand elle fut rétablie, elle demanda de le lui apporter, désir de convalescente qu'il fallut satisfaire. «Et alors, en se souriant, a dit qu'en aucuns endroits on luy donnoit beaucoup d'autorité, et en d'autres bien peu, et que quand ledit pouvoir eust esté selon la forme si ample qu'il avait pleu au Roy de luy dire qu'il estoit, elle se fust toutefois bien gardée d'en user autrement que sobrement, et selon ce que ledit seigneur luy eust fait entendre son intention en particulier, soit de bouche ou par écrit, car elle ne veut penser qu'à luy obéir....»

Elle faisait remarquer à du Mortier que Louise de Savoie «eut une ampliation telle que l'on n'y eust sceu rien adjouster; et de plus elle n'avoit point de compagnon comme il semble que l'on luy veuille bailler Monsieur le Garde des Sceaux qui est nommé audit pouvoir». Elle notait aussi que, dans une autre clause, le Roi disait qu'il emmenait avec lui «tous les Princes de ce royaume». Il s'ensuivrait donc que «s'il fust demeuré aucuns desdits princes par deçà, elle n'y eut pas été régente». Et toujours en protestant qu'elle n'eût jamais usé du pouvoir le plus ample «autrement qu'il eust plu audit Seigneur», elle se refusait à faire publier la déclaration de régence «es Cours de Parlement ny Chambre de Comptes», car elle «diminueroit plus qu'elle n'augmenteroit de l'authorité que chacun estime qu'elle a, ayant cet honneur d'estre ce qu'elle est au Roy.» D'Annebaut, du Mortier tentèrent sans succès de la ramener. Du Mortier, qui au fond était de son avis, écrivit au Connétable de décider le Roi «à mettre en termes généraux les particularitez contenues audit pouvoir»[129].

Le Connétable répondit qu'il fallait qu'il fût publié. Doucement elle insista «... Quant à set (ce) que me mandès de mon pouvoir, je suys bien ayse, puisqu'i (il) fault qui (qu'il) souyt (soit) veu, qui (qu'il) souyt de façon que l'on conese que set que me mandés ay (est) vrai que je suys an la bonne grase deu Roy»[130]. Probablement, pour en finir, Henri lui écrivit, et la voilà contente, «car, écrit-elle au Connétable, j'é aystés an grant pouyne (peine) pour la longueur deu temps qui l'y avest que n'en avés seu (eu de lettres), par quoy je vous prye si ledist signeur et vous avés anvye que je ne retombe poynt malade que je aye le byen d'an savoir (avoir) plux sovant»[131].

Et aussitôt elle s'empresse. Elle annonce au Connétable que tous ceux du Conseil ont été d'avis que l'Amiral devait demeurer ici jusqu'à ce que le Roi en eût ordonné autrement. «Par quoy mandé nous vystement sa volonté, afin que ne fasyon (fassions) faulte à l'ensuyvre.» Elle met avec joie la main à l'administration. «Mon compère, écrit-elle au Connétable, vous verrez par la lectre que j'escris au Roy que je n'ay pas perdu temps à apprendre l'estat et charge de munitionnaire»[132].

Mais, pour tout remerciement, Montmorency la rabroua: «Il me semble estant ledit seigneur (Roy) si prochain de vous qu'il sera doresnavant que vous ne devez entrer en aucune despense ny plus faire ordonnance d'autres deniers sans premièrement le luy faire sçavoir et entendre son bon plaisir»[133].

**Note 129:** (retour) : Sur cette affaire, voir Ribier, *Lettres et Mémoires d'Estat... sous les règnes de Françoys premier, Henry II, Françoys II*, 1666, t. II, lettre du sieur du Mortier au Connétable, p. 388.

**Note 130:** (retour) Fin avril 1552, *Lettres*, I, 52.

**Note 131:** (retour) Autre lettre de fin avril, I, p. 52.

**Note 132:** (retour) 20 mai 1552, *Lettres*, I, p. 56.

**Note 133:** (retour) Citée par De Cruc, *Anne de Montmorency*, p. 115, sans indication de date.--Une lettre très ironique du Roi dans Lemonnier, *Hist. de France*, t. V, 2, p. 132.

Ses initiatives inquiétaient. Pour la première fois, elle laissait voir le désir assurément légitime de tenir son rang. Sa prétention d'être régente pour tout de bon, et cette passion d'activité, c'était une révélation. Une Catherine apparaît que la Cour ne soupçonnait pas. La femme d'État perçait sous l'épouse obéissante.

Dans les affaires italiennes, elle montre à la même époque la même volonté d'intervenir. À son départ pour la France, Alexandre de Médicis était depuis deux ans duc héréditaire de Florence, par la grâce de Clément VII et de Charles-Quint et le consentement du peuple. Elle n'aimait guère ce frère bâtard, estimant peut-être qu'il occupait une place où elle se croyait, comme fille légitime, plus justement destinée. Quand la nouvelle survint qu'il avait été assassiné par un de leurs cousins, Lorenzino de Médicis (5 février 1537), elle prit la chose si doucement, racontait la reine de Navarre à un agent florentin, «que mieux ne se pouvait imaginer»[134]. Alexandre ne laissait pas d'enfant. Un Médicis, d'une branche cadette, intelligent et énergique, Côme, fils de Maria Salviati et de Jean des Bandes Noires, l'ancien compagnon de jeux de Catherine, accourut à Florence et se fit reconnaître pour chef par le peuple, et quelques mois après par l'Empereur. François Ier n'eut pas même le temps de décider s'il ferait valoir les droits de sa bru ou travaillerait à rétablir la République. L'oncle de Catherine, le fameux banquier Philippe Strozzi, souleva les ennemis du nouveau duc; mais il fut vaincu à Montemurlo (1538) et enfermé dans une prison où il mourut, non sans soupçon d'aide.

François Ier avait gardé rancune à Côme de son bonheur et de ses attaches avec Charles-Quint. Il refusa d'accorder à son ambassadeur la préséance sur celui de Ferrare[135]. Henri II, qui pouvait se prévaloir des droits de sa femme, était encore plus mal disposé[136]. Entre tous les *fuorusciti* (bannis), napolitains, milanais, génois, etc., que la Cour de France recueillait pour s'en servir dans ses entreprises italiennes, il montrait une particulière faveur aux Florentins. «La mauvaise volonté du Roi envers vous, écrivait à Côme son ambassadeur à Rome, vient de ce que vous avez servi et servez l'Empereur... *et de ce que vous êtes maître de cet État de Florence auquel aspire Sa Majesté très Chrétienne*»[137].

**Note 134:** (retour) «Che ella se ne passava tanto bene, che plu non si poteva imaginare.» Ferrai, *Lorenzino de Medici e la Società Cortigiana del Cinquecento.* Milan, 1891, p. 282.

**Note 135:** (retour) Eletto Palandri, *Les négociations politiques et religieuses entre la Toscane et la France à l'Époque de Cosme Ier et de Catherine de Médicis* (Recueil de travaux publiés par les membres des Conférences d'histoire et de philologie de l'Université de Louvain), Paris, Picard, 1908, p. 41 sqq.

**Note 136:** (retour) À Reims, le jour du sacre, l'ambassadeur du duc de Mantoue prit le pas sur celui de Florence. *Id. ibid.* p. 54-55.

**Note 137:** (retour) Averardo Serristori à Côme, 27 mai 1551, dans Elleto Palandri, *Ibid.*, p. 73. Cf. p. 67.

Pendant le règne de François Ier et les premières années de celui d'Henri II, Catherine affecta de rester étrangère à ce conflit des puissances. Elle avait des revendications à faire valoir sur les propres de son frère Alexandre et ne tenait pas à se brouiller avec le souverain de la Toscane; elle entretenait une correspondance amicale avec lui et faisait gracieux accueil aux ambassadeurs qu'il envoyait de temps à autre en France pour tenter un rapprochement.

Elle disait, en 1539; à l'un d'eux, l'évêque de Saluces, Alfonso Tornabuoni qu'elle se recommandait à Côme et à la mère de Côme, Maria Salviati, et que si elle avait occasion de rendre service au Duc elle le ferait de bon cœur, «comme pour son propre frère, car elle tient Votre Excellence pour tel, et elle m'a donné commission de le lui dire de sa part»[138]. Lors du règlement de l'affaire de préséance, elle en écrivit à Côme ses regrets: «Je veodré (voudrais) que lé choses feusent pasé autrement, et sy je use plulx pleusant esté (et si j'eusse été plus puissante)»[139]. Elle reçut l'ambassadeur Ricasoli, lorsqu'il vint féliciter Henri II sur son avènement «avec une bénignité (*dolcezza*) et une démonstration d'affection qui ne se peut redire»[140]. Mais Côme, un Médicis aussi fin qu'elle et qui savait la valeur des compliments, ne croyait pas à tant d'amour.

**Note 138:** (retour) Desjardins, *Négociations diplomatiques de la France avec la Toscane*, III, p. 17.

**Note 139:** (retour) *Lettres*, t. I, p. 12, fin juillet 1545. Il faut entendre: et les choses se seraient passées autrement si j'avais été plus puissante.

**Note 140:** (retour) Desjardins, *Négociations diplomatiques*, III, p. 191.

Elle était entourée de fuorusciti ardents à qui la maison de son maître d'hôtel, le poète Luigi Alamanni, servait de «synagogue». Elle prit en 1552 pour dame d'atour Maddalena Bonaiuti, femme d'Alamanni, qui lui peignait en noir (*sinistramente*) le gouvernement de Florence[141]. Ses cousins, Pierre, Léon, Robert et Laurent Strozzi, avaient leur père Philippe à venger. Ils cherchaient partout des ennemis à Côme et n'y épargnaient ni peine ni argent. Robert faisait fructifier les capitaux de la famille dans ses banques de Rome et de Lyon: Laurent était d'Église; Léon, chevalier de Malte; Pierre avait essayé du service de l'Empereur avant de passer à celui du roi de France. C'était un condottiere de race, brave, aventureux, haut à la main, et si lettré qu'il pouvait traduire en grec les Commentaires de César. Il avait épousé Laudomia (ou Laudomina) de Médicis, la sœur du meurtrier d'Alexandre. Catherine avait pour ce cousin à mine rébarbative une préférence marquée. Lorsqu'il avait rejoint François Ier au camp de Marolles[142] «avec la plus belle compagnie qui fut jamais veue de deux cens harquebuziers à cheval les mieux montez, les mieux dorez et les mieux en poinct qu'on eust sceu voir», la Dauphine, «qui estoit cousine dudict sieur Estrozze qu'elle aymoit, s'en cuyda perdre de joye, raconte Brantôme, pour voir ainsi son cousin parestre et faire un si beau service au roy et le tout à ses propres despans»[143]. Sans imaginer qu'elle l'ait aimé au sens où se plait à l'entendre l'historien des *Dames galantes*, il faut que son affection ait été bien vive pour se manifester avec un éclat presque compromettant.

**Note 141:** (retour) Romier, I, p. 146 et 147. Cf. Hauvette, *Un exilé florentin à la Cour de France: Luigi Alamanni*, 1903, p. 137.

**Note 142:** (retour) François Ier avait dressé son camp à Marolles pour secourir Landrecies que Charles Quint assiégeait. Brantôme, t. II, p. 269.

**Note 143:** (retour) Brantôme, *Œuvres*, éd. Lalanne, II, 269-270. Cf. VI, 163.

C'était bien le serviteur qu'il lui fallait, entreprenant et fidèle. Au nom de la liberté, ce fils du vaincu de Montemurlo pouvait soulever contre Côme les partisans de Catherine et ceux de la République. Henri II, qui avait mêmes vues sur lui, le nomma, aussitôt après son avènement, capitaine général de l'infanterie italienne[144]. Il le fit chevalier de l'Ordre le jour de son sacre. Strozzi, si cher à la Reine, avait eu le talent de plaire à la favorite, à un favori, le maréchal de Saint-André, et aux Guise. Mais Montmorency le considérait comme un aventurier, et son crédit était grand.

La défiance du Connétable parut justifiée par la conduite du frère de Pierre, Léon, qui commandait les galères du Levant. C'était quelques mois avant la campagne d'Austrasie et l'occupation des Trois-Evêchés. Henri II avait pris parti pour les Farnèse, que le pape Jules III voulait dépouiller du duché de Parme, un fief de l'Église romaine, pour en investir l'Empereur, et il les soutenait d'hommes et d'argent[145]. Pendant ces premières hostilités, Léon, qui avait été, par intrigue ou pour incapacité, privé de sa charge en faveur du sieur de Villars, neveu du tout puissant Connétable, tua, de colère, un de ses serviteurs, Jean-Baptiste Corse, qu'il accusait d'avoir comploté sa disgrâce et même voulu attenter à sa vie, et il s'enfuit de Marseille à Malte avec deux galères (septembre 1551)[146]. Cette défection, à la veille d'une grande guerre--presque une trahison--risquait de ruiner tous les Strozzi et de compromettre la Reine, leur cousine et leur patronne. Aussi Catherine ne perdit-elle pas de temps. Six jours seulement après la naissance d'Édouard-Alexandre (le futur Henri III), elle se mettait à son écritoire, écrivait au Roi, au Connétable: «Je vouldrois, disait-elle à Montmorency, que Dieu eust tant faict pour luy de l'avoir osté de ce monde à l'heure qu'il luy donna la volunté de s'en aller»[147]. Elle ne pensait pas revoir jamais «chose qui aprochast de ceste faute» et pourtant elle était sûre «qu'il ne l'a point faict par meschanceté», s'étonnant «qu'ung si meschant homme comme Jehan Baptiste Corse eut eu puissance de luy faire peur ou doubte». Avant tout elle avait à cœur de certifier la fidélité de Pierre. Elle priait le Connétable de faire que «le Roy ayt tousjours le seigneur Pietre pour recommandé, car bien que son frère ayt failli, je suis, affirmait-elle, certaine de luy qu'il mourra à son service»[148] (26 septembre 1551).

**Note 144:** (retour) *Corresp. de Saint-Mauris, ambassadeur de Charles-Quint*, Rev. hist, t. V (septembre-décembre 1877), p. 107.

**Note 145:** (retour) Romier, I, p. 230 sqq.

**Note 146:** (retour) Brantôme, t. IV, p. 393.

**Note 147:** (retour) 26 septembre 1551, *Lettres*, I, 44.

**Note 148:** (retour) *Ibid.*, *Cf.* I, 46.

Dans une lettre à Henri II, tout en déclarant que son plus grand désir serait de savoir le coupable noyé, elle ne laissait pas d'indiquer les circonstances atténuantes. Quant à Pierre, elle se portait garante qu'il mourrait plutôt «de san (cent) myle mort que de vous faire jeamès faulte ny oublyer l'aublygazyon quy (qu'il) vous ha». Elle le suppliait de lui pardonner cette longue lettre, «pansant le deplésyr que je hay» dont rien ne la pourra ôter que l'assurance de n'être pas éloignée, par la faute de ce malheureux, «de votre bonne grâce an laquele, disait-elle, très humblemant me recommande». Et elle signait: «Vostre tres humble et tres hobéysante famme»[149].

**Note 149:** (retour) *Lettres*, 45 et aussi p. 47.

Elle n'obtint pas pour Laurent un sauf-conduit pour venir se justifier, mais le seigneur «Pietre», les affaires d'Italie aidant, fut plus en faveur que jamais.

Les fuorusciti s'étaient jetés avec passion dans la guerre de Parme, espérant y entraîner toute la péninsule. Ceux de Florence projetaient d'attaquer Côme. Catherine favorisait leurs menées et partageait leurs espérances. Quand elle apprit que le pape Jules III, las de sa politique belliqueuse, négociait avec Henri II une alliance de famille entre les Farnèse, clients de la France, et Côme, vassal de l'Empereur, elle se plaignit à son mari de n'avoir pas été consultée. «En cette circonstance, mandait à Côme son secrétaire d'ambassade en France, B. Giusti. la Reine a fait la folle: elle a pleuré devant le Roi, disant qu'on n'avait nul égard pour elle»[150].

**Note 150:** (retour) Desjardins, *Négoc.*, t. III, p. 278.

Mais Henri II, comme on le vit bientôt, jouait double jeu. Quand les Siennois eurent chassé (26 juillet 1552) la garnison espagnole qui, depuis douze ans, occupait la citadelle, il leur envoya des secours. Sienne, à deux ou trois journées de Florence, pouvait servir de point d'appui aux ennemis de Côme. Après quelques hésitations, il nomma Pierre Strozzi, leur chef, son lieutenant général à Sienne (29 octobre 1553). Catherine crut que le moment était venu de faire valoir ses droits sur Florence. Elle obtint de son mari l'autorisation d'engager ses domaines d'Auvergne pour aider Strozzi à délivrer Florence de l'esclavage, et elle en vendit, paraît-il, pour cent mille écus[151]. Elle déclara aux ambassadeurs de Sienne, qui sollicitaient sa protection, qu'elle voulait être «la procuratrice» de la Cité. «Il est impossible, écrivait le 4 mai le Siennois Claudio Tolomei, de peindre l'ardeur et l'amour avec lesquels la Reine se dévoue aux affaires de Sienne et le courage qu'elle montre, non seulement en paroles, mais par ses actes»[152]. Le cardinal de Tournon déclarait à l'ambassadeur vénitien, Giovanni Capello, (10 juillet 1554) que «si la liberté de Florence était rétablie, la Reine en aurait tout le mérite»[153]. Henri II avait rappelé Léon Strozzi à son service (janvier 1554); il nomma Pierre maréchal de France pour accroître son prestige (20 juillet 1554).

**Note 151:** (retour) Par une procuration du 28 novembre 1533, Henn II, à la sollicitation de sa femme, l'autorise à vendre, aliéner, engager tout ce qu'elle tient et possède... «par succession de ses feu père et mère en nostre pays d'Auvergne... afin de nous bailler les deniers qu'elle en pourra tirer et recouvrer.» *Correspondance politique de Dominique du Gabre* (évêque de Lodève), *trésorier des armées à Ferrare* (1552-1557), publiée par Alexandre Vitalis, Paris 1903, Append., p. 291-292.--Romier, p. 418.

**Note 152:** (retour) : Romier, t. I, p. 418 et notes.

**Note 153:** (retour) *Id.*, I, 428.

Mais Strozzi fut vaincu à Marciano (2 août 1554) par les troupes espagnoles, renforcées de celles de Côme, et ces grands espoirs furent détruits. On cacha quelques jours la mauvaise nouvelle à Catherine, qui était enceinte de deux mois. Quand elle l'apprit, elle pleura beaucoup; mais avec cette maîtrise, «dont elle donna plus tard tant de preuves», elle se ressaisit vite. Elle envoya un de ses valets de chambre visiter Pierre, qui avait été grièvement blessé. Elle écrivit aux Siennois, pour relever leur courage, une lettre curieuse où un mot fait impression: «Davantage (de plus) de notre côté, pour la dévotion que nous avons (non moindre que la vôtre) *à la Patrie*, nous vous prions d'être assurés que nous nous emploierons et procurerons continuellement envers le Roi, mon dit Seigneur, de sorte et manière que sa puissance ne vous manquera en compte aucun pour l'entretenement et conservation de votre État et liberté en son entier»[154].

La patrie dont elle parle, ce n'est ni Sienne, ni Florence, ni même la Toscane, mais l'Italie. Le souvenir de Rome maintenait vivante parmi les divisions territoriales de la péninsule l'idée d'une patrie commune. Et puis le mot sonnait si bien.

Catherine put croire encore quelque temps que ses revendications sur Florence et sur le duché d'Urbin resteraient le principal objet de la politique française; mais Henri II avait bien d'autres affaires. Il se dégoûtait d'une lutte stérile en Italie et ne pensait qu'à sauvegarder ses conquêtes en Lorraine. Quand Sienne, que les Espagnols assiégeaient, eut capitulé, après une défense héroïque (17 avril 1555)[155], il conclut une alliance avec le pape et négocia la paix avec Charles-Quint. Catherine fut mécontente de cette «volte-face»[156], mais on se passa de son approbation. Une trêve glorieuse conclue à Vaucelles (5 février 1556) laissa les Trois-Évêchés et le Piémont à la France.

**Note 154:** (retour) Lettres, X, p. 13, Villers-Cotterets, 29 septembre 1554. C'est visiblement une lettre écrite en français et traduite en italien.

**Note 155:** (retour) Courteault, *Blaise de Monluc historien*, ch. VI: la défense de Sienne, p. 229-298.

**Note 156:** (retour) Romier, I, 522.

L'année suivante, Henri II, à la sollicitation du pape Paul IV Carafa et du cardinal-neveu, un condottiere revêtu de la pourpre, recommença la lutte contre la maison d'Autriche, malgré le Connétable, grand ennemi des aventures italiennes. Une armée française, commandée par le duc de Guise, passa les Alpes. Mais, contrairement aux désirs de la Reine, c'était pour conquérir le royaume de Naples et non la Toscane. Côme avait négocié avec tout le monde pour éviter une attaque. Peut-être Catherine espérait-elle qu'après Naples le tour de Florence viendrait. En attendant elle réclamait du Pape, pour ses clients et ses parents, le prix de l'intervention française. Elle rappelait avec quelque humeur, en mars 1557, au cardinal Carafa que, lors de sa légation en France (juin-août 1556) il lui avait promis «que Monsieur de Saint-Papoul (Bernard Salviati, évêque de Saint-Papoul, son cousin) serouyt (serait) le premyer cardynal» que le Pape ferait. Et cependant une promotion de cardinaux avait eu lieu (15 mars 1557), où il n'était pas compris. Elle s'en déclarait «heun peu aufansaye (offensée)», «veu, disait-elle, que je l'aves ynsin (ainsi) dist à tout le monde, m'aseurant que vous ne m'eussiès veolu porter heune parole pour vous moquer de moy.» Elle réclamait pour Salviati une promotion «aur (hors) de l'aurdinayre». Que le Pape «panse au lyeu que je tyens et que j'é moyen de reconestre le plesyr que vous me fayrés»[157].

**Note 157:** (retour) Mars 1557, *Lettres*, X, 17-18. Salviati ne fut fait cardinal que quatre ans après.

Elle se vantait. Depuis la chute de Sienne et l'abandon des projets sur la Toscane, elle ne comptait guère. Mais elle ne se résignait pas à se désintéresser des affaires d'Italie. Elle multipliait les lettres, répétait les nouvelles, les assurances, les promesses et s'agitait dans le vide, ne pouvant employer autrement son besoin d'activité. Elle annonce au cardinal Carafa (avril 1557) comme s'il ne le savait pas, que le Roi a décidé de secourir le Pape et «que y (il) ne changera plulx de aupynyon». Elle lui conseille d'écrire «quelque auneste lestre à Monsyeur le Conestable», reconnaissant par là même qu'elle ne peut rien[158]. Elle avait avec lui une correspondance qu'elle tenait, semble-t-il, à cacher. Le secrétaire français du Cardinal s'étant enfui, il s'empressa de lui faire dire, pour la rassurer, que ce serviteur infidèle n'avait lu aucune de ses lettres (1er mai 1557)[159]. Son «secret» d'Italie, c'est la revanche de son effacement en France. Elle intervient, mais à des fins très personnelles, dans la politique étrangère.

**Note 158:** (retour) *Ibid.*, p. 19.

**Note 159:** (retour) Georges Duruy *Le cardinal Carafa*, Paris, 1882, App., p 387.

Quand les Carafa, effrayés par la marche sur Rome du duc d'Albe, vice-roi de Naples, se hâtèrent de traiter avec Philippe II, elle écrivit doucement au duc de Palliano, l'aîné des neveux de Paul IV, que le Roi son mari, «a esté bien ayse de ce que Sa Sainctеté s'est accommodée en ses affaires par l'accord qu'il a faict avec le Roy d'Espeigne, ayant (Henri II) mieulx aymé se mectre en poyne pour la (Sa Sainteté) mectre en repoz et tranquillité que d'en avoir usé aultrement»[160]. Elle glissait sans dignité sur la défection, mais elle n'oubliait pas ses intérêts. Elle recommandait au Duc les procès qu'elle avait engagés en Cour de Rome contre sa belle-sœur, Marguerite d'Autriche, à qui elle disputait l'héritage de son frère bâtard, Alexandre, le duc de Florence assassiné, et de son cousin, le cardinal Hippolyte, mort lui aussi. Elle remerciait le Pape, ce pape qui venait de trahir la cause française, d'avoir ordonné aux juges de passer outre aux artifices de procédure et elle le suppliait «de leur commander derechef qu'ayant son bon droit en bonne recommandation» ils missent fin au procès[161]. La plaideuse paraît oublier qu'elle est Reine de France[162].

**Note 160:** (retour) *Lettres*, t. I, p. 111, 27 octobre 1557.

**Note 161:** (retour) *Ibid.*, p. 112 (décembre).

**Note 162:** (retour) Toutefois il n'est pas croyable qu'elle ait écrit en ce même mois de décembre 1557 à Carafa la lettre publiée au tome X de ses *Lettres*, p. 20, et où elle proteste de sa reconnaissance et de son dévouement. C'eût été se compromettre que d'écrire en ces termes au Cardinal-neveu, qui avait rejoint Philippe II à Bruxelles, comme légat du Pape, et qui négociait le prix de la défection des siens. Les faits dont il est question dans cette lettre sans date prouvent d'ailleurs qu'elle a été mal datée par les éditeurs. Catherine remercie le Cardinal de son zèle pour la grandeur de ses fils et du bon accueil fait à Rome au maréchal Strozzi. Or Strozzi arriva à Rome fin janvier ou commencement février 1556 (Duruy, *Le cardinal Carlo Carafa*, 1882, p. 100-101). L'allusion aux fils de France ne peut s'entendre que du traité d'alliance entre Henri II et Paul IV (13 octobre 1555), dont l'article XXII donnait le royaume de Naples et le duché de Milan à deux des fils cadets d'Henri II (Duruy, *ibid.*, p. 80-81.) La lettre est donc probablement de février ou mars 1556.

Pourtant elle venait d'avoir occasion d'en faire figure. Ce fut quand les Espagnols eurent mis en déroute, devant Saint-Quentin (août 1557), l'armée du Connétable et menacèrent Paris. Henri II, qui rassemblait de toutes parts des troupes pour faire tête à l'ennemi, envoya sa femme demander aux bourgeois de sa capitale un secours immédiat d'argent. Catherine se rendit à l'Assemblée Générale, qui avait été réunie à l'Hôtel de Ville (13 août), accompagnée de Marguerite de France, sa belle-sœur, et de plusieurs autres dames. «Et estoit, la dite dame et sa compaignée, dit le procès-verbal du greffier, vestues d'abillemens noirs, comme en deul». La Reine exposa la grandeur du désastre, le danger du royaume et «la nécessité de lever gens pour empescher l'ennemy de venir plus avant». Brantôme dit qu'elle parla très bien. «Elle excita et esmeut messieurs de Paris....» Le procès-verbal en sa sécheresse n'y contredit pas. Elle demanda «humblement» à l'Assemblée «de ayder au Roy d'argent pour lever en diligence dix mile hommes de pied». On la pria de vouloir bien se retirer dans une petite salle pendant la délibération, mais on la rappela aussitôt. Les bourgeois avaient voté sans débat les dix mille hommes de pied, «pour lesquels seroit levé sur tous les habitants de ladite ville et faulxbourgs, sans en excepter ni exempter aucun, la somme de trois cent mil livres tournois». La Reine remercia bien fort «et *humblement*». Ce mot «humblement», qui revient pour la seconde fois, a été ensuite effacé, évidemment comme peu convenable à la dignité royale, mais le greffier ne l'a pas inventé, et d'ailleurs il s'accorde trop bien avec les façons modestes de Catherine pour n'être point vrai[163].

Après cette apparition en pleine lumière, elle s'effaça. Toutes ses pensées ne tendent qu'à complaire au Roi son mari. Elle le suit partout. Par déférence et par tendresse, elle se contraint d'honorer et «caresser» la favorite[164]. Elle n'a aucune autorité dans l'État, mais elle tient superbement sa Cour, à l'imitation de celle de François Ier. Elle dépense beaucoup pour elle et son entourage, en frais de table, en vêtements. Libérale et généreuse, elle donne à pleines mains et sollicite infatigablement pour ses parents, ses amis et les clients de ses amis. Elle a une réputation bien établie de douceur et de «bénignité».

**Note 163:** (retour) Brantôme, t. VII, 348.--*Registre des délibérations du Bureau de la Ville de Paris* (Publications de la Ville de Paris), t. IV (1552-1558), éd. et annoté par Bonnardot, p. 496-497 et la note.

**Note 164:** (retour) En décembre 1557, écrivant au roi de Navarre, Antoine de Bourbon, pour le prier de favoriser le mariage de son neveu germain, Jacques de Clèves, comte d'Orval, avec Diane de La Mark, petite-fille de Diane de Poitiers, elle déclarait avec assurance qu'elle s'intéressait à cette union pour l'amour «que j'é tout jour portaye à Madame de Valantynois et à sa fille», Lettres, t. X, 540.

Exclue du pouvoir, elle entend se réserver le gouvernement de sa famille. Elle était une mère tendre, mais autoritaire, comme on le voit par les Mémoires de sa fille Marguerite. L'ambassadeur vénitien, Giovanni Soranzo, dans sa Relation de 1558, dit qu'elle a élevé le Dauphin, plus tard François II, dans de telles habitudes de respect à son égard «qu'on voit bien qu'il dépend en tout de sa volonté»[165].

**Note 165:** (retour) Alberi, *Relazioni*, serie Ia, vol. II, p. 400.

Mais l'action de la mère était contrecarrée par celle de la fiancée du Dauphin, Marie Stuart, reine d'Écosse, qui avait été envoyée en France, en 1548, à l'âge de cinq ans, pour être élevée à la Cour. Marie Stuart était la fille de Jacques V d'Écosse, mort de chagrin (16 décembre 1542) après la défaite de ses troupes par les Anglais, et de sa seconde femme, Marie de Lorraine, sœur du duc de Guise et du cardinal de Lorraine. Elle était naturellement attachée à ses oncles germains, prenait leurs conseils, entrait dans leurs intérêts et consolidait leur crédit, que leurs services à l'armée et dans le gouvernement et une alliance de famille avec Diane de Poitiers égalaient presque à celui du Connétable. Cette «reinette» intelligente, vive et gracieuse, faisait les délices d'Henri II; mais elle déplaisait à sa future belle-mère, qui ne la trouvait pas docile et qui craignait pour son fils, faible et maladif, les risques d'une union précoce. Mais après la prise de Calais et de Thionville par le duc de Guise, il ne fut plus possible d'ajourner les épousailles (24 avril 1558). Le mari avait quatorze ans, et la femme quinze. Elle accaparait ce pâle adolescent, blême et bouffi, s'isolait avec lui, et même le caressait trop. La mère était inquiète et jalouse. La Dauphine, infatuée de la grandeur de la maison de Lorraine et de sa couronne d'Écosse, se serait un jour oubliée jusqu'à traiter sa belle-mère, cette Médicis, de fille de marchand[166]. Catherine dissimula en public sa rancune, mais elle ne pardonna pas, comme elle le montra plus tard.

**Note 166:** (retour) «Che non sarete mai altro che figlia di un mercante», d'après le nonce Prosper de Sainte-Croix, cité par Chéruel, *Catherine de Médicis et Marie Stuart*, ch. II, p. 17.

L'année 1559 est la date décisive de sa vie. Elle avait alors quarante ans. Ses traits commençaient à s'empâter; les yeux saillaient à fleur de tête, embrumés de myopie. Ses dix maternités lui avaient donné l'ampleur des formes, ou, comme dit Brantôme, «ung embonpoint très riche». Mais, avec ses belles épaules, une gorge «blanche et pleine, la peau fine, la plus belle main qui fust jamais veue», une jambe bien faite que dessinait un bas bien tiré[167], elle était en somme une Junon appétissante en sa maturité et qui paraissait telle, sauf à Jupiter.

**Note 167:** (retour) Brantôme, *Œuvres*, éd. Lalanne, t. VII, p. 242.

La guerre entre la France et l'Espagne, alliée de l'Angleterre, fut close par le traité du Câteau-Cambrésis. Henri gardait Calais que le duc de Guise avait conquis sur les Anglais, mais il restituait au duc de Savoie tous ses États, sauf quelques villes qu'il retenait en gage[168], et il renonçait à toutes ses prétentions sur l'Italie. Les sacrifices lui paraissaient compensés par la cessation de la guerre et les bienfaits de la paix, par le mariage de sa sœur, Marguerite de France, avec le duc de Savoie, Emmanuel-Philibert, et de sa fille Élisabeth avec le roi d'Espagne, Philippe II, veuf de Marie Tudor, reine d'Angleterre, et par le plaisir de revoir son ami de cœur, le Connétable, qui, prisonnier aux Pays-Bas, depuis la bataille de Saint-Quentin, avait été le médiateur et le négociateur de cet accord. Mais Catherine n'avait pas autant de raisons de se réjouir. Il est possible que dans son chagrin de perdre à jamais Florence et Urbin elle soit allée, dès qu'elle sut les préliminaires de la paix, se jeter aux pieds du Roi, accusant le Connétable de n'avoir jamais fait que mal. Mais Henri aurait répliqué que le Connétable avait toujours bien fait et que ceux-là seuls avaient mal fait qui lui avaient conseillé de rompre la trêve de Vaucelles[169]. En tout cas, elle ne s'attarda pas aux récriminations, et, moins d'un mois après la signature de la paix (2-3 avril 1559), elle écrivit au duc de Savoie: «...J'aye souhaitté pour vous ce que je voye, me resentant de l'alliance que autrefois vostre maison et la mienne ont eue ensemble... si jusques à ceste heure j'aye eu envye de m'employer en ce qui vous touche, je vous prie croire que d'icy en avant je m'y employrai de toute telle affection que pour mes enfans propres....»[170] Elle se consolait probablement de ses déceptions en pensant au grand mariage de sa fille et au bonheur de sa chère belle-sœur Marguerite, cette vieille fille de lettres qu'agitait--en ses trente-six ans[171]--le «démon de midi».

**Note 168:** (retour) Turin, Quiers, Pignerol, Chivas et Villeneuve d'Ast, Du Mont, *Corps diplomatique*, t. V, I, p. 39.

**Note 169:** (retour) Dépêche de l'agent ferrarais, Alvarotti, du 18 novembre 1558, citée par Romier, t. II, p. 314, note 1. Mais il n'est pas vraisemblable que Diane de Poitiers, qui avait poussé à la paix, la trouvant ensuite un livre à la main et lui ayant demandé «ce qu'elle lisait de beau», elle ait répondu: «Les histoires de ce royaume où elle trouvait que toujours de temps en temps les *donne putane*, pour parler comme elle fit, ont été cause de la politique des rois». Ces bravades ne sont pas de sa façon.

**Note 170:** (retour) *Lettres de Catherine de Médicis*, t. I, p. 120, 25 août 1559.

**Note 171:** (retour) Romier, t. II, p. 374 sqq.

À l'occasion des noces, de grandes fêtes furent données à Paris, parmi lesquelles un tournoi. Henri II y porta les couleurs blanches et noires de Diane. Sous les yeux des deux reines, la légitime et l'autre, il fournit plusieurs courses, rompit des lances, montra sa vigueur et son adresse. Il voulut finir par un coup d'éclat et donna l'ordre à Mongomery, son capitaine des gardes, de courir contre lui. Catherine qui, dit-on, la nuit précédente, l'avait vu en rêve, la tête sanglante, le fit prier, superstition d'Italienne et d'amoureuse, de se dédire, mais il persista. Les deux adversaires prirent du champ, lancèrent leurs chevaux à toute vitesse, et, en se croisant, s'entre-frappèrent de leurs lances. L'arme de Mongomery se brisa et le tronçon qu'il avait en main, soulevant la visière du casque royal, blessa Henri au sourcil droit et à l'œil gauche[172]. On l'emporta évanoui au palais des Tournelles où il expira le 10 juillet.

**Note 172:** (retour) Notice du Dr Lannelongue, dans les *Grandes scènes historiques du XVIe siècle. Reproduction fac-simile du Recueil de J. Tortorel et J. Perissin*, publiée par Alfred Franklin, Paris, 1886.

La Reine assista, priant et pleurant, à la fin de ce mari tendrement aimé. Elle porta dorénavant le deuil, «et ne se para jamais de mondaines soies», sauf aux noces de ses fils, Charles IX et Henri III, afin de «solemniser, disait-elle, la feste par ce signal par dessus les autres».[173] Elle prit pour armes parlantes une lance brisée, avec ces mots en banderole: «Hinc dolor, hinc lacrymae» (de là ma douleur, de là mes larmes); et aussi une montagne de chaux vive, avec cette devise: «Ardorem extincta testantur vivere flamma», voulant dire que, comme la chaux vive «arousée d'eau brusle estrangement... encor qu'elle ne face point apparoir de flamme», ainsi l'ardeur de son amour survivait à la perte de l'être aimé.

**Note 173:** (retour) Brantôme, *Œuvres*, t. VII, p. 398. Cf. le F. Hilarion de Coste, *Les Éloges et vies des Reynes, princesses, Dames et demoiselles illustres en piété courage et doctrine*... Paris, 1630, p. 169: «Par là elle declaroit que les flammes du vrai et sincère amour qu'elle portoit au Roy son époux jettoient encore des étincelles après que la vie de ce bon prince qui les allumoit estoit eteinte».

# CHAPITRE III

## L'AVÈNEMENT AU POUVOIR

La mort d'Henri II avait surpris Catherine. Avant qu'elle eût pris une décision, le gouvernement était constitué. François II, alors âgé de quinze ans et majeur d'après les lois du royaume, délégua la direction des affaires militaires et des finances, c'est-à-dire le pouvoir, au duc de Guise et au cardinal de Lorraine, oncles de Marie Stuart, et que recommandaient, l'un ses succès sur les Impériaux et les Anglais, l'autre la négociation de la paix du Cateau-Cambrésis. La Reine-mère agréa ce choix, qu'elle n'aurait pas eu d'ailleurs les moyens d'empêcher. Elle n'avait ni parti ni crédit. L'opinion était faite à l'idée de son effacement. Sa timide protestation contre l'acte de régence de 1552 et son initiative dans les affaires italiennes, premiers indices de son ambition, n'étaient connues que de quelques hommes d'État français ou étrangers. À l'Hôtel de Ville, en 1557, elle avait fait impression par sa douceur et sa modestie. Personne ne la croyait capable ou même ne la soupçonnait de vouloir jouer un rôle politique. Mais on se trompait. Pour ne pas perdre de vue son fils, elle quitta aussitôt le palais des Tournelles, où elle laissa le corps de son mari, et contrairement à la coutume des reines-veuves en France de rester quarante jours dans le même logis que le mort, elle alla s'installer auprès de François II, au Louvre. C'était signifier qu'elle ne se laisserait pas tenir à l'écart, comme pendant le dernier règne.

Entre tous les candidats au pouvoir, ce sont les Guise qu'elle aurait élus à défaut d'elle-même. Ils étaient riches et puissants, apparentés à la maison royale[174], et cependant, malgré leurs charges, leurs alliances et leur gloire, ils n'avaient pas de profondes attaches dans la noblesse et l'aristocratie de vieille race française. Leurs ennemis--et ces gens heureux en avaient beaucoup--affectaient de les considérer comme des étrangers, la Lorraine étant alors un membre du Saint-Empire romain germanique. Catherine pouvait croire que les deux ministres dirigeants, pour se fortifier contre l'opposition de l'influence qu'elle avait sur le Roi son fils, seraient obligés de lui faire sa part, la meilleure part dans le gouvernement.

**Note 174:** (retour) Ils étaient fils de Claude de Guise et d'Antoinette de Bourbon, sœur d'Antoine de Bourbon, roi de Navarre. François lui-même avait épousé Anne d'Este, fille d'Hercule, duc de Ferrare, et de Renée de France, et petite-fille de Louis XII. *Histoire de France de Lavisse*, t. VI, I, p. 3-4.

Elle était d'accord avec eux pour éloigner au plus vite le tout-puissant favori du feu roi, le Connétable de Montmorency, «qu'elle hayssoit à mort», dit un contemporain en général bien informé[175], assurément par rancune jalouse et par ressentiment de ses rebuffades. François II, à qui il alla offrir ses services, lui déclara que, pour soulager sa vieillesse, il le dispensait des «peines et travaux de sa suite». Quand il quitta la Cour et fit à la Reine-mère sa visite d'adieu, elle lui aurait reproché aigrement d'avoir osé dire que, de tous les enfants d'Henri II, c'était la bâtarde Diane de France, mariée à François de Montmorency, qui lui ressemblait le plus: un propos qu'elle affectait de trouver injurieux pour son honneur de femme[176].

**Note 175:** (retour) Louis Regnier de La Planche, ou l'éditeur de l'Histoire publiée sous son nom. L'ambassadeur vénitien, Giovanni Michieli, dans sa Relation, de 1561 dit aussi qu'à cause de son accord avec Diane de Poitiers et d'une parole de mépris pour cette «fille de marchand» le Connétable était «*non solo poco amato, ma intrinsecamente odiato*». Alberi, *Relazioni*, t. III, p. 438.

**Note 176:** (retour) Regnier de la Planche, *Histoire de l'Estat de France tant de la République que de la religion sous le règne de François II*. Choix de chroniques et mémoires sur l'Histoire de France, éd. Buchon, p. 204 et 207. Le même ambassadeur vénitien (voie note précédente) dans une dépêche du 21 août 1559 (citée par Armand Baschet, *La diplomatie vénitienne*, p. 495) dit que la Reine-mère reçut au contraire le Connétable avec d'affectueuses paroles et lui promit de prendre en protection les intérêts de sa maison. Michieli disait vrai en 1559 comme en 1561. Les violences de paroles ne sont pas de la façon de Catherine et, si vive que fût sa rancune, il n'était pas de son intérêt de s'aliéner, en l'affichant, un si puissant personnage.

En tout cas, un mois après, la Reine-mère annonçait à Montmorency qu'elle avait fait accorder à sa fille Louise l'abbaye de Maubuisson, *Lettres*, t. I, p. 125.--Cf. la lettre amicale qu'elle lui écrivit après l'affaire de la grande maîtrise, *Lettres*, t. I, p. 128-129 (fin novembre 1559).

Même après le congé sans terme que le jeune Roi lui avait imposé, Montmorency était redoutable. Il occupait deux des grands offices de la Couronne, la Connétablie et la Grande Maîtrise, le commandement en chef de l'armée et le gouvernement de la maison du Roi. Ses pouvoirs militaires étaient suspendus en temps de paix; son éloignement l'empêchait d'exercer sa juridiction sur les officiers de bouche et le droit de garder les clefs des résidences royales. Mais on ne pouvait l'en priver pour toujours sans lui faire son procès, et il n'eût pas été prudent de lui donner des juges. Montmorency était le parent ou l'allié des plus anciennes familles de l'aristocratie française, les Levis, les Turenne, les La Rochefoucauld, les La Trémoille, les Rohan, etc. Son fils aîné, François de Montmorency, avait le gouvernement de Paris et de l'Île-de-France. Un des fils de sa sœur, Coligny, était amiral de France; un autre, d'Andelot, colonel général de l'infanterie française. Il possédait, dit-on, plus de six cents fiefs et passait pour le plus riche propriétaire du royaume. Son gouvernement de Languedoc, à l'extrémité du royaume, lui constituait comme une sorte de vice-royauté sur une grande part du Midi, des monts d'Auvergne à la Méditerranée, et de la Provence à la Guyenne. Ce n'était pas un adversaire qu'il eût fallu pousser à bout. Catherine, après son algarade, si algarade il y eut, mit sa diplomatie à l'affaiblir par persuasion.

Elle le décida un peu malgré lui à céder la grande maîtrise au duc de Guise contre une charge de maréchal qui fut donnée à François de Montmorency.

Elle avait autant de raisons que les oncles du Roi d'appréhender d'autres compétiteurs possibles au gouvernement de l'État: les princes du sang[177]. Ils descendaient tous du sixième fils du saint Louis et formaient la maison de Bourbon, alors divisée en quatre branches: Vendôme, Condé, La Roche-sur-Yon, Montpensier.

Depuis la trahison du connétable de Bourbon, François Ier et Henri II, à son exemple, les tenaient dans une sorte de disgrâce et affectaient de leur préférer des cadets de familles princières étrangères: les La Mark, les Clèves, les Guise de Lorraine, les Savoie-Nemours et les Gonzague de Mantoue. Ils donnaient le pas aux ducs et pairs de toute origine sur les princes du sang qui ne l'étaient pas, et même quand ils l'étaient, ils réglaient la préséance sur l'ancienneté de la création des pairies, comme si le choix du souverain devait l'emporter sur la naissance. Au sacre d'Henri II, les ducs de Nevers (François de Clèves) et de Guise (Claude de Lorraine) marchèrent comme pairs de plus vieille date avant Louis de Bourbon, duc de Montpensier. La déclaration du Roi du 25 juillet 1547, portant que ce précédent ne ferait préjudice au duc de Montpensier, soit «pour semblable acte ou autre», était une satisfaction platonique. Au sacre de François II, Nevers passa encore avant Montpensier[178].

Mais la nation continuait à révérer ces descendants de saint Louis, souverains en expectative, et qui seraient les rois de demain, si les fils d'Henri II mouraient, comme Charles VIII et Louis XII, sans héritier mâle. Le Parlement, gardien d'une tradition de respect, résistait, comme il pouvait, aux innovations du pouvoir absolu. Il donnait la préférence, n'osant faire plus, aux princes du sang, quelle que fût la date de leur pairie, sur les pairs qui n'étaient pas princes du sang. En juin 1541, par dérogation à l'ordre d'ancienneté qui désignait le duc de Nevers, il permit au duc de Montpensier, de lui *bailler les roses*, que quatre fois par an les pairs offraient en signe d'hommage à la Cour suprême. Le greffier en chef du parlement de Paris, Jean du Tillet, ferme défenseur du droit privilégié des reines-mères à la régence, est pourtant d'avis que les princes du sang, conseillers-nés de la Couronne, font de droit partie du Conseil pour le gouvernement et administration du royaume pendant les minorités. Il professe une sorte de vénération religieuse pour ces grands personnages «issus de la plus noble et ancienne maison du monde»[179].

**Note 177:** (retour) Les raisons contre les princes du sang très bien vues par Regnier de la Planche p. 218.

**Note 178:** (retour) Le comté de Nevers avait été érigé en duché-pairie en janvier 1538; et le duché de Montpensier un mois seulement après (février 1538).

**Note 179:** (retour) Il convient d'insister sur cette question des princes du sang, qui est si étroitement mêlée à l'histoire de Catherine de Médicis et des derniers Valois, et dont l'intelligence éclaire tant de points obscurs des guerres de religion. Voir Jean du Tillet, *Les princes du sang* dans son *Recueil des Roys de France, leur Couronne et maison, Ensemble le rang des grands de France*, Paris, 1618, p. 95 sqq. et surtout p. 313-317.

De tout temps, les sires des Fleurs de Lis avaient, en cas de minorité, prétendu et quelquefois réussi à être les tuteurs des rois. Leur droit n'était ni légalement ni historiquement établi, et même il se heurtait à celui que les reines-mères tiraient de la nature; mais la vénération des peuples et l'attachement de la noblesse pouvaient leur tenir lieu de titres. François II, faible d'intelligence et de corps, n'était-il pas, malgré ses quinze ans, incapable de gouverner? Le duc de Montpensier et le prince de la Roche-sur-Yon, gens paisibles et qui n'étaient d'ailleurs que des Bourbons de branches cadettes, n'élevaient aucune prétention. Mais le chef de leur maison, Antoine, que son mariage avec Jeanne d'Albret avait fait roi de Navarre, montrait quelque velléité de disputer le pouvoir aux oncles de Marie Stuart, et il y était poussé par un de ses frères[180], le prince de Condé, jeune, pauvre et remuant. S'il parvenait à se faire attribuer la régence comme étant plus apte à l'exercer à titre de premier prince du sang, sous un roi qui n'était majeur que d'âge, son droit se trouverait par là même établi contre celui des reines-mères. C'en était fait des ambitions de Catherine dans le présent et l'avenir.

**Note 180:** (retour) Il en avait un autre, Charles, qui était cardinal et archevêque de Rouen, mauvais théologien, bon amateur d'art et ami personnel de Catherine. C'est le futur roi de la Ligue.

Les Guise, au contraire, mettaient leurs soins à la contenter. Ils obligèrent Diane de Poitiers, bien que leur frère, le duc d'Aumale, eût épousé une de ses filles, à restituer les joyaux de la Couronne qu'elle avait en sa possession et à céder à Catherine Chenonceaux en échange de Chaumont, qui était d'un bien moindre prix. Ils ôtèrent les sceaux au cardinal Bertrandi, créature de la favorite, et rappelèrent le chancelier Olivier, un honnête homme qu'elle avait fait disgracier. Mais ils n'étaient pas disposés à partager le pouvoir avec elle. Le Cardinal était orgueilleux et jaloux de son autorité; le Duc était un homme de guerre habitué à commander. Au Conseil, il opinait en termes brefs et qui n'admettaient point de réplique: «Et faut qu'il soit ainsi, et ainsi.» La Reine-mère s'aperçut bien vite qu'elle n'obtiendrait d'eux que des égards. Et cependant elle estimait qu'elle avait son mot à dire. Mère du Roi et ayant quatre autres enfants tout petits à établir[181], elle pensait avoir plus d'intérêt que les ministres à gouverner habilement.

**Note 181:** (retour) Liste des enfants de Catherine encore vivants en 1559, d'après une note officielle rédigée entre 1561 et 1563 (Louis Paris, Négociations, etc., 1841, p. 892):

François, né le samedi 19 janvier 1544, successeur d'Henri II (août 1559), mort le 3 décembre 1560.

Élisabeth, née le 2 avril 1546, mariée en 1559 à Philippe II.

Claude, née le 12 novembre 1547, mariée à Charles III, duc de Lorraine, le 5 février 1558.

Charles-Maximilien, né le 27 juin 1550, duc d'Angoulême, puis d'Orléans, puis roi à la mort de François II, son frère. Mort le 30 mai 1574.

Édouard-Alexandre, né le 10 septembre 1551, duc d'Anjou, de Poitiers, puis duc d'Angoulême, puis duc d'Orléans, et qui reçut à sa confirmation le nom d'Henri, depuis duc d'Anjou, puis roi à la mort de Charles IX, son frère.

Marguerite, née le 14 mai 1553, et qui épousa en 1572 le roi de Navarre, Henri de Bourbon.

Hercules, né le 18 mars 1555, et qui reçut à la confirmation le nom de François, duc d'Anjou, puis d'Alençon, et enfin de nouveau duc d'Anjou.

Catherine avait à l'avènement de François II perdu trois enfants: un fils, Louis d'Orléans né le 3 février 1549, mort le 24 octobre 1550, et deux jumelles, Victoire et Jeanne (ou Julie) qui nées le 24 juin 1556, vécurent, l'une quelques jours, et l'autre deux mois.

La politique religieuse était le grave problème du moment. Comment traiter les dissidents dont le nombre ne cessait d'augmenter malgré les persécutions? François Ier avait, au début de son règne, protégé autant qu'il l'avait pu, contre la Sorbonne et le Parlement, les humanistes «mal sentants de la foi» et l'Église de Meaux, comme on appelle le groupe de réformateurs paisibles dont Marguerite de Navarre était la protectrice, Lefèvre d'Etaples le théologien, Briçonnet l'évêque, et qui voulait, sans violences, supprimer l'abus des œuvres et l'idolâtrie des images et rétablir le culte en esprit et en vérité[182]. Il avait même longtemps ménagé, par politique ou par humanité, les ennemis déclarés de l'unité et de la foi catholique, les luthériens et les sacramentaires, dont les uns niaient le changement de substances dans l'Eucharistie, et les autres, plus hardis encore, la présence réelle. Même après l'affichage de placards contre la messe à la porte de sa chambre à Amboise, il n'avait sévi que par à-coups, passant de sursauts de rigueur--mais quels sursauts!--à des relâches de tolérance.

**Note 182:** (retour) Imbart de la Tour, *Les Origines de la Réforme.* T. III: *L'Évangélisme.* Paris, 1914. Sur, l'Église de Meaux, voir le chap. III: Lefèvre d'Étaples, p. 110-153, et sur le mysticisme de Marguerite de Navarre, p. 290-293, avec les références, p. 290.

Mais Henri II, poussé par les Lorrains et Diane de Poitiers, avait organisé la persécution, érigé la terreur en système, rêvé d'extermination. D'ailleurs les novateurs à qui il eut affaire, ce n'étaient plus les quiétistes de Meaux, ennemis du désordre et respectueux des pouvoirs établis, ni des luthériens et des sacramentaires épars et divisés par leur querelle sur l'Eucharistie, ni quelques anabaptistes, révolutionnaires sociaux, odieux à tout le monde, mais des milliers de fidèles, groupés par la même foi en une communion dont le nom, Église réformée, montrait qu'elle pensait être l'image de la primitive Église retrouvée et ressuscitée. Elle avait pour fondateur un Picard, Jean Calvin, humaniste et théologien, qui avait quitté la France pour échapper à la persécution.

Après beaucoup de traverses, il s'était fixé à Genève, une petite république de langue française (alliée aux cantons suisses), qu'affaiblissaient ses discordes intestines et que guettait l'ambition des ducs de Savoie. Appelé à réformer l'État et l'Église, il imposa la pratique du pur Évangile pour règle de la vie politique et religieuse. Président du conseil des pasteurs, sorte de théologien consultant de la Cité, il en fut, de 1541 à sa mort, l'inspirateur et le maître.

Ce n'est pas par l'originalité de la doctrine que se distingue Calvin, bien qu'il donne cette impression par la rigueur de sa logique. Venu après Zwingle, Bucer, Œcolampade, et tant d'autres réformateurs qui avaient dépassé Luther et tiré les conséquences de ses principes, il ne faisait que les imiter quand il rejetait, ce que Luther n'osa point, les pratiques et les croyances que les Écritures n'autorisaient pas expressément. Par même respect scrupuleux du texte sacré, il continuait à voir dans la Cène un repas spirituel où Jésus-Christ nourrit nos âmes de sa substance--un sacrement[183]--alors que Zwingle la considérait déjà comme une simple commémoration de la dernière Pâque, célébrée par le Fils de Dieu avec ses disciples. Mais s'il n'a pas innové, il a ramassé ou retrouvé et lié en système les raisons et les preuves pour la réformation et contre le catholicisme qui sont éparses dans les écrits et les prédications de ses devanciers. Son «*Institution de la religion chrestienne*» est la première et la plus forte synthèse d'un Évangélisme plus radical que celui de Luther; et il est sorti de là une nouvelle forme d'Église.

**Note 183:** (retour) *L'Histoire ecclésiastique*, dit: «Qu'encores que le corps de Jésus-Christ soit maintenan au ciel et non ailleurs, ce nonobstant nous sommes faits participans de son corps et de son sang par une manière spirituelle et moyennant la foy». Ed. Baum et Cunitz, t. I, p. 582-583.

Le modèle qu'à Genève il en a donné est marqué de son empreinte austère. La hiérarchie que Luther maintenait a disparu: point d'évêques; des pasteurs tous égaux entre eux. Le temple aux murs nus, sans autel, sans images, est fait pour un culte dont les cérémonies ordinaires sont le chant des psaumes et le prêche. Aucune pompe, aucun spectacle qui puisse solliciter les yeux et distraire l'âme de son véritable objet, l'adoration intérieure. La musique seule est admise pour donner plus de force et d'ardeur aux élans d'amour et aux supplications des fidèles. Le point de doctrine sur lequel Calvin revient sans cesse, c'est le péché originel, l'impuissance de l'homme déchu à faire son salut. Même le sacrifice volontaire du Christ, ce titre de l'humanité tout entière à la miséricorde divine, ne suffit pas à effacer la souillure de la première faute. Les œuvres ne sont rien en regard de la grandeur et de la bonté de Dieu; elles n'ont de mérite que par sa grâce, et celle-ci ne peut être qu'arbitraire, élisant de toute éternité les uns et réprouvant les autres. Mais ce cruel dogme de la prédestination--où Calvin se complaît,--et qui semblerait devoir décourager l'effort échauffa le zèle et trempa les énergies. Les fidèles firent par amour de Dieu plus qu'ils n'auraient fait par amour de leur salut. Le martyre même, accepté, non comme un titre de la créature à la faveur du Créateur, mais comme le prix de sa reconnaissance, fut pour des âmes passionnées la plus puissante des séductions et le mobile le plus ardent de prosélytisme[184].

**Note 184:** (retour) Lemonnier, *Histoire de France de Lavisse*, t. V, 2, p. 183 sqq. Une forte analyse de la doctrine de Calvin, dans Faguet, *Seizième siècle. Études littéraires*, Paris, 1891, p. 151-188.

La doctrine de Calvin se répandit en Allemagne, en Angleterre et dans les Pays-Bas. Elle conquit l'Écosse. En France, elle absorba les dissidents de toute origine et entama les masses catholiques. L'Église de Genève fut la mère des Églises réformées, et son enseignement reçu comme l'interprétation la plus pure de la parole divine. Capitale religieuse du protestantisme français, son foyer de rayonnement et de propagande, le séminaire de ses ministres et le point de départ de ses apôtres, la petite république du lac Léman eut, grâce à la forte discipline de Calvin, une très grande place dans le monde.

L'effort d'Henri II s'était brisé contre ce bloc compact de fidèles unis par la communauté de croyance et la passion de la vérité. Au cours du règne, malgré tous les supplices et peut-être à cause d'eux, le nombre des réformés alla sans cesse en augmentant. Soixante-douze églises, grandes ou petites, se constituèrent dans les diverses parties du royaume, et les ministres et les anciens de onze d'entre elles, réunis à Paris en un synode, le premier synode national (mai 1559), avaient arrêté une «confession de foi»[185].

La «Réforme» avait des adhérents dans toutes les classes. Elle tentait les hommes que les abus et les superstitions de l'Église établie dégoûtaient, ceux que la logique convainc, ceux que les épreuves attirent et qui prennent l'acceptation joyeuse du martyre pour la preuve de la vérité. Même des grands seigneurs avaient été ou émus de pitié ou gagnés par l'attrait du pur Évangile, ou bien encore séduits par les espérances d'avenir d'une Église dont ils constataient les progrès. Un neveu du Connétable, d'Andelot, avait cessé d'aller à la messe; et, comme Henri II lui en demandait la raison, il avait répondu que c'était une abomination sacrilège de vouloir renouveler tous les jours «pour les péchés des morts et des vivants» l'immolation du Christ sur la croix[186]. Le Roi, furieux, l'avait fait emprisonner au château de Melun et ne l'avait remis en liberté que par égard pour son oncle et après une sorte de rétractation[187]. Coligny, prisonnier aux Pays-Bas après la capitulation de Saint-Quentin, avait dans sa captivité (1557-1559) lu la Sainte Écriture et un autre «livre plein de consolation» et pris goût à la vérité. Le premier prince du sang, Antoine de Bourbon, roi de Navarre, s'était lui-même enhardi jusqu'à se mêler aux réformés qui, profitant d'une absence du Roi, se promenaient dans le Pré-aux-Clercs en chantant des psaumes (mai 1558)[188].

**Note 185:** (retour) Lemonnier, *Histoire de France, Lavisse*, t. V, 2, p. 230-237.

**Note 186:** (retour) Le ministre Macar à Calvin, 22 mai 1558, *Opera Omnia*, XVII, Col. 179. La Place, p. 9 et 10. *Hist. ecclés.*, I, p. 168-169.

**Note 187:** (retour) Lemonnier, *Histoire de France*, t. V, 2, p. 240-242.--Cf. sur toute cette affaire, Romier, t. II, p. 282-286, d'après Alvarotti, agent du duc de Ferrare.

**Note 188:** (retour) *Romier*, t. II, p. 272-278.

Henri II renvoya bien vite Antoine de Bourbon en son royaume pyrénéen. Irrité, dit-on, de ce pullulement d'hérétiques, il se serait hâté de signer la paix du Cateau-Cambrésis pour se consacrer tout entier à l'œuvre d'épuration. Mais il ne trouvait plus chez les magistrats la ferveur d'intolérance qu'il eût voulu. La chambre criminelle du Parlement ou Tournelle acquitta deux réformés[189]: ce fut un scandale. Les zélés demandèrent que le Parlement délibérât en corps sur l'application des ordonnances contre les hérétiques et interdît à ses membres une jurisprudence de douceur. Dans les séances du mercredi, ou mercuriales, où se débattaient les questions de discipline, quelques conseillers courageux, Paul de Foix, Antoine Fumée, Eustache de La Porte, remontrant que les novateurs se défendaient d'être des hérétiques, demandèrent la suspension «de la persécution et jugements capitaux» jusqu'à ce qu'un concile général, librement consulté, se fût prononcé sur leur doctrine. Le Roi averti alla tenir son lit de justice au Parlement (10 juin) et commanda de continuer la discussion en sa présence. Du Faur «dit qu'il falloit bien entendre qui estoient ceux qui troubloient l'Église, de peur qu'il n'advint ce qu'Élie dit à Achab: C'est toi qui troubles Israël»[190]. Le conseiller-clerc, Anne Du Bourg, rendit «graces à Dieu de ce qu'il avoit là amené le Roy pour estre présent à la décision d'une telle cause et ayant exhorté le Roy d'y entendre, pour ce que c'estoit la cause de nostre Seigneur Jésus Christ, qui doit estre avant toutes choses maintenue des Roys, il parla en toute hardiesse comme Dieu luy avoit donné. Ce n'est pas, disoit-il, chose de petite importance que de condamner ceux qui, au milieu des flammes, invoquent le nom de Jésus Christ»[191]. Le Roi, qui se crut visé, fit conduire à la Bastille ces officiers infidèles et nomma des commissaires pour les juger.

**Note 189:** (retour) *Mémoires de Condé*, I, p. 217.

**Note 190:** (retour) *Ibid.*, p. 220-221.

**Note 191:** (retour) *Histoire ecclésiastique des églises réformées*, t. I, 223-224. De La Place, *De l'estat de la religion et république* (éd. Buchon), p. 12-14.

Deux mois après, il était mort, et François II lui succédait. Les réformés comptaient que le changement de règne amènerait un changement de politique. Mais les Guise n'avaient nulle volonté d'arrêter la persécution. Ils étaient zélés pour la cause catholique et intéressés à la défendre. Le cardinal de Lorraine, archevêque de Reims, abbé de Saint-Denis, de Cluny, de Marmoutier, de Tours, de Fécamp, etc., et qui tirait de tous ses bénéfices 300 000 livres de revenu, devait détester une secte qui voulait abolir la hiérarchie ecclésiastique, organiser démocratiquement l'Église et l'appauvrir pour la régénérer. Les réformés avaient d'ailleurs des relations inquiétantes avec le premier prince du sang, Antoine de Bourbon, le héros du Pré-aux-Clercs, de qui ils attendaient le triomphe de l'Évangile. Dès le premier jour ils opposèrent les droits qu'il tenait de sa naissance à ceux que conférait aux oncles de Marie Stuart la désignation royale. Les jurisconsultes de l'Église réformée--et il en était d'éminents, comme François Hotman,--recueillirent, dans la plus ancienne histoire de France, les précédents qui assignaient aux princes du sang un rang privilégié dans l'État, bien au-dessus des sujets et tout à côté des rois. Sous prétexte que François II était incapable de gouverner, ils soutenaient qu'il y avait lieu de constituer une régence dont le titulaire ne pouvait être qu'Antoine de Bourbon, premier prince du sang. Les Guise ne furent que plus ardents à appliquer les édits. Ils pressèrent le jugement des quatre conseillers arrêtés le jour de la fameuse mercuriale, et en particulier d'Anne Du Bourg, conseiller-clerc qui passait pour avoir bravé Henri II en face[192].

**Note 192:** (retour) Interrogatoires de Du Bourg et des autres conseillers, *Mémoires de Condé*, t. I, p. 224-246.

C'est alors qu'en leur désespoir, les réformés, sur le conseil de Condé, de sa belle-mère, Mme de Roye, et de l'Amiral, écrivirent à la Reine-mère pour la prier de s'opposer à la fureur des Guise.

Le bruit courait qu'elle n'était pas «ennemie de la religion». Elle aimait tendrement Marguerite de France, la nouvelle duchesse de Savoie, une catholique si tiède que Calvin l'exhortait un peu plus tard à faire défection. Elle avait vécu dans l'intimité de Marguerite d'Angoulême, le poète de l'amour divin, et y avait connu un certain Villemadon. Ce vieux gentilhomme lui rappela (lettre du 26 août), qu'au temps où elle désespérait d'avoir des enfants, il lui avait conseillé de recourir à Dieu et que l'ayant fait, elle avait été exaucée. Elle gardait alors dans son coffre une Bible,--la traduction peut-être de Lefèvre d'Etaples ou d'Olivetan[193]--où elle lisait quelquefois ou laissait lire ses serviteurs; elle avait, lors du grand engouement de la Cour pour la musique sacrée, chanté, et certainement de tout cœur, le psaume 141, qui exprimait mieux que les autres la souffrance d'une épouse stérile et délaissée.

**Note 193:** (retour) 193: La traduction en français du Nouveau Testament, par Lefèvre d'Etaples, parut en 1523. Le Trésor des Saints Livres, d'Olivétan, ou, comme on dit, la Bible de Serrières, du lieu où elle fut imprimée (près de Neuchâtel, en Suisse), parut en 1535.

Cette crise de religiosité avait été courte, mais on voulait croire à un sentiment profond, refoulé par les attraits du monde, et qui, à la première occasion favorable, reparaîtrait. Un indice, pensait-on, c'est que la Reine, si timide et si déférente aux volontés de son mari, eût pendant les dernières années du règne montré une fois quelque regret de la persécution. Un mois environ après la défaite de Saint-Quentin (5 septembre 1557), on avait surpris dans une maison de la rue Saint-Jacques, en face du collège du Plessis, près de cent cinquante réformés, hommes et femmes, dont plusieurs nobles dames, réunis là pour prier ensemble et célébrer la Cène. Écoliers, prêtres et gens du quartier, qui rendaient l'hérésie responsable des malheurs du royaume, leur firent escorte jusqu'aux prisons du Châtelet, où le guet les conduisait, en les invectivant et les frappant, au désespoir de ne pouvoir faire pis[194]. Les juges en condamnèrent quelques-uns au feu, et parmi eux un vieux maître d'école, un avocat au parlement de Paris et une jeune femme de vingt-trois ans, «Damoiselle Philippe de Luns», veuve du sieur de Graveron. Les deux hommes furent brûlés vifs; leur compagne, flamboyée aux pieds et au visage avant d'être étranglée et jetée au feu[195]. Tous trois moururent avec une «constance» admirable. Le récit de ce supplice, et peut-être du courage de la jeune femme, émut Catherine, qui le laissa voir. Elle fit plus, à ce qu'il semble. Une de ses dames, Françoise de La Bretonnière ou de Warty, veuve de Charles d'Ailly, seigneur de Picquigny, et mère de Marguerite d'Ailly, qui épousa en 1581 François de Châtillon, comte de Coligny[196], assistait à l'assemblée de la rue Saint-Jacques, et elle avait été, elle aussi, emprisonnée.

Comme le président La Place, un contemporain, dit qu'elle «fut renvoyée à la Reine», il n'est pas exagéré de croire que Catherine demanda sa mise en liberté[197].

**Note 194:** (retour) Les références dans Calvin, *Opera Omnia*, t. XVI, col. 602 et 603, note. Ajouter La Place, *Commentaires*, p. 4.--Romier, t. II, p. 254, note 1, a publié la liste des prisonniers.

**Note 195:** (retour) [Jean Crespin], *Histoire des martyrs persecutez et mis à mort pour la vérité de l'Évangile depuis le temps des Apostres jusques à l'an 1574, revue et augmentée d'un tiers en ceste dernière édition*, 1582, livre VII, fo 434. Cf. N. Weiss, *B. S. H. P. F.*, 1916, p. 195-235.

**Note 196:** (retour) *Lettres de Catherine*, X, 509, note 9, et 510, note 8.

**Note 197:** (retour) Les ministres Farel, Bèze et Carmel, sollicitant le Conseil de Berne d'intervenir au nom des Cantons auprès d'Henri II en faveur des prisonniers (lettre du 27 septembre 1557, citée par Romier, *Les Origines politiques des guerres de religion*, t. II, 1914, p. 263, note 3), lui rappellent «qu'il y a des plus gros de la Court [de France] qui favorisent à nostre cause, mays sont timides», et immédiatement le supplient d'«escripre à la Royne (Catherine), à Madame Marguerite [de France], au roy de Navarre et à Monseigneur de Nevers (François de Clèves) qu'ils prennent couraige pour parler au Roy....». Cette lettre prouve tout au moins que Catherine ne passait pas pour hostile aux réformés.

Les réformés interprétaient ce mouvement de compassion comme une marque de sympathie pour leurs croyances. Ainsi peut-on s'expliquer que dans leur recours à Catherine, ils ne lui aient pas écrit comme à une inconnue. «Vivant le feu roy Henri et de longtemps, disaient-ils, ils avoyent beaucoup espéré de sa douceur et bénignité, en sorte qu'oultre les prières qui se faisoyent ordinairement pour la prospérité du roy, ils prioient Dieu particulièrement qu'il luy pleust la fortifier tellement en son esprit qu'elle peust servir d'une seconde Esther». Ils la suppliaient de «ne permetre ce nouveau règne estre souillé de sang innocent», ajoutant avec la rude gaucherie des gens de foi entière: «lequel [sang] avoit tant crié devant Dieu qu'on s'estoit bien peu appercevoir son ire avoir esté embrasée». Catherine avait le droit de s'irriter que, deux ou trois semaines après la perte d'un mari très cher, sa mort lui fut présentée comme un juste châtiment du ciel, mais il n'était pas de son intérêt de repousser les avances. La prévision, par où la supplique finissait, de nouveaux malheurs, si la persécution continuait, lui donnait envie d'en apprendre davantage. Elle répondit, écrit le ministre Morel à Calvin (1er août), «avec assez de bonté (*satis humaniter*)»[198].

Les réformés insistèrent. Ils tremblaient pour Du Bourg et les autres conseillers dont le cardinal de Lorraine hâtait la condamnation. Quelques jours après, ils lui écrivirent encore qu'elle ne permît pas, en dissimulant toujours, de verser à flots le sang des fidèles. Elle fit une réponse assez bienveillante (*satis comiter*), promettant de faire améliorer leur sort «pourvu qu'on ne s'assemblast et que chacun vescut secrètement et sans scandale»[199].

**Note 198:** (retour) Regnier de La Planche, *Histoire de l'estat de France... sous le règne de François II*, éd. Buchon (Panthéon littéraire), p. 211. Cette supplique est antérieure au 1er août, date d'une lettre de Morel à Calvin où il en est question. *Calvini Opera*, t. XVII, col. 590.

**Note 199:** (retour) Seconde lettre des fidèles: Morel à Calvin, 3 août 1559. *Calvini Opera Omnia*, XVII, col. 591. Réponse de la Reine: Morel à Calvin, 15 août. *Ibid.*, col. 597. Voir aussi Regnier de La Planche, p. 211, dont les lettres de Morel permettent ici et ailleurs de préciser et de rectifier la chronologie.

Mais elle entendait rester juge du mode et de l'heure de son intervention. Les suppliants apprirent avec colère qu'elle avait d'autres affaires que de sauver les «pieux».... Comme, en sa présence, le cardinal de Lorraine donnait des ordres pour l'extermination des prisonniers, non seulement elle n'essaya pas d'apaiser cette bête féroce, mais elle ne donna pas le moindre signe de tristesse. Alors le Consistoire de l'Église de Paris, ou, comme s'exprime Morel, «notre Sénat[200]», lui écrivit en des termes que probablement les politiques de la secte conseillèrent sans succès d'adoucir: «Que sur son asseurance de faire cesser la persécution, ils s'estoyent de leur part contenus selon son désir et avoyent faict leurs assemblées si petites que l'on ne s'en estoit comme point apperceu, de peur qu'à ceste occasion elle ne fust importunée par leurs ennemis de leur courir sus de nouveau; mais qu'ils ne s'appercevoyent aucunement de l'effect de ceste promesse, ains (mais) sentoyent leur condition estre plus misérable que par le passé, et sembloit, veu les grandes poursuites contre Du Bourg, qu'on n'en demandast que la peau.... Quoy advenant, elle se pouvoit asseurer que Dieu ne laisseroyt une telle iniquité impunie, veu qu'elle cognoissoit l'innocence d'iceluy et que tout ainsi que Dieu avoit commencé à chastier le feu roy, elle pouvoit penser son bras estre encore levé pour parachever sa vengeance sur elle et ses enfans...» Catherine fut, comme de raison, outrée de ce langage. «Eh bien! dit-elle, on me menace, cuidant me faire peur, mais ils n'en sont pas encore où ils pensent»[201]. On lui parlait comme si elle trahissait une cause qui fût sienne; mais, déclarait-elle à l'Amiral, à Condé, à Mme de Roye, qui cherchaient à l'apaiser, elle n'entendait rien à leur religion «et ce qui l'avoit paravant esmeue à leur désirer bien estoit plustost une pitié et compassion naturelle qui accompaigne volontiers les femmes, que pour estre autrement instruite et informée si leur doctrine estoit vraie ou fausse»[202].

**Note 200:** (retour) *Calvini Opera Omnia*, t. XVII, col. 597, 15 août.

**Note 201:** (retour) Cette lettre est antérieure au 15 août, comme on peut le voir d'après la lettre de Morel à Calvin où il en est fait mention. Elle est rapportée tout au long par Regnier de La Planche, mais pas à sa date (p. 219-220).--Morel à Calvin, *Calvini Opera Omnia*, XVII, col. 597: «Quibus perfectis, hem, inquit, etiam mihi minantur».

**Note 202:** (retour) Regnier de La Planche, p. 220.

Ainsi commençaient par un malentendu les rapports entre Catherine et les réformés. Elle, attentive aux mouvements de l'opinion et au parti qu'elle en pourrait tirer, et d'ailleurs naturellement encline à la douceur; eux, convaincus que la timidité seule ou quelque calcul l'empêchait de se déclarer pour eux, et s'irritant de ce qu'ils appelaient sa dissimulation. Dans leur première lettre, ils la priaient; dans la seconde, ils la pressaient; et dans la troisième--une quinzaine de jours après--ils la sommaient de sauver leurs frères prisonniers, la menaçant, si elle n'agissait pas, de nouvelles représailles célestes. C'était lui demander de se déclarer contre les ministres du Roy son fils. Mais elle n'était pas disposée à se compromettre pour des clients si exigeants et dont elle ne savait pas encore ce qu'elle pouvait attendre.

À ce moment les Guise frappèrent un grand coup. Instruits par des apostats du nom et des lieux de réunion des religionnaires, ils mobilisèrent commissaires et sergents et cernèrent le faubourg Saint-Germain, surnommé «la petite Genève», et les rues avoisinantes. Un conseiller au Châtelet assaillit avec cinquante archers la maison du nommé Le Vicomte, dans la rue au Marais, où descendaient beaucoup de gens suspects, mais il fut chaudement reçu. Les hommes qui s'y trouvaient s'ouvrirent un chemin à la pointe de l'épée. La police n'arrêta qu'un vieillard, une femme, des enfants, en tout une douzaine de personnes. Mais elle saisit «certains escripts en rime françoise faisant mention de la mort advenue au roy Henri par le juste jugement de Dieu, esquels aussi ladicte dame (Catherine) estoit taxée de trop déférer au Cardinal»[203]. Il y eut d'autres perquisitions dans les divers quartiers de Paris (25-26 août). Les curés au prône sommèrent les fidèles, sous peine d'excommunication, de dénoncer tous les «mal sentants» de la foi[204]. Pour exciter le fanatisme populaire, on faisait courir le bruit que les hérétiques s'assemblaient pour paillarder à chandelles éteintes. Le Cardinal, qui savait bien le contraire, mais qui cherchait à détourner la Reine-mère de ses velléités de modération, lui fit amener pour la convaincre deux apprentis bien stylés. Ils récitèrent la leçon apprise: qu'en la place Maubert, dans la maison d'un avocat, le jeudi avant Pâques, en une réunion nombreuse, on avait mangé le cochon, et puis après on s'était mêlé au hasard dans les ténèbres. Catherine était si ignorante de l'esprit d'austérité de la nouvelle Église qu'elle fut «merveilleusement aigrie et étonnée». Elle déclara à quelques siennes demoiselles qui favorisaient ceux de la religion, que «si elle savoit pour tout certain qu'elles en fussent elle les feroit mourir, quelque amitié ou faveur qu'elle leur portast». Mais celles-ci obtinrent qu'on interrogeât les apprentis, et l'imposture fut découverte[205]. En cette circonstance, Mme de Roye, une «héroïne», écrivait le ministre Morel à Calvin, se porta garante de la vertu des réformés. «Mais, objectait la Reine, j'entends beaucoup de gens dire qu'il n'y a rien de plus dissolu (flagitiosius) que cette sorte de gens.» À quoi la dame de Roye répondit qu'il était facile de nous charger, «puisque personne n'ose nous défendre et que si elle nous connaissait, nous et notre cause, elle en jugerait tout autrement.» L'entretien continuant, Catherine exprima le désir de voir quelqu'un des ministres de la nouvelle secte, et plus particulièrement un d'entre eux, Antoine de Chandieu, dont on parlait beaucoup, et qui était gentilhomme. Elle assura qu'il n'aurait rien à craindre et qu'elle disposerait tout pour que l'entrevue eût lieu dans le plus grand secret[206].

**Note 203:** (retour) Regnier de La Planche, p. 222-223.

**Note 204:** (retour) Une déclaration datée de Villers-Cotterets, 4 septembre 1559, et enregistrée au Parlement le 23 décembre, ordonna de raser les maisons où se tiendraient des conventicules; un édit du 9 novembre, enregistré le 23, prononça la peine de mort contre les auteurs d'assemblées illicites (Isambert, *Recueil des anciennes lois françaises*, XIV, p. 9 et 11).

**Note 205:** (retour) Regnier de La Planche, p. 223-225.

**Note 206:** (retour) Lettre de Morel à Calvin du 11 septembre, (*Calvini Opera Omnia*, XVII, col. 634-635). Antoine de Chandieu, seigneur de la Roche-Chandieu, né au château de Chabot, dans le Mâconnais, vers 1534, fut d'abord pasteur à Paris, et enfin à Genève, où il mourut en 1591. Haag, *La France protestante*, 2e éd., t. III, col. 1049-1058.

Mme de Roye expédia immédiatement un courrier aux fidèles de Paris, les exhortant à ne pas laisser échapper cette occasion d'entrer en relations avec la Reine-mère.» C'était à tort, leur disait-elle,--et ce témoignage est important à retenir ce--qu'on avait cru auparavant que la Reine avait lu des livres de piété (*pios libros*) ou entendu des hommes doctes ou vraiment chrétiens» et elle exprimait l'espoir que si la Reine rencontrait Chandieu, elle changerait d'opinion et deviendrait favorable à leur cause[207]. Après beaucoup d'hésitation, le Consistoire donna son consentement.

Ce n'était pas uniquement pour des raisons religieuses que Catherine désirait se rencontrer avec ce pasteur gentilhomme. Elle savait la sympathie des réformés pour les princes du sang et tenait à se renseigner sur ce point. Antoine de Bourbon arrivait du Béarn à petites journées pour assister au sacre. Peut-être avait-elle appris qu'il avait été, dans toutes les villes où il passait, visité par les ministres, et qu'à Vendôme, en sa présence, s'était tenue une assemblée mi-politique, mi-religieuse, de réformés et de ses partisans, qui l'avait exhorté à revendiquer son droit au gouvernement de l'État.

Villemadon, l'ancien serviteur de la reine de Navarre, ne lui recommandait pas seulement comme un moyen de mériter la bénédiction divine le chant «des beaux Psalmes Davidiques», ainsi qu'elle avait fait autrefois, et «la quotidiane ouye ou lecture de la parole de Dieu», il la pressait aussi d'éloigner les Guise, «monstres étranges», «qui ne sont de la maison» [royale], «occupant par dol et violence la puissance du Roy et de Vous», et qui vont «récultans (reculant) et affoiblissans et mettans comme sous le pied les Princes et le Sang de ceste couronne»--«Les princes du sang», insistait-il «vous soyent en honneur[208]» (26 août). La lettre de Villemadon, dit Regnier de La Planche, émut la Reine-mère «à penser à ses affaires conjecturant que les princes du sang n'estoyent ainsi mis en avant qu'ils ne fissent jouer ce jeu aux autres»[209]. Les autres, c'étaient les ennemis des Guise et entre autres les réformés, dont il lui importait tant de connaître les intentions. Que gagnerait-elle ou que perdrait-elle au renversement des oncles de Marie Stuart? Elle pensait qu'une conversation avec La Roche-Chandieu l'éclairerait sur ce point. Il fut convenu que vers le 18 septembre, date du sacre, La Roche-Chandieu attendrait bien caché, aux environs de Reims, qu'elle le fît secrètement appeler.

**Note 207:** (retour) Morel, 11 septembre, *Calvini Opera*, XVII, col. 635.

**Note 208:** (retour) *Calvini*, XVII, col. 618.

**Note 209:** (retour) Regnier de La Planche, p. 212.

Mais, après réflexion, elle n'osa pas ou ne voulut pas lui faire signe[210]. Écouter un représentant des doctrines nouvelles, c'était prendre parti contre les Guise qui les persécutaient. Et puis le changement d'attitude des réformés l'inquiétait. Sous Henri II, ils souffraient patiemment la prison et le martyre sans discuter le pouvoir qui les opprimait. Mais maintenant certains d'entre eux, et non des moindres, «se faschoyent de la patience chrestienne et évangélique». Des alliés s'offraient à les aider à rendre coup pour coup: soldats et capitaines que la paix et l'embarras des finances avaient obligé les Guise à licencier[211], gentilshommes pauvres et batailleurs, amis d'Antoine de Bourbon et du Connétable, tous ceux enfin que sollicitait le ressentiment d'une injure ou l'amour des nouveautés. La Réforme allait servir de mot d'ordre à tous les opposants. Mais ces fidèles d'occasion, plus sensibles à la tyrannie des Lorrains qu'aux «abus du pape», poussaient les vrais fidèles à la rébellion. L'histoire du parti protestant commençait.

**Note 210:** (retour) Regnier de La Planche, p. 220, dit cependant que ce jour-là elle en fut empêchée par la visite de plusieurs cardinaux et autres seigneurs venus au sacre.

**Note 211:** (retour) Ordonnance du 14 juillet 1559; de Ruble, *Antoine de Bourbon et Jeanne d'Albret*, t. II, p. 127. Brantôme t. IV, p. 224.

L'alliance des mécontents politiques et des novateurs religieux se fit sur la question des droits des princes du sang. Les ennemis des Guise prétendaient qu'en raison de la mauvaise santé du Roi et de la faiblesse de son entendement, il y avait lieu, malgré sa majorité, de réunir les États généraux du royaume et de confier le gouvernement aux princes de son sang, à l'exclusion de tous autres, conformément à leur degré de parenté. Un peu plus d'un mois seulement après la mort d'Henri II, le ministre de l'Église de Paris, Morel, avait exposé à Calvin cette théorie nouvelle de droit constitutionnel. Les gens d'action du parti allaient encore plus loin, comme l'écrivit plus tard Calvin à Coligny[212]. En septembre ou octobre 1559, car ses indications ne permettent pas de préciser davantage la date de la consultation, «quelqu'un, raconte-t-il, ayant charge de quelque nombre de gens, me demanda conseil s'il ne seroit pas licite de résister à la tyrannie dont les enfans de Dieu estoyent pour lors opprimez, et quel moyen il y auroit. Pour ce que je voyoye (voyais) que desjà piusieurs s'estoyent abreuvez de ceste opinion, apres luy avoir donné response absolue qu'il s'en faloit déporter, je m'efforçay de luy monstrer qu'il n'y avoit nul fondement selon Dieu, et mesme que selon le monde il n'y avoit que legereté et presomption qui n'auroit point bonne issue.» «Il n'y eut pas, continue Calvin, faute de réplique, voire avec quelque couleur. Car il n'estoit pas question de rien attenter contre le Roy ny son authorité, mais de requerir un gouvernement selon les lois du pais attendu le bas aage du Roy.» Et puis, «d'heure en heure on attendoit une horrible boucherie pour exterminer tous les povres fidèles». Mais Calvin répondit «simplement» que s'il s'espandoit une seule goutte de sang, les rivières en découlleroyent par toute l'Europe» et qu'il valait mieux périr «tous cent fois que d'estre cause que le nom de Chrestienté et l'Évangile fust exposé à tel opprobre». Toutefois, il concéda «que si les Princes du sang requerroyent d'estre maintenus en leur droit pour le bien commun, et que les Cours de Parlement se joignissent à leur querele, qu'il serait licite à tous bons sujects de leur prester main forte». L'homme alors demanda: «*Quand on auroi induit l'un des princes du sang à cela, encore qu'il ne fust pas le premier en degré*, s'il ne serait point permis». Mais, ajoute Calvin, «il eut encore response négative en cest endroit. Bref je luy rabbati si ferme tout ce qu'il me proposoit que je pensoye bien que tout deust estre mis sous le pied»[213].

**Note 212:** (retour) 16 avril (?) 1561, *Opera Omnia*, XVIII, col. 425-431. Ce «quelqu'un» n'est pas La Renaudie, qui, quelque temps après, alla voir Calvin et fut d'ailleurs mal reçu. *Ibid.*, col. 427 et 429.

**Note 213:** (retour) *Calvini Opera Omnia*, XVIII, col. 425-426.--Sur l'opinion de Calvin, voir Mignet, *Journal des savants*, 1857, p. 95.

Il y avait des casuistes qui, comme le jurisconsulte François Hotman, estimaient que le consentement d'un seul prince du sang autorisait l'insurrection contre les Guise. Si le premier, Antoine de Bourbon, se dérobait, ou, comme on disait par euphémisme, «en son absence», son frère le prince de Condé pouvait, selon la tradition et la loi écrite, réclamer la charge de suprême conseil du Roi[214].

**Note 214:** (retour) Calvin à Pierre Martyr, mai 1560, *Opera Omnia*, XVIII, col. 82 et les notes. Cf. Regnier de La Planche, p. 237.

C'était en effet à l'intention de ce Bourbon, énergique, pauvre et ambitieux, qu'avait été imaginée la théorie de l'unique prince du sang.

L'opposition désespérait d'Antoine de Bourbon. Après l'assemblée de Vendôme, il n'avait paru à la Cour que pour s'y faire bafouer. À Saint-Germain, où il était allé trouver le Roi, les Guise ne lui assignèrent pas de logement et il en fut réduit à se contenter de l'hospitalité que le maréchal de Saint-André lui donna par pitié. Il n'avait pas été convoqué aux séances du Conseil. À Reims, lors du sacre, il souffrit qu'on arrêtât en sa présence un de ses gentilshommes, Anselme de Soubcelles, suspect d'avoir diffamé les ministres dirigeants. Prétendant honteux, il n'eut pas le courage de déclarer son droit et accepta avec empressement la mission que lui offrit Catherine de conduire en Espagne Élisabeth de Valois, la jeune femme de Philippe II[215].

**Note 215:** (retour) De Ruble, *Antoine de Bourbon et Jeanne d'Albret*, t. II, p. 41-45 et p. 58.

Mais Condé agissait pour lui ou sans lui. Il faisait instruire mystérieusement le procès des Guise, et, comme bien l'on pense, «d'information faite, il se trouva, dit Regnier de La Planche, par le témoignage de gens notables et qualifiés, iceux (les Guise) estre chargés de plusieurs crimes de lèze-majesté ensemble d'une infinité de pilleries, larrecins et concussions». «Ces informations veues et rapportées au Conseil du Prince, attendu que le Roy, pour son jeune aage, ne pouvoit cognoistre le tort à luy faict et à toute la France, et encore moins y donner ordre, estant enveloppé de ses ennemis (les Guise), il ne fut question que d'adviser les moyens de se saisir de la personne de François, duc de Guise, et de Charles, cardinal de Lorraine, son frère, pour puis après leur faire procès par les Estats»[216]. Cependant l'entreprise était si hasardeuse que Condé n'osa s'y risquer. Il en laissa la conduite à un certain La Renaudie, gentilhomme périgourdin, qui, ayant eu des démêlés avec la justice, en rendait les Guise responsables. La Renaudie enrôla en France et à l'étranger des soldats et des capitaines et réunit secrètement à Nantes (1er février 1560) les principaux conjurés. Il fut autorisé par cette assemblée, qui était censée tenir lieu d'États généraux, à se saisir des ministres et à les mettre dans l'impossibilité de nuire. Les fauteurs du complot voulaient, par tout cet appareil de procédure: enquête, procès, consultation d'États, apaiser les scrupules de chrétiens comme Calvin et donner à un coup de main le caractère d'une action légale. Ils résolurent d'envahir en forces le château d'Amboise, où était la Cour, et de demander à

François II humblement, l'épée en main, le renvoi et la mise en jugement de ses ministres. L'exécution, fixée d'abord au 10 mars 1560, fut définitivement ajournée au 16.

**Note 216:** (retour) Regnier de La Planche, p. 237-238.--Paillard, *Additions critiques à l'histoire de la Conjuration d'Amboise*, Revue historique, t. XIV, 1880, 61-108 et 311-355 (analyse de la correspondance de Chantonnay, frère du cardinal Granvelle et ambassadeur d'Espagne en France).

Le secret du complot, si bien gardé qu'il fût, transpira. Le 12 février les Guise eurent un premier avertissement, vague d'ailleurs, donné par un prince protestant d'Allemagne; puis vint, quelques jours après, la dénonciation d'Avenelles, un avocat de Paris, qui avait logé La Renaudie à son passage et avait reçu ses confidences[217]. Catherine s'émut de ce danger de guerre civile. Elle commençait à trouver que les ministres de son fils étaient trop violents. Ne s'étaient-ils pas avisés d'ailleurs de contrecarrer ses volontés? Elle n'avait rien tenté, peut-être par affectation de piété conjugale, pour sauver Du Bourg, qui fut exécuté le 23 décembre 1559. Mais elle s'intéressait à Fumée, à cause de Jean de Parthenay-Larchevêque, sieur de Soubise, à qui «elle portoit de longue main faveur». Or le cardinal de Lorraine éludait ses bonnes intentions et l'amusait de promesses. A la fin elle lui déclara «que ces façons de faire luy desplaisoient et que s'ils en usoient plus, elle en auroit mescontentement». Le Cardinal, dépité, offrit de se retirer en sa maison. Mais son départ, suivi naturellement de celui de son frère, l'aurait laissée seule en face des réformés, sans qu'elle fût sûre des catholiques; elle l'apaisa. Il mit alors la faute de la poursuite, raconte l'*Histoire des Églises réformées*, sur le procureur général, Bourdin, sur certains conseillers et commissaires du Châtelet et sur l'inquisiteur de la Foi, Démocharès, et quelques Sorbonistes, qu'il disait «estre les plus méchants garnemens du monde et dignes de mille gibets.... Sur quoy la dicte dame respondit qu'elle s'esbahissoit donques et trouvoit merveilleusement estrange qu'il se servoit d'eux puisqu'il les connoissoit tels»[218]. Fumée fut absous à pur et à plein (février 1560).

**Note 217:** (retour) La chronologie des révélations est difficile à établir. Voir Paillard, *Additions critiques à l'histoire de la conjuration d'Amboise*, Revue hist., 1880, t. XIV, p. 81-84 et *passim*.

**Note 218:** (retour) *Histoire ecclésiastique des Églises réformées du royaume de France*, éd. nouvelle par Baum et Cunitz, 1883, I, p. 294-298.

Les Guise, pensant avec raison que les «belîtres», dont on leur dénonçait l'entreprise, ne pouvaient être que les prête-noms de tout autres ennemis, sentaient plus que jamais le besoin de se concilier la Reine-mère. En leur inquiétude, ils la prièrent d'appeler à la Cour l'Amiral, d'Andelot et le cardinal de Châtillon, les neveux du Connétable. Elle y consentit bien volontiers, car elle avait «confiance» dans «des vertus de ces personnages» et «portoit» «amitié à l'Admiral»[219]. Coligny, bien qu'il inclinât décidément à la Réforme, n'avait pas paru à l'assemblée de Vendôme[220]. Il estimait probablement que la nouvelle Église risquait de s'aliéner la Reine-mère, en montrant un zèle exclusif pour la cause des princes du sang. Peut-être aussi jugeait-il Antoine de Bourbon à sa valeur. Il arriva le 24 février à la Cour, et, prié par Catherine de dire son avis, «il luy déclara le grand mescontentement de tous les subjects du roy... non seulement pour le faict de la religion, mais aussi pour les affaires politiques, et que l'on avoit mal à gré et du tout à contre-cœur que les affaires du royaume fussent maniées par gens qu'on tenoit comme étrangers, en eslongnant les princes et ceux qui avoient bien déservy de la chose publique»[221], il voulait dire le Connétable. Alors elle fit un premier pas. Elle, jusqu'alors si prudente, alla trouver le Roi et lui persuada de consulter le Conseil sur la situation religieuse. Les Guise la laissaient faire. Le Conseil fut d'avis d'accorder et le gouvernement publia une amnistie pour tous les religionnaires qui vivraient désormais en bons catholiques, exception faite des prédicants et de tous ceux qui, sous prétexte de religion, avaient conspiré contre la Reine-mère, nommée, remarquons-le, la première, le Roi, la Reine, les frères du Roi, et les principaux ministres (mars). L'Édit, pour couvrir les Guise, imaginait que leurs ennemis avaient projeté de détruire avec eux la famille royale et même les Bourbons, et il excluait du pardon ces grands coupables, ainsi que les prêcheurs des doctrines nouvelles suspects de propager l'esprit de révolte[222]. Mais cette simple distinction entre les réformés paisibles et les fauteurs de désordre était de grande conséquence. La pratique de l'hérésie n'était donc pas aussi criminelle qu'un complot, puisque celle-là était pardonnable et que celui-ci restait punissable? L'État prenait donc moins à cœur les affaires de Dieu que les siennes? Aussi l'Édit fut-il trouvé «fort estrange» par plusieurs catholiques, dit le journal de Nicolas Brûlart, chanoine de Notre-Dame de Paris[223]. Pour bien marquer que Catherine en était l'inspiratrice, le conseiller et secrétaire des finances du roi, Jacques de Moroges, chargé de le porter au Parlement, déclara «qu'il a eu commandement exprès de la Reine-mère pour dire à la Cour de sa part qu'elle procède le plus promptement qu'elle pourra à la vérification des dites lettres». Sans user de ses lenteurs ordinaires, le Parlement enregistra le 11 mars.

**Note 219:** (retour) Regnier de La Planche p. 247.

**Note 220:** (retour) Erichs Marcks, *Gaspard von Coligny*, I, 1893, p. 350.

**Note 221:** (retour) Regnier de La Planche, p. 247.

**Note 222:** (retour) Fontanon, *Les Edicts et Ordonnances des roys de France*, 1611, t. IV, p. 263-264.

**Note 223:** (retour) Journal de Pierre (lisez Nicolas) Bruslart, dans *Mémoires de Condé*, I, p. 9.

C'était l'entrée en scène de Catherine et la première manifestation publique d'une politique personnelle. Mais les concessions venaient trop tard; les bandes de La Renaudie étaient aux portes d'Amboise. Les Guise, qui n'avaient pas cessé d'armer, dispersèrent, massacrèrent ou livrèrent au bourreau les soldats, gentilshommes, bourgeois et gens «mécaniques» qui marchaient à l'attaque du château. Catherine n'osa pas s'opposer aux exécutions par jugement, qui suivirent les tueries en pleine campagne. Elle estimait certainement criminelle cette façon d'adresser requête au Roi par soulèvement, surprise, assaut et bataille. Mais elle trouva que les Guise outrepassaient la rigueur de la justice. Elle aurait voulu pardonner à un prisonnier qui dans l'un des interrogatoires où elle assista, fit «à demy confesser au cardinal [de Lorraine] sa doctrine estre vraye, mesmes en la doctrine de la Cène». Mais on se hâta de le dépêcher, pendant qu'elle était occupée ailleurs, «de quoy elle fut aulcunement faschée, se disoit-elle, car elle l'avoit jugé innocent». Pour sauver Castelnau, un brave capitaine, dont Coligny et d'Andelot représentaient les «grands services faicts par ses prédécesseurs et par luy à la Couronne et maison de France», «elle fit tout ce qu'elle peut (put) disoit-elle, jusques à aller chercher et caresser en leurs chambres *ces nouveaux rois*». Le mot doit être d'elle, car elle l'a employé plusieurs fois contre les Guise dans sa correspondance, mais ils «se montrerent invincibles et de fureur irréconciliables». La duchesse de Guise elle-même allait pleurer chez la Reine-mère sur les «cruautés et inhumanités qui s'exercent», car «elles deux ensemble avoient fort privéement devisé de l'innocence de ceux de la religion»[224].

**Note 224:** (retour) Regnier de La Planche, p. 257, 265, 266. Regnier de La Planche ou plutôt l'Histoire publiée sous son nom ne veut pas que la Reine ait été sincère. C'est un parti pris chez les ennemis de Catherine qui lui dénie tout bon sentiment.

Elle fit plus. Elle envoya Coligny en Normandie pour enquêter sur la cause des troubles, et elle montra aux Guise la lettre où l'Amiral les imputait à la violence de leur politique. Elle les força, conformément aux Édits, de relâcher les prisonniers arrêtés pour cause de religion.

L'Édit de Romorantin (mai 1560), qu'elle a certainement inspiré, remettait le jugement du crime d'hérésie aux évêques, et la punition des assemblées et des conventicules aux juges présidiaux[225]. C'était une nouvelle tentative, aussi hardie qu'elle pouvait l'être au lendemain du complot d'Amboise, pour distinguer le spirituel du temporel, et la religion de la police du royaume.

**Note 225:** (retour) Fontanon, *Les Edits et Ordonnances des roys de France*, éd. 1611, t. IV, p. 229-230.

Elle cherchait en même temps à renouer avec les réformés, qui, depuis le «Tumulte», avaient laissé tomber les relations. Elle dépêcha donc à Tours deux de ses serviteurs favorables à leur cause: Chastelus, abbé de La Roche, son maître des requêtes, et Hermand Taffin, son gentilhomme servant, chargés de «faire parler à elle» La Roche-Chandieu, de qui elle voulait savoir «la vraye source et origine des troubles» et le «moyen de donner estat paisible» à ceux de la religion, sans provoquer toutefois les catholiques. Mais les fidèles de Tours répondirent «que le ministre que la Roine demandoit n'estoit pas à Tours ny mesmes au royaume». Et comme les messagers les pressaient d'envoyer à sa place le ministre du lieu, Charles d'Albiac, dit Duplessis, «ils refusèrent», l'Église de Tours «ayant ses pasteurs trop chers pour les hasarder ainsi». Ils ajoutèrent que «la dicte dame avoit donné peu de témoignage de son bon vouloir envers eux par les actions passées, aussi que ce qu'elle désiroit sçavoir se pourroit bien escrire par lettres». Elle ne parut pas s'offenser de leur méfiance, «promettant qu'elle monstreroit par effect n'avoir dédaigné leur conseil». Et cependant elle les priait de «se contenir en la plus grande modestie que faire se pourroit, afin que leurs adversaires n'eussent occasion de leur courir sus». Par-dessus tout elle leur recommandait «de tenir secret tout ce qu'ils voudroient lui envoyer, car elle vouloit s'en aider en telle sorte que l'on pensast que les ouvertures qu'elle feroit vinssent seulement de son advis et industrie, et non d'autres mains, aultrement elle gasteroit tout, leur pensant aider»[226].

Ils dressèrent alors pour elle une belle remontrance sous le nom emprunté de Théophile, que Le Camus, fils de son ancien pelletier, lui fit remettre le 24 mai, jour de l'Ascension[227].

**Note 226:** (retour) Regnier de La Planche, p. 298-299.

**Note 227:** (retour) Et non de l'Assomption, comme dit le texte imprimé de Regnier de La Planche, p. 302. Cf. p. 304, les faits qui permettent de rectifier cette fausse indication.

C'était, affirmait Théophile, une vérité établie que les «forces... apparues près Amboyse n'estoyent contre la majesté du Roy ny contre elle ou aucun prince du sang, mais seulement pour se munir contre ceux qui les voudroyent empescher de se présenter à Leurs Majestés pour leur remontrer les choses qui concernoyent l'estat du Roy et la conservation du royaume». Il allait de soi «qu'il n'y a droict ni divin ni humain qui permette aux subjects d'aller en armes faire doléance à leurs princes, ains seulement avec humbles prières». Aussi combien de fois--la Reine-mère pouvait s'en souvenir--les réformés, ayant les moyens de se défendre, avaient-ils mieux aimé «mettre les armes bas» et «encourir la note de cueur lasche que de faire acte approchant de rébellion et de désobéissance contre leur prince et naturel seigneur». Mais ces preuves de leur fidélité ayant uniquement servi d'occasion «aux meschans d'estre tant plus audacieux jusques à faire acte de tyrans, usurpateurs du roy et du royaume, contre toutes les loix et statuts inviolablement observés en

France, il a été finalement licite de repoulser ceste violence par aultre violence, veu que leurs ennemys empruntoient les forces du roy pour les destruire.» «Et ce qui les esmouvoit davantage,» c'est que les édits faits «durant les dangers» n'étaient pas appliqués, et que l'on avait lieu de croire qu'ils ne le seraient pas, tant que les Guise seraient près de Sa Majesté. En effet, ils «poursuivoyent», pour les faire mourir et s'emparer de leurs biens, les gentilshommes qui s'étaient retirés de l'entreprise, confiants dans le pardon du Roi. Aussi ceux-là et même «ceux qui n'estoyent encore bougés de leurs maisons... se préparoyent à marcher comme désespérés, jugeant qu'il leur convenoit plutost mourir tous ensemble en combattant qu'estant prins en leurs maisons l'un après l'autre tendre le col à un bourreau.»

C'est ce que la Reine-mère «devoit bien considérer et penser en elle-mesme à la conséquence où pourroyent tomber ces désespérées entreprinses, où l'on jouoit à quitte ou à double. Car encores que ce fut la ruyne de ceux qui s'eslesveroyent, si est-ce qu'elle devait plutost y remédier promptement que l'effect advenu procéder à la destruction entière de ceux qui autrement estoyent de ses meilleurs subjects». Le remède, c'était en premier lieu de «pourveoir au gouvernement du royaume et bailler un Conseil au Roy, non à l'appétit de ceux de Guyze, mais selon les anciennes constitutions et observations de France»; en second lieu, de tenir un «Concile sainct et libre, sinon général, à tout le moins national», où toutes choses étant «décidées par la parolle de Dieu,» «ceux qu'on condamnoit maintenant sans estre ouys s'attendaient de gaigner leur cause». Et jusque-là Théophile requérait pour les fidèles le droit de demeurer «en la simplicité des Escriptures» et «de vivre selon le contenu d'une confession de foy accordée et receue en toutes les églises réformées de France»[228].

**Note 228:** (retour) Analyse du *Théophile*, dans Regnier de La Planche, p. 299-302.

La Reine mère venait de lire cette consultation politico-religieuse quand Marie-Stuart, «qui la suyvoit, comme estant aux aguets de toutes ses actions», entra et la surprit le mémoire en main. Elle lui demanda ce que c'était, et Catherine, pour se tirer d'embarras, nomma le porteur du paquet. Les Guise firent arrêter Le Camus.

Catherine n'était pas brave, et vite elle abandonnait les gens qui la compromettaient. D'ailleurs l'insistance des réformés à mettre en avant les droits des princes du sang, qui étaient destructifs des siens, ne pouvait que lui déplaire. Quand Le Camus fut plus tard conduit devant elle, le 5 juin, à Villesavin (près de Romorantin), elle lui reprocha, en présence des Guise, ces remontrances «pleines d'injures et animosité contre le Roy son fils et elle». Et comme Le Camus répondit que «sous sa correction les dites remontrances n'estoient telles», elle répliqua que «c'estoit bien contre elle en tant qu'elles s'adressoyent contre les sieurs de Guise, ministres et oncles du Roy». Le Camus protesta qu'elles ne tendaient «qu'à induire le Roy et ladicte Dame à faire assembler les Estats du royaume pour remédier aux confusions» du pays «et au mescontentement de ce que lesdicts de Guyse s'estoient emparés de la personne du Roy et du gouvernement du royaume contre la volonté des princes du sang et des Estats». On l'envoya prisonnier au château de Loches[229].

**Note 229:** (retour) Regnier de La Planche, p. 304.

Il importait beaucoup à Catherine de savoir si les «connétablistes» s'accordaient avec les réformés sur cette question des princes du sang. À Saint-Léger[230], où la Cour alla en ce même mois de juin (1560), elle manda «un certain Louis Regnier, seigneur de La Planche», «qu'on estimoit dès lors servir de conseil bien avant au mareschal de Montmorency », fils du Connétable. L'histoire publiée sous son nom[231], *De l'Estat de France sous François II*, précieuse par les documents qu'elle cite, quelquefois tout au long, et par les faits qu'elle rapporte, est le récit le plus complet et le plus vivant, quoique partial et passionné, des débuts politiques de Catherine. La Planche, qu'elle questionna sur la conjuration d'Amboise, s'excusa tant qu'il put de dire son avis; mais, sommé de parler, il expliqua que les troubles avaient à la fois des causes religieuses et politiques, et qu'il y avait «deux diverses sortes» de «huguenauds». Les uns, qui «ne regardent qu'à leur conscience» avaient été «esmeus» par La Renaudie à prendre les armes, «ne pouvant plus à la vérité supporter la rigueur, laquelle on a si longtemps continuée contre eux»; les autres, qui «regardent à l'estat public», sont irrités de voir l'estat du royaume estrangement conduit par estrangers, les princes du sang estant forclos».

**Note 230** (retour) Saint-Léger (Seine-et-Oise), est à 12 kilomètres de Rambouillet; les rois de France y avaient une résidence, au milieu de la forêt.

**Note 231:** (retour) Elle n'est probablement pas de lui, au moins en entier. Il ne s'appellerait pas lui-même (éd. Buchon, p. 316) «*un certain* Louis Regnier», et ne donnerait pas comme une opinion qu'il fût le confident du maréchal de Montmorency. Après avoir dit à la Reine-mère, dans l'entretien analysé ici, que La Renaudie voulait, «soubs prétexte de présenter une requeste, venger la mort» d'un sien beau-frère, il ne se serait pas démenti en ces termes (éd. Buchon, p. 318). «Tel fust le pourparler de La Planche, homme politique plustost que religieux, s'abusant en ce qu'il mict en avant des différends de la religion, non moins qu'en ce qu'il dict de l'intention qui avoit esmeu La Renaudie». La critique de beaucoup de documents du XVIe siècle reste à faire.

Il serait aisé--en quoi La Planche se trompait--d'apaiser les huguenots de religion «par une assemblée de quelques suffisans personnages, lesquels, soubs couleur de traduire fidèlement la Bible, cotteroyent les différends (les points de désaccord entre les réformés et les catholiques), et trouveroyent finalement qu'il n'y a pas si grande discorde qu'il semble entre les parties». Mais les huguenots d'État «ne s'apaiseroyent aiséement, sinon mettant les princes du sang en leur degré et demettant tout doucement ceux de Guyse par une assemblée des Estats». La Planche reprocha aux Guise, simples cadets de la maison de Lorraine, de prétendre au gouvernement de l'État et même au titre de princes, le roi ne pouvant faire des princes qu'avec la reine. «Sa conclusion fut que si elle (Catherine) vouloit éviter un remuement bien dangereux, il falloit contenir ceux de Guyse en leurs limites ou pour le moins leur bailler comme une bride et contrepoix de François naturels et tenir les uns et les autres en raison.» Elle répondit qu'en employant les Guise, elle n'avait fait que suivre «les traces du feu roy son mary» et «qu'elle eust bien voulu que le roy de Navarre et le prince de Condé se fussent rangés à la Cour, à l'exemple de messieurs de Montpensier et de La Roche-sur-Yon, qui s'y voyoient favorablement traictés et honorés.» Mais... «c'estoit mesmes contre la personne du Roy» que l'entreprise d'Amboise avait été dressée. La Planche répliqua que «ceux qui occupoyent la place des princes du sang, sçachant iceux ne pouvoir estre déboutés, selon leurs anciens privilèges, que par le seul premier chef du crime lèze-majesté, avoyent plustost forcé (? forgé) ceste accusation, substituant la personne du Roy au lieu de la leur.»

Le cardinal de Lorraine avait entendu cette attaque contre sa maison, «caché derrière la tapisserie». La Planche fut «renvoyé disner», puis rappelé l'après-midi. La Reine-mère alors lui déclara «qu'elle ne se pouvoit persuader que ceste querelle fut advenue pour les honneurs prétendus par ceux de Guyse» et qu'en tout cas «il se trouveroit bon remède, donnant le premier lieu aux princes du sang et le second à ceux de Guyse, de sorte qu'après le premier prince du sang marcherait le premier prince de Lorraine; après le second prince du sang, le second prince de Lorraine, et ainsi consécutivement; mais qu'il sçavoit bien d'autres choses s'il les vouloit dire.» Par promesses claires, par menaces vagues, elle essaya de le faire parler et même elle le pria de l'aider à prendre «certains principaux rebelles sans luy nommer de près ny de loing la maison de Montmorency». Mais La Planche courageusement remontra «que ceux de Lorraine ne devoyent nullement tirer au colier avec les princes du sang, ains (mais) leur céder et faire place». «Et quant à la capture de ces prétendus rebelles, il trancha le mot, qu'il n'estoit ni prévost des mareschaulx ni espion.» Elle le fit arrêter, mais «il se purgea si évidemment d'avoir eu intelligence avec La Renaudie qu'au bout de quatre jours il fut relâché[232].

**Note 232:** (retour) Regnier de La Planche, p. 316-318.

De toutes ces consultations, Catherine conclut qu'il fallait à tout prix rompre la coalition des huguenots d'État et des huguenots de religion. Peut-être pensait-elle, comme Regnier de La Planche, qu'il serait plus aisé de satisfaire ceux-ci que ceux-là et en tout cas c'étaient les concessions qui devaient le moins lui coûter. L'état du royaume demandait qu'on se hâtât. L'Édit de

Romorantin n'avait pas calmé les passions; les réformés tenaient des prêches et s'assemblaient en armes; ils faisaient aux Guise une guerre de pamphlets qui était le prélude de l'autre. Déjà des bandes couraient la Provence, le Dauphiné, la Guyenne et saccageaient les églises. Sur l'avis de Coligny, la Reine-mère fit décider la réunion à Fontainebleau des plus grands personnages pour aviser aux nécessités du royaume. Ce fut une sorte de Conseil élargi, où le Roi appela, outre ses conseillers ordinaires, les princes du sang, les grands officiers de la Couronne et les chevaliers de l'Ordre [de Saint-Michel]. Le Connétable y vint accompagné de huit cents ou mille chevaux. Mais, malgré ses exhortations, Antoine de Bourbon et son frère restèrent en Béarn et laissèrent passer l'occasion d'exposer solennellement leurs droits et leurs griefs, et d'ôter à leur cause l'allure d'un complot.

L'assemblée s'ouvrit le 21 août, «en la chambre de la Reine-mère», sous la présidence du jeune Roi. Catherine pria les personnages «que le Roy son fils» avait convoqués de le «vouloir conseiller.... en sorte que son sceptre fust conservé et ses subjects soulagés et les malcontents contentés s'il estoit possible»[233].

Le nouveau chancelier, Michel de l'Hôpital, ancien conseiller au Parlement de Paris et ancien Président de la Chambre des comptes, était une créature des Guise, mais «sitost qu'il eust été estably en sa charge», il se proposa «de cheminer droict en homme politique et de ne favoriser ny aux uns ny aux autres, ains de servir au Roy et à sa patrie»[234].

**Note 233:** (retour) Pierre de La Place, *Commentaires de l'estat de la religion et république sous les roys Henri et François seconds et Charles neuviesme*, éd. Buchon, p. 53-54.

**Note 234:** (retour) Regnier de La Planche, p. 305.

Mais il cheminait prudemment. C'était l'homme qu'il fallait à Catherine. Il prit la parole après elle pour développer sa pensée. Il compara le royaume où «tous estats» étaient «troublés» et corrompus «avec un très grand mécontentement d'un chascun» à un malade et il invita l'assemblée à rechercher la cause du mal. Si on pouvait la «découvrir, le remède seroit aisé.... *Hoc opus, hic labor est.*» Le duc de Guise et le cardinal de Lorraine rendirent ensuite compte du fait de leurs charges: gendarmerie et finances.

Le 23, François II se disposait à prendre les avis, et «... comme il eust commandé d'opiner à l'évêque de Valence», Monluc, le dernier en date des conseillers, l'Amiral se levant s'approcha du Roi, et, après deux grandes révérences, il lui présenta deux requêtes des réformés, l'une à lui adressée, l'autre à sa mère. Dans la première «les fidèles chrétiens épars en divers lieux et endroicts de son royaume» suppliaient le roi leur souverain seigneur «très humblement de faire surseoir les rigoureuses persécutions», et de leur permettre «qu'ils se pussent assembler en toute révérence et humilité» pour célébrer ensemble leur culte, et en attendant un concile général de «leur ordonner quelques temples en ce royaume» afin que «leurs assemblées ne fussent plus secrètes et suspectes»[235]. Mais la requête à la Reine demandait bien davantage: «Vous, disait-elle, comme vertueuse et magnanime princesse, ensuyvant l'exemple de la Royne Esther, ayez pitié du peuple esleu de Dieu pour le délivrer des griefs périls esquels il s'est senti exposé jusques à présent.... Très illustre et souveraine princesse, nous vous supplions... pour l'affection que devez à Jésus Christ, à establir son vray service et deschasser toutes erreurs et abus qui empeschent qu'il ne règne comme il faut. Vueillez faire ce bien aux povres chrestiens afin que par ce moyen Dieu soit servi et honoré publiquement en ce royaume, et le sceptre de vostre fils, nostre souverain roy, soit conservé en intégrité soubs Jésus Christ, le Roy des Roys»[236].

**Note 235:** (retour) P. de La Place, p. 54-55, résume les deux requêtes sans les distinguer.

**Note 236:** (retour) L'adresse à la Reine est dans les *Mémoires de Condé*, II p. 647-648.

C'était lui parler comme à une personne confidente, dont l'Église réformée attendait, non seulement un régime de tolérance, mais l'avènement du règne de Dieu.

Après ce coup de théâtre, l'évêque de Valence, Monluc, «personnage de grand sçavoir et littérature, mesme ès lettres saintes», parla, en homme bien informé, des services rendus par la Reine-mère, lors de la conjuration d'Amboise où «avec sa prudence accoustumée, aidée de celle des sieurs de Guyse soubs son authorité», elle «avoit usé de telle intelligence que des souspeçons qui sembloyent estre legiers et de nulle apparence, elle avoit soudainement descouvert l'entreprise des tumultes», et puis y avait avisé «plus avec la douceur qu'avec la force». Le moyen de pourvoir «aux vices et abus» de l'Église et de l'État, c'était la «réunion d'un nombre de gens de bien» «de toutes les provinces» et la convocation d'un concile national, si le pape n'en voulait pas tenir un général. Il jugeait «inexcusables» et par conséquent punissables ceux des sectaires qui, «soubs le prétexte et manteau de religion, estoyent devenus séditieux et rebelles», oubliant que «Sainct Pierre et Sainct Paul nous commandent de prier Dieu pour les roys, de leur rendre toute subjection et obéissance et à leurs ministres, ores qu'ils fussent iniques et rigoureux.» Mais il ne trouvait ni juste, ni utile, ni conforme aux traditions de l'Église primitive de traiter en factieux ceux qui «retenoyent» la nouvelle doctrine «avec telle craincte de Dieu et révérence au Roy et ses ministres qu'ils ne vouldroyent pour rien l'offenser». Ceux-là faisaient bien connaître «par leur vie et par leur mort» «qu'ils n'estoyent meus que d'un zèle et ardent désir de chercher le seul chemin de leur salut, cuidans l'avoir trouvé». Aussi «d'expérience avoit appris à tout le monde que les peines en cest endroict ne profitoyent de rien, ains au contraire...» Les «empereurs chrestiens de saincte et recommandable mémoire», Constantin, Valentinien, Théodose, Marcien n'avaient voulu user «de plus de rigueur envers les autheurs des hérésies que de les envoyer en exil et de leur oster le moyen de séduire les bons». Quant aux assemblées, Monluc n'était pas d'avis de les permettre, «pour le danger qui en peult advenir», mais il s'en remettait «au bon jugement» du Roi pour avoir égard «en la punition des transgresseurs»... «à l'heure, au nombre, à l'intention et à la façon qu'ils se seroient assemblés»[237].

**Note 237:** (retour) Le discours de Monluc, dans La Place, p. 55-58.

L'avis de Monluc, c'était celui de la Reine-mère, dont ce prélat humain et mondain était le confident. Elle estimait nécessaire de relâcher la persécution sans compromettre l'ordre, de ménager les consciences sans désarmer le pouvoir. Monluc s'était gardé de prononcer le nom des États généraux, et il avait eu en passant un mot d'éloge pour les Guise. A tous ces traits, on reconnaît la façon prudente de Catherine.

Mais l'archevêque de Vienne, Marillac, parla, lui, avec une hardiesse qu'on n'aurait pas attendue d'un client des Guise, mais qui cependant s'expliquait. Ancien ambassadeur de France en Allemagne, en Angleterre, en Suisse, il pouvait craindre que l'intolérance de ses patrons ne compromît les alliances protestantes, et en tout cas il constatait qu'elle troublait le royaume[238]. Il signala le fardeau toujours croissant des impôts et la corruption du clergé déclarant qu'il n'y avait autre moyen pour «asseurer»... «la bénévolence du peuple et l'intégrité de la religion» que d'assembler les États généraux et de tenir un concile national, quelque empêchement que le pape y mît. Il insista sur le devoir de réformer l'Église et «d'ouyr les plaintes du peuple» sans s'arrêter aux dangers imaginaires que quelques-uns concevaient de ces grandes assemblées. «Si les premiers ministres du Roi, dit-il, sont calomniés comme autheurs et cause de tout le mal passé et qui peut advenir, comme ceux qui tournent toutes choses à leur advantage et font leur proffit particulier de la calamité de tous, y a-t-il d'autre moyen pour se nettoyer de tous souspeçons que de faire entendre en telle assemblée en quel estat l'on a trouvé le royaume [et] comme il a été administré...» C'était presque dire que les accusations avaient quelque apparence. Et quand Marillac montrait le Roi, gardé par l'amour de sa mère, «de tant de princes du sang», de l'Église et de la noblesse, ne signifiait-il pas aux oncles de Marie Stuart que leurs services n'étaient pas indispensables[239]?

**Note 238:** (retour) Cf. sur le revirement de Marillac, connu jusque-là pour un partisan des Guise, Pierre de Vaissière, *Charles de Marillac, ambassadeur et homme politique sous les règnes de François Ier, Henri II et François II*, Paris 1896, p.

383-384.--Le discours de Marillac est dans Regnier de La Planche, p. 352-360.

**Note 239:** (retour) Regnier de La Planche, p. 357.

L'Amiral, qui décidément se posait en porte-parole des réformés, attaqua vivement la politique religieuse et le gouvernement des Guise. Le Duc répliqua sur le même ton. Le Cardinal, calme et ironique, remarqua que si les novateurs se disaient «très obéissans, c'estoit toutesfois avec condition que le roy seroit de leur opinion et de leur secte ou pour le moins qu'il l'approuveroit»[240].

**Note 240:** (retour) [De Mayer], *Des États généraux et autres Assemblées nationales*, t. X, p. 306-307.--La Place, p. 66-68.

Il dissuada le Roi de leur «bailler temples et lieu d'assemblée», car «ce seroit approuver leur idolatrie», ce qu'il «ne sçauroit faire sans estre perpétuellement damné». Toutefois il fut d'avis que tout en continuant à punir «griesvement» les séditieux et «perturbateurs du peuple et du royaume» on ne «touchast plus par voye de punition de justice,» à ceux «qui sans armes, et de peur d'estre damnés, iroyent au presche, chanteroient les psalmes et n'iroyent point à la messe.» Il se prononça pour la réunion des États généraux, et, quant à la réforme de l'Église, il proposa de faire ouvrir par les évêques et les curés une enquête sur les abus «pour en informer le Roy à fin de regarder la nécessité d'assembler un concile général ou national». Les chevaliers de l'Ordre opinèrent tous comme le cardinal de Lorraine, dont l'avis passa à la majorité des voix. En conséquence, les États généraux furent convoqués pour le 10 décembre suivant à Meaux (31 août 1560).

La Reine-mère avait pris une telle importance que l'Amiral et quelques grands seigneurs en qui elle se fiait la sollicitèrent de se saisir du pouvoir et de renvoyer pour quelque temps les Guise en leur maison. Mais elle les «cognoissoit de si grand cœur que malaisement» endureraient-ils de n'être rien. Le Duc se fortifiait de toutes sortes de gens, et «disoit haut et clair avoir la promesse de mille ou douze cens gentilshommes signalés et le serment de leurs chefs, avec lesquels et les vieilles bandes venues du Piedmond et autres dont il s'asseuroit, il passerait sur le ventre à tous ses ennemis». Disgracier les Guise, ce «seroit pour entrer de fiebvre en chaud mal»[241]. Il lui faudrait rappeler le Connétable qu'elle n'aimait pas et s'appuyer sur les princes du sang et les réformés, dangereux alliés qui ne manqueraient pas, lors de la réunion des États généraux, de bailler au Roi un conseil où elle était sûre de n'avoir pas la première place.

**Note 241:** (retour) Regnier de La Planche, p. 313-314.

Il n'est pas imaginable combien les protestants, à part quelques hommes comme Coligny[242], se souciaient peu de la gagner. Ils la pressaient de se compromettre pour eux, et en même temps déclaraient dans tous leurs écrits qu'en cas de minorité les princes du sang devaient avoir le premier rang dans l'État, à l'exclusion des étrangers et des reines-mères. Ils l'estimaient, à ce qu'il semblait, trop heureuse de les servir gratuitement. C'était se méprendre du tout sur ses sentiments. Son ambition, naturellement très grande, s'était encore accrue à la faveur des événements et du succès. Elle voyait jour pour arriver au pouvoir suprême; elle y aspirait pour elle et dans l'intérêt de ses enfants. Or les novateurs religieux, qui auraient dû s'assurer son concours à tout prix, jetaient en travers de sa route et consolidaient sottement la théorie des princes du sang. La *Briesve Exposition*, qu'ils publièrent après la conjuration d'Amboise, et la *Response chrestienne et défensive*, qui est du même temps que le «Théophile» de l'Église de Tours, et Le Camus, porteur de ce mémoire consultatif, invoquaient contre les Guise l'ancienne constitution du royaume et soutenaient tous que la loi salique et la coutume excluaient du gouvernement les étrangers[243].

Pour entraîner Antoine de Bourbon, qui suivant son habitude atermoyait, les représentants des Églises tinrent à Nérac une sorte de grand conseil auquel se trouvèrent le jurisconsulte huguenot Hotman, réfugié à Strasbourg depuis le tumulte d'Amboise, et Théodore de Bèze, poète, écrivain, humaniste, maintenant théologien et le principal coadjuteur de Calvin à Genève. Ils rédigèrent pour le roi de Navarre et le prince de Condé une «Remontrance» où les prétentions des princes du sang étaient appuyées de précédents historiques spécieux et d'attaques passionnées contre la tyrannie des Guise[244].

**Note 242:** (retour) Coligny n'assistait pas, comme on l'a vu, à la réunion de Vendôme, Erichs Marcks, *Gaspard von Coligny*, 1893, t. I, p. 350.

**Note 243:** (retour) Aussi approuva-t-elle, si elle ne l'inspira pas, la réfutation de la thèse des protestants par Jean du Tillet, greffier en chef du Parlement de Paris, *Pour la majorité du roy tres chrestien contre les escrits des rebelles*, Paris, 1560, in-4° (B. N., Lb. 32). Les protestants répondirent par un *Légitime conseil des rois de France pendant leur jeune aage contre ceux qui veulent maintenir l'ilégitime gouvernement de ceux de Guise, soubz le titre la majorité du roy, ci-devant publié* (Mémoires de Condé, t. I, p. 471 sqq.) Du Tillet répliqua: *Pour l'entière majorité du roi tres chrestien contre le Légitime conseil*, Paris, 1560 (dans Dupuy, *Traité de la majorité de nos rois et des régences du royaume*, Paris, 1655. Preuves, p. 329 sqq.,) où se trouve aussi, p. 319 sqq., le premier écrit de Du Tillet. Du Tillet maintient que les rois sont majeurs à quatorze ans, qu'ils règlent, comme ils l'entendent, par testament les régences; que les reines-mères sont, par lois et coutumes, préférées aux princes du sang en cas de mort *ab intestat*; qu'il n'y a pas de régents nés, qu'on ne saurait sans «impugner» l'autorité de François II et de sa mère blâmer le choix qu'ils ont fait des Guise pour ministres. «C'est, dit-il à la Reine-mère, vouloir vous asservir à d'autres non mis ne destituables par vous, et c'est ce tuteur [forcé] qu'ils amènent et nomment légitime conseil.» Dupuy, *Preuves*, p. 333.

**Note 244:** (retour) Bèze partit pour Nérac le 10 juillet (1560) (*Calvini Opera Omnia*, t. XVIII, col. 98, note 5). Il y était à la fin de juillet (*ibid.*, col. 154, note 4). Hotman y arriva peu après lui. Les conférences ont dû avoir lieu soit fin juillet, soit plutôt au commencement d'août. La consultation est dans La Planche, p. 318-338. Elle est probablement d'Hotman; De Ruble, t. II, p. 315. Mais il n'en est pas fait mention dans l'*Essai sur François Hotman*, de Rodolphe Dareste, Paris, 1850, ni dans ses deux articles de la *Revue historique*, t. II, 1876, p. 1 et p. 367.

En même temps, la guerre civile commençait. Un des hommes d'épée les plus remuants du parti, Maligny le jeune, s'empara de Lyon, la capitale du Sud-Est, et il s'y serait maintenu si Antoine de Bourbon, effrayé de ce coup d'audace, ne lui avait commandé de licencier ses bandes et d'évacuer la ville (septembre 1560). Mais il lui faisait dire en même temps de faire couler les soldats un à un vers Limoges, où il pensait les employer--du moins le bruit en courut--à surprendre Bordeaux et assurer ses communications par mer avec l'Angleterre protestante[245]. Le prince de Condé avait dépêché un certain La Sague à plusieurs grands seigneurs qu'il priait «de ne luy faillir au besoin». Les Guise parvinrent à saisir ce messager et trouvèrent sur lui les réponses du Connétable et du vidame de Chartres, François de Vendôme. Anne de Montmorency, qui savait le danger des écritures, «exhortoit le prince à la paix, lui conseillant qu'il se gardast bien d'entreprendre chose que Sa Majesté peust trouver mauvaise». Mais le Vidame lui mandait «qu'il se devoit asseurer de luy comme de son très humble serviteur et parent et qu'il maintiendrait son party et ceste juste querelle contre tous, sans excepter que le Roy, messieurs ses frères et les roynes.»[246] Les Guise enfermèrent cet imprudent à la Bastille (29 août).

**Note 245:** (retour) De Ruble, t. II, p. 336-337, prête peut-être au roi de Navarre des desseins sans proportion avec son intelligence et son énergie.

**Note 246:** (retour) Regnier de La Planche, p. 345-346.

La Reine-mère, à qui François de Vendôme était particulièrement agréable[247], approuva l'arrestation. Épouvantée de ces bruits d'armes, dégoûtée de ses avances aux huguenots, tremblant pour ses fils et pour elle-même, elle se rapprocha des Guise et se fit leur alliée contre les Bourbons. Elle écrivit à Philippe II et au duc de Savoie pour leur demander appui et seconda le gouvernement de toute façon. François II avait sommé le roi de Navarre de lui amener son frère pour que celui-ci se justifiât de l'embauchage des hommes d'armes dont on le chargeait, «vous pouvant asseurer que là où il refusera de m'obéyr, je sauroy fort bien faire congnoistre que je suis roy»[248], et elle, dans une lettre au comte de Crussol, porteur de cet ordre impérieux, elle le chargeait de dire à Antoine que le Connétable et ses deux fils, Montmorency et Damville, avaient «en jens de bien» fait sur l'entreprise de Condé des révélations qui avaient «esté en partie cause de la prise de La Sague et du Vidame»[249]. C'était une «charité» que Montmorency se hâta de démentir (26 septembre)[250] mais qu'elle avait lancée à tout hasard pour rompre l'accord des connétablistes et des partisans des Bourbons.

**Note 247:** (retour) Voir ci-dessous, p. 207-208.

**Note 248:** (retour) De Ruble, t. II, p. 361 et 363.

**Note 249:** (retour) *Lettres*, t. I, p. 347.

**Note 250:** (retour) 250: Louis Paris, *Négociations...relatives au règne de François II*, p. 577.

Cependant les Guise massaient des soldats dans Orléans, où ils avaient fait transférer les États généraux. C'est là qu'ils attendaient leurs ennemis.

Le roi de Navarre, forcé de choisir entre l'obéissance et la révolte et menacé d'être pris à dos par les miliciens de la Navarre espagnole, dont Philippe II avait ordonné la levée en masse, s'était décidé à conduire son frère à François II. Ses partisans, ses amis, la femme de son frère l'avertissaient du danger qu'ils couraient tous deux[251]. Il put vite s'apercevoir que les gouverneurs le traitaient en suspect et gardaient soigneusement les villes qu'il traversait. Le sénéchal du Poitou, Montpezat, avait reçu de Catherine l'ordre écrit de ne pas le laisser entrer dans Poitiers, une des places les plus fortes de l'Ouest, dont on craignait qu'il ne s'emparât. Il lui signifia la défense «de par le roi», ajoutant de son cru: «sur la peine de la vie». Antoine fut si outré de l'insulte qu'il délibéra de revenir sur ses pas; il demanda une explication à la Reine-mère, qui répondit sans hésiter que «personne n'a eu charge ne commandement de luy (le Roi) ne de moi de vous tenir ce langage»[252], ce qui n'était vrai que de la menace. Femme, elle se croit autorisée, ou même elle se complaît à se défendre avec les armes des faibles, le mensonge et la ruse. Antoine, rassuré, continua sa route, et le soir même de l'arrivée à Orléans (31 octobre), Condé fut emprisonné.

**Note 251:** (retour) Comte J. Delaborde, *Éléonore de Roye*, p. 68; De Ruble, *Antoine de Bourbon et Jeanne d'Albret*, t. II, 1882, p. 370.

**Note 252:** (retour) *Lettres*, I, p. 150 (17 octobre 1560).

Catherine avait aidé à la capture des Bourbons pour enlever à la révolte ses chefs naturels. Mais les Guise estimaient que ce n'était pas assez et qu'il fallait faire un exemple. Ils en voulaient surtout au prince de Condé dont ils avaient senti la main dans tous les remuements.

La santé de François II, qui n'avait jamais été bonne, était à ce moment encore plus mauvaise; de là leurs inquiétudes et leur passion contre le plus redoutable des ennemis du lendemain. Ils n'osèrent le traduire devant le Parlement garni de pairs, le seul tribunal légitime, de peur d'un acquittement, et ils lui donnèrent pour juges, par autorité absolue, des commissaires: magistrats, conseillers d'État, chevaliers de l'Ordre[253]. Catherine répugnait aux cruautés superflues. D'ailleurs elle réfléchissait que les Guise, débarrassés de l'esprit agissant de l'opposition, n'auraient plus les mêmes raisons de la contenter et la relégueraient au second plan. Sans tarder, elle se tourna vers le connétable de Montmorency, qui, sous prétexte de maladie, s'était excusé de venir à Orléans. Le jour même où commença l'instruction contre Condé (13 novembre), elle lui écrivait: «Je voldrès que vostre santé peut (pût) permettre que feusiés avecques nous, car je cré fermement que l'on seroyt plus sage et, ne l'étant, vous ayderié à sortir le roy aur (hors) de page, car vous aves tousjour voleu que vos mestres feusset aubéi partout»[254]. Elle ne nommait personne, mais il est clair que les gens qui n'étaient pas suffisamment sages et qui tenaient le Roi en tutelle, ce ne peut être que les ministres dirigeants. Pour s'opposer à leurs violences, elle appelait à l'aide son vieil ennemi.

**Note 253:** (retour) Le procès de Condé dans le Comte Delaborde, *Éléonore de Roye*, p. 81-92.

**Note 254:** (retour) *Lettres de Catherine*, t. I, p. 153.

Elle se ménageait même un recours du côté du roi de Navarre. Un jour qu'Antoine de Bourbon, ému du danger de son frère, rappelait dans une séance du Conseil privé les services rendus par les princes de sa maison et s'écriait que si le Roi avait tant soif du sang des Bourbons...., elle l'avait interrompu, promettant que la justice seule triompherait des hésitations de son fils[255]. Plusieurs fois elle l'aurait fait prévenir de desseins tramés contre lui: coup maladroit dans une partie de chasse, assassinat dans la chambre royale et de la main même du Roi[256]. Mais est-il sûr que les Guise aient voulu supprimer ce pauvre rival? On peut croire avec plus de vraisemblance que la Reine-mère a discrètement enrayé la poursuite contre son frère. Après la condamnation pour crime de lèse-majesté (26 novembre), deux des commissaires, le chancelier de L'Hôpital et le conseiller d'État Du Mortier, «reculoyent tousjours» de signer la sentence, «en donnant toutefois bonne espérance»[257]. Or, c'étaient deux hommes à Catherine; ils réussirent à gagner du temps. Le jeune Roi, cet adolescent débile que son mariage précoce avec Marie Stuart avait achevé d'affaiblir, eut le 9 novembre et le 16 des syncopes alarmantes. Son état s'aggrava subitement et fut bientôt désespéré. Dans l'appréhension de cette fin, les Guise proposèrent, dit-on, à Catherine de hâter l'exécution du prince[258]. C'était, s'ils le firent, avoir une très médiocre idée et très fausse de son intelligence. Alors que l'avènement de son fils

Charles, un enfant de dix ans, lui offrait l'occasion inespérée de se saisir du pouvoir, pouvaient-ils croire qu'elle se mettrait à leur merci et s'aliénerait à jamais les huguenots, en sacrifiant Condé? Mais elle était fermement résolue à priver Antoine de Bourbon de la régence. Il n'y avait pas de loi expresse qui réglât la transmission du pouvoir en cas de minorité. Le précédent de Blanche de Castille était favorable aux reines-mères, mais la loi salique, en excluant les femmes du trône, semblait par analogie les exclure du gouvernement et y appeler les princes du sang. Demander aux États généraux ou au Parlement de trancher ce grand débat, c'était provoquer une décision qui pourrait être contraire à ses droits, et qui, si elle ne l'était pas, risquait d'être contestée par son concurrent, les armes à la main. Le mieux était de s'assurer la direction paisible de l'État par un accord à l'amiable avec le premier prince du sang. Mais il fallait l'y amener.

**Note 255:** (retour) De Ruble, *Antoine de Bourbon et Jeanne d'Albret*, t. II, 1882, p. 417-418.

**Note 256:** (retour) *Ibid.*, p. 419.

**Note 257:** (retour) Regnier de La Planche, p. 401.

**Note 258:** (retour) C'est ce que raconte de Thon, *Histoire*, Londres, 1734, liv. XXVI, t. III, p. 373-374.

Elle conduisit l'affaire habilement. Plusieurs fois elle déclara de façon à être entendue qu'elle se procurerait le pouvoir à tout prix. Puis quand elle jugea le roi de Navarre bien apeuré, elle le manda dans son cabinet[259]. Il croyait marcher à la mort (2 décembre). Au passage, une dame, peut-être la duchesse de Montpensier, sa cousine et la confidente de la Reine, lui dit à l'oreille de tout accepter, sinon qu'il y allait de sa vie. Il entra. Le duc de Guise et le cardinal de Lorraine étaient présents. Après qu'un secrétaire eut donné lecture d'un mémoire établissant, par les précédents historiques, le droit des reines-mères à la régence, Catherine, sévèrement, rappela tous les complots des Bourbons. Les dénégations étaient inutiles. Antoine avait perdu par sa conduite les prétentions qu'il aurait pu élever comme premier prince du sang au gouvernement du royaume. Le roi de Navarre protesta de son innocence, ajoutant toutefois qu'il faisait volontiers abandon de ses droits. Catherine lui fit signer cette renonciation et lui «promit à (de) bouche qu'il seroit lieutenant du roy en France... et que rien ne seroit ordonné sinon par son advis et des autres princes du sang». Mais elle voulait plus encore: inaugurer son avènement par la réconciliation des chefs de partis. Elle ne craignit pas d'affirmer à Antoine que le Roi avait de sa propre autorité décidé seul l'arrestation et le jugement de Condé et que les Guise n'en étaient pas responsables. Antoine admit encore cette explication et consentit à «embrasser» les deux frères, les pires ennemis de sa maison[260]. Trois jours après, François II mourut (5 décembre), et Charles d'Orléans lui succéda sous le nom de Charles IX. Le règne de Catherine commençait. Elle s'était élevée au premier rang à pas si comptés et d'un mouvement si doux qu'elle avançait sans avoir l'air de cheminer.

**Note 259:** (retour) : De Ruble, t. II, p. 434 ne soupçonne pas le jeu.

**Note 260:** (retour) Regnier de La Planche, p. 415-417. D'après cet historien (p. 416), le Roi lui-même, trois jours avant sa mort, aurait déclaré au roi de Navarre qu'il avait «de son propre mouvement et contre leur advis» (des Guise) fait emprisonner le prince de Condé.

# CHAPITRE IV

## LA RÉGENTE[261] ET LES RÉFORMÉS

Catherine prenait le gouvernement dans des conditions difficiles: un roi enfant, des États généraux réunis (après environ quatre-vingts ans d'interruption)[262], les partis et les religions en lutte, les Guise jaloux de leur pouvoir perdu, Antoine de Bourbon envieux de celui qu'il avait cédé; elle, l'étrangère, «n'y ayent (n'y ayant), disait-elle, heun seul [homme] à qui je me puise du tout fyer, qui n'aye quelque pasion partycoulyère». Mais elle avait confiance, comme elle l'écrivait à sa fille le surlendemain de l'avènement de Charles IX: «...Vous diré (je vous dirai de) ne vous troubler de ryen et vous aseurer que je ne feré pouyne (peine) de me gouverner de fason que Dyeu et le monde aront aucasion d'estre contens de moy, car s'et mon prinsypale bout (but) de avoir l'honneur de Dyeu an tout devent les yeulx et conserver mon authorité, non pour moy, més pour servir à la conservation de set (ce) royaume et pour le byen de tous vos frères»[263].

**Note 261:** (retour) Catherine de Médicis n'a pas eu en titre la régence que les États généraux, comme on le verra plus loin, auraient été plutôt portés à décerner au roi de Navarre. Dans une note sur les dates de la naissance de ses enfants, écrite entre la mort de François II (5 déc. 1560) et la majorité de Charles IX (17 août 1563), le secrétaire d'État, Claude de l'Aubespine, la qualifie de «*Gouvernante de France*» (Louis Paris, *Négociations*, etc. p. 892). C'est le pouvoir de régente sans le nom. Aussi ne me suis-je pas fait scrupule de l'appeler Régente au lieu de «Gouvernante de France».

**Note 262:** (retour) Les États de 1506 sous Louis XII et de 1558 sous Henri II ne sont pas de véritables États généraux. En 1506 les députés des villes étaient seuls; en 1558 les représentants du clergé, de la noblesse, de la justice et du tiers état avaient été désignés par le roi. Mais les États de 1560 furent une vraie Assemblée générale élue des trois ordres de la Nation.

**Note 263:** (retour) 2 décembre 1560. *Lettres de Catherine*, I, p. 568, ou I. p. 158.

Les États généraux, élus du vivant de François II, se réunirent à Orléans cinq jours après sa mort. C'était la première fois depuis 1484 que les trois ordres de la nation étaient consultés ensemble sur leurs griefs et sur leurs vœux. La bataille électorale avait été très disputée et, malgré la pression gouvernementale, la Noblesse et le Tiers état avaient choisi nombre de représentants hostiles aux Guise et favorables à la réformation de l'Église, sinon à la Réforme. Catherine pouvait craindre que cette assemblée sans expérience ni tradition, entraînée par les passions religieuses ou politiques, ne fût tentée de jouer un grand rôle à ses dépens. Pendant tout le principat des

Guise, les réformés n'avaient pas cessé de soutenir dans les «livrets» et de crier dans les libelles qu'en cas de minorité les États généraux étaient seuls aptes à constituer une régence et les princes du sang à l'exercer, et cette polémique avait fait impression. Outre cette raison de principe, les députés très ardents des provinces d'Aquitaine (Sud-Ouest) et de quelques bailliages de Normandie, Touraine, Maine, etc.[264], en avaient une autre pour exclure la Reine-mère. Inspirés par les prédicants calvinistes, ils voulaient, pour régénérer l'Église, amputer les abus, les superstitions, les vices qui la corrompaient et ils jugeaient Catherine incapable, par défaut de zèle ou manque de vigueur, de porter le fer dans les parties gâtées du corps ecclésiastique. Sous prétexte qu'ils avaient été convoqués par François II et qu'ils avaient été délégués par devers lui, ils se déclaraient sans pouvoirs sous son successeur et demandaient soit de nouvelles élections, soit le temps de consulter leurs bailliages et d'en recevoir un nouveau mandat. Mais Catherine craignait que les électeurs, enhardis par la défaite des Guise et du parti catholique, ne nommassent une majorité résolument calviniste, qui donnerait ou même imposerait la régence au roi de Navarre. Elle fit si bien que la majorité des deux ordres laïques déclara que, la dignité royale ne mourant point, les pouvoirs dont ils avaient été investis sous François II restaient valables sous Charles IX.

**Note 264:** (retour) On en trouvera la liste dans [Lalourcé et Duval], *Recueils des cahiers généraux des trois ordres*, t. I, p. 176-177. Naturellement ils protestaient qu'ils n'avaient pas eu l'intention de diminuer «d'autorité» de la Reine-mère.

Sauf en ce qui concernait son autorité, Catherine était disposée aux concessions. Son accord avec Antoine de Bourbon et l'aide qu'elle attendait de lui contre un retour offensif des Guise l'auraient, à défaut d'autres motifs, obligée à suspendre la persécution contre les protestants. Mais elle avait de plus constaté que la rigueur était impuissante à détruire une croyance invétérée et à convertir les dissidents, quand ils sont multitude. Il fallait de toute nécessité changer de méthode, employer la douceur et la persuasion là où la force et la violence avaient échoué. Confiante avec excès dans son habileté, elle ne croyait pas impossible de satisfaire les réformés sans soulever les catholiques et de les acheminer les uns et les autres dans les voies de la tolérance.

Le chancelier Michel de l'Hôpital était lui aussi partisan de la conciliation. Dans la séance royale d'ouverture des États, le 13 décembre, il fit avec quelque rudesse la leçon à tout le monde[265]. «Ne soyons si prompts à prendre et suyvre nouvelles opinions, chacun à sa mode et façon... Autrement s'il est loisible à un chacun prendre la nouvelle religion à son plaisir, voyés et prenés garde qu'il n'y ait autant de façons et manières de religions qu'il y a de familles ou chefs d'hommes. Tu dis que ta religion est meilleure, je défends la mienne; lequel est le plus raisonnable que je suyve ton opinion ou toy la mienne.»

C'était à l'Église universelle, non aux particuliers, de décider les points de foi. Le Roi et la Reine n'oublieraient rien pour hâter la réunion du Concile général que le pape venait d'annoncer (20 novembre); et «où ce remède faudroit (manqueroit), ils useront de toutes autres provisions, dont ses prédécesseurs roys ont usé», c'est-à-dire assembleraient un Concile national.

**Note 265:** (retour) Le discours dans Dufév, *Œuvres complètes de l'Hôpital*, t. I, p. 403 sqq., et dans [Lalourcé et Duval], *Recueil de pièces originales et authentiques*, t. I, p. 42-66.

Il reprocha aux catholiques de n'avoir pas employé les meilleurs moyens pour ramener les dissidents. «Nous avons cy devant fait comme les mauvais capitaines, qui vont assaillir le fort de leurs ennemis avec toutes leurs forces, laissans despourveus et desnués leurs logis. Il nous faut doresnavant garnir de vertus et de bonnes mœurs, et puis les assaillir avec les armes de charité, prières, persuasions, paroles de Dieu qui sont propres à tel combat. La bonne vie, comme dit le proverbe, persuade plus que l'oraison. Le cousteau vaut peu contre l'esprit, si ce n'est à perdre l'âme ensemble avec le corps.... Prions Dieu incessamment pour eux et faisons tout ce que possible nous sera, tant qu'il y ait espérance de les réduire et de les convertir. La douceur profitera plus que la rigueur.»

Mais contre «aulcuns» «qu'on ne peut contenter et qui ne demandent que troubles, tumultes, et confusions», le Roi déploiera à l'avenir toute sa puissance. «Si est ce que jusques icy a esté procédé si doulcement que cela semble plutost correction paternelle que punition. Il n'y a eu ni portes forcées, ne murailles des villes abbatues, ne maisons bruslées, ne privilèges ostés aux villes comme les princes voisins ont fait de nostre temps en pareils troubles et séditions»[266]. C'était l'affirmation d'une politique qui, indulgente aux erreurs de l'esprit, réprimerait sans pitié les désordres.

Les réformés ardents s'indignèrent que le Chancelier les eût accusés de vouloir «planter leur religion avec espées et pistoles». Mais pourtant l'*Histoire ecclésiastique*, qui reflète si fidèlement leurs idées, reconnaît que «puisqu'il n'y a qu'une vraye religion à laquelle tous les petits et grands doivent viser, le magistrat doit sur toutes choses pourvoir à ce qu'elle seule soit advouée et gardée es pays de sa subjection...»[267]. C'est dire que le jour où ils seraient les maîtres, ils réformeraient, autrement dit changeraient la religion, doucement, s'ils le pouvaient, par force, s'ils y trouvaient de la résistance.

**Note 266:** (retour) *Œuvres complètes de Michel de l'Hôpital, chancelier de France*, publiées par Dufév, t. I, 1824, p. 403.

**Note 267:** (retour) *Histoire ecclésiastique*, I, p. 426.

Aussi poussaient-ils Antoine de Bourbon, l'espoir des Églises, à disputer à Catherine la première place. C'est à lui et non à elle que les ordres laïques habilement travaillés allèrent, le 14 décembre, porter leurs cahiers de doléances et demander l'autorisation de siéger jusqu'à ce qu'ils eussent reçu mandat de leurs électeurs sur l'organisation du gouvernement. Mais Antoine tint loyalement sa parole et le Conseil privé régla, sans consulter les États généraux, le partage des pouvoirs entre la Reine-mère et le premier prince de sang (21 décembre 1560). Catherine assisterait aux conseils ou, quand elle s'en dispenserait, se ferait faire rapport sur les délibérations. Elle recevrait les dépêches de France et de l'étranger et ouvrirait les paquets pour en prendre connaissance la première. Les lettres du Roi ne seraient expédiées qu'après qu'elle les aurait lues et elles partiraient accompagnées toujours d'une lettre d'elle[268]. Présidence des conseils, droit d'initiative et droit de contrôle, direction de la politique extérieure et intérieure et, comme il va de soi, sans que le règlement le dît, nomination aux offices et bénéfices, c'était le pouvoir souverain que l'arrêt du Conseil conférait à la Reine-mère. Le roi de Navarre resterait auprès d'elle, «d'aultant que les louys (lois) de set royaume, reconnaissait Catherine, le portet ainsyn» et il avait «le premier lieu» après elle, mais c'était un surveillant honoraire. Sa principale fonction était de recevoir les gouverneurs et les capitaines des places frontières ou d'ouvrir leurs dépêches et d'en faire rapport à la Reine-mère, qui déciderait les mesures à prendre et les réponses à faire. La part du premier prince du sang était bien petite et Catherine pouvait écrire à sa fille, la reine d'Espagne, qu'il était tout à fait «aubéysant et n'a neul comendement que seluy que je luy permés»[269]. Les États, n'étant pas soutenus, reconnurent à leur tour à la Reine-mère «le gouvernement et administration du royaume».

**Note 268:** (retour) Dupuy, *Traité de la majorité des rois*, 1655, Preuves, p. 353-354.

**Note 269:** (retour) *Lettres de Catherine*, t. I, p. 569, 19 déc. 1560.

La Régente avait hâte de se débarrasser d'eux. Le 1er janvier 1561, elle mena Charles IX et la Cour entendre leurs réponses au programme exposé par le Chancelier dans la séance solennelle d'ouverture. Ce fut la manifestation éclatante des divisions du pays. Les trois ordres, contrairement au précédent des derniers États généraux tenus à Tours en 1484, ne siégeaient ni ne délibéraient ensemble; répartis en trois chambres, ils ne s'assemblaient que pour les séances solennelles. Ils ne s'étaient même pas entendus pour désigner un orateur commun. Le Tiers ne voulut pas du cardinal de Lorraine que le Clergé proposait; les sentiments de la Noblesse étaient si connus que les Guise n'osèrent pas même la solliciter. De dépit, le cardinal de Lorraine s'excusa de parler pour l'Église seule. L'orateur du Clergé, Quintin, docteur régent en droit canon de l'Université de Paris, rappela que Dieu avait dans l'Ancien Testament interdit à son peuple de lier amitié, de contracter mariage avec les idolâtres et les gentils, à qui les hérétiques devaient être assimilés. «Garde-toi bien, faisait-il dire à ce maître impitoyable, qu'ils n'habitent en la terre, n'aye aucune compassion d'eux, frappe-les jusqu'à internecion, qui est la mort»[270]. Les ordres laïques attaquèrent violemment l'ordre ecclésiastique. L'orateur du Tiers état, Jean Lange, avocat au Parlement de Bordeaux, s'éleva contre l'avarice et l'ignorance des clercs: et celui de la Noblesse, Jacques de Silly, baron de Rochefort, exhorta le Roi à supprimer les justices ecclésiastiques et à réformer «d'estat de prebstrise», si le prêtre, au lieu de prier, prêcher, et administrer les sacrements, «s'entremesle et embrouille des affaires temporelles et du monde»[271].

**Note 270:** (retour) Lalourcé et Duval, *Recueil de pièces*, I. p. 220-221.

**Note 271:** (retour) Pierre de La Place, *Commentaires de l'estat de la religion et république soubs les roys Henry et François seconds et Charles neufviesme*, éd. Buchon, p. 91.

Les trois ordres n'étaient d'accord que pour refuser au gouvernement les moyens de gouverner. La dette publique était de 43 millions de livres, le quadruple du revenu annuel du royaume. Quoi qu'eût pu dire le Chancelier de la détresse de l'enfant-roi «engagé, endebté, empesché», il ne décida point les députés aux sacrifices nécessaires. Le Tiers se déclara sans pouvoirs pour voter une augmentation d'impôts; la Noblesse et le Clergé repoussèrent une demande de subsides. La Régente, n'en pouvant rien tirer, les congédia (31 janvier 1561), et ordonna la réunion à Melun, au mois de mai, d'une autre assemblée d'États, «pour donner advis des moyens d'acquitter le roy», mais qui serait composée seulement de deux députés, un du Tiers et un de la Noblesse, de chacun des treize gouvernements de France, «tant pour éviter aux frais que à la confusion d'une par trop grande multitude de personnes». Quant au Clergé, il tiendrait ses séances à part.

De l'hostilité des ordres laïques contre l'ordre ecclésiastique, le gouvernement profita pour adoucir le sort des réformés. Des lettres de cachet du 28 janvier 1561 et des lettres patentes du 22 février enjoignirent aux parlements de relâcher les prisonniers arrêtés pour cause de religion, avec obligation pour les amnistiés de vivre catholiquement à l'avenir et sans faire aucun acte scandaleux ni séditieux[272]. C'était le début d'une politique nouvelle. Catherine en exposa les motifs à son ambassadeur en Espagne, l'évêque de Limoges, chargé de faire agréer cet essai de tolérance au plus intolérant des souverains (31 janvier 1561). Le mal datait de trop loin pour que les remèdes ordinaires fussent efficaces. «Nous avons, écrit-elle, durant vingt ou trente ans, essayé le cautère pour cuyder arracher la contagion de ce mal (l'hérésie) d'entre nous et nous avons veu par expérience que ceste violence n'a servy qu'à le croistre et multiplier, d'aultant que par les rigoureuses pugnitions qui se sont continuellement faictes en ce royaume une infinité de petit peuple s'est confirmé en ceste oppinion jusques à avoir été dict de beaucoup de personnes de bon jugement qu'il n'y avoit rien plus pernicieux pour l'abollissement de ces nouvelles opinions que la mort publique de ceulx qui les tenoyent, puisqu'il se voyoit que par icelles (les rigoureuses punitions) elles (les nouvelles opinions) estoyent fortiffiez». La rigueur serait plus dangereuse en ce moment que jamais. «Vray est qu'estant le Roy monsieur mon filz en la minorité qu'il est et les cendres du feu qui s'est estaint (conjuration d'Amboise et troubles qui suivirent) encores si chauldes que la moindre scintille (étincelle) le flamberoit plus grand qu'il n'a jamays esté», elle avait été «conseillée par tous les princes du sang et aultres princes et seigneurs du Conseil du Roy»,... ayant «esgard à la saison où nous sommes», «d'essayer par honnestes remontrances, exhortations et prédications de réduire ceulx qui se trouveront errer au faict de la foy», et d'autre part «de pugnir sévèrement ceulx qui feront scandales ou séditions, affin que la sévérité en l'ung et la douceur en l'aultre nous puissent préserver des inconvéniens d'où nous ne faisons que sortir»[273].

**Note 272:** (retour) *Mémoires de Condé*, II, p. 268 et 271. Cf. *Joannis Calvini Opera omnia*, t. XVIII, col. 360 et les notes 8 et 9.

**Note 273:** (retour) *Lettres*, I, p. 577-578, 31 janvier 1561.

Sous les raisons d'opportunité, les seules que Philippe II fût capable de comprendre, le dégoût de la violence et l'esprit de charité se devinent. Mais c'étaient de dangereuses illusions. Pour imposer la tolérance aux intolérants, c'est-à-dire à presque tout le monde, il aurait fallu un gouvernement absolu en fait comme en droit. Or le pouvoir de Catherine, bien qu'il fût en principe la délégation de celui du Roi, était en réalité beaucoup plus faible, n'ayant guère d'autre force propre qu'une tradition d'obéissance et de respect. Les princes du sang, les grands officiers de la couronne, les gouverneurs de provinces, chargés d'exécuter les ordres de la Régente, étaient pour la plupart des chefs de partis, passionnés, ambitieux, indociles et qui, selon les idées du temps, trouvaient bien moins criminel de désobéir au représentant du roi qu'à un roi majeur, et commandant en personne.

Catherine comptait surtout sur son habileté. Elle se flattait d'obliger les catholiques à quelques sacrifices et de satisfaire les protestants par ces demi-concessions. Elle pensait aussi s'attacher les Bourbons et le Connétable sans désespérer les Guise, et les tenir tous unis sous sa main. A défaut, elle s'aiderait des uns pour faire contrepoids aux autres. Mais ce jeu de bascule demandait un imperturbable sang-froid. Femme, et à l'occasion nerveuse, ne risquait-elle pas, en appuyant sur l'un des plateaux, de rompre l'équilibre?

Le Premier Prince du sang constatait avec humeur qu'elle ne lui laissait aucun pouvoir effectif; il lui reprochait aussi de ménager les Lorrains, dont il n'avait pas encore oublié la conduite. A Fontainebleau, où la Cour s'était installée le 5 février (1561), il réclama le renvoi du duc de Guise, qui, en sa qualité de grand maître, avait les clefs du château. Catherine, sentant que, si elle cédait cette fois, elle se donnait un maître, refusa. Antoine annonça qu'il s'en irait lui-même et décida le Connétable et les Châtillon à le suivre. Cette sécession était une menace de guerre civile. La Reine-mère fit la leçon au petit Roi qui pria Montmorency de ne pas l'abandonner. Le vieux favori d'Henri II fut touché et promit d'obéir. Antoine, qui ne savait rien faire seul, se résigna lui aussi à rester (27 février). Mais Catherine ne cachait pas à son ambassadeur en Espagne que «l'alarme» avait été «grande»[274]. Pour adoucir le roi de Navarre, elle permit à Condé, qui depuis sa sortie de prison vivait en Picardie, de reparaître à la Cour[275]. Le Conseil privé le déclara innocent, et comme Condé n'acceptait pas cette absolution politique, il fallut que le Parlement admît son instance en revision[276]. Mais les fils de la politique étaient tellement embrouillés qu'elle avait beaucoup de peine à en dévider les «fusées» (fuseaux). Les électeurs de la prévôté de Paris, convoqués le 18 février pour élire leurs députés aux États généraux, posaient comme mandat impératif le refus de tout subside; le Tiers dressait la liste d'un Conseil de Régence, d'où les Guise étaient exclus. La Noblesse désignait comme régent le roi de Navarre.

**Note 274:** (retour) 3 mars 1561, *Lettres*, I, 586. De Ruble, *Antoine de Bourbon et Jeanne d'Albret*, t. III, p. 55-56.

**Note 275:** (retour) *Lettres*, t.I, p. 171, mars 1561.

**Note 276:** (retour) De Ruble, *ibid.*, t. III, p. 61. L'instruction dura plusieurs mois et le Prince fut déclaré innocent (13 juin).

Catherine alla trouver Antoine de Bourbon et lui demanda s'il avouait cette agitation. «Il me feit response, raconte-t-elle, qu'il estoit bien ayse de ce qu'il voyoit, car par là je congnoistrois ce qui lui appartenoit et ce qu'il faisoit pour moi en me le ceddant». Elle répliqua que, de lui avoir obligation d'une chose qu'elle pensait lui appartenir, elle ne le pouvait nullement du monde endurer. La duchesse de Montpensier, Jacqueline de Longwy, négocia et fit accepter un compromis. Antoine fut nommé lieutenant général du royaume (27 mars) avec le commandement suprême des armées, mais il abandonna ses droits à tout ce qui pouvait lui être attribué par les États de puissance et d'autorité: renonciation que tous les princes du sang contresignèrent. «Je retiens toujours, écrit Catherine à sa fille, la reine d'Espagne, la principalle authorité comme de disposer de tous les estats (charges) de ce royaume, pourveoir aux offices et beneffices, le cachet et les depesches et le commandement des finances». Les opérations électorales furent annulées, et, pour donner aux esprits le temps de se calmer, on remit à la fin de juillet, après le sacre, la réunion des États.

L'élévation du chef des réformés à la lieutenance générale indisposa les Guise qui, en attendant le sacre, se retirèrent en leurs maisons. Catherine, qui savait leurs rapports avec Philippe II, appréhendait qu'ils ne lui fissent accroire «qu'i (ils) feusent aylongné ou pour l'ayfaist (le fait) de la religion ou pour aultre aucasion»[278]. Le Connétable, que sa femme, ardente catholique, travaillait à détacher du roi de Navarre et des Châtillon, était lui aussi mécontent et il le fit bien voir[279]. Catherine avait choisi pour prêcher le carême à la Cour l'évêque de Valence, Jean de Monluc, ce prélat selon son cœur, qui se montrait aussi facile aux nouveautés qu'il l'avait été aux séductions du siècle. Montmorency trouva à dire à l'orthodoxie de ses sermons et il s'en fut entendre dans les communs du château un moine jacobin, qui endoctrinait catholiquement la valetaille. Il y rencontra le duc de Guise et, après l'entretien qu'ils eurent, ces deux ennemis se réconcilièrent. Unis avec le maréchal de Saint-André, ancien favori d'Henri II et gouverneur du Lyonnais, ils formèrent pour la défense du catholicisme un *triumvirat*, dont ils déclarèrent la nature et l'objet, en communiant ensemble le lundi de Pâques (7 avril). L'alliance des chefs catholiques et la pression qu'elle pouvait craindre poussa Catherine à se rapprocher un peu plus qu'il n'eût fallu, et peut-être qu'elle n'eût voulu, des chefs réformés. Mais l'appui qu'elle leur demandait l'obligeait à des concessions. Coligny avait fait venir de Genève un ministre, Jean Raymond Merlin, dit M. de Monroy, qui prêchait dans ses appartements, où étaient admis à l'entendre des gentilshommes et des gens du commun. La duchesse douairière de Ferrare, Renée de France, et la princesse de Condé, Éléonore de Roye, tenaient aussi des réunions de prières. Monroy s'enhardit jusqu'à parler en public devant un nombreux auditoire, non loin du château. Les catholiques se plaignirent de cette violation des édits. Catherine invita doucement (*blande*) le ministre à cesser ses prédications en plein air, mais ce fut sans succès. «Il est décidé, écrit Calvin, à tout risquer plutôt que de reculer»[280].

**Note 278:** (retour) Lettre à la reine d'Espagne (avril 1561), *Lettres*, I, p. 593.

**Note 279:** (retour) Sur les causes du revirement du Connétable, voir La Place *Commentaires de l'estat de la religion et république*, liv. V, éd. Buchon, p. 122-124.

**Note 280:** (retour) Comte J. Delaborde, *Gaspard de Coligny, amiral de France*, t. I, 1879, p. 504.--De Ruble, *Antoine de Bourbon et Jeanne d'Albret*, III, p. 69.--Lettre de Calvin du 24 mai 1561, dans *Calvini Opera Omnia*, t. XVIII, col. 466-467.

À ces première essais de tolérance, les catholiques répondirent par des menaces et des agressions. Le 24 avril, les étudiants de l'Université chassèrent à coups de bâton une bande de réformés qui se promenait dans le Pré-aux-Clercs en chantant des psaumes; deux jours après, ils revinrent en nombre assiéger la maison du sieur de Longjumeau, où les battus s'étaient réfugiés. À Beauvais, la populace envahit le palais épiscopal, où l'évêque--c'était le cardinal de Châtillon, frère de Coligny--avait, disait-on, le dimanche de Pâques, 6 avril, célébré la Cène à la mode de Genève. Au Mans, le jour de la fête de l'Annonciation, les artisans du faubourg Saint-Jean assaillirent les protestants, qui tenaient des assemblées, et dans la bagarre en tuèrent un. À Angers, et dans beaucoup d'autres villes, comme au Mans, le populaire s'ameuta contre ceux de la religion. Le parlement de Toulouse et celui de Provence s'entêtaient, malgré Catherine, à persécuter.

Le gouvernement crut couper court aux violences par l'édit du 19 avril qui défendait d'employer les termes injurieux de huguenots et de papistes, réservait aux gens de justice le droit de pénétrer dans les maisons pour découvrir les «assemblées illicites», et réitérait l'ordre de mettre en liberté les personnes détenues pour le fait de la religion. Michel de l'Hôpital, un modéré autoritaire, envoya l'Édit aux baillis et sénéchaux et même au prévôt de Paris sans le soumettre à la vérification du Parlement. Les magistrats protestèrent contre cette façon nouvelle de promulguer les lois et parlèrent même d'ajourner le Chancelier[281].

**Note 281:** (retour) L'Édit dans *Mémoires de Condé*, t. II, p. 334 sqq; les remontrances du Parlement, *ibid.*, t. II, p. 352 et La Place, p. 124-126. Sur l'irritation contre le Chancelier, voir le Journal de Pierre (lisez Nicolas) Bruslart, chanoine de Notre-Dame de Paris et conseiller-clerc au Parlement de Paris, *Mémoires de Condé*, t. I, p. 27.

L'Édit du 19 avril n'autorisait pas les prêches en privé, mais Catherine invitait le procureur général Bourdin à «ne pas trop curieusement resercher ceulx qui seront en leurs maisons, ny trop exactement s'enquérir de ce qu'ilz y feront», et, au contraire, elle lui commandait de faire «roide punition» des émeutiers du Pré-aux-Clercs, de quelque «qualité, estat, condition et religion» qu'ils fussent[282]. Le roi de Navarre, qu'elle avait dépêché à Paris, réunit au Louvre les curés des paroisses, les délégués des ordres religieux, le recteur de l'Université, les régents et théologiens de Sorbonne. Après qu'il eut fait lire des lettres du Roi assez sévères pour les catholiques séditieux, il reprocha vivement au recteur de souffrir les désordres des écoliers, aux curés de souffler le fanatisme, aux officiers municipaux de tolérer l'émeute. L'assemblée se retira, confondue de cette leçon.

Mais les chefs catholiques répliquèrent. Lors de la cérémonie du sacre (15 mai 1561), le cardinal de Lorraine, archevêque de Reims, déclara au jeune Roi que «quiconque lui conseillerait de changer de religion lui arracherait en même temps la couronne de la tête». Il remontra, au nom de tout le Clergé, à la Reine-mère, «que les édicts donnés pour le faict de la religion n'estoyent aucunement gardés»,... les juges s'excusant de ne pas les appliquer «sur maintes lettres qui leur estoyent envoyées»[283]. A Nanteuil, où elle s'arrêta au retour de Reims, le duc de Guise, son hôte, lui dit en face qu'il obéirait à son fils et à elle tant qu'ils resteraient catholiques.

**Note 282:** (retour) Lettre du 27 avril 1561, *Lettres*, I, p. 193.

**Note 283:** (retour) : La Place, *De l'estat de la religion*, etc., éd. Buchon, p. 127.

D'Espagne lui venaient de sévères avertissements. Un envoyé extraordinaire de Philippe II, Don Juan Manrique de Lara, lui avait apporté, avec les compliments de condoléances sur la mort de François II, le conseil impératif de «ne permettre jamais aux nouveautés qui ont pris naissance dans son royaume d'y faire plus de progrès», de ne favoriser en aucune manière et de n'admettre jamais «dans sa familiarité aucuns de ceux qui ne sont pas fermes, comme ils devraient l'être, dans leur religion»[284]. L'ambassadeur ordinaire Chantonnay, frère du cardinal Granvelle, guettait tous ses manquements et la harcelait de reproches. Elle s'excusait sur la nécessité, qui l'avait «conduite» à s'accommoder «à quelque doulceur et démonstration de clémence pour les choses passées, qui n'est que pour mectre le repos en ce royaulme et mieulx establir l'advenir»[285]. Mais dans ses lettres à sa fille, femme de Philippe II, elle qualifiait hardiment de «menteries» les bruits qui couraient en Espagne sur ses complaisances envers les réformés, et elle en accusait les Guise. «Vous pouvés panser que *sous qui soulet aystre roy*... (ceux qui étaient habitués à être rois) meteron toujours pouyne (peine) de faire trouver mauvese mes actyons.» C'est leur faute si elle ne peut pas faire «tout soudeyn ce que désirés», car ils «nous aunt ten embroullé nous afayres (ils nous ont tant embrouillé nos affaires)». Philippe II aurait bien tort de les croire. «Quant yl avest (ils avaient) le moyen qu'il etet (ils étaient) comme roys», ils excitaient François II contre lui et cela, pour la brouiller elle-même avec son fils à qui elle conseillait de vivre en bonne amitié avec le roi d'Espagne[286]. Elle ne réfléchit pas qu'en les accusant de n'avoir eu d'autre dessein que de la ruiner elle les disculpe de tout parti pris d'hostilité contre Philippe II. Mais elle aime mieux s'embarrasser dans les récriminations que de répondre aux reproches. Elle les accuse encore d'avoir fait courir le bruit qu'en haine d'eux elle ne tenait plus compte de sa fille, Claude, duchesse de Lorraine, leur cousine par alliance, et elle s'indigne. C'est de toutes leurs calomnies la plus perfide, car «se je falle (si je manque) à ma propre fille, quelle seureté l'on pourré avoyr en moi?» «Mès, conclut-elle, je prans tout en pasiense. Le prinsipal ayst que Dyeu mersi j'é tout le comendement...»[287]. C'est le cri du cœur.

**Note 284:** (retour) Instruction de Don Juan Manrique de Lara, du 4 Janvier 1561, dans *Lettres*, I, p. 168, note.

**Note 285:** (retour) 3 mars 1561, *Lettres*, I, p. 587.

**Note 286:** (retour) Mars 1561, *Lettres*, I, p. 581.

**Note 287:** (retour) Mai 1561, *Lettres*, I, p. 597.

Elle avait d'autres raisons d'en vouloir aux Guise. Ne prétendaient-ils pas marier leur nièce, Marie Stuart, une veuve, à Don Carlos, fils unique de Philippe II, alors qu'elle avait elle-même une fille à marier, la petite

Marguerite. Elle pressait la reine d'Espagne de rompre à tout prix ce projet, car si l'infant épousait Marie Stuart et que Philippe II vînt à mourir, elle serait, reine douairière sous cette reine régnante, la femme la plus malheureuse du monde, tandis qu'elle assurerait sa vie en mariant sa sœur, une autre elle-même[288], à l'héritier de son mari. Catherine indiquait à sa fille un plan de sa façon pour écarter Marie Stuart et pousser au premier rang Marguerite. Qu'elle engageât tout d'abord la sœur de Philippe II, doña Juana, reine douairière du Portugal, à prétendre pour elle-même à la main de son neveu. Probablement Juana, parente si proche de Don Carlos et beaucoup plus âgée que lui, repousserait cette suggestion, mais elle en serait tout de même flattée et, reconnaissante à sa belle-sœur de vouloir la marier au souverain en expectative, elle travaillerait à faire de Marguerite la femme de Don Carlos. «Et me sanble que y devés mestre tous vos sin san (cinq sens) pour fayre l'eun au (ou) l'autre mariage»[289].

**Note 288:** (retour) «Qui fust heun vous mesme», *Lettres*, I, p. 576, fin janvier 1561.

**Note 289:** (retour) Fin janvier 1561, *Lettres*, I, p. 576.

Comme les affaires de France seraient faciles à régler si Philippe II se prêtait aux convenances de sa belle-mère! Ne devrait-il pas satisfaire Antoine de Bourbon, en qui elle cherchait un support contre les Guise? S'il ne voulait pas lui restituer la Navarre outre monts, dont Ferdinand le Catholique s'était emparé en 1513, il pourrait lui donner une compensation en Italie, Sienne ou la Sardaigne. Tout le monde gagnerait à cet arrangement, même la religion catholique y trouverait son profit. Elle ne disait pas comment et ne le savait pas. C'était une de ces promesses vagues, dont elle prit l'habitude pour tâcher d'obtenir des avantages certains.

Le gouvernement espagnol était bien résolu à ne faire ni cadeaux ni mariages, uniquement pour complaire à Catherine, mais il se gardait de dire non. Antoine de Bourbon fut si surpris de ne pas se heurter à un refus catégorique qu'il commença naïvement à espérer, et, voulant donner des gages à Philippe II, il cessa de montrer du zèle pour la cause réformée. Mais tout irait bien plus vite, pensait Catherine, si elle pouvait voir son gendre et lui parler. Elle était sûre de le convaincre de l'opportunité de sa politique religieuse et de l'intérêt qu'il avait à marier Don Carlos avec Marguerite et à indemniser le roi de Navarre. Déjà en avril 1561, elle lui avait fait proposer une entrevue immédiatement après le sacre[290]. De Reims elle reviendrait à Paris et partirait immédiatement pour le Midi avec le roi de Navarre. On s'expliquerait et tous les malentendus seraient levés. Philippe II s'excusa. Homme d'État circonspect et lent et qui avait pour maxime de «cheminer à pieds de plomb», il n'expédiait pas à la légère les intérêts de l'Espagne et du catholicisme. Il avait fait dire et répéter à la Régente que ses complaisances pour les réformés étaient dangereuses et criminelles et elle avait répondu par des justifications qui étaient un aveu et par des démentis que les justifications infirmaient. Il ne voulait pas d'un tête-à-tête qui pourrait passer pour une approbation.

**Note 290:** (retour) Catherine à Élisabeth du 21 avril, *Lettres*, I, p. 189.

Catherine affirmait hardiment que tout allait bien en France... «pour le fayst de la relygion», mais elle savait le contraire. Les religionnaires violaient les édits qui défendaient les prêches publics ou privés; ils s'assemblaient de jour, de nuit, même en armes. Dans le Midi, ils rendaient aux catholiques coup pour coup. A Paris le bruit courut qu'ils projetaient de troubler la procession solennelle du Saint Sacrement le jour de la Fête-Dieu (15 juin). L'Édit du 19 avril était resté lettre morte, les magistrats refusant d'appliquer une loi que le Chancelier avait soustraite à l'enregistrement et les réformés la jugeant trop rigoureuse et s'obstinant à réclamer des temples.

La Régente décida de faire de nouvelles concessions, mais de ne pas en prendre seule la responsabilité. A Reims, le Cardinal de Lorraine, après les reproches que l'on sait sur le «nonchaloir» dans l'application des lois, l'avait engagée à faire délibérer sur la question religieuse les princes, seigneurs et autres membres du Conseil privé avec les présidents et conseillers du Parlement, et de «garder puis après inviolablement ce qui serait arresté». Elle voulut tenter la chance et obtenir d'une assemblée, qui serait presque toute catholique, l'approbation de sa politique religieuse. Elle caressa les Guise, appela le Duc à Paris pour escorter la procession de la Fête-Dieu; écrivit à son ambassadeur en Espagne de recommander à Philippe II les intérêts de Marie Stuart. Alors, se croyant sûre du résultat, elle mena le Roi et le Conseil privé tenir séance au Parlement «pour adviser aux différends de la religion en ce qui concernoit le fait d'estat»[291].

**Note 291:** (retour) La «grande consultation» de la Cour de Paris avait été précédée de dix jours de conférences juridico-théologiques entre le Parlement, le Clergé, la Sorbonne. Maugis, *Histoire du Parlement de Paris de l'avènement des rois Valois à la mort de Henri IV*, t. II, 1914, p. 29.

Le Chancelier, fut bien obligé de reconnaître que les «troubles et esmotions» pullulaient et multipliaient de jour en jour en ce royaume et il pria l'Assemblée d'indiquer «quelque bon remède et propre» à y pourvoir, mais il n'eut pas celui qu'il attendait. Après de longs débats (23 juin-11 juillet 1561), cette «grande compagnie» fut d'avis à trois voix de majorité d'interdire «sous peine de confiscation de corps et de biens de faire aucuns conventicules et assemblées publiques ou privées avec armes ou sans armes».

Conformément au vœu que la Reine avait provoqué, le Chancelier dressa l'Édit de juillet (1561), qui interdisait l'exercice public ou privé du culte réformé et déférait la connaissance des faits «de simple hérésie» aux gens d'Église. Mais la peine de mort se trouvait d'une manière implicite abolie, les hérétiques convaincus n'étant déclarés passibles que du bannissement. L'Édit défendait «sur peine de la hart» les injures, les irruptions «dans les maisons», «soubs quelque prétexte ou couleur que ce soit de religion ou autre», et commandait aux prédicateurs de «n'user en leurs sermons ou ailleurs de paroles scandaleuses ou tendantes à exciter le peuple à esmotion». Enfin il octroyait à nouveau grâce, pardon et abolition pour «toutes les fautes passées procédans du faict de la religion ou sédition provenue à cause d'icelle depuis la mort du roi Henri II, en vivant paisiblement et catholiquement et selon l'Église catholique et observation accoutumée»[292].

**Note 292:** (retour) Édit du 30 juillet dans Fontanon, *Edicts et Ordonnances des rois de France*, éd. 1611 t. IV, p. 264-265.

D'ailleurs le gouvernement, avec une inconséquence généreuse, se disposait à violer l'Édit qu'il venait de publier. Le ministre Merlin écrivait, le 14 juillet 1561, aux fidèles: «Les moins puissans d'entre nous auront occasion... d'estre assuretz en leurs maisons ou de leurs voysins, jouissant de la prédication de la parole de Dieu». Il leur faisait même prévoir «quelques aultres meilheures nouvelles» qu'il ne voulait pas divulguer, de peur que «nos adversaires» ne pussent brasser «des moyens de nous priver du bien qui nous peut revenir en les tenant secrettes et cachées»[293]. A Saint-Germain, où la Cour s'était installée au retour du sacre, «il se faist tousjours, écrit l'ambassadeur d'Espagne Chantonnay, quelque presche en la maison de quelque seigneur et dame, et s'est presché plus hardiment ces jours passez dedans le chasteau de Saint-Germain qu'il n'y fust oncques devant l'Édit»[294]. Le président du présidial de Poitiers, menacé d'une émeute par les réformés s'il publiait l'Édit, consulta la Reine-mère qui lui ordonna de le faire lire «au siège sans en faire la publication à son de trompe, comme il est accoustumé», ajoutant: «Ne vous mectez en nulle peyne d'en requérir l'observation si exacte».[295] La jurisprudence du gouvernement était toujours plus libérale que la loi.

**Note 293:** (retour) Comte J. Delaborde, *Les protestans à la Cour de Saint-Germain, lors du colloque de Poissy*, 1874, p. 79.

**Note 294:** (retour) *Mémoires de Condé*, t. II, p. 13 et 16, 31 août 1561.

**Note 295:** (retour) 2 septembre 1561, *Lettres*, I, p. 233-234.

La plupart des huguenots ne savaient aucun gré à Catherine de ses complaisances. Ils avaient si vivement mené la campagne aux élections de mai qu'ils eurent la majorité dans les ordres laïques aux États généraux de Pontoise. Les sectaires et les gens à principes du parti jugèrent le moment venu d'ôter la régence à la Reine-mère et d'en investir Antoine de Bourbon, qui, nouveau David, fonderait la nouvelle Jérusalem[296]. Mais le roi de Navarre, alors tout occupé de gagner le roi d'Espagne, repoussa leurs avances; et Coligny leur fit «approuver l'accord passé entre la Reyne et le roi de Navarre pour le faict du gouvernement». Le Clergé paya les frais de l'entente. Au château de Saint-Germain, où se réunirent (26 août), pour la séance royale, les ordres laïques venus de Pontoise et l'ordre ecclésiastique, assemblé à Poissy, l'orateur du Tiers, Bretagne, vierg (maire) d'Autun, justifia la liberté de conscience par le «grand zèle» que les sujets avaient «au salut de leurs âmes». Il rappela au Roi que «le faict principal [le] plus précieux et salutaire» de son office était «à l'exemple des bons roys, comme David, Ezechias et Josias, de faire» qu'en son royaume «le vray et droict service du Seigneur soit administré», et, en attendant, il réclama des temples ou autres lieux à part pour ceux «qui croyent ne pouvoir communiquer en saine conscience aux cérémonies de l'Église romaine»[297]. L'orateur de la Noblesse appuya ce vœu. Le cahier du Tiers proposait la confiscation des biens du Clergé comme un moyen qui «surpassoit tous les autres en profict et commodité» pour rembourser les emprunts de l'État. Le gouvernement profita des dispositions hostiles des ordres laïques pour amener le Clergé, qui ne payait pas d'impôts directs, à verser au Roi une subvention de 1 600 000 livres pendant six ans et à prendre l'engagement d'amortir en dix ans les rentes de l'Hôtel de Ville, autrement dit la dette publique[298]. C'est l'accord connu sous le nom de Contrat de Poissy et qui fut définitivement arrêté le 21 septembre 1561[299].

**Note 296:** (retour) Sur la «similitude» du roi de Navarre avec David, voir une lettre de Renée de France, duchesse de Ferrare, *Opera Calvini*, XX, col. 271.

**Note 297:** (retour) La Place, p. 146.

**Note 298:** (retour) La ville de Paris faisait office de banque d'émission et recevait de l'État, pour le paiement des arrérages, la disposition de certaines taxes.

**Note 299:** (retour) Louis Serbat, *Les assemblées du clergé de France*, Paris, 1906, p. 36.

Catherine poursuivait un plus grand objet. La coexistence de deux religions dans le même État apparaissait aux croyants de cette époque comme l'affirmation sacrilège de deux vérités et aux politiques comme une atteinte à l'unité nationale. «Nous... voyons, avait dit L'Hôpital aux États d'Orléans, que deux François et Anglois qui sont d'une mesme religion ont plus d'affection et d'amitié entre eux que deux citoyens d'une mesme ville, subjects à un mesme seigneur, qui seroyent de diverses religions»[300]. Aussi la tolérance, dans les idées du temps, n'était pas un hommage aux droits de la conscience, mais la constatation qu'une des deux confessions était impuissante à supprimer l'autre ou qu'elle n'y réussirait qu'à la ruine de tout le peuple. Les protestants ne pensaient pas autrement que les catholiques. S'ils fussent devenus les maîtres en France, ils auraient travaillé à la décatholiciser. Quand ils réclamaient le droit de bâtir des temples et de célébrer leur culte en public, c'était avec l'espérance de faire assez de prosélytes pour imposer légalement leur credo au reste du pays. Pour les mêmes motifs de conscience, que renforçait la crainte des représailles, les catholiques défendaient par tous les moyens leur suprématie dans l'État. L'histoire de l'Europe éclaire d'un jour brutal la conception du siècle en matière religieuse. L'Italie et l'Espagne catholiques avaient exterminé les groupes épars de dissidents; l'Angleterre protestante comprimait méthodiquement la majorité catholique; la Suède et le Danemark l'avaient convertie de force. Quant à l'Allemagne, elle ne sortit de l'indivision religieuse que par la division politique; l'accroissement de la souveraineté des princes au préjudice du pouvoir impérial fut la conciliation empirique de l'impossibilité matérielle de maintenir une seule religion et de l'impossibilité morale d'en admettre deux. Le Saint-Empire, État fédéral en droit, se transforma en une confédération de fait pour permettre à deux et même trois confessions d'avoir chacune son territoire: *Cujus regio hujus religio.*

**Note 300:** (retour) Lalourcé et Duval, *Recueil de pièces...*, t. I, p. 58-59.

Aussi les esprits sages et modérés ne voyaient d'autre remède au morcellement politique ou à la persécution que l'union des Églises rivales et, la jugeant nécessaire, ils l'estimaient possible. Catherine se flattait de réussir là où Charles-Quint avec toute sa puissance avait échoué. Depuis quelque temps elle préparait une rencontre des ministres réformés avec les représentants de l'Église établie et elle y avait fait consentir l'assemblée tenue en Cour de Parlement qui avait inspiré l'Édit de juillet. Des six cardinaux présents à Poissy, trois étaient à sa dévotion: le cardinal de Bourbon, par sympathie personnelle, le cardinal de Tournon par vieille habitude d'obéissance, le cardinal de Châtillon par dévouement à la Réforme. Le cardinal d'Armagnac était un diplomate; le cardinal de Lorraine avait accepté, voulant jouer aux réformés le tour de les mettre en contradiction avec les docteurs luthériens qu'il ferait venir d'Allemagne; le cardinal de Guise était toujours du même avis que son frère. La Reine espérait que théologiens protestants et catholiques, mis en présence, débattraient leurs différends et, comme en un congrès de diplomates, les régleraient par des concessions réciproques.

Elle ne savait pas qu'au jugement d'un croyant le moindre désaccord est capital, puisqu'il y va du salut éternel. Catholique de naissance et d'éducation, elle pratiquait par habitude et par goût un culte dont le cérémonial, la grandeur et l'éclat touchaient son imagination. Mais elle prenait ailleurs ses règles de conduite. Dans les conseils de morale que plus tard elle adressait à sa fille Marguerite, dans les explications qu'elle donne de ses actes, elle n'invoque jamais que des raisons de sagesse humaine. La religion n'avait pas pénétré jusqu'à son for intérieur. Sa façon de concevoir les rapports de la créature avec le Créateur était restée païenne. Les devoirs qu'elle rend à Dieu ne sont pas une manifestation de reconnaissance et de tendresse, mais un choix de moyens pour se concilier sa bienveillance ou apaiser sa colère. C'est un échange. Elle n'est pas tourmentée par le mystère de l'au-delà. Elle est incapable de regarder longuement en ce miroir de l'âme où la reine de Navarre reconnaissait ses péchés et les grâces de Jésus-Christ, son néant et son tout, à la fois humiliée de sa misère et ravie d'amour pour l'époux divin qui l'en avait tirée[301]; elle n'a pas le sens religieux. Il est étrange, mais il semble vrai, qu'ayant, pendant les vingt-cinq premières années de sa vie en France, entendu sans aucun doute parler de la répression de l'hérésie, elle n'ait pas songé à s'informer de l'erreur des persécutés. La Réforme n'a commencé à l'intéresser que lorsqu'elle apparut constituée en parti, mais ce n'est pas de la doctrine qu'elle voulait s'instruire. Du retour à la pureté de l'Évangile, du rétablissement du culte en esprit et en vérité, elle avait un médiocre souci. Elle n'est pas hostile à ces nouveautés, elle y est indifférente. Et c'est parce qu'elle ignore la force de l'enthousiasme et du fanatisme qu'elle s'exagère l'action des chefs de partis et croit que de leur bonne intelligence dépend la fin des troubles. Aussi tenait-elle à montrer une Cour unie aux deux Églises qu'elle voulait convaincre de l'inutilité de l'intransigeance. Elle négocia la réconciliation du duc de Guise et du prince de Condé, qui se fit solennellement en présence de toute la Cour. Les paroles d'accord avaient été convenues d'avance et un secrétaire d'État requis pour dresser le procès-verbal. «... Monsieur, dit le duc de Guise au Prince, je n'ay ni ne voudrais avoir mis en avant aucune chose qui fust contre vostre honneur et n'ay esté autheur, motif ne instigateur de vostre prison. Sur quoy monsieur le prince de Condé a dit: Je tiens pour meschant et malheureux celuy et ceux qui en ont été cause. Et la dessus mondit sieur de Guise a respondu: Je le croy ainsi, cela ne me touche en rien. Ce fait, le Roy les a priés de s'embrasser et, comme ils estoient proches parens, de demeurer bons amis. Ce qu'ils ont faict et promis.» (24 août)[302]. La trêve des partis était au moins assurée pendant le colloque de Poissy.

**Note 301:** (retour) «*Le miroir de lame pecheresse, ouquel elle recongnoit ses faultes et pechez aussi les graces et benefices a elle faicts par Jesuchrist son epoux*». Alençon, 1531; et dans l'édition de Paris, 1533: «*auquel elle voit son néant et son tout*».

**Note 302:** (retour) *Histoire ecclésiastique des Églises réformées*, I, p. 522-523.

Sur l'invitation du roi de Navarre, les Églises réformées de France avaient député à Poissy, entre autres représentants, des ministres chargés de débattre avec les docteurs catholiques les points de doctrine et les moyens d'entente. Calvin, trop caduc pour faire le voyage et que le gouvernement d'ailleurs eût craint de ne pouvoir protéger contre un attentat catholique, avait envoyé à sa place Théodore de Bèze, son éloquent coadjuteur. De Suisse vint un des plus savants théologiens de l'Église réformée, Pierre Vermigli, autrement dit Pierre Martyr, Italien de naissance, chassé de son pays par la persécution et alors pasteur à Zurich. Bèze, le lendemain de son arrivée, fut «esbahi», suivant sa propre expression, de trouver le soir, chez le roi de Navarre où il était attendu, la Reine-mère elle-même avec Condé, les cardinaux de Bourbon et de Lorraine, Mme de Crussol et une autre dame. Aux assurances qu'il lui donna de «servir» avec ses compagnons «à Dieu et à Sa Majesté en une si sainte et nécessaire entreprise», elle, «avec un fort bon visage» «respondit qu'elle serait très aise d'en veoir un effect si bon et heureux que le royaume en peust venir à quelque bon repos»[303]. Le cardinal de Lorraine immédiatement attaqua Bèze sur le dogme de l'Eucharistie, mais il le fit sans aigreur, en s'excusant même d'être «rude en ces affaires», comme un grand seigneur qui parle devant des princes et une Reine, et qui a grand désir de conciliation. Bèze montra même volonté, convenant que bien que «le corps [du Christ] soit aujourd'huy au Ciel et non ailleurs..., toutefoys aussi véritablement nous est donné ce corps et receu par nous moyennant la foy en vie éternelle». Le Cardinal, qui, dit-on, ne croyait guère au changement du pain et du vin en corps et sang de Jésus-Christ, effleura la question de la transsubstantiation et, préoccupé avant tout de la foi en la présence réelle, il put croire, après la déclaration de son interlocuteur, que sur ce point fondamental ils s'entendaient. «Je le croy ainsi, madame, dit-il à Catherine, et voilà qui me contente». «Alors, raconte Bèze, me tournant vers la Reine, voilà donc ces sacramentaires si longtemps tourmentés et chargés de toutes sortes de calomnies»[304]. Sous ce nom de sacramentaires les catholiques englobaient diverses sortes de dissidents, bien à tort d'ailleurs. En effet, les disciples de Zwingle ne voyaient dans la Cène qu'une commémoration du sacrifice expiatoire du Sauveur, mais pour les calvinistes elle était une vraie participation, quoique purement spirituelle, au corps et au sang de Jésus-Christ. Bèze relevait avec ironie l'erreur des adversaires de son Église. Catherine, attentive à tout indice de rapprochement, souligna sa protestation. «Escoutez-vous, dit-elle, monsieur le Cardinal? Il dit que les sacramentaires n'ont point aultre opinion que ceste cy à laquelle vous accordez.» Après quelques autres propos «touchant l'accord et union», la Reine-mère s'en alla «fort satisfaite». Les jours suivants, elle se montra très aimable, elle demanda ou fit demander des nouvelles de Calvin, de son âge, de sa santé, de ses occupations. Elle s'enquit avec intérêt de Pierre Martyr Vermigli, son compatriote, qui n'arriva qu'un peu plus tard. Elle permit à Bèze de prêcher au logis du prince de Condé et de l'Amiral. Elle crut que les docteurs des deux confessions parviendraient à s'entendre.

**Note 303:** (retour) Bèze, dans la lettre à Calvin du 25 août, *Calvini Opera Omnia*, t. XVIII, col. 631-632, se contente de dire qu'il lui déclara la cause de sa venue, «à quoi elle me respondit très humainement».

**Note 304:** (retour) Lettre de Bèze dans les *Calvini Opera Omnia*, XVIII, col. 63-633. La lettre est en français et toutefois cette phrase adressée à la Reine est en latin: Catherine comprenait donc cette langue.

Mais elle se faisait illusion. Catholiques et réformés avaient même fin qui était de détruire l'Église rivale. Bèze remontrait à Condé, le jour de son «apoinctement» avec Guise, que «quant à sa querelle particuliere»... il «(Condé) savoit assez à qui il en faloit remettre la vengeance. Mais que nul ne povoit estre tenu pour amy de Dieu s'il ne se declairoit ennemy des ennemys jurez d'iceluy et de son Église en ceste qualité»[305]. L'Église gallicane se sentait même devoir contre les hérétiques. Elle autorisa, par zèle catholique, l'établissement en France de l'ordre des jésuites que jusque-là elle avait repoussé, en haine de ses principes ultramontains. Elle avait consenti à entendre les novateurs en leur justification, mais comme un tribunal chargé de prononcer l'arrêt. Les ministres réformés sollicitèrent du Roi la déclaration «que les evesques, abbés et ecclésiastiques» ne fussent point leurs «juges», attendu qu'ils étaient leurs «parties». Mais la Reine-mère estima que «pour lors il n'estoit expedient» de délivrer cet acte, «joinct qu'ils se devoient bien contenter de sa simple parole et promesse que les dits ecclésiastiques ne seroient aucunement juges en cette partie»[306].

Le clergé catholique n'admettait point d'égalité. Il attendit les défenseurs de l'hérésie dans le réfectoire des nonnains de Poissy, lieu ordinaire de ses séances. Cardinaux, évêques, docteurs occupaient, chacun à son rang, les deux côtés de la salle. Au fond, dominant l'assemblée, siégeaient sur un échafaud, le Roi, la Reine-mère, Monsieur, frère de Charles IX, Marguerite, sa sœur et le roi et la reine de Navarre. Après un discours du Chancelier sur les avantages que le Roi se promettait de cette réunion, les ministres furent introduits. Ils apparurent dans leur simple et sévère costume, escortés par le duc de Guise et les archers, et se rangèrent debout le long d'une barrière qui les séparait des docteurs catholiques assis[307]. (9 septembre 1561).

Théodore de Bèze exposa la doctrine de l'Église réformée[308]. Il dit en quoi elle s'accordait avec celle de l'Église romaine, en quoi elle s'en distinguait, et franchement il aborda la question de l'Eucharistie. Jusque-là l'admiration, mêlée de surprise, de sa parole élégante et noble, forte et précise, avait contenu les passions de l'auditoire, mais quand il en vint à dire que le corps du Christ «est esloingné du pain et du vin, autant que le plus haut ciel est esloingné de la terre»[309], un murmure de protestation s'éleva. Le cardinal de Tournon dit au Roi et à la Reine: «Avez-vous ouï ce blasphème?» Bèze, entendant cette rumeur, resta un moment «étonné». Quand il eut fini, le cardinal de Tournon «pria le Roy, la Reine mère et l'assistance de n'adjouster pas foy aux erreurs qu'ils avaient ouïes!» Catherine, embarrassée, répondit «que le Roi, son fils, et elle vouloient vivre et mourir en la foy catholique, en laquelle avoient vécu ses prédécesseurs Roys de France»[310].

**Note 305:** (retour) Bèze à Calvin, 25 août 1561, *Calvini Opera omnia*, t. XVIII, col. 631.

**Note 306:** (retour) *Histoire ecclésiastique*, t. I, p. 553-555.

**Note 307:** (retour) Sur le colloque, ajouter aux références indiquées par La Ferrière, *Lettres de Catherine*, I, 238, De Ruble, *Le Colloque de Poissy septembre-octobre 1561*, dans *Mémoires de la Société de l'Histoire de Paris*, XVI, 1889.

**Note 308:** (retour) Le discours de Bèze dans *Calvini Opera omnia*, XVIII, col. 688-702.

**Note 309:** (retour) *Ibid.*, col. 699.

**Note 310:** (retour) Relation de Claude Despence, un des docteurs catholiques insérée par De Ruble dans les *Mémoires de la Société de l'Histoire de Paris*, t. XVI, 1889, p. 29. C. *Histoire ecclésiastique*, I, p. 578.

Le lendemain Bèze lui écrivit pour s'expliquer. On accusait à tort les réformés de vouloir «forclorre (mettre hors) Iesus Christ de la Cene, [ce] qui seroit une impiété toute manifeste.... Et de faict, s'il estoit autrement, ce ne seroit point la Cene de nostre Seigneur».... «Mais il y a grande différence de dire que Iesus Christ est présent en la Saincte Cène, en tant qu'il nous y donne véritablement son corps et son sang, et de dire que son corps et son sang soyent conjoincts avec le pain et le vin»[311]. Catherine aurait mieux aimé qu'il ne distinguât point. Bèze, écrivait-elle à son ambassadeur à Vienne, «s'oublia en une comparaison si absurde et tant offenssive des oreilles de l'assistance que peu s'en fallut que je ne luy imposasse silence et que je ne les renvoyasse tous sans les laisser passer plus avant»[312]. Le cardinal de Lorraine se prévalut de la «comparaison». Dans sa réplique du 16 septembre, au nom du Clergé, il s'attacha presque uniquement aux deux points qui divisaient le plus: l'autorité doctrinale de l'Église et des Conciles et le dogme de l'Eucharistie et il concentra son effort à établir contre l'opinion de ces nouveaux hérétiques la présence réelle, substantielle et charnelle du corps et du sang de Jésus-Christ. «... A tout le moins, s'écria-t-il en s'adressant aux ministres, de ce différent ne refusés l'Église Grecque pour juge si tant vous abhorrés la Latine, c'est-à-dire Romaine, recourant à une particulière puisque l'universelle vous deplaist. Que dyray-je Grecque? Croyez-en la confession Augustane (la confession d'Augsbourg)[313] et les Églises qui l'ont receue. De toutes incontinent vous vous trouverez convaincus»[314].

Bèze aurait voulu répondre, mais on ne le lui permit pas. C'en était fait des tentatives d'union. L'arrivée d'un légat, le cardinal de Ferrare, Hippolyte d'Este, chargé d'annoncer la réunion prochaine d'un Concile général, aurait empêché toute transaction, même si l'Église gallicane y eût été disposée. Catherine réduisit le Colloque à un débat obscur entre théologiens à portes closes. Lainez, second général des Jésuites, qui avait accompagné le légat, lui dit en face «que si elle ne chassoit telles gens sentants mal de la Religion chrestienne, ils gasteroient le royaume de France». Il parlait avec tant de «vehemence à la mode italienne qu'il fit venir les larmes aux yeux de la Reine mère, à ce qu'on dit»[315].

**Note 311:** (retour) *Calvini Opera omnia*, t. XVIII, col. 703.

**Note 312:** (retour) *Lettres*, t. I, p. 608, 14 septembre.

**Note 313:** (retour) Luther, en effet, admettait comme les catholiques la présence réelle de Jésus-Christ dans l'Eucharistie, sous les espèces du pain et du vin (consubstantiation), tout en rejetant le dogme catholique du changement du pain et du vin en corps et sang de Jésus-Christ (trans-substantiation).

**Note 314:** (retour) *Histoire ecclésiastique*, T. I, p. 160.--La Place, p. 176.

**Note 315:** (retour) Relation de Claude Despence, *Mémoires de la Société de l'Histoire de Paris*, XVI, p. 39.

Elle s'obstina pourtant dans la politique de tolérance qui était son œuvre et qu'elle se flattait de mener à bien. Elle mettait son orgueil à résister à la pression des triumvirs et de l'Espagne. Sa grande crainte, écrit le nonce Prosper de Sainte-Croix, qui avait rejoint le Légat, c'est de paraître «gouvernée». L'Amiral lui savait gré de ses bonnes intentions. Condé s'effaçait derrière son frère aîné et celui-ci, uniquement préoccupé de ses ambitions navarraises, se désintéressait des affaires de France. Elle n'en était que plus disposée à favoriser les chefs protestants.

Peut-être aussi a-t-elle pu croire que l'avenir était à la cause de la Réforme et a-t-elle voulu s'y ménager la première place. Les progrès de la jeune Église étaient prodigieux. Les masses restaient fidèles au catholicisme, mais une partie de la bourgeoisie et de la noblesse faisait défection. La politique avait autant de part à ces conversions que les raisons de conscience; la haine des Guise avait fait autant de huguenots d'État que le pur Évangile de huguenots de religion. La mode aussi s'en mêlait. Il n'était, dit Blaise de Monluc, fils de bonne mère qui ne voulût en être. Le curé de Provins, Claude Haton, exagère quand il évalue les protestants au quart de la population, mais il est vrai qu'ils étaient nombreux dans toutes les provinces et dans toutes les classes. Au premier synode national de Paris en 1558, onze églises seulement étaient représentées; deux ans après, la Provence seule en comptait soixante. Coligny avait présenté requête à l'Assemblée de Fontainebleau pour 50 000 fidèles de Normandie; à Poissy, 2 500 églises réclamaient le droit de bâtir des temples. Le Colloque, cette sorte de reconnaissance officielle de la nouvelle religion, accrut encore l'audace et les espérances des réformés[316]. Catherine avait à son service des dames et des hommes qui étaient des adversaires plus ou moins déclarés de la vieille Église: Claude de Beaune, mariée au seigneur du

Goguier, commise à la recette et distribution de ses deniers; Chastelus, abbé de La Roche, son maître des requêtes; Feuquières, son écuyer; Hermand Taffin, un de ses gentilshommes servants. Elle avait pour intime amie Jacqueline de Longwy, duchesse de Montpensier, qui ne voulut pas mourir (août 1561) sans avoir conféré avec un ministre «du faist de sa conscience». Une de ses favorites, la spirituelle et galante Louise de Clermont-Tonnerre, comtesse de Crussol, n'était pas contraire aux nouveautés, et Soubise, avec qui elle aimait à se moquer du culte des images, y était tout à fait favorable. Le prélat dont elle appréciait le plus l'intelligence, Jean de Monluc, ce frère si dissemblable du rude soldat qui a écrit les *Commentaires*, longeait les limites de l'orthodoxie que le cardinal de Châtillon avait, sans le dire, déjà franchies. Les événements de ces derniers mois avaient approché ou rapproché d'elle les grandes dames et les princesses protestantes: Renée de France, duchesse douairière de Ferrare, Mme de Roye et sa fille, la princesse de Condé, Mme l'Amirale, la marquise de Rothelin, mère du jeune duc de Longueville, et enfin la reine de Navarre, Jeanne d'Albret, arrivée le 29 août 1561 à Saint-Germain pour surveiller les infidélités de son mari et les intérêts de la Réforme[317]. Est-il excessif de croire que, vivant en ce milieu ardent, Catherine ne s'en soit pas quelque peu ressentie.

**Note 316:** (retour) *Lettres de Catherine*, t. I, Introd., p. CVIII et CIX.

**Note 317:** (retour) Elle n'abjura publiquement la religion romaine qu'à la Cène de Noël 1561, à Pau; mais déjà en avril 1561 elle envoyait un ministre à Tournon pour y organiser l'Église réformée (*Calvini Opera omnnia*, XVIII, col. 433.)

Faut-il y ajouter l'action d'un homme? Bèze, on l'a vu, était un prêcheur éloquent. Son exposition débarrassée du fatras scolastique, alerte et claire, rendait accessible aux gens de Cour les discussions théologiques. Claude Haton, un ennemi, parle de sa «langue diserte et bien affillée», de son «beau et propre vulgaire françoys» et reconnaît, tout en se moquant, la force de son action oratoire. Il «triompha, dit-il, de cacqueter, ayant la mine et les gestes attrayans les cœurs et vouloirs de ses auditeurs»[318]. Les princes et les seigneurs, raconte un témoin, couraient à ses prêches; les courtisans l'escortaient comme un roi: les pages et les valets s'agenouillaient sur son passage. La Reine elle-même avait voulu l'entendre et y avait pris «grand goust»[319]. Le lendemain de la harangue du cardinal de Lorraine, peut-être pour apaiser Bèze, à qui on refusait le droit de répliquer, elle lui parla très familièrement»--c'est lui-même qui l'écrit à Calvin--et lui donna de grandes espérances (*spem mihi magnam fecit*)[320]. Le jour d'après, elle le fit venir encore chez elle avec Pierre Martyr et leur recommanda d'employer tous leurs moyens pour arriver à un accord[321]. Le roi de Navarre et l'Amiral obtinrent de Calvin qu'il laissât en France quelque temps encore ce personnage si en faveur. Catherine l'avait prié de rester. «La Reine, je ne sais comment, me voit volontiers, dit-il, elle l'a affirmé à beaucoup de personnes et, au vrai, j'en ai la preuve»[322]. L'Édit de juillet n'avait pas été plus appliqué que les édits précédents. «Enfin j'ai obtenu grâce à Dieu, écrivait Bèze à Calvin le 30 octobre 1561, qu'il soit permis à nos frères de tenir leurs réunions en toute sécurité, mais seulement par autorisation tacite jusqu'à ce qu'un édit solennel nous fasse des conditions meilleures et plus assurées»[323]. Mais au lieu de s'assembler 2 à 300, chiffre qu'ils ne devaient pas dépasser, ils affluaient en nombre de 2 à 3000 et quelquefois 10000. Le prince de La Roche-sur-Yon, gouverneur de Paris, sous prétexte qu'il n'avait d'ordre que pour réprimer les émeutiers, protégeait ces conventicules et ses soldats arrêtaient ou frappaient les catholiques qui essayaient de les troubler[324]. «Grâces à Dieu, remarquait Bèze, les choses sont bien changées en peu d'heures, estans maintenant faicts gardiens des assemblées ceux la mesme qui nous menoyent en prison». Mais il craignait qu'il n'y eût des fidèles dont l'impatience détruirait «plus en un jour» qu'il n'avait bâti «en un moys»[325]. Et en effet le Conseil du roi, pour arrêter cette licence, prépara un édit qui n'autorisait les réunions que dans les faubourgs des villes et en dehors des jours de fête. Bèze, prévenu un peu tard, au retour d'une course à Paris, déclarait à Calvin que s'il avait été à Saint-Germain, il aurait peut-être empêché cette mesure[326]. Quand il sut que les restrictions étaient pires encore et qu'il faudrait s'assembler, non pas dans les faubourgs, mais à deux cents pas des murailles des villes, il protesta qu'il ferait supprimer cet article[327]. À qui pouvait-il demander pareille concession? Est-ce à L'Hôpital, dont il parlait avec tant de mépris en août: «Le chancelier que vous savez» et qu'il avait l'air de considérer comme un faux frère?[328] Était-ce au lieutenant-général si versatile et si mou et alors en coquetterie avec les Espagnols? Quelle autre personne que la Reine était capable d'imposer à un Conseil en grande majorité catholique l'amendement d'un édit défavorable aux réformés?

**Note 318:** (retour) Claude Haton, curé de Provins, *Mémoires* (1553-1582), publiés par Félix Bourquelot (Coll. des Doc. inédits), 1857, t. I, p. 156.

**Note 319:** (retour) De Ruble, *Mémoires de la Société de l'Histoire de Paris*, t. XVI, p. 8.

**Note 320:** (retour) *Calvini Opera omnnia*, t. XVIII, col. 722.

**Note 321:** (retour) *Ibid.*, col. 725.

**Note 322:** (retour) À Calvin, *ibid.*, t. XIX, col 97.

**Note 323:** (retour) *Ibid.*, col. 88.

**Note 324:** (retour) Languet, *Arcana*, liv. II, p. 155. Journal de Bruslart, *Mémoires de Condé*, I, p. 59.

**Note 325:** (retour) Bèze à Calvin, 4 nov., *Calvini Opera omnia*, t. XIX, col. 96-98.

**Note 326:** (retour) 9 novembre, *ibid.*, col. 109.

**Note 327:** (retour) *Ibid.*, col. 141, 29 novembre 1561.

**Note 328:** (retour) Calvin qualifie le début du discours de L'Hôpital à l'assemblée de Fontainebleau de «*Præfatio adulationis putidæ*» (Préface d'adulation fétide); Calvin à Bullinger, 1er octobre 1560, *Calvini Opera omnia*, t. XVIII. col. 206. Bèze, lors du Colloque de Poissy, écrivait à Calvin, 25 août 1561: «Le chancelier que savez... vouloit avoir l'honneur de m'avoir introduict. Force me fut de le suyvre, mais ce fut avec un tel visage qu'il cognut assez que je le cognoissoys», *Calvini Opera omnia*, t. XVIII, col. 630.

Philippe II s'irritait de tant de complaisances, persuadé qu'une mutation de religion en France tendait «à la destruction et brouillerie de ses États»[329]. «.... Il luy touche autant qu'à personne, écrivait Élisabeth à sa mère, car stant France lutérien (entendez calviniste), Flandres et Espagne ne sont point loin.» Aussi lui mettait-elle le marché à la main: ou elle s'allierait avec Philippe II contre les protestants, ou Philippe II s'allierait contre elle avec les catholiques français[330]. Chantonnay faisait même déclaration à Charles IX. Les Guise, pour marquer leur mécontentement, quittèrent la Cour (fin octobre). Ils avaient, dit-on, projeté pis. Quelques jours avant leur départ, le duc de Nemours (Jacques de Savoie), qui par amour, croyait-on, de la duchesse de Guise, était tout dévoué à son mari, proposa, au frère puîné du jeune roi, Édouard-Alexandre, de l'emmener en Lorraine ou en Savoie[331]. C'était pour l'opposer à la Reine-mère si elle passait avec Charles IX au protestantisme. Monsieur, le duc d'Orléans (plus tard Henri III) était celui de tous ses enfants que Catherine aimait le plus. Tout émue, elle dénonça cette tentative de rapt à Philippe II[332]. Elle demanda des explications à Guise, qui froidement répondit qu'il ne savait rien.

**Note 329:** (retour) Lettre de l'ambassadeur de France en Espagne à Catherine du 30 octobre 1561, *Lettres*, t. I, p. 601, note.

**Note 330:** (retour) Réponse de la reine d'Espagne à une lettre de Catherine de juillet 1561, *Lettres*, t. I, p. 600 note.

**Note 331:** (retour) Voir les réserves que fait Noël Valois dans le *Projet d'enlèvement d'un enfant de France*, (Bibliothèque de l'École des Chartes, t. LXXV, 1914), p. 140.

**Note 332:** (retour) *Lettres*, t. I, p. 245-246, et la lettre de l'évêque de Limoges, *ibid.*, p. 250.

En même temps les nouvelles des Pays-Bas, d'Allemagne, de Rome, annonçaient une guerre prochaine entre la France et l'Espagne. Catherine était affolée[333]. Serait-il possible que son gendre eût pareil dessein, demandait-elle à son ambassadeur à Madrid? «Toutefois, je ne veulx riens croire, tant je l'estime prince de vérité, de vertu et de parolle, ne pouvant me persuader qu'il soit pour entreprendre une guerre sans juste occasion»[334]. Avec sa fatuité de femme, Catherine, convaincue que, si elle le voyait, elle le gagnerait à sa politique, remettait en avant le projet d'entrevue. Mais le roi d'Espagne, qui ne l'avait d'abord accusée que d'imprudence, commençait à douter de sa bonne foi.

**Note 333:** (retour) A l'évêque de Limoges, *Lettres*, t. I, p. 253 et surtout p. 267 (4 janvier 1562).

**Note 334:** (retour) *Lettres*, t. I, p. 252, novembre 1561.

Elle se montrait toujours plus indocile aux conseils, ou, si elle en demandait, c'était en faisant ses conditions. «Cella s'entend autre advis que la force, écrit-elle à son ambassadeur à Madrid, car je ne veulx pas empirer le marché, ne moings avoir affaire des estrangiers, mais eschapper le temps, s'il est possible, sans laisser rien gaster irremediablement attendant l'aage (la majorité) de mon fils». Et elle ajoute de sa main: «... Je ne veos (veux) ni ne suys conselleyé de venir aus arme» [contre les réformés][335]. Elle inclinait plus que jamais du côté des chefs protestants: Coligny, d'Andelot, Condé, la reine de Navarre; elle permettait que les édits fussent violés sous ses yeux. Bèze annonçait à Calvin, le 25 novembre, de Saint-Germain où était la Cour, qu'ils avaient commencé à y établir une église et que le dimanche suivant, Dieu aidant, ils célébreraient la Cène. Il lui parlait avec enthousiasme des trois fils de la Reine. Sache qu'ils sont «d'un naturel admirable et tel qu'on peut le souhaiter vu leur âge, sans en excepter même le puîné (Henri) à qui la tentative [de rapt] a admirablement profité»[336]. La proposition du duc de Nemours avait eu en effet le résultat inattendu de dégoûter ce petit prince de dix ans du catholicisme. Il «criait» «sans cesse» à sa jeune sœur Marguerite, qui le raconte dans ses Mémoires, de changer de religion: il lui prenait ses *Heures* pour les jeter au feu, et lui donnait des psaumes et prières huguenotes. La fillette allait avec sa gouvernante trouver le cardinal de Tournon, qui remplaçait les *Heures* et y ajoutait des chapelets. Alors, dit-elle, «mon frère et ces autres particulières ames, qui avoient entrepris de perdre la mienne, me les retrouvant, animez de courroux m'injurioient, disants que c'estoit enfance et sottise qui me le faisoit faire.. Et mon frère y adjoustant les menaces disoit que la Royne ma mère me feroit fouetter; ce qu'il disoit de luy-mesme, car la Royne ma mère ne sçavoit point l'erreur où il estoit tombé»[337]. Il est peu croyable que Catherine fût si mal instruite des actions de son fils le plus cher; elle a probablement fermé les yeux sur cet accès de «huguenoterie», qui était une sauvegarde de plus contre une nouvelle velléité d'enlèvement. Ce prosélytisme d'enfants donne l'idée d'une «Cour infectée d'hérésie». Le nonce Prosper de Sainte-Croix rapportait à la Cour de Rome, le 15 novembre, que dans une mascarade le jeune Roi avait paru déguisé avec une mitre sur la tête pour se moquer de l'ordre du clergé[338].

**Note 335:** (retour) Lettre du 28 novembre 1561, *Lettres*, I, p. 612.

**Note 336:** (retour) *Calvini Opera omnia*, XIX, col. 131.

**Note 337:** (retour) *Mémoires et lettres de Marguerite de Valois*, publiées par Guessard, Paris, 1842, p. 6.

**Note 338:** (retour) Lettre de Prosper de Sainte-Croix, du 15 novembre 1561, dans Aymon, *Tous les synodes*, I, p. 15.

Un jour, probablement de novembre aussi, Charles IX, causant avec la très huguenote Jeanne d'Albret, s'étonna que le roi de Navarre le suivît à la messe et, sur la réponse que c'était par marque de déférence, il déclara qu'il l'en dispensait volontiers et que, quant à lui, il y allait pour faire plaisir à sa mère[339]. Catherine tenait la main à l'observation des pratiques, mais Bèze devait croire que c'était sans bonne foi. «Je t'assure, écrivait-il à Calvin le 16 décembre, que cette Reine, *notre Reine*, est mieux disposée pour nous qu'elle ne le fut jamais auparavant». Et il ajoutait: «Plût à Dieu que je pusse sous le sceau du secret t'écrire de ses trois fils nombre de choses que j'entends dire d'eux par des témoins sûrs. Assurément ils sont tels pour leur âge que tu ne pourrais même le souhaiter»[340].

Catherine allait emportée par son élan, mais elle commençait à s'effrayer de son audace. Dans une lettre écrite à sa fille, la reine d'Espagne, au moment où elle se compromettait le plus avec les protestants, elle passe tout d'un coup de combinaisons matrimoniales à l'instabilité du bonheur et au danger que l'on court en ne servant pas Dieu comme on doit et en l'oubliant parmi les «plésir», «ayse» et «jeoye» qu'il donne. «... Retournés tousjour à lui, reconesés [vous] de luy et que san luy vous ne seriés ne (ni) pouriés rien, afin qu'i (de peur qu'il) ne vous envoy de ses verge pour le vous faire reconestre comme il a faist ha (à) vostre bonne mère»[341]. Il fallait un danger bien pressant pour incliner son orgueil devant ce maître tout-puissant et jaloux. Mais elle ne laissait pas d'employer les moyens humains de défense.

**Note 339:** (retour) Conversation racontée par Jeanne d'Albret à Throcmorton, ambassadeur d'Angleterre en France et rapportée par celui-ci à sa souveraine, Élisabeth d'Angleterre, dans une dépêche du 26 novembre 1561 (*Calendar of state papers, foreign series, of the reign of Elizabeth*, 1561-1652, p. 415, publié par Joseph Stevenson, Londres, 1866).

**Note 340:** (retour) *Calvini Opera omnia*, t. XIX, col. 178, 16 décembre 1561.

**Note 341:** (retour) *Lettres*, I, p. 612.

Inquiète de l'agitation des catholiques et des menaces de l'Espagne, elle voulut savoir de quelles forces militaires les réformés pourraient l'assister, le cas échéant. L'Amiral s'entremit avec beaucoup de zèle. On constata qu'il y avait plus de «deux mille cent cinquante églises» établies, et en leur nom les députés et les ministres présents à Paris adressèrent une requête au Roi pour avoir des temples, offrant «tous services... de leurs biens et personnes à leurs propres despens, s'il en avoit besoin». Mais cette promesse générale de dévouement ne suffisait pas à la Reine. Coligny, pour la contenter, fit décider, dans une réunion des chefs du parti et des ministres, que chaque église serait invitée à dresser à l'heure du prêche la liste des hommes de pied et de cheval prêts à défendre le royaume contre les étrangers, au cas où il serait attaqué pour le motif de la religion.

Bèze, qui s'était prononcé contre ce projet de dénombrement pour des raisons qu'il ne nous a pas dites, reconnaissait toutefois que les calomnies n'étaient pas à craindre, car rien n'était fait en cachette ni sans patronage (*sine auspiciis*), bien que la Reine ne voulût pas être nommée[342]. Mais beaucoup d'églises, surprises ou même alarmées de cette invitation, ne répondirent pas ou firent des objections. Quelques-unes et même des provinces entières s'organisèrent ou, comme la Haute-Guyenne et le Limousin, étaient déjà organisées pour la défense ou pour l'attaque--et ce n'était pas seulement contre l'Espagnol.

**Note 342:** (retour) Lettre de Bèze à Calvin du 6 janvier 1562, *Calvini Opera omnia*, XIX, col. 238-239.--*Histoire ecclésiastique*, I, p. 168. Les indications de Bèze et de l'*Histoire ecclésiastique*, sans concorder absolument, ne se contredisent pas.

Cet appel à l'aide était grave; il encourageait la minorité dissidente à s'armer, il surexcitait les craintes de la majorité catholique. Dans le Midi, les passions religieuses faisaient rage; les huguenots du Sud-Ouest chassaient ou tuaient les moines et brisaient les images; leurs adversaires massacraient en tas. Le baron de Fumel fut assassiné par ses paysans, qui étaient de la religion (24 novembre 1561)[343]. Quelques jours auparavant (19 novembre 1561), la populace de Cahors avait assailli, enfumé et égorgé une trentaine de réformés qui célébraient le culte dans un de leurs logis. Mêmes violences menaçaient le reste du royaume. À Paris il y eut une bagarre sanglante. Avec le consentement tacite de la Régente, les protestants s'assemblaient, malgré les édits, au quartier de l'Université, hors de la porte Saint-Marcel, tout près de l'église Saint-Médard, «en une maison appelée le Patriarche». Le lendemain de la Noël (26 décembre), le clergé de la paroisse, pour empêcher le prêche du ministre, fit sonner les cloches à toute volée. Un réformé alla leur dire de cesser ce bruit assourdissant; il fut tué; ses compagnons forcèrent l'entrée de l'église, battirent et blessèrent des fidèles et des prêtres. Le guet survenant arrêta les provocateurs, laïques ou clercs, et les conduisit en plein jour aux prisons du Châtelet. Cet emprisonnement de prêtres fit scandale parmi la population parisienne furieusement catholique. Le Parlement évoqua l'affaire, relâcha immédiatement les ecclésiastiques et, quelques mois plus tard, il fit pendre le chevalier du guet, par forme de réparation (21 août 1562).

**Note 343:** (retour) Sur l'anarchie en Guyenne, voir Courteault, *Blaise de Monluc, historien*, 1908, p. 402. Courteault place le massacre de Cahors le 16.

La Reine-mère était bien obligée de reconnaître que «les troubles et séditions» s'étaient, «au lieu de s'apaiser, de beaucoup augmentés en divers endroits de ce royaume», mais elle ne se demandait pas si le droit qu'elle s'arrogeait de suspendre les lois qu'on venait de publier n'en était pas en partie cause. Elle escomptait toujours l'effet adoucissant d'un nouvel édit. Elle fit venir à Saint-Germain les «principaulx et plus notables présidens et conseillers des Cours souveraines» pour y délibérer avec le Conseil privé sur les moyens de pacification. Le Roi en personne ouvrit les délibérations. Le chancelier de L'Hôpital, avec un optimisme déconcertant, affirma que, depuis le début des troubles, la situation du royaume n'avait jamais été meilleure[344]. Généreusement il repoussa l'idée que le Roi dût se déclarer pour un parti et exterminer l'autre, comme contraire à la «profession» de chrétien et à l'humanité, et comme irréalisable dans l'état de division du pays et des familles. Les remèdes employés jusqu'ici contre le mal étant restés sans effet, il demandait à la compagnie de déclarer si, oui ou non, elle était d'avis d'en essayer un nouveau, qui était la liberté pour les prédicants de tenir des assemblées. Qu'elle ne se méprît point d'ailleurs sur son rôle. «Le Roy, dit-il, ne veut point que vous entriez en dispute quelle opinion est la meilleure: car il n'est pas ici question *de constituenda religione sed de constituenda republica*; et plusieurs peuvent estre *Cives qui non erunt christiani*; mesmes un excommunié ne laisse pas d'estre citoyen»[345].

**Note 344:** (retour) Il y a deux textes de ce discours, l'un dans Aymon, *Tous les synodes nationaux des églises réformées de France*, La Haye, 1710, t. I, p. 49-65, l'autre dans *Mémoires de Condé*, t. II, p. 606-612. Le premier est en italien, accompagné d'une traduction française, et il est, en certaines parties, complété par le second.

**Note 345:** (retour) *Mémoires de Condé*, II, p. 612.

Les débats furent vifs et parfois même violents (7-15 janvier 1562). Au vote, sur 49 opinants, 22 furent d'avis d'accorder des temples aux réformés, 27 de les leur refuser, tout en leur permettant, comme on l'avait toléré dans les tout derniers mois, de se réunir pour célébrer leur culte[346]. Avant de clore l'assemblée, la Reine-mère[347] fit une déclaration. Elle parla «de telle manière qu'on dit, rapporte le nonce Prosper de Sainte-Croix, n'avoir jamais entendu aucun orateur qui se soit exprimé avec plus d'éloquence, ni avec plus de succès. Sa Majesté a dit elle-même qu'il lui semblait que dans cet instant-là

Dieu lui mît les paroles à la bouche.» Elle pria les députés de répéter qu'elle et ses enfants et tous les membres de son Conseil voulaient qu'on vécût dans la religion catholique et sous l'obéissance de la sainte Église romaine; que les novateurs n'auraient point des temples et seraient au contraire obligés de rendre ceux dont ils s'étaient emparés; qu'il leur serait défendu d'en construire ou d'avoir d'autres lieux d'assemblée dans les villes, mais que, sous certaines conditions, elle souffrirait qu'ils se réunissent secrètement en quelque maison. C'était d'ailleurs pour empêcher le désordre et l'effusion du sang qu'elle faisait cette concession, mais provisoirement, en attendant les décisions du Concile de Trente, qu'elle s'engageait dès maintenant à suivre et à faire suivre en tous points[348]. Conformément à l'avis de la majorité, l'Édit de janvier (17 janvier 1562) défendit aux réformés «presches et prédications, soit en public ou en privé ny de jour ny de nuict», dans les villes, mais il les autorisa «par provision et jusques à la détermination du dict Concile général» à s'assembler de jour, hors des villes, «pour faire leurs presches, prières et autres exercices de leur religion»[349].

**Note 346:** (retour) Languet, *Arcana*, liv. II, p. 195.

**Note 347:** (retour) Et non la reine de Navarre, Jeanne d'Albret, comme l'imagine sottement le traducteur des lettres du nonce Prosper de Sainte-Croix (Aymon, I, p. 41-42).

**Note 348:** (retour) Lettre du 5 février 1562, Aymon, *Tous les synodes*, I, p. 43.

**Note 349:** (retour) *Mémoires de Condé*, t. III, p. 10-11.

Elle avait proclamé son orthodoxie, au risque d'inquiéter les dissidents, pour faire accepter aux catholiques ce régime de demi-tolérance. Mais le nonce était seul à croire ce qu'il écrivait à Rome, qu'à mesure des progrès de son pouvoir, elle ferait toujours plus ouvertement paraître sa bonne volonté. A Paris, où depuis l'affaire Saint-Médard la population était très excitée, les huguenots furent insultés. Le Parlement refusa d'enregistrer l'Édit. L'ambassadeur d'Espagne alla se plaindre à la Reine-mère du discours du Chancelier «tendant à mestre une forme d'*interim* et laisser vivre tout le monde à sa discrétion». Il la pressa d'expulser les prédicants, lui offrant pour cet effet les forces de son souverain, mais elle répondit «qu'elle ne vouloyt point veoir d'estrangers dans ce royaulme ny aussi pas allumer une guerre qui la contraignist de les y appeller». «De là il est entré, continue la relation française de l'audience[350], sur la nourriture (éducation) du Roy et de messeigneurs ses frères», prétendant que devant eux «chacun disoyt de la religion tout ce qu'il vouloist». Catherine répliqua en colère «que cela (cette accusation) ne touchoyst qu'elle et qu'elle voyoit qu'il (Chantonnay) estoit bien adverty, non pas véritablement, mais bien curieusement, et que si elle cognoissoit les advertisseurs qui calomnient ainsi toutes ses actions, elle leur feroyst sentir combien ilz s'oublient de parler ainsi peu revèremment et véritablement d'elle» «.... Elle avoyt des enfans qui luy estoyent si obéissans qu'on ne leur disoyt rien qu'ils ne luy redissent, par où il (l'ambassadeur) se pouvoit assurer qu'elle sçavoit tous les lengages qu'on leur tenoist et qu'elle les faisoit nourrir de telle façon qu'elle s'asseuroyt que ce royaulme et tous les gens de bien luy en auroient un jour grande obligation»[351]. Dans une lettre à Philippe II de ce même mois de janvier, elle certifiait à son gendre, «monsieur mon fils», comme elle l'appelle, qu'elle ferait «tousjour grande diférance entre seus qui tiene nostre bonne religion et les aultres qui s'en deportent», mais l'âge de son fils et les troubles du royaume «ne m'ont permis, dit-elle, d'avoyr peu fayre conestre à tout le monde set (ce) que je an né (en ai) dans le cour (cœur) et m'on contreynt faire bocup (beaucoup) de chause que en heun aultre sayson je n'euse faist»[352].

**Note 350:** (retour) Ce récit de l'entrevue de la Reine-mère et de Chantonnay (*Mémoires de Condé*, t. II p. 601), n'a pas été vraisemblablement expédié à son destinataire, l'ambassadeur de France en Espagne. La minute de la dépêche porte des corrections et des additions d'une autre main. Elle est datée du 8 ou 9 janvier, au moment où se tenaient les réunions préparatoires à l'Édit de janvier.

**Note 351:** (retour) *Mémoires de Condé*, t. II, p. 603.

**Note 352:** (retour) *Lettres*, I, p. 265.

Mais que cette explication soit ou non sincère, qu'elle agisse par politique ou par dégoût de la violence, on se prend à l'admirer de suivre courageusement la voie qu'elle s'est tracée. Elle réunit dans les derniers jours de janvier quelques théologiens et quelques ministres pour débattre plus particulièrement la question des images. Elle amène à ce nouveau colloque des évêques et des cardinaux. C'était, expliquait-elle au légat, Hippolyte d'Este, le meilleur moyen de convaincre les prédicants d'ignorance que de leur permettre de présenter leurs arguments[353]. En réalité, ce qu'elle voudrait, c'est un programme de réformes, souscrit par les catholiques et les protestants, qu'elle pût présenter au prochain Concile comme le vœu commun des deux Églises. Bèze savait la vanité de cette tentative, mais il s'y prêta pour lui complaire[354]. Monluc et les docteurs catholiques les plus conciliants, Salignac, Despence, Picherel, Bouteiller, sans vouloir, comme les ministres, proscrire absolument les images, émirent le vœu «que les évêques, curés et autres pasteurs remontrassent souvent au peuple que les images n'ont esté receues en l'Église que pour instruire les simples et représenter ce que notre Sauveur a fait pour nous»; qu'elles ne sont pas elle-mêmes un objet de culte et que toutes, «hormis la simple croix», doivent être «déplacées des autels et mises en parois en tels lieux qu'on ne les puisse plus adorer, saluer, baiser, vestir, couronner de fleurs, bouquets, chapeaux, leur offrir vœux, les porter par les rues et temples sur les espaules ou bastons». Mais la majorité des docteurs, tout en blâmant l'abus, décida de maintenir l'usage. Il en fut de ce petit colloque comme du grand colloque de Poissy.

**Note 353:** (retour) Baronii, Raynaldi et Laderchi, *Annales ecclesiastici*, éd. de 1879, Bar-le-Duc et Paris, t. XXXIV, p. 178, lettre du cardinal de Ferrare, du 17 janvier 1562.

**Note 354:** (retour) *Histoire ecclésiastique*, I, p. 692.--Lettre de Bèze à Calvin, 1er février 1562, *Calvini Opera omnia*, XIX, col. 273-275.

Catherine continuait à jouer très serré, multipliant les affirmations de son zèle pour le catholicisme, et laissant les réformés jouir du bénéfice de l'Édit de janvier et même d'un peu plus de liberté. Mais une nouvelle et définitive évolution d'Antoine de Bourbon[355] la priva de son plus solide appui du côté des protestants. Le Légat, qui était aussi fin qu'elle, s'était bien gardé de la heurter de front et même, pour lui plaire, il l'aurait, dit-on, un jour accompagnée au prêche. Entre temps, comme s'il n'eût voulu que la seconder, il travaillait lui aussi à rapprocher le roi de Navarre de Philippe II. Antoine de Bourbon avait beaucoup varié en ses pratiques religieuses au cours de l'année 1561, allant successivement ou le même jour à la messe et au prêche et, selon ses intérêts, fidèle de l'une ou l'autre Église, correspondant avec Calvin et déléguant au pape pour qu'il lui fît obtenir du roi d'Espagne la compensation si ardemment convoitée. La Cour de Rome donna de bonnes paroles. Hippolyte d'Este, le cardinal de Tournon et Chantonnay lui persuadèrent que, s'il menait son fils à la messe--ce fils que Jeanne d'Albret nourrissait avec tant de soin dans l'hérésie--il gagnerait le cœur du Roi catholique et obtiendrait de lui ce qu'il voulait. Il le crut et, immédiatement après l'Édit de janvier, il rompit, définitivement cette fois, avec les réformés. C'était pour eux un coup terrible, comme on en peut juger par la fureur de Bèze. «Ce malheureux, écrit-il à Calvin le 1er février, est absolument perdu et il a résolu de tout perdre avec lui. Il éloigne sa femme, il ose à peine regarder l'Amiral à qui il doit tout»[356]. Bèze ne veut plus désormais l'appeler que «Julien» (l'apostat). «À peine pourrait-on trouver, dit-il, pareil exemple de légèreté, de perfidie, de scélératesse»[357]. Quant à la Reine-mère, ou, comme il dit, notre «autocratrice» Άυτοκράτορα, il reconnaît, «qu'il n'y a pas de sa faute et qu'elle est grandement offensée de ce qui se passe (*istis maxime offendi*)»[358]. Dans le premier moment de colère, elle s'en prit au Connétable, qu'elle rendait responsable du revirement du roi de Navarre, «et en sont venues parolles si aigres que le Connétable s'en est allé»[359]. Le moment était critique. Elle était brouillée avec les chefs du parti catholique, et, dans le parti protestant, elle n'avait plus pour elle que l'Amiral et son frère, d'Andelot, qu'elle avait fait entrer au Conseil privé, la Reine de Navarre, et Condé, qui à la fin de février relevait à peine d'une grosse attaque de fièvre. Sous peine de se perdre, elle était obligée de changer d'allure, sinon de sentiments. Elle donna l'ordre à toutes ses dames et demoiselles de vivre catholiquement à son exemple, si elles ne voulaient pas être chassées honteusement et punies. Le 4 février, elle communia et suivit la procession, accompagnée de toute la Cour[360]. Elle coupa court aux fantaisies huguenotes d'Henri d'Orléans. Elle «le tansa fort, raconte Marguerite, luy et ses gouverneurs, et, le faisant instruire, le contraignist de reprendre la vraye, saincte et ancienne religion de nos pères, de laquelle elle ne s'estoit jamais departie»[361]. Après cette évolution, elle pouvait, dans une lettre à la Reine d'Espagne, s'élever contre ceux qui calomniaient la conduite de son fils. «Le cardysnal de Tournon, écrit-elle, m'a dyst luy-mesme qu'il l'a veu à la mese» (messe)[362].

**Note 355:** (retour) La défection définitive de Antoine de Bourbon a suivi l'Édit de janvier, *Histoire ecclésiastique*, I, p. 688.

**Note 356:** (retour) *Calvini Opera Omnia*, XIX, col. 275.

**Note 357:** (retour) *Ibid.*, col. 299.

**Note 358:** (retour) *Ibid.*, col. 275. Bèze a cancellé dans ses lettres manuscrites, et par conséquent les anciennes édition ne portent pas les passages où il est question de la bonne volonté de la Reine-mère (voir supra p. 109, 110 et ici, p. 115, avec les renvois aux documents). Mais les consciencieux érudits Baum Cunitz et Reuss, qui ont publié les Œuvres complètes de Calvin, ont rétabli tous les endroits supprimés et inédits, et, ce faisant, ils ont rendu aux historiens de Catherine un inappréciable service. Bèze s'en voulait d'avoir été dupe, et les éditeurs de la correspondance de Calvin sont confus qu'il se soit trompé sur le caractère de la Reine et les vertus de ses enfants (XIX, col. 178, notes 6, 7, et col 275, note 16). Au vrai, il n'y a pas tant à rougir. Bèze a vu la Reine-mère, telle qu'elle fut, sincère en cet essai d'apaisement et de tolérance. Si elle a changé de sentiment, c'est qu'elle y a été contrainte par la force des choses. Il faut, sans parti pris, lui tenir compte de ses bonnes intentions.

**Note 359:** (retour) Lettre de Chantonnay, ambassadeur d'Espagne en France, du 3 février 1562, *Mémoires de Condé*, II, p. 21-22.

**Note 360:** (retour) : Lettre du nonce du 5 février, Aymon, *Tous les synodes*, I, p. 65.

**Note 361:** (retour) *Mémoires et lettres de Marguerite de Valois*, publiées par Guessart, Paris, 1842, p. 7.

**Note 362:** (retour) Louis Paris, *Négociations sous François II* (Coll. Doc. inédits), p. 849. Il s'agit, non comme le croit Louis Paris, de Charles IX qui vivait avec sa mère, mais d'Henri d'Orléans qui avait sa «maison» à part et qu'elle avait moins d'occasions de voir. Rapprocher d'ailleurs cette indication de ce que dit plus haut Marguerite de son frère et du cardinal de Tournon.

Surtout elle s'attachait à convaincre le nonce, son garant auprès de la Cour de Rome. Prosper de Sainte-Croix étant allé lui demander de faire quelques modifications à l'Édit de janvier, que le parlement de Paris s'entêtait à ne pas enregistrer, elle lui expliqua qu'il était bien difficile d'aller contre l'opinion de la compagnie consultée à Saint-Germain, mais elle promit toutefois, après en avoir parlé au Chancelier, de lui faire savoir ce qui se pourrait faire. Le Nonce comprit qu'on ne ferait rien et le lui dit. Alors elle se lamenta fort (*se duole grandemente*) de ne pouvoir aller plus avant et que la plaie fût de telle nature qu'elle ne pouvait être guérie autrement, c'est-à-dire que par des remèdes doux. Chasser les prédicants et, comme d'un coup, était chose impossible, mais elle avait l'espérance de pouvoir faire de bien en mieux chaque jour. En témoignage de sa bonne volonté, elle allait renvoyer l'Amiral en sa maison pour montrer une fois de plus qu'elle n'approuvait pas qu'on vécût comme il vivait. Elle lui annonça aussi qu'elle venait d'écrire aux prélats de son royaume et à Monsieur de Candale (Henri de Foix), qu'elle avait choisi pour ambassadeur, de partir pour le Concile, mais elle voudrait que ceux de la nouvelle religion pussent s'y rendre en toute sûreté et y être entendus. Elle parla si bien mêlant le faux et le vrai, adoucissant les refus et amplifiant les promesses, que le Nonce assurait la Cour de Rome du «désir très grand» de la Reine de mettre fin «à toutes diversités de religion»[363].

Comme il n'était pas aussi facile de convaincre le Parlement, le même jour où elle lui renouvelait par lettres de jussion l'ordre de vérifier l'Édit, elle en faisait publier une interprétation restrictive (14 février). Étaient autorisés à prendre part aux assemblées de ceux de la religion les «officiers ordinaires auxquels appartient la cognoissance de la police comme baillifs, senechaux, prevosts, etc.», mais défense était faite d'y paraître aux officiers des «Cours souveraines» ni autres «de judicatures», «que (lesquels) nous entendons (faisoit-elle dire au Roy en cette déclaration) vivre en la foy et religion de Nous et nos prédécesseurs»[364]. Elle laissa partir d'Andelot et Coligny (22 février).

Mais elle renonçait de très mauvaise grâce à sa politique et le montrait bien à l'occasion. Les huguenots continuaient à prêcher à Paris, écrivait le nonce le 28 février, et s'assemblaient par troupes de dix ou douze mille personnes[365]. Les catholiques injurièrent les allants et venants, et ceux-ci menacèrent de s'armer. Les deux partis recoururent à la Reine, qui invita les réformés à se contenter de la liberté que le Roi leur avait octroyée et promit aux catholiques de leur faire réponse le lundi prochain. Elle ne se décidait pas à éloigner le cardinal de Châtillon. Elle ne souffrait plus de prêche dans le château, mais elle gardait comme prédicateur et premier aumônier Louis Bouteiller, un théologien, si ami des concessions que son orthodoxie en était suspecte (*poco sincero*, dit Prosper de Sainte-Croix).

**Note 363:** (retour) Lettre du 5 février, Aymon, *Tous les synodes*, I, p. 66.

**Note 364:** (retour) Condé, *Mémoires*, t. III, p. 16.

**Note 365:** (retour) Aymon, *Synodes*, I, p. 77-79.

Elle refusait de renvoyer le chancelier de L'Hôpital que l'ambassadeur d'Espagne dénonçait comme hérétique. C'est de lui certainement qu'il est question dans une lettre très vive à sa fille, la reine d'Espagne: «...Mon valet ayst plus homme de byen que seus qui en parle et je vous en naseure, (en assure), més pour se qu'i(il) ne reconé que moy et ne dépend de personne, yl (ils) le aïse (haïssent), mais s'et de quoy je l'ayme»[366].

**Note 366:** (retour) Février 1562, *Lettres*, I, p. 614; Louis Paris, *Négociations*, p. 849.

Pour détourner Navarre de prendre parti contre elle, elle recommandait ses intérêts à l'ambassadeur de France à Madrid et sollicitait de Philippe II plus vivement que jamais, cette entrevue où elle se croyait sûre de le convaincre. Irritée de l'opposition où s'acharnait le Parlement contre l'Édit de janvier, elle galopa jusqu'à Paris et força l'enregistrement (6 mars). C'était six jours après le massacre de Vassy.

Les triumvirs s'étaient donné rendez-vous à Paris pour décider ou obliger la Régente à revenir sur ses concessions. Le duc de Guise, parti de son château de Joinville, s'arrêta le dimanche 1er mars à Vassy pour y entendre la messe. Quelques-uns de ses gens se prirent de querelle avec les réformés de la ville et des environs, qui tenaient leur prêche dans une grange près de l'église. Ils appelèrent à l'aide leurs compagnons, assaillirent en armes l'assemblée des fidèles, frappèrent et tuèrent[367]. Cette échauffourée sanglante fut célébrée par les catholiques à l'égal d'une victoire. Le Connétable alla au-devant de Guise jusqu'à Nanteuil[368]. Paris, où il entra le 16 mars, le salua de ses acclamations[369]. Le prévôt des marchands lui offrit, au nom de la ville vingt mille hommes et six millions de livres, pour rétablir la paix religieuse, c'est-à-dire l'unité. Le Duc répondit modestement que c'était l'affaire de la Reine-mère et du roi de Navarre, lieutenant général du royaume, et «qu'en sa qualité de sujet du roi, il mettait son honneur à leur obéir»[370]. Les protestants armèrent pour se défendre et se venger. Des centaines de gentilshommes rejoignirent à Paris le prince de Condé, qui, depuis la défection de son frère, était regardé comme le chef du parti. Bèze courut à Saint-Germain demander justice des massacreurs. Le roi de Navarre, avec l'ardeur d'un néophyte, imputa le fait de Vassy à l'insolence des religionnaires, mais la Reine «fit gratieuse responce promettant que bonnes informations seroient prises et que pourvu qu'on se contînt on pourvoiroit à tout»[371]. Elle nomma gouverneur de Paris le cardinal de Bourbon, qui, frère du roi de Navarre et du prince de Condé, devait inspirer confiance aux deux partis. Le Cardinal réunit les présidents au Parlement et, sur leur avis, décida que Guise et Condé seraient priés de s'éloigner. Mais «des habitans, mesmement (surtout) les marchands» requirent les triumvirs «de n'abandonner la dite ville», et Guise et Montmorency restèrent[372]. Quelques jours après, Condé, qui appréhendait de livrer bataille dans les rues à cette population fanatique, partit avec ses troupes.

**Note 367:** (retour) Sur le massacre, voir *Histoire de France* de Lavisse, t. VI, 1, p. 58-59.--Lavisse, *Le massacre fait à Vassy* dans *les Grandes Scènes historiques du* XVIe *siècle... de Tortorel et Perrissin*, publiées par Franklin, Paris, 1886.

**Note 368:** (retour) *Mémoires du duc de Guise*, Michaud et Poujoulat, t. VI, p. 489.

**Note 369:** (retour) Journal de l'année 1562, *Revue rétrospective ou Bibliothèque historique*, 1re série, t. V (1834), p. 86-87.

**Note 370:** (retour) De Ruble, *Antoine de Bourbon et Jeanne d'Albret*, t. IV, p. 119.

**Note 371:** (retour) *Histoire ecclésiastique*, II, p. 3.

**Note 372:** (retour) *Mémoires du duc de Guise*, Michaud et Poujoulat, t. VI, p. 489.

Il aurait dû marcher sur Fontainebleau, où se trouvait la Cour, enlever le Roi et la Reine et, les conduisant dans son camp, y transporter la légalité. Il ne lui vint même pas à l'esprit de rester dans le voisinage pour les défendre contre une agression des triumvirs. Les quatre lettres que Catherine lui écrivit du 16 au 26 mars le lui signifiaient assez clairement[373]. «Je n'oublyeray jamais, dit-elle dans l'une, ce que ferez pour le Roy mon filz et moy»[374]. «Je voy tant de choses qui me déplaisent, écrit-elle dans une autre, que, si ce n'estoit la fiance que j'ay en Dieu et asseurance en vous que m'ayderez à conserver ce royaume et le service du Roy mon fils, en despit de ceulx qui veullent tout perdre, je seroys encore plus faschée, mais j'espère que nous remédirons bien à tout avec vostre bon conseil et ayde...»[375] Et dans une troisième: «Je n'oublyeray jamais, disait-elle, ce que faictes pour moy et si je meurs avant avoir le moyen de le pouvoir recongnoistre, comme j'en ay la voulonté, j'en lairray une instruction à mes enffans»[376]. Plus tard elle avouait que lorsque le Prince, à son départ de Paris, lui avait, de La Ferté, demandé la permission «pour sa seureté», de rester en armes, elle lui avait répondu qu'elle ne le trouvait «mauvés pourveu qu'y (il) ne fallit à set (se) desarmer» quand elle le lui manderait[377]. Condé manqua de décision ou voulut éviter jusqu'à l'apparence de la contrainte. Il abandonna la capitale et ne mit pas la main sur Charles IX, oubliant que la prise du Roi ou de Paris est, comme dit Tavannes, la moitié de la victoire.

Les triumvirs le savaient bien. Guise et Antoine de Bourbon allèrent droit à Fontainebleau avec mille cavaliers, et invitèrent la Reine à rentrer avec son fils à Paris. Elle refusa, pria, supplia. Restée seule avec Antoine de Bourbon, elle réussit à l'attendrir. Mais Guise survint. Antoine se ressaisit, et ordonna les apprêts du départ, menaçant de coups de bâton «ceux qui ne vouloient destendre le lit du Roy par crainte de la Reyne»[378]. La Cour prisonnière s'achemina vers la capitale (31 mars). Catherine pleurait de dépit. Mais Guise goguenard remarquait qu'un «bien qui vient d'amour ou de force ne laisse pas d'être toujours un bien».

**Note 373:** (retour) *Lettres*, I, p. 281-284.

**Note 374:** (retour) *Ibid.*, p. 282.

**Note 375:** (retour) *Ibid.*, p. 283.

**Note 376:** (retour) *Ibid.*, p. 284.

**Note 377:** (retour) *Ibid.*, p. 291, 10 avril.

**Note 378:** (retour) De Ruble, IV, p. 134. Le roi, quand il allait d'une résidence à l'autre, emportait sa literie.

Elle ne se lamenta pas longtemps. Sa politique de tolérance lui avait été inspirée non par quelque sympathie pour des doctrines qu'elle connaissait mal, mais par le dégoût des persécutions et la constatation de leur impuissance. Il est possible que, si les protestants avaient eu le dessus, elle eût, pour garder le pouvoir, consenti, suivant un mot qu'on lui prête, à entendre la messe en français. Mais elle n'avait plus à choisir; l'énergie de Guise avait décidé en faveur du catholicisme. Elle n'était pas femme à se sacrifier pour une minorité qui n'avait su ni se défendre ni la défendre. Elle s'accorda sans peine avec les vainqueurs. Ils ne lui imposèrent d'autre condition, comme on peut en juger d'après ce qui suivit, que de revenir sur les concessions de l'Édit de Janvier. Ils avaient intérêt à la ménager et à la maintenir à sa place et à son rang, pour ôter à leurs adversaires l'occasion de se poser en champions du Roi. Le revirement de Catherine fut si prompt qu'il n'eut pas l'air d'être forcé. Elle recommença ou plutôt continua de gouverner l'État et elle prit avec aisance la direction du parti catholique. Les lettres qu'elle venait d'écrire au prince de Condé étaient claires, mais elle prétendit prouver à ses ambassadeurs, à Philippe II, au cardinal de Châtillon et au destinataire lui-même qu'elles n'avaient pas le sens qu'elles paraissaient avoir. Comme Condé, fort de ses déclarations, soutenait qu'elle était, avec son fils, prisonnière des triumvirs, elle retourna l'argument contre les huguenots en armes: «desquelz, il fault que je croye, retiennent contre son gré mon cousin le prince de Condé... pour donner plus d'auctorité à leur faict». Mais «si prisonniers [il] y a» du côté catholique, «ce sont les dicts princes et seigneurs (les triumvirs), desquelz le roy mondict filz et moy tenons et les cueurs et les vyes si affectées au bien de ceste couronne que je les veoy prestz à les sacrifier pour la conservation d'icelle et le service du Roy...»[379].

**Note 379:** (retour) *Lettres*, t. I, p. 294-295, 11 avril 1562.

Elle s'inquiétait surtout de l'effet de ses lettres sur les princes protestants d'Allemagne. Condé leur en avait envoyé copie ainsi qu'à la Diète germanique pour justifier sa prise d'armes et réclamer des secours d'hommes et d'argent. La Reine jugeait aussi dangereux de passer pour complice que pour victime des chefs catholiques. Le duc de Wurtemberg, un luthérien, qui ne savait pas son évolution, lui avait écrit, le 15 avril 1562, de bien prendre garde aux «moyens persuasions menaces et tous autres empêchements.... possibles» aux ennemis de la parole de Dieu pour la «faire trébucher et desvoyer de la vraye doctrine et religion du saint Évangile que notre Seigneur par sa sainte grâce» lui avait «esclairci»[380]. Il lui parlait comme à une convertie, tant il est vrai qu'à cette époque la tolérance d'une doctrine passait pour une adhésion. Mais, avant d'avoir reçu cette exhortation, Catherine qui appréhendait pour la sûreté du royaume le contre-coup du massacre de Vassy et de l'enlèvement de Fontainebleau, faisait partir le 17 avril Courtelary, interprète d'allemand, chargé d'assurer de vive voix au pieux souverain qu'elle demeurait «permanente» en la Confession chrestienne de la Saincte Doctrine de l'Évangile»[381]. Elle trouvait légitime de mentir pour éviter une invasion.

**Note 380:** (retour) 15 avril 1562, *Bulletin de la Société du Protestantisme français*, XXIV, 1875, p. 507.

**Note 381:** (retour) Le duc de Wurtemberg à la Reine-mère, 16 mai, *Mémoires de Condé*, III, 286. La lettre de Catherine du 17 avril à laquelle il répond ne dit rien de semblable (*ibid.* 283). Catherine vient d'apprendre à ses dépens le danger des écritures et elle se garderait bien de se compromettre à nouveau. Mais il n'est pas douteux qu'elle a fait donner au Duc oralement les assurances qu'il répète et probablement dans les mêmes termes où Courtelary les lui a transmises.

La réaction s'annonça par un privilège octroyé à la ville de Paris. Le 11 avril, le Roi, tout en confirmant l'Édit de janvier, interdit par une dérogation formelle les prêches, assemblées publiques ou privées, et administration des sacrements, si ce n'est à la mode catholique, dans les faubourgs et la banlieue de la capitale. Après que Catherine eut fait ce premier pas en arrière, les triumvirs lui délivrèrent un certificat d'orthodoxie qu'elle s'empressa d'expédier à Philippe II (16 avril)[382]. Le 12 mai, elle sortit de Paris et alla s'établir en son château de Monceaux.

**Note 382:** (retour) *Lettres*, I, p. 296-297.

Libre de ses mouvements, elle ne désespérait pas de maintenir la paix. C'était avoir une foi robuste en ses moyens. À Sens, à Angers, à Tours et en d'autres grandes villes, la populace catholique avait renouvelé l'exploit de Vassy; la «grande lèvrière», comme on disait, donnait la chasse aux hérétiques avec un entrain furieux[383]. De leur côté, les bandes huguenotes assaillaient les places fortes et quelquefois rendaient violence pour violence. Condé, avec quelques centaines de gentilshommes, avait enlevé Orléans, pour ainsi dire au galop (2 avril). Ses lieutenants occupèrent Angers, Tours, Blois, tout le cours moyen de la Loire. Dans la vallée du Rhône, le baron des Adrets surprit Valence le 27 avril et, trois jours après, Lyon, la seconde ville du royaume. Le prestige des triumvirs était atteint par ces échecs. Catherine n'en était que plus à l'aise pour négocier. Elle n'aimait pas la guerre qui donne aux chefs militaires trop d'importance. Elle expédia à Orléans, devenue la capitale du parti protestant, des ambassadeurs de tout état: gens de robe, gens d'épée, gens d'Église, Arthus de Cossé, sieur de Gonnor, l'abbé de Saint Jehan de Laon, le maréchal de Vieilleville, le sieur de Villars--et son fidèle Monluc, l'évêque de Valence, qui, pour rester plus longtemps dans la ville, contrefit si bien le malade que le bruit courut qu'il était mort. Mais il y perdit sa peine. Catherine voulait supprimer partout le libre exercice du culte réformé que Condé voulait maintenir là où il était autorisé par l'Édit de janvier. C'étaient des exigences inconciliables.

**Note 383:** (retour) Mariéjol, *Histoire de France de Lavisse*, t. VI, 1, p. 63-64.

Elle se mit elle-même en campagne et donna rendez-vous au Prince à Toury (9 juin)[384]. Gênée peut-être par la présence du roi de Navarre, en qui elle pouvait craindre un surveillant, elle se montra, contre son naturel, violente et agressive. Elle parla même d'excepter de l'amnistie les magistrats rebelles. Comme Condé témoignait une grande confiance en ses troupes, elle riposta sur un ton de menace: «Puisque vous vous fiez à vos forces, nous vous montrerons les nôtres». On se sépara sans avoir rien fait. Cependant l'opinion s'établissait que la présence des triumvirs à la tête de l'armée catholique était le grand obstacle à la paix. Condé offrit à son frère, s'ils s'éloignaient, de se livrer lui-même en otage à la Reine: condition qui fut de part et d'autre exécutée. Mais quand, à Talcy, où les chefs protestants allèrent la trouver (29 ou 30 juin), elle leur signifia qu'il fallait renoncer à l'Édit de janvier et au libre exercice du culte, Coligny, au nom de tous, protesta. La Reine s'emporta et reprocha au Prince de l'avoir trompée sur les dispositions de ses partisans. «Ha! mon cousin, vous m'affolez, vous me ruinez»[385]. Avait-elle pu croire que les huguenots se livreraient à merci? Même s'ils avaient eu pleine confiance en son bon vouloir, ils pouvaient douter de sa puissance et se défier de la pression des chefs catholiques et de la fureur des masses. Elle estimait probablement que la capitulation sans réserves d'un parti serait glorieuse pour elle et lui donnerait la force d'imposer un compromis à l'autre. C'était toujours au rôle de médiatrice et d'arbitre qu'elle en revenait. Mais était-il possible de faire la loi aux belligérants avant qu'ils fussent épuisés par la lutte? Le passé ne permettait pas de le croire. Toutefois il est certain que la Régente, comme on le vit après ces premiers troubles, n'avait pas l'intention de désarmer les protestants pour les donner en proie aux catholiques.

**Note 384:** (retour) Sur cette entrevue et celles qui suivirent, voir de Ruble, *Antoine de Bourbon et Jeanne d'Albret*, t. IV, p. 244, ou Edmond Cabié, *Ambassade en Espagne de Jean Ébrard, seigneur de Saint-Sulpice, de* 1562 *à* 1565.., Albi, 1903, p. 44 sq., note 1.

**Note 385:** (retour) De Ruble, t. IV, p. 263.

Alors, dans son grand désir de pacification, elle s'avisa d'un moyen qui n'était pas ordinaire. Sachant la répugnance de Condé à «entrer en guerre contre sa propre nation», elle lui fit suggérer par Monluc de faire paraître ses sentiments «par toutes belles offres et beaux effets», comme de déclarer, à la première entrevue qu'elle aurait avec lui, qu'il aimait mieux sortir du royaume «avec ses amis» que de le «voir.... exposé au feu et au sang». Monluc laissait entendre que la Reine, surprise de cette générosité, «ne sauroit que respondre» et se montrerait d'autant plus facile sur les conditions d'un accord. Aussi, quand Condé revit Catherine, il se dit résigné à l'exil, s'il le fallait absolument pour épargner au pays les malheurs de la guerre. Elle le prit au mot et sur-le-champ lui donna congé de vivre hors de France jusqu'à la majorité du roi. Mais l'Amiral, que son expérience et son caractère égalaient presque à Louis de Bourbon, ne crut pas que l'armée fût liée par l'imprudence de son chef. Il consulta les soldats qui, tout d'une voix, répondirent «que la terre de France les avoit engendrez et qu'elle leur serviroit de sépulture»[386]. Ainsi finit cette comédie à l'italienne.

La lutte reprit avec plus de violence sur tous les points du territoire et les étrangers s'y mêlèrent. Catherine avait demandé des secours à Philippe II, au duc de Savoie et au pape; Condé et Coligny à l'Allemagne protestante et aux Anglais, mais ceux-ci vendirent fort cher les subsides et les soldats qu'ils fournirent. Ils avaient, au traité du Cateau-Cambrésis (1559), abandonné à Henri II, pour huit ans, la ville de Calais, cette glorieuse conquête de Guise, à charge pour le roi de France, s'il tardait à la rendre au terme fixé, de leur payer une indemnité de huit cent mille couronnes, sans préjudice de leurs droits. C'était une formule diplomatique pour ménager leur amour-propre et masquer la cession définitive. La reine d'Angleterre, Élisabeth, qui avait, à son avènement, ratifié à contre-cœur cette clause onéreuse, voulut profiter des divisions de ses voisins, pour recouvrer «son bien». Les négociateurs huguenots la suppliant «à grosses larmes» de prendre en mains la défense des Églises, elle y mit pour condition que Condé et Coligny s'engageraient à lui faire restituer Calais, le plus tôt possible, sans attendre ni prétexter le délai de huit ans prévu au Cateau-Cambrésis et qu'en garantie de leur promesse ils lui livreraient immédiatement Le Havre (Convention d'Hampton-Court, 20 septembre 1562)[387].

**Note 386:** (retour) F. de La Noue, *Mémoires*, ch. IV, éd. Buchon, p. 282-283.--De Ruble, t. IV, p. 263-267.

**Note 387:** (retour) Le texte le plus exact de l'accord se trouve dans les *Mémoires de Condé*, t. III, p. 689.

L'armée royale, après s'être emparée de Poitiers (31 mai) et de Bourges (31 août), marcha droit à Rouen, qu'il importait de reprendre aux huguenots avant le débarquement des Anglais (septembre 1562). Catherine alla s'établir devant la place avec les assiégeants. Pour les encourager, elle «ne failloit tous les jours, raconte Brantôme, à venir au fort Sainte-Catherine», qui dominait la ville, «tenir conseil et voir faire la batterie. Que je l'aye veue souvent passant par ce chemin creux de Sainte-Catherine. Les canonnades et harquebusades pleuvoient autour d'elle qu'elle s'en soucioit autant que rien... Et quand Monsieur le Connestable et Monsieur de Guise luy remonstroient qu'il luy en arriveroit malheur, elle n'en faisoit que rire et dire pourquoy elle s'y épargnerait non plus qu'eux puisqu'elle avoit le courage aussi bon»[388]. Elle bravait la mort comme un homme. Son prestige en fut accru ainsi qu'elle y comptait.

**Note 388:** (retour) Brantôme, VII, p. 365.

Mais elle aspirait à la paix et le hasard la servit bien. Antoine de Bourbon mourut quelques jours après la prise de Rouen d'un coup d'arquebuse reçu au siège (17 novembre). Les chefs des deux armées, Condé et le Connétable, furent faits prisonniers et Saint-André tué à la bataille de Dreux, l'action la plus mémorable de cette première guerre civile (19 décembre). Guise fut assassiné par Poltrot de Méré devant Orléans qu'il assiégeait (24 février 1563). Elle se trouva débarrassée momentanément ou pour toujours des principaux chefs des deux partis. Mais Coligny continuait à tenir la campagne et les Anglais étaient au Havre. Crussol, le mari d'une de ses dames favorites, qu'elle avait envoyé pacifier le Languedoc, réussissait si bien à s'entendre avec les huguenots de la province qu'il en devenait inquiétant. Il fallait faire la paix au plus vite. Elle eut l'air de la considérer comme un accord entre les catholiques et les protestants, où la royauté n'interviendrait à la fin que pour donner sa sanction. Elle s'assurait ainsi le moyen d'opposer à leurs exigences un contrat d'obligations mutuelles. Le Connétable et Condé furent de part et d'autre relâchés pour discuter les clauses du traité. Catherine était sûre que les négociateurs ne se sépareraient pas sans conclure. C'était à Montmorency, l'un des auteurs responsables du conflit, de voir quelles concessions il pouvait faire aux protestants. Le dernier survivant du triumvirat tint à honneur de ne pas se dédire. À sa première rencontre avec Condé, il lui refusa si net le rétablissement de l'Édit de janvier que le jeune Prince, impatient de sa captivité, consentit à débattre et finit par accepter des clauses moins avantageuses[389]. L'Édit de pacification d'Amboise (19 mars 1563) octroya la liberté de conscience aux réformés dans tout le royaume, mais restreignit la liberté de culte à certains lieux ou à certaines personnes. Les seigneurs hauts justiciers, avec leurs familles et leurs sujets, et les seigneurs ayant fief, avec leur famille seulement, en jouiraient dans leurs maisons; l'ensemble des fidèles, dans une ville par bailliage, où il leur serait loisible d'avoir des temples dans les faubourgs. Et même dans la vicomté et prévôté de Paris, il n'y aurait d'autre exercice que du catholicisme. Ainsi les droits en matière religieuse étaient localisés et hiérarchisés. Les hauts justiciers pouvaient admettre leurs sujets à leurs cérémonies domestiques, ce que les simples fieffés ne pouvaient pas faire. Le reste des nobles, les gens des villes et les paysans, à moins que ceux-ci ne fussent sujets d'un haut justicier, étaient obligés d'aller chercher souvent très loin un temple ou une assemblée de prière. Les gentilshommes qui défendaient Orléans acceptèrent, par lassitude et préjugé de distinction sociale, ce compromis que les ministres réfugiés dans la place avaient unanimement condamné[390]. Les chefs spirituels prévoyaient sans doute que la Réforme, cantonnée et, pour ainsi dire, parquée, n'aurait plus de pouvoir rayonnant, chacun de ses foyers étant isolément trop faible. Coligny, arrivé aussitôt après la conclusion de la paix, blâma Condé d'avoir fait «la part à Dieu», une petite part et d'avoir ruiné plus d'églises «par ce trait de plume que toutes les forces ennemies n'en eussent pu abattre en dix ans»[391]. Calvin le traitait de «misérable» qui avait trahi «Dieu en sa vanité»[392]. La faute était en effet de conséquence dans le présent et pour l'avenir. L'aristocratie du parti semblait s'être désintéressée de la cause commune. Se réserver la pleine jouissance du culte, continuer à occuper les plus hautes charges et les premières dignités de l'État et consentir qu'une grande partie des habitants des villes et des campagnes fût privée de la liberté la plus chère, c'était montrer peu de zèle pour les humbles et les petits et proclamer dans l'unité de foi l'inégalité des conditions. Le protestantisme apparut aux masses simplistes comme la religion de la haute noblesse, un nouveau privilège. Le recrutement par en bas se ralentit[393].

**Note 389:** (retour) *Mémoires de Condé*, IV, p. 311.

**Note 390:** (retour) *Calvini Opera omnia*, XIX, col. 681 et la note 2.

**Note 391:** (retour) *Histoire ecclésiastique*, II, p. 335.

**Note 392:** (retour) Calvin à Soubise, 5 avril 1563. *Calvini Opera omnia*, t. XIX, col. 686.--Cf. le même à Bullinger, col. 690.

**Note 393:** (retour) : Mariéjol, *Histoire de France de Lavisse*, t. VI. I, p. 74-75.

Catherine sortait indemne d'une expérience où sa fortune avait couru tant de risques. Femme et étrangère, elle avait, sous un roi enfant, entrepris d'inaugurer la tolérance dans un pays où les prisons regorgeaient d'hérétiques et en un temps où persécuteurs et persécutés, s'accusant mutuellement d'hérésie, professaient tous qu'elle était punissable, même de mort. C'est sa gloire--une gloire qu'il ne faut pas lui dénier--d'avoir conçu ce dessein et de l'avoir poursuivi, malgré les menaces et les dangers. Mais elle n'avait prévu ni les effets ni les réactions de sa politique généreuse. Aussi fut-elle surprise par l'explosion des haines et des exigences. Confiante à l'excès dans ses moyens et persuadée qu'il lui suffisait de parler pour convaincre, elle pensait diriger les événements, et ce fut les événements qui la menèrent. De son propre aveu fait en une heure de sincérité, elle y pourvoyait au jour la journée. C'était encore trop dire; en réalité elle ne savait qu'ajouter une nouvelle concession à la concession déjà faite, sans pouvoir, ou, peut-être même, en un très court moment, sans vouloir dire aux réformés: «Vous n'irez pas plus loin». Les chefs catholiques, prenant l'offensive, la mirent en demeure de choisir entre les deux religions. Que fût-il advenu d'elle, si Condé, accourant à son appel, l'avait conduite dans son camp et placée à la tête des troupes protestantes? Son bonheur la sauva de ce risque. Le retour forcé de Fontainebleau à Paris fut son chemin de Damas; il lui révéla l'avenir du catholicisme. C'était la fin, sans retour possible, des colloques qu'elle présidait solennellement avec le Roi, des apparitions aux prêches, des entretiens familiers avec Bèze et Pierre Martyr, des mascarades mitrées de Charles IX et des démonstrations iconoclastes du duc d'Orléans. Elle avait éprouvé la force des masses et des grands corps de l'État et leur attachement passionné à l'Église traditionnelle. Mais si elle traita désormais les protestants en minorité dissidente et renonça aux complaisances, elle continua longtemps encore à pratiquer ses principes de modération et de tolérance.

# CHAPITRE V

## L'EXPÉRIENCE ET L'ÉCHEC DE LA POLITIQUE MODÉRÉE

Catherine était une femme heureuse; le hasard et le fanatisme l'avaient d'eux-mêmes si bien servie qu'elle n'aurait pu souhaiter un dénouement plus favorable. Ses rivaux de pouvoir, le roi de Navarre et le duc de Guise, étaient morts[394], laissant pour chefs de leur maison deux enfants, Henri de Bourbon et Henri de Lorraine, celui-ci âgé de treize ans et celui-là de neuf. Le dernier des triumvirs, Montmorency, vieillissait assoupli par sa mésaventure de Dreux. Condé était las des batailles et désireux de reprendre à la Cour la place d'Antoine de Bourbon. La Reine-mère, forte de l'affaiblissement des partis, gouverna le royaume pendant quatre ans, avec une pleine autorité, non sans troubles, mais sans révolte.

**Note 394:** (retour) Ce n'est pas une raison suffisante pour insinuer qu'elle pourrait bien avoir été la complice de Poltrot de Méré, en vertu du dangereux adage: *Is fecit cui prodest*, comme le fait dans cette œuvre sombre: *De quelques assassins*, 2e éd., Paris, 1912, p. 84 et suiv., l'historien élégant, distingué et d'ordinaire si bienveillant des diplomates, des gentilshommes et des créoles de l'ancienne France, M. Pierre de Vaissière.

Cette période d'accalmie est, semble-t-il, le moment le mieux choisi pour la voir à l'œuvre et la bien juger. Avant, c'est l'essai orageux d'un régime de tolérance; après, c'est une longue guerre d'extermination contre les protestants, deux crises d'illusion et de haine, où elle s'est peut-être montrée meilleure ou pire que nature. Mais durant sa paisible possession du pouvoir de 1563 à 1567, rien ne l'empêchait ni ne la détourna d'être elle-même. La façon dont elle dirigea les affaires selon ses principes ou ses intérêts peut donner une idée suffisamment juste, sous les réserves d'ailleurs que ce genre d'appréciations comporte, de son intelligence politique et de son système de gouvernement.

La première guerre de religion avait eu déjà le caractère international de celles qui suivirent. Catholiques et huguenots avaient appelé à l'aide leurs coreligionnaires de tous pays. Mais ce recours, ainsi qu'on s'en aperçut, était dangereux. Pour s'assurer l'appui du duc de Savoie, Emmanuel-Philibert, Catherine dut échanger Turin, Chieri, Villeneuve d'Asti, Chivasso, que le traité du Cateau-Cambrésis avait laissés provisoirement à la France, contre Pérouse et Savillan, qui valaient beaucoup moins (traité de Fossano, 2 novembre 1562). Il lui en coûta, du moins on veut le croire, de resserrer encore les possessions d'entre monts, porte ouverte sur cette Italie où l'attirait le mirage de Florence et d'Urbin. Dans une lettre à Bourdillon, gouverneur du Piémont, elle s'excusait presque de cet abandon sur la durée des troubles et sur le besoin qu'elle avait de trois mille hommes de pied et de deux cents chevaux promis par le duc de Savoie[395].

Les huguenots, par même nécessité, avaient fait pis: ils avaient introduit les Anglais dans le royaume. Élisabeth s'était fait livrer la place forte du Havre, contre un secours d'hommes et d'argent. Et maintenant, la paix faite, elle prétendait la garder si Condé et Coligny ne tenaient pas l'engagement pris à Hampton-Court (20 septembre 1562) de lui faire recouvrer dans le plus bref délai possible «sa ville» de Calais. Or, le traité du Cateau-Cambrésis de 1559 n'obligeait la France à restituer Calais à l'Angleterre que dans huit ans, et même stipulait pour toute sanction, en cas de retard, autant dire de refus, le paiement d'une indemnité de 500 000 couronnes. Les chefs protestants comprirent un peu tard qu'ils avaient été bien imprudents, pour ne pas dire criminels, de promettre cette rétrocession avant terme, ou même à terme. Condé, en avisant Élisabeth de la signature prochaine de la paix, la louait intentionnellement d'avoir, au début de la guerre, protesté que «aultre occasion ne vous a menée à nous favoriser que le seul zelle que vous portez à la protection des fidelles qui désirent la publicacion de la pureté de l'Évangile»[396]. Mais Élisabeth repoussa bien loin ces suggestions de politique désintéressée et rappela brutalement les clauses d'Hampton-Court; elle voulait Calais en échange du Havre.

**Note 395:** (retour) Catherine à Bourdillon, gouverneur du Piémont, 17 juillet 1562, *Lettres*, t. I, p. 359. Le maréchal de Brissac que Bourdillon avait remplacé, avait demandé son rappel pour ne pas être obligé d'exécuter les clauses du traité du Cateau-Cambrésis. Catherine lui fit donner, en compensation, le gouvernement de Picardie.--De Ruble, *Le Traité de Cateau-Cambrésis*, 1889, p. 55-56, dit à tort que la France céda aussi Pignerol. «Par l'advis de tout le Conseil du Roy monsieur mon fils, écrit Catherine, nous sommes contentez de *prandre* Pinerol, La Perouse et Savillan, avec les antiens finages et territoires.»

**Note 396:** (retour) Lettre écrite d'Orléans le 8 mars 1563, Duc d'Aumale, *Histoire des princes de Condé pendant les* XVIe *et* XVIIe *siècles*, 1889, t. I app., p. 405.

Catherine n'eut garde de s'interposer tout de suite entre les anciens alliés. Elle laissa partir sans pouvoirs Bricquemault, un brave capitaine huguenot, que Condé et Coligny envoyaient en Angleterre proposer au nom du parti la restitution de Calais, à l'échéance fixée par le traité du Cateau-Cambresis. Il revint sans avoir rien obtenu. Il expliqua naïvement à la Reine-mère que s'il avait été libre d'offrir comme otages son fils, Henri d'Orléans ou le prince de Navarre ou le duc de Guise, il aurait certainement réussi à conclure l'accord. Elle s'amusa de ce diplomate si généreux et lui conseilla d'aller prendre du repos en sa maison. Et cependant, dit-elle, «nous ne perdrons point le temps»[397]. Elle était bien résolue à garder Calais et à reprendre Le Havre. Jusque-là Charles IX s'était borné à écrire à Élisabeth en termes amicaux que la paix étant rétablie entre ses sujets de diverses religions l'occupation du Havre était désormais sans objet (30 avril). Quand les rapports entre les protestants et les Anglais furent suffisamment tendus, il intervint directement. Catherine délégua en Angleterre un tout jeune secrétaire d'État, le sieur d'Alluye, qui parla très haut comme elle l'espérait. Élisabeth, irritée de ses bravades, se serait oubliée jusqu'à écrire en France qu'elle avait pris et gardait Le Havre, «non pour le motif de la religion», «mais bien pour se venger de ce royaume de France et des injures et des torts qu'on lui avait faits... et pour s'indemniser» de Calais, «qui était son droit»[398].

**Note 397:** (retour) Middlemore, agent d'Élisabeth en France, à Cecil, secrétaire d'État de la Reine (17 mai), Duc d'Aumale, *Histoire des princes de Condé*, t. I. app., p. 497.

**Note 398:** (retour) Middlemore à Cecil du 19 juin 1563, *Ibid.*, I, p. 497.

Cette lettre, authentique ou non, exprimait si bien ses vrais sentiments, qu'elle indisposa beaucoup de huguenots. Condé, avec nombre de gentilshommes de la religion, rejoignit l'armée royale sous les murs du Havre. La tranchée était à peine ouverte que la place capitula (28 juillet 1563). Après le départ de cette garnison étrangère, Catherine fit arrêter (5 août) l'ambassadeur anglais, Throcmorton, qui, pendant la guerre civile, avait passé au parti protestant et qu'Élisabeth chargeait *in extremis* de négocier la confirmation du traité du Cateau-Cambrésis. Du château de Gaillon où elle s'était installée chez le cardinal de Bourbon pour suivre les opérations du siège, elle mena le Roi en son parlement de Rouen, et dans la séance même où Charles IX se déclara majeur, le Chancelier proclama les Anglais déchus par une agression sans motifs de tous les droits qu'ils pouvaient prétendre sur Calais (17 août). Élisabeth, intimidée par la décision du gouvernement et par l'accord des partis, se réduisit à l'indemnité de 500 000 couronnes, mais sans succès, et, après un long marchandage, elle finit par accepter 120 000 couronnes que Charles IX lui offrait «à titre d'honnesteté et de courtoisie». Calais était définitivement acquis à la France (traité de Troyes, 12 avril 1564).

Catherine se flattait de régler avec le même bonheur les querelles religieuses.

Pour s'assurer le surcroît d'autorité que les hommes du temps attribuaient aux ordres du roi donnés par le roi même, et probablement aussi pour ruiner les prétentions de Condé à la lieutenance-générale, elle émancipa son fils. L'ordonnance de Charles V fixait à quatorze ans la majorité des rois de France, et Charles IX n'en avait que treize; mais le Conseil, sollicitant ce texte dans le sens le plus favorable, arrêta qu'il signifiait l'entrée dans la quatorzième année. Le Chancelier avait fait aussi décider que l'inauguration du pouvoir personnel se ferait non au parlement de Paris, mais à celui de

Rouen, sous prétexte que tous les parlements de France étaient des «classes» régionales du Parlement du roi. En fait, il voulait éviter les remontrances de la première Cour du royaume sur la déclaration confirmative de l'Édit d'Amboise, qui devait être jointe à l'acte de majorité.

Charles se rendit processionnellement (17 août) au Parlement, accompagné de la Régente, des princes, du Connétable, des maréchaux de France et de beaucoup de seigneurs et autres conseillers en son Conseil[399]. Il prit place en son siège royal, ayant à sa droite sa mère, son frère Henri et les princes du sang, et à sa gauche les cardinaux de Châtillon et de Guise. Les portes ayant été closes, il dit que Dieu lui ayant fait la grâce de pacifier son royaume et d'en chasser les Anglais, il était venu en cette ville pour faire entendre «qu'ayant atteint l'aage de majorité, comme j'ay à présent, que je ne veux plus endurer que l'on use en mon endroit de la désobeyssence que l'on m'a jusques ici portée depuis que ces troubles sont encommencez». Il ordonnait à ses sujets de garder son Édit de paix, sous peine «d'estre chastiez comme rebelles» et leur interdisait à tous petits ou grands (fussent ses frères) d'avoir sans son congé intelligence au dehors avec les princes amis ou ennemis et de «faire cueillette ny lever argent» en son royaume sans son exprès commandement.

**Note 399:** (retour) Dupuy, *Traité de la majorité de nos rois et des régences du royaume*, Paris, 1655, p. 356 sqq.

Le Chancelier, après avoir amplifié les défenses royales et annoncé l'incorporation de Calais au domaine, loua la sagesse de Charles V, qui, sans «muer les lois de nature ne faire sage avant le temps celuy qui ne le peut estre», avait voulu, par cette sainte ordonnance, mettre fin aux régences toujours et partout fécondes en troubles et en désastres, comme on le voit dans toutes les histoires». Le Roi était maintenant majeur, mais, ajouta-t-il, je ne craindray point à dire en la présence de Sa Majesté, (car il le nous a ainsy dict) qu'il veut estre réputé majeur en tout et partout, et à l'endroict de tous, fors et excepté vers la Royne sa mère, à laquelle il réservoit la puissance de commander.

L'Hôpital ne laissa pas échapper l'occasion, qu'il eût pu choisir plus opportune, de faire la leçon aux magistrats. Il leur reprocha de se mettre au-dessus des ordonnances, et leur enjoignit d'appliquer les lois «sans affection et passion». Il les reprit rudement de leur partialité, leurs injustices, leur avidité[400].

**Note 400:** (retour) *Id.*, *ibid.*, p. 376.--Dufey, *Œuvres complètes de Michel de l'Hospital, chancelier de France*, 1824, t. II, p. 67 sqq.

Après la réponse du premier président, la cérémonie de «l'hommage et reconnaissance», «tels que les sujets la doivent à leur roy», commença.

La Reine-mère déclara qu'elle remettait aux mains de Sa Majesté l'administration du royaume. Elle fit quelques pas vers son fils. Charles IX descendit de son trône, le bonnet à la main, «et luy faisant ladite dame, une grande révérence et le baisant, ledit seigneur luy a dit qu'elle gouvernera et commandera autant ou plus que jamais».

Après elle, le duc d'Orléans, le prince de Navarre, Condé et les autres princes du sang, les cardinaux, les grands officiers et les seigneurs présents s'approchèrent du jeune Roi, qui s'était rassis en son siège royal, «et luy ont faict chacun une grande révérence jusque près de terre luy baisant la main».

Les portes furent alors ouvertes, et le Chancelier fit lire une déclaration datée de la veille, qui confirmait l'Édit de pacification et ordonnait à tous les habitants des villes et des campagnes qui avaient des armes en mains de les déposer. Seuls les gentilshommes étaient autorisés à en garder dans leurs maisons, mais il leur était défendu de porter ou faire porter par leurs gens dedans les villes et par les champs «aucune hacquebute (arquebuse), pistole ne pistolet». Il n'y avait d'exception que pour les soldats du roi.

Contrairement à l'habitude du temps, le gouvernement ne licencia pas toutes les troupes levées pendant la guerre; il retint une partie des gens de pied, qu'il distribua en un corps de huit enseignes, les *enseignes de la garde du roi*, dont Catherine fit mestre de camp Charry, que le brave Monluc lui recommandait pour sa bravoure et sa fidélité. C'est l'origine du régiment des gardes-françaises[401]. Le Roi seul restait en force pour faire la loi aux partis.

Le parlement de Paris, qui se regardait comme «la première de toutes les Cours du royaume, la Cour des pairs et le lit de la justice du roi», fut blessé de l'acte accompli à Rouen. Il refusa d'enregistrer la Déclaration de majorité et remontra qu'en confirmant l'Édit de pacification, elle semblait lui donner le caractère d'une loi perpétuelle, ce qui allait à reconnaître l'existence de deux religions. Il sollicita pour les Parisiens la faveur de porter les armes qu'ils avaient prises «pour la nécessité du temps, pour les affaires du roy et par son commandement»[402].

Charles IX reçut les remontrances «de fort bonne grâce», mais ordonna de passer outre. La Cour multiplia les difficultés et mit entre autres conditions à son obéissance la dispense de désarmer. Le Roi finit par se fâcher. Les députés du Parlement qu'il fit venir à Meulan (24 septembre) ne cachèrent pas à leurs collègues qu'il avait montré quelque «mauvaise estime et malcontement de sadite Cour», mais ce n'était pas assez dire. Comme on le sait par d'autres témoignages, il parla haut et clair. «... A ceste heure que je suis en ma majorité, je ne veux plus que vous vous mesliez que de faire bonne et briève justice à mes subjets. Car les rois mes prédécesseurs ne vous ont admis au lieu où vous estes tous que pour cest effet... et non pour vous faire ny mes tuteurs ny protecteurs du royaume ny conservateurs de ma ville de

Paris. Car vous vous estes faict accroire jusques icy qu'estiez tout cela»[403]. Le Parlement céda (28 septembre).

**Note 401:** (retour) Susane, *Histoire de l'ancienne infanterie française*, t. I, 1849, p. 155-156.

**Note 402:** (retour) : Dupuy, p. 407.

**Note 403:** (retour) Floquet, *Histoire du Parlement de Normandie*, t. III, p. 5.

Catherine affecta de croire, et peut-être croyait-elle en effet, que les triumvirs avaient pris les armes sans raison. Jamais elle ne convint qu'elle eût mis le catholicisme en péril par son système de laisser faire. Dans une lettre de sa main à un de ses confidents d'alors, Artus de Cossé, sieur de Gonnor (19 avril 1563), elle parlait avec quelque orgueil de ce qu'elle avait «si byen comensé à Saynt-Jermain», et avec dédain de la paix d'Amboise «qui n'é pas plus aventageuse--elle entend pour les catholiques--que l'édit de jeanvyer». Ce n'est pas sa faute si les reîtres, qui ne sont pas encore payés, foulent le royaume et si les Parisiens sont mis à contribution[404], mais bien celle des hommes (les Guise) qui ont voulu «fayre les roys». Elle ajoutait fièrement: «... Si l'on ne m'empesche encore, j'espère que l'on conestra que lé femme aunt milleur volonté de conserver le royaume que seulx qui l'ont mis an l'état en quoy yl est et vous prie que seulx qui en parleront leur montrer sesi, car s'et la vérité diste par la mère du roy qui n'ayme que luy et la conservation du royaume et de ses sugés»[405].

**Note 404:** (retour) Le gouvernement se procura des fonds par les expédients d'usage: taxe sur les plaideurs, procès aux financiers, dont quelques-uns furent mis à mort et les autres condamnés à de fortes amendes, aliénation des biens du clergé pour la valeur de 3 millions de livres de revenu.--Estienne Pasquier, *Œuvres*, 1723, t. II, col. 108-110.

**Note 405:** (retour) *Lettres de Catherine*, t. II, p. 17.

Elle était impatiente de tout apaiser. La ville de Paris était un foyer de fanatisme dont les épreuves de la guerre avaient attisé l'ardeur. Elle vénérait comme un martyr de la foi le duc de Guise assassiné sous Orléans, et sa compassion se tournait en furie contre les huguenots. Le jour de l'exécution de Poltrot, que le Parlement avait condamné à être tenaillé au fer rouge en quatre endroits et puis tiré à quatre chevaux, la populace se saisit de ces quartiers de chair humaine, les traîna par les rues et les dépeça (18 mars 1563). Le lendemain se firent dans un sursaut d'émotion les obsèques solennelles du héros populaire, dont le cercueil traversait Paris à destination du château patrimonial des Guise à Joinville. Le Corps de ville conduisait le deuil qu'un immense cortège accompagnait: gentilshommes, délégations des Cours souveraines, clergé des paroisses, moines de tous ordres et de toute robe, arquebusiers de la milice bourgeoise «portant la harquebouse sous l'aisselle», piquiers «tenans leurs piques par le fer en les traînant après eulx», enseignes avec «leurs enseignes ployées sur l'épaule, le fer contre bas», bourgeois ayant à la main des torches à leurs armes, prévôts, échevins, conseillers de ville, notables en robe noire montés sur des mulets. A Notre-Dame, Jacques le Hongre, un prédicateur fameux par ses attaques contre les hérétiques, prononça l'oraison funèbre parmi les «pleurs et lamentations» des assistants[406]. Après la paix, malgré l'Édit, les Parisiens ne se pressèrent pas de désarmer. Un autre tribun de la chaire, Artus Désiré, interprétait à sa façon le conseil du Christ à ses apôtres: «*Qui non habet gladium vendat tunicam et emat.* (Que celui qui n'a pas de glaive vende la tunique pour en acheter un).»

Ce fut en ce milieu surchauffé que Catherine, avec une imprudence généreuse, tenta un premier essai de réconciliation, espérant, comme elle l'expliquait à la duchesse de Savoie, que l'exemple parti de la capitale «apporteret l'entier repos par tout le royaume»[407].

**Note 406:** (retour) Robiquet, *Histoire municipale de Paris depuis les origines jusqu'à l'avènement de Henri III*, 1880, p. 557-560.

**Note 407:** (retour) *Lettres de Catherine de Médicis*, 11 juin 1563, t. II, p. 57.

Au moment de mener huguenots et catholiques contre les Anglais du Havre, la veille de la Fête-Dieu (juin 1563), elle alla donc avec Charles IX coucher à Paris chez le prince de Condé, et, pour tâter l'opinion, traversa la ville en compagnie du chef des protestants. Le peuple, écrit-elle à cette confidente, fit «demostration que d'aystre bien ayse de nous voyr tous». Déjà elle remerciait Dieu «que ne auret plus (il n'y aurait plus) de defiense ny de ynymitié entre ledit prinse et sete vile». Mais le lendemain, quand, après la procession, elle repartit pour Vincennes avec son hôte, elle s'aperçut qu'elle s'était réjouie trop tôt. La princesse de Condé, qui avait pris les devants «en neun (un) coche», croisa hors des portes une troupe de cinq cents Parisiens à cheval, qui s'étaient postés là «en narmes (armes) pour se monstrer au Roy». Ils tuèrent, à sa portière, le capitaine huguenot Couppé, à qui ils avaient peut-être des raisons particulières d'en vouloir, et la laissèrent fuir ou la manquèrent. Le Roi et sa suite arrivèrent immédiatement après le meurtre. Condé, croyant à un guet-apens dressé contre sa femme et contre lui par la duchesse de Guise et le cardinal de Lorraine, menaça de quitter Paris et la Cour. La Reine eut beaucoup de peine à le calmer. «Velà, Madame, ajoutait Catherine, come quant je pense aystre aur (hors) de ses troubles, je veoy qu'i semble qu'il y a je ne sé quel malheur qui nous y remest». Toutefois elle ne désespérait pas--elle ne désespère jamais--d'y «donner si bon hourdre (ordre) que avent qu'i (ils) comenset plus grans, que je leur coupperé chemin»[408]. Quelques jours après, elle annonçait à la duchesse qu'elle avait réussi non sans peine, à réconcilier le prince de Condé avec le duc de Nemours et le cardinal de Guise et à les faire embrasser. Elle espérait qu'ayant «rapoynté ses (ces) grans», «le demeurant se meyntiendra en pays (paix)»[409].

**Note 408:** (retour) *Ibid.*, p. 57.

**Note 409:** (retour) 25 (et non 21) juin 1563, *Lettres*, II, p. 62: aujourd'hui «qui ayst le lendemeyn de la Saynt-Jean».

Le mestre de camp de la garde du roi, Charry, fort de la faveur de Catherine et catholique ardent, refusait d'obéir au colonel général de l'infanterie française, d'Andelot, qui, révoqué pendant la guerre, avait été depuis rétabli dans sa charge. Le 1er janvier 1564, comme il passait de grand matin sur le pont Saint-Michel, accompagné de son lieutenant et du capitaine La Tourette, il fut assailli par Chastelier-Portaut, le guidon (porte-enseigne) de l'Amiral, par Mouvans, le chef des huguenots du Midi, et un soldat. Avant qu'il eût eu le temps de dégainer, Chastelier-Portaut «luy donna un grand coup d'espée dans le corps et la luy tortilla par deux fois dans ledict corps, afin de faire la plaie plus grande»[410]. Charry et la Tourette morts, les assassins filèrent par le quai des Augustins et, au delà de la porte de Nesle, trouvèrent des chevaux qui les attendaient et s'enfuirent.

**Note 410:** (retour) Brantôme, t. V, p. 345.--Autres références dans *Lettres*, t. II, p. 136 et les notes.

C'était probablement une vendetta. Charry avait, quatorze ans auparavant, tué le frère de Chastelier-Portaut. À Paris l'impression fut vive. Les catholiques accusèrent d'Andelot et l'Amiral d'avoir dressé l'entreprise pour se débarrasser d'un adversaire. Catherine n'oublia jamais le meurtre de ce bon serviteur, mais elle jugea dangereux d'en rechercher trop curieusement les complices[411].

**Note 411:** (retour) L'ambassadeur d'Espagne Chantonnay, avec ses partis pris habituels, accusait Catherine d'indifférence et presque de complicité. *Lettres*, II, p. 136, note 1.

A quelques jours de là, elle régla une querelle de bien plus grande conséquence. Poltrot avait, spontanément ou à la torture, inculpé, disculpé et inculpé encore l'Amiral de participation à l'assassinat du duc de Guise, Coligny protesta (12 mars) contre les mauvais bruits qui couraient avec une brutale franchise. Il n'avait «jamais recherché, induit ni sollicité quelqu'un» à commettre ce crime «ni de paroles, ni d'argent, ni par promesses, par soy ni par autrui directement ni indirectement». Même après le massacre de Vassy, bien qu'il tînt et poursuivît le duc de Guise et ses adhérents «comme ennemys publics de Dieu, du roy et du repos de ce royaume», «[il] ne se trouvera qu'il ait approuvé qu'on attentât en ceste façon sur la personne d'iceluy». Mais ayant été ensuite «duement averti» que le duc de Guise et le maréchal de Saint-André «avoient attitré certaines personnes pour tuer Monsieur le prince de Condé, luy et le seigneur d'Andelot, son frère», «il confesse que depuis ce temps-là, quand il a ouï dire à quelqu'un que s'il peuvoit il tueroit ledit seigneur de Guise jusques en son camp, il ne l'en a destourné». Sincère jusqu'à l'imprudence, il écrivit à la Reine, que s'il se défendait d'être coupable, ce n'était pas «pour regret à la mort de Monsieur de Guyse, car j'estime que ce soit le plus grand bien qui puisse advenir à ce royaume et à l'Église de Dieu et particulièrement à moy et à toute ma maison»[412].

**Note 412:** (retour) Delaborde, *L'Amiral de Coligny*, II, p. 230-234: Protestation de Coligny du 12 mars et Mémoire apologétique du 5 mai 1563 rédigé en sa maison de Châtillon-sur-Loing.

Cette justification maladroite était d'un innocent, mais, si elle avait pu convaincre la mère, la femme et les enfants du mort, elle étalait contre lui une telle haine qu'elle devait les irriter autant qu'un aveu de complicité. Les Guise, aussitôt la paix faite, avaient demandé justice du crime en même temps qu'ils armaient pour en tirer vengeance. Des gentilshommes huguenots accoururent offrir leurs services à Coligny: il eut la sagesse de les engager à retourner en leurs logis. A la Cour, l'alarme fut chaude. Catherine crut à une nouvelle guerre civile. Elle évoqua l'affaire au Conseil. Mais plaignants et défenseurs exercèrent leur droit de récusation si rigoureusement qu'ils n'acceptaient d'autres juges que le Roi et la Reine-mère. A eux deux, ils ne voulurent pas connaître de l'affaire à fond. Charles IX, séant en son Conseil, arrêta que «toutes choses» seraient «remises d'icy à trois ans», et fit promettre aux deux parties «de ne se rien demander ny par justice ny par armes» pendant ce temps-là. Catherine s'était effacée pour laisser au jeune souverain le mérite de la décision. Elle n'était pas loin de crier au miracle. «Le Roy mon fils, écrit-elle à la duchesse de Savoie, de son propre movement, san que personne luy en dist ryen, a doné l'arrest... si bon que tout son Conseil ha dist que Dieu le feset parler et se sont aresté à set qu'il an na (ce qu'il en a) hordonné». Dieu l'avait inspiré comme autrefois Salomon en son jugement (janvier 1564)[413].

**Note 413:** (retour) *Lettres*, t. II, p. 128, du 5 au 10 janvier 1564.

La bonne volonté ne suffisait pas. La lutte avait duré un an et laissé après soi des habitudes de désordre, des colères, des rancunes, tout un héritage de haine. Les gens d'épée convertis au protestantisme n'avaient renié que de bouche l'esprit d'orgueil et de violence. Ils n'étaient ni patients, ni résignés, ni moins avides. La guerre leur avait fourni l'occasion de commencer la réforme religieuse à leur manière, qui fut de piller les trésors des églises et de se saisir des biens du clergé. En Poitou et dans d'autres régions où ils étaient nombreux et puissants, ils refusaient de rendre les bénéfices qu'ils avaient sécularisés. Les catholiques de leur côté assaillirent les réformés qui rentraient en leurs logis. Dans certaines provinces, des compagnies de massacreurs s'étaient organisées et, moyennant salaire, elles dépêchaient les gens désignés à leurs coups. Des magistrats étaient sinon les inspirateurs, du moins les témoins complaisants de ces forfaits. La Curée, gentilhomme protestant du Vendômois, qui avait offert ses services au commissaire du roi, Miron, pour arrêter les assassins, fut surpris et tué par eux sur les indications de ce même commissaire.

Le gouvernement s'efforça d'imposer à tous l'observation de l'Édit d'Amboise. Le maréchal de Vieilleville fut envoyé à Lyon, en Dauphiné, Languedoc, et Provence, avec charge de recouvrer les places fortes dont les huguenots s'étaient emparés[414]. Le maréchal de Bourdillon alla mettre les catholiques de Rouen à la raison. Le parlement de Provence, qui se distinguait par son fanatisme, fut suspendu en masse et remplacé par une délégation du parlement de Paris (24 novembre). Le président de cette commission, Bertrand Prévost, sieur de Morsan, procéda si rigoureusement contre les catholiques factieux que 2 000 d'entre eux se réfugièrent dans le Comtat, pour se mettre à l'abri sous la protection du pape. Mais ils furent extradés et jugés[415].

**Note 414:** (retour) Catherine à Soubise, *Lettres*, t. II, p. 33, 13 mars 1563.--Cf. *ibid.*, 2 juin, p. 50, et la note 2.

**Note 415:** (retour) Arnaud, *Histoire des protestants de Provence et du Comtat-Venaissin*, t. I, 1884, p. 178, 180. La commission autorisant les conseillers des parlements envoyés en mission est dans Fontanon, t. IV, p. 274-276.

La Reine-mère écrivait aux lieutenants du roi, elle rappelait à Montmorency-Damville, gouverneur du Languedoc et catholique zélé, «de faire inviolablement observer» l'Édit de pacification. C'était, ajoutait Charles IX, «de seul establissement de la tranquillité public et pour ceste cause, il fault que vous qui estes gouverneur et qui sçavez en cela quelle est mon intention, que sans passion ni acception de personne ni de religion vous teniez mains à ce qu'il soit gardé et entretenu et que du premier qui y contreviendra la punition s'en fasse exemplaire»[416]. Catherine déclarait sans détour au nouvel ambassadeur d'Espagne, don Francès de Alava, successeur de Chantonnay, que la nécessité les avait contraints «de faire ung édict pour la conservation du royaume, lequel estoit sy utille que le roy», son fils, «ne se déliberoit pour quelque occasion que ce feust, le rumpre et violer; que partye du royaume avoit esté saulvé et par là il le falloit conserver»[417].

Au XVIe siècle, l'organe essentiel de la volonté royale était le Conseil du roi, où l'on distinguait le Conseil privé, qui dirigeait l'administration, la justice et les finances du royaume, et le Conseil des affaires, une quintessence du premier, auquel étaient réservées les questions les plus importantes du dedans et du dehors[418]. Le Conseil du roi, à la fois conseil de délibération et conseil d'exécution, réunissait les fonctions que se partagent aujourd'hui le Conseil d'État, la Cour de Cassation et le Conseil des ministres. A cette époque les secrétaires d'État, qui furent à partir de Louis XIV les agents suprêmes du pouvoir central, n'étaient considérés encore que comme les expéditeurs des ordres du Conseil, et même quand ils assistaient aux réunions, ils ne délibéraient ni ne votaient. Quand certains d'entre eux y obtenaient séance et voix et se trouvaient ainsi associés aux actes du gouvernement, c'était par désignation particulière et non à titre de secrétaires d'État.

**Note 416:** (retour) *Lettres*, t. II, p. 129-130, 8 Janvier 1564, et note 2, p. 129.

**Note 417:** (retour) *Ibid.*, p. 150, 26 février 1564.

**Note 418:** (retour) Le règlement du 21 décembre 1560, qui déterminait la part de pouvoir de la Reine-Mère et du roi de Navarre (voir plus haut, p. 91), semble distinguer quatre conseils: Conseil privé, Conseil des affaires du matin, Conseil des parties, Conseil des finances, mais quand on y regarde de près, on voit que le Conseil des parties n'est qu'une «séance» du Conseil privé, et que le Conseil des finances est une Commission préparatoire, une «Direction» des finances, si l'on peut dire, chargée de préparer les décisions financières à soumettre au Conseil privé.

L'autorité du Conseil se faisait sentir dans toutes les parties du royaume à tous les sujets du roi, de quelque condition et état qu'ils fussent. Aussi importait-il qu'en ces temps de passion religieuse, son impartialité ne pût être mise en doute. Catherine de Médicis y fit entrer des représentants des divers partis. Dans l'ensemble des listes du Conseil, de 1563 à 1567, on relève les noms de seize catholiques zélés: les cardinaux de Lorraine et de Guise, les ducs de Montpensier et de Nevers (Louis de Gonzague), le lieutenant général du roi en Bourgogne, Gaspard de Saulx-Tavannes, le futur garde des sceaux, Birague, etc.; de six protestants: Condé, les trois Châtillon, d'Estrées, La Rochefoucauld; et d'une vingtaine de modérés: le chancelier de L'Hôpital, le surintendant des finances, Artus de Cossé, sieur de Gonnor, l'évêque d'Orléans, Morvillier, Jean de Monluc, etc.[419]. Ces «politiques», comme on les appelait, à qui on peut joindre le Connétable et même le cardinal de Bourbon, ami personnel de Catherine, voulaient comme elle, par esprit d'humanité et dégoût des violences ou simplement pour le bien de l'État, appliquer l'Édit de pacification. Leur nombre, qui balançait celui de tous les autres conseillers, indique bien les tendances générales du gouvernement et son ambition de constituer la royauté en pouvoir supérieur aux partis, juge de leurs querelles et défenseur impartial de l'ordre public.

**Note 419:** (retour) Noël Valois, *Le Conseil du roi aux XIVe, XVe et XVIe siècles*; Paris, 1888, p. 193, 195, 196.

La composition de ce Conseil et les rapports de la Cour de France avec Rome auraient dû rassurer les réformés. Catherine avait forcé le pape Pie IV, en le menaçant d'un Concile national, à convoquer le Concile général, mais elle n'avait pas obtenu qu'il se tînt, comme le demandait aussi l'empereur Ferdinand, dans une ville du centre de l'Allemagne, où les protestants auraient pu aller et discuter en sûreté[420]. Au lieu d'un nouveau concile «libre et saint», de qui elle attendait un remède aux dissensions religieuses, elle avait dû accepter la reprise à Trente du Concile deux fois réuni et deux fois interrompu. Au moins aurait-elle voulu qu'il abolît certains abus, autorisât quelques pratiques nouvelles et surtout se gardât de préciser le dogme; concessions qu'elle croyait, à tort d'ailleurs, capables de ramener les dissidents. Ses ambassadeurs, le jour de la séance solennelle d'ouverture (26 mai 1562), insistèrent avec une cruauté moqueuse sur la corruption de l'Église. Le cardinal de Lorraine, qu'elle avait fait partir pour Trente, après le colloque de Poissy, avec une soixantaine d'évêques français, avait pour instructions de s'entendre avec les Allemands, qui, eux aussi, désireux de rétablir l'unité religieuse, réclamaient les plus larges réformes, et particulièrement les prières en langue vulgaire et le mariage des prêtres[421]. Les représentants de l'Église gallicane n'allaient pas jusque-là. Dans les *Articles de Réformation* qu'ils soumirent au Concile, le 2 janvier 1563, ils se taisaient sur le célibat ecclésiastique et se contentaient qu'on permît aux fidèles, après l'office, de chanter en français des cantiques spirituels et les psaumes de David. Ils proposaient d'accorder aux laïques la communion sous les deux espèces et d'ôter les superstitions qui pouvaient s'être glissées dans le culte des images, les pèlerinages, les confréries, les indulgences.

**Note 420:** (retour) Janssen, *L'Allemagne et la Réforme*, trad. de l'allemand, par E. Paris, t. IV. Paris, 1895 p. 333.

**Note 421:** (retour) *Ibid.*, p. 161-162.

Mais Français et Allemands se heurtaient au bloc des Italiens et des Espagnols, résolument hostiles à tout compromis. Le pape n'aimait pas l'Église gallicane, qui niait son infaillibilité, prétendait constituer dans l'unité catholique un corps à part, ayant ses libertés, coutumes et privilèges, et se montrait plus docile à la tutelle du roi qu'à l'autorité du Saint-Siège. Pendant un voyage du cardinal de Lorraine à Rome, les légats ripostèrent aux Articles de réformation de l'Église par un projet de «réformation des princes». Ils y revendiquaient pour les tribunaux ecclésiastiques le droit exclusif de juger les clercs, défendaient aux juges séculiers d'intervenir dans les causes spirituelles, matrimoniales, bénéficiales et d'hérésie, même si les juges d'Église consentaient à se dessaisir, menaçaient d'excommunication les souverains qui, sauf en cas de guerre contre les infidèles ou dans une extrême nécessité, lèveraient sur le clergé aucun impôt, taxe, péage ou subside. C'était remettre en question les conquêtes des rois de France, aidés de leurs parlements, sur la juridiction, l'administration et la propriété ecclésiastique. Les ambassadeurs relevèrent vivement cette attaque à peine déguisée contre le pouvoir royal, et quelque temps après ils se retirèrent à Venise. Charles IX, n'étant pas d'humeur à endurer que les Pères voulussent «rongner les ongles aux rois et croistre les leurs»[422], enjoignit à ses représentants de ne pas revenir à Trente avant que les légats eussent «réformé les articles» qui concernaient «ses droicts, usages, privilèges et authoritez et ceux de l'Église gallicane, pour n'en estre plus parlé ny mis aucune chose en controverse ou dispute»[423]. Catherine était très mécontente du Concile, qui trompait toutes ses espérances. Quand le cardinal de Lorraine revint de Trente, réformateur repenti et qui cherchait à Rome un appui pour sa maison en deuil, il demanda que les décrets du Concile fussent reçus comme loi de l'État. L'affaire fut débattue «en pleine compaignie» du Conseil du roi, «appellez les quatre presidens de sa Court de Parlement et ses advocatz et Procureur general» (22 février 1564). Le Cardinal, irrité de l'opposition du Chancelier, son ancienne créature, lui dit qu'il était temps de déposer le masque (*larvam deponere*), c'est-à-dire de se déclarer pour la Réforme. L'autre répondit qu'il vît lui-même qui avait à Vassy violé l'Édit de janvier, d'où s'étaient ensuivies tant de funestes conséquences[424]. L'assemblée trouva dans les décrets, comme l'écrivait Catherine à l'évêque de Rennes, ambassadeur de France à Vienne, «tant de choses contraires» à l'autorité du Roi «et préjudiciables aux libertez et privilleges de l'Église gallicane» qu'il y avait été «advisé et résolu» de surseoir à leur enregistrement par les Cours souveraines «encore pour quelque temps»[425]. Ce quelque temps dura toujours.

**Note 422:** (retour) [Dupuy] *Instructions et lettres des rois très chrestiens et de leurs ambassadeurs concernant le Concile de Trente...*, 1654, p. 479, Saint-Silvain. 28 août 1563.

**Note 423:** (retour) **Ibid.**, p. 538, Monceaux, 9 nov. 1563.

**Note 424:** (retour) Bèze à Bullingerr, *Calvini Opera omnia*, t. XX col. 262-263.

**Note 425:** (retour) Catherine à l'évêque de Rennes, *Lettres*, II, p. 153-154, 28 fév. et X, p. 128-129, 7 févr.--Hubert Languet, *Arcana soeculi sexti decima... epistulae secretae*, II, p. 286-287, 6 mars 1564, dit pour quelles raisons le Conseil repoussa l'enregistrement. L'ajournement fut un expédient pour ménager l'amour-propre du Cardinal.

Les privilèges de l'Église gallicane aidaient à couvrir les agissements de la politique modérée. Pie IV ayant cité par devers lui les sept archevêques ou évêques d'Aix, Uzès, Valence, Oloron, Lescar, Chartres et Troyes comme suspects d'hérésie, le Roi repoussa la prétention de la Cour romaine d'évoquer directement la cause sans passer par la juridiction intermédiaire des prélats et métropolitains français[426]. Il protesta avec plus de vigueur encore quand le Pape menaça la reine de Navarre, Jeanne d'Albret, de la déposer et la priver de ses États si elle ne comparaissait pas dans six mois en personne ou par procureur à Rome pour se purger du crime d'hérésie[427]. Catherine chargea le sieur d'Oysel de faire entendre au Pape «qu'il n'a nulle auctorité et juridiction sur ceulx qui portent tiltre de roy ou de royne et que ce n'est pas à luy de donner leurs Estats et royaumes en proye au premier occupant et mesmement (surtout) de ladicte royne de Navarre, qui a la meilleure partie de ses biens en l'obéissance du Roy mon dict sieur et filz»[428]. Pie IV n'osa passer outre. Jeanne d'Albret, dans une lettre à la Reine-mère, confessait «ne jamais pouvoir recognoistre ceste digne faveur dernière et couronnant toutes les autres» et se disait impatiente d'aller la trouver en quelque part qu'elle fût pour lui «baiser les pieds de meilleure affection qu'au pape»[429].

**Note 426:** (retour) *Lettres*, II p. 119 et la note 1.

**Note 427:** (retour) Bordenave, *Histoire de Béarn et Navarre*, publiée par Paul Raymond (*Soc. Hist. France*), 1873, p. 120-122.

**Note 428:** (retour) *Lettres*, II, p. 119, 13 déc. 1563.

**Note 429:** (retour) *Ibid.*, p. 120, note.

Les puissances catholiques étaient scandalisées de l'attitude du gouvernement français. Les ambassadeurs du Pape, de l'Empereur, du roi d'Espagne et du duc de Savoie arrivèrent ensemble à Fontainebleau où se trouvait la Cour, pour demander au Roi «comme par un commun accord» de faire observer par toute la France les décrets du Concile de Trente, de changer l'Édit de pacification, de punir les fauteurs des derniers troubles et les meurtriers du duc de Guise. Ils l'invitèrent à un congrès de princes et d'ambassadeurs chrétiens, qui se tiendrait à Nancy pour aviser aux moyens d'extirper les hérésies (12 février 1564). Charles IX répondit--on reconnaît le style de sa mère--que son intention était de vivre et de faire vivre son peuple selon l'ancienne et louable coutume tenue et observée en l'Église romaine, mais qu'il avait été forcé de faire la paix «pour déchasser les ennemis du royaume» et qu'il ne pouvait sans «rechute de guerre» rompre son Édit de pacification. Il s'excusait donc d'aller à Nancy (26 février)[430].

Mais justement pour résister à cette pression du dehors, Catherine ne devait pas être suspecte aux catholiques français de complaisance pour les huguenots. Elle avait vu l'attachement des grands corps de l'État et de la masse de la nation à l'Église traditionnelle. C'était une constatation dont un esprit réaliste comme le sien tint désormais un très grand compte. L'Édit contenait un maximum de concessions qu'elle jugeait dangereux de dépasser. Les chefs protestants s'étaient imaginés à tort que, la guerre finie, elle recommencerait à tout tolérer comme à Saint-Germain. Le prince de Condé faisait «tous les jours prescher dedans la mayson du Roi»[431]. La duchesse de Ferrare avait aussi converti son logis à Paris et à Fontainebleau en lieu de culte[432]. C'était, remarque Chantonnay, vouloir que le Roi souffrît en sa Cour ce que les hauts justiciers n'étaient pas autorisés à permettre en leurs maisons. Catherine attendit patiemment que Condé, très occupé d'une de ses filles d'honneur, renonçât de lui-même à dresser autel contre autel dans les résidences royales[433], mais la duchesse de Ferrare, Renée de France, persévérant en son zèle, elle lui fit interdire pendant le séjour du Roi à Fontainebleau de faire prêcher au château et même dans une maison qu'elle avait achetée au village (de Fontainebleau) et qu'elle prêtait et dédiait «pour tel faict», même quand elle n'était pas à la Cour[434].

**Note 430:** (retour) *Mémoires du prince de Condé*, 1743. t. V, p. 45.--*Les Mémoires de Messire Michel de Castelnau, seigneur de Mauvissière...*, par J. Le Laboureur, conseiller et aumônier du Roy, t. I, p. 167 (liv. V, ch. v).

**Note 431:** (retour) Lettre de Mme de Roye à Bèze (7 mai 1563), *Calvini Opera omnia*, t. XX, col. 6.--Lettre de Chantonnay, ambassadeur d'Espagne, dans *Mémoires de Condé*, II, p. 160.

**Note 432:** (retour) Chantonnay 22 décembre 1563, 12 janvier 1564, *Mémoires de Condé*, II, p. 183 et 187.

**Note 433:** (retour) : Dans les considérants de la Déclaration de Lyon, 24 juin 1564 (Fontanon, t. IV, p. 279), le Roi laisse entendre que les chefs protestants ont renoncé volontairement à l'exercice de leur culte dans les maisons royales.

**Note 434:** (retour) *Calvini Opera omnia*, t. XX col. 267, mars 1564.

Bèze avait deviné les nouvelles dispositions de la Reine. Quand il revint à Genève en mai 1563, il était plein d'une confiance d'où il l'excluait. Grâce à la protection divine, les principaux ennemis de l'Évangile étaient morts ou impuissants; les chefs réformés avaient part au gouvernement. «Telle est, continuait-il, la nature de notre roi (Charles IX) et même de ses frères qu'elle permet à tous les fidèles (*pios*) d'attendre d'eux de sûrs et grands progrès en piété»[435]. Mais il ne disait rien de Catherine: silence significatif. Clairement, dans une lettre du 2 juillet, Calvin parlait de la «légèreté» et de «l'astuce» de la Reine, qui ne permettent pas ou si peu d'espérer[436]. Deux semaines après (19 juillet), il se plaignait qu'elle s'opposât autant qu'elle pouvait à la bonne cause[437]. Il l'accusait contre toute justice (19 juillet)--c'était après le meurtre du capitaine Couppé--de favoriser l'agitation fanatique de Paris. Sa perfidie, écrivait-il encore au mois d'août, autorisait les ennemis de la Réforme à braver les Édits du Roi. «Dans leur rédaction, le Chancelier se montre très libéral à notre égard, car au fond du cœur il nous est favorable. Mais par les artifices cachés de la Reine toutes les bonnes résolutions prises en Conseil sont éludées»[438]. Ce revirement de Calvin à l'égard de L'Hôpital est à noter. De dépit, Bèze en revenait à la théorie du parti contre le gouvernement féminin. «C'est le dernier des malheurs écrivait-il le 20 juillet, que celui d'un peuple soumis à l'empire d'une femme, (et d'une femme de cette sorte)»[439].

**Note 435:** (retour) 435 *Ibid.*, XX, col. 21.

**Note 436:** (retour) *Ibid.*, col. 54.

**Note 437:** (retour) *Ibid.*, col. 64.

**Note 438:** (retour) *Ibid.*, col. 133.

**Note 439:** (retour) *Ibid.*, col. 67.

C'en était fini des complaisances d'avant la guerre. L'Édit de Vincennes (14 juin 1563) avait défendu aux religionnaires de travailler boutiques ouvertes les jours de fête de l'Église catholique[440]. L'importante «Déclaration et Interprétation» du 14 décembre de la même année suppléa aux lacunes et aux obscurités de l'Édit d'Amboise par la limitation des droits de la minorité. L'Édit concédait aux protestants pour l'exercice de leur culte, en outre d'une ville par bailliage «toutes les villes esquelles la religion estoit» jusqu'au 7 mars pratiquée, mais la Déclaration expliqua qu'il fallait entendre par «toutes les villes» seulement «celles qui estoient tenues par force durant les troubles, esquelles l'exercice de ladite religion se faisoit apertement ledit septiesme mars», excluant ainsi les autres où au même temps se tenaient des prêches ou assemblées de prières. Elle renouvela l'interdiction de «besongner, vendre ny estaler» les jours de fêtes «à boutiques ouvertes» et défendit d'ouvrir les boucheries pendant les jours maigres institués par l'Église catholique. Elle ordonnait aux religieux et religieuses qui s'étaient «licentiez durant et depuis les derniers troubles» de rentrer dans leurs couvents ou de quitter le royaume «mesmes s'ils sont mariez contre le vœu de leur profession»[441]. A Paris surtout, par crainte des émeutes catholiques, elle tendait à restreindre et presque à supprimer les signes extérieurs de la nouvelle religion. Elle refusait aux réformés de cette ville le droit de «se transporter es bailliages circonvoisins pour assister à l'exercice qui s'y fera de ladite religion.» Les enterrements se feraient «de nuit... sans suyte ni compagnie», sous l'escorte du guet, tandis qu'ailleurs le convoi pouvait être de vingt-cinq ou trente personnes. Là, comme dans tous les lieux privés de la liberté du culte, les enfants à baptiser seraient portés au lieu d'exercice le plus proche, mais «en compagnie de quatre ou cinq tant seulement». Ces mesures, dont quelques-unes s'expliquaient, sinon se justifiaient, par des raisons d'ordre public, blessaient la minorité comme autant d'affirmations de son infériorité légale.

**Note 440:** (retour) Fontanon, *Édits et Ordonnances*, t. IV, p. 276; *Calvini Opera Omnia*, XX col. 54.

**Note 441:** (retour) Fontanon, t. IV, p. 276-278.

La neutralité de la Reine-mère entre Coligny et les Guise, ses efforts pour réconcilier Condé avec les Lorrains, paraissaient aux protestants une trahison. Ils interprétèrent comme une menace le privilège octroyé par le Roi le 13 janvier 1564 «aux principaux chefs de maisons» de Paris, d'avoir des armes, contrairement à la Déclaration jointe à l'acte de majorité (août 1563).

Inquiets et soupçonneux, ils se munissaient de toutes «choses nécessaires pour la guerre» et parlaient «licentieusement». Catherine s'en plaignait doucement dans une lettre à Coligny (17 avril 1564), où elle lui rappelait la bonne volonté du gouvernement à punir les violences des catholiques et les ordres qu'elle et son fils donnaient journellement aux gens de justice, «desquelz à en dire la vérité n'y ont pas faict en la plus part des lieux grand devoir jusques à présent. Mais là-dessus, ajoutait-elle, il fault que je vous dye qu'il me desplait bien fort de la deffiance en laquelle vous me mandez que sont entrez ceux de la relligion pour ung faulx bruit que l'on a faict courir que l'on se délibère avoir bientost la raison d'eux»... «J'ay si cher le repoz de cet Estat et désire tant la conservation de tous es subjects du roy mon dict sieur et filz, que pour riens au monde je ne vouldrois y avoir consenti et aussy peu permettray-je et endureray-je de mon vivant de qui que ce soyt que telle chose se feist». Elle priait l'Amiral d'affirmer à ceux de ses coreligionnaires qui lui en parleraient que l'Édit «leur sera observé inviolablement», menaçant si elle voyait quelque apparence de trouble en quelque côté que ce fût d'employer «le vert et le secq (sec) sans respect de religion, personnes ny autre considération que celle qui appartient à la conservation du repoz de cest Estat»[442].

**Note 442:** (retour) *Lettres*, II, p. 177.

Il est d'usage de lui dénier le mérite de ses bonnes intentions pour l'attribuer tout entier au plus vertueux et au plus humain de ses conseillers, le chancelier de L'Hôpital[443]. Il y a une histoire et il y a une légende de L'Hôpital. L'histoire le glorifie avec raison comme partisan de la liberté de conscience et, sous certaines réserves, de la liberté de culte. La légende voudrait qu'il eût inspiré à Catherine de Médicis, presque malgré elle, une politique sage et modérée. A lui l'honneur des lois et des actes de tolérance, à elle la responsabilité des compromissions, des reculs et des faiblesses. Mais ce partage inégal s'accorde mal avec les faits. Catherine aimait le pouvoir et s'en montrait d'autant plus jalouse qu'elle l'avait plus longtemps attendu. Elle était très active. Les dix volumes in-folio de sa correspondance qui ont été publiés et que la partie égarée ou détruite augmenterait encore de quelques autres prouvent que cette épistolière infatigable s'intéressait aux détails d'administration comme aux plus grandes affaires. Ses lettres, quand elles sont rédigées par les secrétaires d'État, portent souvent des apostilles de sa main, et il y en a beaucoup qui sont tout entières autographes. Il reste de L'Hôpital des harangues aux Parlements, aux États généraux, aux assemblées du clergé, où au nom du Roi et de la Reine-mère il fait appel en termes éloquents et même émouvants à la concorde, à la douceur, à l'esprit de charité; mais on ne trouve pas dans ses œuvres, et pour cause, d'ordres aux grands officiers de la Couronne, aux gouverneurs de province, aux Cours de parlements, aux baillis et sénéchaux, aux trésoriers de France, comme il s'en trouverait nécessairement s'il avait été une sorte de «principal ministre». Alors il faudrait supposer que Catherine de Médicis s'est résignée de 1560 à 1568 à être le secrétaire du Chancelier. Ce n'est pas la figure qu'elle fait aux ambassadeurs et aux hommes d'État de l'époque.

**Note 443:** (retour) Il y a sur Michel de l'Hôpital, «ce héros de la tolérance», un nombre prodigieux d'éloges, dont le plus éloquent est celui de Villemain, et aussi quelques bons travaux, mais il reste à écrire une histoire vraiment critique de sa vie et de son rôle politique.

É. Dupré-Lasale, dont l'ouvrage est certainement le plus étudié, s'arrête en 1560: *Michel de l'Hospital avant son élévation au poste de chancelier de France* (1505-1558), Paris, 1875, et 2e partie (1555-1560), Paris, 1899. On peut le compléter par A. E. Shaw, *Michel de l'Hospital and his Policy*, Londres, 1905.--Taillandier, *Nouvelles recherches historiques sur la vie et les ouvrages du chancelier de l'Hôpital*, Paris, 1861, est un résumé rapide, comme aussi l'ouvrage d'Atkinson (C. T.), *Michel de l'Hospital*, Londres, 1900.--Amphoux, *Michel de l'Hôpital et la liberté de conscience au XVIe siècle*, Paris, 1900, écrit, comme son titre l'indique, moins une biographie objective que le récit, tout à la louange du Chancelier, de ce premier essai de tolérance.--Il faudrait commencer par une bonne édition des Œuvres complètes de L'Hôpital, celle de Duféy étant, à tous égards, insuffisante.

A dire vrai, le jeu de bascule qu'imposait le conflit des passions religieuses suppose une main plus légère que celle de L'Hôpital. Assurément cet honnête homme était un habile homme; le succès de sa carrière en est la preuve.

Fils d'un médecin du connétable de Bourbon, ayant suivi à l'étranger son père fugitif, il était parvenu à faire oublier cette tache originelle. Ses poésies latines, d'une facture si solide, l'avaient mis en telle estime parmi les lettrés que les écoles de Ronsard et de Marot le prirent pour arbitre de leurs querelles littéraires[444]. Il avait épousé en 1537 la fille du lieutenant criminel, Jean Morin, qui lui apporta en dot une charge de conseiller au parlement de Paris[445]. De cette Cour dont le pédantisme, l'humeur procédurière et l'âpreté au gain le dégoûtèrent, il passa quelques années après à la co-présidence de la Cour des comptes. Enfin, par la protection du duc de Guise et du cardinal de Lorraine, dont il célébrait en vers latins la gloire militaire et l'éloquence, il fut promu à la chancellerie de France, un des grands offices de la Couronne et le seul qui fût accessible aux gens de robe. Mais sa vertu, qui dans cette ascension au pouvoir s'était pliée aux exigences de l'ambition jusqu'à le faire accuser par Bèze d'«habileté courtisane», se retrouva tout entière en cette charge prééminente, et même elle parut aux magistrats qui en ressentirent les effets par trop rude, fâcheuse, indiscrète, appelant «chat un chat». Peut-être n'était-ce pas ce «vrai Caton» qu'il eût fallu pour gagner aux idées de tolérance les officiers de judicature, grands et petits, qu'il accusait trop cruellement de vendre la justice. Il humilia le parlement de Paris en faisant enregistrer dans une Cour provinciale la Déclaration de majorité. On a l'impression--mais combien il répugne de toucher à cette grande mémoire--que le Chancelier n'eut pas toujours la souplesse et les ménagements nécessaires en ces temps malheureux[446].

**Note 444:** (retour) Dupré-Lasale, *Michel de l'Hospital avant son élévation au poste de chancelier* (1505-1558), Paris, 1875, p. 163-171.

**Note 445:** (retour) Ce lieutenant criminel, qui fut plus tard un ardent persécuteur des réformés, avait reçu du roi, pour prix de l'on ne sait quels services, le droit de disposer d'une charge de conseiller au Parlement en faveur de son futur gendre. Le Parlement fit difficulté d'admettre Michel de L'Hôpital, mais il céda. Sur cette nomination liée à celle de Lazare de Baïf comme maître des requêtes, voir Dupré-Lasale, *ibid.*, p. 75-76.

**Note 446:** (retour) : M. Maugis, qui a si consciencieusement et si méritoirement dépouillé les registres du Parlement (*Histoire du Parlement de Paris de l'avènement des rois Valois à la mort d'Henri IV*, 3 vol., Paris, 1913-1916), se fait de L'Hôpital une idée assez fausse. C'est «l'homme des tempéraments et de la conciliation», il «reconnaît la nécessité de concilier les pouvoirs (le Parlement et la royauté) au lieu de les opposer, disons mieux: de les unir pour les opposer au danger commun», t. II, p. 28. Quel danger? l'intransigeance catholique ou la poussée protestante? Il y a aussi dans les deux derniers volumes, les seuls qui me concernent, un certain parti pris d'ignorer ou de mépriser les documents imprimés. C'est la nouvelle école. Il n'y a rien de vrai et il n'y a d'intéressant que ce qui est resté inédit.

Il était bon et humain. Sa religion était amour et charité; il détestait de contraindre les consciences. Mais c'est une question de savoir si sa politique religieuse, du moins à la fin, fut uniquement inspirée par les principes de tolérance et s'il n'y entrait pas quelque sympathie personnelle pour les novateurs. On vient de voir quels services Calvin attendait de lui en 1563. Il professa toujours le catholicisme; mais sa femme et sa fille, qui avaient passé à la Réforme, étaient de bien tendres solliciteuses. Au début de sa charge, il menaçait de toute la rigueur des lois les religionnaires qui troubleraient l'ordre; plus tard il parut croire que la rigueur des catholiques justifiait l'esprit de révolte des protestants. Le Chancelier et Catherine évoluaient en sens contraire sans trop s'en apercevoir, lui poussé en avant par la générosité de son cœur; elle, maintenue sur place ou même ramenée en arrière par le calcul des forces catholiques ou de ses propres intérêts. Cependant elle se défendait de vouloir rapporter l'Édit de pacification, et le fait est que tant que les protestants restèrent paisibles, elle l'observa et, autant qu'elle put, le fit observer. Elle tint à honneur de continuer, malgré la pression de la nation et des grandes puissances catholiques, cette politique de modération dont elle avait eu l'idée et pris l'initiative. Il serait injuste de l'oublier.

Elle avait ses moyens propres de pacification: «J'ay ouy dire au Roy vostre grand-père, écrivait-elle un jour à un de ses fils[447], qu'il falloit deux choses pour vivre en repos avec les François et qu'ils aimassent leur Roy: les tenir joyeux et occuper à quelque exercice,... car les François ont tant accoustumé, s'il n'est guerre, de s'exercer que, qui ne leur fait faire ils s'emploient à autres choses plus dangereuses». Elle avait toujours présente à l'esprit la Cour de François Ier et, aussitôt après le désarroi des premiers troubles, elle en reconstitua une sur ce modèle-là et encore plus nombreuse et plus belle. Elle y appela quatre-vingts filles ou dames des plus nobles maisons pour l'aider à faire les honneurs des résidences royales. Elle les voulait vêtues de soie et d'or, parées, dit Brantôme, comme déesses, mais accueillantes comme des mortelles. Elle espérait que leur bonne grâce ou leur beauté, une vie élégante et magnifique, des jeux et des spectacles attireraient ou retiendraient auprès du Roi les gentilshommes protestants et catholiques et les dégoûteraient de la guerre, l'horrible guerre civile.

Parmi ces dames et ces demoiselles, il y en avait de plus favorites qu'elle emmenait dans ses villégiatures et ses chevauchées diplomatiques. C'est le fameux escadron volant dont elle se serait servie pour assaillir à sa façon et réduire les chefs de partis[448]. Mais il faut remarquer qu'il s'y trouvait des femmes qui n'étaient plus jeunes et d'autres qui passèrent toujours pour vertueuses.

**Note 447:** (retour) *Lettres de Catherine de Médicis*, II, p. 92. Cette lettre, qui, on le verra chap. VIII, p. 270, n. 4, est adressée à Henri III et non à Charles IX, et que la Reine-mère écrivit, non en 1563, comme le suppose La Ferrière, mais à la fin de 1576, est comme une sorte de programme de gouvernement intérieur.

**Note 448:** (retour) Pour les raisons que l'on va voir, je n'ose plus être aussi affirmatif sur le rôle de l'escadron volant que je l'ai été dans l'*Histoire de France* de Lavisse, t. VI, 1, p. 88.

Que les mœurs fussent mauvaises dans cette Cour, c'est probable, car dans quelle grande Cour les mœurs sont-elles bonnes? Catherine avait tant de volontés à ménager qu'elle a dû fermer les yeux sur bien des fautes. Elle avait trois fils dont l'un régnait, et elle fut bien obligée, quand ils devinrent des hommes, de faire comme d'autres mères et de se montrer aussi indulgente à leurs écarts qu'elle l'avait été aux infidélités de son mari. Il faut se défier des pamphlétaires et des prêcheurs qui, pour des raisons toutes différentes, dénaturent la vérité. On n'est même pas tenu de croire sur parole la reine de Navarre, Jeanne d'Albret, quand elle dénonçait à son fils la Cour de France comme un lieu de perdition, où «ce ne sont pas les hommes... qui prient les femmes, mais les femmes qui prient les hommes»[449]. Cette rigide huguenote, probablement par souci maternel de préservation, calomniait peut-être le désir de plaire et les avances, même innocentes, du cercle de la Reine-mère.

**Note 449:** (retour) Lettre du 8 mars 1572, *Bulletin de la Société de l'Histoire de France*, 1835, t. II. p. 167.

Le duc de Bouillon, un huguenot lui aussi, et qui écrivait en sa vieillesse ses *Mémoires* pour l'instruction de ses enfants, parle d'un tout autre ton:

«L'on avoit de ce temps-là, dit-il en racontant son entrée à la Cour, (en 1568) une coustume, qu'il estoit messéant aux jeunes gens de bonne maison s'ils n'avoient (de n'avoir pas) une maistresse, laquelle ne se choisissoit par eux et moins par leur affection, mais ou elles estoient données par quelques parens ou supérieurs ou elles mesmes choisissoient ceux de qui elles vouloient estre servies.» Monsieur le maréchal de Damville, «qui est à présent connétable de France»[450]--c'était son oncle germain--«me donna mademoiselle de Chasteau-Neuf pour maistresse, laquelle je servois fort soigneusement autant que ma liberté et mon aage (il avait alors treize ans) me le pouvoient permettre... Elle se rendit très soigneuse de moy, me reprenant de tout ce qui luy sembloit que je faisois de malseant, d'indiscret ou d'incivil, et cela avec une gravité naturelle qui estoit née avec elle que nulle autre personne ne m'a tant aidé à m'introduire dans le monde et à me faire prendre l'air de la Cour que cette demoiselle, l'ayant servie jusques à la Saint Barthelemy et toujours fort honorée. Je ne sçaurois desapprouver cette coustume d'autant qu'il ne s'y voyoit, oyoit, ny faisoit que choses honnestes, la jeunesse [étant] plus désireuse lors qu'en cette saison (c'est-à-dire sous Henri IV) de ne faire rien de messeant.... Depuis l'on n'a eu que l'effronterie, la medisance et saletés pour ornement, qui fait que la vertu est mésestimée et la modestie blasmée et rend la jeunesse moins capable de parvenir qu'elle ne l'a esté de longtemps»[451].

**Note 450:** (retour) Ce passage a donc été écrit entre 1593, l'année où Damville fut nommé connétable, et l'année 1614 où il mourut, probablement pendant le règne d'Henri IV. En effet, Hauser, *Les Sources de l'Histoire de France, XVIe siècle*, t. III: *les guerres de religion*, p. 62, dit que ces *Mémoires* ont été écrits en 1609.

**Note 451:** (retour) *Mémoires du vicomte de Turenne, depuis duc de Bouillon* (1565-1586), publiés par M. le comte Baguenault de Puchesse pour la Société de l'Histoire de France, 1891, p. 17-18. La belle Châteauneuf, dont Turenne parle avec tant de respect, fut, au dire de Brantôme, pendant trois ans, la maîtresse du duc d'Anjou (depuis Henri III) (*Œuvres*, t. IX, p. 509). Elle épousa depuis, «par amourettes», un Florentin, Antinoti, «comite des galères» à Marseille, et, l'ayant surpris en adultère, elle le tua de sa main (septembre 1577). Bouillon n'ignorait rien de ces faits, et cependant il continuait à révérer le souvenir de cette amoureuse et de cette justicière. La liaison entre la jeune fille et le duc d'Anjou, tous deux libres, avait dû être si ennoblie par le sentiment, la durée et cet art des bienséances mondaines où Châteauneuf excellait, que Bouillon en oubliait l'irrégularité. Quant à blâmer la jeune femme de s'être vengée de cet officier subalterne qu'elle avait distingué et qui la trompait, il n'y songeait guère. Chrétien, mais gentilhomme, il trouvait les préjugés du monde aussi respectables que les maximes de l'Évangile.

Cette préparation des jeunes gentilshommes aux mœurs polies et aux élégances mondaines par des jeunes femmes de la noblesse peut servir de commentaire à ce jugement de Brantôme qu'on serait tenté de prendre pour un paradoxe. «Sa compagnie (celle de Catherine de Médicis) et sa Cour estoit un vray Paradis du monde et escolle de toute honnesteté, de vertu, l'ornement de la France...»[452]. Que le duc de Bouillon ait, sans le vouloir ou à fin d'édification, quelque peu embelli le passé, ce passé de la jeunesse aux lointains si séduisants, que Brantôme, en son parti pris d'admiration pour la Reine-mère, ne se soit plus souvenu de ses copieuses médisances sur les filles d'honneur, il n'est pas toutefois imaginable que ces deux hommes, de caractère si différent, se soient accordés à célébrer la Cour de Catherine, si, à défaut de vertu, un grand air de décence, la distinction des manières et le respect des convenances ne leur avaient pas fait illusion.

Un point sur lequel les contemporains sont d'accord, c'est la grandeur de cette Cour. Comme Henri IV, après avoir conquis son royaume sur ses sujets, se flattait devant le maréchal de Biron de faire un jour «sa Court plantureuse, belle et du tout ressemblable à celle de» Catherine de Médicis, le Maréchal lui répondit: «Il n'est pas en vostre puissance ny de roy qui viendra jamais, si ce n'est que vous fissiez tant avec Dieu qu'il vous fist ressusciter la Royne mère pour la vous ramener telle»[453].

Les fêtes faisaient partie de son programme de gouvernement. Elle en donna de superbes à Fontainebleau, durant le séjour qu'elle y fit en février et mars 1564. C'était chaque jour un nouveau spectacle: défilé de six troupes en brillant équipage conduites par les plus grands seigneurs; cavalcade de six nymphes «toutes d'une parure»; joutes, tournois, rompements de lances, combats à la barrière; «très rares et excellens festins accompagnés d'une parfaite musique par des syrènes fort bien représentées es canaux du jardin»; audition des Églogues de Ronsard et d'une «tragicomédie sur le subject de la belle Genièvre», qu'un adaptateur inconnu avait tirée du *Roland furieux* de l'Arioste[454]. Ainsi les carrousels, les parades, les luttes de force et d'adresse étaient entremêlés de divertissements plus délicats.

**Note 452:** (retour) Brantôme; VII, p. 377. 1.

**Note 453:** (retour) Brantôme, *Œuvres*, éd. Lalanne, t. VII, p. 400.

**Note 454:** (retour) *Les Mémoires de messire Michel de Castelnau, seigneur de Mauvissière...*, par J. Le Laboureur, conseiller et aumosnier du Roy, 1659, t. I, liv. V, ch. VI, p. 168-169.--Brantôme, t. VII, p. 370.--Cf. Laumonnier, *Ronsard, poète lyrique*, 1909, p. 220-221 sqq.

Cartels de défi adressés de troupe à troupe ou de chevalier à chevalier;--mascarades, qui étaient des compliments récités par les danseurs à leurs dames ou l'éloge des souverains par les dieux et les déesses: Jupiter, Pallas, Mercure, l'Amour et par des personnages allégoriques, reconnaissables à leurs emblèmes;--chœurs, chansons, dialogues et monologues, toute cette poésie de circonstance avait été composée par Ronsard, le grand Ronsard[455]. Ils étaient aussi de lui les intermèdes, ou, comme on disait au XVIe siècle, les entremets, déclamés ou chantés avec accompagnement de luths, de guitares, de hautbois, de violes, pour remplir les entr'actes de la «Belle Genièvre». Cette tragi-comédie, la première en date, fut jouée devant la Cour, dans la grande salle du château, aujourd'hui la galerie Henri II, par d'illustres acteurs, les enfants de France: Marguerite de Valois et Henri d'Anjou[456], des princes et des princesses du sang, de grands seigneurs et de grandes dames: Condé, Henri de Guise, les duchesses de Nevers et d'Uzès, le duc de Retz, etc. Castelnau-Mauvissière, qui fut depuis ambassadeur en Angleterre, récita l'épilogue ou la moralité de la pièce. A ces gentilshommes qui avaient éprouvé les privations de la vie des camps, la Cour s'offrait comme un lieu de délices. C'était surtout le prince de Condé que Catherine voulait gagner. Dans les poète Églogues, Ronsard, assurément par ordre, lui faisait honneur, au même titre qu'à la Reine-mère, de la conclusion de la paix:

> Mais un prince bien né qui prend son origine
>
> Du tige de nos roys et une Catherine
>
> Ont rompu le discord et doucement ont faict
>
> Que Mars, bien que grondant, se voit pris et desfait[457].

Il avait fait dans les passes d'armes «tout ce qui se peut désirer, non seulement d'un prince vaillant et courageux, mais du plus adroit cavalier du monde, ne s'espargnant en aucune chose pour donner plaisir au Roy et faire cognoistre à leurs Majestés et à toute la Cour qu'il ne luy demeuroit point d'aigreur dans le cœur»[458].

**Note 455:** (retour) : Laumonier, *Ronsard, poète lyrique*, p. 216 sqq.

**Note 456:** (retour) Henri, duc d'Orléans, puis d'Anjou, frère puîné du Roi, l'enfant chéri de Catherine.

**Note 457:** (retour) Blanchemain, *Œuvres complètes de Ronsard*, 1860, t. IV, p. 18-19, Églogue 1.

**Note 458:** (retour) *Les Mémoires de messire Michel de Castelnau, seigneur de Mauvissière...*, publiés par J. Le Laboureur, conseiller et aumônier du Roy, 1659, t. I, liv. V, ch. VI, p. 168-169.

Il tenait des Bourbons un tempérament très amoureux, et les soldats huguenots, qui n'étaient pas tous des puritains, chansonnaient avec sympathie: «Ce petit prince tant joli--qui toujours chante, toujours rit--et toujours baise sa mignonne...»

Aimé de la belle maréchale de Saint-André, de qui il accepta le don princier du château de Valery--ce qui à cette époque n'était pas déshonorant--il aimait une des filles d'honneur, la coquette Isabelle de Limeuil, qui lui préférait, disait-on, un jeune secrétaire d'État, Florimond Robertet, sieur du Fresne, mais le Prince n'en voulait rien croire[459]. Quand elle eut accouché à Dijon, un jour d'audience solennelle, et que la Reine-mère, irritée du scandale, sinon de la faute, l'eut mise dans un couvent d'Auxonne, il lui écrivit quel «estreme playsir» il avait d'apprendre qu'elle était résolue à ne plus recevoir d'autre homme que lui ou venant de sa part. «Car je vous assurre, mon cœur, qu'j m'annuyrés (que cela m'ennuierait) bien grandement que l'on peut (pût) prendre sur vos acsions seujet de dire: à quy sait (cet) enfant? come sy deus y avet passé...»[460]. Il la félicitait de prouver à tout le monde--un peu tard ce semble--que lui, Condé, en était bien le père; mais Catherine, sans se laisser toucher par cet excès de confiance, raya Isabelle du rôle des filles d'honneur.

**Note 459:** (retour) : D'Aumale, *Histoire des princes de Condé*, t. I, p. 259-268.

**Note 460:** (retour) Duc d'Aumale, *Histoire des princes de Condé*, t. I, p. 547. La jeune femme fut accusée aussi d'avoir voulu empoisonner le prince de La Roche-sur-Yon. Condé la fit enlever de Tournon, où elle avait été transférée d'Auxonne. Elle épousa plus tard un traitant italien enrichi, Scipion Sardini, baron de Chaumont-sur-Loire. (*Lettres de Catherine*, II, p. 189, note 2).

Fontainebleau fut la première étape d'un très long voyage que Catherine entreprit pour montrer le jeune Roi aux «peuples» de son royaume et raviver leur foi monarchique. Cet immense tour de France dura plus de deux ans (mars 1564-mai 1566) de l'Ile-de-France au Barrois, de la Bourgogne en Provence, du Languedoc à Bayonne et à la frontière d'Espagne, de la Gascogne en Bretagne, et de la Loire en Auvergne, qui était le pays d'origine des La Tour, la famille maternelle de la Reine-mère. Charles IX menait avec lui son Conseil et, comme escorte, une petite armée, quatre compagnies de gens d'armes, une compagnie de chevau-légers et le régiment des gardes-françaises que commandait Philippe Strozzi. Toute la Cour l'accompagnait, gentilshommes, dames, grandes dames et princesses, à cheval, en litière[461], en coches ou chariots. Des milliers de serviteurs suivaient, laquais, piqueurs, valets de chiens et valets d'écurie, valets de train, fourriers, vivandiers, cuisiniers, lavandières, ouvriers et ouvrières de tout état. Cette capitale ambulante se déplaçait à petites journées, s'arrêtant là où les affaires, les plaisirs et les facilités de ravitaillement le voulaient ou le permettaient. A chaque ville principale, à Troyes, à Dijon, à Lyon, à Marseille, à Montpellier, à Toulouse, à Bordeaux, à La Rochelle, etc., le Roi faisait son entrée solennelle. Il était reçu en avant des portes par les magistrats, qui lui présentaient les clefs, et, l'enceinte franchie, il défilait, avec tout son cortège en brillant apparat, entre la double haie des milices municipales, sous les arcs de triomphe dont les statues allégoriques et les inscriptions en vers et en prose disaient la gloire du maître et les souhaits de bienvenue des sujets. Ici et là à Bar-le-Duc, pour le baptême du petit-fils de Catherine, Henri de Lorraine, à Bayonne, lors de sa rencontre avec la reine d'Espagne, sa fille, des combats, des cavalcades, des spectacles, des chants, des danses, des concerts de musique étalaient aux yeux de la nation et de l'étranger la grandeur et la richesse de la Couronne de France.

**Note 461:** (retour) Une tapisserie du temps représente parmi cette troupe en marche, Catherine de Médicis dans sa litière. C'est l'ancienne lettica, encore employée aujourd'hui en Sicile, où la retrouva le bon Sylvestre Bonnard. «La lettica, dit Anatole France, est une voiture sans roues, ou, si l'on veut, une litière, une chaise portée par deux mules, l'une en avant et l'autre à l'arrière». Les Espagnols, au XVe et au XVIe siècle, se faisaient aussi porter en voyage dans ces «literas duplicatas».

Le jeune Roi, élevé dans les plaines du Nord, découvrit les montagnes, la mer et le Midi. En Provence, comme il apparaît dans le récit d'Abel Jouan, l'historiographe du voyage, commencèrent les étonnements. C'était un autre pays, d'autres cieux, un autre climat. «Autour d'icelle ville (Hyères) y a si grande abondance d'orangers, et de palmiers et poivriers et autres arbres qui portent le coton (?) qu'ils sont comme forests.» La Crau est «une grande pleine toute couverte de thim, d'isope et saulge». Villeneuve-lès-Maguelonne, près de Montpellier, «est un fort dans un marescage de mer auquel y a grande abondance de grandz oiseaux que l'on appelle des flamans...» Charles connut les brusques écarts de cette nature méridionale: à Arles, au moment de passer le Rhône, il fut pendant vingt et un jours «fort assiégé de grandes eaux» (16 novembre-7 décembre); à Carcassonne, la neige tombée en une nuit le tint plusieurs jours bloqué; à Bayonne, en juin, cinq ou six de ses cavaliers d'ordonnance moururent «étouffés en leurs armes à cause de la grande chaleur»[462].

**Note 462:** (retour) *Recueil et discours du voyage du roy Charles IX de ce nom à présent régnant..., fait et recueilli par Abel Jouan l'un des serviteurs de Sa Majesté*, Paris, 1566, réimprimé dans les *Pièces fugitives pour servir à l'Histoire de France...*, publiées par le marquis d'Aubais, Paris, 1759, 3 tomes en 2 vol., t. I, 1re partie, *Mélanges*, p. 13, 14, 24.

Charles IX prit plaisir à Marseille à se promener dans deux galères que commandait le comte de Fiesque. Il voulut même sortir du port et pousser jusqu'au château d'If, mais la Méditerranée en furie repoussa ce terrien qui s'aventurait au large. Il fut plus heureux à Bayonne et Saint-Jean-de-Luz. Il contempla du pont d'un navire l'Océan immense, et peut-être pensa-t-il aux capitaines Ribaut et Laudonnière, qui venaient de le traverser pour aller, au péril de leur vie, fonder en marge de la Floride espagnole une colonie française et un fort qu'ils baptisèrent de son nom: la Caroline. Il admira Biarritz, «le beau village sur le bord de la mer auquel lieu l'on prend les balènes». Au Brouage, un beau port naturel où l'on a fait «une nouvelle ville», les mariniers lui donnèrent le spectacle d'une naumachie. Le roi de France prend goût à la mer. Il se plaît aussi à voir les divertissements de ses peuples. Les courses de taureaux, qui ont dû rappeler à Catherine ses souvenirs de Florence, étaient nouvelles pour son fils. Abel Jouan note qu'aux arènes d'Arles des lutteurs attaquaient les taureaux sauvages et les faisaient «tomber en terre seul à seul», tandis qu'à Bazas ils les assaillaient «avec de grands esguillons». Dans le récit officiel, les danses des diverses provinces tiennent une grande place. C'est, à Brignoles, «la volte et la martingale» dansées à la mode de Provence par de «fort belles filles habillées de taffetas, les unes de vert, les autres changeant, les autres de blanc»; à Montpellier, la «treille» qu'exécutent au son des trompettes, «tenant en leurs mains des cerceaux tout floris», les hommes «tous masqués et revestus qu'il faisoit bon voir»; à Saint-Jean-de-Luz, les «canadelles» et le «bendel» des filles basques, ayant «un tabourin (tambourin) en manière de crible auquel y a force sonnettes»; à Nantes, «le trihori de Bretagne et les guidelles et le passe-pied et le guilloret». La Cour a ici et là des spectacles exotiques; le Nouveau Monde est à la mode[463]. Les gens de Troyes, qui cependant vivent loin de la mer, avaient, pour l'entrée solennelle de Charles IX, fait marcher avec une troupe d'hommes «habillés en satires» une autre troupe déguisée «en sauvaiges». Bordeaux, qui est un port, tint avec plus de raison à montrer «grand nombre de sauvages de toutes sortes» défilant avec les compagnies de la ville.

**Note 463:** (retour) Sur la curiosité qu'excitaient ces populations primitives, voir les chapitres de Montaigne: Des canibales, liv., ch. XXX; les coches, liv. III, ch. VI. Consulter Gilbert Chinard, *L'exotisme américain dans la littérature française au XVIe siècle*, Paris, 1911.

Mais, au cours de ce voyage, Catherine n'eut pas affaire que de plaisirs. A Mâcon, où elle reçut la visite de la Reine de Navarre accompagnée de huit ministres du Saint Évangile, elle l'avait priée de renvoyer cette suite compromettante et lui avait fait promettre de ne plus contraindre, comme on l'en accusait à Rome, la conscience de ses sujets catholiques. Cette imprudence ou cette bravade de Jeanne d'Albret décida peut-être le gouvernement à interdire (Déclaration de Lyon, 24 juin 1564) l'exercice public du culte réformé dans tous les lieux et villes où le Roi passerait et pendant le temps qu'il y séjournerait; avec promesse toutefois à ceux de ladite religion qui se contiendraient «modestement en leurs maisons de n'estre recherchez en aucune manière»[464]. L'Édit de Roussillon (4 août 1564) renouvelait la défense aux seigneurs hauts justiciers et autres gentilshommes huguenots d'admettre des étrangers à leurs cérémonies privées, aux ministres de prêcher hors des lieux privilégiés, de tenir des synodes et de faire des collectes. Il confirmait l'ordre aux prêtres, aux moines et aux religieuses mariés de rompre leur union et de «retourner en leurs couvents et première vacation», ou de sortir du royaume sous peine des galères pour les hommes et de la «prison entre quatre murailles» pour les femmes[465]. A une époque où l'État et l'Église faisaient corps, cette rigoureuse mesure de police disciplinaire s'expliquait, mais la Réforme avait tant recueilli de ces défroqués qu'elle se sentit atteinte. Toutefois, si la Reine interprétait en toute rigueur l'Édit de pacification, elle entendait le maintenir contre l'arbitraire des officiers, des gouverneurs et des communautés de villes. Malgré les jurats, le maire et les magistrats, le Roi dispensa les réformés de Bordeaux et du Bordelais de tapisser le devant de leurs maisons les jours de procession, de payer les deniers des confréries et de jurer «sur les bras de Sainct Antoine», et, malgré le corps de ville, il les déclara éligibles aux charges municipales (Valence, 5 septembre 1564)[466]. Catherine écrivait au baron de Gordes, lieutenant général du Roi en Dauphiné, de faciliter aux protestants du Briançonnais l'exercice de leur culte, et, comme les catholiques du pays se plaignaient de ce gouverneur «politique», elle le fit remercier par le Conseil d'avoir toujours maintenu le repos et la tranquillité des sujets du roi dans sa province. Elle demanda au commandant des forces pontificales à Avignon, Serbelloni, et finit par obtenir qu'il laissât rentrer dans leurs maisons et rétablît dans leurs biens les religionnaires du Comtat-Venaissin[467].

**Note 464:** (retour) Fontanon, t. IV, p. 279.

**Note 465:** (retour) *Id.*, p. 280-281.

**Note 466:** (retour) *Id.*, p. 281-282.

**Note 467:** (retour) Arnaud, *Histoire des protestants de Provence, du Comtat-Venaissin et de la principauté d'Orange*, t. II, 1884, p. 204-205.

Mais il ne dépendait pas d'elle d'apaiser l'esprit de parti et les passions religieuses. «Et audict pays de Provence, en toutes les villes où ledit Seigneur passoit, les enfans venoient au devant jusques à demie lieue hors les dictes villes, tous habillez de blanc, criant: Vive le roy et la sainte messe...»[468]. Les réformés de Nîmes, au contraire, protestaient aux cris de: «Justice justice!» contre l'intolérance de leur gouverneur, Montmorency-Damville. A Carcassonne, Catherine reçut de graves nouvelles du Nord. En partant, elle avait laissé le gouvernement de Paris et de l'Ile-de-France au fils aîné du

Connétable, le maréchal de Montmorency, homme sage et modéré, mais esclave des consignes et ennemi des Guise. Comme il apprit que le cardinal de Lorraine se disposait à traverser Paris avec une garde d'arquebusiers, il lui fit signifier une déclaration du Roy, du 13 déc. (1564), défendant à tous ses sujets, de quelque condition qu'ils fussent, de voyager avec des armes à feu. Le Cardinal, qui, par peur simulée ou non des complices de Poltrot, avait sollicité et obtenu de la Reine (25 fév. 1563) une dispense, négligea ou refusa de la montrer. Il entra dans Paris par la porte Saint-Denis, mais son escorte fut chargée et mise en déroute par la troupe du Gouverneur (8 janvier 1565)[469]. Catherine était très perplexe: elle n'osait désavouer le fils du Connétable et d'autre part appréhendait de mécontenter les Lorrains. Heureusement, les chefs réformés se divisèrent; l'Amiral accourut prêter main-forte à Montmorency, son cousin; Condé, qui coquetait avec les Guise (on parlait même, depuis la mort de sa femme, Eléonore de Roye, de son remariage avec la duchesse douairière), se déclara pour le Cardinal et arriva lui aussi à Paris bien accompagné, pour le défendre. La Reine, profitant de ce désaccord, interdit le séjour de la capitale aux Lorrains, aux Châtillon et à quelques autres huguenots de marque. Le calme revint.

**Note 468:** (retour) Abel Jouan, p. 12.

**Note 469:** (retour) *Lettres*, t. II, p. 253-255 et les notes. Cf. p. 261-262 *et passim*.--De Ruble, *François de Montmorency, gouverneur de Paris et de l'Ile-de-France*, Mémoires de la Société de l'Histoire de Paris, VI, 1879, p. 245-248. Cf. 236.

Le succès de cette intervention à distance la trompa sur l'état des esprits. Elle crut que les partis ou les chefs de partis se ralliaient ou se résignaient à son jeu de bascule. Confiante dans son habileté et son bonheur, elle s'achemina vers Bayonne, où elle se réjouissait de revoir sa fille, Élisabeth, la reine d'Espagne. Mais elle aurait dû réfléchir que cette rencontre, d'où les Châtillon, Condé, Jeanne d'Albret et le Chancelier étaient naturellement exclus, inquiéterait les protestants.

Elle avait rêvé mieux qu'une simple réunion de famille. Aussitôt après la paix d'Amboise, dont le Pape, le Roi d'Espagne et l'Empereur se déclaraient très mécontents, elle avait mis en avant l'idée d'un congrès, où l'on aviserait ensemble aux moyens de pacifier les différends religieux. Elle espérait les convaincre de la nécessité de sa politique tolérante, et, si elle n'y parvenait pas, les leurrer de promesses à long terme. Après tout, il dépendait d'eux d'obtenir davantage. Elle était mère de famille; elle avait encore une fille et tous ses fils à marier. Le cardinal de Lorraine avait si bien fait, écrivait-elle en juin 1563[470], que l'Empereur (Ferdinand) avait consenti au mariage de Marguerite de Valois avec son petit-fils Rodolphe, et de Charles IX avec l'une de ses petites-filles. Mais ces combinaisons matrimoniales étaient subordonnées à l'agrément de Philippe II, le chef de la maison des

Habsbourg. D'ailleurs Catherine aurait mieux aimé marier sa fille à Don Carlos, héritier présomptif au trône d'Espagne, et elle demandait à Philippe II pour son fils Henri, duc d'Anjou, la main de la reine douairière de Portugal, Dona Juana, avec une principauté pour cadeau de noces. Elle laissait entendre qu'à ce prix elle porterait remède à la situation religieuse en France, sans dire quel remède. Pie IV savait quel fond il devait faire sur elle. L'Empereur mourut sut ces entrefaites (25 juillet 1564). Elle mit toutes ses espérances en Philippe II, de qui d'ailleurs elle attendait le plus. Pour le gagner à son projet d'entrevue, elle déploya tous ses moyens: insinuante, suppliante, pressante, enveloppant son gendre de protestations de tendresse maternelle. Philippe II, accoutumé à traiter gravement les affaires et par raisons démonstratives et le plus souvent d'après des mémoires écrits, était déconcerté par cette diplomatie féminine, qui remplaçait les arguments par des effusions. Tout était vague dans les déclarations de la Reine, sauf le désir de marier avantageusement sa fille et ses fils. La correspondance des deux souverains pourrait se résumer ainsi: «Commencez, disait Catherine, par établir mes enfants, et nous nous entendrons facilement sur la question religieuse.» A quoi Philippe répondait: «Cessez de favoriser les hérétiques, et nous penserons ensuite aux mariages.» Il écarta toujours l'idée d'une rencontre, ne voulant pas, disait-il, éveiller «des soupçons et la jalousie», probablement de la reine d'Angleterre, qu'il continuait à ménager. Mais il consentit que le duc d'Albe, un de ses principaux conseillers, accompagnât sa femme à Bayonne. Les provinces des Pays-Bas étaient travaillées par des prédicants calvinistes, Français ou non, qui s'y glissaient par la frontière de France, et il tenait à se renseigner sur les dispositions de sa belle-mère et le concours qu'il pouvait espérer d'elle contre ces agitateurs.

**Note 470:** (retour) *Lettres*, II, p. 58.

A Bayonne, pendant le séjour de la reine d'Espagne (15 juin-2 juillet 1565), il y eut surabondance de fêtes et de cérémonies: entrées royales, visites et festins, courses de bague, feux d'artifice, messe solennelle, procession, combats à pied, à cheval, à la pique, à l'épée, promenade sur l'Adour et banquet dans l'île d'Aiguemeau (aujourd'hui île de Lahonce ou de Roll à deux lieues en aval de Bayonne), et «pour le comble des dites bravades» (magnificences), représentation d'une comédie française, qui dura de dix heures du soir à quatre heures du matin. Catherine tenait à prouver aux Espagnols que la France n'avait pas été ruinée par la guerre civile, et par surcroît elle satisfaisait ses appétits de luxe. La partie d'Aiguemeau (23 juin) coûta «un grand denier». Les convives voguèrent vers l'île en des navires «somptueusement accoustrés», que dominait celui du Roi «faict en forme d'un magnifique château». Ils admirèrent en cours de route une baleine artificielle, que des pêcheurs attaquaient, de leurs barques, à coups de harpons, comme ils le font en mer; une énorme tortue marine, montée par six tritons «habillez de drap d'argent sur champ verd, tous excellens joueurs de cornets, lesquels, si tost qu'ils eurent descouvert leurs Majestez, commencèrent à jouer ensemble»; Neptune, «sur un char tiré par trois chevaux marins», et Arion, porté par des dauphins, accourant tous deux du large pour saluer Isabelle chère à Charles, «ceste rare Isabeau»; trois sirènes qui, au passage du vaisseau royal, chantèrent Charles, Isabelle et Philippe, l'ornement de l'Espagne et de la France; Charles, Isabelle, Philippe et Catherine, «l'ornement de l'univers». En débarquant dans l'île, la compagnie royale fut régalée de danses par des bergères distribuées en groupes pittoresques, qui chacun portaient le costume--mais en toile d'or et de satin--d'un pays de France. Dans sa marche vers la clairière où la table avait été dressée, trois nymphes l'arrêtèrent pour célébrer l'accord des rois de France et d'Espagne et la protection qu'il assurait aux deux États «contre le Nord et sa froide bruyne», c'est-à-dire probablement contre l'hostilité possible des Anglais[471]. Le festin, un ballet de satyres et de nymphes, et au retour, pendant la nuit, des illuminations sur l'eau terminèrent cette «illustre journée»[472]. Le lendemain (24) on combattit à cheval «dedans les lices». Deux troupes de chevaliers, des Bretons, champions de l'austère vertu, et des Irlandais, défenseurs de l'honnête amour, députèrent au Roi et aux Reines, pour exposer leurs raisons, six «excellens joueurs d'instruments deux desquels avoient deux lyres, accompagnées de leurs voix qui estoient excellentes, les deux autres deux luts, et les deux autres deux violons». L'un des chanteurs bretons célébra la cause du renoncement--était-ce un hommage à Élisabeth d'Angleterre, la reine-vierge?--d'une voix «si bien accommodée aux paroles qu'on entendoit tout ce qu'il récitoit, et n'en perdoit on une seule syllabe, tant il prononçoit distinctement et nettement, accordant sa voix à sa lyre parfaitement». Un Irlandais répliqua[473]. Ainsi dans le concours de la Wartbourg, Wolfram d'Eschenbach et Tannhäuser opposent la louange de l'amour pur et celle de la Vénus terrestre.

**Note 471:** (retour) Relation d'Abel Jouan, *Pièces fugitives*, t. I, p. 25 sqq. Voir aussi *L'ample discours de l'arrivée de la Royne catholique, sœur du Roy... et du magnifique recueil qui lui a esté faict avec déclaration des jeux, combats, tournoys, courses de bagues, mascarades, comédies...*, Paris, 1565, reproduit *Pièces fugitives*, t. I (2e partie), vol. II, p. 13 à 23 des Mélanges.

**Note 472:** (retour) *Ample discours*, Pièces fugitives, t. II, Abel Jouan, t. I, p. 26. *Mémoires de Marguerite*, éd. Guessard, p. 9-10.

**Note 473:** (retour) Laumonier, *Ronsard*, p. 745.

Après ce prélude musical, les adversaires demandèrent à vider le débat en champ clos. Le Roi prit le commandement des Bretons, Monsieur celui des Irlandais.

Au lieu choisi pour le combat, des échafauds avaient été dressés pour les principaux personnages des deux Cours. La tribune royale était décorée des merveilleuses tapisseries représentant le triomphe de Scipion, que François Ier avait fait tisser d'après les dessins de Jules Romain. Par une porte du camp entra, précédé de neuf trompettes qui figuraient les neuf Muses, un char tout paré, portant les cinq vertus, l'Héroïque, la Prudence, la Vaillance, la Justice, la Tempérance: par l'autre porte, le Chariot de l'Amour céleste, où trônait le dieu de l'Amour avec Venus, sa mère, et les trois Grâces accompagnées d'un cortège de neuf petits Amours. Les chevaliers irlandais et bretons firent offrir aux dames qu'ils avaient choisies une médaille d'or illustrée d'une devise grecque ou latine et ils reçurent d'elles en retour «des faveurs». Un combat et un carrousel suivirent. Espagnols et étrangers, dit l'auteur d'une relation publiée cette même année à Paris, «ont à ceste fois esté contraints par la vérité reconnoistre et confesser qu'en ceste veuë la France a surmonté en parade, bravades, somptuosités et magnificences toutes autres nations et soi mesmes». C'était la réponse de la Reine-mère aux censeurs qui trouvaient qu'elle dépensait trop.

Entre temps, le duc d'Albe et Catherine s'observaient. Le ministre espagnol était choqué qu'en pleine entrevue, le 18, Charles IX et sa mère fussent allés recevoir aux portes de Bayonne, à l'abbaye de Saint-Bernard, un envoyé du plus grand ennemi de la chrétienté et des Habsbourg. Soliman le Magnifique faisait demander à son allié le roi de France, de lui «procurer un port de mer en Provence pour rafreschir» ses soldats, «au cas qu'ils ne prissent la ville de Malthe qu'ils tenoient assiégée»[474]. Catherine jouait double jeu pour amener Philippe II à céder sur la question des mariages: elle priait et menaçait, essayant d'arracher par la crainte ce qu'elle ne pouvait obtenir par persuasion. Au moment d'entreprendre son grand tour de France, elle avait posé la candidature du Roi son fils, qui avait seize ans, à la main d'Élisabeth, qui en avait trente-deux, pour faire peur au Roi d'Espagne d'une alliance entre la France et l'Angleterre[475]. La présence de l'ambassadeur turc lui prouverait qu'elle avait, si elle le voulait bien, les moyens de mettre en péril sa domination dans la Méditerranée occidentale et la sécurité des côtes de son royaume. Mais elle avait affaire à forte partie. Le duc d'Albe avait pour instructions de proposer que les deux Cours, s'unissant contre l'hérésie, prissent l'engagement mutuel de bannir les ministres dans un mois, de supprimer la liberté du culte, de publier le concile de Trente et de casser les gouverneurs, conseillers, commandants d'armée, mestres de camp, capitaines et officiers du roi (magistrats) qui seraient de la nouvelle opinion[476]. Mais dans ce projet d'accord, toutes les charges étaient pour la France, obligée de rompre son Édit de tolérance et de se remettre aux troubles pour empêcher le calvinisme d'envahir les Pays-Bas. Le Duc, n'ayant que des exigences à offrir, se taisait et attendait les ouvertures. Il finit par se lasser et demanda une entrevue. Après quelques propos sur les divisions religieuses de la

France, la Reine-mère le pria, puisqu'il connaissait si bien les maux du royaume, de lui indiquer un remède. Il répondit d'abord que ce n'était pas son affaire et qu'elle le connaissait mieux que lui. Elle insista: Quels moyens Philippe II emploierait-il pour faire rentrer les protestants et les rebelles dans le devoir? Albe condamna comme funeste au catholicisme la politique de dissimulation, il voulait dire de modération, et conseilla les mesures énergiques. Comme elle lui demandait s'il était d'avis de recourir aux armes, il convint que c'était pour le moment inutile. Mais de colère il s'écria qu'il fallait bannir de France cette mauvaise secte. Catherine suggéra, comme moyen de faire la loi à tous, l'idée d'une ligue entre la France, l'Espagne et le nouvel empereur, Maximilien; et sur sa réponse que cette alliance n'était pas viable, elle rompit l'entretien[477].

**Note 474:** (retour) Abel Jouan, *Recueil et Discours du voyage du roi Charles IX*, p. 25.

**Note 475:** (retour) En 1563, déjà, Condé avait mis en avant ce projet de mariage comme la solution pacifique du différend de Calais. En 1565, Catherine chargea Paul de Foix, son ambassadeur en Angleterre, de demander la main d'Élisabeth, recherche dont la Reine se montra, écrit l'ambassadeur, «emprinse de joye meslée à une honneste vergogne», tout en se déclarant «indigne» à cause de son âge «de cet offre si grand». Catherine à Paul de Foix, 24 janvier 1565. *Lettres*, t. II, p. 256. et, en note, la réponse de Paul de Foix. Cf. un texte plus complet de la lettre de Catherine, *Lettres*, t. X, p. 151. Ronsard, de lui-même ou par ordre, dédia à la Reine d'Angleterre ses *Élégies, mascarades et Bergerie*, parues vers le 1er août 1565 et où se trouvent les poésies composées pour les fêtes de Fontainebleau. Laumonnier, Ronsard *Poète lyrique*, p. 214.--Sur cette demande en mariage, Mignet, *Histoire de Marie Stuart*, 1851, t. I, app. D, p. 473-475.

**Note 476:** (retour) Instructions citées par La Ferrière, *Lettres de Catherine*, t. II, p. LXXIII.

**Note 477:** (retour) La Ferrière, *Lettres de Catherine de Médicis*, t. II, introd. LXXXVI-VII, d'après une dépêche des Archives nat. Coll. Simancas, 1504.

Les jours suivants, elle parla mariage à sa fille. Élisabeth lui déclara que Philippe II ne voulait pas marier son fils, don Carlos, et qu'il ne donnerait pas de principauté en dot au duc d'Anjou, s'il épousait doña Juana, sa sœur. Le duc d'Albe lui dit plus nettement encore que la reine d'Espagne était venue à Bayonne uniquement pour savoir si oui ou non la Reine sa mère se joindrait à Philippe II contre les hérétiques. L'entrevue tournait mal. Le nonce et le maréchal de Bourdillon s'entremirent. Catherine, quel que fût son dépit, tenait à se séparer de sa fille en bonne intelligence, et le duc d'Albe pouvait craindre qu'une tension entre les deux Cours ne profitât aux réformés. Le 20 juin, sous la présidence du Roi, un grand conseil fut tenu auquel assistèrent les deux Reines, le duc d'Albe et don Juan Manrique de Lara, ancien ambassadeur de France, avec Monsieur, frère du roi, le duc de Montpensier, les cardinaux de Guise et de Bourbon, le Connétable et le maréchal de Bourdillon[478]. Montmorency justifia la politique religieuse du gouvernement et montra les dangers d'une guerre civile. La Reine-mère, comme on le sait par une lettre de Philippe II au cardinal Pacheco, son ambassadeur à Rome, promit de «porter remède» aux choses de la religion «une fois terminé le voyage qu'elle avait maintenant commencé... La Reine ma femme se contenta d'une pareille résolution parce que l'on comprend clairement, sans qu'il y ait le moindre doute, que le jour où l'on voudra apporter le remède, la chose est faite». Le remède, c'est évidemment celui que recommandaient les instructions remises an duc d'Albe[479]. L'ambassadeur ordinaire, don Francès de Alava, présent à Bayonne, doutait que Catherine tînt sa parole. «J'appréhende l'indécision que je sens en elle certaines fois et la peine que prendront, comme je le prévois, de lui mettre martel en tête, ces hérésiarques et d'autres qui le sont sans en porter le nom»[480]. Le cardinal Granvelle, l'ancien gouverneur des Pays-Bas, et qui savait très bien les affaires de France, était encore plus sceptique. Il écrivait que Catherine avait promis de faire merveille, mais avec cette restriction «qu'elle éviterait tout ce qui pourrait l'amener à en venir aux armes»[481]. Et il concluait qu'elle ne ferait rien de bon. L'ajournement était une échappatoire qu'elle se ménageait.

**Note 478:** (retour) *Lettres*, t. II, p. 297, 6 juillet 1565.

**Note 479:** (retour) Philippe II au cardinal Pacheco, 24 août dans *Lettres de Catherine*, t. II, p. 301-302, en note. Dans sa lettre du 6 juillet à Philippe II, *Lettres*, t. II, p. 297, Catherine l'assurait de la volonté et zèle «que avons à nostre religion et envie de voir toutes chauses au contentement du servise de Dyeu, chause que n'oubliron et metron payne de si bien aysecuter (exécuter) qu'il (Philippe) en aura le contantement et nous le bien qu'en désirons». Ce n'était pas beaucoup s'engager.

**Note 480:** (retour) Lettre de D. Francès de Alava au Secrétaire d'État espagnol Eraso, citée par Combes, *Lectures historiques*, II, 259: «Temola por la confusion que en ella siento ay algunas vezes y lo que anteveo que an de martillar estos eresiarcas y otros que aunque no tienen nombre d'ello, lo son». Combes prenant «eresiarcas y otros», qui est le sujet, pour un complément traduit: «J'éprouve des craintes par le trouble que je sens qu'il y a parfois chez elle et parce que je prévois qu'on doit marteler les hérésiarques et d'autres qui le sont, sans en avoir le nom.» C'est un contre-sens, d'où Combes a tiré la preuve que le massacre de la Saint-Barthélémy fut décidé à Bayonne. D'ailleurs «marteler» (frapper à coups de marteau) se dit martelar, et non amartillar ou martillar, qui signifie: mettre martel en tête.

**Note 481:** (retour) Ch. Weiss, *Papiers d'Etat du cardinal de Granville*, t. IX, p. 481 (Coll. Doc. inédits).

Mais les protestants s'inquiétèrent avec raison de cette rencontre où ils pensaient bien que les affaires religieuses avaient été examinées; et plus tard, après la Saint-Barthélemy, ils s'imaginèrent sans raison que le massacre y avait été décidé. Il est vrai que des paroles de sang ont été prononcées à Bayonne; mais les propos qu'on peut croire authentiques ont été tenus par quelques catholiques français. C'est le confesseur du duc de Montpensier qui dit au duc d'Albe: «Le moyen le plus expéditif serait de trancher la tête à Condé, à l'Amiral, à d'Andelot, à La Rochefoucauld.» Et quand même le représentant de Philippe aurait, lui qui s'en défend, conseillé à Catherine «que l'on usât.... de la rigueur des armes pour exterminer»[482] ceux de l'autre religion, où est la preuve que Catherine ait donné son acquiescement? Il est probable que si Philippe II avait consenti aux mariages, elle eût interprété plus rigoureusement l'Édit de pacification, mais peut-être aussi se serait-elle dispensée, sous un prétexte ou sous un autre, de tenir sa parole.

**Note 482:** (retour) **Lettres de Catherine**, t. II, introd. LXXXIX. Déclaration du duc d'Albe à Saint-Sulpice ambassadeur de France en Espagne.

Après cette prétendue entente de Bayonne, les rapports entre les deux Cours ne cessèrent d'empirer[483]. Les Espagnols entravèrent le projet de mariage entre Charles IX et l'aînée des archiduchesses d'Autriche, et Catherine différa un an encore de rentrer à Paris, où elle avait promis d'être en novembre 1565 «pour arranger les choses de la religion». Dans une lettre écrite de Cognac à la duchesse de Guise, elle lui parlait d'un bal «où tout dense, huguenots et papistes ensemble, si bien» que «set (si) Dieu volet que l'on feust ausi sage alleur, (ailleurs, c'est-à-dire dans le reste du royaume) nous serions en repos»[484].

**Note 483:** (retour) Ils n'étaient pas bons auparavant. Quelques mois avant l'entrevue (22 Janvier 1565) Catherine écrivait à Saint-Sulpice, son ambassadeur à Madrid, qu'en Flandre les Espagnols «nous font sant (cent) alarmes, qui me fayt quelquefois douter qu'il (Philippe) aye anvye de comenser la guerre et non pas de me voyr». *Lettres*, X, p. 150. Elle se plaignait dans une lettre à la Reine d'Espagne, sa fille, des «yndinité» (indignités) qu'on faisait au Roi, son fils.

**Note 484:** (retour) *Lettres*, II, p. 315, 30 août 1565.

Mais les deux partis restaient sur le qui-vive. Le chancelier de L'Hôpital, dans ce large esprit de tolérance qui l'inclinait toujours plus vers la minorité dissidente, avait, sans consulter le Conseil, envoyé au parlement de Dijon, pour y être enregistré, un Édit qui permettait aux réformés, dans les villes où l'exercice de leur culte n'était pas autorisé, d'«appeler toutes et quantes fois que bon leur sembleroit les ministres de ladite religion pour estre par eulx consolez en ladicte religion et endoctrinez et pareillement endoctriner et instruire leurs enfans.» Le Parlement avait protesté, mais aucun des maîtres de requêtes du Conseil n'avait voulu rapporter cette protestation qui visait le Chancelier. Le cardinal de Lorraine s'en chargea et dénonça cette interprétation de l'Édit de pacification qui aboutissait à autoriser les réunions secrètes, contrairement à ce même Édit. Le cardinal de Bourbon s'écria que puisqu'on faisait des Édits sans consulter le Conseil, «il ne falloit plus de Conseil et que de luy (quant à lui) il n'y assisterait jamais». Le Chancelier s'échappa jusqu'à dire au cardinal de Lorraine: «Mr, vous estes desja venu pour nous troubler». L'autre riposta: «Je ne suis venu pour troubler, mais pour empescher que ne troubliez comme avez faict par le passé, belistre que vous estes». Et les deux Cardinaux, se levant, allèrent trouver la Reine, alors malade, en sa chambre. Elle les apaisa du mieux qu'elle put et envoya son fils, le duc d'Anjou, présider la séance du Conseil qui avait été interrompue par cette dispute. L'édit du Chancelier fut cassé et annulé.

Mais à la même heure survint un autre incident. Catherine ayant fait ouvrir le paquet de dépêches qui venait d'arriver d'Espagne, il s'y trouva des lettres où Philippe II lui reprochait de continuer, malgré ses promesses, à ménager les hérétiques et l'accusait de faire «des plus grandes indignitez à la maison de Lorraine». C'était probablement une allusion à l'agression de la rue Saint-Denis et à la faveur de L'Hôpital, ancienne créature des Guise et qui apparaissait comme leur adversaire déclaré. La Reine reprit le Cardinal d'avoir adressé ses plaintes à Madrid, mais il s'en défendit et l'ambassadeur d'Espagne, qui était présent, certifia son dire. Il fut d'ailleurs pleinement justifié par d'autres lettres du même paquet et à lui destinées où Philippe II le blâmait d'avoir «comporté» ces indignités. Le Cardinal protesta qu'il les avait souffertes par le commandement du Roi et de la Reine «auxquels pour mourir il ne voudroit en rien désobéyr», mais sous condition toutefois de maintenir la religion catholique et abolir la nouvelle, «laquelle chose ne se faisant il criera si hault que tous les princes de la terre en oyront parler»[485]. Il s'en alla si en colère que Catherine jugea bon d'employer la duchesse de Guise, sa belle-sœur, à le calmer. On voit dans quelles difficultés elle se débattait.

Il faudrait lui savoir gré de ses bonnes intentions. Pendant le séjour très long qu'elle fit à Moulins[486], elle apaisa la querelle du maréchal de Montmorency et du cardinal de Lorraine, et même tâcha de réconcilier les Guise avec Coligny, qu'ils détestaient comme le complice de Poltrot. Le Conseil ayant prononcé l'innocence de l'Amiral (29 janvier 1566), elle força les Lorrains et les Châtillon à s'embrasser. N'aurait-elle pas eu intérêt à perpétuer les ressentiments si elle avait médité, avec d'autres catholiques ardents, comme l'insinue l'auteur des Mémoires de Soubise de faire mettre à mort à Moulins même tous les chefs protestants[487]. Le chancelier de L'Hôpital était alors si influent qu'un jour (mais ne serait-ce pas une seconde version de l'altercation rapportée ci-dessus) le cardinal de Lorraine lui reprocha de ravaler les conseillers au Conseil privé à n'être là «que pour luy servir de tesmoings» et pour «d'ouyr régenter». Le Roi satisfit le Cardinal, mais il garda le Chancelier. L'Amiral était aussi en grande faveur.

**Note 485:** (retour) Lettre anonyme datée de Moulins, 16 mars 1566, dans *Mémoires de Condé*, t. V, p. 50-52 ou *Bulletin de la Société du protestantisme français*, t. XXIV, 1875, p. 412-413. Bordier, dans le *Bulletin*, dit à tort que la pièce recueillie par L'Estoile indique Melun comme le lieu de l'altercation, et non Moulins. Voir *Mémoires-Journaux*, éd. Michaud et Poujoulat, p. 19-20.

**Note 486:** (retour) Là aussi fut arrêtée la fameuse ordonnance de février 1566, qui, comme les autres grandes ordonnances du XVIe siècle, touche en ses 86 articles à beaucoup de parties du gouvernement: justice, police, administration, hôpitaux, bénéfices, corps de métiers et confréries, etc. Elle est particulièrement intéressante par la préoccupation de fortifier et d'étendre le pouvoir royal. Elle défendit aux parlements de réitérer les remontrances sur un acte royal soumis à sa vérification quand le roi, après les avoir entendues une fois, ordonnait de procéder à l'enregistrement. Elle maintenait aux villes la juridiction criminelle, lorsqu'elles la possédaient, et créait une juridiction de simple police dans toutes celles qui n'en avaient pas, mais elle leur ôtait, pour la remettre aux officiers du roi, la juridiction civile, nonobstant tous privilèges antérieurs. Ce fut, dit un historien, «une sorte de coup d'État contre les magistrats municipaux». Elle interdit aux gouverneurs, qui s'étaient beaucoup émancipés pendant les derniers troubles, de donner lettres de grâce, de rémission, de pardon, de légitimation, d'autoriser les foires et marchés, de lever des deniers de leur propre autorité, d'évoquer les affaires pendantes devant les juges ordinaires, et de s'entremettre des affaires de justice, sauf pour prêter main-forte aux juges et tenir en sûreté le pays à eux commis, le garder des pilleries, visiter les places fortes. Ces injonctions et ces interdictions, qui répètent les dispositions d'anciennes ordonnances, prouvent le mal fait par la guerre civile et les précautions que le gouvernement se croyait obligé de prendre contre la désobéissance des villes et la désobéissance des grands, contre le réveil de l'esprit communal et de l'esprit féodal.

**Note 487:** (retour) *Mémoires de la vie de Jehan L'Archevesque, sieur de Soubise*, éditée par J. Bonnet, et qui ont paru d'abord dans le *Bulletin de la Société de l'histoire du protestantisme français*. Je renvoie au *Bulletin*, t. XXIV 1875, p. 22.

Avant même de passer à la Réforme, sous le règne d'Henri II, il avait entrepris de fonder au Brésil une colonie, qui servirait au besoin d'asile aux protestants français persécutés. Ce premier établissement en territoire portugais n'eut pas de durée. L'Amiral reprit son projet en 1562, et il crut mieux réussir dans l'Amérique du Nord où les pêcheurs bretons exploitaient depuis longtemps les bancs de morues de Terre-Neuve[488]. Entre le Saint-Laurent, découvert par Jacques Cartier, et la Floride que revendiquait l'Espagne, s'étendaient d'immenses territoires sans maîtres; il y envoya successivement Jean Ribaut (1562-1563) et, après la paix d'Amboise, Laudonnière, qui bâtit au nord de la Floride le fort de la Caroline et commença le «peuplement». Mais Philippe ne voulait pas souffrir, comme le disait sa femme à l'ambassadeur de France, Saint-Sulpice, «que les François nichent si près de ses conquestes, mesme que ses flottes en allant et venant à la Neusve Espaigne, sont contraintes de passer devant eux». Catherine, que D. Francès de Alava questionnait sur cette expédition, répondit que Charles IX ne prétendait rien «en cest endroit que conserver une terre qui pieça a été descouverte et possédée par les François, comme le nom de la *Terre aux Bretons* le témoigne encore assez» (novembre 1565)[489]. Le 18 janvier 1566, il revint à la charge, la sommant de dire si le Roi son fils avait «commandez à ceux qui sont allez à la Floride faire ceste entreprise et aussi commerce et trafic par delà», elle riposta «que le commerce est libre entre les subjects des amis et que la mer n'est fermée à personne qui va et trafique de bonne foy» et que quant à «la Terre aux Bretons» nous l'«estimons nostre». «Qu'il se sousvint aussi, lui dit-elle, que les roys de France n'ont pas accostumé de se laisser menacer; que le mien (le Roi son fils) estoit bien jeune, mais non pas si peu connoissant ce qu'il est qu'il n'y ait tousjour plus affaire à le retenir qu'à le provoquer»[490]. Mais les Espagnols, avant que la Cour de France en sût rien, s'étaient fait raison. Philippe II avait envoyé 2 000 hommes commandés par Pedro Menéndez de Avilés, qui assaillirent traîtreusement et massacrèrent les soldats et les colons (octobre 1565). Catherine fit demander à Madrid justice ou réparation (mars 1566). Et comme la reine d'Espagne se plaignait du crédit de Coligny, Fourquevaux, l'ambassadeur de France, répliqua: «que la suffizance (capacité) dud. sr est telle, soit en Conseil et ailleurs, que s'il seroit ung Juyf ou un Turc, encore mériteroit-il estre estimé et favorizé: car mesme oultre le lieu qu'il tient d'admiral, qui est un des plus grandz estatz» du royaume, «il n'y a prince aujourd'uy ny seigneur plus digne de toute grande charge qu'il est»[491].

**Note 488:** (retour) La carte, dite d'Henri II, appelle mer de France la partie de l'Atlantique qui avoisine Terre-Neuve. Voir Jonnard, *Les Monuments de la géographie ou Recueil d'anciennes cartes européennes et orientales*, Paris, s. d.

**Note 489:** (retour) Lettre du 30 décembre 1565 où elle rapporte ce qui s'est passé à Tours en novembre 1565, *Lettres*, II, p. 337-338. Les références sur l'affaire de Floride dans *Lettres*, t. II, p. 337, note 1, et surtout p. 341, note 1, et ajouter l'ouvrage plus récent et plus exact de D. Eugenio Ruidiaz y Caravia, *La Florida y su conquista por Pedro Menéndez de Avilés*, Madrid, 1893, 2 vol.

**Note 490:** (retour) : Lettre du 10 janvier 1566, *Lettres*, II, p. 342-343.

**Note 491:** (retour) Fourquevaux à la Reine mère, 9 avril 1566, *Dépêches de M. de Fourquevaux, ambassadeur du roi Charles IX en Espagne* (1565-1572), publiées par M. l'abbé Douais, depuis évêque de Beauvais. Ernest Leroux et Plon-Nourrit, 3 vol., 1896-1904, t. 1, p. 75.

Malgré l'évidence, les protestants s'obstinaient à croire que Catherine s'entendait contre eux avec la Cour d'Espagne. Ils s'apercevaient que l'Édit, en parquant l'exercice du culte, brisait leur force de propagande, et ils en voulaient au gouvernement de l'appliquer à la rigueur. Les masses catholiques les détestaient et le leur montraient à l'occasion. Coligny estimait plus tard que, de la première à la seconde guerre civile, cinq cents de ses coreligionnaires avaient été assassinés. Il y eut aussi quelques meurtres de catholiques. A Pamiers, où les gens des deux religions étaient ennemis déclarés, les réformés, perdant patience, attaquèrent les couvents, tuèrent des moines, expulsèrent des catholiques de la ville (5 juin 1566)[492].

C'était depuis la paix d'Amboise la première grande sédition, et celle-ci sanglante. Catherine écrivait au maréchal de Montmorency que jamais les Goths ni les Turcs n'avaient commis tant de cruautés[493]. Elle voulut faire un exemple afin de bien prouver à Rome et à l'Espagne que la politique de tolérance n'était pas une politique de faiblesse. Le mestre de camp Sarlabous occupa militairement la ville[494], d'où la peur avait chassé les émeutiers. Vingt-quatre des plus compromis furent arrêtés par l'ordre du parlement de Toulouse. Ils parvinrent à s'enfuir de prison et se réfugièrent dans les montagnes avec leur ministre Tachard; mais ils furent pris l'année suivante et exécutés (mai 1567). Les protestants célébrèrent ce Tachard comme un martyr.

**Note 492:** (retour) D. Vaissète, *Histoire générale du Languedoc*, éd. Privat. Toulouse, 1889, t. XI, p. 474-478.

**Note 493:** (retour) Lettre du 15 juin 1566, *Lettres*, t. II, p. 366.

**Note 494:** (retour) D Vaissète, *Histoire générale du Languedoc*, éd. Privat. Toulouse, 1889, t. XII, col. 794.

Ils étaient très inquiets des événements du dehors. L'Église réformée des Pays-Bas était, comme l'Église française, la fille de Genève, et c'était par les frontières de France ou même par des pasteurs de langue française que la doctrine calviniste avait pénétré dans ces États de Philippe II. Soudain, les haines accumulées par les persécutions religieuses avaient fait explosion; la populace avait couru aux églises catholiques, renversé les autels, brisé les images (août 1566). Les huguenots, qui tremblaient pour leurs frères en Dieu, auraient voulu que la France se mêlât à cette révolte. Mais Catherine n'y voyait que matière à réflexion. Dès les premières nouvelles des troubles, elle écrivait que son gendre devrait «prendre exemple sur nous, qui avons à noz dépenz assez monstré aux autres comme se doivent gouverner»[495]. Quand le bruit survint que les Espagnols allaient se relâcher de leur intolérance, elle s'applaudit de sa modération. «Suis merveilleusement aise, déclarait-elle à son ambassadeur à Madrid, que maintenant ils louent et approuvent en leur fait ce que autresfois l'on a tant voulu blasmer au nostre, quand l'on voulait que pour la cause qui se présentoit nous achevissions de ruiner ce royaume. Ils esprouveront combien sont empeschez ceulx qui s'y trouvent (aux troubles religieux). Quant à moy, je loue Dieu de quoy nous en sommes dehors et le prie de très bon cœur de ne nous y laisser jamais retomber.» Et Charles IX appuyait: «Tant y a que pour qui que ce soit ni pour quelque cause qui puisse subvenir, je me garderay, tant que je pourray, d'y revenir»[496].

**Note 495:** (retour) 13 mai 1566. *Lettres*, II, p. 363.

**Note 496:** (retour) 29 février 1567, *Lettres*, III, p. 12, et la note, p. 13.

Comme Philippe, loin de faire des concessions, expédiait contre les rebelles le duc d'Albe et une armée, la Reine prit ses précautions. Elle fortifia les places de Picardie, défendit au capitaine Argosse, qui commandait à Calais, d'y laisser séjourner «Italien ny autre étranger de quelque nation qu'ilz soyent»[497]. Mais, d'autre part, elle ménageait soigneusement les susceptibilités espagnoles. Condé, las de vivre avec Isabelle de Limeuil, «en Sardanapale», avait, sur le conseil des Châtillon, épousé Mlle de Longueville (novembre 1565), et, dans l'austérité du mariage, il s'était repris de passion pour la Réforme. Par deux fois, Catherine lui écrivit pour s'excuser de ne pas l'envoyer en son gouvernement de Picardie, jugeant sans doute dangereux--et qui pourrait l'en blâmer?--d'exposer le chef des huguenots à la tentation de franchir la frontière des Pays-Bas[498]. Elle démentit le bruit que Charles IX appelait l'escadre turque et projetait la conquête de la Corse. «... Si le Roy, mon fils, répondait-elle à l'ambassadeur de France à Madrid, avoit autre que bonne intention à l'endroict dudict Sr. Roy Catholique, il la feroist connoistre comme il appartient à prince d'honneur»[499]. Les deux Cours de France et d'Espagne s'observaient avec méfiance.

**Note 497:** (retour) 21 mars 1567, *Lettres*, III, p. 19.

**Note 498:** (retour) 31 janvier 1567, *Lettres*, III, p. 7 et 8.

**Note 499:** (retour) 30 mars 1567, *Lettres*, III, p. 24.

Cependant le duc d'Albe marchait de Milan à Bruxelles par la Savoie, la Franche-Comté, la Lorraine avec dix mille hommes de vieilles troupes, si braves et si renommées qu'à leur approche les États catholiques mêmes prenaient peur. En France, Coligny, d'Andelot furent les plus ardents à demander une levée de six mille Suisses et de dix mille hommes de pied français pour couvrir la frontière. La Reine-mère, toujours prudente, informa officiellement le Roi d'Espagne de l'arrivée de ces renforts[500]. Philippe II s'étonna de cet armement qu'il prit pour une menace. Catherine faisait son ambassadeur à Madrid juge «s'il estoit raisonnable parmi ceste turbulence d'armes, qui est partout, que nous fussions à la mercy de celluy qui nous voudrait commander quelque chose», les rois de France étant «en possession de bailler la loy aux autres».[501] Elle eut une explication très vive (3 juillet 1567) avec l'ambassadeur d'Espagne, D. Francès de Alava, qui depuis six mois boudait et ne paraissait plus à la Cour. Il s'ébahit, raconte-t-elle à Fourquevaulx, «que nous soyons en soubson des forces qu'il (Philippe II) faict passer» pour remettre ses sujets en son obéissance, et il conclut que Charles IX n'avait pas «grand besoing» de faire cette levée de Suisses. Il s'était plaint aussi que le résident de France dans les Cantons, pour empêcher les agents espagnols d'en tirer quelques soldats, eût dit en «pleine diette que ce seroit mettre Suysse contre Suysse», comme s'il prévoyait une guerre entre la France et l'Espagne[502]. Quand le duc d'Albe fut arrivé à Luxembourg, les appréhensions cessèrent. Cependant le Roi et Catherine visitaient les places de Picardie, et en faisaient réparer les fortifications[503]. Mais à quoi employer ces Suisses nouvellement levés et bien payés? Catherine écrivit de Péronne au Connétable de faire avancer ces belles bandes afin que le Roi pût les voir «et que pour le moings il ayt ce passe temps là pour son argent»[504].

**Note 500:** (retour) 27 mai 1567, *Lettres*, III, p. 37.

**Note 501:** (retour) Lettre des 2 et 3 juillet, *Lettres*, III, p. 42.

**Note 502:** (retour) *Lettres*, III, p. 43.

**Note 503:** (retour) *Ibid.*, III, p. 51 et 57.

**Note 504:** (retour) Péronne 21 août, *Lettres*, III, p. 51.

Les chefs protestants avaient pressé Catherine d'armer, dans l'espoir de l'entraîner à secourir leurs coreligionnaires étrangers. Mais elle gardait la neutralité, et même elle avait aidé à ravitailler l'armée catholique en sa marche, faisant passer en Savoie, Bresse et Franche-Comté six mille charges de blé[505]. Elle estimait que, dans l'état de division du royaume, ce serait folie d'affronter la monarchie espagnole, dont Henri II avec toutes ses forces unies n'avait pu triompher. Les huguenots voulaient la guerre contre Philippe II pour sauver les Églises voisines de même foi et fortifier d'autant la cause commune. Elle était pacifique par raison; ils étaient belliqueux par prosélytisme. Mais ces gens soupçonneux, la voyant prompte à réunir des troupes et paresseuse à les employer, se persuadèrent que si elle n'attaquait pas les Espagnols, c'est qu'elle était d'accord avec eux pour exterminer les protestants de France et des Pays-Bas. Coligny et Condé réclamèrent le renvoi des Suisses.

**Note 505:** (retour) 30 mars 1567, *Lettres*, III, p. 27.

A ces craintes s'ajoutaient les griefs personnels. Le colonel général de l'infanterie française, d'Andelot, était en conflit d'attributions avec le maréchal de Cossé. Condé, qui aspirait en cas de guerre au commandement des armées avec le titre de lieutenant général, s'était entendu signifier par Henri d'Anjou, le fils préféré de Catherine, qu'il était bien osé de rechercher une charge qui revenait de droit au frère puîné du Roi. Cet adolescent--il avait seize ans à peine--brava le Prince de paroles et de gestes, le menaçant, s'il persistait, «qu'il l'en feroit repentir et le rendroit aussi petit compagnon comme il vouloit faire du grand»[506]. Brantôme croit que Catherine de Médicis avait conseillé cette algarade, mais en vérité elle n'avait aucun goût pour les provocations. Condé ayant quitté la Cour très mécontent (11 juillet), elle s'efforça de l'apaiser. Comme il lui avait écrit les bruits qui couraient que le Roi voulait employer les Suisses pour abolir la liberté religieuse, elle jura sa foi «de princesse» et de «femme de bien» qu'aussi longtemps que ses conseils prévaudraient auprès de son fils, l'Édit de pacification serait inviolablement gardé[507]. Charles IX ignorait si bien les desseins de Philippe II qu'il fut «grandement esbahy» de l'arrestation des comtes d'Egmont et de Horn (8 septembre) «d'autant que j'estimois, écrit-il à Favelles, son agent à Bruxelles, que les choses de delà, veu les commencements dont avoit usé le duc d'Alve, feussent pour prendre autre et plus gratieulx acheminement»[508]. Mais les protestants s'obstinaient à croire à une entente des deux Cours.

**Note 506:** (retour) Brantôme place l'algarade trois mois et demi avant la prise d'armes des protestants (éd. Lalanne, t. IV, p. 344-345) mais il devrait dire deux mois et demi. Guyon, serviteur de M. de Gordes, lui écrit de Saint-Germain, où était la Cour, que Condé est parti «ce matin» (11 juillet). Une dépêche de Norris, ambassadeur d'Angleterre, dit le 9: Duc d'Aumale, *Histoires des princes de Condé*, t. I, p. 288, note 1, et app., p. 502.

**Note 507:** (retour) Norris à la reine Élisabeth, 29 août 1567: Duc d'Aumale t. I, p. 561.

**Note 508:** (retour) *Lettres*, III, p. 58 note.

Catherine se réjouissait que tout fût «maintenant, Dyeu mercy, autant paisible» en France «que nous sçaurions souhaiter»[509]. Elle avait été informée d'un rassemblement de 1200 à 1500 chevaux près de Châtillon-sur-Loing, la résidence de l'Amiral, mais elle n'y attacha pas d'importance. Le 18 septembre, elle écrivait à Fourquevaux qu'après l'emprisonnement d'Egmont et de Horn, il avait «couru quelque bruit sans propos que ceulx de la religion vouloient faire quelques remuemens, mais c'estoit un peu de peur qu'ils avoient, se dict-on, et aussi tost cella est esvanuï»[510].

**Note 509:** (retour) A Gordes, 19 septembre, *Lettres*, III, p. 59.

**Note 510:** (retour) *Lettres*, III, p. 58.

Elle se trompait. Les chefs du parti, assemblés à Valery chez le prince de Condé, avaient décidé de mobiliser quelques milliers de gentilshommes et de pousser droit au château de Monceaux, où la Cour était en villégiature pour s'emparer, comme avaient fait autrefois les triumvirs, du Roi et de sa mère. A la première nouvelle, qui fut apportée par Castelnau-Mauvissière, de la marche des huguenots, le Connétable lui remontra que «cent chevaux ny cent hommes de pied ne se pouvoient mettre ensemble, dont il n'eust incontinent advis». Le chancelier de L'Hôpital «dit au Roy et à la Reine sa mère que c'estoit un crime capital de donner un faux advertissement à son prince souverain, mesmement (surtout) pour le mettre en défiance de ses sujets et qu'ils préparassent une armée pour lui mal faire». Les princes, les seigneurs et les dames, qui ne parlaient que de «passer le temps et d'aller à la chasse», «vouloient mal» aussi à ce trouble-fête «d'avoir donné ceste allarme»[511]. Mais les avis se multiplièrent et se précisèrent. La Cour n'eut que le temps de se réfugier dans la place forte de Meaux et d'appeler à l'aide les Suisses, qui étaient cantonnés à Château-Thierry. Sous la protection de cette grosse infanterie, dont les cavaliers huguenots n'osèrent affronter les piques, Charles IX gagna Lagny et de là il fila sur Paris (26-28 septembre), où il fut bientôt bloqué.

**Note 511:** (retour) *Mémoires*, liv. VI, ch. IV, éd. Le Laboureur, 1659, p. 198-200.

La surprise de Catherine fut grande. Comme elle l'écrivait le 27, de Meaux, à Matignon, lieutenant général du roi en Normandie: «Nous sommes assez esbahis» de l'événement «pour n'en congnoistre ne savoir aucune occasion»[512]. Il y a dans sa lettre à Fourquevaux de la colère contre cette «infame entreprise» et quelque tristesse aussi: «... vous laissant à penser l'ennuy auquel je suis de voir ce royaume revenu aux troubles et malheurs dont par sa grace (la grâce de Dieu), j'avois mis peine de le délivrer»[513]. C'était la ruine de ses illusions. «Je n'eusse peu penser, écrit-elle au duc de Savoie, que si grandz et si malheureux desseings feussent entrez ès cueurs des subjects à l'endroict de leur roy»[514]. Ce soulèvement «sans nulle aucasion», c'est une «méchanseté»--le mot était alors plus fort qu'aujourd'hui--, «la plus grande méchanseté du monde», «eune peure treyson» (une pure trahison). Il y allait, estimait-elle, de la «subversion de tout ung Estat et du danger de nos propres vyes».

**Note 512:** (retour) *Lettres*, III, p. 60.

**Note 513:** (retour) *Lettres*, III, p. 61.

**Note 514:** (retour) *Ibid.*, p. 62-63; au Roi catholique, *ibid.*, p. 62.

Au Conseil privé, elle interrompit L'Hôpital qui, prévoyant que la guerre civile serait la fin de l'essai de tolérance, proposait d'arrêter les troubles par quelques concessions. «C'est vous, lui aurait-elle dit, qui par vos conseils nous avez conduits où nous sommes.» Pourtant elle n'empêcha pas les modérés de faire une tentative de conciliation. Le Chancelier, le maréchal de Vieilleville et Jean de Morvillier allèrent trouver Condé et lui promirent, s'il mettait bas les armes, une amnistie pleine et entière.

Les chefs protestants, ayant conscience que leurs craintes n'étaient pas la preuve d'un projet d'extermination, imaginèrent, pour intéresser le pays à leur cause, de se poser en redresseurs de torts. Ils réclamèrent, outre l'Édit d'Amboise sans réserves ni limites, la tenue des États généraux et la diminution des impots. «Le pauvre peuple, disaient-ils dans leur requête, se lamente et deult (*dolet*, se plaint) grièvement d'estre oppressé et accablé de charges, surcharges, nouvelles impositions, subsides et tributs insupportables, qui se lèvent et augmentent de jour à autre, sans aucune nécessité de guerre et affaires ni occasion raisonnable de despense, ains par l'invention et avanie d'aucuns estrangers et mesmes des Italiens....» Rien n'était plus maladroit que de reprocher à la Reine la magnificence coûteuse de sa Cour et de ses fêtes et sa clientèle de banquiers et de traitants italiens.

A cette nouvelle Ligue du Bien public, Charles IX répondit avec le cérémonial des vieux temps. Un héraut d'armes, précédé de trompettes, se présenta au quartier général des rebelles, à Saint-Denis, et somma nominativement le prince de Condé, d'Andelot, Coligny et les autres chefs et conducteurs du parti de se rendre auprès du Roi sans armes, sous peine d'être convaincus de rébellion (7 octobre). Cet appareil inusité les troubla. Ils craignirent d'avoir dépassé leur droit en touchant au fait des taxes et du gouvernement, et, comme dit d'Aubigné, se coiffant de «leur chemise»[515], ils n'exigèrent plus que le rétablissement pur et simple, à toujours, de l'Édit d'Amboise. Mais le Connétable revendiqua pour le Roi le droit de modifier les Édits et même de les révoquer, s'il le jugeait nécessaire. Les négociations furent rompues.

**Note 515:** (retour) La Popelinière, *La Vraye et entière Histoire des troubles*, La Rochelle, 1573, liv. II, p. 45.--Lavisse *Histoire de France*, t. VI. 1, p. 97.

L'armée royale livra bataille à Saint-Denis (10 novembre 1567) et réussit à dégager Paris, mais elle perdit son chef, le Connétable, qui fut blessé mortellement dans une charge. Les vaincus allèrent jusqu'en Lorraine à la rencontre des secours que leur envoyaient les princes protestants d'Allemagne. Catherine, laissant tomber la dignité de connétable, fit nommer à la lieutenance générale le plus cher de ses fils, Henri d'Anjou, qui avait seize ans et n'était pas en âge de commander. Obligée par la révolte des protestants de s'appuyer sur le parti catholique, elle remit la conduite des opérations militaires au duc de Nemours, qui avait épousé avec la duchesse de Guise les intérêts des Lorrains, mais de peur d'accroître en cas de succès décisif la popularité déjà si grande de cette maison, elle lui adjoignit, comme collègues, un prince du sang, le duc de Montpensier, d'ailleurs catholique ardent, et un politique allié des Montmorency, Artus de Cosse, surintendant des finances, qu'elle avait créé maréchal de France. Nemours était d'avis de poursuivre les rebelles et de les écraser avant l'arrivée des renforts. Cossé, par haine des Guise, ou par incapacité, entrava tous les mouvements. Il accusait même Catherine de vouloir une bataille pour économiser l'entretien d'une armée. Il fut malade si à propos le 21 novembre qu'il laissa échapper Condé et Coligny. Nemours, furieux, n'était pas loin de croire que Cossé temporisait par ordre. Catherine leur donna raison à tous deux. Elle expliquait à Cossé qu'elle ne voudrait pas pour une question d'argent hasarder la vie de tant de braves gens et celle de son fils[516]; elle remerciait Nemours d'avoir fait de son mieux, à ce qu'on lui avait mandé, pour empêcher la jonction des huguenots et des reitres. «Je panse, ajoutait-elle, que Dieu ne pardonnera jeamès à ceulx qui nous ont fayst cet domage»[517].

**Note 516:** (retour) 4 décembre 1567, *Lettres*, III, p. 84.

**Note 517:** (retour) *Lettres*, III, p. 103 (lettre écrite entre le 15 et le 20 janvier 1568).

Au fond, elle avait hâte d'en finir avec la guerre et l'autorité des hommes de guerre. Aussitôt qu'elle l'avait pu, elle s'était remise à négocier. Elle alla trouver à Châlons le cardinal de Châtillon (janvier 1568) et lui donna rendez-vous à Paris pour continuer les pourparlers. Mais elle n'osa pas l'y recevoir de jour, craignant qu'il ne fût assassiné, et elle le logea au château de Vincennes. Châtillon, bien convaincu de la haine des masses, ne fut que plus ardent à réclamer un édit perpétuel et irrévocable. Catherine le laissa partir.

La lassitude et le manque d'argent arrêtèrent les hostilités. La royauté n'avait pas de réserves disponibles pour des entreprises à long terme. Condé, qui assiégeait Chartres, était encore plus embarrassé de payer ses mercenaires. Il accepta la paix, à des conditions qui lui parurent avantageuses (Longjumeau, 23 mars 1568). Le Roi confirmait l'Édit d'Amboise sans restriction ni limitation et prenait à sa charge la solde des auxiliaires allemands. Mais le «petit Prince», avec son étourderie habituelle, consentit à licencier ses troupes, tandis que Charles IX se réservait le droit de garder les siennes quelque temps encore. Il fit ce «pas de clerc» de livrer son parti désarmé à Catherine de Médicis, dont il avait trompé la confiance, et à ce roi de dix-sept ans qu'il avait contraint de reculer devant lui «plus vite que le pas». C'était une grave imprudence.

Quoi que les réformés pussent dire pour leur défense, cet attentat contre un roi majeur, sur des soupçons imaginaires, était un crime ou, si l'on aime mieux, une faute. Ceux d'entre eux qui siégeaient au Conseil savaient que depuis l'entrevue de Bayonne les rapports entre les Cours de France et d'Espagne étaient très froids. Vouloir que dans la question des Pays-Bas le gouvernement réglât sa politique sur leurs convenances religieuses était une prétention inadmissible. Les Suisses, dont ils incriminaient la présence, avaient été levés de leur consentement et même sur leur demande. Catherine ne méditait contre eux aucun guet-apens; elle était à la campagne dans un château ouvert, tout occupée de plaisirs et de chasse, sans soupçon, parce que sans mauvais dessein. Elle ne pouvait croire à une agression, tant elle était sûre de son innocence.

Leur seul grief vraiment fondé, c'était l'interprétation des clauses de l'Édit d'Amboise. Ces précisions, toujours restrictives, s'expliquaient en partie par des raisons d'ordre ou de politique, mais comme ils en étaient les victimes, ils devaient être tentés d'y voir une menace. Il est possible que la Reine-mère--tant l'idée de la coexistence de deux religions dans un même État répugnait aux esprits de ce temps--ait pensé que l'unité de foi se referait un jour, et même qu'elle l'ait désirée. Le culte réformé relégué dans une ville par bailliage et dans quelques châteaux de seigneurs hauts justiciers était, pour ainsi dire, éparpillé en autant de petits centres, qui n'avaient qu'une médiocre force de propagande. Que Catherine ait voulu les empêcher de s'étendre et de se rejoindre, c'est un calcul qui de sa part n'est pas invraisemblable; les protestants, par même souci, comprimaient le catholicisme dans les pays où ils étaient les maîtres. Mais elle écartait résolument l'idée d'employer la violence et, toutes les fois qu'elle en avait l'occasion, proclamait sa volonté de faire observer l'Édit de pacification. Et en somme, elle a réussi pendant quatre ans, jusqu'à la révolte de la minorité, à maintenir, non sans peine, la paix religieuse contre tous les efforts de la majorité.

Le tort des réformés fut de méconnaître les difficultés de sa tâche et la sincérité de ses intentions. Ils la traitèrent en ennemie dès qu'ils cessèrent de l'avoir pour alliée. Elle ne leur pardonna pas cette erreur où elle trouvait de l'ingratitude. Elle s'éloigna de L'Hôpital, qui continuait à les défendre, et, dégoûtée de la tolérance, elle résolut de détruire ces ennemis de l'Église, qui étaient les ennemis du Roi.

# CHAPITRE VI

## L'EXTERMINATION DU PARTI PROTESTANT

Du changement produit dans les dispositions de la Reine-mère par la surprise de Meaux, il y a des témoignages caractéristiques. Immédiatement avant l'agression (24 septembre), elle recommandait à M. de Gordes, lieutenant général en Dauphiné, «de faire toujours vivre les subjects de delà en toute doulceur et tranquillité à l'observation des édits et ordonnances»[518]. Mais une dizaine de jours après, elle faisait écrire par le Roi au même M. de Gordes: «Là où vous en sentiriès aulcungs qui branlent seulement pour venir secourir et ayder à ceux-ci de la nouvelle religion, vous les empescherés de bouger par tous moïens possibles, et si vous connoissés qu'ils soyent opiniastres et voulloir venir et partir, vous les taillerés et ferés mettre en pièces sans en espargner ung seul, *car tant plus de morts moings d'ennemis*»[519]. Elle était convaincue que les protestants avaient pris les armes, non, comme ils le déclaraient, pour prévenir la persécution, mais pour s'emparer du Roi et du gouvernement. Elle se tint pour avertie, et, naturellement rancunière, elle prépara sa revanche.

**Note 518:** (retour) *Lettres*, III, p. 59.

**Note 519:** (retour) *Ibid.*, p. 65, note 1. Cette lettre du Roi ne peut pas être du 13 octobre, puisque Catherine s'y réfère dans une lettre du 8. Voir d'Aumale, *Histoire des Princes de Condé*, p. 564, qui semble croire que la lettre est du 28 septembre. Elle est probablement du même jour que la lettre de Catherine, c'est-à-dire du 8 octobre, conformément à l'habitude de la Reine-mère de faire suivre les lettres du Roi d'une lettre d'elle.

Elle n'avait en attendant qu'à lâcher la main aux masses catholiques. L'Église avait regagné presque tout le terrain qu'elle avait perdu de 1559 à 1562 par le scandale de ses abus, la violence des Guise, le zèle et la science des ministres réformés. Prêtres et moines étaient allés «par les villes, villages et maisons des particuliers admonester un chacun de la doctrine des protestants». Ils s'étaient remis à instruire le peuple, qui n'avait le plus souvent couru au prêche que par manque de bons prônes. Un de leurs arguments, le plus simple, faisait impression. Était-il possible que pendant quinze ou seize siècles, jusqu'à l'apparition de ces novateurs, Dieu eût laissé dans l'erreur et privé de sa «grâce» «et du sang de Jésus-Christ» «tant de roys, princes et grands personnages»? Le supposer «seroit blasphémer contre sa bonté et l'accuser d'injustice»[520]. L'ordre nouveau des jésuites, que le péril de la foi avait décidé l'Église gallicane à reconnaître, apporta au catholicisme français le secours de son savoir, de sa parole, de son prosélytisme et de son habileté. Il s'attacha plus particulièrement à reconquérir, par la prédication, l'enseignement et la direction de conscience, les classes dirigeantes de l'État, haute bourgeoisie, noblesse et princes[521].

**Note 520:** (retour) *Mémoires de Castelnau*, liv. III, ch. VI, p. 137.

**Note 521:** (retour) P. Henri Fouqueray, *Histoire de la Compagnie de Jésus en France; des origines à la suppression*, t. I (1528-1575), Paris, 1910 et *passim*, liv. II et liv. III.

En même temps, le parti catholique s'organisait pour le combat. L'expérience avait prouvé que le Roi, avec les quelques milliers d'hommes qu'il entretenait en temps de paix, était, au début des hostilités, incapable de faire front aux forces protestantes volontaires, dont la mobilisation était préparée de longue main[522]. L'idée était venue à Monluc en 1563, et elle fut reprise par Tavannes et d'autres chefs catholiques, d'opposer confraternité catholique à confraternité protestante, intelligence à intelligence. En Bourgogne, où Tavannes était gouverneur, des ecclésiastiques, des nobles et des bourgeois se groupèrent en ligues ou associations, qui, «au nom de Notre Seigneur Jésus-Christ et par la communion de son précieux sang», signaient le serment de soutenir de tout leur pouvoir «l'Église de Dieu, maintenir nostre foy ancienne et le roy nostre sire, souverain naturel et très chrestien seigneur, et sa couronne». Ces confréries du Saint-Esprit, comme on les appelait généralement en Bourgogne, devaient avoir un fonds commun, des troupes prêtes à marcher et des émissaires chargés de surprendre et de signaler les pratiques des huguenots. La province seule pouvait mettre sur pied 1 500 cavaliers et 4 500 fantassins[523].

**Note 522:** (retour) Voir à ce sujet une page intéressante, sinon tout à fait impartiale, de Jean de Tavannes dans les *Mémoires de Gaspard de Saulx, seigneur de Tavannes*; Règne de Charles IX, anno 1567, éd. Buchon, p. 318, et surtout p. 320.

**Note 523:** (retour) *Ibid.*, Tavannes et Hippolyte Abord, *Histoire de la Réforme et de la Ligue dans la ville d'Autun*, t. I., 1855, p. 384, 392.

Les Lorrains, favorisés par la réaction catholique, reparaissaient à la Cour et aux armées. Le jeune duc de Guise, Henri, alors âgé de dix-huit ans, annonçait une valeur brillante et digne de sa race. Mais il se gardait bien de se poser, comme Condé l'avait fait, en concurrent d'Henri d'Anjou. L'esprit dirigeant de la famille, le cardinal de Lorraine, affectait le plus grand dévouement pour ce fils si aimé de la Reine.

Il lui avait promis, écrivait l'ambassadeur anglais Norris, «deux cent mille francs par an du clergé de France pour soutenir la religion romaine; sur quoi le pape, le roi d'Espagne et les autres princes papistes ont promis aide et secours en tout ce que Monsieur tenterait pour la ruine de ceux de la religion»[524]. C'était flatter Catherine en sa faiblesse maternelle et en même temps la rassurer sur la fidélité du parti catholique que d'en reconnaître le duc d'Anjou pour chef. Aussi le Cardinal était-il grand favori. «Seul», prétendait l'ambassadeur anglais, il «fait tout en toute chose.» Le chancelier de L'Hôpital avait rendu les sceaux le 24 mai 1568, jugeant plus opportun de céder «à la nécessité de la République et aux nouveaux gouverneurs que de desbattre avec eux»[525]. «Je m'esbahis, madame, écrivait Jeanne d'Albret à Catherine, vu que de tant de pareilles menées qu'il (le Cardinal) a faictes vous n'avez jamais vu une bonne fin, comme il vous peult, sans changer de main, ainsi souvent tromper»[526]. C'est au cardinal de Lorraine naturellement que Condé, Coligny imputent les dénis de justice et les attentats dont leurs coreligionnaires avaient été victimes pendant les troubles et depuis la signature de la paix. Mais la Reine n'agissait pas par suggestion; elle s'aidait du Cardinal comme elle s'était aidée de L'Hôpital. Ayant changé de politique, elle changeait de serviteurs[527].

**Note 524:** (retour) Lettre du 7 Juin 1568: Duc d'Aumale, *Histoire des princes de Condé*, t. II, p. 364.

**Note 525:** (retour) Dufey, *Œuvres complètes de L'Hospital*, II, p. 252.

**Note 526:** (retour) *Lettres*, III, p. 349.

**Note 527:** (retour) L'ambassadeur vénitien, Jean Correro, dans sa Relation de 1569, explique bien les raisons qui ont déterminé la Reine-mère à se servir des Guise et du cardinal de Lorraine Tommaseo, *Relations*, etc., t. II, p. 150-152.

Cependant les catholiques prolongeaient la guerre par l'assassinat. Le protestant Rapin, que le Roi envoie porter l'ordre au parlement de Toulouse d'enregistrer la paix de Longjumeau, est saisi, jugé, exécuté par ce même parlement pour une condamnation antérieure que deux ou trois amnisties avaient annulée. La garnison d'Auxerre pille les cinquante mille écus que Coligny expédiait aux reîtres pour hâter leur départ de France. Le sieur d'Amanzé, qu'il charge d'aller réclamer cet argent, est assassiné par six hommes masqués. Un grand seigneur, René de Savoie, seigneur de Cipierre, est massacré à Fréjus, avec trente-six des siens, par le baron des Arcs. La populace s'en mêle et fait rage. En trois mois, raconte d'Aubigné, qui toujours exagère, les peuples, soutenus de gens notables, mirent sur le carreau plus de dix mille personnes[528]. Le gouvernement laissait faire. C'était sa vengeance contre un parti qu'il ne trouvait pas assez résigné. Les huguenots ne se pressaient pas de restituer au Roi les villes qu'ils avaient occupées pendant la guerre; Montauban, Sancerre, Albi, Millau, Castres faisaient «compter les clous de leurs portes» aux garnisons royales qu'on leur envoyait. La Rochelle, qui s'était déclarée dans la dernière guerre pour le prince de Condé (9 janvier 1568), consentait à recevoir son gouverneur, Guy Chabot de Jarnac, mais non les soldats qui l'accompagnaient. Aussi, quand Coligny s'indignait que les assassins et les factieux eussent sinon «exprès commandement de faire ce qu'ilz font», à tout le moins «ung tacite consentement», la Reine ripostait que le Roi son fils avait donné l'ordre de faire bonne justice à tous ses sujets sans distinction et que «desjà l'effect se verroit de sa volunté si n'eust esté que les armes sont encore plus entre les mains de ceux qui ne les debvroient point avoir que entre les siennes»[529].

**Note 528:** (retour) Les crimes et les assassinats commis par les catholiques sont énumérés dans un Mémoire adressé au Roi par Coligny et Condé, et daté du jour même de leur fuite (23 août 1568). On les compte par centaines, et c'est trop; mais on est loin de dix mille. D'Aubigné, historien, ne laisse pas de parler en poète. Ce Mémoire a été publié en appendice par M. le comte Delaborde dans son *Coligny*, t. III, p. 496 sqq., 515.

**Note 529:** (retour) Delaborde, III, p. 33.--*Lettres*, III, p. 164 (août 1568).

Entre Catherine et l'Amiral, les explications sont d'autant plus aigres que leurs rapports ont été plus cordiaux. L'Amiral était comme le Connétable, son oncle, assez rude et fâcheux. Il en voulait, ce qui est légitime, à M. de Prie, le gouverneur d'Auxerre, qui avait fait assassiner un de ses gentilshommes; mais en annonçant à la Reine-mère la mort de Mme de Prie, il en tira une leçon qui portait plus loin que le mari. «Je ne veulx pas estre si présomptueux de juger des faits de Dieu, mais je veulx (peux?) bien dire avec tesmoignage de sa parole que tous ceulx qui violent une foy publique en seront chastiez»[530]. Il lui promettait d'empêcher tant qu'il pourrait «des troubles et prises des armes en ce royaume», «mais ajoutait-il, si nous y sommes contraintz pour deffendre la liberté de nos consciences, nos honneurs, vyes et biens, l'on cognoistra que nous ne sommes pas si aisés à battre et desfaire comme le cardinal de Lorraine s'en vante tous les jours»[531]. Il se plaignait qu'on eût dessein de l'assassiner, comme il l'avait appris de bonne source; elle le pria de faire connaître ces donneurs d'avis qui cherchaient à le mettre en défiance. Mais, répliquait-il, ne lui avait-elle point fait dire qu'il ne tenait la vie que d'elle, plusieurs ayant offert de le tuer, ce qu'elle n'avait pas voulu permettre. Elle devrait lui faire justice de ces «méchants», et, pour surcroît d'obligation, les lui nommer afin qu'il sût de qui se garder. Ces récriminations étaient de mauvais augure; les actes aussi. Un millier de huguenots et de protestants étrangers s'étaient glissés le long de la frontière et se disposaient à rejoindre aux Pays-Bas Guillaume le Taciturne et son frère Ludovic, qui avaient pris les armes contre les Espagnols. Catherine donna l'ordre au maréchal de Cossé de courir sus à ces bandes et de livrer au duc d'Albe «pour les traiter ainsy qu'ils le méritent» les «Elamans» (probablement les Flamands) et autres sujets du roi catholique qui s'y étaient enrôlés. Le capitaine qui les commandait, Cocqueville, avait été pris dans Saint-Valéry (sur Somme) et décapité, avec quelques-uns de ses compagnons. «Quant aux autres François qui sont prisonniers, ajoutait Catherine, je trouve bon qu'une partie soient punis comme les autres qui ont été exécutez et le reste soit envoié aux gallères»[532]. On voit à quel degré de passion elle est montée. Ce n'est plus la même femme.

Condé et Coligny, inquiets, s'étaient mis à l'abri dans Noyers-sur-Serain, à l'entrée du Morvan, une petite place assez forte qui appartenait à la princesse de Condé[533]. L'idée vint à Catherine de se saisir d'eux, et peut-être même de les traiter, à la façon du duc d'Albe, comme les comtes d'Egmont et de Horn. Mais elle cachait soigneusement ses intentions.

**Note 530:** (retour) *Id.*, p. 36 (12 juillet 1568).

**Note 531:** (retour) *Id.*, p. 44.

**Note 532:** (retour) 5 août 1568. *Lettres*, t. III, p. 166-167.

**Note 533:** (retour) 3: S. C. Gigon, *La troisième guerre de religion*, Paris, s. d. (1909), p. 35.

Le Roi en son Conseil examinait les griefs des chefs protestants et y répondait. Il ordonnait des enquêtes sur les crimes et les massacres, dont ils se plaignaient, envoyait à Auxerre un maître des requêtes, déléguait à même fin le premier président du parlement de Dijon. Il prononçait la dissolution des confréries du Saint-Esprit, dont le voisinage inquiétait les gens de Noyers[534]; il arrêtait la marche des compagnies de Brissac, qu'il avait décidé de cantonner dans l'Auxois; il remontrait à Tavannes, son lieutenant général en Bourgogne, que Condé l'accusait de vouloir attenter sur sa personne. Mais Catherine délibérait à part avec le cardinal de Lorraine et le nouveau garde des sceaux, Birague. Un certain Lescale fut pris mesurant la hauteur des murs de Noyers. Elle envoya Gonthery, secrétaire de Birague, et, en recharge, un capitaine, le sieur du Pasquier, donner l'ordre--probablement un ordre verbal--à Tavannes d'investir la ville de Noyers. Mais le gouverneur aurait, comme le raconte son fils, fait répondre «que la Royne estoit conseillée plus de passion que de raison et que l'entreprise estoit dangereuse, proposée par gens passionnés et inexperts, que luy n'estoit propre pour telles surprises.... que quand il voudroit exécuter ce commandement», le Prince et l'Amiral «ayant de bons chevaux se pourroient sauver et luy demeurer en croupe avec le blasme d'avoir rompu la paix»[535]. Dans une lettre officielle au Roi où il se défendait de tout mauvais dessein contre un Bourbon, Tavannes ajoutait: «Il est vray, quant il sera question des commandemantz de Vostre Majesté, de vostre Estat et du faict de ma charge, je vouldrois non seulement entreprendre contre luy, mais contre mon père s'il vivoit»[536]. Tavannes, prêt à marcher sur un ordre du roi, refusait de se commettre dans une tentative «dressée de quenouille et de plume».

Cependant comme il craignait que la Reine-mère n'insistât, et, sur un nouveau refus, n'envoyât quelque autre capitaine en son gouvernement pour exécuter ce coup de main, il résolut de donner l'alarme au prince de Condé. Il fit passer «des messagers proche Noyers avec lettres qui contenoient: Le cerf est aux toiles, la chasse est préparée». Les porteurs de dépêches furent, comme il l'espérait, arrêtés, et Condé, interprétant l'obscurité des textes à la lumière de ses soupçons, partit secrètement de Noyers avec Coligny, le 23 août. Il laissait pour adieu au Roi un mémoire où il énumérait les griefs du parti et n'en rendait responsable que le cardinal de Lorraine, «la racine et la semance de toutes les divisions et partialitez qui ont cours en ce royaume»[537].

**Note 534:** (retour) Abord, *Histoire de la Réforme et de la Ligue dans la ville d'Autun*, t. I, p. 392.

**Note 535:** (retour) *Mémoires de Gaspard de Saulx, seigneur de Tavannes*, éd. Buchon, p. 335.

**Note 536:** (retour) Lettre du 20 août 1568, publiée par Gigon, p. 385. De cette lettre M. G. croit pouvoir conclure que Catherine n'a jamais songé (Cf. p. 37) à investir Noyers et que c'est une invention du fils de Tavannes, le rédacteur des Mémoires. Mais le récit du fils et la lettre du père ne se contredisent pas: ils se complètent.

**Note 537:** (retour) Delaborde, III, p. 509.

Les fugitifs arrivèrent à La Rochelle, le 14 (ou le 18) septembre, et ils y furent rejoints par Jeanne d'Albret et son fils Henri de Navarre, qui leur amenaient les contingents gascons. D'heureux coups de main leur livrèrent Saint-Jean d'Angély, Saintes et Cognac. Forcés par la nécessité de prendre leur point d'appui loin de Paris, ils se cantonnèrent dans l'Ouest, où les grandes familles aristocratiques, les La Rochefoucauld, les La Trémoille, les Soubise et presque toute la noblesse avaient passé à la Réforme. En arrière des places fortes conquises et en avant de ses boulevards insulaires de Ré et d'Oléron, La Rochelle formait comme un réduit central, accessible par mer aux Anglais protestants, mais presque inexpugnable par terre aux Français catholiques.

Catherine était encore une fois surprise par les événements. Elle voulut négocier, car elle était d'avis de négocier toujours, de négocier quand même Condé refusa d'écouter un gouvernement qui, par deux édits publiés le 28 septembre, accordait la liberté de conscience, mais défendait sans acception de personnes tout exercice d'autre religion que de la catholique et romaine, commandait aux ministres réformés de sortir du royaume dans les quinze jours, démettait de leurs charges, avec promesse toutefois de les indemniser, les officiers du roi qui seraient de la nouvelle Église[538].

**Note 538:** (retour) L'un de ces édits est de septembre sans précision du jour, l'autre du 25; tous deux ont été publiés le 28 septembre. Fontanon, t. IV, p. 292-295.

La Reine-mère avait encore fait nommer son fils, le duc d'Anjou, lieutenant général du royaume (29 août) avec la direction particulière des forces de l'Ouest. Elle lui adjoignit, pour suppléer à son inexpérience, deux capitaines qui avaient fait leurs preuves dans les guerres du Piémont, Tavannes et Sansac. Ce partage du commandement, inspiré par les mêmes causes, eut les mêmes résultats qu'en 1567; la guerre traîna. Sansac dut enfin se retirer. Tavannes, libre de ses mouvements, franchit la Charente en mars 1569 et surprit à Bassac--près de Jarnac--Coligny, qui se gardait mal. Condé, accouru à l'aide, chargea avec trois cents chevaux la masse des escadrons catholiques et y pénétra d'un élan furieux, mais il fut accablé par le nombre, jeté à bas de cheval et tué de sang-froid par les gardes du duc d'Anjou (13 mars). Coligny couvrit la retraite et sauva l'armée protestante.

Catherine reçut à Metz la nouvelle de la victoire de Bassac. Depuis deux mois, elle avait quitté Paris, et, malgré les fatigues et la maladie, elle travaillait à fermer l'entrée de la Champagne et des Trois-Évêchés aux auxiliaires étrangers qui se préparaient à rejoindre la huguenots. L'habitude s'établissait entre gens de même croyance de s'entr'aider sans distinction de pays. Guillaume de Nassau en révolte contre le Roi catholique, et Condé et Coligny en révolte contre le Roi très chrétien, s'étaient promis par traité (août 1568) de s'«aider, favoriser et secourir l'ung à l'aultre» de tout ce qui dépendrait de leurs «puissances et forces». «Et fault que ceste alliance demeure tellement ferme que, quant il plairoit à Dieu favoriser l'ung ou l'autre pais en luy donnant entière liberté de conscience que pour ceste occasion ceulx qui seront si heureulx ne laisseront de secourir l'aultre partye comme si ils estoient en la mesme peine...»[539].

**Note 539:** (retour) Groen van Prinsterer, *Archives de la maison de Nassau*, 1re série, III, p. 285.

Guillaume de Nassau, au lieu d'attaquer le duc d'Albe, était entré en France le 19 novembre 1568, et l'on pouvait se demander s'il reculait devant les Espagnols ou projetait de se rapprocher de ses coreligionnaires français. Le gros de l'armée royale étant engagé dans l'Ouest, Charles IX n'avait que quelques milliers de soldats en Champagne, et le duc d'Albe ne se pressait pas de lui expédier les renforts qu'il lui avait promis. Catherine fit offrir à cet intrus équivoque de lui accorder libre passage vers l'Allemagne, et «pour la pitié» que le Roi avait de sa troupe de faire dresser «estappes» pour la «jecter... hors de nécessité»[540]. Malgré les protestations de l'ambassadeur d'Espagne, elle fournit au sujet rebelle de Philippe II l'argent et les vivres dont il avait le plus grand besoin. Mais, de peur qu'il ne fût tenté de s'en servir contre elle, comme on avait lieu de le craindre, elle fit si bien travailler ses mercenaires allemands qu'ils s'ameutèrent et le contraignirent à repasser la Moselle (13 janvier 1569).

Ce premier péril écarté, elle tâcha de barrer la route à l'armée que le duc des Deux-Ponts, Wolfgang de Bavière, amenait d'Allemagne au secours des huguenots. Mais elle partagea encore la défense des frontières de l'Est entre le duc d'Aumale et le duc de Nemours, qui ne s'entendirent pas. Wolfgang, que Guillaume de Nassau avait rejoint avec 1 200 cavaliers, profita de ces divisions et, gagnant de vitesse ses adversaires (mars 1569), il traversa la Bourgogne, franchit la Loire et arriva dans la Marche. Le duc d'Anjou, menacé d'être pris entre ces étrangers et les huguenots, appela sa mère à l'aide. Il se plaignait du duc d'Aumale, qui avait laissé passer l'invasion, et du cardinal de Lorraine, qui ne lui envoyait pas l'argent de la solde. Catherine, qui se reposait à Monceaux, accourut au camp et massa toutes les forces royales contre le duc des Deux-Ponts. Mais elle n'eut pas la joie d'assister à une victoire de ce fils si cher, les reîtres catholiques, qu'on ne payait pas, ayant refusé de se battre. «Cet (si) les reystres, écrivait-elle à Charles IX, euset voleu (eussent voulu) marcher jeudi le jour de la Feste-Dyeu (10 juin), je me pouvés dyre la plus heureuse femme du monde et vostre frère le plus glorieulx»[541].

**Note 540:** (retour) *Id.* p. 315-316.

**Note 541:** (retour) 12 juin 1569, *Lettres*, t. III, p. 245.

C'était pour elle une grande déception; mais quelques mois après, Tavannes battit Coligny à Moncontour (3 octobre 1569), et elle crut que la partie était gagnée. Le hasard, comme dans la première guerre civile, l'avait bien servie. Condé avait péri (13 mars); Wolfgang était mort de maladie la veille de sa jonction avec les huguenots (11 juin). Mort aussi d'Andelot, le meilleur lieutenant de Coligny (7 mai 1569). «Monsieur mon fils, vous voyés come Dieu nous ayde car y lé (il le ou les) vous fayst mourir (votre ennemi ou vos ennemis) sans coups frapper»[542].

Elle espérait d'autres marques de la protection divine. «M. de Fourquevauls, écrivait-elle à son ambassadeur à Madrid, la nouvelle de la mort d'Andelot nous a fort resjouys, depuis celle du feu conte de Brissac[543] que j'ay tant regretté; j'espère que Dieu fera aux aultres à la fin recevoir le traictement qu'ils méritent. L'on tient aussy que Baudiné[544] est mort et que la peste est parmy eulx à Xainctes où ils sont encores.» Et, sans transition, elle conclut: «Je vous prie au reste, Monsieur de Fourquevauls m'envoyer par la première commodité deux douzaines d'éventails....»[545]. (19 mai 1569).

**Note 542:** (retour) 14 juin 1569, *Lettres*, III, p. 251.

**Note 543:** (retour) Timoléon de Cossé-Brissac, qui avait été nommé colonel général de l'infanterie française, après la révocation d'Andelot, avait été tué au siège de Mussidan (28 avril 1569).

**Note 544:** (retour) Galliot de Crussol, seigneur de Beaudiné, capitaine protestant, frère du duc d'Uzès et de Jacques d'Acier.

**Note 545:** (retour) *Lettres*, III, p. 241.

Elle laissa trop voir sa joie pour son honneur. Le cardinal de Châtillon, alors réfugié en Angleterre, écrivait à l'Électeur Palatin, Frédéric III (10 juin), que son frère avait été empoisonné, et il en donnait pour preuve tant «d'anatomye (autopsie) qui a été faite de son corps» que les propos d'un Italien qui s'était vanté, «devant (avant) ladite mort, à plusieurs tant à Paris qu'à la Cour, d'avoir donné la poison» et qui, depuis, sachant son coup réussi, demandait «récompense d'un si généreux acte»[546]; mais la douleur fraternelle ne le rendait-elle pas trop crédule? L'ambassadeur d'Angleterre en France, Norris, dans une dépêche à Cecil, du 27 mai 1569, annonçait aussi qu'un Italien se flattait d'avoir empoisonné d'Andelot et fait boire à la même coupe l'Amiral et son frère[547]. Il rappelait au secrétaire d'État d'Élisabeth que depuis longtemps il lui avait signalé que quelques Italiens étaient partis de Paris bien payés, pour exécuter le même dessein. Il est vrai que, le 14 juin, il rapportait que Coligny avait fait tirer à quatre chevaux l'empoisonneur, «un gentilhomme du camp du duc d'Anjou», et que M. de Martigues, lieutenant général du roi en Bretagne, était l'instigateur du crime[548]. Comme ces détails sont faux, on peut se demander si Norris était mieux renseigné sur la cause de la mort.

**Note 546:** (retour) Kluckhohn, *Briefe Friedrich des Frommen, Kurfürsten von der Pfalz*, t. II, 1re partie, p. 334-338, Brunswick, 1870.

**Note 547:** (retour) *Calendar of State papers, Foreign series, of the reign of Elizabeth*, 1569-1571, p. 79. La Cour d'Angleterre avait reçu un premier avis anonyme du 10 mai signalant la mort d'Andelot et les soupçons d'empoisonnement, *ibid.*, p. 70.

**Note 548:** (retour) *Ibid.*, p. 88.

Mais à l'arrivée à Londres de sa première lettre, le 1er juin[549], la Cour d'Angleterre prit ostensiblement des mesures pour protéger Élisabeth, à qui Charles IX disait en vouloir d'aider ses sujets rebelles. «Despuys cella, écrivait le 10 juin l'ambassadeur de France à Catherine, l'on a ordonné je ne sçay quoy de plus exprès en l'essay accoustumé de son boyre et de son manger et l'on a osté aulcuns Italiens de son service, et est sorty du discours d'aulcuns des plus grandz qu'encor qu'il ne faille *dire ny croire que telle chose* (l'empoisonnement de d'Andelot) *ayt été faicte du vouloir ny du commandement de Voz majestez ny que mesmes vous le veuillez meintennant* (maintenant) *approuver après estre faict*, que neantmoins touz princes debvoient dorsenavant avoir pour fort suspect tout ce qui viendra du lieu d'où de telz actes procèdent ou qui y sont tolérez, et s'esforce l'on par ce moyen de taxer et rendre, icy, odieuses les actions de la France; et [je] croy qu'on en faict aultant ailleurs»[550]. Il est étrange que La Mothe-Fénelon ait attendu des instructions pour protester contre ces soupçons infamants. Il annonce à la Reine ce 10 juin qu'il va le faire, ayant appris par une lettre du Roi du 14 mai--une dépêche officielle qui avait voyagé bien lentement[551]--que M. d'Andelot dans un combat avait été frappé d'un coup d'arquebuse «dont il n'est depuis sceu guérir (dont on n'a pas su depuis qu'il se fût guéri)». Sur cette «asseurance» dit-il, «j'asseureray fort que ce qu'on dict du poyson est une calomnie et que Voz Majestez ne serchent ceste façon de mort, mais bien l'obeyssance de voz subjects et de donner ung juste chastiement à ceulx qui présument de la vous denyer»[552]. Il n'a pas l'air bien convaincu, et pour cause. Personne n'avait entendu parler d'une blessure de d'Andelot[553]. Aussi la Reine-mère, dans une lettre du 9 juillet 1569, où elle relevait les inexactitudes de Norris, disait que d'Andelot était mort d'une «grosse fiebvre à l'occasion de beaucoup de travail qu'il auroit pris»[554]. Et en effet il est possible qu'une «fièvre pestilentielle», qui fit beaucoup de victimes dans le camp huguenot ait achevé de ruiner un organisme affaibli par les fatigues et les soucis de la campagne. L'historien protestant, La Popelinière, sans écarter l'hypothèse du poison, semble croire plutôt à un accès pernicieux de fièvre chaude[555]. Mais il est regrettable pour le Roi que, sept jours après la mort de d'Andelot, il en ait donné une explication imaginaire, et que sa mère ait été obligée d'en découvrir ou d'en inventer une meilleure.

**Note 549:** (retour) Teulet, *Corespondance diplomatique de Bertrand de Salignac de la Mothe-Fénelon, ambasadeur de France en Angleterre, de 1568 à 1575*, Paris, 1840, t. II, p. 8, 3 juin 1569.

**Note 550:** (retour) 10 juin 1569, *Corresp. diplomatique de la Mothe-Fénelon*, t. II, p. 16-17.

**Note 551:** (retour) La dépêche de Charles IX est dans le *Supplément à la Correspondance diplomatique*, t. VII, p. 21-22.

**Note 552:** (retour) *Corresp. diplomatique*, t. II, p. 17.

**Note 553:** (retour) D'Andelot, lorsqu'il cherchait à rejoindre Condé et Coligny à La Rochelle avec les contingents bretons, avait eu un engagement assez vif avec Martigues, qui voulait lui barrer le passage de la Loire. De ce combat sur les digues, La Popelinière, l'historien protestant, dit seulement, liv. IV, fo 129a, septembre 1568: «Andelot avec peu de gens y survint lequel *importuné* à coups de pistoles par L'Ourche, lieutenant de Martigues, de se rendre, fut secouru par son escuyer Sainct-Bonet, qui d'une pistolade renversa mort ce lieutenant.» Il ne dit pas que d'Andelot ait été blessé. [La Popelinière], *La Vraye et entière Histoire des troubles et choses mémorables avenues tant en France qu'en Flandres et pays circonvoisins depuis l'an 1562*... A La Rochelle, MDLXXIII.

**Note 554:** (retour) *Supplément à la Correspondance*, t. VII, p. 30.

**Note 555:** (retour) La Popelinière, liv. V, fo 176b, mai 1569.

Encore plus inquiétante que ces contradictions est la conversation que Catherine eut à Metz avec Francès de Alava et que l'ambassadeur d'Espagne rapporta immédiatement à son maître, le 7 avril, juste un mois avant l'événement. Elle se lamentait de l'impuissance des forces royales contre les rebelles et demandait ce qu'elle devait faire. Le conseil de l'Espagnol fut de sonner le «*glas*, comme on dit en Italie, à l'Amiral, d'Andelot et La Rochefoucauld».... La Reine répliqua «qu'il n'y avait pas trois jours qu'elle avait réglé l'affaire du glas, en promettant de donner 50 000 écus à qui tuerait l'Amiral et 20 000 ou 30 000 à qui tuerait les deux autres»[556].

Elle attendait de trouver l'homme d'exécution. Mais entre l'aveu de ses intentions et la date de la mort, la coïncidence est troublante[557].

Et malheureusement ce n'est pas la seule fois où on puisse la suspecter d'avoir voulu se défaire des chefs rebelles autrement que par voie de justice. Le 18 juillet 1569, Norris écrivait encore à Cecil: «Je suis informé que le capitaine Haijz, un Allemand (an Almain), est expédié d'ici pour chercher à tuer l'Amiral par le poison et qu'il reçoit le même salaire que d'autres auparavant ont eu pour une entreprise semblable»[558].

L'emploi d'autres émissaires que les Italiens trop suspects n'est pas douteux. Dans une dépêche du 8 août, Francès de Alava raconte à Philippe II qu'ayant en son hôtel un Allemand qui revenait du camp de l'Amiral et qui paraissait bien instruit de ce qui s'y passait, il avait proposé au Roi et à la Reine de le leur envoyer, s'ils désiraient lui parler. Mais comme il ajouta que ce transfuge savait qu'on tramait la mort de l'Amiral, la mère et le fils, le prenant par le bras, le «poussèrent dans un cabinet, ou il n'y avait personne» et «ensemble lui dirent que, pour Dieu, il ne fût pas question de cette affaire, car ils en attendaient à tout moment une bonne nouvelle; et ceci fut dit avec une joie qui trahissait, sans le moindre doute, qu'ils avaient machiné cette mort». La Reine ajouta que pour rien au monde cet Allemand ne devait venir leur parler et elle pria l'ambassadeur de l'engager, comme de lui-même, à se taire, et même, s'il le jugeait à propos, de lui faire quelque bon présent, pour qu'il se tût. Alava voulut savoir si c'étaient des Allemands qui devaient tuer l'Amiral: «Chut! pour le moment», fut la réponse; «ne nous demandez rien; vous saurez tout sans tarder. Et ils parlaient avec tant de précaution qu'ils ne quittaient pas des yeux les murs de la pièce comme pour scruter s'il n'y avait pas quelque fenêtre ou autre ouverture» par où on pût les entendre[559].

**Note 556:** (retour) Lettre citée par Pierre de Vaissière, *De quelques assassins*, Paris, 1912, p. 99.

**Note 557:** (retour) Il n'y a pas à faire état dans cette conversation, *ibid.*, p. 99, de ce propos que sept ans auparavant elle aurait eu même dessein. Elle n'a pas montré dans la première guerre civile de passion contre les protestants, mais elle avait intérêt à le persuader à l'ambassadeur de Philippe

II. C'était une façon d'effacer la tare de ses cinq ans de politique modérée. Il ne faut pas toujours la croire sur parole. Elle donne souvent, par calcul, aux inspirations du moment la consécration du passé.

**Note 558:** (retour) *Calendar of state papers, Foreign series, of the reign of Elizabeth*, 1569-1571, p. 96.

**Note 559:** (retour) Francès de Alava à Philippe II, 8 août 1569, *Archives nationales*, K. 1512, no 43. Voir Pierre de Vaissière, *De quelques assassins*, 2e éd., Paris, 1912, p. 100-101, dont j'emprunte la traduction élégante et fidèle. Cette dépêche est du 8 août. Alava dit que dans la dépêche précédente, celle du 6 août, *Arch. nat.*, no 40, il a oublié de rapporter cette conversation à Philippe II. L'oubli est un peu étrange, étant donné l'importance du fait. Aussi ne suis-je pas surpris qu'à quelques jours de distance, son imagination aidant, il ait donné à ce récit, très exact au fond, une forme, si j'ose dire, dramatique.

Un mois après cette scène tragi-comique, les huguenots arrêtaient à son retour au camp un domestique de l'Amiral, Dominique d'Alba, qui, dépêché à Wolfgang de Bavière, était resté si longtemps en route qu'il en était devenu suspect. On trouva sur lui un passeport au nom du duc d'Anjou, daté du 30 août, et une poudre blanche, que les médecins et les apothicaires consultés déclarèrent être du poison. D'Alba confessa que pris par les catholiques, et pressé par La Rivière, capitaine des gardes du Duc, de faire mourir l'Amiral, il avait consenti et reçu argent «et poison en forme de poudre blanche». Jugé par un conseil de guerre, où l'Amiral et les deux Bourbons s'abstinrent de siéger, il fut condamné à être étranglé et pendu (20 septembre)[560].

Si elle s'acharna contre Coligny, c'est qu'il commandait sans partage, depuis la mort de Condé, les forces protestantes. Les deux jeunes princes du sang, Henri de Navarre et le fils de Condé, Henri de Bourbon, qui, selon la casuistique huguenote, légitimaient la révolte par leur présence, étaient en droit les chefs de l'armée et en fait «les pages de monsieur l'Amiral», comme on les appelait. Supprimer Coligny, c'était frapper le parti à la tête. Qu'il méritât la mort, Catherine n'en pouvait douter. Les lois du royaume, quoi qu'il pût dire pour sa défense, n'admettaient pas d'excuse à la rébellion. Mais les rois de France, à l'exception peut-être de Louis XI, ne procédaient contre les coupables que par force d'armes ou par jugement. Tout en considérant la justice comme l'attribut essentiel de la souveraineté, ils en laissaient la fonction à leurs officiers, et se seraient fait scrupule de commander d'autorité le meurtre d'un sujet[561]. Quant à l'idée de soudoyer un empoisonneur, elle ne leur venait même pas. Catherine n'avait pas de ces répugnances. Elle est d'un pays où de jeunes dynasties fondées par la violence et de vieilles oligarchies soupçonneuses n'ont d'autre règle de droit que le souci de leur sécurité. Le poison est, comme l'assassinat, un moyen de se défaire d'ennemis qui échappent à la puissance des lois. Dans sa lutte contre le parti protestant,

Catherine se servit des armes que lui fournissaient les institutions françaises et, au besoin, de celles que lui suggérèrent ses souvenirs italiens.

**Note 560:** (retour) L'arrêt rendu contre Dominique d'Alba, valet de chambre de l'Amiral, le 30 septembre 1569, est rapporté dans les *Mémoires de la troisième guerre civile et des derniers troubles de France... Charles IX régnant*, 1571 [Jean de Serres], p. 411-415.

**Note 561:** (retour) Même quand ils soustraient pour raison d'État les criminels de lèse-majesté à la juridiction ordinaire, ils les font juger par une commission, qu'ils composent d'ailleurs arbitrairement de membres de divers parlements, de conseillers en leur Conseil ou d'autres personnages. Ces jugements par commissaires sont trop souvent une parodie de la justice, mais ils prouvent que le roi n'exerce plus la justice que par délégation.

Le jour même où la poudre blanche procurée à Dominique d'Alba par le capitaine des gardes du duc d'Anjou était reconnue pour du poison (13 septembre 1569), le parlement de Paris, en suite de la procédure qu'il avait commencée en juillet par l'ordre du Roi déclara par arrêt Coligny «crimineux de lèze majesté au premier chef, perturbateur et violateur de paix, ennemi de repos, tranquillité et seureté publique, chef principal, autheur et conducteur de la rébellion conspiration et conjuration» contre le «Roy et son estat». Pour tous ces crimes, il le privait de tous honneurs, états, offices et dignités, confisquait ses biens et le condamnait à être étranglé et pendu à une potence en place de Grève. Il assurait à qui livrerait Coligny «es mains du roy et de sa justice», fût-il même complice de Coligny, «cinquante mil escus d'or soleil à prendre sur l'Hôtel de Ville de Paris et autres villes de ce royaume»[562]. Le Roi trouva bon l'arrêt du Parlement, «fors excepté qu'il falloit adjouster», après: à qui livrerait Coligny, ces mots: *mort ou vif*. Ainsi fut fait dans un nouvel arrêt du 28 septembre.

**Note 562:** (retour) Delaborde, *Coligny*, III, p. 145.

La mise à prix de la tête d'un rebelle, cette délégation par l'État à de simples particuliers de son droit de tuer, est une mesure inhumaine, mais légale, dont on trouverait des exemples même au XIXe siècle parmi les peuples civilisés. Un jeune gentilhomme d'humeur sanguinaire, Louviers de Maurevert, ou Maurevel, s'offrit pour l'exécution. Autrefois page dans la maison de Guise, il avait tué son gouverneur, qui le fouettait pour quelque faute, et, contraint de s'enfuir à l'étranger, avait fini par obtenir sa grâce. Il se présenta à l'armée des princes comme une victime des Guise, et il y fut naturellement bien accueilli, surtout par Mouy, un des principaux capitaines, dont il avait été auparavant le serviteur, Brantôme dit, le page. Il ne trouva pas l'occasion d'assassiner Coligny, mais, pour ne pas perdre sa peine, il tua son ancien maître d'un coup de pistolet dans le dos (9 octobre). Au camp catholique où il se réfugia, il fut, raconte Brantôme, qui parle en témoin, «assez bien venu de Monsieur (le duc d'Anjou) et d'aulcuns du Conseil et aultres; mais pourtant... fust-il abhoré de tous ceux de notre armée». Ce n'était pas d'ailleurs par répugnance de l'acte lui-même «que personne ne le vouloit accoster» et même l'on reconnaissait qu'il avait «faict un grand service au roy et à la patrie pour leur avoir exterminé un ennemy très brave et très vaillant»; mais on l'estimait infâme d'avoir «perfidement et proditoirement tué son maistre et son bienfaiteur»[563]. Si la morale du temps eût facilement excusé un meurtre politique, l'ingratitude et la félonie dont celui-là était entaché le rendaient exécrable à des gentilshommes. La famille royale fut moins scrupuleuse. Charles IX, alors à Plessis-les-Tours, aurait même écrit le 10 octobre à son frère le duc d'Alençon, qu'il avait laissé à Paris, de bailler le Collier de l'Ordre (de Saint-Michel) à l'assassin de Mouy et de le faire gratifier «de quelque honneste présent selon ses mérites» «par les manans et habitants de Paris»[564].

**Note 563:** (retour) Brantôme, VII. p. 253.

**Note 564:** (retour) Delaborde, III, p. 159 et P. de Vaissière, *De quelques assassins*, 1912, p. 112-113, affirment avec assurance l'authenticité de cette lettre. Mais il y a quelques raisons d'en douter. Le style sent le pastiche. D'autre part, la promotion des chevaliers avait lieu une fois l'an seulement, le 29 septembre, jour de la saint-Michel, et l'assassinat est du 9 octobre. La lettre dit que Maurevert a «esté choisi et éleu par les frères compaignons dudict ordre pour y estre associé». Où, quand et comment aurait eu lieu cette élection? S'il existait des listes complètes des chevaliers de l'Ordre, la question d'authenticité serait vite résolue. Mais y en a-t-il encore? Les *Statuts de l'Ordre de Saint-Michel*, Imprimerie royale, 1725, ne donnent en général que les noms des chefs et des officiers. A tout le moins peut-on rechercher dans les acquits du domaine de la ville (*Archives nationales*, H. 2065) celui du «présent» fait par Paris à Maurevert. Mais il serait étonnant qu'un pareil don eût échappé à M. Guérin, qui en signale d'autres justement en ce mois d'octobre 1569, dans ses notes du t. VI des *Registres des Délibérations du Bureau de l'Hôtel de Ville de Paris*, 1568-1572, Paris, 1891.

Mouy commandait à Niort, qui de frayeur, capitula, après le meurtre. Les vaincus de Moncontour fuyaient à la débandade. Mais l'intervention de Charles IX arrêta la poursuite que Tavannes voulait mener à outrance Catherine laissait trop voir sa préférence pour le duc d'Anjou, à qui elle avait fait donner le commandement en chef des armées et une sorte de vice-royauté dans les pays où il opérait. Elle s'était dévouée à sa fortune et cherchait à lui créer dans l'État une place à part, non au-dessous, mais à côté du Roi. Elle avait imaginé un gouvernement hybride, véritable triarchie, dont elle était la tête, le duc d'Anjou le bras et Charles IX la raison sociale. Le jeune Roi, fier et sensible, souffrait de la gloire de son frère; il se hâta de le rejoindre pour achever la défaite des rebelles. Mais courir après les fuyards, que talonnait la nécessité, lui parut indigne de sa grandeur. Il résolut donc d'assiéger les places fortes qui servaient de boulevards à La Rochelle, et de se donner le plaisir d'y faire des entrées triomphales. Pendant que les forces royales s'épuisaient contre Saint-Jean-d'Angély, qui se défendit longtemps (16 octobre-2 décembre), Coligny filait vers le Midi. Il hiverna dans la région plantureuse de l'Agénois et de Montauban, s'y refit et se renforça de l'armée de Mongoméry, qui avait reconquis le Béarn sur les catholiques. Au printemps il précipita sa marche à travers le Languedoc, et, pillant et brûlant pour bien montrer que tous les huguenots n'étaient point morts, il atteignit le Rhône.

Pendant le siège de Saint-Jean-d'Angély, Catherine avait négocié avec les protestants. Elle leur fit offrir la paix avec la liberté de conscience (février 1570); ils réclamèrent de plus la liberté de culte (mars 1570).

Catherine ne s'attendait pas à cette exigence. Charles IX, qui se révélait violent, s'emporta jusqu'à la menace contre les députés du parti, qui, tout en l'assurant de leur fidélité, mettaient à prix leur obéissance (25 avril 1570). Mais la progression de Coligny vers le Nord, le long de la vallée du Rhône, le rendit plus conciliant. Les articles de l'accord étaient presque arrêtés, quand Téligny, le principal ambassadeur, eut l'imprudence de lui déclarer «qu'il avoit commandement de la part des princes et de l'Amiral de luy dire comment ils ne pouvoient veoir de seureté pour leur biens ne leur vye, si ce n'estoit qu'ils eussent Calais et Bordeaux pour leur demeurer». Demander deux ports et surtout Calais, cette place forte toujours convoitée par l'Angleterre et que Coligny en 1562 avait promis de restituer à Élisabeth, c'était presque une provocation. «De quoy le Roy fust si despité qu'il mit la main à la dague, et pense-t-on qu'il en eust donné audict Telligny si on ne se feust mis entre eux deux.... Et dict (le Roi) comme il lui feroit sentir qu'il n'estoit point roy de paille comme ils (les huguenots) l'ont estimé»[565].

Cependant Coligny avançait toujours. Après une longue halte à Saint-Étienne, il repartit, échappa au maréchal de Cossé, qui lui barrait la route à Arnay-le-Duc (26 juin) et s'établit fortement à La Charité-sur-Loire, d'où il menaçait les abords de Paris. Dans l'Ouest, La Noue, le Bayard huguenot, avait repris l'offensive, occupé Niort, Brouage et Saintes.

Depuis longtemps, Catherine était lasse de la guerre. Elle supportait mal l'effort d'un long dessein: elle était femme. La lutte s'éternisait sans résultats; l'argent manquait[566]; les Espagnols ne lui envoyaient plus de secours. Et surtout elle avait contre Philippe II des griefs personnels. Sa fille Élisabeth, reine d'Espagne, était morte le 3 octobre 1568, un an avant Moncontour. Malgré son chagrin, Catherine avait immédiatement posé la candidature de sa dernière fille, Marguerite, à la main de son gendre. Mais Philippe II refusait la femme qu'elle lui offrait, et même empêchait, croyait-elle, le roi de

Portugal, don Sébastien, de l'épouser. Sans plus de souci de ses convenances que de ses ambitions matrimoniales, il profita de l'ascendant que lui donnaient à Vienne sa puissance et sa qualité de chef de la Maison des Habsbourg et il prit pour lui l'aînée des archiduchesses, qu'elle destinait à Charles IX. Il laissa au roi de France la cadette, et, pour bien marquer les rangs, décida que les deux contrats seraient passés à Madrid et le sien signé un quart d'heure avant celui de son futur beau-frère. La paix avec les huguenots, ce serait en quelque sorte la vengeance de la mère de famille contre ce gendre discourtois. Elle commençait à le croire capable du crime dont on l'accusait. La mort à vingt-trois ans d'Élisabeth de Valois, quelques mois après celle de l'infant don Carlos, qui avait même âge qu'elle, est une simple coïncidence de temps, mais où les contemporains cherchèrent une relation de cause à effet[567]. La légende se forma vite d'un don Carlos amoureux de sa belle-mère et payé de retour, et d'un Philippe II punissant une faiblesse du cœur, où le corps n'avait pas eu de part. En réalité, Élisabeth, mariée trop jeune et affaiblie par de nombreuses couches, fut emportée par une fièvre puerpérale, une fin aussi fréquente alors qu'elle est rare aujourd'hui. Don Carlos était un dément, illuminé parfois, comme sa bisaïeule Jeanne la Folle, d'éclairs d'intelligence et de bon sens, mais que ses crises de fureur, sa haine contre son père et ses projets de fuite en Italie et de là peut-être aux Pays-Bas alors en révolte, décidèrent Philippe II, dans l'intérêt de la dynastie et de l'Espagne, à enfermer (18 janvier 1568). Le prisonnier mourut six mois après, dans l'appartement où il était séquestré, d'une indigestion de liqueurs glacées qui acheva l'œuvre du désespoir, de la honte, de la rage impuissante. Le crime du père, si l'on peut dire, fut de traiter son fils malade en rebelle, de le retrancher de soi comme du reste du monde, et de refuser avec une volonté impitoyable d'aller le voir, malgré ses supplications, même à l'heure de son agonie[568].

**Note 565:** (retour) Lettre citée par Delaborde, III, p. 201.

**Note 566:** (retour) C'est une des raisons de bien des revirements. Voir Germain Bapst, *Histoire des Joyaux de la Couronne de France*, Paris, 1889, liv. II, ch. I. p. 86 sqq.

**Note 567:** (retour) Mort de don Carlos, 24 juillet 1568; mort d'Élisabeth, 3 octobre 1568.

**Note 568:** (retour) L'ouvrage capital, c'est encore l'étude si documentée de Gachard, *Don Carlos et Philippe II*, Bruxelles, 1863, 2 vol., avec ses nombreux appendices. On peut lire aussi le *Don Carlos et Philippe II*, 3e éd., 1888, du Cte Charles de Mouy.

Élisabeth était reconnaissante au prince, étant sa marâtre, de l'affection qu'il lui témoignait. «L'aubligation que je luy ay, écrivait-elle à l'ambassadeur de France, le jour même de l'arrestation, et la peine en laquelle est le Roy pour avoir été contraint de le tenir et mettre comme il le tient, m'ont mise de façon que j'ay craint de ne le vous savoir compter (conter) comme j'eusse voulu.» Et d'ailleurs Philippe II, qui vient de lui dire ce qu'il a fait, lui a «commandé de n'escrire tant qu'il me dye». Elle ne se ressentait moins, ajoutait-elle, de l'infortune de son beau-fils, que s'il eût été son propre fils. Cette sorte de mère adoptive parle avec une sincérité touchante de leurs rapports: «... Si je le désirois, c'estoit pour faire service», ce qui signifie assurément qu'elle s'employait à le réconcilier avec le Roi son mari. Mais elle n'y avait pas réussi. «Dieu a voulu qu'il est déclaré ce qu'il est, à mon grand regret.» Le même ambassadeur écrivait à Catherine: «La Royne s'en passionne et en pleure pour l'amour de tous deux»[569], (c'est-à-dire du père et du fils). Il y a loin de cette compassion si naïve à une tendresse coupable. Quel autre sentiment que la pitié pouvait inspirer à la douce jeune femme ce blême adolescent, maladif et contrefait, avec une épaule trop haute et une jambe trop courte, enragé de se marier et qui s'appliquait, sans beaucoup de succès, à faire la preuve de sa virilité, «un demi-homme naturel», disait moqueusement l'ambassadeur de France.

**Note 569:** (retour) Gachard, *Don Carlos et Philippe II*, 1863, II, p. 524-525 et la note 2 de la page 524.

Après les mauvais offices de Philippe II, Catherine inclinait à croire qu'il avait empoisonné sa fille. Mais il faut bien dire qu'immédiatement après la mort d'Élisabeth, alors qu'elle avait le plus de chances d'être bien renseignée, elle n'en disait ni n'en savait rien. Quelque désir qu'elle eût de bien marier ses enfants--et c'est assurément la preuve qu'elle les aimait,--elle n'aurait pas couru le risque de donner sa dernière fille au meurtrier de sa fille aînée.

Elle en voulait à tous ceux qui contrecarraient ses combinaisons matrimoniales. Marguerite, qui avait dix-sept ans et s'annonçait sensible, écoutait volontiers le jeune duc Henri de Guise. Le cardinal de Lorraine ne décourageait pas, disait-on, l'idylle, dans l'espoir qu'elle aboutirait au mariage et assurerait la fortune de sa maison. Par crainte de cette même grandeur ou par haine d'une sœur, autrefois très chère, le duc d'Anjou dénonça l'intrigue à la Reine. Catherine était une mère de famille autoritaire. Elle entendait disposer de sa fille, qu'elle destinait à un prince souverain, sans elle et même malgré elle, au mieux de ses intérêts et de sa politique. Charles IX, colère et hautain, fut blessé, en son orgueil de frère et de roi, de l'outrecuidance de ces cadets de Lorraine. Un matin, il arriva chez la Reine-mère, «tout en chemise» et y manda Marguerite. Quand ils furent seuls avec cette amoureuse, ils se jetèrent sur elle et la battirent rudement. «Au sortir de leurs mains, ses vêtements étaient si déchirés, et sa chevelure si en désordre» que Catherine, de peur qu'on se doutât de rien, «passa une heure à rajuster la toilette de sa fille» (25 juin 1570)[570]. Le Roi commanda à son frère, le bâtard d'Angoulême, de tuer le duc de Guise, et celui-ci, pour sauver sa vie, fut obligé d'annoncer son prochain mariage avec la princesse de Portien, Catherine de Clèves, une jeune veuve très aimable, à qui il faisait, par surcroît, une cour assidue. Le cardinal de Lorraine partit pour son diocèse. Le crédit des chefs catholiques était passé.

**Note 570:** (retour) Récit de l'ambassadeur d'Espagne, F. de Alava, cité dans *Lettres*, III, introd. p. LXIV. Marguerite, dans ses Mémoires, ne parle pas de la correction, et, en disculpant le duc de Guise, elle se disculpe elle-même. Elle se donne le beau rôle d'avoir fait faire le mariage du Duc avec la princesse de Portien pour couper court à de faux bruits, dont l'auteur responsable, prétend-elle, était le sieur du Gast, favori du duc d'Anjou. *Mémoires de Marguerite*, édit. Guessard, p. 19-20, 22-23.

La paix fut signée avec les protestants à Saint-Germain. L'édit de pacification (8 août 1570) leur accordait la liberté de conscience dans tout le royaume et la liberté de culte dans tous les endroits où il existait avant la guerre, dans le logis des hauts justiciers et dans les faubourgs de deux villes par chaque grand gouvernement, exception faite pour la Cour et pour Paris, où, y compris une zone de deux lieues de rayon autour de la résidence royale et de dix autour de la capitale, il n'y aurait d'autre exercice que de la religion romaine. Ils obtenaient aussi de garder pendant deux ans La Rochelle, Montauban, La Charité-sur-Loire et Cognac, comme refuge provisoire contre les violences catholiques, en attendant l'effet des mesures de pacification. Les princes de Navarre et de Condé et vingt gentilshommes protestants, désignés par le Roi, jureraient au nom de tout le parti de restituer «au bout et terme de deux ans» ces quatre places de sûreté.

Pour rendre cette paix durable et fortifier la cause protestante en Europe, deux chefs huguenots, réfugiés pendant la guerre en Angleterre, le cardinal de Châtillon et Jean de Ferrières, vidame de Chartres, cherchèrent à rapprocher Catherine d'Élisabeth. Comme ils connaissaient les appétits de grandeur de la Reine-mère, ils présentèrent le projet d'alliance sous la forme la mieux faite pour la tenter, un mariage entre la Reine d'Angleterre et le duc d'Anjou, frère cadet de Charles IX.

Jusque-là les rapports entre les deux Cours n'avaient pas été cordiaux, mais ce n'était pas la faute de Catherine. Elle avait, après la mort de François II, pressé Marie Stuart, à qui elle gardait rancune, de retourner en Écosse et elle l'y laissa aux prises avec ses sujets presbytériens, qui, soutenus par les forces anglaises, avaient imposé à la régente, Marie de Lorraine, sa mère, la reconnaissance de leur Église[571]. Quoique Élisabeth se fût pendant la première guerre civile, alliée à Condé et Coligny pour lui reprendre Calais, elle avait à deux reprises, quelques mois après le traité de Troyes, sollicité sa main pour Charles IX[572]. Il s'ensuivit de cette recherche, qu'Élisabeth finit par décliner (12 juin 1565), que les Anglais n'aidèrent plus aussi ouvertement les huguenots pendant les deux guerres qui suivirent et que Catherine, rompant décidément avec la politique d'Henri II et des Guise, abandonna la défense du catholicisme et, par suite, des intérêts français en Écosse. Marie Stuart, livrée à elle-même, avait réussi d'abord à calmer par ses ménagements l'opposition religieuse, mais elle la souleva plus ardente, en faisant ou laissant tuer Darnley, son mari, qui d'ailleurs l'avait outragée, et en épousant de gré ou de force l'un des meurtriers, Bothwen, que d'ailleurs elle ne détestait pas[573]. Évadée du château fort où les lords rebelles l'avaient enfermée et de nouveau vaincue, elle s'était enfuie en Angleterre pour chercher asile et appui auprès d'Élisabeth, sa cousine (15 mai 1568). Elle n'y trouva qu'une prison. La fille d'Henri VIII et d'Anne de Boleyn garda en son pouvoir cette suppliante, qui descendait comme elle d'Henri VII Tudor et que beaucoup de catholiques anglais, vu son hérésie et l'irrégularité de sa naissance, considéraient comme la légitime héritière de Marie Tudor. Contre tout droit, elle se constitua juge des accusations dont les Écossais chargeaient leur souveraine, et, inquiète du nombre et du zèle des défenseurs de Marie Stuart, elle resserra toujours plus étroitement sa captivité.

**Note 571:** (retour) Cheruel, *Marie Stuart et Catherine de Médicis*, Paris, 1858, ch. II. p. 17-28.

**Note 572:** (retour) *Id., ibid.*, demande en mariage faite en septembre 1564--le traité de Troyes est du 11 avril--par Castenau de Mauvissière.--Nouvelle demande en février 1565, par Paul de Foix, Mignet, *Histoire de Marie Stuart*, 1851, t. I, app. D, p. 473 sqq. Cf. t. I, p. 195-199.

**Note 573:** (retour) Sur la culpabilité ou le degré de responsabilité de Marie Stuart dans l'assassinat de Darnley et son mariage avec Bothwen, on peut lire Mignet, *Histoire de Marie Stuart*, 1851, 2 vol.--Cf. Martin Philippson, *Histoire du règne de Marie Stuart*, 3 vol., Paris, 1891-1892.--Gauthier, *Histoire de Marie Stuart*, 2e éd., Paris, 1875, et enfin Andrew Lang, *The Mystery of Mary Stuart*, Londres 1900, qui reprend les discussions antérieures et revendique pour Marie le bénéfice du doute.

Cette application hypocrite de la raison d'État, sous couleur de justice et de vertu, et l'acharnement des protestants d'Angleterre et d'Écosse, qui lui donnait un air de persécution religieuse, provoquèrent dans tout le monde catholique, et particulièrement en France, la seconde patrie de la victime, une grande indignation. On oublia les fautes passionnelles, dont Marie Stuart, d'ailleurs, d'après les idées du temps, ne devait compte qu'à Dieu, et on ne vit plus en elle qu'une martyre de sa foi. Le pape Pie V, par une bulle du 25 février 1570, qui fut placardée sur la porte de l'évêque anglican de Londres le 15 mai, excommunia et déposa la Jézabel anglaise, comme hérétique et bâtarde. Ce fut pour conjurer l'effet de ce jugement privatoire et détourner la France de s'unir contre elle avec l'Espagne qu'Élisabeth encouragea les avances à la Reine-mère. Elle avait trente-sept ans: le Duc d'Anjou, seulement dix-neuf. Mais cette différence d'âge pouvait-elle entrer en compte avec les avantages et les espérances que le Vidame, un imaginatif de grande envergure, énumérait avec une confiance superbe. «Monseigneur (le duc d'Anjou) (devenu l'époux d'Élisabeth) pouroit instement (justement) avec forces du Roy (de France), faveur d'Angleterre et moiens du prince d'Orange (Guillaume de Nassau) avoir la confiscation de la Flandre par droict de féodalité pour félonie commise.» Ainsi «la Maison d'Autriche qui se bastit l'Empire héréditaire et la monarchie trouverait en ung instant deux frères, roys ausy puissants l'ung que l'autre, pour contre poids de son ambition, ligués avec les princes protestants de l'Allemaigne, et auroient les deux frères plus de part en l'Empire que ceulx» qui se veulent attribuer tout pouvoir «par la ruyne des anciennes Maisons de la Germanie». «Le partage de monsieur d'Alençon (le dernier fils de Catherine) serait aisé à trouver en la duché de Milan avec la faveur de l'Allemaigne, des Suisses ausy et des princes italiens dévotieux de la France, et, si besoing estoit pour le recouvrement du royaume de Naples, la faveur du Turc se trouveroit par après bien à propos.» De cette façon, «ung grand plaisir viendrait à la Royne de veoir tous ses enfants roys»[574].

**Note 574:** (retour) Octobre 1570, H. de La Ferrière, *Le XVIe siècle et les Valois, d'après les documents inédits du British Museum et du Record Office*, 1879, p. 270-271.

Catherine fut tellement éblouie par ce mirage d'avenir qu'elle oublia de se demander si Élisabeth était sincère.

Le duc d'Anjou résistait à l'appât; il avait des préventions contre cette vieille fille coquette, amoureuse de son corps, sensible aux hommages et au frôlement des beaux jeunes hommes, et dont les familiarités avec son cousin Leicester prêtaient à des bruits fâcheux. «Il m'a faict dire par le Roy, écrivait la Reine-mère à La Mothe-Fénelon, ambassadeur de France à Londres, qu'il ne la veut jamais espouser, quand bien mesme elle le voudroit, d'aultant qu'il a toujours si mal ouï parler de son honneur et en a vu des lettres escriptes de tous les ambassadeurs qui y ont esté qu'il penseroit estre déshonoré»...[575]. Elle ne se consolait pas de «perdre un tel royaume» pour ce dégoût et suggérait d'autres solutions. Élisabeth ne pourrait-elle pas adopter pour héritière une de ses parentes, que le duc d'Anjou épouserait, ou bien encore s'accommoder elle-même du duc d'Alençon? «De luy, il (Alençon) le désire [ce mariage] et il a seize ans passés»; mais voudra-t-elle de ce tout jeune prince, «d'aultant qu'il est petit de (pour) son âge». Elle fit si bien qu'elle ramena le duc d'Anjou et s'empressa de l'annoncer à l'ambassadeur (18 février 1571). C'était un succès de conséquence; il coupait court à un projet de mariage entre Élisabeth et le fils de Jeanne d'Albret, qu'à défaut de don Carlos, de don Sébastien et de Philippe II elle destinait à sa fille Marguerite. Henri de Navarre était le chef du parti protestant et il serait roi à la mort de sa mère. D'un coup, Catherine gagnerait deux couronnes[576].

**Note 575:** (retour) Lettre du 2 février 1571, *Supplément à la Correspondance*, t. VII, p. 179.

**Note 576:** (retour) Sur le mariage français et les dispositions vraies ou feintes d'Élisabeth, voir dans les *Mémoires et instructions pour les ambassadeurs* ou *Lettres et négociations de Walsingham, ministre et secrétaire d'État sous Élisabeth, reine d'Angleterre*, trad. de l'anglais, Amsterdam, 1700, une lettre d'Élisabeth du 24 mars 1571, p. 68-72 et *passim*, et la réponse de Walsingham à lord Burleigh (Robert Cecil), p. 74 sqq.

Mais pour réussir elle avait besoin des huguenots. Or les grands du parti, malgré la paix, restaient distants et défiants. Coligny, la reine de Navarre, les princes s'étaient retirés à La Rochelle; ils avaient décliné l'honneur d'assister aux épousailles de Charles IX à Mézières avec l'archiduchesse d'Autriche, Élisabeth (26 novembre 1570). L'Amiral dénonçait avec sa rudesse habituelle les crimes des catholiques et réclamait l'application de l'Édit «non seulement en paroles mais principalement en effect». Comme Catherine affectait de se plaindre de ses exagérations et de son humeur, il répliquait: «Je vous supply très humblement de ne dire que ce sont de mes opinions ou que je menace le Roy». Le maréchal de Cossé avait été mal accueilli à La Rochelle, où il était allé faire à Jeanne d'Albret des ouvertures de mariage.

Ce fut un incident de politique italienne qui changea ces dispositions. Le pape Pie V, ayant de sa propre autorité promu Côme de Médicis, duc de Florence, à la dignité de grand-duc de Toscane, l'empereur Maximilien, comme suzerain de l'État que Charles-Quint avait créé, et Philippe II, en qualité de souverain italien, avaient protesté contre l'initiative du Pape et l'élévation du Duc. Côme, inquiet, envoya en Allemagne un agent, Frégose, pour s'y assurer l'appui éventuel des princes protestants.

De Heidelberg, où il fut froidement reçu par l'Électeur Palatin, à qui tous les papistes et particulièrement ceux d'Italie étaient suspects, le négociateur alla trouver à La Rochelle Ludovic de Nassau, frère de Guillaume d'Orange, qui travaillait à organiser «la grande flibuste» des corsaires Rochelois et des gueux de mer des Pays-Bas contre la marine espagnole. Dans leurs entretiens, il fut question d'opposer à Philippe II la France et la Toscane unies. Charles IX, informé de ce projet d'accord, y adhéra avec enthousiasme. Il souffrait de la dépendance où sa mère le tenait et il saisit cette occasion de s'émanciper. Il chargea l'ambassadeur florentin, Petrucci, d'écrire à Côme qu'il le soutiendrait contre tous ses ennemis, qu'il ne cherchait pas d'agrandissement en Italie et portait uniquement ses vues sur les Flandres. Il déclarait à Petrucci qu'il lui serait facile de gagner la Reine à ses projets, mais en attendant il se cachait d'elle. «Ma mère est trop timide», lui disait-il un jour. Peut-être espérait-il s'avancer si loin qu'elle serait bien obligée de le suivre.

La poursuite de ses négociations matrimoniales[577] amena Catherine à favoriser cette intrigue qu'elle ignorait. Le mariage d'Angleterre et le mariage de Navarre étaient en suspens. Les Anglais débattaient gravement les libertés religieuses qu'ils accorderaient ou plutôt n'accorderaient pas au prince-consort catholique[578]. Au fond, Élisabeth n'avait pas grande envie de se marier, mais elle jugeait utile de se rapprocher de la France, et il ne lui déplaisait pas d'ajouter un nom de plus à la liste déjà longue de ses prétendants. Elle comptait sur les susceptibilités antipapistes de son peuple pour l'aider, quand il en serait temps, à se dégager. Jeanne d'Albret, instruite des vues de Catherine sur son fils, laissait tomber la conversation. Comme, parmi les chefs protestants, Ludovic de Nassau était le seul qui s'entendît avec cette souveraine revêche, Catherine se décida, mais pour d'autres raisons que son fils, à rechercher cet ennemi déclaré de l'Espagne.

**Note 577:** (retour) : Petrucci à François de Médicis, fils du grand-duc, 19 mars 1571, *Négociations diplomatiques*, t. III, p. 656.

**Note 578:** (retour) Walsingham, p. 77, 125.

Ludovic en profita. Dans les deux entrevues qu'il eut avec le Roi et la Reine-mère, très mystérieusement, à Lumigny (14 juillet) et quelques jours après à Fontainebleau, il demanda le secours d'une armée française pour délivrer les populations des Pays-Bas de la tyrannie du duc d'Albe. Le succès était facile; la moitié des villes se soulèverait à l'apparition des forces libératrices. Le Roi pouvait compter sur Élisabeth et les princes protestants d'Allemagne, pourvu qu'il offrît de partager avec l'Angleterre et l'Empire la souveraineté des dix-sept provinces[579]. En présence de sa mère, Charles IX répondit prudemment qu'il se porterait volontiers à cette entreprise s'il était assuré de cette assistance; mais en secret, il promit à Ludovic d'armer une flotte pour faire peur à Philippe II.

Catherine, un moment séduite, croyait tous les rêves permis si le duc d'Anjou obtenait la main d'Élisabeth. Mais le prétendu ne montrait aucun empressement à plaire. Dans une lettre du 2 août 1571, à M. de Noailles, évêque de Dax et ambassadeur de France à Constantinople, elle déplorait «comment yl n'y a personne isy qui ne luy aye peu faire entendre ce que c'et de la grendeur que cet (ce) mariage lui pouroyt aporter, et l'amitié dé prinse d'Alemengne pour parvenir à l'Empire et la conqueste dé Péys-Bas...»[580].

**Note 579:** (retour) Pour les références, Kervyn de Lettenhove, t. II, p. 307-312.

**Note 580:** (retour) *Lettres*, t. IV, p. 63.

Coligny jugea le moment si décisif qu'il résolut de se rapprocher de la Cour et d'offrir à la Reine-mère son humble service pour pacifier le royaume. Il arriva à Blois le 12 septembre et, après la gêne des premières rencontres, la confiance s'établit. Catherine déclara avec conviction qu'elle voulait oublier le passé et que s'il se montrait bon sujet et serviteur du Roi, «elle l'embrasserait et lui ferait toutes sortes de faveurs»[581]. Elle le fit rentrer au Conseil, le gratifia d'un don de 150 000 livres, et, malgré sa religion, d'une abbaye de 20 000 livres de revenu[582]. Mais elle entendait être payée de complaisance en retour.

**Note 581:** (retour) Desjardins, *Négociations de la France avec la Toscane*, t. III, p. 705.

**Note 582:** (retour) *Ibid.*, p. 706

Elle réclamait les quatre places de sûreté quelques mois plus tôt que ne le portait l'Édit de pacification. L'Amiral s'y était engagé un peu à la légère: et maintenant il s'excusait, prétendant qu'il ne pouvait donner cet ordre sans le consentement des chefs du parti, Henri de Navarre et Henri de Bourbon. Elle répliqua qu'elle n'en croyait rien, que les princes avaient toujours fait ce qu'il avait voulu[583].

Elle était impatiente aussi d'arrêter le mariage du prince de Navarre avec Marguerite. Un jour qu'elle exprimait à l'Amiral le souhait de voir Jeanne d'Albret à la Cour, il eut la maladresse de dire que la reine de Navarre lui avait fait peur de quelque embûche pour le dissuader d'y venir et qu'elle se montrerait encore plus circonspecte quand il s'agirait d'elle-même. Ce propos la toucha au vif. «Vous et moi, s'écria-t-elle, nous sommes trop vieux pour jouer à nous tromper l'un l'autre.» «C'est vous qui devez être le plus en défiance de lui (Charles IX). Est-ce qu'elle (Jeanne d'Albret) peut croire que le Roi veut faire alliance avec son fils pour la faire mourir?»[584].

**Note 583:** (retour) : *Négociations*, p. 709, 24 septembre 1571.

**Note 584:** (retour) Petrucci à Côme, Blois, 16 octobre 1571, *Négociations diplomatiques de la France avec la Toscane*, t. III, p. 722.

Mais c'était sur la politique extérieure que s'accentuait leur désaccord. Elle rêvait de pourvoir royalement le duc d'Anjou, mais elle n'imaginait pas d'y réussir par la force ouverte. Elle n'avait ni les armées, ni les ressources, ni l'autorité au dedans, ni les alliances au dehors qu'il eût fallu pour s'agrandir aux dépens de la Maison d'Autriche. En avait-elle même la volonté? Elle n'aimait pas la guerre, ce jeu brutal où son adresse féminine restait sans emploi, et même elle en avait peur. La puissance de Philippe II, après l'exécution, l'emprisonnement ou la fuite des révoltés des Pays-Bas, lui paraissait formidable et lui inspirait de l'admiration et de l'effroi. Il y aurait trop de risques à prendre ce qu'elle avait tenté de se faire donner. Les mariages avec dot et espérances étaient le genre de conquête approprié à son sexe et à ses moyens. Après avoir fait sans succès le siège de Philippe II, dont elle avait tant attendu, elle poursuivait mêmes avantages du côté protestant. Ainsi ferait-elle repentir ce roi d'Espagne, qui l'entravait en tout et ne lui complaisait en rien. Elle lui préparait partout des embarras et des ennemis; elle ne décourageait pas les rebelles des Pays-Bas et même consentait à les aider sous main de quelques subsides. Mais elle trouvait trop dangereux de leur fournir ouvertement des hommes et de l'argent ou même de laisser les huguenots marcher en troupe à leur secours. Coligny poussait à l'invasion des Flandres et à la rupture avec l'Espagne. Catherine désavouait tout acte public d'hostilité qui pourrait entraîner la guerre. C'était l'opposition de deux politiques s'ajoutant au conflit de deux religions.

Elle avait appris le projet de ligue franco-florentine par le refus du Côme. Le Grand-Duc, rassuré sur les intentions de Maximilien et de Philippe II, avait répondu par des conseils pacifiques aux avances belliqueuses de Charles IX. Joyeuse de ce refus, qui dégoûterait, pensait-elle, son fils de toute nouvelle velléité d'action personnelle, elle lui fit l'éloge de Côme et de son fils, François de Médicis, si dévoués au bien de la France. «Remarquez donc bien leur bonté, dit-elle, et tenez-vous-en à leur conseil de rester en paix et d'ordonner votre royaume, parce que cela est saint et bon.»

Et le jeune Roi, confus de son échec, mettait la main droite sur son cœur et engageait sa foi que jamais il ne ferait ni guerre ni entreprise à l'insu de sa mère[585].

Quelques jours après, la victoire de Lépante (7 octobre 1571) consacrait la puissance maritime des Espagnols, et semblait justifier la sagesse de Catherine. Mais elle n'aurait pu éloigner les chefs protestants sans manquer les mariages, et ils en profitaient pour circonvenir Charles IX et lui vanter les «belles et glorieuses entreprises» de Flandre. Ainsi, dit Marguerite de Valois, gagnèrent-ils son «cœur». Coligny était en si grande faveur qu'il obtint la démolition de la Croix de Gastine, que les Parisiens avaient fait élever sur l'emplacement du logis et en commémoration du supplice de deux bourgeois huguenots. Des préparatifs mystérieux d'expédition lointaine se faisaient à Nantes et à Bordeaux. Philippe Strozzi, colonel de l'infanterie française, et le baron de La Garde, général des galères, armaient en guerre des navires marchands et rassemblaient une flotte puissante. Le 11 avril 1572, le contrat de mariage d'Henri de Navarre avec Marguerite de Valois fut signé, et le 29 avril un traité d'alliance avec l'Angleterre conclu[586]. La prise de Brielle par les gueux de mer (1er avril) et le soulèvement, qui suivit, des villes de Zélande semblaient confirmer les pronostics de Ludovic sur la fragilité de la domination espagnole. «Je sais, écrivait, entre le 17 et le 20 avril, Petrucci, que le Roi a résolu quelque chose contre la volonté de sa mère et qu'il a donné des ordres.»

Charles IX chargea son ambassadeur à Constantinople (11 mai 1572) d'informer le Grand-Seigneur qu'il ferait partir vers la fin du mois «une armée de mer de douze ou quinze mil hommes... soubz prétexte de garder mes havres et costes des déprédations, mais en effect en intention de tenir le Roy catholique en cervelle et donner hardiesse à ces gueulx des Païs-Bas de se remuer et entreprendre, ainsi qu'ils ont faict aiant jà prins toute la Zélande et bien esbranlée la Holande....» «Toutes mes fantaisies, déclarait-il fièrement, sont bandées pour m'opposer à la grandeur des Espagnols...[587].» Quelques jours après, Ludovic de Nassau sortait secrètement de Paris, muni d'une lettre de créance où Charles IX avouait son entreprise; il parut subitement avec une troupe de huguenots devant Mons et Valenciennes, qui lui ouvrirent leurs portes.

**Note 585:** (retour) Abel Desjardins, *Charles IX. Deux années de règne, 1570-1572*, 1873, p. 35-37.--Cf. *Négociations*, III, p. 713, 3 octobre 1571.

**Note 586:** (retour) Le traité dans Du Mont, *Corps diplomatique*, t. V, 1re partie, p. 211-215.

**Note 587:** (retour) Marquis de Noailles, *Henri de Valois et la Pologne en 1572*, Paris 1867, t. I, p. 9, note I.--Cf. Baguenault de Puchesse, *Jean de Morvillier*, 1869, p. 253.

Catherine était perplexe. Elle ne savait que résoudre en cette alternative également périlleuse de rompre avec Philippe II ou avec les protestants. «La Royne fluctue entre paix et guerre, dit Tavannes, crainte de civile la penche à l'étrangère; comme femme, elle veut et ne veut pas, change d'advis et rechange en un instant»[588]. Elle attendait l'inspiration du succès.

Malheureusement pour les huguenots, Valenciennes fut presque aussitôt perdue que prise, et les Espagnols bloquèrent dans Mons Ludovic de Nassau et ses compagnons. Ces échecs lui dictèrent son parti. Le jeune Roi lui-même, impressionnable et mobile, craignait de s'engager plus avant, et il défendit à l'Amiral de conduire lui-même des renforts aux assiégés. Probablement sous la dictée de sa mère, il écrivit à M. de Vulcob, son ambassadeur en Autriche, une lettre (16 juin 1572) où il qualifiait l'agression de Ludovic de Nassau de «malheureuses entreprises» et louait le «juste jugement de Dieu envers ceulx qui s'eslèvent contre l'auctorité de leur prynce»[589], désaveu indigne qui devait, par la voie de Vienne, parvenir à Madrid, et dégager, s'il en était besoin, sa responsabilité. «Ici, écrivait Petrucci le 4 juillet, on discute s'il y a lieu de porter la guerre en Flandre ou non. Beaucoup la préconisent et la voudraient, mais le Roi et la Reine ne veulent pas, parce qu'ils sont déjà fatigués des tambours et des trompettes»[590]. Le 3 juillet, Catherine écrivait au pape que son fils ne ferait la guerre à Philippe II que «contreint par force»[591].

**Note 588:** (retour) *Mémoires de Tavannes*, éd. Buchon, p. 419.

**Note 589:** (retour) *Lettres*, t. IV, p. 104, note 1.

**Note 590:** (retour) Desjardins, *Négociations diplomatiques*, t. III, p. 788.

**Note 591:** (retour) *Lettres*, t. IV, p. 106.

Les dispositions de l'Europe protestante commandaient la prudence. La reine d'Angleterre supputait froidement les avantages et les risques d'une intervention aux Pays-Bas, et, par jalousie de la France, refusait de se concerter avec Charles IX. Elle rétablissait les relations commerciales avec les Flandres, qu'elle avait suspendues, et renouait avec le duc d'Albe. Son projet de mariage avec le duc d'Anjou s'était rompu sur la question religieuse, comme elle s'y attendait. Catherine, qui ne renonçait pas volontiers à une couronne royale, avait aussitôt posé la candidature de son troisième fils, le duc d'Alençon, un catholique tiède. Élisabeth demanda un mois de réflexion. Son ministre Cecil écrivit gravement à Paris que la Reine-mère la déciderait en lui offrant Calais avec le jeune Prince. Et c'est Coligny que les Anglais chargèrent de cette proposition. Ils n'auraient pas agi autrement s'ils avaient voulu le perdre[592]. Les princes protestants d'Allemagne ne montraient pas plus de zèle qu'Élisabeth pour la Réforme[593]. De Constantinople, Noailles avertissait sa Cour de ne pas compter sur les Turcs. En cas de guerre, Charles IX serait seul.

**Note 592:** (retour) *Mémoires de Walsingham*, p. 256: lord Burleigh à Walsingham, p. 257-259; Walsingham à Burleigh, 13 juillet 1572.

**Note 593:** (retour) Sur les négociations avec l'Allemagne protestante, on peut voir W. Platzhoff, *Frankreich und die Deutschen Protestanten in den Jahren 1570-1573* (Historische Bibliothek, t. XXVIII, Munich et Berlin, 1912, p. 23 sqq.)

Au contraire, les puissances catholiques s'entremettaient vivement pour empêcher un conflit entre la France et l'Espagne[594]. Le nouveau pape, Grégoire XIII, rompant avec l'intransigeance hautaine de Pie V, accréditait auprès de Catherine un nonce qu'il savait lui être agréable: Salviati, parent des Médicis. La République de Venise faisait partir en hâte pour Paris un ambassadeur extraordinaire, chargé de soutenir la cause de la paix[595]. Philippe II laissait passer les provocations et se bornait à remontrer à Charles IX que ses complaisances pour ses sujets huguenots risquaient de compromettre l'union des deux Couronnes.

**Note 594:** (retour) Baumgarten, *Vor der Bartholomaeusnacht*, 1882, p. 218 sqq.

**Note 595:** (retour) Giovanni Michiel, parti de Venise le 10 juillet, arriva le 24 à Paris. C'est pour le temps, avec un train d'ambassadeur, un voyage ulra-rapide.

Cependant, malgré la défection de l'Angleterre et l'apathie de l'Allemagne, Coligny s'obstina. Obsédé par le cauchemar de la guerre civile, il aimait mieux, disait-il, être traîné mort par les rues de Paris que de reprendre la campagne contre le Roi. Avec la connivence de Charles IX, toujours partagé, il continua le plus secrètement possible à recruter des soldats. Mail les 4 000 hommes commandés par Genlis qu'il expédia au secours de Mons furent surpris par les Espagnols, que des avis de France avaient prévenus de leur marche, et presque tous tués ou faits prisonniers (17 juillet).

«La peur, dit Tavannes, saisit la Reine des armes espagnoles.» L'Amiral, toujours suspect, redevenait dangereux. Elle trouvait partout cet homme sur sa route; chef de parti, il avait tenu en échec toutes les forces du Roi; conseiller de la Couronne, il lançait son fils dans une aventure. Ami, ennemi, il était également à craindre. Elle revint à l'idée de se défaire de lui par un assassinat, et elle s'en ouvrit aux Guise, qui n'avaient pas pardonné à l'Amiral le crime de Poltrot de Méré. Précisément l'ambassadeur florentin, dans une lettre du 23 juillet, note les fréquentes conférences--et à des heures extraordinaires--de la Reine-mère avec Mme de Nemours, veuve de François de Guise, et qui, quoique remariée, estimait de son devoir de le venger[596].

**Note 596:** (retour) Petrucci à François de Médicis, 23 juillet, *Négociations diplomatiques*, t. III, p. 799.

Cependant Charles IX, furieux que le duc d'Albe, ayant trouvé sur Genlis la lettre royale qui avouait l'entreprise de Ludovic, l'accusât publiquement de duplicité, inclinait de nouveau à la guerre. Mais la Reine, qui s'était absentée pour aller au-devant de sa fille, la duchesse Claude de Lorraine, accourut, et, par ses raisons et ses larmes, calma ce ressentiment belliqueux. Dans son audience solennelle à l'envoyé de Venise, il protesta de ses intentions pacifiques; et Catherine ajouta «que non seulement en paroles, mais encore en actes, son fils et elle montreraient toujours plus leur résolution»[297]. Deux conseils extraordinaires, l'un du Conseil privé, l'autre des chefs d'armée, furent tenus dans les premiers jours du mois d'août pour en finir avec la question des Pays-Bas. Les gens d'épée, Montpensier, Nevers, Cossé, le duc d'Anjou, et Tavannes peut-être, se prononcèrent, comme les gens de robe, pour la paix. Catherine était présente. L'Amiral, irrité de ce désaveu unanime s'échappa dans la chaleur de la discussion jusqu'à lui dire: «Madame, le Roi renonce à entrer dans une guerre; Dieu veuille qu'il ne lui en survienne pas une autre dont il ne serait pas en son pouvoir de se retirer». Cette parole de colère, qui trahissait son appréhension, fut interprétée par Catherine et les catholiques ardents comme une menace[598].

**Note 597:** (retour) 597 Relation de Giovanni Michiel dans Alberi, *Relazioni degli ambasciatori Veneti al Senato*, serie 1a, Francia, t. IV, p. 281.

**Note 598:** (retour) Alberi, *Relazioni*, serie 1a, Francia, t. IV, p. 285.--Cf. Brantôme, éd. Lalanne, t. IV, p. 299.

Coligny s'entêta, et sûr de l'assentiment tacite du Roi, il poursuivit ses levées presque ouvertement. Les gentilshommes et les capitaines huguenots que le prochain mariage d'Henri de Navarre ou le dessein des Flandres avait attirés en nombre à Paris parlaient de changer le Conseil du Roi. Les ambassadeurs étrangers prévoyaient des troubles.

La décision de Catherine n'en fut que plus ferme. Un homme contrecarrait sa volonté, prenait de l'empire sur son fils, mettait le Roi et le royaume en péril: il fallait qu'il mourût. D'accord avec les Guise, elle manda Maurevert, qui avait déjà fait ses preuves comme tueur du Roi.

Elle attendit pour sonner le glas les noces de sa fille. Le cardinal de Bourbon consentit, sans dispenses de Rome, à unir Henri de Navarre, que la mort de Jeanne d'Albret avait fait roi, avec Marguerite, un réformé et une catholique parents au troisième degré (18 août).

Quatre jours après (le vendredi 22), entre dix et onze heures du matin, Coligny, qui revenait du Louvre à son logis, rue de Béthizy, fut frappé d'une balle d'arquebuse qui lui emporta l'index de la main droite et lui brisa le bras gauche. Quelques gentilshommes de sa suite coururent à la maison d'où le coup était parti. Ils trouvèrent l'arquebuse fumante, mais l'arquebusier avait disparu.

Charles IX jouait à la paume, quand la nouvelle lui survint. De colère, il jeta sa raquette et se retira sans mot dire dans sa chambre. Catherine écouta, calme et muette, le récit du crime, et s'enferma avec le duc d'Anjou[599].

**Note 599:** (retour) *Mémoires de l'Estat de France sous le Roy Charles IX*, s. 1. n. d., t. 1, fo 272.--Diego de Çuñiga à Philippe II, cité par Forneron, *Histoire de Philippe II*, t. II, p. 326.

A l'hôtel de la rue de Béthizy, où le blessé avait été conduit, affluait, inquiète et furieuse, la noblesse protestante. Le roi de Navarre et le prince de Condé coururent demander justice à Charles IX, qui leur promit de la faire si «mémorable... que l'Amiral et ses amis auraient de quoy se contenter». La Reine-mère apparut pour déclarer que «c'estoit un grand outrage fait au Roy, et que si l'on supportoit cela aujourd'huy, demain on prendrait la hardiesse d'en faire autant dans le Louvre, une autre fois dedans son lict et l'autre dedans son sein et entre ses bras»[600]. Coligny ayant exprimé le désir de voir le Roi, elle s'avisa, pour empêcher un entretien seul à seul, de changer la visite en démonstration solennelle de sympathie. La Cour, les plus grands seigneurs, les princes du sang, et même les ennemis de la victime étaient là; il n'y manquait que les Guise. Hardiment, l'Amiral engagea Charles IX à se défier de ses conseillers, qui livraient aux Espagnols le secret de ses délibérations, et de nouveau il lui recommanda la conquête des Flandres. Le Roi lui jura «par la mort-Dieu» de le venger de cette agression[601].

Cependant l'enquête ouverte à l'heure même par une commission du Parlement avait établi que la maison où le meurtrier était posté appartenait à un serviteur du duc de Guise. L'affaire aussitôt parut claire: c'était la revanche des Lorrains sur l'inspirateur présumé de Poltrot, une vendetta. «Et si Mr de Guise ne se fust tenu caché tout ce jour-là, certifie la Reine de Navarre, le Roy l'eust faict prendre»[602].

Catherine essaya, sans se découvrir, d'apaiser Charles IX. Elle lui représenta qu'un fils était bien «excusable» de vouloir venger la mort de son père. Elle lui rappela que l'Amiral avait fait tuer Charry, ce mestre de camp qui l'avait si fidèlement servie durant sa régence. Mais le jeune Roi persistait dans son «passionné désir» de faire justice[603].

Les gentilshommes huguenots, sachant à qui s'en prendre, manifestaient leur haine avec éclat. Les plus ardents passaient «à grandes troupes, cuiracés, devant le logis de MM. de Guise et d'Aumalle»[604]. Ils allèrent harceler Catherine jusqu'au jardin des Tuileries, «Ils usoient, dit Brantôme, de paroles et menaces par trop insolentes, qu'ils frapperoient, qu'ils tueroient»[605].

**Note 600:** (retour) *Mémoires de l'Estat de France*, t. I, fo 275.

**Note 601:** (retour) *Ibid.*, fo 276-277.

**Note 602:** (retour) *Mémoires de Marguerite de Navarre*, éd. Guessard, p. 28.

**Note 603:** (retour) *Ibid.*, p. 29.

**Note 604:** (retour) Jean de Tavannes, *Mémoires de Gaspard de Saulx, seigneur de Tavannes*, éd. Buchon, p. 434.

**Note 605:** (retour) Brantôme, t. IV, p. 301.

Catherine avait tellement compté sur la mort de Coligny et le désarroi de son parti qu'elle était prise de court. Si le duc de Guise, pour se disculper, la dénonçait comme sa complice, que ne devait-elle pas craindre à l'avenir de ces gens de guerre indignés d'un si lâche attentat? Alors lui vint ou lui fut suggérée l'idée de se sauver elle-même et la paix publique en les faisant massacrer tous. Elle mit dans le secret le duc d'Anjou et le duc de Guise, acharné à la vengeance de son père. Elle s'assura de Tavannes, le grand capitaine, du duc de Nevers, du garde des sceaux Birague, cruels par fanatisme ou par raison d'État. Le concours des Parisiens n'était pas douteux. Les amis de l'Amiral, inquiets des dispositions du peuple, prièrent le Roi de faire garder son logis. Le duc d'Anjou y envoya de ses soldats, ceux-là même qui ouvrirent la porte aux assassins.

L'exaspération des huguenots précipita la crise. Le samedi 23, Pardaillan, un gentilhomme gascon, menaça, au souper de la Reine, qu'ils se feraient justice si on ne la leur faisait pas. Catherine résolut d'agir la nuit même. Mais il lui fallait le consentement du Roi. Quelque experte qu'elle fût à manier cette nature violente et faible et capable des plus brusques revirements, elle doutait de pouvoir facilement le décider à faire mettre à mort ces capitaines et ces gentilshommes dont il avait agréé les services et embrassé la vengeance. Albert de Gondi, sa créature et le favori de Charles IX, de qui elle «sçavoit qu'il le prendroit mieux que de tout autre», alla le «trouver en son cabinet le soir sur les neuf ou dix heures» et, allant au but sans détour, il se dit obligé «comme son serviteur très fidelle» de lui avouer que le duc de Guise n'était pas seul et que la Reine et le duc d'Anjou «avoient esté de la partie». Sa mère avait toujours eu, comme il le savait, «un extrême desplaisir» de l'assassinat de Charry, le brave et loyal Charry, qui, du temps où les catholiques étaient pour M. de Guise et les protestants pour le prince de Condé, n'avait voulu dépendre que d'elle, et dès lors, «elle avoit juré de se venger dudit assassinat». L'Amiral ne serait jamais «que très pernicieux en cest Estat», «et quelque apparence qu'il fist de vouloir servir Sa Majesté en Flandre,... il n'avoit d'autre dessein que de troubler la France...» Quant à elle, «son dessein n'avoit esté en cet effect que d'oster cette peste de ce royaume, l'Amiral seul»; mais «le malheur avoit voulu que Maurevert avoit failly son coup», et, ajoutait perfidement Gondi, «les huguenots en estaient entrez en tel désespoir que, ne s'en prenant pas seulement à M. de Guise, mais à la Royne sa mère et au roy de Pologne son frère[606], ils croyoient aussi que le Roy Charles mesme en fust consentant et avoient résolu de recourir aux armes la nuict mesme»[607]. Au Roi, affolé par cette confidence, tiraillé entre les inspirations de son honneur, son amour filial et l'appréhension d'une nouvelle guerre civile, sinon d'une attaque cette nuit même, la franchise si bien calculée de Gondi ne laissait entrevoir d'autre issue que le massacre des chefs protestants alors à Paris. Réussit-il à le convaincre ou simplement à l'ébranler? Catherine est-elle intervenue de nouveau pour arracher à ses rancunes et à ses craintes l'ordre de mort? Lui-même raconta depuis à sa sœur Marguerite qu'«il y eut beaucoup de peine à l'y faire consentir, et sans ce qu'on luy fist entendre qu'il y alloit de sa vie et de son Estat, il ne l'eust jamais faict»[608].

**Note 606:** (retour) C'est le duc d'Anjou, qui fut bientôt après élu roi de Pologne.

**Note 607:** (retour) *Ibid.*, *Mémoires de Marguerite de Valois*, éd. Guessard, Soc. H. F., p. 29-31.

**Note 608:** (retour) éd. Guessard, p. 27.

La nuit était déjà bien avancée[609] quand les complices eurent fini d'arrêter les moyens d'exécution et de se répartir la besogne. Seuls les deux princes du sang, le roi de Navarre et le prince de Condé, devaient être épargnés. Le Roi se chargea de dépêcher les gentilshommes logés au Louvre, en sa maison, ses hôtes. Guise, Tavannes, Nevers opéreraient hors du château. Les milices municipales, convoquées le lendemain dimanche, fête de Saint-Barthélemy, «de fort grand matin», occupèrent les places et les ponts, les passages et les portes. On attendait le lever du jour pour ôter aux proscrits ce moyen de salut, la fuite dans la nuit. Au dernier moment, Catherine «se fust volontiers desdicte»; le cœur lui faillit. Était-ce réaction d'humanité? on voudrait le croire; ou simplement, comme il est plus vraisemblable, le malaise de l'inquiétude et de la peur? Les confidents de son émoi furent obligés de relever son courage. A l'aube, les Suisses de la garde royale commencèrent la tuerie au Louvre. Guise courut d'abord à l'hôtel de Béthisy achever l'Amiral. La plupart des gentilshommes protestants furent égorgés dans leurs lits, quelques-uns arquebusés sur les toits, où ils s'étaient réfugiés. Le fanatisme généralisa les meurtres. Les milices et la populace se joignant aux soldats immolèrent les hérétiques sans distinction d'âge ni de sexe. A midi, il y avait déjà trois mille victimes. «Le sang et la mort courent les rues en telle horreur, que Leurs Majestés mesmes, qui en estoient les auteurs, ne se pouvoient garder de peur dans le Louvre»[610].

**Note 609:** (retour) *Registres des délibérations du Bureau de la Ville de Paris*, t. VII, éd. par Bonnardot, 1893, p. 10-11. Le prévôt des marchand est mandé au châtel du Louvre aujourd'huy samedi «*au soir bien tard*». Le Roi lui déclare le complot contre sa vie et son État, et lui donne l'ordre de convoquer les milices bourgeoises. Le greffier dresse les «mandements», qui sont portés aux quarteniers, archers, arquebusiers, *le dimanche 24, jour de Saint-Barthélemy* «*de fort grand matin*».

**Note 640:** (retour) *Mémoires de Tavannes*, éd. Buchon, p. 435.

Le carnage s'arrêta, reprit, dura plusieurs jours.[611]

Le gouvernement hésitait à prendre la responsabilité de son crime. Le Roi, dans ses lettres du 24 août aux ambassadeurs et aux gouverneurs de provinces, parlait d'une bataille entre les partisans de Guise et de l'Amiral, où il n'était intervenu que pour calmer la sédition[612]. Puis il alla au Parlement déclarer que tout avait été fait avec son consentement, par son commandement. Enfin, le 28, il défendit de molester les huguenots qui se tiendraient tranquilles en leurs maisons, ajoutant toutefois par recommandations secrètes de tailler en pièces tous les autres[613]. Revirement et contradictions, ordres et contre-ordres laissaient toute liberté aux passions. A mesure que se propageait la nouvelle des «matines» parisiennes, les catholiques en un grand nombre de villes coururent sus aux réformés. Meaux, aux portes de Paris, ouvrit le 26 août, et Bordeaux, à l'extrémité du royaume, ferma le 3 octobre le cycle des tueries provinciales.

**Note 611:** (retour) Un récit plus détaillé du massacre dans *Histoire de France*, de Lavisse, t. VI, 1, p. 129-131.

**Note 612:** (retour) *Mémoires de l'Estat de France*, I, fos 296-299.

**Note 613:** (retour) Sur ces variations, voir l'introd. de La Ferrière au t. IV des *Lettres de Catherine de Médicis*, p. XCII, XCIII, XCV sqq.

Après cette extermination de plusieurs milliers d'hérétiques, Catherine passa un moment pour le plus ferme soutien du catholicisme. Le peuple de Paris enthousiaste la proclamait la Mère du royaume et la Conservatrice du nom chrétien. Grégoire XIII précipita le départ du cardinal Orsini, qui, choisi peut-être pour aller reprendre la Reine-mère sur sa politique protestante, fut, par un renversement de rôle, chargé de la féliciter au nom du Pape et du Sacré Collège pour son zèle catholique[614].

Quand Philippe II apprit l'exécution sanglante qui sauvait les Pays-Bas espagnols et le catholicisme français, il montra «contre son naturel et coustume tant d'allegrie qu'il l'a faict plus magnifeste que de toutes les bonnes advantures et fortunes qui lui vindrent jamais». Il reçut en audience l'ambassadeur de France, Jean de Vivonne, sieur de Saint-Gouard, et, le voyant approcher, «il se prist à rire»--ce fut peut-être l'unique fois de sa vie en public--et dit de Charles IX «qu'il n'y avoit roy qui ce peut (pût) faire son compaignon ne an valleur ne an prudance». Il ne parvenait pas à cacher son «grand plaisir», mais, pour n'avoir pas à s'acquitter du service qu'on venait de lui rendre sans le vouloir, il affectait d'admirer le désintéressement de si «haultes entreprises», «tantost louant le filz d'avoir un telle mère,... puis la mère d'[avoir] un tel filz»[615]. Catherine triomphait des acclamations du peuple et des compliments des princes. «Suis-je, demandait-elle à l'envoyé du duc d'Albe, aussi mauvaise chrétienne que le prétendait don Francès de Alava?... *Beatus qui non fuerit in me scandalizatus*»[616].

**Note 614:** (retour) Lucien Romier, *La Saint-Barthélemy*, Revue du XVIe siècle, t. I, p. 552.

**Note 615:** (retour) Lettres de Saint-Gouard du 12 et du 19 septembre 1572: Groën von Prinsterer, *Archives de la maison de Nassau, Première série, Supplément*, 1847, p. 125 et 127.

**Note 616:** (retour) Cité par La Ferrière, *Lettres*, Introd., t. IV, p. XCIV.

Elle aurait volontiers laissé croire aux puissances catholiques, afin de se faire payer très cher, qu'elle préparait depuis longtemps le massacre des huguenots. Mais en vérité elle n'avait prémédité que d'assassiner Coligny; et c'était par peur des représailles qu'après l'avoir manqué elle avait décidé de frapper avec lui les autres chefs du parti. «Si l'Amiral était mort du coup d'arquebuse qu'on lui tira, écrivait le 24 août de Paris le nonce Salviati au cardinal Côme, secrétaire d'État de Grégoire XIII, je ne me résous pas à croire qu'il se fût fait un si grand carnage»617. «La mort de l'Amiral, affirmait l'ambassadeur d'Espagne, a été un acte réfléchi, celle des huguenots le fruit d'une résolution soudaine»618. La fureur des soldats et des masses avait encore ajouté au nombre voulu des victimes619.

**Note 617:** (retour) Theiner, *Annales ecclesiastici*, t. I (1856), p. 329.

**Note 618:** (retour) Cité par Decrue, *Le Parti des politiques*, Paris, 1892, p. 175.--C'est aussi l'avis de Tavannes, *Mémoires*, éd. Buchon, p. 434.

**Note 619:** (retour) La thèse de la préméditation a été reprise par M. Lucien Romier, ce patient explorateur des archives italiennes (*La Saint-Barthélemy, Les événements de Rome et la préméditation du massacre*, Revue du XVIe siècle, t. I, 1913, p. 529-561); mais il n'incrimine pas, comme on a paru le croire, Catherine et Charles IX. Ce seraient les Guise qui, au mois d'avril 1572, auraient délibéré de faire tuer Coligny et les autres chefs huguenots pour couper court à la politique protestante du gouvernement et empêcher la rupture et la guerre avec l'Espagne. «Rien, au contraire, dit M. Romier, p. 546, n'indique que Catherine de Médicis ait été complice ni même informée du projet des Guise. C'est tardivement que la Reine-mère trouva dans ce projet un moyen commode pour résoudre des difficultés imprévues (c'est-à-dire celle des Pays-Bas). Au vrai, Catherine, dans ses entrevues mystérieuses, en juillet 1572, avec la duchesse de Nemours (voir ci-dessus, p. 188), n'a, comme les faits le prouvent, arrêté que l'assassinat de Coligny. M. Romier prétend que les Guise avaient depuis plus longtemps et d'eux-mêmes prémédité une extermination générale. Le cardinal de Lorraine était parti pour Rome en mai, «prévoyant, dit encore M. Romier, p. 553, le meurtre des chefs huguenots, mais ignorant que les circonstances feraient du Roi et de la Reine les complices de cette tragédie», et il avait obtenu du pape (27 août), alors que la nouvelle de la Saint-Barthélemy n'était pas encore connue à Rome, la désignation d'un légat, le cardinal Orsini, qui devait arriver à Paris peu après le massacre attendu «pour défendre, au nom du Saint-Siège, la conduite des Guise et obliger Charles IX à prendre les justiciers comme ministres». Il est bon de retenir de cette thèse que, dans ses recherches d'archives, M. Romier n'a pas trouvé la moindre preuve d'un projet concerté de longue main par Catherine contre les protestants. Quant au grand dessein qu'il prête aux Guise et au rôle du cardinal Orsini, il ne ressort pas des documents quand on les examine sans idée préconçue. Les vanteries du cardinal de Lorraine, qu'on n'a rapportées, et pour cause, qu'après l'événement, ne sont pas des preuves suffisantes. Il est vrai, que depuis la mort de François de Guise, les siens cherchaient à se venger de Coligny, qu'ils regardaient comme le complice de Méré, et certainement ils guettaient l'occasion de le tuer, mais ils n'étaient pas, en 1572, assez puissants pour engager une bataille dans Paris, contre la volonté du Roi et de la Reine-mère.

S'ils avaient considéré le mariage d'Henri de Navarre et de Marguerite de Valois comme un moyen d'attirer les chefs protestants à Paris et de les leur livrer tous réunis, le cardinal de Lorraine n'eût pas travaillé de toutes ses forces à Rome à l'empêcher. Le jeune duc de Mayenne, au lieu d'aller prendre du service à Venise contre les Turcs, serait resté avec le duc de Guise, son frère, et le duc d'Aumale, son oncle, pour prendre part à la lutte. La délibération de famille des Lorrains en avril 1572 contre le parti protestant et le gouvernement allié des protestants est une pure hypothèse et il n'y a pas trace de préparatifs et d'armements faits par les Guise en vue d'un coup de main qui aurait été un coup d'État.

Catherine espérait que la Saint-Barthélemy l'aiderait à marier le duc d'Anjou en Espagne; mais Philippe II savait que le salut du catholicisme avait été son moindre souci et il refusa la récompense attendue[620]. Elle revint alors sans scrupule aux alliances protestantes. Elle expliqua--ce fut sa justification--que les huguenots complotaient la ruine du Roi et du royaume et qu'elle avait été obligée, pour se défendre, de les assaillir. Elle recommanda bien (13 septembre) à Schomberg, qui allait en Allemagne comme ambassadeur, de ne pas «laisser entrer en l'entendement des princes que ce qui a été faict à l'Amiral et à ses complices soyt faict en haine de la nouvelle religion, ni pour son extirpation, mais seullement pour la pugnition de la scelere conspiration qu'ils avoient faicte...»[621]. Sans s'émouvoir de l'indignation des hommes d'État anglais contre «cet acte trop plein de sang, la pluspart innocent, et trop suspect de fraulde», elle continua de négocier le mariage du duc d'Alençon avec Élisabeth[622]. Elle renoua les relations avec Ludovic et Guillaume de Nassau. Elle laissa le légat, qui venait la féliciter, se morfondre quelque temps à Avignon, et, quand elle consentit à le recevoir, elle s'excusa d'entrer dans la ligue des puissances méditerranéennes contre le Turc, ou même de faire publier le concile de Trente. Elle ne s'embarrassait pas des contradictions.

**Note 620:** (retour) *Lettres*, t. IV, Introd., p. CXX.

**Note 621:** (retour) Groen van Prinsterer, *Archives de la maison de Nassau, Première série, t. IV, Supplément*, p. 12e. Cf. la lettre du duc d'Anjou au même Schomberg: «... Quelque chose que l'on puisse dire par delà contre la vérité de ce qui est advenu en ce Royaulme, nous voulons estreindre la négociation plus que jamais et faire cognoistre aux princes que nous sommes leurs plus seurs et parfaicts amys...», deux lettres de Schomberg du 9 et 10 octobre, en réponse probablement à celle où Charles IX expliquait à sa façon la Saint-Barthélemy, dans le *Bulletin de la Société du protestantisme français*, t. XVI, 1867, p. 546-551.

**Note 622:** (retour) Sur cette recherche poursuivie concurremment par la Reine-mère et, à son insu, par le duc d'Alençon, voir La Ferrière, *Le XVIe siècle et les Valois*, p. 357 sqq;--Walsingham, p. 394-396 et *passim*;--et La Mothe-

Fénelon, *Correspondance diplomatique*, t. V, p. 126, 142, 192 et *passim*. Les lettres du Roi et de la Reine-mère en réponse à celles de l'ambassadeur sont au tome VII: *Supplément à la Correspondance.*

Depuis ces horribles journées, Charles IX était renfrogné, mélancolique, hanté par l'image de ces cadavres sanglants, courbé et vieilli par son crime. Mais Catherine ne montra jamais ni regret ni remords. Elle avait exterminé sans combat ces capitaines huguenots dont la résistance sur les champs de bataille avait été invincible. Elle tenait sous sa main les deux princes du sang, les deux seuls chefs possibles, du moins elle le croyait, d'une nouvelle révolte; et elle les avait forcés à se convertir. Le parti protestant était désarmé, décapité. Que pourraient quelques gentilshommes avec des bourgeois et des gens du peuple contre les armées royales? La pensée de sa victoire la remplissait de joie. Le jour de la fête d'investiture de l'Ordre de Saint-Michel (29 septembre), quand elle vit parmi les nouveaux chevaliers, son gendre Henri de Navarre, qui s'inclinait avec belle grâce devant l'autel et devant les dames, elle se tourna vers les ambassadeurs et tout à coup éclata de rire[623].

**Note 623:** (retour) Dépêche de l'ambassadeur d'Espagne, Diego de Çuñiga, citée par Forneron, *Histoire de Philippe II*, t. II, p. 332, note 1.

Mais elle se réjouissait trop vite. La bourgeoisie protestante, amoureuse de ses aises et craintive des coups, se fût volontiers humiliée devant le pouvoir, pourvu qu'on lui laissât la liberté de conscience. Mais les masses étaient peu sensibles à l'intérêt et à la peur; elles suivirent les pasteurs qui, jusque-là relégués au second rang par les chefs militaires, apparurent comme les prophètes de Dieu et inspirèrent à l'Église opprimée la résolution de défendre sa foi et de punir la trahison et le parjure.

Montauban, Nîmes, Aubenas et Privas fermèrent leurs portes ou différèrent de les ouvrir. A La Rochelle comme à Sancerre, autre boulevard de la Réforme au centre du royaume, les gens du commun, les soldats ou les marins mirent à la raison ou à mort les gros bourgeois qui délibéraient de se soumettre. La Rochelle où s'étaient enfermés cinquante-cinq ministres, cinquante gentilshommes échappés aux massacres et quinze cents déserteurs de la flotte de Strozzi, refusa de recevoir le gouverneur envoyé par le Roi, Biron, un modéré pourtant et qui avait sauvé la vie à plusieurs protestants à la Saint-Barthélemy. L'assemblée des ministres, animée des plus furieuses passions, implora le secours d'Élisabeth d'Angleterre, comme héritière des droits des Plantagenets, contre ceux «qui veullent exterminer vostre peuple de la Guienne qui de toute éternité vous appartient et vous est subject»[624]. Une armée royale, que commandait le duc d'Anjou, assiégea la place pendant plusieurs mois (novembre 1572-juillet 1573) et ne put l'emporter de force, malgré la canonnade sans trêve, la ruine des remparts, les nombreux assauts et les vains efforts des Anglais pour rompre le blocus. Mais elle en serait venue à bout, par la famine, sans les affaires de Pologne.

**Note 624:** (retour) H. de La Ferrière, *Le XVIe siècle et les Valois*, 1879, p. 336.

Le dernier des Jagellons, Sigismond Auguste II, étant mort sans héritier mâle, une Diète s'était réunie le 7 juillet 1572 pour lui élire un successeur. Le tzar, Ivan le Terrible, avait posé sa candidature pour absorber pacifiquement la Pologne; l'envahissante Maison d'Autriche, déjà souveraine de la Bohême et de la Hongrie, avait mis en avant un de ses nombreux archiducs. Catherine fut tentée de faire échec aux Habsbourg et de donner une couronne, si lointaine qu'elle fût, au duc d'Anjou, cet enfant si cher, pour qui elle avait brigué la main d'Élisabeth d'Angleterre, de la reine douairière de Portugal et de la fille de Philippe II, le vicariat d'Avignon et jusqu'au trône d'Alger. Peut-être aussi cherchait-elle, en l'éloignant avec honneur, à lui épargner l'affront de perdre, par un coup d'autorité royale, cette situation prépondérante dans l'État à laquelle il tenait plus qu'à la vie[625] et que Charles IX supportait avec une impatience jalouse. Elle fit partir immédiatement le plus délié de ses diplomates, Jean de Monluc, l'évêque de Valence[626]. Il arriva en Pologne en même temps que la nouvelle des massacres de Paris. L'émotion fut grande dans ce pays où les protestants étaient nombreux, et où l'aristocratie catholique, sauf quelques évêques, faisait profession de tolérance. Monluc désespéra un moment de faire élire le duc d'Anjou, que la Cour de Vienne dénonçait comme l'un des principaux instigateurs de la Saint-Barthélemy. Mais ses habiles plaidoyers et les récits spécieux qu'il fit distribuer en polonais et en latin retournèrent l'opinion. Il s'y appliquait à pallier l'horreur des faits et à réduire cet égorgement en masse à une mesure de salut public prise contre quelques chefs huguenots séditieux et dénaturée par la fureur de la populace[627]. La crainte ou l'antipathie qu'inspiraient deux des compétiteurs aida au succès de sa thèse. Charles IX offrait d'ailleurs, si son frère était choisi, de fournir aux Polonais l'argent pour construire une flotte dans la Baltique, et il leur promettait de les accorder avec le Grand Turc, son allié et leur ennemi. La majorité de la Diète se prononça pour le duc d'Anjou (9 mai 1573); mais les protestants et leurs amis firent insérer, dans les articles que le nouveau roi devait jurer, l'engagement solennel de maintenir la liberté religieuse. Pour complaire aussi à ces sujets lointains de son fils, Catherine lâcha La Rochelle, qui mourait de faim[628]. Le siège fut levé le 6 juillet, et Charles IX le même mois accorda (Édit de Boulogne) aux réformés la liberté de conscience dans tout le royaume et la liberté de culte dans les trois villes de La Rochelle, Nîmes et Montauban. Sancerre, après une résistance héroïque, obtint aussi en août une capitulation honorable, qui fut du reste violée.

**Note 625:** (retour) *Mémoires de Marguerite*, éd. Guessard, p. 14.

**Note 626:** (retour) Sur cette négociation on peut voir les *Mémoires de Jean Choisnin*, un des secrétaires de Monluc, éd. Buchon, *Panthéon littéraire*, p. 677 sqq., et Marquis de Noailles, *Henri de Valois et la Pologne en 1572*, t. I et II, 1867.

**Note 627:** (retour) *Lettres de Catherine de Médicis*, t. IV, Introd., p. CLVI sqq, CLXII sqq.

**Note 628:** (retour) Charles IX a-t-il donné à son frère l'ordre d'abandonner le siège de La Rochelle? ce n'est pas sûr. Dans sa lettre du 1er juin, aussitôt qu'il eût appris «la promotion» du duc d'Anjou au trône de Pologne, il lui ordonna de faire partir «le plus tôt que faire se pourra» 4 000 Gascons qui étaient «demandés», probablement par les Polonais contre les Turcs, et de se préparer lui-même à partir. Rien de plus. Mais Catherine ajoute dans la lettre qui accompagne celle du Roi: «Le Roi vous mande son intention, *en cas que vous auriez pris La Rochelle par force ou par composition*; à quoy je vous prie vous resouldre et *prendre cette seureté de moi*...» (*Lettres*, t. IV, p. 227 et note 1). N'était-ce pas engager le duc d'Anjou, s'il ne pouvait prendre La Rochelle, à conclure avec les Rochellois un accord dont elle prenait la responsabilité?

C'était un nouveau répit laissé au parti protestant. Après la Saint-Barthélemy, qu'il ne pouvait oublier ni pardonner, il eût été prudent, quoique inhumain, de le réduire à l'impuissance. Mais Catherine n'était pas capable d'un effort suivi. Elle négligea, pour une œuvre de magnificence ou d'union familiale, les cruelles obligations de son crime. Maintenant elle dissuadait le duc d'Anjou de tout excès de zèle catholique. Un jésuite, le Père Edmond Auger, célèbre prédicateur et confesseur, avait pris un grand ascendant sur le jeune prince. «Donné vous guarde, écrivait-elle à son fils, de mestre Aymont, le jésuiste, car yl escript partout que vous avé promis de aystirper tous ceulx qui ont jeamès ayté hugenos, et qu'i le set (qu'il le sait) come seluy qui s'et meslé de vostre comsense (conscience). Ces bruis là font gren mal à toutes les afeyres qui cet présentet (se présentent)»[629] (30 mai 1573). Très enthousiaste de son dessein de Pologne, elle en avait causé en mars avec le maréchal de Tavannes et se fâchait que le «bonhomme» soutint que le royaume de Pologne «est désert et ne veault rien, n'est si grent que l'on dist et que les jeans sont brutaulx». Elle affirmait au contraire «qu'y (ils) sont bien sivils et jeans de bon entendement et que c'et un bon et grent royaume qui a toujours sant (cent) cinquante mils chevauls pour faire cet qu'il veut».--«Yl faut voir», reprenait Tavannes.--Sa vraie raison, expliquait Catherine au duc d'Anjou, c'est qu'il ne voulait pas le suivre et s'en aller «or (hors) de son fumier»[630]. Elle était fort en colère contre le cardinal de Lorraine, qui ne se pressait pas de lui faire avoir du Clergé de France trois cent mille francs, dont elle avait besoin. Et même n'avait-il pas osé lui dire que, tout en accordant ce subside, «en darière (par derrière) l'on dyst que c'et un grent argent qui s'en va hors de Franse....» «Encore, remarquait-elle aigrement, ne sortira-t-i pas tent d'argent qu'il (le

Cardinal) a fest [sortir] pour le royaume d'Écosse». En comparaison de plus de dix millions dépensés là-bas, qu'était-ce que la somme qu'elle réclamait et pour un si grand résultat? Car «c'est jouindre une couronne à jeamès alla Franse, et pour le plus pour troys milions de francs pour une foys, et le trafic et les comodités que cet réyaume [de France] enn auré (aurait) qui profiteront plus que vint millions par an et que c'et, aultre (outre) sela, la grandeur de cette couronne et la ruyne de ceulx qui nous ont voulu ruyner»[631].

**Note 629:** (retour) Catherine au roi de Pologne, 30 mai 1573, *Lettres*, t. IV, p. 225.

**Note 630:** (retour) 15 mars 1573, *Lettres*, IV, p. 181. Tavannes mourut en juin.

**Note 631:** (retour) 30 mai, au roi de Pologne, *ibid.*, t. IV, p. 225.

Ce noir projet contre la couronne de France, c'était en l'espèce le refus de Philippe II de marier avantageusement le duc d'Anjou et la compétition d'un archiduc autrichien au trône de Pologne. La politique extérieure de Catherine a toujours un caractère personnel et maternel. Mais elle triomphait trop de l'élection, comme si le nouveau roi était capable de fonder à l'Est de l'Europe une dynastie française, pour prendre à revers les Habsbourg de Vienne. Ses rêves de grandeur reposaient sur un être d'imagination. Elle croyait que son fils serait un grand souverain, comme elle l'estimait un grand capitaine, parce qu'elle l'idolâtrait. En réalité, son héros était surtout occupé d'intrigues de Cour et d'intrigues de cœur, et n'avait ni énergie d'homme, ni ambition de roi. Mais elle, aveuglée par la tendresse, s'attachait uniquement à sauvegarder ses intérêts et son avenir. Elle avait laissé tomber les négociations avec Guillaume de Nassau qui offrait à Charles IX de l'aider à conquérir et à mettre sous son obéissance tous les Pays-Bas, sauf les provinces de Hollande et Zélande, qui resteraient libres, sous sa protection d'ailleurs, à condition qu'il rétablît la paix religieuse dans son royaume[632]. Elle les reprit pour calmer les ressentiments de l'Allemagne protestante et assurer au duc d'Anjou un libre et sûr passage jusqu'en Pologne. Le Duc aurait bien voulu se dédire, tant la France avait d'attraits, mais le Roi, son frère, heureux de se débarrasser de lui, l'avait pressé, aussitôt qu'il sut la nouvelle de son élection, de rejoindre au plus tôt ses sujets, dont il était «désiré et attendu avecques très grande affection». La Reine-mère tâchait de stimuler son orgueil. «... Je vous ay trop montré, lui écrivait-elle, que je vous aime mieux où vous pouvez acquérir réputation et grandeur que de vous voyr auprès de moy, encore que ce me soit un grand contentement, mais je ne suis pas de ces mères qui n'ayment leurs enfans que pour eulx, car je vous ayme pour vous voir et désirer le premier en grandeurs et honneur et réputation...»[633] Le bruit courut que les Guise complotaient d'empêcher le départ de celui qu'on regardait comme le chef du parti catholique. Charles IX ne fut que plus impatient de pousser son frère hors du royaume. Il l'accompagna aussi loin qu'il put et ne s'arrêta qu'à Vitry, où la maladie l'obligea de s'aliter. Il mit tant d'affectation dans ses adieux que les spectateurs sentirent le contentement sous les plaintes et les cris[634]. Catherine, qui, voyant l'état du Roi décliner, commençait peut-être à regretter le succès de sa diplomatie, suivit le duc d'Anjou jusqu'à l'extrémité de la Lorraine, à Blamont, où elle avait donné rendez-vous à Ludovic de Nassau et au duc Christophe, fils de l'Électeur palatin, pour débattre avec eux les conditions d'un accord entre l'Allemagne protestante et la France (29 novembre-3 décembre).

**Note 632:** (retour) Groen van Prinsterer, t. IV, p. 44 sqq. Projet rédigé par Ludovic de Nassau et Schomberg, le 27 mars 1573, et amendé par Guillaume de Nassau, *ibid.*, p. 116.

**Note 633:** (retour) Lettre de Charles IX, t. IV, p. 227. note 1;--de Catherine, *ibid.*, p. 227.

**Note 634:** (retour) *Mémoires de Philippe Hurault, comte de Cheverny*, (alors chancelier du duc d'Anjou, et qui devint plus tard chancelier de France), éd. Buchon, p. 231.

Elle avait déjà fait passer à Ludovic 300 000 écus pour marcher au secours de Guillaume, son frère. Elle promit «d'embrasser les affaires du dict Pays-Bas aultant et aussi avant que les princes protestants les vouldront embrasser»[635]--autant et aussi avant, mais elle ne disait pas au delà. Le Roi de Pologne, «tant en son nom que comme député du Roi de France son frère», voulut bien lui aussi entendre à cet accord. Mais Ludovic, qui l'accompagna jusqu'en Hesse-Cassel, ne put le décider à mettre en articles les conversations de Blamont. Il jura «en alemand qu'il leur joueroyt ung bon tour ayant desjà de l'argent pour le moins»[636].

L'état du royaume lui en fournit bientôt l'occasion. Les huguenots du Midi étaient en armes depuis la Saint-Barthélemy et «n'avaient pas cessé de remuer ménage». Ils protestaient contre l'édit de Boulogne (juillet 1573), qui n'accordait le libre exercice du culte qu'à Nîmes et Montauban. Même parmi les catholiques, il y avait des mécontents. Le massacre de la Saint-Barthélemy avait fait horreur à quelques-uns. Des gouverneurs, des lieutenants généraux du Roi, Matignon en Basse-Normandie, Saint-Herem en Auvergne, Chabot-Charny à Dijon, le vicomte d'Orthe à Bayonne[637], etc., n'avaient pas exécuté les ordres de mort. Arnaud Du Ferrier, ambassadeur de France à Venise, avait franchement reproché à Catherine d'avoir si bien servi les intérêts de Philippe II, le meurtrier, prétendait-il, de sa fille[638]. Le premier président de Thou gémissait en secret de ne pouvoir effacer cette journée du livre de l'histoire. «Cet acte inhumain, dit le vicomte de Turenne,--un petit-fils du connétable--me navra le cœur et me fit aimer et les personnes et la cause de ceux de la Religion, encore que je n'eusse [alors] nulle cognoissance de leur créance»[639]. Les rancunes des uns et les sympathies des autres servirent de levain à l'agitation.

**Note 635:** (retour) Lettre du comte de Nassau, Groen van Prinsterer, t. IV, p. 279.

**Note 636:** (retour) *Mémoires inédits de Michel de La Huguerye*, publiés par le baron A. de Ruble (*Soc. H. F.*, t. I, 1877, p. 195.)

**Note 637:** (retour) Sur l'authenticité de la fameuse lettre du vicomte d'Orthe au Roi, consulter les références, *Lettres*, t. II, p. 117. Voir la liste des gouverneurs qui se montrèrent humains, *Lettres*, t. IV, Introd., p. CXI.

**Note 638:** (retour) La lettre de Du Ferrier du 16 septembre 1572 et la réponse de Catherine du 1er octobre, un monument d'inconscience, dans *Lettres de Catherine*, t. IV, p. 130-133, texte et notes.

**Note 639:** (retour) Cte Baguenault de Puchesse, *Mémoires du vicomte de Turenne, depuis duc de Bouillon*, 1565-1586, (*S. H. F.*, 1891, p. 31).

Dans l'armée que Charles IX avait envoyée contre La Rochelle, combattaient côte à côte sous les ordres du duc d'Anjou, des hommes très opposés d'idées, d'opinions, de sentiments, massacreurs de la Saint-Barthélemy, ennemis des massacreurs, protestants convertis ou protestants loyalistes, le roi de Navarre, le prince de Condé, La Noue, les Guise. Pour les Montmorency, la Saint-Barthélémy n'était pas seulement un malheur public. Cousins germains de Coligny, partisans des alliances protestantes, signataires du traité avec Élisabeth et négociateurs du mariage anglais, ils se sentaient menacés dans leur situation et leur crédit par le triomphe du parti catholique et le retour en faveur des Guise, leurs ennemis. Ils croyaient même qu'ils auraient été englobés dans le massacre, si le maréchal de Montmorency n'avait pas été absent de Paris. Ce chef de leur maison, calme et loyal, se résignait à la mauvaise fortune. Damville, le puîné, gouverneur du Languedoc, prudent et avisé, consentait à servir fidèlement la Cour, tant qu'il le pourrait sans se perdre. Mais les cadets, Méru, gendre du maréchal de Cossé, et Thoré, étaient des esprits ardents et aventureux, prêts à prendre l'offensive. Leur neveu, Turenne, annonçait déjà la valeur brillante et le talent d'intrigue qui le rendirent plus tard célèbre. Au camp de La Rochelle, des intelligences s'établirent entre ceux qui pour divers motifs, par esprit d'humanité ou par esprit de faction, condamnaient «cette tant détestable et horrible journée». Tous se groupèrent autour du duc d'Alençon, le troisième fils de Catherine, un «moricau», qui, tout enfant, n'était, au dire de sa mère, que «guerre et tempeste en son cerveau». A seize ans, pour avoir une couronne, il se déclara prêt à épouser Élisabeth, qui en avait trente-sept, et même, s'il le fallait, à renoncer à la messe. Il s'était attaché à l'Amiral, qui lui avait promis une principauté en Flandre, et, en apprenant l'attentat de Maurevert, il osa dire:

«Quelle trahison!» C'était le chef que les protestants cherchaient pour autoriser une nouvelle prise d'armes. Toujours formalistes, ils ne croyaient pas l'insurrection légitime sans le concours d'un prince du sang. Or cette fois, ils auraient mieux encore: un frère même du Roi, un fils de France.

Quand le duc d'Anjou partit pour la Pologne, le duc d'Alençon prétendit, comme par droit de succession, au commandement suprême des armées, qui devenait vacant. Mais Charles IX, heureux d'être débarrassé de cette sorte de maire du palais que les préférences maternelles lui avaient imposé, déclara qu'il n'y aurait plus de lieutenant général[640]. Catherine, qui savait les attaches de son plus jeune fils avec les Montmorency, les nouveaux catholiques et les Nassau, n'avait que trop de raisons d'approuver ce refus. Pendant que la Cour revenait de Lorraine à Paris, quelques partisans du duc le poussèrent à s'enfuir avec le roi de Navarre et à gagner Sedan, qui appartenait au duc de Bouillon, un huguenot. Là, en sûreté, dans cette place très forte, il se ferait payer son retour, sous menace de guerre civile, au prix qu'il fixerait.

**Note 640:** (retour) : *Mémoires de Philippe Hurault, comte de Cheverny*, éd. Buchon, p. 230-231.

Catherine, avertie par sa fille Marguerite, fit si bonne garde qu'elle empêcha la fuite. A Chantilly, où la Cour s'était arrêtée chez les Montmorency, les intrigues recommencèrent. Les huguenots, ainsi que Ludovic l'avait prévu, se mirent de la partie. Ils avaient de très bonnes plumes et, comme au temps du tumulte d'Amboise, leurs pamphlétaires firent merveille, mais cette fois contre Catherine de Médicis. Le *De furoribus gallicis*, qui parut en français sous le titre de: *Discours véritable des rages exercées en France* (1573) et dont l'auteur anonyme serait non Hotman, mais un ministre réformé de Lyon, Ricaud[641] y raconte avec une indignation éloquente les massacres de Paris. De tout temps d'ailleurs, le gouvernement des femmes, et surtout des étrangères, si contraire aux lois du royaume, n'a-t-il pas amené la ruine et la honte? Dans la *Franco-Gallia*, qui parut la même année[642], Hotman expose la Constitution ancienne du royaume, du moins telle qu'il l'imaginait. Autrefois la monarchie n'était pas héréditaire en droit, bien qu'elle le fût en fait. La souveraineté résidait dans les États généraux, dont la compétence s'étendait à l'universalité des affaires, dont le pouvoir allait jusqu'à déposer les rois. La nation, sans être tenue de suivre l'ordre de primogéniture, choisissait son chef dans une famille dont tous les membres avaient un rang et un rôle prééminent.

**Note 641:** (retour) R. Dareste, *Essai sur François Hotman*, 1850, p. 63; *id.*, *Revue Historique*, t. II (1876), p. 369, et Elkhan, *Die Publizistik der Bartholomäusnacht und Mornays «Vindiciae contra tyrannos»*, Heidelberg, 1905, p. 33-36. Sur Jean Ricaud ou Rigaud, quelques indications dans Haag, *La France protestante*, t. VIII, p. 432.

**Note 642:** (retour) *Franc. Hotomani Jurisconsulti Franco-Gallia Libellus statum veteris reipublicae gallica tum deinde a Francis occupatae describens*, Coloniae, 1574. Mais il y a eu une première édition parue à Genève en 1573 *ex officina* J. Staerii

Souveraineté des États et participation des princes du sang à l'autorité royale, c'était le double jeu d'arguments que les théologiens et les jurisconsultes huguenots avaient souvent déjà employé contre les Guise et même contre le roi. Mais tout en soutenant que les États sont souverains pour constituer le gouvernement, Hotman, qui prévoit la mort prochaine de Charles IX, leur dénie le droit d'y appeler une femme. La loi salique, qui exclut les femmes du trône, les exclut par là même de la régence. L'histoire justifie la sagesse de la coutume. Brunehaut et Frédégonde se sont souillées de vices et de crimes; Isabeau de Bavière a vendu la France aux Anglais; Blanche de Castille provoqua par sa tyrannie l'insurrection de la noblesse. Catherine de Médicis n'est pas nommée, mais c'est elle que vise cet ardent réquisitoire contre les reines-mères.

La noblesse protestante de l'Ouest élut pour chef des armes La Noue «sous l'autorité d'un chef plus grand que de tout le temps passé». C'était désigner clairement le duc d'Alençon. Le maréchal de Montmorency, pour prévenir la guerre civile, alla prier Charles IX de donner contentement à son frère; et le Roi, inquiet de l'agitation générale, consentit à le faire chef de son conseil et à lui donner le commandement des armées[643]. C'était la lieutenance générale sans le nom.

**Note 643:** (retour) Decrue, *Le parti des politiques au lendemain de la Saint-Barthélemy*, 1892, p. 131-132.

Charles IX dépérissait de fièvre. Catherine, craignant, s'il venait à mourir, que le duc d'Alençon ne voulût profiter de l'éloignement du roi de Pologne, héritier légitime, pour le déposséder, fit si bien qu'elle réduisit son pouvoir à un vain titre. Cependant La Noue avait fixé la prise d'armes du parti à la nuit du mardi gras (23-24 février). Le Duc se laissa persuader par son entourage de s'enfuir le 10 mars de Saint-Germain à la faveur du désarroi que provoquerait à la Cour la nouvelle de l'insurrection. Mais il fut pris au dépourvu par l'arrivée, dix jours trop tôt, du capitaine huguenot, Chaumont-Quitry, qui devait l'escorter avec une troupe de cavaliers, et, de peur, il alla tout avouer à sa mère. L'alarme fut chaude au château. Les courtisans, épouvantés, coururent à Paris par tous les chemins et en tout équipage. Catherine y rentra sans hâte, ayant dans son carrosse le Duc son fils et le roi de Navarre son gendre, qu'elle gardait sous son regard et dans sa main.

Charles IX pardonna; mais il emmena les deux princes au château de Vincennes, où il alla s'installer pour respirer un air plus pur que celui de Paris. La surveillance se fit plus étroite, à mesure que la révolte s'étendit dans l'Ouest, et quand on apprit que le meurtrier innocent d'Henri II, Mongomery, l'un des meilleurs lieutenants de Coligny, venait de débarquer en Normandie (11 mars 1574).

Les princes, qui craignaient peut-être pour leur vie, décidèrent à nouveau de chercher un refuge à Sedan. Deux des gentilshommes du Duc, La Molle et Coconat, grands massacreurs de la Saint-Barthélemy et fameux héros d'alcôves, s'entendirent avec Thoré et Turenne; ils s'assurèrent le concours de capitaines et de soldats sans emploi, d'un bourgeois de Paris, de marchands de chevaux et de deux personnages pittoresques: Grantrye, ancien agent de France près les Ligues grises, qui pensait avoir découvert la pierre philosophale, et Côme Ruggieri, un familier de la Reine-mère, astrologue, devin, nécromancien, fabricant de philtres et jeteur de sorts.

Mais Catherine fut prévenue. Charles IX, furieux d'une trahison qui suivait un pardon si récent, fit arrêter son frère et son beau-frère (avril) et les fit interroger par des commissaires. Le Duc, tremblant et humble, raconta les détails du complot, et, dans ce long récit, compromit tout le monde. Henri de Navarre se défendit avec dignité, s'excusant de ses projets sur le mépris que lui témoignait la Reine-mère, la faveur dont jouissaient les Guise et le bruit qui courait qu'on voulait se défaire du duc d'Alençon et de lui. Thoré et Turenne avaient pris le large. Condé, qui était dans son gouvernement de Picardie, gagna l'Allemagne. La Molle et Coconat furent, au désespoir des dames, décapités, les capitaines pendus[644]. Mais Côme Ruggieri, protégé par la terreur qu'il inspirait, fut condamné seulement à quelques années de galères et bientôt gracié.

**Note 644:** (retour) *Histoire de France* de Lavisse, t. VI, note 1, p. 148, sqq. Voir le procès criminel dans *Archives curieuses* de Cimber et Danjou, 1re série, t. VIII, p. 127-220.

Le nom du maréchal de Montmorency avait été prononcé plusieurs fois dans les interrogatoires. Charles IX le fit emprisonner le 4 mai, et avec lui le maréchal de Cossé, qui était le beau-père d'un Montmorency, Méru. Mais il aurait fallu aussi arrêter l'autre fils du Connétable, Damville, gouverneur du Languedoc depuis la démission de son père, et qui avait en main une armée, une garde de corps albanaise, toutes les ressources d'une grande province et la clientèle que son père et lui s'y étaient créée dans les trois ordres par un demi-siècle de gouvernement. Le Roi l'avait chargé de conclure la paix avec les protestants du Midi, et il lui faisait un crime de n'y avoir pas réussi, comme s'il lui était possible de gagner par la simple promesse de la liberté de conscience un parti qui réclamait impérativement le libre exercice du culte, la réhabilitation des victimes de la Saint-Barthélemy et la réprobation officielle des massacres. Catherine, dans une lettre qu'elle lui écrivait le 18 avril, le louait de son zèle au service du Roi[645], mais le même jour Charles IX lui commandait d'envoyer trois ou quatre de ses compagnies d'ordonnance à

Guillaume de Joyeuse, son lieutenant à Toulouse, mais qui était dévoué à la Cour; on voulait l'affaiblir pour le frapper plus sûrement. La disgrâce des maréchaux entraînait la sienne. Innocent ou coupable, ses attaches de famille paralysaient l'action du gouvernement. Les huguenots de l'Ouest étaient en armes. Condé négociait avec les princes protestants d'Allemagne une nouvelle invasion. Le jour même où il enfermait Montmorency à la Bastille, Charles IX signa la révocation de son frère, mais c'était une mesure plus facile à prendre qu'à exécuter. Le prince-dauphin, fils du duc de Montpensier, nommé gouverneur du Languedoc, n'avait pas les moyens de le réduire de force. Un diplomate, Saint-Sulpice, et le secrétaire d'État, Villeroy, envoyés en mission auprès de lui, reçurent à leur étape d'Avignon l'ordre de lui signifier sa destitution et, s'il n'obéissait pas, de lui débaucher ses troupes. Mais ils se gardèrent bien de cet acte d'autorité à la romaine[646]. Damville, dépouillé de sa charge et qui redoutait pis, se rapprocha des protestants, vers qui, depuis plusieurs mois, il avançait à pas comptés. Il signa le 29 mai avec les députés des Églises du Languedoc une suspension d'armes, qui devait durer jusqu'au 1er janvier 1575. La trêve finie, il conclut une «Union» des catholiques modérés avec les huguenots du Midi[647]. C'était l'alliance contre la Reine-mère des malcontents des deux religions.

**Note 645:** (retour) *Lettres*, IV, p. 291.

**Note 646:** (retour) *Mémoires d'Estat par M. de Villeroy*, Sedan, 1622, t. 1, p. 8. Les deux envoyés royaux n'avaient pas pu pousser plus loin qu'Avignon: «... est certain, avoue Villeroy, que si nous eussions esté auprès dudict sieur mareschal [de Damville] qu'il lui y eust esté très facile de nous faire le traitement duquel l'on nous vouloit faire ministres en son endroict.»

**Note 647:** (retour) D. Vaissète, *Histoire générale du Languedoc*, édit. nouvelle, Toulouse, t. XII: *Preuves*, col. 1114-1138 et 1138-1141.

Tel fut le résultat de la politique de violence inspirée par l'attentat de Meaux et qui, se proposant la ruine des protestants, aboutit à la division des catholiques. Catherine eût bien mieux fait--et non pas seulement pour sa mémoire--de s'en tenir à son premier système de conciliation et d'apaisement, si bien adapté à son sexe, à l'égalité de son caractère, à son humeur, au charme insinuant de ses manières. Les belles paroles qu'elle avait à souhait, les protestations d'amitié et de saintes intentions, les sourires et les promesses, qui n'étaient pas toujours sincères, tout cet art très féminin où elle excellait, n'était d'aucun emploi dans une guerre d'extermination. L'esprit de suite, si nécessaire pour une entreprise de cette ampleur, était d'ailleurs la qualité qui lui manquait le plus. Elle partait, s'arrêtait, pour repartir et s'arrêter encore, lasse d'un effort durable ou distraite de son principal objet par ses combinaisons matrimoniales, ses prétentions à toutes les couronnes, ses appétits de gloire et de grandeur. Quelle conclusion plus inattendue de sa brouille avec Philippe II et de ses alliances protestantes que le massacre de la Saint-Barthélemy! Et quelle impuissance à tirer parti de ce crime abominable! Elle lâcha La Rochelle, qu'il eût fallu réduire à tout prix, pour préparer au duc d'Anjou un facile accès et un heureux avènement en Pologne. Par passion aussi pour les intérêts de son second fils, elle s'acharna contre les Montmorency. Sans doute, Thoré et Méru, ainsi que Turenne, étaient des conspirateurs qu'il était légitime de poursuivre à outrance. Mais le chef de leur maison, le maréchal de Montmorency, avait toujours déconseillé les projets de fuite du duc d'Alençon[648]. Il n'était coupable que de les avoir tus, ou même de ne les avoir dénoncés qu'à moitié. Cossé, que l'on supposait informé par son gendre Méru, n'était suspect lui aussi que d'avoir gardé le silence. On ne pouvait reprocher à Damville, si réservé en ses paroles et si correct en ses actes, que d'être trop puissant dans sa province. Mais le gouverneur du Languedoc n'était pas d'humeur à se sacrifier à la tranquillité de la Reine-mère. Pour se défendre, il appela les huguenots à l'aide et, par contre-coup, aida à les défendre contre leurs ennemis. Le protestantisme fut sauvé, moins par la force de ses adhérents que par l'appoint du Languedoc catholique.

Tant de haine, et qui eut de si grandes conséquences, s'explique surtout par l'amour ardent, exclusif qu'elle portait au duc d'Anjou, «ses chers yeux», comme elle l'appelait. Elle avait fait de lui une sorte de vice-roi, qui, elle aidant, était aussi puissant que le Roi même. Elle n'avait pas réfléchi que ce morcellement de l'autorité royale était d'un fâcheux exemple et qu'il pourrait induire son troisième fils en tentation, comme il arriva. Les déceptions et l'ambition de ce fils de France donnèrent à la révolte un chef bien plus autorisé que les princes du sang.

Des troubles qui suivirent comme du crime qui précéda, Catherine est absolument responsable. Charles IX a régné: elle a gouverné. Le jeune Roi mourut le 30 mai 1574, à vingt-quatre ans. Son dernier mot fut: «Et ma mère»[649]. Elle-même écrivait que son fils n'avait «rien reconeu tent que apres Dieu moy»[650]. Cette superstition de piété filiale mérite d'être retenue dans un jugement sur Charles IX. Sauf une courte velléité de pouvoir personnel, le fils a laissé à sa mère toutes les prérogatives du pouvoir: initiative et exécution. Il a souffert pour lui plaire une sorte de partage avec le duc d'Anjou. Violent, impulsif et docile, il a subi toute sa vie, mineur ou majeur, l'action d'une tendresse impérieuse.

**Note 648:** (retour) Decrue, *Le parti des politiques au lendemain de la Saint-Barthélemy*, 1892, p. 176-177.

**Note 649:** (retour) A Henri III, 31 mai 1574, *Lettres*, t. IV, p. 310.

**Note 650:** (retour) A la duchesse de Ferrare, 11 juin, t. V, p. 12.

# CHAPITRE VII

## UNE MÉDICIS FRANÇAISE

Il y a en Catherine de Médicis une femme d'un caractère très complexe et d'une intelligence très étendue, à qui les historiens politiques, comme si son activité avait été absorbée par les affaires d'État, n'accordent en passant que quelques lignes ou même quelques notes au bas des pages. Des anecdotes, qui ne sont pas toutes vraies, et les épithètes de Florentine, d'Italienne tiennent lieu le plus souvent d'informations sur ses goûts, ses sentiments, ses idées. La souveraine, amie des lettres et des arts et qui était elle-même artiste et lettrée, est un peu plus favorablement traitée, mais son action propre disparaît et se perd dans celle des Valois[651]. On dirait d'une gloire étrangère, et sur laquelle la France, à cause de la Saint-Barthélemy, se ferait scrupule de rien prétendre. Il ne faudrait pas oublier pourtant que cette Médicis a quitté l'Italie étant encore toute jeune fille, presque enfant, qu'elle a vécu en France sans jamais plus en sortir, et que l'empreinte de son pays d'adoption fut peut-être à la longue aussi forte que celle de sa famille paternelle.

**Note 651:** (retour) Il est juste toutefois d'excepter l'ouvrage de Bouchot, *Catherine de Médicis*, Paris, 1899.

Pour montrer cette Catherine si peu connue, le moment le mieux choisi est, ce semble, le début du règne d'Henri III, où le récit des événements nous a conduits. Elle a eu le temps de donner toute sa mesure et de se révéler telle qu'elle était en bien et en mal. Elle a, pendant une dizaine d'années, gouverné souverainement l'État. Elle a disposé des ressources du Trésor pour la Cour, qui ne fut jamais plus brillante, pour ses fêtes, ses constructions, et le patronage des lettrés, des poètes, des artistes. Le règne de Charles IX est l'apogée de son pouvoir ou, pour mieux dire, c'est son règne. Aussi peut-on grouper ici, comme en leur centre, les diverses manifestations de sa vie morale, artistique et intellectuelle avant et après 1574 et les traits les plus marquants de sa personnalité.

Elle avait, à l'avènement d'Henri III, cinquante-cinq ans; c'est le commencement de la vieillesse ou l'extrême fin de la maturité. L'âge avait épaissi et alourdi la Junon épanouie par dix maternités. Les cheveux, autrefois blonds, avaient passé au roux sombre, et ses yeux châtains[652], à fleur de tête, s'embrumaient de myopie. Un grand air de sérieux et de dignité, le visage virilement accentué et qui ne s'empâtait qu'au double menton, le nez fort et les lèvres épaisses, donnaient l'idée d'une maîtresse femme. Ses vêtements noirs de veuve, qu'elle ne quitta que le jour du mariage de Charles IX et d'Henri III, ajoutaient encore à cette impression d'autorité. Mais les paroles étaient douces et le ton rarement impérieux. Elle se possédait bien et ne laissait voir de ces sentiments que ce qu'elle voulait: art de grande dame que les nécessités de la politique avaient porté à sa perfection.

**Note 652:** (retour) Au Louvre, salle X, no 1030, portrait peint de Catherine de Médicis. A Chantilly, Musée Condé, no 418, crayon de François Clouet, mort en 1572. A Florence, dans le couloir des Uffizi au palais Pitti, côté Pitti, no 19, un portrait de Catherine de Médicis en sa vieillesse. Il y a aussi au Musée des Uffizi, dans la salle des Miniatures et Pastels, no 3 380, douze médaillons représentant les principaux membres de la famille des Valois. Catherine y a, comme les autres personnages, les yeux bleus, mais c'est évidemment une couleur de convention.

Son activité, sinon sa force physique, était restée la même. Elle continue à voyager, malgré ses rhumatismes et son catarrhe, au hasard des mauvais gîtes et des mauvais temps, intrépide chevaucheuse «jusques en l'âge de soixante et plus», malgré sa blessure à la tête de 1564, «dont il l'en falust trépaner». Elle est bonne marcheuse et chasse tant qu'elle peut. «Elle aymoit fort, dit Brantôme, à tirer de l'harbaleste à jalet et en tirait fort bien, et toujours quand elle s'alloit pourmener faisoit porter son harbaleste, et quand elle voyoit quelque beau coup, elle tiroit»[653]. Elle n'est jamais en repos. Elle écrivait quelquefois vingt lettres de suite[654], et, revenue parmi ses dames, elle causait et brodait. «Elle passoit fort son tems les après-dinées, dit Brantôme, à besongner après ses ouvrages de soye, où elle y estoit toute parfaicte qu'il estoit possible»[655]. L'habile dessinateur pour broderies, le Vénitien Vinciolo, dédia à cette reine aux doigts de fée ses «*Singuliers et nouveaux pourctraicts.... pour toutes sortes d'ouvrages de lingerie*..., Paris, 1587», qui eurent une dizaine d'éditions[656].

**Note 653:** (retour) Brantôme, VII, p. 346. L'arbalète à jalet servait à lancer soit des jalets (c'est-à-dire des petits cailloux ronds ou galets), soit des balles de plomb ou d'argile. Une arbalète de Catherine en ébène et damasquinée d'or est au Musée d'artillerie.

**Note 654:** (retour) *Id.*, p. 374.

**Note 655:** (retour) *Id.*, p. 347.

**Note 656:** (retour) Bonnaffé, *Inventaire des meubles de Catherine de Médicis en 1589*, Paris, 1874, p. 101 et 108, notes. Sur Frédéric de Vinciolo, voir G. d'Adda, *Essai bibliographique sur les anciens modèles de lingerie de dentelles, de tapisserie* (*Gazette des Beaux-Arts*, Paris, 1864, p. 425-426).

Elle est grosse mangeuse. L'Estoile rapporte qu'elle pensa crever d'indigestion pour «avoir trop mangé, disait-on, de culs d'artichaux et de crestes de rongnons de coq»[657]. La vie en elle surabonde. Elle est gaie, prend grand plaisir aux farces de la Comédie Italienne, «et en rioit son saoul comme un autre, car elle rioit volontiers». Elle n'étoit point prude, du moins en sa jeunesse, et, lors de la seconde guerre civile, s'amusa fort de la raison, à faire rougir un corps de garde catholique, pour laquelle les huguenots avaient nommé leur coulevrine du plus gros calibre «la Reine-mère». Elle croyait que la joie est le principe de la fécondité et recommandait à son fils Henri III et à sa belle-fille, Louise de Lorraine, ce moyen d'avoir des enfants: «Car voyés combien Dieu m'en a donné pour n'estre poynt menencolyque (mélancolique)[658]». Les pamphlets n'ont jamais altéré sa bonne humeur. Même dans les pires dangers de la monarchie, quand elle fut obligée (traité de Nemours, 7 juillet 1585) de subir la loi des chefs de la Ligue, elle ne s'interdisait pas de réagir. Quelques jours après, elle s'amusa fort avec sa grande amie, la duchesse d'Uzès, d'une pantalonnade où figuraient déguisés en femmes et «coiffés de rideaux de lit» le grave surintendant des finances, Bellièvre, et le vieux cardinal de Bourbon[659]. Elle avait alors soixante-six ans. La situation s'aggrava, mais elle ne voulait pas s'attrister. «Si ce n'estoit que je me divertiz le plus que je puis, alant à la chasse et me promenant, je pense que je serois malade. J'attens demain Madame de Longueville qui m'aydera bien aussi à passer mon tems»[660].

**Note 657:** (retour) L'Estoile, juin 1575, I, p. 64.

**Note 658:** (retour) *Lettres*, t. IX, p. 103, 2 décembre 1586.

**Note 659:** (retour) *Ibid.*, t. VIII, p. 341, note 1 (entre le 11 et le 23 juillet).

**Note 660:** (retour) *Ibid.*, t. VIII, p. 352, 14 septembre 1585.

Une question se pose et s'impose à l'historien. Catherine fut-elle toujours, épouse et veuve, une femme vertueuse? Il ne suffirait pas d'établir--et l'on a vu combien la preuve était difficile[661]--qu'elle employa pendant sa régence, et depuis, à des fins politiques les attraits de son personnel féminin pour avoir le droit de conclure qu'elle avait les faiblesses dont elle tirait parti. Les corrupteurs ne sont pas nécessairement des corrompus. Brantôme est bien embarrassant. Il parle de sa Cour comme d'une école de vertu et cependant il laisse entendre, sans souci à ce qu'il semble, de la contradiction, que Dauphine elle aima fort Pierre Strozzi[662], bon soldat et fin lettré. Mais entend-il par aimer ce qu'historien des Dames galantes, il entend d'ordinaire par là? Pierre était son cousin germain, un fils de Clarice de Médicis, cette tante si dévouée en souvenir de qui elle protégea tous les Strozzi. Elle ne l'aurait pas défendu avec un courage si franc en 1551, lors de la défection de Léon Strozzi[663], si elle avait pu craindre que le Roi son mari soupçonnât entre elle et lui plus qu'une affection légitime. Brantôme raconte aussi que François de Vendôme, vidame de Chartres, un très grand seigneur apparenté aux Bourbons, portait le «vert», qui fut la couleur de Catherine avant son veuvage, et avait la «réputation de la servir»[664]. Henri II, qui savait ce qu'est un amant platonique pour ne l'être pas lui-même, n'aurait pas souffert que le Vidame rendît des soins à la Reine autrement qu'en tout respect. D'autre part

Catherine n'aurait pas été femme si elle n'avait eu quelque plaisir à prouver à son mari et à sa rivale qu'elle était capable elle aussi d'inspirer une passion romanesque. Qu'elle s'en soit tenue à cette satisfaction d'amour-propre, c'est très vraisemblable, vu les risques d'une faute, sa prudence et son amour pour l'époux infidèle. Devenue veuve, elle laissa les Guise, ministres tout-puissants de François II, emprisonner à la Bastille son adorateur, qui s'était déclaré contre eux pour le prince de Condé, et, quand elle prit le pouvoir, à l'avènement de Charles IX, elle le retint, malade, «sous la charge et garde d'aulcuns archers de la garde du corps du Roy» en une chambre basse de l'Hôtel de la Tournelle[665], où il mourut» (22 décembre 1560). Il est possible qu'elle ait voulu par cette rigueur démentir le bruit d'une liaison et affirmer sa fidélité conjugale ou prouver que ses sympathies ne prévaudraient jamais contre la raison d'État[666].

**Note 661:** (retour) Chap. V, p. 142-144.

**Note 662:** (retour) Brantôme, *Œuvres*, éd. Lalanne, t. II, p. 269.

**Note 663:** (retour) Voir plus haut, chap. II: Dauphine et Reine, p. 49-51.

**Note 664:** (retour) Brantôme, *Œuvres*, éd. Lalanne, t. VI, p. 117.

**Note 665:** (retour) Il y dicta du 18 au 21 décembre son testament, qu'on trouvera en appendice dans La *Vie de Jean de Ferrières, vidame de Chartres, seigneur de Maligny*, par un membre de la Société des Sciences historiques et naturelles de l'Yonne (comte Léon de Bastard), Auxerre, 1858, p. 211-228. Sur sa demi-captivité, voir p. 212.

**Note 666:** (retour) Peut-être en voulut-elle au Vidame d'avoir pris parti pour les princes du sang, dont les droits étaient destructifs de ceux des belle-mères. Elle dut trouver que, pour un favori en expectative, il comprenait bien mal ses intérêts. Elle le jugea un sot et le lui fit rudement sentir.

L'éditeur des mémoires de Castelnau-Mauvissière, J. Le Laboureur, veut aussi qu'elle ait eu pour amant--un amant qui celui-là n'était pas platonique--un de ses anciens pages, Troilus de Mesgouez, mais il n'indique aucune date et il ne cite pas ses autorités. La preuve, l'unique preuve qu'il donne de cette passion, c'est que la Reine-mère fit de ce pauvre gentilhomme bas-breton un marquis de La Roche-Helgouahc (lisez Helgomarc'h) et le laissa user indiscrètement de «ses bonnes grâces»[667]. Il faut chercher ailleurs les précisions qu'il s'interdit probablement par respect pour une personne royale. Des lettres patentes d'Henri III, datées de Blois, mars 1577, autorisent le sieur de La Roche, marquis de Coetarmoal, comte de Kermoallec (en Bretagne) et de la Joyeuse Garde (en Provence?), chevalier de l'Ordre, conseiller du Roi en son Conseil privé et gouverneur de Morlaix, à lever, fréter et équiper tel nombre de gens, navires et vaisseaux qu'il avisera pour aller aux Terres-Neuves (Canada, etc.) et autres adjacentes; à s'y établir et en jouir pour lui et ses successeurs perpétuellement et à toujours «comme de leur propre chose et royal acquest», «pourveu qu'elles n'appartiennent à amis, alliez et confederez de ceste couronne[668]». D'autres lettres patentes du 3 janvier 1578 nomment le marquis de Coetarmoal, etc. «gouverneur lieutenant général et vice-roy esdites Terres-Neuves»[669].

Tant de faveurs accumulées sur une seule tête, sans services connus, sans mérite apparent, ont pu tromper l'honnête érudit et lui faire admettre la légende d'origine bretonne d'une faiblesse amoureuse de Catherine[670].

**Note 667:** (retour) Additions de J. Le Laboureur aux *Mémoires de Messire Michel de Castelnau, seigneur de Mauvissière*, 1659, t. I, p. 291-292.

**Note 668:** (retour) Dom Hyacinthe Morice, *Mémoires pour servir de preuves à l'histoire ecclésiastique et civile de Bretagne*, 1742-1746, t. III, col. 1439-1440.

**Note 669:** (retour) *Ibid.*, col. 1442-1443.

**Note 670:** (retour) J. Pommerol en a tiré un roman historique agréable, qu'il a présenté pour aider à l'illusion comme un travail d'archives, *Revue de Paris*, 1er mars 1908, p. 1-50 *Messieurs les gens de Morlaix*.

Mais la fortune de La Roche eut une cause moins sentimentale; il servait d'intermédiaire entre la Cour de France et les fugitifs d'Irlande--comme on le verra plus loin--et, de sa propre initiative par haine de Breton contre les Anglais, ou comme agent occulte de son gouvernement[671], il encourageait sous main l'esprit de révolte dans un pays qui ne se résignait pas à la domination de l'Angleterre. Il est possible aussi que Le Laboureur ait brouillé dans ses souvenirs ce La Roche de Bretagne avec un autre La Roche, Antoine de Brehant, écuyer tranchant de la Reine-mère en 1578, promu premier écuyer tranchant en 1584[672], La Roche qui est à moi, écrit-elle[673], le petit La Roche[674], comme elle l'appelle familièrement, un grand porteur de dépêches, à qui elle légua par testament six mille écus[675], et que de ces deux La Roche, l'un serviteur particulier de la Reine, et l'autre de la politique française, il ait fait un seul et unique personnage promu par la grâce d'un cœur royal aux plus hautes dignités.

En réalité ce prétendu favori de la Reine ne figure pas dans la liste de ses gentilshommes servants, de 1547 à 1585[676], et c'est la preuve qu'il ne résidait pas à la Cour, près de Catherine. Il n'est nommé, dans une lettre d'elle et pour la première fois, qu'en juillet 1575[677] à propos des affaires d'Irlande, comme *estant «au duc d'Alençon»*, alors en disgrâce et qu'Henri III gardait au Louvre en une demi-captivité. La Reine-mère le désigne par le nom de sa province: La Roche de Bretagne, une précision bien inutile en écrivant à l'ambassadeur de France à Londres, si La Roche avait été pour elle, à la connaissance de tous, ce qu'il ne paraît pas qu'il fût. Les distinctions n'étant venues que dans les deux années qui suivirent, comment admettre, à supposer une inclination ancienne, que Catherine eût différé si longtemps d'en acquitter le prix et même qu'elle n'eût jamais attaché à sa personne l'homme qu'elle aimait. Il est encore plus invraisemblable qu'elle se soit éprise de lui sur le tard. A cinquante-sept ans (c'est l'âge qu'elle avait lors de la création du marquisat), une femme qui a jusque-là été sage ne commence pas à cesser de l'être.

**Note 671:** (retour) Voir ch. VIII, p. 63-68.

**Note 672:** (retour) *Lettres*, t. X, app., p. 523.

**Note 673:** (retour) 17 mai 1579, *Lettres*, t. VI, p. 366.

**Note 674:** (retour) *Lettres*, t. VI, p. 132; t. VII, p. 47, 75, 239 et *passim*.

**Note 675:** (retour) *Ibid.*, t. IX, app., p. 497.

**Note 676:** (retour) La liste des gentilshommes servants se trouve en app., *Lettres*, t. X, p. 519-523. Elle est à peu près complète, voir note de l'éditeur (Cte Baguenault de Puchesse), p. 538, 3.

**Note 677:** (retour) Catherine à La Mothe-Fénelon, ambassadeur de France en Angleterre, 29 juillet 1575, *Lettres*, t. V, p. 127 et 129.

Aussi les grands pamphlets d'inspiration huguenote ou «politique», qui, surtout après la Saint-Barthélemy, recueillirent sans contrôle les bruits les plus fâcheux pour l'honneur de la Reine et qui cherchèrent à la diffamer jusque dans ses ancêtres, ces Médicis, «confits de vices, d'incestes et de crimes», ne disent rien de cet amour d'arrière-saison. Qu'ils se taisent sur le culte de François de Vendôme pour Catherine, ce n'est pas merveille, car ils ne pouvaient attaquer la Reine sans atteindre son adorateur, et tout complice de la conjuration d'Amboise avait droit au moins au silence respectueux. Mais Troilus de Mesgouez, mignon de la Reine-mère et ennemi d'Élisabeth, la protectrice de la Réforme, quel admirable sujet de déclamation morale et religieuse! Si les protestants ont réservé leur éloquence contre d'autres fautes, c'est qu'ils ignoraient cette passion tardive, et ils l'ignoraient parce qu'elle n'existait pas. A défaut de preuves, ils se fussent contentés de présomptions. Ils prêtaient à Catherine pour favoris ou valets de cœur les gens de son intimité, Gondi[678], «d'étalon», comme ils disaient, et, contre toute vraisemblance, le cardinal de Lorraine, qui, pour être un de leurs ennemis, n'était pas pour cela l'ami de la Reine-mère. De ces charités gratuites, le *Discours merveilleux de la vie et déportements... de Catherine de Médicis* (1574) renvoyait à plus tard la démonstration: «Je ne veulx pas parler, disait l'auteur anonyme, des vices monstrueux de nostre Reyne-mere ny des aultres [Reines-mères], cette-cy (Catherine) auroit besoin d'un gros volume à part que le temps et les occasions publieront. Je ne parle que du gouvernement»[679]. Le temps et les occasions ne se sont jamais présentés et pour cause. Brantôme, qui a traité si surabondamment des faiblesses des veuves, ne sait rien de celle-là. Catherine en sa vieillesse n'eût pas osé dire, dans une lettre adressée à un de ses confidents et qui devait servir de leçon à sa fille, qu'elle n'avait jamais rien fait contre son «honneur» et sa «réputation», qu'elle n'aurait pas à sa mort à demander pardon à Dieu sur ce point ni à craindre que sa mémoire en fût moins à louer[680]; et Henri III se serait gardé de la citer comme un modèle de «vie incoulpée», si elle n'avait pas été de l'aveu général une femme irréprochable.

L'historien italien Davila, un contemporain, grand admirateur de Catherine, et qui, panégyriste compromettant, ne veut voir dans ses actes que calcul, explique, mais constate lui aussi sa vertu: «A ces qualités (politiques), en furent jointes, dit-il, plusieurs autres par lesquelles bannissant les deffaults et la fragilité de son sexe elle se rendit toujours victorieuse de ces passions qui ont accoutumé de faire forligner du droit sentier de la vie les plus vives lumières de la prudence humaine»[681].

**Note 678:** (retour) Albert de Gondi, duc de Retz, et maréchal de France, particulièrement cher à Charles IX, dont il avait été le gouverneur. Il n'avait que trois ans de moins que la Reine. Quant à Jean-Baptiste de Gondi, ancien banquier à Lyon, et qu'on appelait «le compère» de Catherine, probablement parce qu'ils avaient été parrain et marraine de quelque enfant, il était beaucoup plus âgé qu'elle et passait déjà pour un vieillard quand il épousa, en 1558, la veuve de Luigi Alamanni, l'écrivain diplomate.

**Note 679:** (retour) *Discours merveilleux de la vie, actions et déportements de Catherine de Médicis*, Paris, 1650, p. 151 ou *Archives curieuses*, t. IX, p. 99.

**Note 680:** (retour) Catherine à Bellièvre, 25 avril 1584. *Lettres*, t. VIII, p. 181.

**Note 681:** (retour) H.-C Davila, *Histoire des guerres civiles de France*, mise en français par Baudouin, Paris, 1657, t. I, ch. IX, p. 544-545.

Quelles que fussent ses raisons pour se bien conduire: fidélité à la mémoire de son mari, prudence, souci de l'opinion publique ou pureté, le fait semble établi--et c'est lui par-dessus tout qui importe, les motifs des actes échappant le plus souvent aux moyens d'investigation de l'histoire.

Elle y avait quelque mérite. Sa fille Marguerite n'admirerait pas tant sa maîtrise si elle ne la savait pas si passionnée. Il y a des phénomènes psychiques qui, sans compter les accès historiques de colère et de peur, trahissent chez elle, sous les apparences du calme, un fonds de sensibilité aiguë. On dit que la nuit d'avant le fatal tournoi où périt son mari, elle le rêva «blessé à l'œil». Marguerite de Valois rapporte aussi qu'«Elle n'a... jamais perdu aucun de ses enfans, qu'elle n'aye veu une fort grande flamme à laquelle soudain elle s'escrioit: «Dieu garde mes enfans!» et incontinent après elle entendoit la triste nouvelle qui par ce feu luy avoit été augurée»[682]. Ces hallucinations peuvent s'expliquer comme la crise d'émoi d'une tendresse inquiète, ou obsédée de l'image de la mort par des avis alarmants, mais en voici une qui est plus surprenante. C'était en 1569. Le duc d'Anjou poursuivait le prince de Condé dans l'Ouest. La Reine-mère était alors à l'autre bout du royaume, à Metz, occupée à surveiller les armements des princes protestants d'Allemagne. Elle fut gravement malade, et, dans le délire de la fièvre, on l'entendit s'écrier: «Voyez vous comme ils fuyent; mon fils a la victoire. Hé! mon Dieu! relevez mon fils! il est par terre! Voyez, voyez, dans cette haye, le prince de Condé mort»[683]. La nuit d'après, quand un courrier apporta la nouvelle de la victoire de Jarnac, elle se plaignit qu'on l'éveillât pour lui apprendre ce qu'elle savait depuis la veille. D'Aubigné raconte--mais c'est un grand imaginatif--qu'en 1574, à Avignon, pendant la maladie du cardinal de Lorraine, un soir qu'elle s'était couchée «de meilleure heure que de coustume», «elle se jetta d'un tressaut sur son chevet», mettant ses mains sur ses yeux pour ne pas voir et criant: «Monsieur le Cardinal, je n'ai que faire de vous». C'était le moment même où le Cardinal trépassait. Elle apercevait devant elle et repoussait de la voix, loin de sa vue, le principal collaborateur de sa funeste politique[684].

**Note 682:** (retour) : *Mémoires de Marguerite*, éd. Guessard, p. 42.

**Note 683:** (retour) *Ibid.*, p. 43. Remarquons d'ailleurs que dans cette vision il y a un fait inexact, la chute du duc d'Anjou.

**Note 684:** (retour) D'Aubigné, *Histoire universelle*, liv. VII, ch. XII, éd. de la Société de l'Histoire de France, publiée par de Ruble, t. IV, p. 300-301.

Marguerite explique les pressentiments de sa mère par une prescience dont Dieu l'aurait privilégiée... «Aux esprits, dit-elle, où il reluit quelque excellence non commune, il (Dieu) leur donne par des bons génies quelques secrets advertissemens des accidens qui leur sont préparez ou en bien ou en mal»[685]. C'est une explication platonicienne, le démon de Socrate adapté aux croyances chrétiennes.

**Note 685:** (retour) *Mémoires de Marguerite*, éd. Guessard, p. 41-42.

Mais Catherine ne se contentait pas de ces révélations extraordinaires, et elle en cherchait d'autres. Elle était d'un pays où princes et peuples croyaient, où les Universités enseignèrent jusqu'au commencement du XVIe siècle, que les astres influent sur la vie humaine, et qu'un observateur expert peut lire au ciel le livre du Destin. Le signe du Zodiaque sous lequel un enfant vient au monde, les conjonctions de planètes à l'heure de sa nativité, sont des indices ou même des facteurs déterminants de son caractère et du bon ou du mauvais succès de sa vie. Catherine était convaincue de ce rapport et l'incertitude, où elle fut souvent, du lendemain, en ces temps malheureux, l'y rendit encore plus crédule. Elle était en relations avec les astrologues les plus fameux de France et d'Italie, Luc Gauric, qui mourut évêque de Città Ducale, le

Lombard Jérôme Cardan, le Florentin Francesco Giunctini, le provençal Nostradamus. Elle avait ses astrologues attitrés, Regnier (Renieri?) et Côme Ruggieri. La Pléiade, pour lui complaire, célébra la «vertu» des astres, et l'étoile scientifique de cette constellation, Pontus de Thyard, affirma dans sa *Mantice* la vérité de ce genre de divination:

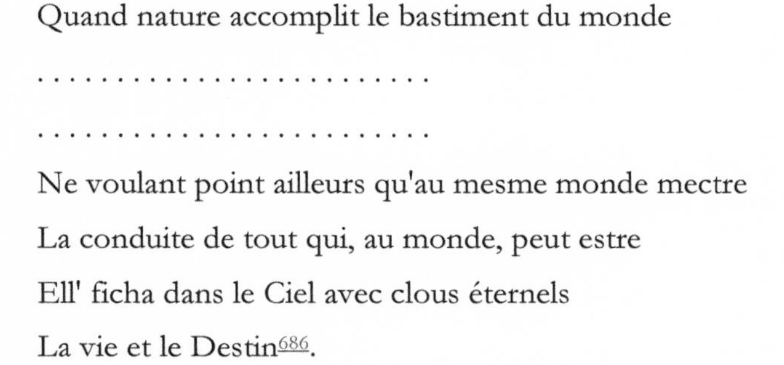

Quand nature accomplit le bastiment du monde

. . . . . . . . . . . . . . . . . . . . . . . .

. . . . . . . . . . . . . . . . . . . . . . . .

Ne voulant point ailleurs qu'au mesme monde mectre

La conduite de tout qui, au monde, peut estre

Ell' ficha dans le Ciel avec clous éternels

La vie et le Destin[686].

**Note 686:** (retour) Extraits de *Mantice* dans les Œuvres de Pontus de Thyard, éd. Marty-Laveaux, p. 81.

L'astrologie gagna en crédit et faveur à la Cour. Lors de son grand tour de France, la Reine-mère vit, à son passage à Salon (novembre 1564), Nostradamus, à qui son poème des *Centuries*, rédigé en quatrains d'une obscurité sibylline, avait fait la réputation du premier prophète du temps. Ces vers:

Le lion jeune le vieux surmontera

En champ bellique par singulier duelle:

Dans cage d'or les yeux luy crevera,

Deux classes une, puis mourir, mort cruelle.

(Cent. L. quatrain 35.)

avaient été, après l'événement, interprétés comme la prédiction du tournoi où Mongomery tua Henri II. Nostradamus, écrivait Catherine au Connétable, «promest tou playn de bien au Roy mon filz et qu'il vivera aultant que vous, qu'il dist aurés avant mourir quatre vins et dis ans». Elle ajoute sagement: «Je prie Dieu que (il) dis vray...»[687]. Cette fois l'oracle avait, pour sa gloire, parlé trop clair. Montmorency périt, trois ans après, simple septuagénaire et Charles IX mourut à vingt-quatre ans. Mais Catherine ne rendait pas l'astrologie responsable des erreurs des astrologues; c'était une science qui, comme toutes les autres, était, du fait des savants ou de l'intervention divine, sujette à faillir. N'avait-elle pas eu plus d'une fois l'occasion d'en constater l'incertitude? Gauric avait, disent les éditeurs de ses œuvres, annoncé à Henri II qu'il mourrait en duel et combat singulier aux environs de la quarante et unième année[688], mais il faut les croire sur parole. Au vrai, dans ses Horoscopes d'avant 1559, il s'était borné à prédire que le Roi de France atteindrait soixante-neuf ans, deux mois et douze jours, pourvu qu'il dépassât les années 56, 63 et 64[689]: une prophétie peu compromettante et dont il était à peu près sûr de ne pas voir le dernier terme--précis, celui-là--ayant lui-même trente ans de plus qu'Henri II. Giunctini et Cardan, consultés par Catherine, lui avaient assuré que son mari aurait une vie longue et glorieuse.

**Note 687:** (retour) *Lettres*, X, p. 1455, novembre 1564.

**Note 688:** (retour) Brantôme, *Œuvres complètes*, éd. Lalanne, t. III, p. 280-283.

**Note 689:** (retour) D. Nass. *Revue des études historiques*, 1901, p. 217. Cf. *Dict.* de Bayle, *verbo* Henri II.

Connaître sa destinée, c'est, avec l'aide de Dieu, une chance de s'y soustraire. Il faut se protéger aussi contre les maléfices des magiciens et des nécromants en rapports avec les esprits infernaux. L'astrologue Côme Ruggieri, «Italien, homme noir, qui n'a le visage bien fait, qui joue des instrumens... toujours habillé de noir, puissant homme»[690], passait pour un de ces intermédiaires redoutables, capables de procurer, par des moyens diaboliques, la mort d'un ennemi. C'était un esprit libre et hardi. Il aurait osé dire en face à Catherine, après la Saint-Barthélemy, qu'elle avait travaillé pour le Roi d'Espagne[691]. Il fut entraîné ou enveloppé dans le complot des Politiques[692]. On trouva, dans les «besognes» de La Molle, son grand ami, une poupée de cire. Catherine se demandait avec inquiétude si ce n'était pas une effigie de Charles IX, que Côme aurait modelée, à des fins d'envoûtement, pour faire périr son fils, ou le faire dépérir de mort lente, en piquant son image au cœur ou au corps avec une aiguille. Elle informa le procureur général que Côme avait demandé au lieutenant du prévôt de l'Hôtel, quand il fut pris, «si le Roi vomissoit, s'il seignoit encore et s'il avoist douleur de teste, et comment» allait La Molle, et qu'il l'aimerait tant qu'il vivrait. Elle voulait qu'on lui fit répéter cette déclaration, en présence du lieutenant, du premier président et du président Hennequin: «Faictes lui tout dire... et que l'on sache la vérité du mal du Roi et que l'on lui face défaire, s'il a faict quelque enchantement pour nuire à sa santé et aussi pour faire aimer La Mole à mon fils d'Alençon, qu'il le défasse»[693]. La terreur qu'il inspirait le sauva. Il ne fut condamné qu'à neuf ans de galères, et, après un court séjour à Marseille, où le gouverneur l'avait autorisé à ouvrir une école d'astrologie, il fut libéré, rentra en faveur, et mourut très âgé sous Louis XIII, abbé de Saint-Mahé en Bretagne et incrédule notoire, toujours craint et admiré[694].

**Note 690:** (retour) *Archives curieuses* de Cimber et Danjou, 1re série, t. VIII, p. 192.--Cf. Defrance (Eug.), *Un croyant de l'occultisme, Catherine de Médicis; ses astrologues et ses médecins envoûteurs*, Paris, 1911, p. 198-199.

**Note 691:** (retour) Lettre de Petrucci, 2 septembre 1572, *Négociations diplomatiques de la France avec la Toscane*, t. III, p. 836.

**Note 692:** (retour) Vincenzo Alamanni, qui succéda à Petrucci comme ambassadeur de Florence, donne, *Lettres* du 22-26 avril et du 1er mai 1574, *ibid.*, t. III, p. 920-923, des détails intéressants sur les premiers rapports de Ruggieri avec Catherine de Médicis. Il ne l'estime pas grand astrologue et croit qu'on l'accuse à tort d'être un nécromancien.

**Note 693:** (retour) *Lettres*, t. IV, p. 296-297, 29 avril 1574, onze [heures] du soir.--Cf. Eugène Defrance, *Catherine de Médicis*, p. 196.

**Note 694:** (retour) Le texte le plus important, sur Côme Ruggieri, se trouve dans les *Mémoires de J.-A. de Thou*, le grand historien, année 1598, liv. VI (éd. Buchon, p. 671-672) avec renvoi à l'Histoire générale, année 1573. De Thou prétend que Ruggieri, mis à la chaîne, fut délivré sur la route de Marseille, par des «courtisans». Sur cet abbé commendataire, mort sans sacrements, que Concini aurait voulu faire inhumer en terre sainte et que l'évêque de Paris fit jeter à la voirie, voir aussi les *Mémoires du cardinal de Richelieu*, Soc. Hist. Fr. t. I (1610-1615), 1907, p. 391.

Peut-être aussi Catherine croyait-elle que les mots avaient en eux une force opérante, analogue à celle des charmes et des maléfices. Informée qu'un soldat, qui avait voulu tuer d'Avrilly, un des mignons du duc d'Alençon, avait dit, en voyant les portraits du Roi (Henri III) et de son frère, qu'ils n'avaient pas longtemps à vivre, ce propos de mauvais augure la troubla: «Sela me met en pouyne (cela me met en peine), écrit-elle, de cet qu'il a dist qu'il (ils) ne viveret gyere (ne vivraient guère); Dieu le fasse mentyr»[695]. Elle se hâte d'appeler la puissance divine à l'aide contre cette sorte de sortilège verbal.

Voilà les faits établis. Il ne faut pas croire tous les contes qui ont couru et qui courent sur les superstitions de Catherine[696]. Un devin lui ayant prédit que Saint-Germain lui serait funeste, elle aurait cessé d'aller au château de Saint-Germain, et même renoncé à habiter les Tuileries, après y avoir fait travailler de 1564 à 1570 l'architecte Philibert de L'Orme, parce que les nouveaux bâtiments se trouvaient dans la paroisse de Saint-Germain l'Auxerrois. C'est aussi pour cette raison qu'elle aurait acheté dans la paroisse de Saint-Eustache des maisons et des terrains pour s'y construire un hôtel, mais, malgré toutes ces précautions, elle n'avait pu échapper à son sort. L'aumônier qui à Blois lui administra les derniers sacrements s'appelait Saint-Germain[697].

**Note 695:** (retour) *Lettres*, t. VIII, p. 168.

**Note 696:** (retour) Dreux du Radier les a recueillis sans trop y croire dans ses *Mémoires historiques et critiques et anecdotes des reines et régentes de France*, Paris, 1808, t. IV, p. 253-268.

**Note 697:** (retour) Voir une variante de la même légende dans les Mémoires de Claude Groulart, premier président du Parlement de Rouen, un contemporain, qui raconte que le château de Blois où elle mourut était «soubz une paroisse qui s'appelle Saint-Germain» (*Mémoires*, Michaud et Poujoulat, 1re série, t. XI, p. 585).

Au vrai, si elle ne s'établit pas à demeure aux Tuileries, comme elle avait projeté de le faire aussitôt que Charles IX serait marié, et si elle se contenta d'y donner des fêtes et d'aller s'y promener dans les jardins ombreux, animés de statues et égayés d'eaux jaillissantes, c'est vraisemblablement que ce palais des champs, situé hors des remparts de Paris, était, en ces temps de troubles, trop exposé à un coup de main ou trop éloigné, à son gré, du Louvre, la résidence de ses fils. Elle continua, longtemps après son installation dans son hôtel de la rue Saint-Honoré, à faire des séjours, longs ou courts au château de Saint-Germain[698]. Une autre légende veut qu'elle ait destiné à ses observations astronomiques la haute colonne monumentale, qui se dressait dans la cour de l'Hôtel et qui de tout l'édifice subsiste seule, accolée à la Halle au blé actuelle. À l'intérieur, un escalier à vis très étroit, de 280 marches, continué par une échelle de six pieds, mène à une plate-forme que surmonte une sphère armillaire en fer haute de dix pieds. Imagine-t-on la vieille Reine, épaissie et alourdie par l'âge--elle avait, quand elle occupa l'Hôtel, plus de soixante ans--s'élevant, par le boyau étroit de l'escalier tournant, jusqu'au sommet de la colonne et, debout, la nuit, à 143 pieds au-dessus du sol, sur un palier large de huit pieds six pouces de diamètre, étudiant, avec le calme requis, les révolutions et les révélations des astres?[699]. Le prétendu observatoire était probablement une tour de guette, adaptée au style et à la grandeur de l'édifice, pour surveiller la nuit l'amas très inflammable des ruelles avoisinantes et donner l'alarme en cas d'incendie.

**Note 698:** (retour) Elle réside à Saint-Germain (voir son Itinéraire dressé par le Cte Baguenault de Puchesse, *Lettres*, t. X, p. 574-589), en 1583, du 11 au 25 novembre et du 12 au 19 décembre; en 1584, du 19 au 26 janvier, du 12 au 29 novembre, et du 12 au 19 décembre. Elle n'y paraît pas en 1585, 1586, 1587, 1588, parce qu'elle est entraînée par les négociations vers la Loire ou la Champagne, ou bien retenue à Paris par son âge ou par l'urgence des affaires.

**Note 699:** (retour) : A. de Barthélemy, *La Colonne de Catherine de Médicis à la Halle au blé*, Mémoires de la Société de l'Histoire de Paris et de l'Île-de-France, t. VI, 1879, p. 180-199.

La sphère armillaire indiquerait le champ d'action ou devait se déployer la gloire d'Henri II, s'il eût vécu; c'est l'interprétation concrète de sa devise: *donec totum impleat orbem*, tandis que les lacs, les miroirs brisés, etc., échelonnés le long de la colonne, symbolisent l'amour détruit et les regrets de sa veuve (voir plus loin, p. 232).

Il est possible qu'afin de se préserver des dangers de toutes sortes, Catherine portât des talismans. Voltaire a l'air de décrire comme tel une médaille où «Catherine (?) est représentée toute nue entre les constellations d'Aries et Taurus (du Bélier et du Taureau), le nom d'Ebullé Asmodée sur sa tête, ayant un dard dans une main, un cœur dans l'autre, et dans l'exergue le nom d'Oxiel»[700]. On en cite un autre qui figure[701] à l'endroit un roi assis, le sceptre en main et, au revers, une femme nue, debout, encerclée de signes mystérieux et de noms de génies: Hagiel, Haniel, Ebuleb, Asmodel. La lettre H placée sous une petite couronne aux pieds du roi, semble désigner Henri II; plus bas, les initiales K, F, A, surmontées chacune d'une couronne, peuvent s'appliquer à ses trois premiers fils Charles (Karolus), François et Alexandre (qui prit plus tard le nom d'Henri). Le nom de Freneil serait, avec une légère déformation, celui de Fernel, médecin d'Henri II et de Catherine et habile accoucheur. Catherine serait cette femme nue tenant de la main droite un cœur et de la gauche un peigne, symboles de pureté et d'amour conjugal.

**Note 700:** (retour) *Essai sur les mœurs*, ch. CLXXIII, *Œuvres complètes de Voltaire*, éd. Moland, t, XII, p. 527.

**Note 701:** (retour) Elle est reproduite dans l'édition de Ratisbonne de la *Satyre Ménippée*, 1726, t. II, p. 422.--Sur un talisman trouvé à Laval en 1826, voir Tancrède Abraham, *Un talismam de Catherine de Médicis*, Laval, 1885, et sur le talisman de Bayeux, Lambert, *Mémoires de la Société d'agriculture, sciences, arts et belles-lettres de Bayeux*, 1850, p. 231. Tous ces prétendus talismans se ressemblent beaucoup, sans qu'il soit possible de rien conclure sur leur origine, leur caractère et leur date.

Cette interprétation paraît bien ingénieuse. Si les initiales K, F, A couronnées désignent les trois fils de Catherine qui ont régné, il s'en suit que le talisman est postérieur à l'avènement d'Henri III (1574), mais alors il est tout à fait étrange, qu'Henri soit encore appelé Alexandre, plus précisément Édouard-Alexandre, un prénom qu'il ne garda que jusqu'en 1565. D'ailleurs un talisman, c'est un préservatif. Contre la fécondité? Catherine était veuve, se faisait gloire de sa vertu, et elle avait, en 1574, cinquante-cinq ans. Contre la stérilité? Le remède viendrait un peu tard. Que ferait ici Fernel qui n'assista la Reine que lors de son dernier accouchement, le neuvième, en 1556[702]? Après la naissance de quatre garçons et de plusieurs filles Catherine ne pouvait penser qu'à célébrer ses nombreuses maternités. Le prétendu talisman ne serait donc qu'une médaille commémorative. On n'est pas non plus obligé de croire sur la foi d'un éditeur des Mémoires-Journaux de L'Estoile[703] que cette médaille ou ce talisman était fait de sang humain, de sang de bouc et de divers métaux fondus ensemble sous les constellations en rapport avec la nativité de Catherine. Un autre,--c'est l'érudit J. Le Laboureur, qui décidément paraît bien crédule--raconte[704] que la Reine-mère «portait sur son estomach pour la seureté de sa personne une peau de velin semée de plusieurs figures et de caractères tirez de toutes les langues et diversement enluminez qui composoient des mots moitié grecs, moitié latins et moitié barbares».

Un bracelet, qui appartenait, dit-on, à Catherine, fait meilleure figure de talisman. C'était un chapelet de dix chatons d'or sertis de pierres diverses et rares: aétite ovale, agate à huit pans, onyx de trois couleurs, turquoise barrée d'une bande d'or transversale, éclat de marbre noir et blanc, agate brune, crapaudine, morceau d'or arrondi, onyx de deux couleurs, fragment de crâne. Sur quelques-unes de ces pierres étaient gravés en creux ou ressortaient en relief des indications, des noms ou des figures, la date de 1559, un dragon ailé, la constellation du serpent entre le signe du scorpion et le soleil, et tout autour six planètes, les noms de quatre archanges: Raphaël, Gabriel, Mikaël, Uriel, celui de Jehovah et d'un génie inconnu, *Publeni*[705].

**Note 702:** (retour) Goulin, *Mémoires littéraires, critiques philologiques, biographiques et bibliographiques, pour servir à l'histoire ancienne et moderne de la médecine*, 1775, p. 341.

**Note 703:** (retour) La Haye, 1744, t. II, p. 160.

**Note 704:** (retour) J. Le Laboureur, *Mémoires de messire Michel de Castelnau*, t. I, p. 291.

**Note 705:** (retour) Description de Paul Lacroix, citée par Edouard Frémy, *Les poésies inédites de Catherine de Médicis*, 1885, p. 221-223, note. P. Lacroix, dont je n'ai pu retrouver le passage dans ses innombrables publications, indiquerait lui-même comme référence le Catalogue des objets rares et précieux du cabinet de feu M. d'Ennery, écuyer, dressé par les sieurs Remi et Milliotti, Paris, 1786. Il n'a probablement pas vu le bracelet.

Ce bracelet aux gemmes variées, polychrome et multiforme, où apparaissent accouplés Jehovah et le caducée de Mercure, constituait en somme un porte-bonheur très pittoresque, sauf la parcelle d'os humain. C'est l'amulette d'une civilisation raffinée d'importation étrangère. La vieille sorcellerie française, issue du peuple, n'aurait pas atteint d'elle-même à cet éclectisme savant.

A ceux de ces traits qui sont vérifiables on reconnaît une femme d'un autre pays. La croyance à l'astrologie, à la magie, à la nécromancie n'était pas particulière à l'Italie, mais elle y était plus raisonnée et plus étendue qu'ailleurs, commune aux plus hautes et aux plus basses classes, au clergé et aux laïques, aux savants et aux ignorants.

Astrologues, magiciens, fabricants de philtres, faiseurs et défaiseurs de sorts, étaient presque tous des Italiens ou des élèves des Italiens. D'Italie aussi, l'ancien marché et le grand laboratoire des essences et des aromates d'Orient, vinrent, attirés par les goûts de Catherine, nombre de parfumeurs que le populaire accusait d'être des empoisonneurs. Le fournisseur attitré de la Reine-mère, maître René (Bianchi ou Bianco) de Milan, était un personnage abominable, qui lors de la Saint-Barthélemy se déshonora entre tous les tueurs par sa passion du butin.

Il faut sans aucun doute laisser à la littérature romantique et au roman romanesque le conte des «coletz et gands parfumez» que Catherine lui aurait commandés pour se défaire de ses ennemis[706]. Elle n'a empoisonné ni le dauphin François, son beau-frère, ni Jeanne d'Albret, ni François de Vendôme, ni tant d'autres personnages à qui il arriva, comme aujourd'hui, de mourir jeunes ou, à l'improviste, de mort naturelle. Mais il y a de bonnes raisons de croire, on l'a vu, qu'elle tenait certains chefs protestants et le plus redoutable de tous, Coligny, pour des traîtres et des félons, contre qui toutes les armes étaient permises.

**Note 706:** (retour) Dr Lucien Nass, *Catherine de Médicis fut-elle empoisonneuse?* dans *Revue des Etudes historiques*, 1901, p. 208-221. Le Dr Nass, ayant disculpé Catherine de la plupart des empoisonnements qui lui sont reprochés, conclut trop vite qu'elle n'a jamais voulu empoisonner personne. Cf. plus haut, p. 172-175.

Et peut-être aussi lui venait de son pays d'origine cette inconscience ou cette ataraxie morale qui ne lui a laissé de la Saint-Barthélemy ni remords ni regrets. Mais faut-il en rendre Machiavel responsable? On répète un peu à la légère que *le Prince* était son livre de chevet. Tout au plus est-il possible de dire qu'elle connaissait et même devait apprécier, ne fût-ce que par orgueil familial, ce manuel fameux de l'art de fonder et de conserver un État, commencé pour Julien de Médicis, son grand oncle, et dédié à son père, Laurent.

L'idée fondamentale du grand penseur florentin, c'est que la politique est une science à part, distincte de la morale et de la religion, et qu'elle a ses règles propres, indépendantes de la notion du bien et du mal. Et à dire vrai, il ne faisait que poser en principes les constatations de l'histoire en ce temps-là et même en d'autres temps. Le machiavélisme, un machiavélisme sans doctrine, est aussi ancien que les plus anciennes sociétés humaines. Il s'affirme dans la maxime lapidaire: *Salus populi suprema lex esto!* L'originalité de Machiavel fut de tirer de l'expérience des siècles un système. Les faits prouvaient surabondamment que les souverains les plus heureux n'avaient eu d'autre règle de conduite que la raison d'État, et Machiavel concluait ou suggérait que le *Prince* devait tendre à ses fins sans scrupules. Mais il n'a jamais prétendu--comme on voudrait le lui faire dire--qu'il n'y eut de bons moyens de gouvernement que les pires[707]. La violence et la fourberie n'étaient pas toujours conformes à leur objet, et souvent elles y étaient contraires. Il n'aurait pas certainement admiré les massacres de la Saint-Barthélemy, cette contrefaçon impulsive, furieuse, et, si l'on peut dire, grossière, du piège, ce «*bel inganno*», tendu par César Borgia à ses condottieri révoltés et dont il fit jouer le ressort au moment résolu avec une aisance et un sang-froid incomparables. L'extermination des chefs protestants, après mûre délibération, le même jour, dans tout le royaume, froidement, impitoyablement, serait un forfait qui pourrait se réclamer de Machiavel. Mais des tueries, improvisées par la populace des villes à la nouvelle de l'improvisation de Paris, entravées ici par l'humanité ou la prudence de certains gouverneurs, encouragées là par le fanatisme ou la faiblesse des autres, et qui, s'espaçant entre le 26 août (Meaux) et le 3 octobre (Bordeaux), laissèrent à la masse des huguenots le temps de s'enfuir, n'est-ce pas tout le contraire d'une exécution machiavélique?

**Note 707:** (retour) La distinction est très nette. Le Prince doit «*non partirsi del bene potendo, ma sapere entrare nel male necessitato*» (faire le bien, si c'est possible, et avoir le courage du mal si c'est nécessaire), ch. XVIII, Turin, 1852, p. 78.

Aussi les beaux esprits d'Italie ne purent-ils supposer qu'elle eût commandé cette œuvre sanguinaire dans une crise de peur et d'ambition. Un gentilhomme, Camille Capilupi, camérier secret du pape, se dépêcha d'écrire, sans prendre le temps de s'informer, son fameux «Stratagème de Charles IX» où il affirmait et essayait de démontrer la préméditation. Le jour même où arrivait à Rome le courrier du nonce Salviati apportant la nouvelle officielle de la Saint-Barthélemy, (5 septembre), Capilupi, comme on le voit dans une lettre à son frère, était déjà fixé sur le long dessein du Roi et de la Reine-mère, d'après le renseignement qu'un prélat tenait du cardinal de Lorraine[708]. Ainsi la thèse repose sur cette base légère: un propos du Cardinal, qui depuis deux jours savait le massacre par un exprès et qui, suspect à Rome d'être en disgrâce à Paris, avait intérêt à faire croire, pour démontrer son crédit, qu'il avait été mis à son départ de France dans le secret d'un guet-apens. Capilupi, de lui-même, faisait le crime plus grand pour le rendre glorieux. Ceux des protestants qui avaient échappé à la mort étaient naturellement enclins à imaginer un attentat préparé de longue main. Catherine elle-même eût bien voulu persuader au pape et à Philippe II, à fin de récompense, qu'elle avait depuis toujours médité de détruire les hérétiques. Ainsi les protestants et les catholiques, pour des raisons diverses, collaborèrent à la légende du «Stratagème». Le système de Machiavel servit de support. Quand le duc d'Anjou traversa l'Allemagne pour aller prendre possession de son royaume de Pologne, il aurait allégué au landgrave de Hesse, comme justification de la

Saint-Barthélemy, des raisons de «Machiavelli», mais on voit ce qu'il en faut penser[709].

**Note 708:** (retour) G.-B. Intra, *Di Camillo Capilupi e de' suoi scritti* (*Archivio storico lombardo*, serie 2e, vol. X, anno XX (1893), p. 704-705).--L'écrit de Capilupi était achevé au plus tard le 22 octobre 1572; voir l'épître d'envoi à son frère dans la traduction française parue en 1574 d'après une «copie» italienne (*Archives curieuses de Cimber et Danjou*, t. VII, p. 410). M. Romier, *La Saint-Barthélemy* (*Revue du XVIe siècle*, t. I, 1913), prétend, p. 535-536, que le manuscrit de Capilupi était achevé et imprimé le 18 septembre 1572. Laissons de côté la question d'impression sur laquelle je dirai un jour mon avis, et tenons-nous-en à la composition. Une œuvre aussi délicate, et qui suppose tant de recherches, expédiée en un mois et demi (du 5 septembre au 22 octobre), ou même en treize jours (5-18 septembre), d'après les racontars des cardinaux de Lorraine et de Pellevé, et de l'entourage du duc de Nevers, etc., qu'est-ce autre chose qu'une hypothèse en l'air? Capilupi aurait dû réfléchir que le nonce du pape en France, Salviati, et qui était à Paris le 24 août, ne croyait pas à la préméditation. Voir ch. VI, p. 193.

**Note 709:** (retour) *Mémoires de La Huguerye*, t. I, p. 200. Dans un article de l'*Historische Vierteljahrschrift*, 1903 (VI), p. 333 sqq., Jordan soutient qu'il n'y a trace de machiavélisme ni dans les lettres, ni dans les actes de Catherine. On le croirait plus volontiers s'il n'y avait pas dans son étude tant d'erreurs de détail.--Les protestants s'en prirent au machiavélisme, comme à la cause de leur malheur, et l'un d'eux, probablement Innocent Gentillet, conseiller au Parlement de Grenoble, publia en 1576 avec dédicace au duc d'Alençon, chef des protestants et des catholiques unis, un *Discours sur les moyens de bien gouverner et maintenir en bonne paix un royaume ou autre principauté...* (s. n. d. l.), qui est une réfutation point par point des principales maximes extraites du livre de Machiavel.

L'exemple des princes et des Républiques d'Italie, la passion et la jalousie du pouvoir, la crainte enfin, ont plus qu'un livre de doctrine contribué à déterminer Catherine. Elle aimait mieux agir doucement, mais elle ne laissait pas d'être à l'occasion cruelle. Si elle se souvenait des bienfaits, elle n'oubliait pas les injures. Elle était rancunière et, quand son intérêt ne s'y opposait pas, vindicative. Les Médicis ne furent jamais tendres à leurs ennemis et ils n'ont guère pardonné qu'à ceux qui ne pouvaient plus leur nuire.

C'est une Médicis, mais Française par sa mère, qui est fille d'un grand seigneur de vieille «extrace» et d'une princesse du sang. Arrivée à quatorze ans dans un pays où elle n'était pas une étrangère, elle n'en est plus sortie. Elle a reçu plus fortement qu'une autre, par suite de son aptitude originelle et de sa complaisance à s'adapter, l'empreinte de ce nouveau milieu. La Cour de France, quand elle y entra, s'épanouissait en sa splendeur, ou, pour parler comme Brantôme, «en sa bombance». C'était par surcroît une excellente école d'éducation intellectuelle et mondaine. Elle y apprit le français avec les sentiments et les idées qu'une langue contient, dans l'intimité de François Ier, de son mari, de Marguerite de Navarre, de Marguerite de France, et dans la compagnie de la duchesse d'Étampes et d'autres grandes dames. Elle y affina les dons qu'elle avait de naissance. Elle y fit l'apprentissage de son métier de reine et acquit dans la perfection l'art de tenir un cercle et de causer, les manières affables sans vulgarité, l'aisance dans la grandeur. Qu'on la compare à une autre Médicis, Marie, la femme d'Henri IV, fille d'une archiduchesse d'Autriche, comprimée jusqu'à vingt-sept ans par l'étiquette espagnole de la petite Cour de Florence d'alors et qui, lourde et inintelligente, ne sut jamais se défaire de sa hauteur morose ni échapper à la tutelle de sa domesticité, et l'on comprendra ce que Catherine a gagné à être née de Madeleine de la Tour d'Auvergne, et «faicte, comme dit Brantôme, de la main de ce grand Roy Françoys».

Sans doute elle a retenu de son parler toscan quelques mots et des tournures qu'elle transporte trop fidèlement dans notre langue[710]. Il y a de bonnes raisons de croire que sa prononciation fut toujours relevée d'une pointe d'exotisme. Elle continue par exemple à écrire *se* pour *si* (conjonction) et elle est tellement imprégnée du son *ou* de l'*u* italien qu'involontairement sous sa plume *but* se change en *bout*. Par le même effet à rebours de l'empreinte enfantine, qui ne connaît pas d'*e* muet, il lui arrive de mettre «*fasset*» pour *fasse*, «*cet*» pour *se*, «*emet*» pour *aiment*[711]. Des réminiscences de deux langues s'entremêlent bizarrement dans certaines de ses lettres à des Italiens. Elle remercie le pape Sixte-Quint, en langage macaronique, si du moins le copiste a bien lu, de l'«*amore* (amorevole) *letra que son nontio*» lui a remise de sa part[712]. Son orthographe est parfois si phonétique qu'il suffit, pour comprendre certains passages obscurs, de les lire à haute voix[713]. Mais sa forme est, en général, bien française, comme on peut en juger d'après des lettres écrites de sa main. La phrase garde l'allure de la conversation, fluide et verbeuse, lâche en son développement, mal liée en ses parties, embarrassée d'incidentes, allongée de tours et de détours, et qui n'a pas l'air de savoir comme ni où elle finira. Mais Catherine sait à l'occasion resserrer sa pensée et, par exemple, glisser dans quelques mots la caresse d'un compliment ou d'une sympathie. Elle avait vu en passant à Lyon Marguerite de France, duchesse de Savoie, sa chère belle-sœur, et souhaitait de la revoir à Paris. «Se sera, lui écrit-elle, quant yl vous pléra, més non jeamés si tost que je le désire, car vous avoir revue si peu ne m'a fayst que plus de regret de ne povoyr aystre aurdinairement auprès de vous»[714]. Et quel raccourci pittoresque dans cette description: «Ma Comère, annonce-t-elle à sa vieille amie la duchesse d'Uzès, je suys en vostre péys de Daulphiné, le plus monteueux et facheus où j'é encore mis le pyé; tous les jour y a froyt, chault, pluye, baul (beau) tems et grelle, et les cerveaulx de mesme...»[715].

**Note 710:** (retour) Bouchot, *Catherine de Médicis*, p. 137.

**Note 711:** (retour) Les exemples abondent dans les autographes de Catherine. Elle emploie même côte à côte les deux figurations; par exemple, *Lettres*, t. VI, p. 38: «Ceulx qui l'emet mieulx qu'il ne s'ayme» (ceux qui l'aiment mieux qu'il ne s'aime).

**Note 712:** (retour) *Lettres*, VIII, p. 356. Mais ces «beaux italianismes», pour parler comme Henri Estienne, dans ses *Deux dialogues du nouveau langage françois italianizé...*, sont rares dans ses lettres, et ce n'est pas la Reine-mère qu'on peut considérer comme particulièrement coupable de cette mascarade. Les guerres d'Italie, la littérature italienne, l'art de la Renaissance, la banque et le commerce finirent à la longue par faire sentir leur influence, et surtout sous Henri III qui d'ailleurs, tout en sachant admirablement l'italien, affectait de ne parler que le français aux ambassadeurs des divers États de la péninsule. Voir dans L. Clément, *Henri Estienne et son œuvre française*, Paris, 1898, le chap. IV, p. 305-362: *L'influence italienne et le nouveau langage.*

**Note 713:** (retour) Elle a tellement conscience de sa mauvaise orthographe qu'il lui est arrivé de dicter à un secrétaire une nouvelle lettre, mot pour mot semblable à celle qu'elle venait d'écrire, mais que le secrétaire écrirait dans la forme usuelle, *Lettres*, t. IX, p. 124 et 125.

**Note 714:** (retour) *Lettres*, t. X, p. 146.

**Note 715:** (retour) *Lettres*, t. VII, p. 111.

Elle a appris l'art de bien dire à la Cour des Valois où sa personnalité s'est formée et elle n'y réussit que dans la langue qui a servi à son épanouissement intellectuel. Ses lettres italiennes, qui sont de moins en moins nombreuses à mesure qu'elle avance dans la vie, ne valent que par les renseignements qu'elles contiennent, et, en dehors de leur valeur documentaire, elles sont insignifiantes.

Cet enchevêtrement d'influences italiennes et françaises se retrouve, sans qu'il soit toujours facile ou même possible de les démêler, dans les goûts littéraires et artistiques de Catherine, dans sa passion pour les fêtes, le luxe, les bijoux[716], et les manifestations d'éclat de la grandeur royale. Elle tient de ses ancêtres florentins, comme aussi de sa formation française, une large curiosité intellectuelle. C'est une lettrée et c'est aussi une savante. À une forte culture littéraire, elle joint, comme on l'a vu, la connaissance des mathématiques, de l'astronomie ou de l'astrologie, et des sciences naturelles. Elle aime les livres, et les recherche, estimant qu'ils sont l'ornement obligé de la demeure des rois. Jusque-là, la bibliothèque royale avait beaucoup voyagé, de Paris, où Charles V l'avait établie, à Blois, où Louis XII l'avait transportée, et enfin à Fontainebleau, où François Ier s'en était fait suivre. Pierre Ramus, le fameux ennemi de la scolastique et d'Aristote, mathématicien et philosophe, rappelait à Catherine qu'un jour, devant lui, elle s'était déclarée contre le maintien de la bibliothèque à Fontainebleau, et il la suppliait, par des raisons qui devaient la toucher, de la ramener à Paris, et de la fixer sur la montagne de l'Université. «Le temple que vous y élèveriez aux Muses dominerait de tous côtés les plus larges et les plus gracieux horizons. Côme et Laurent de Médicis, qui savaient que les livres ne sont faits ni pour les champs ni pour les bois ne mirent pas leur bibliothèque dans leurs délicieuses villas de Toscane; ils la placèrent au foyer de leurs États, dans la ville où elle était le plus accessible aux hommes d'étude... Mettez donc cette librairie au chef-lieu de votre royaume, près de la plus ancienne et de la plus fameuse des Universités[717].»

**Note 716:** (retour) Germain Bapst, *Histoire des joyaux de la Couronne de France*, Paris, 1889, parle très bien de ce goût, p. 114-115 et *passim*. Sur les orfèvres de la Reine, voir p. 96, note 3, et p. 97, notes 1, 2, 3. Elle cherchait avec eux des combinaisons, leur soumettait des dessins.

**Note 717:** (retour) Édouard Frémy, *Les poésies inédites de Catherine de Médicis*, Paris, 1885, p. 239-240.

Elle la fit venir de Fontainebleau, mais la garda au Louvre[718]. Elle avait fait, comme autrefois Côme et Laurent de Médicis, rechercher des «anciens manuscrits en toutes sortes de langues». Elle s'en était d'ailleurs procuré beaucoup à très bon compte[719]. Son cousin, Pierre Strozzi, possédait une collection de manuscrits précieux, qu'il avait héritée du cardinal Ridolfi, neveu de Léon X, et qu'il avait beaucoup augmentée. Après qu'il eut été tué sous les murs de Thionville (1558), Catherine persuada à sa veuve, Laudomina de Médicis, et à son fils, Philippe Strozzi, de les lui céder pour quinze mille écus, mais elle oublia toujours ou n'eut jamais les moyens de s'acquitter. A sa mort, les créanciers saisirent sa bibliothèque, mais les savants protestèrent, et sur l'ordre d'Henri IV, livres et manuscrits--en tout 4 500 volumes--allèrent enrichir la Bibliothèque du roi[720].

**Note 718:** (retour) Henri IV, réalisant sans le savoir le souhait de Ramus, transporta la Bibliothèque en plein quartier latin, dans le collège de Clermont, vacant par l'expulsion des Jésuites.

**Note 719:** (retour) Les références dans Frémy, p. 75-78.

**Note 720:** (retour) Frémy, p. 239-242.--Cf. *Lettres* t. I. p. 563, note 1 et les références.

Elle aime les gens doctes, et, comme on vient de le voir pour Ramus, cause volontiers avec eux. Elle fréquente chez les amateurs d'art. Elle a ses poètes attitrés, Ronsard, Rémy Belleau, Baïf et Dorat, comme elle a ses décorateurs, ses tapissiers, ses architectes. Elle les protège, elle les emploie à l'illustration poétique de ses fêtes. Elle fit une pension à Baïf. Elle donna à Ronsard le prieuré de Saint-Cosme[721] et alla l'y visiter avec Charles IX à son retour de Bayonne. Elle reprit hautement Philibert de L'Orme d'avoir fermé l'entrée des Tuileries en construction au grand poète. «Souvenez-vous, lui aurait-elle dit, que les Tuileries sont dédiées aux Muses.» Mais Ronsard lui en voulait de préférer les «maçons», c'est-à-dire les architectes, aux poètes. La Pléiade se vengea de ce qu'elle considérait comme un déni de justice. Dans les louanges qu'elle donne à la dispensatrice des grâces royales, c'est le plus souvent de son génie politique ou de sa vertu qu'il est question. Elle aurait cru dépasser les limites, pourtant si reculées, des flatteries permises, en lui disant, comme Ronsard à Charles IX:

Ronsard te cède en vers et Amyot en prose[722]

**Note 721:** (retour) Saint-Cosme-en-l'Isle, près de Tours.

**Note 722:** (retour) Ronsard, éd. Blanchemain, t. III, p. 257. Voir la «Complainte à la Royne mère du Roy» en tête de la seconde partie du Bocage royal, éd. Blanchemain, t. III, p. 369.

C'est qu'elle la jugeait sur la liste comparée des bénéfices et des pensions. La Reine-mère a rendu pourtant d'autres services à la littérature française. Elle connaissait les deux grandes littératures de l'époque, l'italienne et la française, antérieures en chefs-d'œuvre à celles de l'Angleterre et de l'Espagne et plus directement apparentées à la Grèce et à Rome. Elle savait du grec et du latin, peu ou beaucoup. Si elle n'égalait pas en culture classique la reine de Navarre et Marguerite de France, elle était de la même famille intellectuelle. Elle n'avait pas cessé de s'intéresser à la littérature italienne. Elle accepta que Tasse, venu en France à titre de secrétaire du cardinal d'Este, en 1571, lui présentât son *Rinaldo* et elle envoya son portrait au jeune poète, en témoignage d'admiration[723]. Elle a dû obliger bien généreusement l'Arétin pour que ce grand écrivain vénal célèbre en elle la «Femme et la déesse sereine et pure, la majesté des êtres humains et divins», et qu'il souhaite d'avoir le verbe des anges de Dieu pour louer comme il convient «les très saintes grâces et les faveurs sacrées de cette divine idole»[724].

**Note 723:** (retour) Frémy, p. 42-43.

**Note 724:** (retour) Texte en italien, cité par Frémy, p. 52.

Tous les Italiens parlent, en moins haut style, de sa douceur et de sa bienveillance. Sous son patronage, la Comédie italienne s'installe à Paris[725]. Quelque temps avant l'accident de son mari, elle avait assisté avec lui au château de Blois à une représentation de *Sophonisbe*, composée par Trissin, un initiateur, sur le modèle des tragédies grecques, et traduite de l'italien par Mellin de Saint-Gelais. Elle s'était persuadé que la fin lamentable de l'héroïne, ce suicide imposé par la volonté impitoyable de Scipion, avait, comme un mauvais sort, porté malheur au royaume de France, «ainsi qu'il succéda», et désormais elle ne voulut plus voir représenter devant elle que des pièces à dénouement heureux. Elle aurait ainsi, par piété conjugale, inspiré un nouveau genre littéraire.

La première en date des tragi-comédies, *la Belle Genièvre*, représentée le dimanche gras 13 février 1564, à Fontainebleau, avec l'apparat que l'on sait, est un épisode du *Roland furieux*, de l'Arioste, adapté au théâtre français par un poète inconnu[726]. Polinesso, duc d'Albany, voulant se venger de Ginevra, fille du roi d'Écosse, dont il n'avait pu se faire aimer, raconte au chevalier Ariodonte, fiancé de la princesse, qu'il est son amant et qu'elle le reçoit la nuit dans sa chambre. Pour l'en convaincre, il le fait cacher près du palais et, lui-même se rapprochant, apparaît à une fenêtre une femme habillée comme Ginevra et qui lui fait un signal de la main. C'était une suivante, Dalinda, maîtresse de Polinesso, qui l'avait décidée, par menaces et par promesses, à revêtir les vêtements de la jeune fille. Ariodonte, désespéré, court se précipiter dans la mer. Le frère d'Ariodonte, Lurcanio, qui par hasard a été témoin de la scène et qui s'y est lui aussi trompé, accuse la fiancée impudique et la fait condamner à être brûlée vive. Mais Dalinda, prise de remords, dénonce Polinesso; et le fourbe est jeté dans le bûcher qu'on avait dressé pour l'innocente princesse. Ariodonte, qui a été sauvé des flots, épouse sa fidèle Ginevra. La pièce se termine heureusement, comme le souhaitait Catherine, par le triomphe de la vertu et le châtiment du crime.

**Note 725:** (retour) Armand Baschet, *Comédiens italiens à la Cour de France sous Charles IX et Henri III*, s. d. (1882).

**Note 726:** (retour) Arioste, fin du chant IV, chant V et commencement du chant VI du *Roland furieux*.--Jacques Madeleine, *Renaissance*, 1903, p. 30-46. Cf. Toldo, *Bulletin italien des Annales de la Faculté de Bordeaux*, 1904, p. 50-52.

Elle voulait aussi que le théâtre fût moral. Aux représentations de la Comédie italienne, elle riait de bon cœur des niaiseries de Zani (forme vénitienne de Giovanni), l'«Auguste» de la troupe, et de la sottise de Pantalon, ce vieillard toujours berné par ses enfants et ses valets. Les bouffonneries, parfois gaillardes, ne la choquaient pas. Mais elle condamnait les gravelures. Après qu'elle eut vu jouer à l'Hôtel de Guise, le 28 janvier 1567 (v. s.), le *Brave* de Jean-Antoine de Baïf, qui est une adaptation du *Miles Gloriosus* de Plaute, elle encouragea l'auteur à mettre sur la scène française l'œuvre de Térence[727]. Mais elle lui recommanda expressément, s'il tenait à lui plaire, de «fuir» les «lascivetés en propos» des anciens.

**Note 727:** (retour) Peut-être à faire jouer *l'Eunuque*, que Baïf avait fini de traduire en décembre 1565, mais qui ne parut qu'en 1573 dans *les Jeux* et bien remanié. *Oeuvres*, éd. Marty-Laveaux, p. 451.

Ce conseil prouve le souci qu'avait la Reine-mère de maintenir autour d'elle un grand air de décence. Elle cherchait à épurer les spectacles et à détourner les écrivains d'imiter l'antiquité jusqu'en son réalisme ordurier. Le fait est que jamais l'art officiel ne se montra aussi chaste que dans cette Cour, qu'il y a des raisons de croire corrompue. Les «entremets» de Ronsard à Fontainebleau, les cartels, les mascarades, toutes les pièces commandées par Catherine pour l'entrevue de Bayonne parlent d'amour pur et de chasteté victorieuse de l'amour. Elle oubliait donc Laurent de Médicis et l'inspiration sensuelle des *canti carnascialeschi*, Léon X et le divertissement donné aux cardinaux d'une comédie scabreuse, *La Calandria*, faite par le cardinal Bibbiena. Mais peut-être estimait-elle qu'une Reine était astreinte à une rigueur morale dont les préjugés de tous les temps, et plus particulièrement ceux de la Renaissance, dispensent les hommes et les rois. Et puis, sa Cour était séduisante et ses fils avaient grandi; double raison de se montrer sévère. Elle eût même désiré que la poésie lyrique se contînt en ses écarts de passion. Ronsard, aux environs de la cinquantième année, ne cessait pas de chanter «d'amour, le vin, les banquets dissolus», avec l'enthousiasme et la fougue d'un jeune homme. Un jour qu'on louait devant Catherine les sonnets de Pétrarque à Laure, elle «excita» le grand poète, qui était présent, «à escrire de pareil stile comme plus conforme à son âge et à la gravité de son sçavoir»[728]. Ronsard, déférant à cette invitation royale, choisit, parmi les filles de chambre de la Reine, Hélène de Surgères, d'une noble maison de Saintonge, pour idole d'un culte poétique. Il dédia à cette maîtresse de tout respect cent douze sonnets d'un idéalisme chaste et subtil, mais traversé çà et là d'élans et de cris de passion sensuelle qui montrent que, toujours jeune de cœur, il pétrarquisait à sa façon[729]. Ce fut un nouvel emprunt, après tant d'autres, fait à l'Italie, sur l'indication d'une reine d'origine florentine, et qui fut heureux, puisqu'il inspira un chef-d'œuvre. Il est vrai que le succès de Ronsard sollicita ses successeurs à copier plus que jamais servilement la littérature italienne. Mais Catherine n'est pas responsable de ce pétrarquisme affadi et alambiqué, riche de pointes et pauvre de sentiment, qui sévit jusqu'à Malherbe et même un peu au delà[730].

**Note 728:** (retour) *La vie de P. de Ronsard*, de Claude Binet, éd. par Paul Laumonier, Paris, 1909, p. 26, lignes 23-24. M. Laumonier, d'ordinaire si judicieux, conteste sans trop de raison que Catherine ait conseillé à Ronsard d'imiter Pétrarque (commentaire, p. 163). Dans *Ronsard poète lyrique*, qui est de la même année, il est moins affirmatif et admet qu'elle a, par «fantaisie» (p. 256), invité le poète à immortaliser la jeune fille. Le renseignement de Binet est bien plus vraisemblable.--Vianey, *Le Pétrarquisme en France*, Montpellier, 1909, p. 257, croit que les *Premières œuvres* de Philippe Desportes (1573) donnèrent à Ronsard l'idée des *Sonnets à Hélène*. Mais il est difficile d'imaginer que les poésies d'un débutant parues en 1573 aient eu une influence si immédiate sur Ronsard, le grand Ronsard, dont les sonnets, bien que publiés seulement en 1578, étaient, s'il faut l'en croire, écrits dès le mois de mai 1574. Ce qui est hors de doute, c'est que Ronsard a imité, comme Desportes, Tebaldeo, le plus fameux des pétrarquisants parmi les quattrocentistes, mais qu'il l'ait fait avant ou même après Desportes, cela n'exclut pas l'intervention de la Reine-mère.

**Note 729:** (retour) Laumonier, *Ronsard*, p. 242-256.

**Note 730:** (retour) Lanson, *Histoire de la littérature française*, Paris, 1895, p. 290 et p. 377-378.

Les fêtes s'accordaient si bien avec ses goûts qu'elle n'était qu'à moitié sincère quand elle invoquait l'exemple de François Ier et même des empereurs romains pour en justifier la dépense. Celles qu'elle donna au cours de son grand voyage et enfin aux Tuileries en l'honneur de l'ambassade polonaise, qui apportait au duc d'Anjou une couronne royale, dépassèrent en magnificence tout ce qui s'était jamais vu. Elle était trop soucieuse de ménager les habitudes de la noblesse pour abolir d'autorité les joutes et les passes d'armes, bien qu'elle eût «juré de n'en permettre jamais despuis qu'elle en vist mourir le roy son mari»[731]. Mais elle inaugura des divertissements dont l'Italie lui fournissait le modèle, entremêlant ces plaisirs dangereux avec les spectacles les plus capables de réjouir l'esprit, l'imagination et les yeux. Il y eut donc comme autrefois des combats à pied, à cheval, à la barrière. A Fontainebleau, à l'exemple des Amadis et autres héros des romans de chevalerie, douze Grecs et douze Troyens, «lesquels avoient de longtemps une grande dispute pour l'amour et sur la beauté d'une dame», vidèrent ce débat les armes à la main, «en présence de grands princes, seigneurs, chevaliers et de belles dames,.... tesmoins et juges de la victoire»[732]. Un autre jour, le prince de Condé et le duc de Nemours offrirent le combat à tout venant. Le chenil du château, où ils attendaient les défis, représentait le palais merveilleux d'Apollidon, souverain de l'Ile-Ferme et grand magicien[733]. A l'entrée du champ clos, bordé de larges fossés et de barrières, était un ermitage, dont l'ermite, singulier héraut de bataille, averti par le son d'une clochette, recevait les appelants et allait prévenir les deux tenants, qui ne refusaient personne. «Et puis rompoient leurs lances et hors la lice donnoient coups d'épée». «Tout cela estoit de l'invention de la Reyne et du brave M. de Sypiere»[734]. Pour clore les luttes, le jeune Roi et son frère attaquèrent une tour enchantée où «estoient détenues plusieurs belles dames gardées par des furies infernales, de laquelle deux géans d'admirable grandeur estoient les portiers» et délivrèrent les prisonnières[735].

**Note 731:** (retour) Brantôme, *Œuvres complètes*, éd. Lalanne, t. V, p. 276.

**Note 732:** (retour) *Les Mémoires de messire Michel de Castelnau, seigneur de Mauvissière*, par J. Le Laboureur, 1659, t. I, liv. V, ch. VI, p. 168-169.

**Note 733:** (retour) Sur Apollidon et son palais, voir *Le Second livre d'Amadis de Gaule, au commencement duquel sera fait description de l'Isle Ferme; qui y fit les enchantemens et mit les grands trésors qui s'y trouvèrent...* (s. n. d. l., ni date), ch. I, fo III et IV, recto et verso.

**Note 734:** (retour) Brantôme, *Œuvres*, éd. Lalanne, t. V, p. 276-277.

**Note 735:** (retour) *Mémoires de Castelnau*, t. I, p. 169.

A Bayonne, les chevaliers bretons se portèrent champions de l'austère vertu contre les Irlandais, qui soutenaient la cause de l'honnête amour. Le moyen âge reparaissait rajeuni par l'esprit créateur de la Renaissance.

Mais voici les innovations. Là voltent six compagnies de six cavaliers, ici des escadrons, conduits par les plus grands seigneurs et les princes et costumés en Maures, Indiens, Turcs et autres barbares pittoresques, défilent devant les échafauds, recouverts de tapisseries éclatantes et surmontés de classiques architectures, où trône, parmi les dames superbement parées, la Reine-mère toute vêtue de noir. C'est l'origine des carrousels, parades guerrières sans combat[736]. La poésie et la musique étaient associées à ces spectacles. Le jour que le duc d'Anjou festoya le Roi son frère, des sirènes «fort bien représentées ès canaux des jardins» chantèrent la gloire d'Henri II, ce roi «semblable aux Dieux de façons et de gestes» et prédirent à Charles IX:

L'heureuse fin que doit avoir

Un fils nourri de telle mère[737].

**Note 736:** (retour) On s'y acheminait dès l'époque d'Henri II. Voir dans Sauval, *Histoire et recherches des antiquités de la ville de Paris*, 1724, t. III, p. 692, la description d'une cavalcade parée et masquée suivie d'un combat.

**Note 737:** (retour) *Œuvres de Ronsard*, éd. Blanchemain, t. IV, p. 141 et 144.

Les chevaliers de la Grande-Bretagne et d'Irlande, avant de combattre, disputent de la prééminence de la Vertu ou de l'Amour en un concours de chant avec accompagnement musical.

A Bayonne encore, orchestre sur terre, orchestre sur l'eau. Des Tritons, juchés sur une tortue de mer, sonnent du cornet; sous les arbres, des Satyres jouent de la flûte. Les neuf Muses sont figurées par neuf trompettes. La Reine-mère renouvelle les ballets de la Cour. Elle a probablement entendu parler de celui que donna François Ier à Amboise, lors du mariage de ses parents[738] «où il y avoit soixante-douze (dames) chascune par douzaine, chascune déguisée» avec «masques» et «tambourins». Elle reprend cette idée, qui lui est agréable comme souvenir de famille, mais elle y ajoute en ingéniosité et en magnificence. Dans une clairière de l'île d'Aiguemeau, plusieurs groupes de bergers et de bergères, habillés à la mode des divers «peuples» du royaume, mais tous vêtus de toile d'or et de satin, dansèrent les pas propres à ces pays de France, en s'accompagnant des instruments et des airs de musique indigènes. Aux Tuileries, lors de la réception des ambassadeurs polonais, les seize dames et demoiselles «des plus belles et des mieux apprises», qui représentaient les seize provinces, allèrent, leurs danses finies, offrir au Roi, aux Reines, aux princes, aux grands de France et de Pologne «des plaques toutes d'or... bien esmaillées», où étaient figurées les productions singulières de chaque province en fruits et en hommes, oranges et citrons de Provence, vins de Bourgogne, blés de Champagne, gens de guerre de Guyenne, etc.[739]. Catherine relevait chaque fois le même thème d'une invention ou d'un détail pittoresque.

**Note 738:** (retour) Ou plutôt lors du baptême du dauphin François, qui eut lieu trois jours avant. L'enfant royal fut tenu sur les fonts baptismaux par le duc d'Urbin, Laurent de Médicis, chargé par Léon X de le représenter comme parrain. *Mémoires du maréchal de Floranges, dit le jeune adventureux*, publiés pour la Soc. Hist. de France par Robert Goubaux et P.-André Lemoine, t. I (1505-1521), 1913, p. 223 et 224.

**Note 739:** (retour) Brantôme, t. VII, p. 372.

Mais elle excellait surtout dans la mise en scène. À Fontainebleau, ce fut l'incendie et l'effondrement d'une tour parmi le crépitement des pétards et l'explosion d'un feu d'artifice. Des sirènes nageaient en chantant dans les canaux des jardins. À Bar-le-Duc, en une grande salle, les quatre «Éléments», Terre, Eau, Air et Feu, «sur lesquels estoyent le Roy, le duc d'Orléans et deux autres princes», s'avancèrent par «engins». Tout au fond, resplendissaient les quatre planètes, Jupiter, Mercure, Saturne et Mars; les nuées, qui supportaient un Jupiter de chair et d'os, descendirent, et fort bas, «sans que personne s'en aperçût»[740], c'est-à-dire ne se doutât du ressort qui les faisait mouvoir. Aux Tuileries, le rocher argenté où s'étageaient les seize nymphes de France fit le tour de la salle «par parade», comme un quadrille de cavaliers «dans un camp». Mais Bayonne fut le triomphe du machinisme. Neptune accourut de la haute mer au-devant du vaisseau du Roi «sur un char tiré par trois chevaux marins, assis dans une grande coquille faite de toile d'or sur champ turquin»[741]. Déjà en 1550, lors de l'entrée solennelle d'Henri II et de Catherine à Rouen, l'apparition sur les eaux de la Seine de déesses et de dieux marins avait eu un tel succès que cette partie des réjouissances en avait pris le nom de «Triomphe de la Rivière»[742], mais la Reine-mère y avait ajouté le chant, la poésie, la musique et l'attrait de nouvelles difficultés vaincues. La baleine mécanique que l'escadrille royale croisa dans l'Adour lançait des jets d'eau par ses évents.

L'Opéra avec ses décors, ses ballets, ses chœurs, son orchestre et le défilé des figurants donne une image assez fidèle des spectacles de la Cour. Et c'est en effet de là qu'il tire son origine. *Le Ballet comique de la Reine*, représenté aux noces de Joyeuse en 1581, est le premier essai en France d'une action scénique, entremêlée de chants, de musique, de danses et illustrée par les artifices du décor[743].

**Note 740:** (retour) Lettre d'Antoine Sarron à Chantonnay, l'ambassadeur d'Espagne, *Mémoires de Condé*, t. II, p. 199.

**Note 741:** (retour) Relation d'Abel Jouan, un des serviteurs de Charles IX, dans les *Pièces fugitives*, du marquis d'Aubais, t. I. Première partie: *Mélanges*, p. 25 sqq.--*Ample discours de l'arrivée de la Royne catholique* dans le même recueil, t. I (2e partie, vol. II, p. 13 à 23 des Mélanges).

**Note 742:** (retour) 742: Planche VII, t. V, p. 12 des *Monuments de la Monarchie française* de D. Bernard de Montfaucon, Paris, 1733.

**Note 743:** (retour) La Reine, c'est ici Louise de Lorraine, femme d'Henri III. Sur les origines de l'Opéra, Combarieu, *Histoire de la musique*, t. I, ch. XXXII, et Prunières, *L'Opéra italien en France avant Luli*, 1913, p. XXIV-XXVI. Les paroles et la musique du ballet comique sont de Balthasar de Beauljoyeux, un musicien piémontais, valet de chambre d'Henri III et de Catherine de Médicis. «J'ai, dit Beauljoyeux, dans sa préface, animé et fait parler le ballet, et chanter et raisonner la comédie et y ajoutant plusieurs rares et riches représentations et ornemens, je puis dire avoir contenté en un corps bien proportionné l'œil, l'oreille et l'entendement». Cité par Prunières, p. XXIV.

Ah! la Reine-mère est une merveilleuse organisatrice. Elle se souvient de Florence; de son carnaval esthétique avec ses troupes de jeunes hommes, vêtus de velours et de soie, qui passaient et repassaient en chantant des odes et des satires; des cortèges solennels et des réceptions princières[744], ces grands jours de décoration improvisée, où, avec du bois, du plâtre et de la couleur, les rues et les places de la ville étaient transformées, égayées, embellies par le génie inventif et l'imagination joyeuse de la foule des architectes, des sculpteurs et des peintres. À toutes ces manifestations d'art qu'elle a vues de ses yeux ou qu'elle a entendu décrire en son enfance, elle emprunte ce qui s'adapte le mieux aux goûts et aux mœurs de la France et elle y ajoute ce que permettent en éclat, en richesse, en splendeur les ressources d'un des plus puissants royaumes de la chrétienté.

**Note 744:** (retour) On peut citer comme type de réception celle qui fut faite à Charles-Quint à son passage à Florence et que décrit Trollope, *The Girlhood of Catherine de Médicis*, Londres, 1856, p. 252 sqq. avec les références. Mais Trollope a inventé que Catherine y assista. Elle avait depuis trois ans quitté la ville.

Catherine était, comme le lui reprochait Ronsard, plus artiste que lettrée. Elle appréciait mieux ou elle employait plus volontiers les architectes, les sculpteurs, les peintres, les tapissiers que les poètes. C'est un trait qui lui est commun avec les Médicis, qui tous, sauf Laurent le Magnifique, ce spécimen complet de l'homme de la Renaissance, goûtaient plus vivement les couleurs et les formes que les idées et admiraient la beauté surtout en ses représentations plastiques et concrètes.

Mais, même en ce domaine préféré, où l'impression des merveilles vues à Rome et Florence avec des yeux d'enfant et une imagination toute fraîche a dû être si profonde, Catherine a ressenti à la longue l'influence de sa patrie d'adoption. Quand elle arriva en France, en 1533, la pénétration de l'art français par l'art italo-antique était déjà fort avancée. Un Italien, Le Primatice, architecte et peintre, avait été chargé par François Ier de la direction des grands travaux (1532), et il y occupait nombre de ses compatriotes. Fontainebleau, qu'il transforma en château de la Renaissance et décora de fresques, était le grand centre de diffusion du goût classique. Catherine n'eut donc pas à importer une esthétique nouvelle; jamais il ne se vit à la Cour de France autant d'artistes et d'artisans de son pays qu'à l'époque où elle était trop jeune encore pour avoir crédit ou pouvoir.

Malgré l'inspiration étrangère, l'art français gardait une partie de ses caractères propres. Les châteaux de la Loire ne ressemblent pas aux palais ni même aux villas italiennes. En sculpture, la tradition réaliste des vieux «imagiers» se maintenait. L'indépendance de la peinture fut défendue contre les modes d'outre-monts par la faveur des portraits, qui ne fut jamais plus grande qu'au XVIe siècle. Il y eut même, sous le règne d'Henri II, une sorte de réaction contre l'accaparement des travaux officiels par les étrangers. Si Catherine, prenant exemple sur François Ier, avait complété et renforcé l'équipe de Fontainebleau, l'idéal des maîtres italiens aurait achevé de comprimer le génie national. Heureusement, elle n'en fit rien et ne se montra pas exclusive. Sans doute elle donna la surintendance des bâtiments, dont Philibert de L'Orme avait été privé pour sa mauvaise administration[745], au Primatice, qu'elle avait depuis dix ans à son service particulier. Mais, en 1564, elle confia la construction des Tuileries au grand architecte français et, à la mort du Primatice (1570)[746], elle lui restitua la surintendance, qu'il garda tant qu'il vécut, et où Jean Bullant lui succéda.

**Note 745:** (retour) Et non pour avoir été l'architecte favori de Diane de Poitiers et le constructeur du château d'Anet: Henri Clouzot, *Philibert de l'Orme* (Les Artistes célèbres), p. 65-67.

**Note 746:** (retour) Le Primatice est mort entre mars et septembre 1570: Dimier, *Le Primatice, peintre, sculpteur et architecte des rois de France*, Paris, 1900, p. 210.

Ces deux Français, chargés de la direction et du contrôle des travaux, cessèrent d'appeler d'Italie des artistes et des ouvriers et ils n'employèrent plus guère depuis 1570 que des Français. Ils étaient aussi fervents admirateurs de l'antiquité que Le Primatice; mais ils pensaient n'avoir plus besoin d'intermédiaires. L'initiation de leur pays étant accomplie, les initiateurs pouvaient partir. L'art français bien dressé, trop dressé, allait pour un temps se suffire à lui-même et vivre de ses propres moyens. Il est remarquable que son émancipation d'un moment se soit affirmée sous une reine italienne.

L'architecture était de tous les arts celui qui l'intéressait le plus et auquel elle s'entendait le mieux. Aussitôt qu'elle disposa librement des finances de l'État, elle activa les travaux des maisons royales et des siennes. Elle continua le palais Renaissance que François Ier et Henri II avaient entrepris de substituer au Louvre de Charles V. Pierre Lescot acheva ce qu'il avait commencé, la réédification de l'angle sud-ouest, la seule partie du vieux château qui eût été démolie. À ce point de jonction des bâtiments neufs, mais extérieurement à eux, Catherine fit construire ensuite, dans la direction de la Seine, un portique sur lequel s'éleva plus tard la galerie d'Apollon. Elle chargea de ce travail un autre Français, Pierre Chambiges, le descendant des grands maçons de Beauvais. En retrait de ce portique, parallèlement à la rive du fleuve, se développa la galerie actuelle des Antiques[747]. Portique et galerie reposaient sur un soubassement en bossage vermiculé, qui rappelait les blocs rustiques du palais Médicis de la Via Larga et d'autres palais de Florence. Le Primatice, aussi bon architecte que peintre, poursuivit jusqu'à sa mort les travaux de Fontainebleau, où il avait été déjà occupé sous Henri II. La construction de la salle des Gardes, l'agrandissement de la chambre des Poêles ou de l'Étang (au-dessus du Musée chinois actuel) sont la part de Catherine dans l'immense édifice.

**Note 747:** (retour) 747 Babeau, Le Louvre et son histoire, Paris, 1895, p. 68 sq.

Elle chargea Philibert de L'Orme de «parachever» pour le Roi son fils (Charles IX) Saint-Maur-des-Fossez, qu'il avait construit pour le cardinal du Bellay, et de transformer ce rendez-vous de chasse à un étage, que le Cardinal avait dédié à François Ier et aux Muses, en une «cassine» (villa) bâtie «avec une grande et magnifique excellence ... d'une façon bien autre et beaucoup plus riche et logeable» et digne--du moins de L'Orme le croyait--de servir de maison de plaisance au château de Vincennes[748]. La Reine-mère avait aussi ses maisons des champs: Monceaux, près de Meaux, dont la construction était assez avancée en 1561 pour qu'elle y reçût la Cour[749];--et loin de Paris, dans la région de la Loire, Chenonceaux, qu'elle s'était fait céder par Diane de Poitiers. La situation du château dans le lit même du Cher, en partie sur le tablier d'un pont, était originale. Philibert de L'Orme, à qui elle demanda un projet d'agrandissement, lui en soumit un[750] qui aurait fait de Chenonceaux une résidence plus splendide que Fontainebleau et que Chambord. Mais Philibert de L'Orme mourut et l'argent manqua; il fallut se borner. Toutefois, elle affecta aux embellissements qu'elle y entreprit à partir de 1576, outre les revenus du domaine, qui étaient de 1200 écus d'or, ceux de la baronnie de Levroux[751]. Elle traça des jardins et amena par des canaux souterrains les eaux du voisinage. Ce sera son Poggio à Cajano, avec une rivière abondante, le Cher, au lieu du maigre Umbrone; et à l'exemple de Laurent de Médicis qui avait fait de sa propriété un champ d'expériences, un musée et un jardin d'acclimatation[752], elle planta des vignes étrangères, établit une magnanerie et une filature de soie, installa une volière d'oiseaux rares et une petite ménagerie d'animaux curieux. Aussi était-ce, de toutes ses maisons des champs, celle laquelle, disait Henri III, «elle s'estoit plus qu'à nul autre affectée et délectée».

**Note 748:** (retour) Philibert de L'Orme, *Tome premier de l'Architecture*, p. 251. Cet agrandissement ne fut pas un embellissement, et l'élégant pavillon s'alourdit de deux ailes banales (Palustre, *Renaissance*, t. II, p. 70).

**Note 749:** (retour) Palustre, *L'Architecture de la Renaissance*, p. 197. Cf. Bouchot, p. 146.

**Note 750:** (retour) Conservé par Jacques Androuet du Cerceau, dans son *Recueil des plus excellens bastimens de France*: Clouzot, *Philibert de l'Orme*, p. 151.

**Note 751:** (retour) : Sauf les 220 livres qu'elle réservait au chapitre de l'église de Cléry pour le service d'Henri II: l'abbé C. Chevalier, *Debtes et créanciers de la Royne mere*, Introd. p. XXXVI-XL, Techener, 1862.

**Note 752:** (retour) Sur Poggio à Cajano, voir Müntz, *A travers la Toscane. Les villas des Médicis aux environs de Florence* (*Tour du monde*, 1883, 2e semestre, p. 195-200).

A Paris, elle avait son logement au Louvre, mais, dès le temps de sa régence, elle se préparait une résidence qui fût toute à elle, pour s'y retirer quand Charles IX, majeur et marié, prendrait le gouvernement de l'État et de la Cour. Elle acheta de Villeroy le lieu dit des «Thuileries», sur la rive droite de la Seine, hors de l'enceinte de la ville, mais tout contre la Porte-Neuve, et elle y ajouta en 1564 le «Jardin des Cloches». Philibert de L'Orme lui dressa le plan d'un palais à l'italienne: un quadrilatère fermé avec cours intérieures, mais dont la façade s'ouvrait à la française sur des jardins. Mais il n'eut que le temps de construire celui des grands côtés qui faisait face à l'Ouest. Le manque d'argent, la recrudescence des troubles, et l'intérêt qu'avait Catherine à rester au Louvre, près de son fils, la détournèrent d'achever l'œuvre. D'ailleurs, ce qu'elle voulait, c'était moins un palais qu'une villa à l'italienne[753], avec jardins, grottes, eaux courantes et eaux jaillissantes. Les Tuileries furent l'un et l'autre, un château adossé à la ville, où elle ne résida pas, mais où elle se promena, donna des banquets et des fêtes. Le jardin était, raconte un ambassadeur suisse, qui le visita en 1575, «très vaste et tout à fait riant... traversé par une longue et large allée», qui était bordée de grands arbres, ormes et sycomores, «pour fournir un ombrage aux promeneurs». Il s'y trouvait un «labyrinthe fait de main d'homme et combiné avec un art si merveilleux qu'une fois entré il n'est pas aisé d'en sortir»; des fontaines, c'est-à-dire des nymphes et des faunes, couchés, versant l'eau de leur urne[754]; et aussi «une façon de rocher» incrusté d'ouvrages en poterie (*ex opere figulinario*), serpents, coquillages, tortues, lézards, crapauds, grenouilles et oiseaux aquatiques de toutes sortes, qui «répandaient de l'eau par leur bouche»[755]. C'était une grotte artificielle--encore une importation italienne dont le cardinal de Lorraine avait donné le premier spécimen dans son château de Meudon--, mais que Catherine avait commandée à un Français, Bernard Palissy l'inventeur des «rustiques figulines» émaillées[756]. Mais cet ouvrage, que le représentant des Cantons déclarait «merveilleux» menaçait déjà ruine, et à la mort de Catherine il était tout ruiné. Les desseins de la Reine-mère dépassaient toujours ses ressources.

Et d'ailleurs, elle ne se souciait plus des Tuileries. Elle avait, en 1572, acquis l'Hôtel d'Orléans ou Petit-Nesle, situé rue de Grenelle-Saint-Honoré tout près du Louvre, et qui appartenait à la congrégation des Filles Repenties; l'Hôtel d'Albret, rue du Four, et plusieurs maisons du voisinage, près de la rue Coquillière. Elle rasa les bâtiments des Filles Repenties, sauf la chapelle, pour en faire un vaste jardin, et, sur l'emplacement de l'Hôtel d'Albret, elle se fit bâtir, par Philibert de L'Orme et Jean Bullant, son Hôtel, l'Hôtel de la Reine, où elle passa les huit ou neuf dernières années de sa vie[757].

**Note 753:** (retour) *Lettres*, t. X, p. 214, 9 septembre 1567.--Description des Tuileries par le secrétaire de Girolamo Lippomano, ambassadeur vénitien, dans Tommaseo, *Relations*, t. II, p. 593 (Coll. Doc. inédits).

**Note 754:** (retour) C'étaient peut-être des parties de la fontaine monumentale que Paul Ponce Trebatti avait commencée et que la mort l'empêcha d'achever: H. Sauval, *Histoire et recherches des Antiquités de la ville de Paris*, Paris, 1724, t. II, p. 60. L'ambassadeur suisse aura pris pour des faunes et des nymphes deux naïades et deux fleuves.

**Note 755:** (retour) Cité par Ernest Dupuy, *Bernard Palissy*, p. 59-60.

**Note 756:** (retour) Ce n'était pas d'ailleurs une simple grotte, mais «une grande caverne», une sorte de temple souterrain, que le bon potier aurait voulu faire: *Œuvres de Bernard Palissy*, éd. par Anatole France, p. 466. Il dut se borner à orner «son rocher».

**Note 757:** (retour) *Lettres*, t. X, p. 428, n. A. de Barthelemy, *La colonne de Catherine de Médicis à la Halle au blé*, Mémoires de la Société de l'Histoire de Paris, t. VI (1879), p. 183.

C'était un palais français, entre cour et jardin, ouvert largement au soleil, et non le palais italien aux cours intérieures, comme de L'Orme avait commencé d'en bâtir un aux Tuileries. Mais Jean Bullant, grand imitateur de l'antiquité, avait, dans la cour d'honneur, élevé, sur le modèle de la colonne de Marc-Aurèle et de Trajan, une colonne monumentale de 143 pieds dont il avait d'ailleurs modernisé les larges cannelures, en les parsemant de «couronnes de fleurs de lis, de cornes d'abondance, de chiffres, de miroirs brisés et de lacs d'amour déchirés», symboles de la prospérité et du bonheur détruits par la mort d'Henri II[758].

Depuis les premiers temps de sa régence, elle faisait travailler aussi à Saint-Denis, cette nécropole des rois. La chapelle funéraire qu'elle destinait à recevoir le corps de son mari, celui de ses enfants et le sien était un édifice à part, accolé au croisillon septentrional de l'église abbatiale et qui ne communiquait avec elle que par une porte. Elle était de forme circulaire, large de trente mètres de diamètre à la base, haute de deux étages péristyles, et couronnée d'une coupole en retrait que portaient douze colonnes et qu'une lanterne surmontait[759]. L'idée de cette rotonde était du Primatice, que Catherine avait chargé de la construction; et, en effet, elle devait venir plus naturellement à un Italien, qui avait vu le Panthéon de Rome, le Tempietto de Bramante et les baptistères de Pise et de Florence. Après la mort du Primatice, les travaux furent continués par Jean Bullant et repris enfin par Baptiste Androuet du Cerceau, qui aurait modifié et surtout alourdi le plan primitif.

On voit combien elle était éclectique. Elle employait indifféremment des architectes français ou italiens, comme Henri II et François Ier. Ce qui la distingue de tous les souverains qui ont eu la passion des bâtiments, c'est qu'elle ne se contentait pas de s'intéresser aux travaux et d'intervenir par conseils, désirs et observations. En lui dédiant son *Premier Tome de l'Architecture*, qui parut en 1567, Philibert de L'Orme admirait «comme de plus en plus, disait-il, vostre bon esprit s'y manifeste (dans l'architecture) et reluit quand vous-mesme prenez la peine de protraire et esquicher les bastiments qu'il vous plaist commander estre faicts»[760]. Dans le cours de l'ouvrage, il revenait sur cette collaboration de la Reine-mère, «laquelle pour son gentil esprit et entendement très admirable accompagné d'une grande prudence et sagesse a voulu prendre la peine, avec un singulier plaisir, d'ordonner le département de son dit Palais (des Tuileries) pour les logis et lieux des salles, antichambres, chambres, cabinets et galleries et me donner les mesures des longueurs et largeurs, lesquelles je mets en exécution en son dit palais, suivant la volunté de Sa Majesté»[761].

**Note 758:** (retour) *Lettres*, t. X, p. 428 n. A. de Barthelemy, *La colonne de Catherine de Médicis à la Halle au blé*, Mémoires de la Société de l'Histoire de Paris, t. VI (1879), p. 184.

**Note 759:** (retour) Paul Vitry et Gaston Brière, *L'Église abbatiale de Saint-Denis et ses tombeaux*, Paris, 1908, p. 19-21.--Dimier, *Le Primatice*, 1900, p. 353 sqq.

**Note 760:** (retour) *Le Tome premier de l'Architecture*, par Philibert de L'Orme, Paris, 1567, préface, p. 1.

**Note 761:** (retour) *Ibid.*, p. 20.

Elle ne se contentait pas de la beauté un peu froide du style classique. Pour relever et égayer l'aspect des murs, «d'abundant, raconte toujours de L'Orme, elle a voulu aussi me commander faire faire plusieurs incrustations de diverses sortes de marbre, de bronze doré et pierres minérales, comme marchasites (marcassites) incrustées sus les pierres de ce païs, qui sont très belles, tant aux faces du palais et par le dedans que par le dehors...»

Par cette recherche de l'éclat, elle se distingue de son architecte, partisan d'un art plus sévère. Elle s'inspire de San Miniato et de Santa Maria del Fiore, si riants en leur polychromie de marbre. Les chantiers des Tuileries, comme on le voit par l'«Inventaire» de ses meubles, étaient remplis de marbres de toutes couleurs: noir de Dinan, rouge de Mons, rouge et vert, rouge et blanc, rouge et tanné, blanc et noir, blanc tacheté de jaune, blanc tout tacheté. Au Louvre, le long de la galerie actuelle des Antiques, du côté du Jardin de l'Infante, et dans l'angle de la cour intérieure, ressortent aussi, quoiqu'elles soient ternies par le temps, des tables de marbre, vert, rouge, etc. Au mausolée d'Henri II à Saint-Denis, des masques rougeâtres parmi les bas-reliefs de marbre blanc, le contraste entre le bronze noir des statues symboliques et la blancheur cadavérique des gisants, rompent aussi l'uniformité[762]. C'est, avec le bossage vermiculé de la galerie et du portique qui y est contigu, l'indice du pays d'origine de la Reine-mère, et, pourrait-on dire, sa marque de fabrique.

En sculpture aussi, ses impressions de jeune Florentine expliquent la souplesse de son goût. Il est naturel, qu'elle se soit adressée, pour faire la statue équestre de son mari mort, au sculpteur de génie qui avait, à la Sacristie Neuve de Saint-Laurent, idéalisé l'image de son père. C'est vraisemblablement de cette statue qu'il s'agit dans deux lettres, l'une de l'ambassadeur de France à Rome, Ville-Parisis (31 mai 1564), et l'autre de Catherine (15 juin)[763]. Michel-Ange, qui venait de mourir plus qu'octogénaire, s'était peut-être, malgré sa vieillesse, chargé de cette œuvre[764]. En tout cas, il en avait dressé les «portraicts et desseings». Ville-Parisis avait choisi, pour les exécuter, ainsi qu'il l'écrivait à la Reine-mère, «un homme qui entend très bien telles besongnes», mais qui malheureusement, s'était trompé sur la quantité de bronze nécessaire. Il fallait faire venir de Venise «pour le plus près», le complément de métal, et toutefois, Ville-Parisis estimait que tout serait fini «pour la my aoust ou environ».

**Note 762:** (retour) Paul Vitry et Gaston Brière, *L'Église abbatiale de Saint-Denis et ses tombeaux*, Paris, 1908, p. 154.

**Note 763:** (retour) 763: *Lettres*, t. II, p. 193, et même page, note 2.

**Note 764:** (retour) Peut-être aussi s'est-il excusé d'entreprendre un pareil travail à son âge et s'est-il contenté de dresser les «portraicts et desseings». Il mourut le 18 février 1564.

Mais le travail n'alla pas aussi vite que le prévoyait l'ambassadeur et que le désirait Catherine. Le praticien spécialiste étant, dit la Reine-mère, «fort subject à l'apoplexie» et passant pour le seul homme en la chrétienté capable d'accomplir un pareil ouvrage, il convenait de se hâter avant la crise finale. Daniel de Volterra--car c'est de lui assurément qu'il s'agit--mourut en 1566 et n'eut le temps que de fondre le cheval[765].

Pour couler en bronze son mari, Catherine pensa cette fois à Jean de Bologne, un autre disciple de Michel-Ange et flamand éperdument italianisé. Elle pria le prince de Florence, François de Médicis, dont il était le sculpteur attitré, de le lui prêter pour aller achever à Rome la statue d'Henri II et la mettre «en telle perfection qu'elle puisse correspondre à l'excellence d'un cheval qui est jà faict». François refusa de lui donner ce contentement. Le cheval expédié en France attendit vainement son cavalier. Il servit plus tard à une statue équestre de Louis XIII, qui, dressée place Royale, fut brisée en 1793.

Ce n'est pas la seule preuve de l'admiration de Catherine pour Michel-Ange. Ayant su qu'un médecin de Rome voulait vendre l'*Adonis*--l'*Adonis mourant*,--«qui est si beau», disait-elle (elle l'avait donc vu en sa jeunesse), elle écrivait au comte de Tournon, son ambassadeur près du pape, de s'enquérir du prix, offrant même, si c'était nécessaire, de donner au vendeur un bénéfice ecclésiastique[766].

**Note 765:** (retour) Sur Daniel Ricciarelli, né vers 1509 à Volterra, voir pour références Müntz, *La Renaissance*, t. III, p. 551-552.

**Note 766:** (retour) *Lettres*, II, p. 394. Lettre du (20?) octobre 1566. L'*Adonis mourant* est maintenant au Musée national de Florence. On conteste qu'il soit de Michel-Ange par de pauvres raisons exposées dans H. Thode, *Michelangelo*, Berlin, 1912, t. III, p. 111 sq. La lettre de Catherine, écrite deux ans après la mort de Michel-Ange, semble prouver que l'*Adonis mourant* est bien du grand sculpteur. De quel autre Adonis pourrait-il y être question et avec cette admiration? C'est une question que je me propose de reprendre bientôt.

Mais les travaux de Saint-Denis permirent à Catherine d'apprécier à sa valeur la sculpture française.

Elle avait entrepris d'ériger à Henri II dans la chapelle des Valois un monument funéraire comparable à ceux de ses prédécesseurs immédiats, François Ier et Louis XII. Le Primatice, sans parti pris, avait commandé les bas-reliefs et les figures à des Italiens ou des Français, Dominique Florentin, Jérôme della Robbia, Germain Pilon, Ponce Jacquino, Laurent Regnauldin, François Roussel. Mais tous, sauf Germain Pilon, moururent avant d'avoir achevé ou même commencé leur tâche. Germain Pilon continua ou reprit l'œuvre de ses compagnons, et c'est lui qui est, on peut le dire, le principal ou même l'unique sculpteur du mausolée d'Henri II. Comme dans les grands tombeaux de l'époque, Henri II et Catherine de Médicis sont représentés deux fois: en bas, morts et nus; en haut, sur la plate-forme, revêtus du costume royal et priant. Les gisants sont de marbre et les orants de bronze; ils sont les uns et les autres de Germain Pilon.

Le cadavre d'Henri II accuse de la raideur et de l'affaissement, mais sans excès de réalisme; et sa belle tête renversée sur un coussin fait penser à celle du Christ de Holbein[767]. Le corps de la Reine montre les formes pleines et jeunes encore d'une femme de quarante ans, l'âge qu'elle avait lors de la mort de son mari[768]. Les orants représentent les souverains en leur majesté, agenouillés sur des prie-Dieu, qui ont disparu. Catherine est ressemblante et n'est pas laide. Son manteau de cérémonie laisse voir la taille bien prise sous un corsage semé de pierreries. Henri est drapé dans le grand manteau fleurdelisé, d'où ressort son visage aux traits nobles, à la physionomie fermée d'homme têtu. A l'exemple des vieux «imagiers», Germain Pilon réalisait l'art dans la vérité.

**Note 767:** (retour) Au Musée de Bâle.

**Note 768:** (retour) La gisante, dite de Catherine de Médicis, qui est maintenant au Louvre, après avoir traîné un demi-siècle, dit-on, dans la cour de l'École des Beaux-Arts, ce cadavre de femme au gros nez aplati, aux lèvres épaisses, aux mamelles plates, à l'ossature rude, est-ce vraiment Catherine de Médicis? Jérôme della Robbia, à qui on l'attribue, se serait-il permis de présenter à sa royale compatriote cette image cruelle de la déchéance qui suit la mort. S'il l'a fait, on comprend que Catherine n'ait pas voulu de cette effigie.

Aux angles de cet édicule de marbre, quatre figures de femmes en bronze noir symbolisent les vertus cardinales: Tempérance, Prudence, Force, Justice. C'est, avec l'architecture du monument, la part de l'influence italo-classique[769].

Idéalisées aussi à la mode de la Renaissance, les trois cariatides, court vêtues en leur tunique de chasseresses, qui représentent les Vertus théologales, et portent sur leur tête l'urne de bronze où étaient unis dans la mort comme dans la vie les cœurs d'Henri II et du connétable de Montmorency[770].

**Note 769:** (retour) Vitry et Brière, p. 155-158.

**Note 770:** (retour) Voir *infra*, ch. XI, p. 410.

Catherine était capable de comprendre le grand artiste en qui se conciliaient la tradition française et l'inspiration nouvelle. Elle était d'une ville, Florence, où les ouvriers du marbre et du bronze, Donatello, Verrocchio, les Rossellino, Luca della Robbia et même Mino de Fiesole--en laissant à part Michel-Ange qui trône dans l'isolement du génie--ont toujours suivi de plus près la nature que les autres Italiens. Aussi Germain Pilon fut-il son sculpteur favori, peut-être parce que, sans y penser, elle retrouvait en lui sa conception atavique de l'art. Elle se fit représenter par lui en 1583 avec son mari, en gisants de marbre, étendus sur des matelas de bronze, mais cette fois couronne en tête, en costume du sacre. Cette œuvre très réaliste reproduit avec une scrupuleuse fidélité le détail des étoffes, des ornements et des vêtements d'apparat. La tête de Catherine est d'une vérité frappante: c'est peut-être le portrait le plus exact qu'on ait d'elle en sa vieillesse: figure hommasse et empâtée, menton court doublé d'un collier de graisse, front fuyant.

Elle lui commanda aussi, pour décorer la chapelle de son hôtel, une *Annonciation*, et c'est pour elle aussi qu'il sculpta et peignit cette admirable *Pieta* de pierre, aujourd'hui au Louvre, où, dans la figure amaigrie de la mère de Dieu, l'humain et le divin transparaissent et se fondent dans l'expression de la douleur[771].

**Note 771:** (retour) Lemonnier, *Histoire de France*, publiée sous la direction d'E. Lavisse, t. V 2, p. 356.

Il y avait encore plus loin des Clouet aux peintres italiens que de Germain Pilon à Verrocchio et à Donatello, et cependant Catherine se fit portraiturer par les uns et les autres. Il est vrai qu'en 1541 elle faisait demander à Paul III par le nonce un portrait de «Donna Giulia», qu'elle avait vu, étant enfant, dans la chambre du cardinal Hippolyte de Médicis et pour lequel «elle s'était sentie prise d'amour»[772]. Mais était-ce pour la beauté de la dame ou le mérite du peintre, Sébastien del Piombo? Il est plus significatif qu'en 1557 elle ait écrit au cardinal Strozzi, son cousin, pour lui demander un peintre «qui saiche, disait-elle, bien peindre au vif et lui ferez faire vostre pourtraict ou de quelque autre que je cognoisse et le m'envoyez à ce que, si je le trouve bon et bien faict, vous m'envoyez le dit personnaige pour qu'il serve par deça»[773]. Mais cette demande ne prouve pas nécessairement qu'elle préférât la manière idéaliste des portraitistes italiens à celle des portraitistes flamands. Elle s'était déjà fait peindre à cette époque par François Clouet[774] et voulait se voir tout autre: fantaisie de femme ou désir de faire cadeau à ses amis d'Italie d'un portrait à leur goût et à leur mode. Mais elle n'a pas probablement insisté; et en effet il y a d'elle beaucoup de portraits français et très peu de portraits italiens.

**Note 772:** (retour) Romier, *Les Origines politiques des guerres de religion*, I, p. 17. Cette «Donna Giulia» que j'ai pu identifier, est une Gonzague de la ligne de Sabioneta et Bozzolo, femme de Vespasiano Colonna, qui mourut prématurément en 1528, la laissant veuve toute jeune. Elle passait pour une des plus belles femmes de l'Italie. Le cardinal Hippolyte de Médicis, qui était amoureux d'elle, la fit peindre, entre le 8 juin et le 15 juillet 1531, par Sebastiano del Piombo,--un portrait que Vasari (éd. Milanesi, V, p. 578), qualifie de «pittura divina». Catherine, qui n'a quitté Rome qu'en avril ou mai 1532, a donc pu le voir, et c'est certainement ce portrait-là qu'elle demandait. Celui qui se trouve à Mantoue en est une réplique et il servit à son tour de modèle, par exemple, pour le petit portrait qu'on voit au Musée impérial de Vienne. Voir Dr Friedrich Kenner, *Die Porträtsammlung des Erzherzogs Ferdinand von Tyrol. Die italianischen Bildnisse*, dans le *Jahrbuch der Kunsthistorischen Sammlungen des Alterhöchsten Kaiserhauses*, 1896, t. XVII, p. 216, no 89 A.--B. Amante, *Giulia Gonzaga*, Bologne, 1896.

**Note 773:** (retour) *Lettres*, I, p. 109.

**Note 774:** (retour) En 1564, elle se fit peindre à Lyon avec ses enfants par Corneille de La Haye (dit de Lyon), un Flamand, lui aussi.

Une iconographie critique de Catherine de Médicis en fournirait une preuve décisive[775]; mais elle est difficile. Catherine a été représentée tant de fois et de tant de manières, peintures, fresques, dessins, émaux, cires, aujourd'hui dispersés, qu'il faudrait aller la chercher dans tous les musées de France et d'Europe et dans les collections des princes et des particuliers. Pour ce qui est des portraits peints, ils sont, pour la plupart, d'auteurs inconnus, et, en attendant de les identifier et de les dater, si c'est possible, il faut se contenter de les grouper par écoles. Il y a à Poggio à Cajano un portrait que l'on donne comme celui de Catherine enfant. Il représente une jeune fille de quatorze ou quinze ans, qui n'est pas laide, coiffée d'un diadème de perles et couverte d'un riche manteau[776]. Bouchot s'amuse fort de cette princesse moldave, et tout au plus accorde-t-il qu'un peintre inconnu ait voulu donner un pendant au portrait romantique du cardinal Hippolyte peint par Titien. Mais pourtant il ne faudrait pas oublier que Vasari, à la veille du mariage de Catherine, fit d'elle un portrait destiné à la Cour de France et au futur époux et qu'il a dû dissimuler les misères de l'âge ingrat[777]. On n'y reconnaît pas sa manière; mais, à l'époque où il peignit la fiancée, il n'avait que vingt et un ans et n'était pas encore lui-même. Il est d'ailleurs à remarquer que cette Catherine ressemble assez à celle que Vasari a peinte au Palazzo Vecchio dans la fresque des épousailles.

**Note 775:** (retour) Elle a été essayée par Bouchot et Armand Baschet, mais elle est incomplète et fautive. Beaucoup de portraits, qu'il est facile de voir à Florence dans la Galerie qui mène des Uffizi au palais Pitti, n'y sont pas indiqués, et par contre on donne comme un portrait de Catherine par le Tintoret, celui de la duchesse d'Urbin Giulia (comme l'a démontré Gronau, *Titian* 1904).

**Note 776:** (retour) Dans l'inventaire des objets légués à la grande-duchesse de Toscane, Christine de Loraine, par Catherine de Médicis, sa grand'mère, se trouve indiqué, au no 288 (Reumont-Baschet, p. 346) *un ritratto della Regina Caterina fanciuletta con ornamento d'oro*». Ne serait-ce pas celui-là?

**Note 777:** (retour) Voir la lettre de Vasari, où on lit qu'il faisait le portrait pour le duc d'Orléans et qu'il en ferait une réplique pour le bon vieux cousin de Catherine, Ottaviano de Médicis, et même il en promettait une autre copie à un ami de Rome, Messer Carlo Guasconi.

Le portrait publié par Alberi, en tête de sa *Vie de Catherine de Médicis*--avec ses fleurs dans les cheveux--n'est certainement ni de Catherine de Médicis, ni peut-être même du XVIe siècle. Il y a d'elle aux Uffizi un assez beau portrait que le catalogue (no 40) attribue à Santi di Tito, un peintre florentin, qui vécut de 1536 à 1605. La figure est assez vulgaire, mais les lèvres sont fines et l'air intelligent. Catherine est assise sur un fauteuil à haut dossier; elle est en demi-deuil, manches à gigot rayées noir et blanc. Elle paraît âgée de quarante à quarante-cinq ans. Mais Santi di Tito est-il venu en France?[778]. Un autre Italien, mais inconnu, l'a peinte en sa vieillesse, peut-être d'après un portrait de l'école française[779].

**Note 778:** (retour) Le buste de ce portrait est reproduit trait pour trait dans un médaillon peint à la fresque qui se trouve au-dessus d'une fenêtre dans la salle de Léon X au Palazzo Vecchio. Mais le copiste ou la courbe de la paroi a singulièrement épaissi le modèle.

**Note 779:** (retour) Dans le couloir, côté Pitti, no 1121, phot. par Alinari, p. 2a, no 725.

A ces trois ou quatre peintures se réduit l'apport de l'art italien. Il n'y a pas d'autre image d'elle à Florence et à Rome qui ait été faite par ses compatriotes. Mais elle a été représentée à tous les âges et de toutes façons par les peintres français. Les musées de Florence sont particulièrement riches en portraits, qui sont incontestablement de l'école de Clouet. Il y en a trois dans la galerie qui va des Uffizi au palais Pitti et dont l'un,--celui de Catherine vers trente ans,--est comparable aux plus authentiques chefs-d'œuvre de François Clouet, à l'Élisabeth d'Autriche du Louvre et au Charles IX du Musée impérial de Vienne. La jeune Reine est debout en costume d'apparat, avec une coiffe de perles, un collier de perles, une robe brun mordoré et un jupon rose éteint tout quadrillé de perles, une lourde cordelière entremêlée de perles et d'or. De son manteau il n'apparaît que l'hermine, qui recouvre presque tout le bras, et qui rompt de sa blancheur les manches à bouillons longitudinaux, entrelacés aussi de carrés de perles. Les mains, les belles mains, ressortent longues et fines, la droite tenant un éventail aux plumes blanches en panache.

Il y a des médaillons d'elle, enluminés ou peints sur parchemin ou sur émail, dans son Livre d'heures qui est au Louvre, dans la salle des miniatures et des pastels aux Uffizi, dans le Musée impérial et le Trésor impérial de Vienne[780]. Ils sont tous de la manière de Clouet «inimitable» en «ces œuvres ténues». Nombreux aussi sont les dessins de la même école au crayon noir ou au crayon de couleur. Mais à mesure qu'elle vieillissait, l'image ressemblait moins au modèle. Les portraitistes du crayon, les Caron, les Du Monstier, les Quesnel, disciples infidèles de Clouet, prêtèrent à cette femme grosse et lourde les formes, que sous le vêtement on devine élancées, de la Diane de Poitiers sculptée nue par Jean Goujon. L'esprit courtisan aidait à ces mensonges de l'idéalisme classique. Mais ce n'est pas un indice des goûts de Catherine. Il y a aux Uffizi, à Florence, un portrait peint, qui la représente en sa vieillesse, épaissie par l'âge, avec de gros yeux à fleur de tête et de grosses lèvres rouges, vêtue toute de noir, sauf la guimpe blanche, assise sur un siège noir, entre deux rideaux noirs, sur un fond de tapisserie noire. Après avoir vu ce beau portrait réaliste, on s'étonne que Bouchot puisse dire qu'elle voulait être représentée, non telle qu'elle était, mais telle qu'elle aurait voulu être[781].

**Note 780:** (retour) F. Mazerolle. Miniatures de François Clouet, au Trésor impérial de Vienne (Extrait de la *Revue de l'Art chrétien*, octobre 1889).

**Note 781:** (retour) Couloir du palais Pitti aux Uffizi, côté Pitti, n° 19.

Il est possible, mais c'est une hypothèse, que ce portrait soit celui qu'elle promettait d'envoyer à ses bonnes *Murate* (3 janvier 1588): «portraict au vif de moy, très bien faict». Voir ci-dessus, p. 259, la statue réaliste commandée à Germain Pilon.

Son goût était bien plus large. L'Inventaire qui fut dressé après sa mort mentionne des tableaux d'inspiration religieuse ou antique: une *Charité*(?), l'*Enfant prodigue*, le *Jugement de Salomon*, l'*Histoire d'Esther et d'Assuérus* l'*Histoire d'Orphée*, une *Vénus*, le *Ravissement d'Hélène* et qui, tous, étaient probablement traités à la mode italo-classique; mais Catherine ne méprisait pas, comme on le voit par le même Inventaire, la peinture de genre, où les Flamands excellaient déjà, ces scènes d'intérieur ou de cabaret, avec de petits bonshommes très réalistes que le grand Roi qualifiera plus tard, sujets compris, de «magots». Elle a en son Hôtel pour en égayer les murs des «drolleries de Flandres», une «cuisinière» (est-ce une cuisine ou simplement une rôtissoire?)[782], le groupe d'un «barbet, d'une drollerie et d'une cuisinière de Flandres», et trente-six petits tableaux peints sur bois, avec leurs châssis, «de divers paisages et personnages[783]», qui paraissent de même caractère. Elle tapisse son cabinet de travail de «vingt tableaux de paisages peintz sur toile attachez avec des cloux». Or, comme on le sait, le paysage pour le paysage, le paysage qui n'est pas simplement un décor, ce n'est pas, à cette époque, un genre en faveur ni même en usage parmi les peintres italiens ou français. La Florentine n'a point de parti pris contre l'art du Nord.

**Note 782:** (retour) Bonnaffé, *Inventaire*, p. 72.

**Note 783:** (retour) *Ibid.*, p. 83, 95.

Les émaux de Léonard Limousin empruntent leurs sujets à la mythologie et à la réalité. Ils montrent la Cour de France et l'Olympe: ils sont antiques et ils sont contemporains. Catherine avait fait enchâsser dans les lambris «trente-neuf petits tableaux d'émail de Limoges en forme ovale» et «trente-deux portraits d'environ ung pied de hault de divers princes, seigneurs et dames»[784]. D'autres «pièces d'émail», transportables, celles-là, étaient enfermées dans des bahuts: cent quarante ici, quarante-huit là[785].

**Note 784:** (retour) On en voit encore au Louvre, dans les vitrines de la galerie d'Apollon.

**Note 785:** (retour) Bonnaffé, *Inventaire*, p. 155, 74, 81. Ce Jérôme della Robbia, ou, comme elle dit, Hierosmme de La Rubie, qu'elle recommandait à Cosme de Médicis, 12 mars 1549, *Lettres*, t. I, p. 29 et note 2, appartenait à la dynastie des grands émailleurs florentins, mais il était lui-même architecte et sculpteur, et c'est en cette qualité qu'il avait déjà travaillé en France pendant plus de trente ans, sous François Ier et Henri II, par exemple à la construction du château de Madrid, voir p. 234, n. 4.

Bernard Palissy, l'illustre potier, que la Reine a employé à la grotte des Tuileries, ne connaissait guère l'antiquité; et même, comme il pratiquait un art que Rome et la Grèce ignoraient, il en faisait fi: «Je n'ai point d'autre livre, déclare-t-il, que le ciel et la terre.»

Mais ce qui prouve mieux encore l'éclectisme de Catherine, ce sont deux séries de tapisseries, dont l'une est représentée par de nombreuses répliques au Garde-meuble de Paris, et dont l'autre existe en original au Musée archéologique (section des Arazzi) et aux Uffizi de Florence. Elles sont une illustration du règne de Catherine et quelquefois des mêmes événements, qu'elles interprètent de la façon la plus différente.

La série du garde-meuble est d'inspiration toute classique. Son premier auteur est un bourgeois de Paris, Nicolas Houel, ancien marchand apothicaire et épicier enrichi par son négoce, et qui devint plus tard intendant et gouverneur de la maison de la Charité chrétienne «establie es Faubourg Saint-Marcel»[786].

Il écrivait, collectionnait, achetait, probablement revendait des tableaux, et par là se trouvait en rapport avec des personnes de toutes conditions. L'idée lui vint, comme il le raconte lui-même, de dresser un «dessin de peinture» qui pût servir de patron à beaucoup d'ouvriers--vraisemblablement des tapissiers--et d'y joindre «un peu d'escriture pour en donner plus claire intelligence». Des «personnages de sçavoir» l'engagèrent à traiter l'histoire d'Artémise, femme de Mausole, c'est-à-dire, sous un autre nom, celle de Catherine de Médicis, une veuve inconsolable elle aussi et qui, comme Artémise, élevait à son mari mort un mausolée. Après quelque hésitation, il composa la légende, comptant, pour l'illustrer, sur les amis qu'il avait parmi les plus excellents peintres et sculpteurs. Ce double travail allait son train, mais Houel ne savait comment ni par qui le faire exécuter en tapisserie. Un jour qu'il était dans ces «alteres» (angoisses), il fut «ébahi» de voir entrer en son logis la Reine-mère, qui venait examiner quelques pièces de son cabinet et quelques peintures des meilleurs ouvriers de France. Il en profita pour lui montrer la «minute» de ses Histoires «avec plusieurs cartons de peinture», que la royale visiteuse trouva «véritablement fort beaux». Elle prit plaisir à entendre ses explications et à regarder ses dessins, et elle l'encouragea à pousser activement son travail. Bientôt il put aller lui présenter les deux premiers livres de ses Histoires et les illustrations «faictes par des premiers hommes tant de l'Italie que de la France» pour «faire de belles et riches peintures à tapisseries pour l'ornement de ses maisons». Elle approuva le projet et le fit exécuter dans son château du Louvre par la manufacture de tapisseries de la Couronne[787].

**Note 786:** (retour) C'était une école pour les orphelins et un asile pour les pauvres honteux. Le plan en avait été présenté par Nicolas Houel à la femme d'Henri III, Comte de Baillon, *Louise de Lorraine*, Paris, 1884, p 97-98. Sur Nicolas Houel, voir Jules Guiffrey, *Nicolas Houel, apothicaire parisien, fondateur de la maison de la Charité chrétienne et premier auteur de la tenture d'Artémise* (Mémoires de la Société de l'Histoire de Paris et de l'Île-de-France, t. XXV, 1898, p. 179-271).

**Note 787:** (retour) C'est probablement l'ancien atelier d'Henri II à Fontainebleau, transféré au Louvre.

Il y a au Cabinet des Estampes de la Bibliothèque Nationale trente-neuf de ces cartons pour tapissiers, avec des légendes explicatives en vers, de Nicolas Houel[788]. Mais des tentures faites d'après ces dessins pour Catherine de Médicis, il n'en reste probablement aucune. Les tapisseries qui se trouvent au Garde-meuble, au Louvre, à Fontainebleau, et ailleurs, et qui représentent les hauts faits d'Artémise, son gouvernement glorieux et l'éducation de son jeune fils, le roi Lygdamis, sont du XVIIe siècle. La régence de Marie de Médicis, et même plus tard celle d'Anne d'Autriche, prêtaient avec quelque complaisance aux mêmes comparaisons. On reproduisit, avec les variantes nécessaires, quelques-uns des anciens cartons: on en élimina d'autres; on en fit de nouveaux, qui furent «la Suite de la reine Artémise». Sur ces modèles, que les minorités de Louis XIII et de Louis XIV remirent deux fois à la mode, on fabriqua des tapisseries pendant tout un demi-siècle, et même jusqu'en 1664.

**Note 788:** (retour) Réserve, côté Ad. 105, grand in-fo. Reproductions photographiques de ces dessins. Ad. 105a. L'Histoire de la Reine Artémise de Nicolas Houel, une compilation très indigeste est au cabinet des manuscrits, f. fr., no 306.

Il ne saurait être question ici que des cartons commandés par Nicolas Houel. Ils racontent, en une succession de tableaux, l'histoire d'Artémise, régente du royaume de Carie pendant la minorité de son fils. C'est le «triomphe» des obsèques de Mausole, ce mari tendrement aimé, et tout le détail de ce «triomphe»: cortèges de prêtres, d'enfants et de femmes, concerts funéraires, défilés de chars et défilés de guerriers portant les dépouilles opimes des nations vaincues, éloge funèbre, brûlement du corps et sacrifices, construction du temple destiné à recevoir les cendres royales;--c'est la réunion des États du royaume et la proclamation d'Artémise comme régente;--c'est l'instruction que la Reine-mère donne à son fils Lygdamis «tant aux lettres qu'aux armes»;--ce sont les combats qu'elle livre et les victoires qu'elle remporte sur les Rhodiens révoltés;--et ce sont aussi les œuvres de la paix, ses constructions, ses jardins, ses ménageries, ses palais. Costumes, armes et armures, jeux, cérémonies, bâtiments, tout est antique, grec ou plutôt romain, car les artistes de ce temps ne voyaient la Grèce qu'à travers Rome.

Mais, sous ce travesti, Houel et ses collaborateurs ont voulu représenter des événements et des personnages de leur temps. Vous verrez, dit-il à Catherine, «le sepulchre» qu'Artémise a dressé à Mausole et «qui a servi long-temps de merveille à tout le monde. Ce qui a esté de nostre temps renouvellé en vous après la mort du feu roy Henry vostre époux». L'éducation de Lygdamys la fera «ressouvenir» de celle qu'elle a donnée à ses enfants, et l'assemblée des États généraux cariens, des représentants des trois ordres de France réunis à Orléans. La défaite des Rhodiens--ces insulaires assimilés aux protestants de La Rochelle et des îles adjacentes,--lui rappellera ses cinq victoires sur ses sujets rebelles et le pardon qu'elle leur avait accordé. Les édifices construits par la Reine de Carie, tant à Rhodes qu'à Halicarnasse, étaient un prototype des Tuileries et des châteaux de Saint-Maur, de Monceaux, etc. La comparaison allait tellement de soi, remarquait Houel, «qu'on diroit que nostre siècle est la révolution de cet antique et premier soubs lequel régnoit cette bonne princesse Artemyse. Aussi le principal but de mon entreprise a esté de vous représenter en elle et de monstrer la conformité qu'il y a de son siècle au nostre.»

Les artistes que Nicolas Houel avait employés avaient une telle superstition de l'art antique qu'ils n'en imaginaient point d'autre. Français ou Italiens, ils appartenaient, c'est Houel qui le dit, à cette école de Fontainebleau, dont le maître était Le Primatice. Les dessins ayant été terminés entre août et novembre 1570[789], Le Primatice, qui venait à peine de mourir, a pu inspirer l'œuvre et même y travailler. C'est, en tout cas, un de ses élèves, Antoine Caron, de Beauvais, (1521-1599), qui passe pour être l'auteur de presque tous les cartons du Cabinet des Estampes[790]. Lui et ses collaborateurs ont placé dans un décor et traduit en une forme antique des faits tout contemporains: attaques de places fortes, tournois, luttes corps à corps, combats à pied et à cheval, funérailles d'Henri II. Ils ont trouvé tout naturel d'identifier la Reine de France à la Reine de Carie, que séparaient vingt siècles et plusieurs civilisations, et de s'inspirer des *Triomphes de Jules César*, cette reconstitution de l'ancienne Rome par Mantegna, pour illustrer l'histoire de Charles IX et de la Régente, sa mère.

**Note 789:** (retour) Ce n'est pas une hypothèse. Dans la dédicace des deux livres de la Reine Artemise à Catherine, Houel fait mention de la paix de Saint-Germain (août 1570) comme conclue, et du mariage de Charles IX, qui fut célébré à Mézières le 26 novembre de la même année, comme devant prochainement se conclure.

**Note 790:** (retour) Müntz, *Histoire générale de la tapisserie en France*, p. 93, réclame pour Caron tous les dessins sauf les huit suivants, (nos 9, 10, 14, 18, 19, 2, 3, 28, 31). Voir aussi Jules Guiffrey, *Les tapisseries du XIIe à la fin du XVIe siècle*, dans le tome VI de l'*Histoire générale des arts appliqués à l'industrie du Ve à la fin du XVIe siècle*, Paris, Librairie Centrale des Beaux-Arts, s. d., p. 204, 207 sqq. J. Guiffrey admet que quelques-uns de ces cartons soient de Lerambert. L. Dimier, *La tenture d'Artémise et le peintre Lerambert* (*Chronique des Arts*, 1902, p. 327-328), croit tenir la preuve du contraire et que Lerambert n'a travaillé qu'à la *Suite d'Artémise.*

Mais il est remarquable que Catherine ne se soit pas contentée de ce travesti et qu'elle ait commandé aux ateliers de Bruxelles ou d'Enghien[791] une interprétation réaliste des épisodes les plus brillants de son gouvernement. Les tentures de Florence reproduisent les costumes, les armes, les combats, les divertissements et les personnages du temps avec une scrupuleuse fidélité. Elles sont, contrairement à ce qu'on continue de croire, la fixation par l'image des grandes fêtes que Catherine avait données à Fontainebleau, à Bayonne, aux Tuileries, et qu'elle considérait comme une de ses gloires[792]. En ces huit tapisseries éclatantes de couleur se succèdent les spectacles du Tour de France: voyage de la Cour, joutes sur terre et sur l'eau, concerts, tournois et cavalcades, et, pour finir, dans le décor du jardin des Tuileries, les danses en l'honneur de l'ambassade polonaise qui apporta une couronne au duc d'Anjou. L'antiquité fournit les accessoires d'ornementation, chars, statues, allégories et dieux, mais les paysages et les villes sont de France; les figures, les vêtements, les plaisirs et les luttes, du XVIe siècle. Bien en vue sont placés, spectateurs ou acteurs, les fils et les filles de la Reine, ressemblants comme des portraits peints. Elle, toute vêtue de noir comme de coutume, préside à ces plaisirs et semble les animer du regard.

**Note 791:** (retour) J. Guiffrey, *ibid.*, p. 122, note 2, indique, comme lieu de fabrication, Enghien et, comme date de la commande, 1585, d'après l'*Histoire des seigneurs d'Enghien* d'un annaliste flamand, P. Collins, né en 1560--un contemporain, bien qu'il ait publié son livre seulement en 1634.

**Note 792:** (retour) Voir les hypothèses de M. Jules Guiffrey, *ibid.*, p. 154, qui s'est cependant le plus rapproché de la vérité.

Je me propose de publier un peu plus tard un travail sur ces tapisseries de Florence, où je pense pouvoir identifier les lieux, les scènes et quelques personnages. On y verra aussi pour quelles raisons ces panneaux se trouvent à Florence. Je me borne aujourd'hui à indiquer ce qui est nécessaire pour l'intelligence et la diversité des goûts de Catherine.

Ainsi, pour perpétuer la mémoire de ces magnificences, elle les avait fait représenter en deux styles, l'un conventionnel et symbolique, l'autre rigoureusement conforme à la vérité. Elle était Artémise et elle était Catherine, et, sans s'arrêter à une formule d'art, suivait indifféremment les traditions réalistes ou les inspirations néo-classiques.

En 1580 ou 1581 elle quitta le Louvre et s'installa dans l'hôtel qu'elle venait de se faire construire rue Saint-Honoré. Elle voulait avoir sa maison à elle, où plus commodément qu'au Louvre, et loin du voisinage des favoris, elle passerait les dernières années de sa vie--celles dont il nous reste à raconter l'histoire politique--pendant les séjours qu'elle faisait à Paris dans l'intervalle de ses voyages et de ses villégiatures. Peut-être aussi tenait-elle à faire croire qu'elle s'effaçait et laissait enfin le roi régner par lui-même. Mais il n'y avait pas loin du Louvre à son palais, et si elle sacrifiait, dans l'intérêt de son fils, les apparences du pouvoir, elle espérait bien en garder la réalité. Elle y vécut en souveraine, ayant ses dames, ses demoiselles, ses maîtres d'hôtel, ses pannetiers, ses échansons, ses écuyers d'écurie, ses gens du Conseil, ses secrétaires, ses nains et ses naines, bref une Cour[793], où elle maintenait le même cérémonial et la même étiquette qu'au Louvre.

**Note 793:** (retour) Le fait qu'il y a deux Cours explique en partie l'augmentation de presque tous les «officiers domestiques» de la Reine, depuis la mort de Charles IX et surtout depuis le mariage d'Henri III et l'établissement de la Reine-mère dans son nouveau logis (liste publiée par le Cte Baguenault de Puchesse, *Lettres*, t. X, p. 504 sqq.); dames (d'honneur), 5 en 1575, 8 en 1583;--autres dames, 48 en 1576; 81 en 1583;--filles damoiselles (c'est-à-dire nobles), 15 en 1576, 22 en 1583 et 25 en 1585;--gens du Conseil, 30 en 1576, 58 en 1583;--secrétaires, 22 en 1576, 89 en 1583, 108 en 1585, etc.

Grâce à l'Inventaire[794], qui fut dressé immédiatement après sa mort, des collections, des objets d'art et des meubles qu'elle y avait accumulés, il est relativement facile d'entrer plus avant dans ses habitudes, ses goûts et l'intimité de sa vie. Il y manque tout ce qu'elle avait emporté à Blois, où elle était alors, c'est-à-dire son linge, ses vêtements, son argenterie, ses bijoux: mais il en reste assez pour la revoir en son milieu. Elle s'y était entourée de souvenirs. Au premier, dans le grand salon en façade qui occupait toute la longueur de l'Hôtel, trente-neuf portraits représentaient les rois, les reines, les fils et les filles de France, depuis François Ier, ainsi que les souverains apparentés ou alliés à la maison royale. Au bout de cette galerie, deux cabinets, complétant cet assemblage familial, montraient, celui de droite, Catherine au milieu des Médicis, celui de gauche, sa mère, Madeleine, Élisabeth d'Autriche, sa bru, et les deux infantes d'Espagne, ses petites-filles.

**Note 794:** (retour) L'Inventaire a été publié avec des annotations, qu'on souhaiterait plus nombreuses, par Edm. Bonnaffé, *Inventaire des meubles de Catherine de Médicis en 1589*, Paris, 1874. Pour la description de l'Hôtel, voir p. 7-15 et 150, 151.

On voit que, comme aux Tuileries, la Reine n'avait pas abandonné à l'architecte seul «de département des logis». Il y avait une chambre des Miroirs, qui est comme la première ébauche, en raccourci, du salon des Glaces de Versailles; un cabinet des Émaux, où étaient «enchassez dans le lambris» de «petits tableaux d'émail», parmi lesquels «trente-deux portraits, d'environ un pied de haut, de divers princes, seigneurs et dames».

Son cabinet de travail était entouré d'armoires, pleines d'objets familiers. Elle y avait sa bibliothèque particulière--sa grande bibliothèque et les manuscrits étant logés non loin de là, rue de la Plâtrière, sous la surveillance de l'abbé de Bellebranche. L'Inventaire nomme parmi ces ouvrages de chevet: *Les Abus du Monde*, de Gringore, le *Calendrier grégorien*, le *Livre des Sibylles*, une *Généalogie des comtes de Boulogne* et une *Origine et succession des comtes de Boulogne*[795], et en signale d'autres sans en donner le titre. Il mentionne aussi deux bahuts pleins de livres, que, faute de clef, on ne put ouvrir[796]. Il est naturel que Catherine eût sous la main l'histoire et le tableau de ses ancêtres maternels pour s'en prévaloir à l'occasion. Mais le Livre des Sibylles trahit sa faiblesse pour l'art divinatoire. La «Sotie» de Gringore, qui était peut-être un don de Marguerite de Navarre ou de Marguerite de France, permet de supposer qu'elle a dû s'égayer, du moins en sa jeunesse, des lourdes plaisanteries du vieux poète sur la corruption de l'Église romaine. Quel malheur pour l'intelligence de sa psychologie que les commissaires chargés d'inventorier ne se soient pas donné la peine de cataloguer nommément tous les volumes accessibles et qu'ils aient craint ou négligé de forcer la serrure des armoires closes!

**Note 795:** (retour) Bonnaffé, *Inventaire*, p. 85, nos 242 et 243.

**Note 796:** (retour) : On ne voit nulle part indiqué le «*Prince*» de Machiavel, son prétendu livre de chevet.

Heureusement, ils ont eu le soin de détailler les cartes géographiques que la Reine avait en sa possession. Le nombre en est surprenant, même pour l'homme d'État que fut cette femme. Il s'en trouve des quatre parties du monde alors connues, Europe, Asie, Afrique, Amérique, et des pays à qui elle eut particulièrement affaire, l'Angleterre, l'Espagne, les Pays-Bas, l'Allemagne. Elle a en double exemplaire la région de l'Amérique du Nord, Canada et Terre-Neuve, dont les rivages et les bancs sous-marins étaient depuis si longtemps exploités par les pêcheurs bretons et basques que la partie de l'Atlantique qui la baigne est, dans la «Mappemonde d'Henri II», dénommée Mer de France. Qu'elle ait voulu avoir sous les yeux cette Nouvelle France, dont Coligny tenta deux fois de reculer la limite au sud aux dépens des Espagnols, rien de plus compréhensible. Mais il faut d'autres raisons pour expliquer qu'on trouve dans ce recueil la Guinée, les Indes occidentales et orientales, l'Éthiopie et «le pays du prêtre Jean». Il est permis de supposer que Catherine s'est toujours intéressée aux découvertes géographiques et qu'elle rechercha les moyens d'en suivre le progrès. Son éducation scientifique, qui la distinguait entre les autres princesses de la Renaissance, avait élargi le champ de sa curiosité. Elle avait même des cartes des vents. Son astrologie comportait quelque connaissance de la cosmographie: c'est le ciel, l'air et la terre qui attiraient également cette Reine de science[797].

**Note 797:** (retour) Edm. Bonnaffé, *Inventaire des meubles de Catherine de Médicis*, p. 65-66, 77-78 et 83. Ces cartes, la plupart «figurées à la main», sont-elles des copies, et faites par qui? L'imprécision de l'Inventaire ne permet pas de dire si les unes reproduisent les cartes de la mappemonde d'Henri II et les autres celles des cosmographes et géographes du temps, Munster, Mercator, Ortelius, etc. Cf. Jomard, *Les monuments de la géographie ou Recueil d'anciennes cartes européennes et orientales*, Paris, s. d.

Elle avait des pays connus par les cartes et les livres des souvenirs divers: peaux de crocodiles pendues au plafond, caméléon, branches de corail, tapis des Flandres, tapis de Turquie, de Perse (chérins), laques de Chine: c'était une grande collectionneuse.

On croit à tort que les bibelots sont une manie contemporaine: le cabinet de Catherine en est plein. Il y a, bien en vue, sur une tablette, douze pièces de cristal de roche, parmi lesquelles trois grandes coquilles, ou *gondoles*, sur pieds d'or émaillés, et, dans les armoires, des éventails en cuir du Levant, de la soie pour faire des turbans, six «poupines» (poupées) en habits de deuil, en vêtements noirs, en costumes de demoiselles (nobles), des pots de senteur, des masques et des verreries de Venise, des laques de Chine, une quenouille «de bois de crotelle?», un damier de bois de rose, un échiquier de nacre de perles, quatre petits canons, des jeux de jonchets, de «regnard» et de billard, plusieurs écritoires, enfin un nombre si considérable d'objets d'art et de curiosité, que l'éditeur de l'Inventaire a renoncé à en faire même une énumération sommaire.

Tous les appartements et même les greniers de l'Hôtel étaient remplis de meubles de toute sorte, et comme il n'est pas alors d'usage de garnir d'étoffe et de rembourrer les bancs et les «chaires», la Reine-mère a cinq cents coussins de laine, de velours et de soie pour transformer en sièges moelleux les bois les plus durs.

Cent trente-cinq tableaux et trois cent quarante et un portraits illustrent les diverses pièces du logis. Catherine peut contempler, quelquefois en plusieurs répliques, l'image des siens et d'autres chefs de la chrétienté. Elle vit et se meut dans une atmosphère de grandeur.

Pour ses fêtes, ses bâtiments, ses collections et ses dons, elle dépensait des sommes immenses. A Bayonne, les tournois, les banquets, les joutes sur terre et sur mer coûtèrent si cher qu'il y eut quelques murmures. Elle disait pour se justifier «qu'elle vouloit monstrer à l'estranger que la France n'estoit si totalement ruynée et pauvre à cause des guerres passées qu'il l'estimoit». Souvent aussi elle alléguait l'exemple des «empereurs romains», «qui s'estudioient d'exhiber des jeux au peuple et luy donner du plaisir» pour l'empêcher de mal faire. Mais elle n'avait pas besoin de chercher ses raisons si loin.

Tout enfant, elle avait la réputation d'être dépensière et libérale. Ses appétits de magnificence s'ajoutant aux charges du gouvernement et des guerres civiles, le trésor, à la mort de Charles IX, était vide, et toute la matière imposable imposée. Inquiète de la détresse de l'État, elle recommanda à Henri III de regarder de très près à ses finances, mais Henri III aima mieux suivre son exemple que ses conseils. Elle n'était pas meilleure ménagère de ses propres revenus[798]. Elle ne savait rien refuser à qui la sollicitait et, par exemple, faisait don d'une coupe de bois à un gentilhomme qu'elle ne pouvait gratifier d'un secours d'argent. Longtemps l'abbé de Plainpied, son intendant, s'efforça de contenir les profusions de cette mère prodigue, mais, lui mort, elle cessa de compter. Elle avait près d'elle des nains et des naines, comme les autres souverains, mais ce que seule elle faisait, à ce qu'il semble, c'était d'entretenir des gouverneurs, des gouvernantes, un aumônier pour ces êtres disgraciés, de les marier à grands frais et de leur faire des cadeaux, quand ils allaient à confesse.

Elle empruntait à tous les taux l'argent nécessaire à ses fantaisies, à son luxe, à ses besoins, et, cette ressource même lui manquant, elle engageait d'avance ses revenus, et payait irrégulièrement ou ne payait pas les gages des officiers de sa maison et de ses dames. A sa mort elle devait huit cent mille écus, environ vingt millions de notre temps, et n'avait pas un sol. Elle riait de ses embarras, disant à ses financiers «qu'il falloit louer Dieu du tout et trouver de quoy vivre»[799]. C'est à peu près le mot qu'on prête à son grand-oncle, Léon X: «*Godiamo il papato, poiche Dio ci l'ha dato*» (Jouissons de la papauté, puisque Dieu nous l'a donnée).

**Note 798:** (retour) Bouchot, p. 147: Le livre de comptes de Cl. de Beaune.--Cf. p. 149 et la cause des dépenses p. 151.

**Note 799:** (retour) : L'abbé Chevalier, *Debtes et créanciers de la Royne mère*, Techener, 1862, p. XLIII. En 1588, elle avait dévoré les revenus de 1589 et devait un an de gages à ses serviteurs.

# CHAPITRE VIII

## LES DÉBUTS DE LA DYARCHIE

Assurément elle a pleuré Charles IX, et, comme elle dit, elle a pensé «crever» quand il lui dit adieu, et la pria de l'embrasser une dernière fois[800]. Mais le lendemain, elle écrivait au nouveau roi, cet autre fils encore plus chéri: «Si je vous venois à perdre, je me feroys enterrer avec vous toute en vie». Elle le pressait de revenir immédiatement de Pologne: «...Je meurs d'ennuy de vous revoir,... car vous sçavez combien je vous aime, et quant je pense que ne bougerez jamais plus d'avec nous, cela me fait prendre tout en patience». Elle se promettait de cette réunion «joye et contentement sur contentement»[801].

**Note 800:** (retour) *Lettres*, IV, p. 310, 31 mai 1574.

**Note 801:** (retour) *Ibid.*, p. 311-312.

Elle ne doutait pas qu'Henri III lui laissât même autorité que son prédécesseur, mais elle le savait susceptible et pouvait craindre quelque jalousie d'orgueil en ce surcroît de grandeur. Aussi que de ménagements dans cette première lettre! Elle l'informait qu'en attendant sa venue, elle avait, sur les instances du Roi mourant, pris la régence et s'excusait presque de n'avoir pas attendu ses ordres. Elle venait d'apprendre que Mongomery, l'ancien capitaine des gardes d'Henri II et l'un des meilleurs chefs huguenots, avait capitulé dans Domfront (27 mai) et, veuve impitoyable, elle avait hâte de voir de ses yeux supplicier le meurtrier innocent de son mari. Elle n'avouait pas cette soif de vengeance. Charles IX lui avait, disait-elle, recommandé expressément de faire «bonne joustice des prisonniers qu'il savoit estre cause de tout le mal du royaume». C'est à lui aussi qu'elle prêtait de meilleures suggestions touchant le duc d'Alençon et le roi de Navarre. Il avait connu que «ses frères» (son frère et son beau-frère) «avoient regrect en lui» (regrettaient leur conduite à son égard), ce «qui lui faisoit penser qu'ils me seroient obeissans et à vous, mais que (mais il fallait attendre que) fussiez isy»[802]. Ainsi, sans se mettre en avant, elle faisait comprendre à Henri III, un impulsif capable à la fois de rancunes tenaces et de brusques générosités, qu'il était sage d'accorder le pardon et prudent de le différer. Elle parle des affaires de Pologne avec tant de détachement qu'il n'est pas facile de deviner ce qu'elle en pense. Tout d'abord elle engage son fils à rentrer au plus vite. Peut-être ses sujets d'au delà voudront-ils le «retenir jusques à ce qu'ils ayent donné ordre à leur faict». Qu'il ne cède pas et parte. Mais c'est risquer de perdre une couronne. Or «cela est beau, pour pauvres qu'ils soient (les Polonais), d'estre roy de deux grans royaumes, l'un bien riche et l'autre de grande estendue et de noblesse». Mais ne serait-il pas possible de quitter et de garder la Pologne, et, glisse-t-elle en passant, d'y transférer le duc d'Alençon? «Si vous pouviez laisser quelqu'un où vous estes qui peult (peust, pût) conduire, et que ce royaume de Pollongne vous demeurast *ou à vostre frère*, je le desirerois bien fort, et leur dire que ou vostre frère ou le second enfant que vous aurez, (Henri n'était pas encore marié), vous leur envoyrez, et en ce pendant qu'ils se gouvernent entre eux, eslisant tousjours un François pour assister à tout ce qu'ils feroient et (je) croy qu'ils en seroient bien aises, car ils seroient roys eulx-mesmes jusqu'à qu'ils esleussent celui que y envoyrez»[803].

**Note 802:** (retour) *Ibid.*, p. 310.

**Note 803:** (retour) *Lettres*, IV, p. 311.

Si imaginative qu'elle fût, elle était trop intelligente pour supposer que les Polonais resteraient dans l'intérim par égard pour ce roi déserteur jusqu'à ce qu'il lui plût de leur expédier un remplaçant de sa main. Était-ce une façon de lui insinuer, tout en se disant impatiente de son retour, qu'il devrait rester en Pologne au moins le temps nécessaire pour organiser une lieutenance générale ou négocier l'élection de son frère? Mais il est malheureusement plus probable qu'elle n'a pensé qu'au plaisir de le revoir le plus tôt possible, et que pour ce plaisir-là elle a sacrifié les intérêts de la France en Pologne. Quelle fin pitoyable de son grand et coûteux succès diplomatique!

Elle prenait facilement son parti des railleries à prévoir, si son fils n'avait pas trop pâti en ce pays lointain. «L'expérience qu'avez acquise par vostre voyaige est telle que je m'asseure qu'il n'y eust jamays un plus sage roy... et ne me voldrez mal (et vous ne m'en voudrez pas) à l'appétit de ceux qui ne sauroient vivre que sur leur fumier[804], car j'espère (elle veut dire qu'elle est sûre) que vostre élection et allée en Pologne ne vous aura point apporté de mal ni de diminution de honneur et grandeur et de réputation»[805]. Et la voilà contente. Son fils a voyagé, ceint une couronne, fait l'apprentissage du pouvoir. Qu'il se hâte de regagner la France.

**Note 804:** (retour) C'est la seconde fois qu'elle emploie ce mot contre ceux qui, comme Tavannes s'étaient déclarés contre l'aventure de Pologne et la politique de magnificence.

**Note 805:** (retour) *Lettres*, IV, p. 312.

Henri III n'en avait que trop envie. Il s'enfuit de Cracovie (dans la nuit du 18 au 19 juin), gagna Vienne, où l'empereur Maximilien II, beau-père de Charles IX, l'accueillit bien, et, inquiet des dispositions de l'Allemagne protestante, prit son chemin par Venise. Il s'y attarda huit jours dans les fêtes que la Seigneurie donna en son honneur et les plaisirs qu'il s'offrit.

Les princes italiens, le duc de Ferrare, le duc de Mantoue, le duc de Savoie, le cardinal-neveu étaient allés eux-mêmes ou avaient envoyé leurs ambassadeurs saluer le nouveau roi de France, ce vainqueur de Jarnac et de

Moncontour, en qui ils pensaient trouver à l'occasion un appui contre l'hégémonie oppressive de l'Espagne: mais il avait bien d'autres soucis. Le jour, il courait les boutiques des marchands, achetant au joaillier Antonio della Vecchia des bijoux et des pierres précieuses et au «parfumiez» du Lys pour 1125 écus de musc; la nuit, il allait à des rendez-vous. Sans hâte, il traversa l'Italie du Nord et, par la Savoie, se dirigea vers Lyon, où sa mère, accourue au-devant de lui, l'attendait. Elle avait emmené le duc d'Alençon et le roi de Navarre à qui elle avait fait grâce, à sa demande. Elle se déclarait pleinement satisfaite de leur docilité «...Yl m'ont tou deus dist que asteure qu'ils ont toute libertés, que c'et lors qui (qu'ils) me veulent le plus rendre de sugetion». Et toutefois--qui croira que ce fut par affection?--elle les avait pendant tout le voyage gardés avec elle dans son «chariot» et fait coucher dans son «logis»[806]. Elle eut le 5 septembre à Bourgoin le bonheur d'embrasser le nouveau Roi. Elle se croyait au bout de ses peines.

Enfin, elle va pouvoir réaliser la grande politique qu'elle rêve. Elle a l'auxiliaire qu'elle souhaitait pour suppléer à sa faiblesse, mieux qu'un mari, mieux qu'un amant, son fils. Elle sera la tête; il sera le bras. A eux deux, ils abattront le parti protestant, ruineront la faction des Politiques, feront la royauté aussi forte et aussi obéie qu'elle le fut sous François Ier et sous le «roi Louis». Car Louis XI est le modèle qu'elle a récemment choisi.

Le premier acte d'Henri III était d'un bien mauvais augure. A Turin, bien caressé par sa tante, Marguerite de France, duchesse de Savoie, il avait disposé en faveur du duc, comme si c'étaient ses biens propres, des dernières possessions françaises du Piémont: Pignerol, Savillan et Pérouse, que le traité de Fossano[807], interprétatif de celui du Cateau-Cambrésis, avait laissées ou cédées à la France[808]. Il ne gardait plus au delà des Alpes que le marquisat de Saluces. C'était sa réponse aux princes italiens qui lui avaient porté leurs hommages à Venise. Il livrait au Savoyard, ennemi de la veille et allié douteux, les clefs des Alpes et les voies d'accès de la France en Italie.

Il fit à sa tante ce cadeau royal de sa pleine autorité, sans consulter son Conseil. Les Italiens qui entouraient Catherine de Médicis se montrèrent en cette occasion plus soucieux des droits de la Couronne que le Roi lui-même. Le chancelier Birague refusa de sceller les lettres de cession. Louis de Gonzague, un cadet de la maison de Mantoue, marié à l'héritière de Nevers, et qui était gouverneur des pays d'outremonts, exigea qu'un acte public, délibéré en Conseil, enregistrât sa protestation[809].

**Note 806:** (retour) *Lettres de Catherine*, V, p. 73.

**Note 807:** (retour) Voir ci-dessus, ch. V, p. 125-126.

**Note 808:** (retour) Du Mont, *Corps diplomatique*, t. V, I, p. 231.

**Note 809:** (retour) *Lettres*, V, p. 102, n. 2.

Catherine ne fut pas si brave. Et même il n'est pas sûr qu'elle n'ait pas approuvé l'acte du nouveau Roi. Le duc de Nevers l'en accuse presque, et l'on ne peut rien conclure de la réponse embarrassée qu'elle lui écrivit[810]. Elle aimait beaucoup sa belle-sœur, Marguerite, la duchesse de Savoie, elle avait intérêt à ne pas contrecarrer son fils, de qui son pouvoir dépendait. En tout cas, elle mit un empressement fâcheux à rassurer le duc de Savoie, qui, surpris de tant de générosité, craignait que le donateur, après réflexion, ne se dédît. «... N'y a personne, lui écrivait-elle le 1er octobre 1574, qui puisse empêcher le Roi mon fils de vous tenir promese, come auré peu voir par l'arrivée du grant Prior (Henri d'Angoulême, grand Prieur de France) et du segretere Sove (Sauve) que (qui) je panse à présant auront satisfayst à votre volanté et à celle du Roy.» Elle regrette que Marguerite ne soit plus là (elle venait de mourir) pour avoir ce contentement et, affirme-t-elle au Duc, «avecques vos mérites,... sa mémoyre (celle de la Duchesse) sera tousjour (si) présante à son nepveu (Henri III) qu'ele serviré (servira) à vous»[811].

**Note 810:** (retour) *Lettres de Catherine*, 16 octobre 1574, t. V, p. 99.

**Note 811:** (retour) *Ibid.*, V, p. 92.

Comme elle était très habile à cacher ses déconvenues et même à se faire un mérite d'actes qu'elle blâmait *in petto*, il n'est pas possible d'affirmer qu'elle a été complice, mais, d'autre part, avec ses préjugés de puissance absolue, elle ne devait pas trouver plus étrange que son fils donnât des territoires qu'une pension.

Elle était bien plus préoccupée des complaisances dont elle et lui pouvaient pâtir. Dans sa première lettre (31 mai), elle le mettait en garde contre l'esprit de coterie auquel il n'était que trop enclin. Avec l'aide de sa mère, il avait réussi pendant le règne de son frère à se créer dans l'État une situation à part. Même, pour s'assurer contre la jalousie de Charles IX, il s'était cherché partout des amis et des serviteurs, avouant à sa sœur Marguerite qui si le Roi lui ôtait la charge de lieutenant général «pour aller luy-mesme aux armées», ce lui «seroit une ruine et desplaisir si grand qu'avant que recevoir une telle cheute», il «éliroit plus tost une cruelle mort»[812]. Chef de parti il avait été, et, chef de parti, Catherine devait craindre qu'il ne restât, avec les fatalités que ce rôle impose, le client de sa clientèle. Elle l'engageait à changer de méthode avec une sagesse que l'on admirerait à toute sa valeur, si la conseillère n'était en partie cause du mal qu'elle condamnait. «... Ne vous laissez aller aux passions de vos serviteurs, car vous n'estes plus Monsieur qui faille (qui doive) dire je gagneray ceste part, affin d'estre le plus fort. Vous estes le roy, et tous fault qu'ils vous fassent le plus fort, car tous fault qu'ils vous servent et les fault tous aymer et nul haïr que ceux qui vous haïront... Aymez-les (vos serviteurs) et leur faictes du bien, mais que leurs partialitez ne soient point les vostres, pour l'honneur de Dieu». Elle lui recommandait, le sachant facile aux sollicitations de son entourage, d'ajourner jusqu'à son retour en France la distribution des grâces et des charges. «... Je vous prie, ne donner rien que vous ne soyiez ici, car vous sçaurez ceulx qui vous auront bien servi ou non; je les vous nommeray et monstreray à vostre veneue et vous garderay tout ce qui vacquera de bénéfices, d'offices.» Ce sera le moyen de se procurer quelque argent. «Nous les metterons à la taxe, car il n'y a pas ung escu pour fayre ce qui vous est nécessaire pour conserver vostre royaume»[813].

**Note 812:** (retour) Sa conversation avec Marguerite, *Mémoires*, éd. Guessard, p. 14.

**Note 813:** (retour) *Lettres*, 31 mai 1574, t. IV, p. 311-312.

Elle insiste sur le devoir pour le Roi de France de faire oublier le duc d'Anjou dans une courte instruction qu'elle lui fit porter à Turin par Cheverny et qui contenait tout un programme de gouvernement[814].

Il doit «cet monstrer mestre et non plus compagnon ... et non que l'on panse: yl é jeune, nous luy feyron paser cet que voldrons», et (il doit) «aulter la coteume de rien donner à qui le braveré, au luy voldré fayre fayre par fason de conpagnon au d'estre mal content; qu'il rompe cete coteume à deux ou troys dé plus aupès (huppés) et hardis. Les aultres yl viendront coment yl deveront. Qu'il donne de lui-mesme à ceulx qui le serviront bien et ne bougeront de leur charge san qui le viegnet ynportuncr pour en avoir» ... «Qu'il provoy aus aytas et non haux omes, car cela porte domage à son service, quant, pour récompanser un homme, l'on luy donne une charge de quoy il n'est pas digne»[815]. Qu'il récompense autrement ou paie avec de l'argent les dévouements sans mérite. Il ne faut pas qu'un favori dispose de tout, «car en lieu d'en contenter beaucoup pour les aubliger et en avoyr en chaque provinse à luy (le Roi), yl (le Roi) ne en n'auroit que une dousayne, laquelle dousayne quant yl se voynt si suls et grens yl font teste au Roy, en lyeu de reconoystre qu'i les a fayts[816].» Il est nécessaire dans les provinces de s'attacher par des charges, offices, bénéfices et dignités «des plus grens et les plus capables d'antendement», «coment solouit (avaient coutume de) fayre le roy Louys (Louis XI) et depuis le Roy (François Ier), son grent-père». Il convient de favoriser aussi les évêques, «car yl servet (ils servent) en leur diocèse de tout contenir». Qu'il règle sa Cour «et pour la régler qu'i cet (qu'il se) règle le premier». Qu'il se lève à «heure certeine» et se fasse apporter immédiatement dans sa chambre les dépêches pour les lire et indiquer aux secrétaires d'État les réponses à faire. Qu'il ordonne de lui adresser directement les placets et les demandes--que les solliciteurs avaient pris l'habitude de remettre aux secrétaires d'État--afin que tout le monde sache bien qu'il est l'unique dispensateur des grâces «et en cet faysant on n'en sauré gré que au Roy et ne suivra-t-on plus que luy». Qu'il réforme son Conseil et le réduise à «nombre honeste». Qu'il ôte ce Conseil des finances, qu'elle avait introduit elle-même pour se décharger, et que, comme au temps de François Ier, tout se décide au Conseil privé, où l'on expédiait d'abord les affaires d'État et où après on appelait «pour les parties»[817].

**Note 814:** (retour) *Ibid.*, V. p. 73-75, dont j'ai modernisé ci-dessous, en note, les passages les plus difficiles.

**Note 815:** (retour) *Ibid.*, p. 74. Il doit «se montrer maître et non plus compagnon» ... et il ne faut pas «que l'on pense: il est jeune, nous lui ferons passer ce que [nous] voudrons» et il doit «ôter la coutume de rien donner à qui le braverait ou [qui] lui voudrait faire faire par façon de compagnon ou d'être mal content: qu'il rompe cette coutume à deux ou trois des plus huppés (?) et hardis. Les autres, ils viendront [à se conduire] comme ils devront. Qu'il donne de lui-même à ceux qui le serviront bien et ne bougeront de leur charge sans qu'ils le viennent importuner pour en avoir» ... «Qu'il pourvoit aux états et non aux hommes, car cela porte dommage à son service, quand, pour récompenser un homme, l'on lui donne une charge dont il n'est pas digne».

**Note 816:** (retour) Il ne faut pas qu'un favori dispose de tout, «car, au lieu d'en contenter beaucoup [de ses sujets] pour les obliger et avoir [des hommes] à lui en chaque province, le Roi n'en aurait qu'une douzaine, laquelle douzaine, quand ils se voient si seuls et grands, ils tiennent tête au Roi, au lieu de reconnaître qu'il les a faits [ce qu'ils sont]».

**Note 817:** (retour) Par la force des choses, la division du travail s'établissait dans le Conseil du roi. Les séances du Conseil privé partagées entre les affaires d'État, la justice et les finances tendaient à devenir des «sections». Mais les rois quand ils voulaient avoir l'œil directement à leurs affaires et les suivre jour par jour, recommençaient à les faire délibérer en leur présence dans le Conseil au lieu de les laisser décider à part par un groupe de conseillers. Ainsi François Ier, au retour de sa captivité de Madrid, avait «remis en un» le Conseil privé divisé en trois: guerre et affaires, finances, justice. Ce Conseil unifié tenait deux séances: l'une de préférence le matin, réservée aux finances et affaires d'État (d'où les divers noms qui avaient cours au XVIe siècle de Conseil des affaires, Conseil de la chambre, Conseil étroit, Conseil des affaires du matin), l'autre, avec un personnel plus nombreux, consacrée aux requêtes et parties (Conseil des parties, Conseil privé et des parties). C'est à l'organisation du temps de François Ier, celle qui nous est connue par un règlement de 1543, que se réfère Catherine de Médicis. Quant au Conseil des finances qu'elle avait établi et qu'elle proposait de supprimer, il n'était à l'origine qu'une commission préparatoire, formée de conseillers plus compétents et chargée de préparer les décisions à soumettre au Conseil privé en matière de finances, mais il s'était habitué à tout régler et avait réduit le Conseil privé à n'être plus qu'une chambre d'enregistrement.

Mais surtout il lui importe de faire ces réformes dès le tout premier jour «car si (s'il) ne les fayt de set (ce) fin comensement yl ne les fayré jeamès». Mais, dira-t-on, pourquoi, voyant si bien le mal, n'y a-t-elle pas remédié plus tôt? «Set (si) je eusse esté, répond-elle, coment yl (Henri III) est asteure» c'est-à-dire aussi puissante qu'elle le croit être et aussi maîtresse de ses actions, «je l'euse fayst», et elle conclut: «Yl peult tout, mes qu'yl (pourvu qu'il) veulle.[818]»

Il y parut tout disposé. Aussitôt arrivé à Lyon, il réduisit le Conseil à huit membres: le chancelier (Birague), Messieurs de Morvilliers, de Limoges, de Foix, Pibrac, Jean de Monluc, Cheverny, Bellièvre, à qui s'adjoindraient les princes, quand il les convoquerait. Il nomma Bellièvre surintendant des finances, ce qui était en fait supprimer le Conseil préparatoire des finances. Il écouta les dépêches et dicta les réponses. Les secrétaires d'État, qui s'étaient arrogé le droit d'ouvrir les courriers et d'expédier d'autorité les affaires pressantes, «eurent sur la corne» et furent ramenés à leur rôle primitif de rédacteurs des ordres du Roi et du Conseil. Aucun don, dit un témoin, ne fut valable si le Roi ne signait «de sa main le placet sur lequel il auroit été accordé»[819].

**Note 818:** (retour) *Lettres de Catherine de Médicis*, t. V, p. 75.

**Note 819:** (retour) *Ibid.*, t. V, p. 85, note 1.

Mais le gouvernement personnel exige une volonté, une application, une continuité dans l'effort dont Henri III était incapable. Il se lassa vite des délibérations, des signatures, des audiences. Les anciens errements reparurent, aggravés par l'action intermittente et les caprices du souverain. Contrairement aux conseils de sa mère, il ne fut pas tout à tous, familier aux princes et aux gentilshommes, ainsi que l'étaient son père et son grand-père. Il se confina dans le cercle de quelques compagnons de son âge. Il se dispensa des corvées de la représentation, comme s'il lui déplaisait de se montrer à ses sujets; il fit mettre une balustrade autour de sa table pour écarter les bavards et les importuns et manger dans la quiétude d'un silence respectueux. Des seigneurs grands et petits, habitués à voir les rois, à les approcher, à leur parler, quittèrent la Cour, indignés de ces «singeries» qui sentaient la Sarmatie barbare «*quae barbari moris sunt*»[820].

**Note 820:** (retour) *Lettres*, t. V, p. 85, note 1.--Ant. du Verdier, *Prosopographie ou Description des personnes illustres tant chrestiennes que profanes*, Lyon, 1603, t. III, p. 2558-59.

Il continua, comme l'appréhendait sa mère, à favoriser les gens de son intimité. Avant d'être arrivé à Lyon, il déposséda le maréchal de Retz de sa charge de premier gentilhomme de la Chambre pour en gratifier Villequier.

Catherine lui fit représenter combien «tout le monde» trouverait «étrange» qu'il chassât les serviteurs de son frère. Elle obtint seulement que Retz et Villequier seraient en charge six mois chacun. Elle ne put empêcher qu'il promût Bellegarde à la dignité de maréchal de France, bien que les quatre titulaires fussent en vie, ni qu'il créât pour Ruzé une cinquième charge de secrétaire d'État. Il donna à Larchant la charge de capitaine des gardes, dont elle avait investi Lanssac, à la mort du titulaire, et il fit Souvré maître de la garde-robe. C'étaient ses compagnons de voyage en Pologne et il les en récompensait comme d'un sacrifice.

Catherine eut bientôt de plus graves déceptions. La révolte s'étendant, elle revenait à son dessein d'abattre le parti protestant. C'était la suite cruelle, mais logique de la Saint-Barthélemy. Après ce massacre épouvantable, que les coreligionnaires des victimes et même un certain nombre de catholiques incriminaient de préméditation et de guet-apens, il n'y avait plus d'accord ni de confiance possible. Richelieu, qui n'avait pas de représailles à craindre, poursuivit cette politique d'écrasement comme le seul moyen d'en finir avec les guerres civiles. Le tort de Catherine fut de ne pas comprendre que, pour venir à bout des huguenots, il fallait leur ôter l'appui des politiques. Il lui aurait probablement suffi, pour ramener Damville, naguère catholique ardent, de lui laisser le gouvernement du Languedoc et de mettre en liberté les maréchaux de Montmorency et de Cossé. Mais elle avait une si haute idée des talents militaires de son fils qu'elle l'estimait capable de vaincre la coalition des malcontents. Avant même de l'avoir revu, elle l'engageait à se défier de Damville, qui était allé à sa rencontre jusqu'à Turin pour se justifier. Qu'il déclarât expressément sa volonté de faire la guerre si les rebelles n'acceptaient pas ses conditions, dont la première était l'interdiction du culte réformé. Avec les six mille Suisses de nouvelle levée et l'armée du prince Dauphin (le fils du duc de Montpensier), il comprimerait facilement la révolte du Languedoc. Qu'il se gardât bien d'accorder une trêve pendant laquelle ses forces se consumeraient sans effet. Elle se flattait même, cette mère aveugle, que «vous voyent (voyant) fort, yl (les révoltés) viendront alla reyson an (ou) les y fairé venir (ou sinon vous les y ferez venir)... et j'é aupinion que avant que en partit (que vous partiez de Lyon) vous métré cet royaume au repos et yré au partir de là vous faire coroner le plus triomfant roy que fust jeamès»[821].

Henri III, bien stylé par elle, écouta d'une oreille distraite les explications de Damville et les conseils de modération du duc et de la duchesse de Savoie[822]. Le gouverneur du Languedoc revint à Montpellier décidé à ne plus voir le Roi qu'en peinture.

**Note 821:** (retour) *Lettres*, V, p. 67-68, août 1574.

**Note 822:** (retour) D'après Giovanni Michiel, ambassadeur de Venise en France en 1575, ce serait la seigneurie de Venise qui aurait engagé le Roi à entrer en France désarmé, en proclamant un pardon général et en libérant les prisonniers (Tommaseo, II, p. 245.)

Contre la Reine-mère la guerre de plume avait repris plus vive. Dans de courtes satires ou de longs pamphlets, politiques et protestants, en vers, en prose, en latin, en français, excitaient le sentiment national contre cette étrangère, qui gouvernait avec des étrangers. Le Milanais Birague est chancelier; Philippe Strozzi, colonel général de l'infanterie française; le duc de Nevers, un Gonzague de Mantoue, chef d'armée; Albert de Gondi, maréchal de France. Sardini et un Gondi d'une autre branche, Jean-Baptiste, afferment les impôts et en lèvent plus qu'ils ne doivent; par les mêmes moyens Adjacet épuise nos richesses. «Ainsi la Médicis livre le royaume à des gitons d'Ausonie». Elle a de tout temps poussé les Français les uns contre les autres, opposant les Guise aux Châtillon et triomphant par sa fourberie des uns et des autres. Elle emploie contre ceux que la force ne peut réduire la ruse, les tribunaux, l'assassinat, le poison. Elle a prémédité la Saint-Barthélemy et poussé le peuple au massacre. Elle multiplie stratagèmes et artifices pour ruiner le royaume de fond en comble. Français, résignez-vous lâchement à être les esclaves de ces mignons florentins ou à quitter le pays, votre vieux pays, si vous ne vous décidez pas à combattre les armes à la main la fourberie florentine[823].

Le plus connu de ces libelles et le plus digne de l'être est le *Discours merveilleux de la vie, actions et déportemens de la reyne Catherine de Médicis*[824], qui justement la flétrit comme l'auteur de la Saint-Barthélemy, mais qui l'accuse par surcroît, comme si ce crime n'était pas suffisamment exécrable, d'avoir fait empoisonner ou assassiner tous les grands personnages dont la mort, le plus souvent naturelle, avait profité à sa fortune. Son gouvernement n'a été qu'intrigues, complots, perfidies et calculs abominables. Elle a débauché ses fils pour briser leur énergie, affaiblir leur intelligence et les dégoûter de l'action, digne fille de tous ces Médicis confits en impiétés, en forfaits et en incestes.

**Note 823:** (retour) *Mémoires-journaux de l'Estoile, édition pour la première fois complète et entièrement conforme aux manuscrits originaux*, Paris, Jouaust, t. I, 1875, p. 18-19.

**Note 824:** (retour) Texte reproduit dans les *Archives curieuses de l'Histoire de France*, publiées par Cimber et Danjou, 1re série, t. IX, p. 3-113.

Le *Discours merveilleux* est plus qu'un pamphlet. C'est le manifeste des protestants et des catholiques unis. Il tend à réconcilier contre la Reine-mère la noblesse et même le peuple des deux religions. Il ménage les Guise, dont la participation à la Saint-Barthélemy est presque, à titre de vengeance personnelle, excusée[825]. Il n'en veut qu'à la grande criminelle, à l'ennemie du nom français, qui détient les princes et qui a jeté les maréchaux en prison. Il faut résolument s'opposer à ses desseins «... A cela mesme vostre devoir et honneur vous appelle, seigneurs et gentilshommes françois. Ce n'est pas pour contenance que vous portez les armes; c'est pour le salut de vos princes, de vostre patrie et de vous mesmes. N'endurez donc pas que vos princes soyent esclaves, que les principaux officiers de ceste Couronne, pour la seule affection que l'on sçait qu'ils portent à la conservation d'icelle, soyent en danger de leur vie, que vous mesmes soyez tous les jours exposez à la mort pour satisfaire à l'appétit de vengeance d'une femme qui se veut venger de vous et par vous tout ensemble.» Les divisions religieuses sont sa force. Oublions-les. A défaut d'une même foi, ne sommes-nous pas tous «François, enfans légitimes d'une mesme patrie, nés en un mesme royaume, sujets d'un mesme Roy»? «Marchons donc tous d'un cœur et d'un pas; tous, dis-je, de tous estats et qualitez, gentilshommes, bourgeois et païsans et la contraignons de nous rendre nos princes et seigneurs en liberté»[826].

La «Vie sainte Katherine», comme on appelait en raccourci le *Discours merveilleux*, eut un très grand succès. Les imprimeurs de Lyon, alors capitale de la librairie, avaient, pour suffire à la masse des commandes, rempli leurs caves d'exemplaires. L'opinion était lasse de cette longue tutelle féminine et de sa politique incohérente, des violences sans résultat, de la guerre sans fin, des dépenses de Cour, de la surcharge des impôts, de la disgrâce des princes, du crédit des étrangers et de la misère générale... «Ce livre, dit l'Estoile, fust aussi bien receuilli (recueilli, accueilli) des catholiques que des huguenots (tant le nom de ceste femme estoit odieux au peuple) et ai ouï dire à des catholiques ennemis jurés des huguenots qu'il n'y avoit rien dans le livre qui ne fust vrai»[827].

**Note 825:** (retour) 825: Un autre pamphlet protestant, daté du douzième jour du sixième mois de la trahison (la Saint Barthélemy), c'est-à-dire du 4 ou 5 février 1573 et qui parut à Edimbourg en 1574, *Le Réveille matin des François et de leurs voisins composé par Eusèbe Philadelphe*, allait encore plus loin et, faisant allusion à la prétention qu'avaient les Guise de descendre de Charlemagne, il leur disait: «Les huguenots ne désireroient rien mieux que de vous voir remis au throsne que Hugues Capet usurpa sur les rois vos predecesseurs, s'assurans bien (comme ce livre porte) que non seulement vous lairriez leurs consciences libres: ains aussy tout exercice de leur religion sain, sauf et libre par toute la France.»

**Note 826:** (retour) *Archives curieuses de l'Histoire de France*, t. IX, p. 111-112.--Cf. la déclaration de Damville pour la justification de la prise d'armes (13 nov. 1574), dans l'*Histoire générale du Languedoc de D. Vaissière*, éd. nouvelle, Toulouse, 1889, t. XII (Preuves), col. 1105-1111.

**Note 827:** (retour) *Mémoires-journaux de Pierre del'Estoile*, éd. Jouaust, t. I, p. 28.

Il est vrai que Catherine avait poussé dans les hautes charges de l'État et de l'Église ses parents et quelques-uns de ses clients. La fortune de Pierre Strozzi, qui devint maréchal de France, fut surtout l'œuvre d'Henri II et des affaires d'Italie[828]. Mais elle fit de son fils, Philippe, un colonel général de l'infanterie française, de son frère Laurent, un évêque et un cardinal; elle prit Robert, son autre frère, le banquier de la famille, pour chevalier d'honneur. Elle montra une affection presque maternelle à ses filles; elle maria Clarisse en 1558 à Honorat de Savoie-Tende, comte de Sommerive, gouverneur de Provence, et la dota d'un revenu de cinquante mille livres et de dix mille livres comptant en bagues et meubles[829]; elle choisit Alfonsine pour dame d'honneur après la mort et en remplacement de la princesse de La Roche-sur-Yon, une princesse du sang, et nomma le comte de Fiesque, un membre de l'aristocratie génoise, qu'elle lui avait fait épouser, général des galères et ambassadeur à Vienne.

**Note 828:** (retour) Ch. II, p. 49-51.

**Note 829:** (retour) Lucien Romier, *Les Origines politiques des guerres de religion*, t. I, p. 150, note 2.

Elle ne tint pas rigueur à ses autres cousins, les Salviati, d'avoir pris parti pour le duc de Florence, Côme. L'évêché de Saint-Papoul en Languedoc leur fut réservé comme un fief ecclésiastique. Quand Jean, le fils de Jacques Salviati et de Lucrèce de Médicis, résigna, il eut pour successeur Bernard, déjà grand aumônier, et celui-ci promu au cardinalat fut remplacé à son tour à Saint-Papoul par Antoine-Marie Salviati. Un autre Salviati est aumônier ordinaire.

Elle s'était toujours louée, depuis son arrivée en France, des soins d'une de ses dames, Marie-Catherine de Pierre-Vive, bourgeoise lyonnaise, mariée à un petit gentilhomme florentin, Antoine de Gondi, notable commerçant à Lyon[830]. Ce fut l'origine de la fortune des Gondi. Albert, pour ne citer que les plus marquants, premier gentilhomme de la chambre de Charles IX, fut nommé maréchal de France sans avoir porté les armes, et sa baronnie de Retz érigée en duché-pairie; Pierre fut évêque de Langres, cardinal, évêque de Paris et l'ancêtre d'une famille épiscopale, qui, d'oncle à neveu, se continua pendant presque un siècle[831].

**Note 830:** (retour) Corbinelli, *Histoire généalogique de la maison de Gondi*, Paris, 1705, 2 vol. Antoine de Gondi, père du duc de Retz, t. II, p. 2. Sur le «négoce des Gondi», le généalogiste est muet. Aussi faut-il suppléer à son silence avec quelques indications d'archives du comte Charpin de Feugerolles, *les Florentins à Lyon*, 1894, p. 119, 120 et *passim.*

**Note 831:** (retour) Corbinelli, t. II, p. 25-29 et p. 61.

Catherine employa comme négociateurs d'autres Florentins, les Gadagne, les D'Elbene, qui arrivèrent aussi à Paris par l'étape de Lyon.

On relève dans la liste de ses dames les plus grands noms de Florence, une Cavalcanti, une Tornabuoni, une Buonacorsi. Elle avait attaché à sa personne les filles de Louis Pic, comte de la Mirandole, ce vieux client de la France, et en maria deux à des La Rochefoucauld.

C'est à elle que s'adressaient comme à leur protectrice naturelle tous les Italiens, bannis politiques, lettrés, écrivains, jurisconsultes, artistes, qui cherchaient en France une situation ou un refuge. Elle les secourt, les place, et, solliciteuse infatigable et sans discrétion, les recommande à tout le monde.

Elle avait à un haut degré le sens, très italien, des devoirs du patron envers sa clientèle.

C'était presque une fatalité de sa situation. Étrangère, sans parti ni prestige, écartée du pouvoir pendant le règne de son mari par le crédit d'une favorite, puis devenue régente en une crise religieuse, qui exaspérait l'esprit de désobéissance et de faction des temps de minorité, elle avait été heureuse de trouver parmi ses domestiques, ses parents et ses compatriotes des gens de toute confiance, et tout à sa dévotion. Qu'elle les ait récompensés largement, il n'y a là rien qui doive surprendre. Richelieu voulut, lui, opposer et même substituer ses neveux et ses cousins aux Montmorency, aux Guise, aux d'Épernon; il maria une de ses nièces à un Condé pour mêler son sang au sang de France. Catherine, plus respectueuse de la naissance et du rang, ne chercha pas à pourvoir les élus de sa faveur aux dépens de la vieille aristocratie française.

En certaines affaires, ses compatriotes étaient indispensables au gouvernement. Les guerres civiles, dont elle n'était pas cause, et le luxe des fêtes et des bâtiments, dont elle était responsable, coûtaient très cher. A la fin du règne de Charles IX, le trésor était vide. Il avait fallu pour vivre recourir à tous prêteurs[832], aliéner des biens d'Église et le domaine de la Couronne, augmenter les impôts, taxer les marchandises à l'entrée et à la sortie, altérer les monnaies. Dans cette chasse à l'argent, les Italiens étaient passés maîtres, ayant été les premiers et étant restés longtemps les seuls grands banquiers de la chrétienté. Ils firent à l'État des avances et empruntèrent en son nom. Ils furent ses meilleurs et ses plus redoutables agents en matière fiscale. Habitués à se grouper pour l'exploitation d'une affaire, ils organisèrent des compagnies par actions ou parts, qui prirent à ferme la perception des aides (impôts de consommation) et des traites (droits de douanes). Prêteurs, ils traitaient le gouvernement en fils de famille prodigue et lui procuraient des fonds à des taux usuraires; publicains, ils se faisaient adjuger au forfait le plus avantageux la levée des impôts. Ils gagnaient sur le roi, à qui ils vendaient très cher leurs services, et sur les contribuables, qu'ils pressuraient sans pitié pour en tirer le maximum de rendement.

**Note 832:** (retour) Par exemple aux Vénitiens et au grand-duc de Toscane, en leur donnant en gage les joyaux de la Couronne. Aussi M. Germain Bapst a-t-il écrit un excellent chapitre de l'histoire financière des Valois dans son *Histoire des joyaux de la Couronne de France d'après des documents inédits*, Pari», 1889, liv. II: Rôle financier des diamants de la Couronne.

Partisans et traitants prospéraient au milieu de la misère générale. Des Gondi encore[833], et des gens inconnus la veille, les Sardini, les Adjacet, les Zamet, amassaient en quelques années des fortunes immenses, épousaient des filles de la noblesse et de l'aristocratie, s'anoblissaient, faisaient souche de gentilshommes, d'abbés, d'évêques. Ces nouveaux riches du temps n'étaient d'ailleurs pas tous Italiens. Les Français qui entraient dans ces sociétés ne se montrèrent pas moins âpres au gain, mais les huguenots et les politiques avaient intérêt à faire croire que ces «sangsues» du peuple, comme les appelait un député des États généraux, venaient tous du pays de la Reine-mère. L'opposition s'efforçait de donner à ses attaques le caractère d'une protestation nationale.

**Note 833:** (retour) Sur Jean-Baptiste Gondi, le «compère» de Catherine, banquier à Lyon, puis traitant, voir Corbinelli, t. I, p. CCXLV, qui indique ses dignités de «maître d'hôtel» du roi, etc., mais ne dit rien de ses spéculations.

Catherine aurait pu répondre que ses prédécesseurs lui avaient légué une situation obérée et qu'il n'avait pas dépendu d'elle d'éviter le retour des guerres civiles. Elle avait trouvé à la Cour de France beaucoup plus d'Italiens qu'elle n'en avait attiré, tous ces fuorusciti que François Ier et Henri II tenaient en réserve pour leurs entreprises d'outremonts. Il n'était pas plus légitime de reprocher au duc de Nevers d'être un Gonzague de Mantoue qu'aux Guise d'être Lorrains et au duc de Nemours, Savoyard. Le chancelier Birague était d'une famille milanaise qui s'était ruinée pour la cause française. Pierre Strozzi et son fils Philippe se firent tuer, l'un sous les murs de Thionville, l'autre, comme on le verra, dans la bataille navale des Açores, en combattant contre Charles-Quint et Philippe II. C'est une question de savoir si l'on doit considérer comme étrangers le duc de Retz et le cardinal Pierre de Gondi, fils d'un notable commerçant, propriétaire à Lyon, conseiller de ville, et marié à une Lyonnaise de race. Ils avaient été élevés en France[834], et ils n'en sortirent que pour des missions temporaires. L'éducation, le milieu, l'ascendance maternelle, contre-balançaient tout au moins l'origine florentine. Après un acclimatement, si l'on peut dire, de deux générations, ils étaient mieux que des naturalisés et pouvaient se dire Français naturels. Mais les pamphlétaires ne sont pas des historiens.

**Note 834:** (retour) Albert de Gondi est né à Florence le 4 novembre 1522, pendant un séjour qu'y firent ses parents; mais depuis 1533 son père et sa mère, et lui probablement, vécurent à la Cour (Corbinelli, t. II, p. 25). Le Cardinal est né à Lyon en 1533 (Corbinelli, t. II, p. 61).

Catherine se moquait des diffamations et des calomnies; elle se flattait de forcer les opposants à la pointe de l'épée. De sages conseillers, comme Paul de Foix, des hommes de guerre, comme le maréchal de Monluc, engageaient le Roi à faire des concessions; mais la Reine-mère fit prévaloir le parti des intransigeants. Quatre armées furent formées ou renforcées pour agir contre les rebelles du Midi et de l'Ouest.

Henri III prit le commandement de celle qui devait écraser Damville. Il n'alla pas plus loin qu'Avignon (23 novembre). Il venait d'apprendre la mort de la princesse de Condé, qu'il aimait éperdument et voulait, dit-on, épouser, et, désespéré de sa perte, il avait, pendant plus de huit jours, versé des larmes et crié sa peine. Puis sa douleur tournant en accès de religiosité, il s'affilia aux confréries, si nombreuses en terre papale, de pénitents bleus, blancs, noirs. Il suivit avec les princes et les courtisans les processions de nuit, la face couverte de la cagoule et le cierge à la main. Le cardinal de Lorraine y prit le serein dont il mourut (26 décembre). La Reine-mère, cédant elle aussi à sa passion, qui était de négocier, fit le jour même de son arrivée à Avignon (22 novembre), proposer à Damville une entrevue à Tarascon ou à Beaucaire, «luy asseurant en parole de royne et de princesse qu'il peult venir en toute seureté». Mais elle avait affaire à un homme très fin, qui, devinant ses pensées de derrière la tête, s'excusa d'aller lui parler «pour ne mectre en jalousye M. le prince de Condé, nostre général, tous nos confédérés et tant de gens de bien unis à nostre cause»[835]. Il construisait une citadelle à Montpellier, fortifiait Lunel, Nîmes, Beaucaire, et même il convoquait les États généraux de la province, sans l'aveu et même contre l'aveu du Roi. Il attaqua Saint-Gilles sur le Rhône, et battit la place si furieusement que la canonnade s'entendait d'Avignon, à quelques lieues de là. Les députés des Églises et des «catholiques paisibles» assemblés à Nîmes scellaient leur grand pacte d'union et organisaient le gouvernement des provinces du Midi et du Centre. Une République était constituée dans la monarchie sous le commandement de Damville et l'autorité suprême de Condé, le seul prince du sang libre, avec ses assemblées, ses armées, ses chambres de justice, ses douanes, ses finances, ses impôts, sa police et ses établissements hospitaliers (10 janvier 1575)[836].

**Note 835:** (retour) Lettre de Catherine du 22 novembre et réponse de Damville du 23, dans *Lettres*, t. V, p. 105-106, note.

**Note 836:** (retour) Voir le règlement de l'Union, 10 janvier 1575, dans l'*Histoire générale du Languedoc*, éd. nouvelle, t. XII (Preuves), col. 1114-1138, et les articles promulgués par Damville, *ibid.*, col. 1138-1141.

Henri III, las de faire campagne, approuva l'acte d'Union et autorisa les huguenots et les malcontents à lui présenter, après entente avec le prince de

Condé, le cahier de leurs doléances. C'en était fait du grand dessein de Catherine et de ses illusions. Elle avait pu se convaincre que son fils n'était pas un Alexandre. Elle avait pris pour amour des armes un certain feu de jeunesse, qui avait été vite éteint par les plaisirs, et, pour du génie militaire, les victoires dues à l'habileté de Tavannes. Elle constatait encore qu'en tous ses actes il ne suivait d'autre règle que ses convenances et son humeur. Après avoir épuisé en une semaine de pleurs et de plaintes le regret de la princesse de Condé, il déclara à sa mère sa résolution d'épouser une jeune princesse de la maison de Lorraine, Louise de Vaudemont, petite-cousine des Guise, sans fortune ni espérances, dont à son passage à Nancy, en route pour la Pologne, il avait distingué la douceur et la beauté. Catherine négociait en Suède pour lui trouver une femme bien dotée et apparentée, qui l'aiderait peut-être à garder sa couronne de Pologne. Mais Henri faisait passer avant tout son inclination. Catherine approuva ce qu'elle n'aurait pu empêcher: et, pour cacher sa déconvenue, laissa croire qu'elle avait fait ce mariage de sa main. Au moins pouvait-elle se dire que cette bru, dont on vantait la bonté, les goûts simples et l'absence d'ambition, ne lui disputerait pas le gouvernement de son fils et des affaires. Six mois après (27 août 1575), Henri III abandonna au duc de Lorraine, chef de la Maison et d'ailleurs mari de sa sœur Claude, ses droits de suzeraineté sur le Barrois mouvant. Les impulsions du Roi coûtaient cher.

Catherine l'avait aimé par-dessus tous ses enfants et tellement choyé qu'il ignorait l'idée d'une contrainte et se regardait comme un être d'élection. Il avait, il est vrai, de nature les dons les plus rares. Amyot, qui lui avait «montré les premières lettres», le comparait pour l'intelligence à François Ier, son grand-père, désireux, comme lui, «d'apprendre et entendre toutes choses haultes et grandes,» mais «oultre les parties de l'entendement qu'il a telles que l'on les sçauroit désirer, il a la patience d'ouyr, de lire et d'escrire, ce que son grand-père n'avoit pas»[837].

**Note 837:** (retour) Lettre d'Amyot à Pontus de Thyard, du 27 août 1577, dans les *Œuvres de Pontus de Thyard*, éd. Marty-Laveaux, 1875, introd., p. XXIII.

Il possédait à fond deux langues: la française et l'italienne. Il était né orateur. En 1569, à Plessis-les-Tours, après ses victoires sur les huguenots, en présence des principaux chefs de l'armée, «qui estoient la fleur des princes et seigneurs de France», raconte sa sœur Marguerite, «il fit une harangue au Roy pour luy rendre raison de tout le maniement de sa charge depuis qu'il estoit party de la Cour, faicte avec tant d'art et d'éloquence et dicte avec tant de grâce, qu'il se feit admirer de tous les assistans.... la beauté, qui rend toutes actions agréables, florissoit tellement en luy qu'il sembloit qu'elle feit à l'envy avec sa bonne fortune laquelle des deux le rendroit plus glorieux».--«Ce qu'en ressentoit ma mère, qui l'aimoit uniquement, ne se peut représenter par paroles, non plus que le deuil du père d'Iphigénie, et à toute autre qu'à elle, de l'âme de laquelle la prudence ne désempara jamais, l'on eust aisément congnu le transport qu'une si excessive joye luy causoit»[838]. Mais il manquait de virilité. Entre ce dernier Valois et ses ascendants ou ses frères, le contraste est saisissant. François Ier et Henri II aimaient passionnément les exercices physiques. Charles IX, chasseur acharné, soufflait dans un cor à se rompre la poitrine et, pour se délasser, battait le fer comme un forgeron. Le duc d'Alençon lui-même, petit de taille et grêle de jambes[839], était un homme de cheval, adroit à tous les sports. Henri III se ressentait de son éducation d'enfant gâté. Lors de sa première campagne, sa mère s'inquiétait plus qu'elle ne l'eût fait pour ses autres enfants, et contrairement à la rudesse de ce temps, des fatigues de cet apprentissage guerrier. Il avait trop vécu parmi les filles d'honneur. Un mémoire de Francès de Alava, l'ambassadeur d'Espagne, à Philippe II, le représente à vingt ans toujours entouré de femmes: «d'une lui regarde la main, l'autre lui caresse les oreilles et de la sorte se passe une bonne partie de son temps»[840].

**Note 838:** (retour) *Mémoires de Marguerite de Valois*, éd. Guessard, p. 12.

**Note 839:** (retour) Priuli, dans sa relation de 1582, *Relazioni degli ambasciatori veneti al senato*, serie Ia, Francia, t. IV, p. 428.

**Note 840:** (retour) Forneron, *Histoire de Philippe II*, t. II. 1881, p. 297.

A ce frôlement de tous les jours, sa sensibilité, naturellement très vive, s'était encore surexcitée. Il avait pris de ses compagnes le goût des frivolités la recherche des parures, l'habitude des caprices, les larmes faciles et un besoin irrésistible de médisance. Les débauches où tout jeune encore il se plongea, en quête de «voluptés et iritement d'apetit extraordinaire», achevèrent de l'amollir. Il était devenu tout féminin. A Reims, lors du sacre (13 février), quand l'officiant plaça la couronne sur sa tête, il se plaignit qu'elle le blessait. Le jour de son mariage avec Louise de Vaudemont, il se leva si tard et passa tant de temps à parer l'épousée qu'il fallut dire la messe dans l'après-midi[841]. Aussi jaloux de son pouvoir que paresseux à l'exercer, il laissa la charge et le souci des affaires à sa mère, et n'intervint que par à-coups, rarement pour corriger une erreur de direction, mais presque toujours à l'appétit de son entourage ou dans un sursaut d'orgueil. En ce régime de dyarchie intermittente, le plus homme, c'était la femme.

**Note 841:** (retour) L'Estoile, t. I, p. 50.

Il n'eût été que temps d'agir. Les députés de Damville et des Églises protestantes, de retour de Bâle où ils étaient allés se concerter avec le prince de Condé, avaient rejoint la Cour à Paris. Admis le 11 avril 1575 à l'audience royale, ils présentèrent en 91 articles la liste de leurs griefs et de leurs vœux. Ils demandaient le libre et complet exercice du culte réformé, sans réserves ni restrictions, l'établissement des Chambres mi-parties dans les parlements, l'octroi de places de sûreté, la mise en liberté des maréchaux prisonniers, la punition des massacreurs de la Saint-Barthélemy, la réhabilitation des victimes et la réunion des États généraux.

Le Roi fut confondu de tant d'audace. Catherine déclara, dit-on, que «quand ils (les huguenots) auroient cinquante mil hommes en campagne, avec l'Amiral vivant et tous leurs chefs debout, ils ne sçauroient parler plus haut qu'ils font»[842]. Mais la mère et le fils, craignant de rompre et honteux de céder, imaginèrent de renvoyer les députés, après de longs débats, en leurs provinces pour y faire élargir, c'est-à-dire adoucir leurs instructions (commencement de mai).

Pour faire front avec toutes ses forces à l'armée de secours que Condé rassemblait en Allemagne, il eût fallu que le Roi fût sûr des provinces du Midi. Catherine s'en apercevait un peu tard. Elle eut l'idée étrange--mais c'est une de ces naïvetés qui ne sont pas rares chez les gens très fins--de faire écrire à Damville par le maréchal de Montmorency, enfermé à la Bastille, qu'il lui défendait de poursuivre sa délivrance par des moyens criminels. Damville répondit que «tous actes faits en prison sont à répudier», qu'il l'écouterait volontiers comme son plus humble frère le jour où il serait libre, et qu'en attendant, malgré «des inventions et reproches escriptes ou dictes au lieu» où il était, il persévérerait «en la juste poursuite» qu'il avait entreprise «pour le service de Dieu, de Sa Majesté, bien et repos des subjects» et la liberté du chef de sa maison[843].

**Note 842:** (retour) *Ibid.*, p. 56.

**Note 843:** (retour) De Crue, *Le Parti des politiques*, 1892, p. 257, croit que la lettre du maréchal de Montmorency est supposée.

Catherine eut une fausse joie. Au mois de mai (1575) Damville tomba malade à Montpellier et fut bientôt à l'extrémité. Le bruit même courut à Paris en juin qu'il était mort. La Reine-mère, Cheverny, le maréchal de Matignon et le chancelier de Birague conseillèrent au Roi, s'il fallait en croire l'historien Mathieu, d'achever l'œuvre de la Providence en dépêchant les maréchaux prisonniers. Pour préparer l'opinion à l'idée d'une mort naturelle, le médecin du Roi, Miron, alla les visiter à la Bastille et publia partout qu'ils étaient mal portants et menacés, si l'on n'y prenait garde, d'une «esquinancie» (inflammation de la gorge). Ainsi l'on ne s'étonnerait pas de les trouver un matin étouffés. Le crime avait habitué Catherine au crime. Damville ne mourut pas; les maréchaux furent sauvés. L'assemblée de Montpellier (juillet 1575) ordonna aux délégués qu'elle renvoyait en Cour porteurs d'un cahier de doléances d'exiger avant toute discussion l'exercice libre, entier, général et public du culte réformé et la mise en liberté des maréchaux prisonniers. C'était un ultimatum de puissance à puissance[844].

**Note 844:** (retour) *Histoire du Languedoc*, nouvelle édition, t. XII, col. 1143.

Les divisions de la famille royale encourageaient la révolte. Henri III détestait son frère, le duc d'Alençon, un autre Valois-Médicis de belle marque, et fourbe par surcroît, qui avait prétendu à la lieutenance générale et peut-être comploté, pendant son exil de Pologne, la mort de Charles IX survenant, de le déposséder de la couronne. Sur le conseil de sa mère, qui savait le danger des dissensions domestiques en un royaume divisé, il lui avait pardonné, mais il avait trop de raisons de ne pas oublier. Il le soupçonnait justement d'être en rapports avec Damville, avec La Noue, avec le prince de Condé, avec tous ses ennemis du dedans et du dehors. Il lui en voulait tellement que, dans une maladie dont il pensa mourir (juin 1575), il engagea le roi de Navarre, dont la bonne humeur et l'exubérance gasconne l'amusaient, à s'emparer, lui mort, du pouvoir.

Il était mortellement brouillé aussi avec sa sœur Marguerite, qui avait été nourrie avec lui et qui fut pendant sa jeunesse la confidente de ses rêves ambitieux. Il l'avait chargée, lorsqu'il s'en allait aux armées, de veiller à ses intérêts et d'écarter de la Reine-mère, de qui il attendait tout, les influences hostiles. Des causes de leur rupture, on ne sait que ce que Marguerite en a dit, et ce n'est peut-être pas toute la vérité. Vers 1570, il se serait laissé persuader par son principal favori, Louis Berenger, sieur du Gast, «qu'il ne falloit aimer ny fier qu'à soi-même; qu'il ne falloit joindre personne à sa fortune, non pas mesme ny frère ny sœur, et autres tels beaux préceptes machiavélistes»[845]. Comme preuve de cette indépendance de cœur, il alla dénoncer à Catherine la passionnette de sa fille avec le duc de Guise, et lui représenter combien un pareil mariage serait avantageux à ces cadets de Lorraine, ennemis des Valois. Marguerite fut outrée de tant d'ingratitude; elle supplia sa mère de croire qu'elle conserverait «immortelle» «la souvenance du tort que» son frère lui «faisoit»[846]. Et elle tint sa parole.

**Note 845:** (retour) *Mémoires de Marguerite*, éd. Guessard, p. 17-18.

**Note 846:** (retour) *Ibid.*, p. 19-20.

Quand il partit pour la Pologne il s'efforça, «par tous moyens», dit Marguerite, «de remettre nostre premiere amitié en la mesme perfection qu'elle avoit esté à nos premiers ans, m'y voulant obliger par serments et promesse»[847]. Mais au retour de Blamont, pendant le séjour de la Cour à Saint-Germain, Marguerite fut si touchée, comme elle le raconte elle-même, des «submissions» et «subjections» et de l'«affection» de son autre frère, le duc d'Alençon qu'elle se résolut à «d'aimer et embrasser ce qui luy concerneroit»[848]. Aussitôt qu'Henri III fut arrivé à Lyon, il se vengea à sa façon. Un jour que sa sœur était sortie en carrosse pour se promener, il insinua au roi de Navarre, qui ne s'en émut pas, et avertit sa mère, très chatouilleuse en matière d'honneur féminin, que Marguerite était allée voir chez lui un amant. Le soir quand l'accusée parut, Catherine «commença à jetter feu et dire tout ce qu'une colère oultrée et démesurée peut jetter dehors»[849]. Mais la galante reine de Navarre était cette fois-là sans reproche, ayant visité l'abbaye des Dames de Saint-Pierre où les hommes n'entraient pas.

Quand la Reine-mère sut la vérité, elle tâcha de persuader à sa fille, pour disculper son fils, qu'elle avait été trompée par le faux rapport d'un valet de chambre, «un mauvais homme», qu'elle chasserait, et, comme «elle n'y advançoit rien», le Roy survint, qui s'excusa fort, «disant qu'on le luy avoit faict accroire» et faisant à sa sœur toutes les «satisfactions et protestations d'amitié qui se pouvoient faire»[850]. Mais, si elle se sentait obligée, comme sœur et sujette, de recevoir ses justifications, elle lui montra que la condescendance n'irait pas plus loin. Il aurait voulu la réconcilier avec Le Gast, qu'elle accusait d'être son mauvais génie; mais elle reçut le favori «d'un visage courroucé» et «le renvoya aveq protestation de luy estre cruelle ennemye, comme elle luy a tenu jusqu'à sa mort»[851]. C'était une déclaration de guerre. Belle, intelligente, passionnée, Marguerite était une ennemie redoutable.

**Note 847:** (retour) *Mémoires de Marguerite*, éd. Guessard, p. 37.

**Note 848:** (retour) 848 *Ibid.*, p. 38.

**Note 849:** (retour) *Ibid.*, p. 47-48.

**Note 850:** (retour) *Ibid.*, p. 51.

Henri III continuait à se conduire en chef de parti; son passé de duc d'Anjou pesait sur lui. Comme s'il n'était pas le Roi et qu'il eût des injures particulières à venger, il s'entoura d'une troupe de jeunes gentilshommes, ardents et braves, dévoués à sa personne. Le duc d'Alençon avait lui aussi sa «bande» de fidèles, où Marguerite attira, l'ayant débauché de celle du Roi, Bussy d'Amboise, violent entre les plus violents, brave par-dessus les plus braves, et la meilleure épée de France. Le Gast, pour punir cette désertion et blesser la reine de Navarre en ses amours, fit assaillir Bussy, une nuit qu'il sortait du Louvre, par «douze bons hommes»--Marguerite dit trois cents--«montez tous sur des chevaux d'Espagne qu'ils avoient pris en l'écurie d'un très grand (le Roi)». Bussy échappa par miracle à ce guet-apens; mais le lendemain «ayant sçeu d'où venoit le coup», comme il commençait «à braver, à menasser de fendre nazeaux et qu'il tueroit tout», «il fut adverty de bon lyeu qu'il fust sage et fust muet et plus doux, aultrement qu'on joueroit à la prime avec lui.... et de bon lyeu fut adverty de changer d'air»[852].

Le Roi s'ingéniait à déshonorer sa sœur. Il affecta d'incriminer la «particulière amitié» que Marguerite avait pour une de ses «filles», Gilonne Goyon, dite Thorigny, fille du maréchal de Matignon. Il obligea le roi de Navarre, sous menace de ne l'aimer plus, à renvoyer de sa maison la favorite de sa femme[853].

**Note 851:** (retour) 851 Brantôme, t. VIII, p. 62.

**Note 852:** (retour) Brantôme, t. VI, p. 186-188.

**Note 853:** (retour) *Mémoires de Marguerite*, éd. Guessard, p. 61.

Il traitait le duc d'Alençon en ennemi. Il faisait surveiller ses démarches, ses relations, ses plaisirs. Il le laissait insulter par ses favoris. Le Gast «avoit bravé Monsieur jusques à estre passé un jour devant luy en la rue Sainct-Antoine sans le saluer ni faire semblant de le cognoistre». Il avait dit «par plusieurs fois qu'il ne recongnoissoit que le Roy et que quand il luy auroit commandé de tuer son propre frère il le feroit»[854].

Pour rompre la bonne entente que Marguerite s'efforçait de maintenir entre son mari et le duc d'Alençon, il employa, sur le conseil de Le Gast, la femme d'un secrétaire d'État, Charlotte de Sauve, une beauté capiteuse, dont les deux beaux-frères étaient épris à en perdre la raison. Cette autre «Circé» se rendit si désirable à l'un comme à l'autre que, pour accaparer l'ensorceleuse, chacun des amants était résolu à se défaire de son rival. «La Cour est la plus estrange que l'ayez jamais veue, écrivait le roi de Navarre à un ami. Nous sommes presque toujours prestz à nous couper la gorge les uns aux aultres. Nous portons dagues, jaques de mailles et bien souvent la cuirassine soubz la cape.... Le Roy (Henri III) est aussy bien menacé que moy; il m'aime beaucoup plus que jamais.... Toute la ligue que sçavez me veult mal à mort pour l'amour (par amour) de Monsieur, et ont faict défendre pour la troisiesme fois à ma maistresse (Charlotte de Sauve) de parler à moy et la tiennent de si court qu'elle n'oseroit m'avoir reguardé. Je n'attends que l'heure de donner une petite bataille, car ilz disent qu'ilz me tueront et je veulx gagner les devans»[855].

**Note 854:** (retour) L'Estoile, t. I, p. 92.

**Note 855:** (retour) *Recueil des Lettres missives de Henri IV*, publié par Berger de Xivrey (Coll. Documents inédits), t. I, p. 81. Berger de Xivrey date à tort cette lettre de janvier 1576, car elle est évidemment antérieure à la fuite du duc d'Alençon, c'est-à-dire au 15 septembre 1575.

Mais quelque feu en amour que fût le roi de Navarre, et il le resta toute sa vie, il n'était pas incapable d'entendre raison. Quelques bons serviteurs lui représentèrent «qu'on le menoit à sa ruine en le mettant mal» avec son beau-frère et sa femme; il s'aperçut aussi que le Roi, après lui avoir montré beaucoup de sympathie, commençait à ne plus faire «grand estat» de lui et à le «mespriser». Marguerite semonçait de son coté le duc d'Alençon, à qui Le Gast faisait tous les jours quelques nouvelles avanies. Tous deux reconnaissant «qu'ils étoient... aussi desfavorisez l'un que l'autre; que Le Gast seul gouvernoit le monde...; que s'ils demandoient quelque chose, ils estoient refusez avec mespris; que si quelqu'un se rendoit leur serviteur, il estoit aussitost ruiné et attaqué de mille querelles,... ils se résolurent, voyant que leur désunion estoit leur ruine, de se réunir et se retirer de la Cour, pour, ayant ensemble leurs serviteurs et amis, demander au Roy une condition et un traittement digne de leur qualité»856.

**Note 856:** (retour) *Mémoires de Marguerite*, éd. Guessard p. 62-63.

Catherine n'était pas tellement aveuglée par sa tendresse pour Henri III qu'elle ne vît les progrès menaçants de la désaffection publique. Les pamphlétaires continuaient à la viser, mais les coups portaient plus haut qu'elle. Ce fils si beau, si cultivé, si séduisant qu'il semblait que tous ses sujets dussent, comme sa mère, l'idolâtrer, s'était en un an de règne aliéné une grande partie de la noblesse par ses attachements exclusifs, la faveur de quelques petits compagnons et la défaveur de ceux même des grands qui n'étaient pas en disgrâce ou en prison. Il avait réussi à faire oublier les fautes de sa mère.

Il tournait en ridicule des princes du sang qui, comme le duc de Montpensier, et son fils le prince Dauphin, avaient été invariablement fidèles. Les dames ne lui pardonnaient pas de colporter avec délices leurs galanteries. Catherine, qui ne s'alarmait pas longtemps d'avance, s'inquiétait des sympathies ou peut-être même de l'aide que les malcontents en armes et l'armée de Condé en marche trouveraient dans les dissensions de la famille royale. Un jour qu'Henri III lui dénonçait les amours de Marguerite et de Bussy, elle avait répliqué vivement que c'étaient là propos de gens qui voulaient le mettre mal avec tous les siens. Mais d'ordinaire elle ne lui parlait pas si ferme. Elle voyait le tort qu'il se faisait sans oser le lui dire, tant il était ombrageux. Elle le savait si porté à régler ses faveurs sur ses sentiments qu'elle pouvait tout perdre, en perdant son affection. Elle était bien obligée aussi de s'avouer qu'il n'était pas uniformément docile. Il supportait mal qu'elle lui rappelât les devoirs de sa charge ou qu'elle le contrecarrât en ses habitudes ou ses caprices. Alors qu'elle avait rêvé d'être l'esprit dirigeant d'un gouvernement viril, elle devait se contenter le plus souvent de réparer les fautes de ce collaborateur si féminin. Il est vrai qu'elle était plus fertile en expédients que capable d'une grande politique. Les circonstances étaient tout à fait appropriées à son génie.

Le duc d'Alençon, qui craignait pour sa liberté et peut-être même pour sa vie, avait résolu de fuir. Il s'attacha à gagner la confiance de sa mère, lui confessant qu'il avait eu plusieurs fois la tentation de quitter la Cour, par peur de son frère, mais qu'il se repentait de ce méchant dessein et voulait désormais complaire au Roi en toute chose. Quand il l'eut bien convaincue de la sincérité de sa conversion, il profita d'un relâchement de surveillance pour se glisser hors de Paris le soir du 15 septembre 1575. Le lendemain il était à Dreux en sûreté. La Reine-mère avait été prévenue de cette fuite, mais son fils l'avait si bien enjôlée qu'elle refusa d'y croire. Au moins en vit-elle aussitôt toutes les conséquences. Comment le Roi pourrait-il résister à l'armée allemande de secours et aux forces des malcontents réunies sous les ordres du Duc, la «seconde personne de France». Le soir même elle écrivait au duc de Savoie, le mari de sa chère Marguerite morte, son «mervilleux regret» d'être encore en vie pour voir «de si malheureuse chause»; elle n'était pas plus émue en annonçant la mort de Charles IX. «Aystime (J'estime) bien heureuse Madame (Marguerite) hasteure d'estre morte que, pleust à Dieu que je fuse avec aylle (elle) pour ne voyr poynt ce que ayst sorti du roy Monseigneur (Henri II) et de moi, si malheureux coment yl est (un tel malheureux qu'est) mon fils d'Alanson, qui s'an est enn alaye[857].» Mais ses désespoirs ne duraient guère et ne l'empêchaient pas d'agir. Elle comptait sur le duc de Nevers pour arrêter le fugitif, et, à défaut, lui suggérait un moyen de le faire enlever. Ce serait assez de cinq ou six hommes sûrs et bien choisis. Ils iraient trouver le duc d'Alençon et lui offriraient de recruter en son nom des gens de cheval. S'il acceptait, ces prétendus racoleurs profiteraient de la commodité des lieux et des temps pour l'emmener. Elle était fière de cette belle trouvaille, «n'y ayant pas, remarquait-elle, de si habil hommes que l'on ne lé (leur) puise apprendre quelque tour qui ne sevet (qu'ils ne savent) pas encore»[858]. Mais vraiment celui qu'elle proposait était un moyen de comédie. Il en fallut chercher un autre à la hâte. Elle apprenait que «beaucoup de jeans que je n'euse pansé vont trover cet pouvre malheureux»[859]. Elle décida d'y aller elle-même et de traiter avec lui, avant que l'armée d'invasion eût passé la frontière. A leur première entrevue à Chambord (29-30 septembre), le Duc exigea préalablement la mise en liberté des maréchaux prisonniers. Le Roi dut céder (2 octobre 1575).

**Note 857:** (retour) *Lettres*, t. V, p. 132.

**Note 858:** (retour) *Ibid.*, p. 137, 18 septembre 1575.

**Note 859:** (retour) *Ibid.*, p. 136.

Alors commença la discussion des articles d'un accord. François demandait beaucoup. Catherine avait pour instructions d'accorder très peu. Henri, à qui elle recommandait de faire des concessions, écoutait plus volontiers les ennemis de son frère, qui accusaient la Reine-mère de faiblesse, ou qui même insinuaient au Roi qu'elle ne l'aimait pas uniquement. Elle se défendait en termes d'amoureuse: «Vous ayste mon tout». Elle s'excusait de lui écrire par besoin d'affection tout ce qui lui passait en la fantaisie. C'était une précaution pour lui faire entendre de bons conseils. Qu'il fît donc des avances à tous ceux qui lui pouvaient nuire, et n'objectât pas qu'on ne les gagnerait jamais.... «Fault s'eyder d'un chacun, et encore que ayès ceste aupinion, leur fayre croyre par bonnes paroles et bonne mine le contrère, et [ce] n'é plus temps de dire: je ne puis dissimuler; yl sé (il se) fault transmeuer»[860]. Le conseil qui revient dans toutes ses lettres, c'est de conclure la paix, de hâter la conclusion de la paix. Il doit armer et se rendre fort, mais, en se préparant à la guerre, tout faire pour l'éviter. Or, il n'armait pas et cependant entravait les négociations. Il laissait sa mère plusieurs jours sans réponses. Avec quelque impatience, elle lui demandait «cet (si) volés la pays ou non»[861]. Elle lui signalait le grand nombre de gentilshommes qui se déclaraient pour son frère: 1500 l'avaient déjà rejoint et d'autres se disposaient à les suivre. La défection de la classe militaire était significative. Au Louvre, le soir même de la disparition du Duc, quand le Roi affolé avait commandé aux princes et seigneurs présents de monter à cheval et de le lui ramener, vif ou mort, plusieurs refusèrent cette «commission», disant qu'ils donneraient leur vie pour lui, «mais d'aller contre Monsieur son frère, ils sçavoient bien que le Roy leur en sçauroit un jour mauvais gré»[862]. Montpensier n'avait pas essayé de barrer au fugitif la route de la Loire. La tiédeur des uns et la prise d'armes des autres, qu'on les interprétât comme une marque de respect pour le sang de France ou comme la preuve de l'impopularité d'Henri III, c'était, au jugement de Catherine, autant de raisons de traiter au plus vite avec le chef des mécontents. En tout cas, écrivait-elle (29 octobre 1575) au Roi, il fallait prendre un parti et choisir entre la paix et la guerre. «Je prie à Dieu qu'il vous fase bien résuldre (résoudre), car c'ét le coup de tout»[863] (le coup décisif).

**Note 860:** (retour) *Lettres*, t. V, p. 147, 5 octobre.

**Note 861:** (retour) *Ibid.*, p. 156, 20 octobre 1575.

**Note 862:** (retour) *Mémoires de Marguerite*, éd. Guessard, p. 65.

**Note 863:** (retour) *Lettres*, t. V, p. 159.

Elle se crut au bout de ses peines quand elle eut réussi à signer avec le Duc à Champigny un armistice de sept mois (21 novembre 1575-24 juin 1576). «Le duc d'Alençon recevrait pour sa sûreté pendant ce temps Angoulême, Niort, Saumur, Bourges et la Charité; Condé aurait Mézières. Le libre exercice du culte était accordé aux protestants dans toutes les places qu'ils occupaient et dans deux autres villes par gouvernement. Les reîtres toucheraient 500 000 livres et ne passeraient pas le Rhin.»

Ce devaient être des préliminaires de paix; mais Ruffec, gouverneur d'Angoulême, et La Châtre, gouverneur de Bourges, faisaient difficulté de se dessaisir de ces places fortes avant d'avoir obtenu «récompense». Les populations des villes se disaient résolues «de s'exposer plustost à tous les dangers du monde»[864] que de recevoir des garnisons de malcontents et de se laisser désarmer. Cependant Condé et le comte palatin, Jean Casimir, avec les auxiliaires qu'ils avaient soudoyés en Allemagne et en Suisse, poursuivaient leur route et se rapprochaient de la frontière de France sans se soucier de l'accord de Champigny. A la Cour, les adversaires de la trêve accusaient, et même très «haut»[865], la Reine-mère d'avoir tout accordé au Duc contre la promesse qu'il ne pouvait pas tenir, même s'il l'eût voulu, d'arrêter la marche des envahisseurs. Elle en voulait surtout à La Châtre d'avoir, en quittant Bourges, livré la citadelle aux habitants «pour tout rompre et soubs hombre de bon serviteur et fidel, come set (si) je vous euse en cet faysant tréi (trahi).» Elle demandait au Roi réparation de cette conduite, qui était pour elle un outrage. «Sy vous ne lui fayte santir et aubéir, je vous suplie me donner congé que je m'en elle (aille) en Auvergne (dans ses domaines patrimoniaux) et je auré dé jeans de bien aveques moy pour, quant tous vous auront tréy et désobéi, vous venir trouver si bien aconpagnée pour vous fayre haubéyr et chatier lors cet (ces) petis faiseurs de menées»[866]. Il fallait qu'elle fût bien en colère pour poser la question de confiance, et sur ce ton. Elle se défendait verbeusement d'avoir été dupe[867]. Était-ce sa faute si Ruffec et La Châtre avaient par leur refus empêché la signature d'une paix définitive? N'avait-elle pas sans cesse d'ailleurs recommandé à son fils de négocier et d'armer tout à la fois, tandis que ceux qui le poussaient à la guerre le voulaient faible comme en temps de paix. «Je suis si glorieuse écrivait-elle à Henri III, que je panse vous avoir faict un comensement, s'il ne m'eult aysté ynterrompu, du plus grent servise que jeamès mère fist [à] enfans»[868]. Elle insistait sur la nécessité de traiter à tout prix. «Je vous en suplie et aufrir à Casimire pansion et jeuques ha dé téres (jusques à des terres) en cet royaume»[869]. Pour le décider à tous les sacrifices, elle lui citait en exemple le plus habile de ses prédécesseurs, dont les fautes, qu'il sut si bien réparer, prêtaient à comparaison.... «Vous soviegne (vous souvienne) du Roy Lui unsième qui donné (donna) tout cet qu'il avoyt au duc de Borgogne sur la rivière de Summe; yl fist conestable le conte de Saint-Pol qui menoyt l'armaye contre lui...» C'est ainsi qu'il «sortit deu mauvès passage au (où) yl estoit entrè par le consel de ceux qui volouint (voulaient) mal à son frère et qui avoynt aysté cause qu'il n'avoist à son avènement alla corone fayst cas de sa noblesse ni dé vieulx serviteur de son père, qui se retirère (se retirèrent, passèrent) tous à son frère; car yl ne fesoit cas que de bien peu». Il «feust en la même pouine que vous aystes et si (ainsi) donna une batalle; car ceux qui estoyent auprès de lui et de son frère ne voleuret au comensement qu'i (il) fist la pays (paix) et après la batalle feust constreynt de la faire et plus désavantageuse que auparavant. Guardé que ne vous avyegne (advienne) de mesme...[870]»

**Note 864:** (retour) : C'est ce qu'avait écrit M. de Rambouillet à la Reine-mère des gens de Bourges. *Lettres*, t. V, p. 171, note 1. Les gens d'Angoulême refusèrent aussi d'obéir. *Lettres*, t. V, p. 179, note 1.

**Note 865:** (retour) «Trop hault», écrit Catherine à Henri III, «pour n'en respondre (pour que je n'y réponde pas) un mot». *Lettres*, t. V, p. 171, 3 décembre.

**Note 866:** (retour) *Lettres*, V, t. p. 175, entre le 8 et le 11 décembre.

**Note 867:** (retour) *Ibid.*, p. 175-178, 11 décembre.

**Note 868:** (retour) *Ibid.*, p. 176-177.

**Note 869:** (retour) *Ibid.*, p. 177.

**Note 870:** (retour) *Ibid.*, p. 177.

Quand elle revint à Paris (fin janvier 1576), après une absence de quatre mois, elle apprit que le duc d'Alençon se plaignait d'une tentative d'empoisonnement et en demandait raison au Roi. C'était probablement un prétexte pour rompre ses engagements. En effet l'armée allemande arrivait et il se disposait à la rejoindre. Elle passa la Meuse le 9 février 1576, et, prenant par la Bourgogne, se dirigea vers l'Auvergne, où elle s'établit dans la plantureuse Limagne, à portée de Damville et du Languedoc. La Cour était en plein désarroi. Le roi de Navarre, qui était sorti de Paris sous prétexte de courre un cerf dans la forêt de Senlis, s'était dérobé de la compagnie des chasseurs le soir du 5 février 1576 et il avait chevauché tout d'une traite jusqu'à Vendôme. Libre, il se décida, non sans quelques hésitations, à retourner au prêche.

On a dit que Catherine l'avait laissé fuir pour donner un chef de plus aux rebelles et augmenter d'autant les causes de zizanie. Mais elle fut trompée en ce calcul, si tant est qu'elle l'ait fait. Le roi de Navarre se retira dans son royaume, dont il était absent depuis quatre ans, afin d'y pourvoir à ses propres affaires. A vingt-deux ans, il s'annonçait déjà prudent et avisé. Chef naturel des huguenots, en sa qualité de premier prince du sang de la religion, il ne montra point de haine contre l'Église qu'il venait de nouveau de quitter. Il eut des catholiques à sa Cour, dans ses conseils, dans ses armées et pratiqua par raison et par goût la politique d'union religieuse que Damville et François d'Alençon avaient adoptée comme un moyen de défense. La Navarre fut un autre Languedoc, sous un souverain protestant qui employait tous les bons vouloirs pour résister aux intrigues ou aux violences de la Cour.

Henri III s'en prit à sa sœur de ce nouveau coup. Il la soupçonnait, non sans raison, d'avoir fait assassiner Le Gast par le baron de Vitteaux, un des tueurs les plus redoutables du temps, brave duelliste et à l'occasion féroce assassin (30 octobre 1575). Il l'accusa d'avoir favorisé la fuite de son beau-frère, la tint sous bonne garde et, déclare-t-elle, «s'yl n'eust été retenu de la Royne ma mère, sa colère, je crois, luy eust fait exécuter contre ma vie quelque cruauté»[871].

Catherine s'efforçait de calmer ces esprits furieux. A Marguerite, qui avait d'autres passions que le roi de Navarre, elle expliquait sans rire son emprisonnement comme une juste précaution contre le désir naturel chez une femme de rejoindre son mari. Elle remontrait au Roi doucement que le cas échéant--c'est toujours Marguerite qui parle--«peut estre on aurait besoin de se servir de moy; que comme la prudence conseilloit de vivre avec ses amys come debvans un jour estre ses ennemys, pour ne leur confier rien de trop, qu'aussy l'amitié venant à se rompre, et pouvant nuire, elle ordonnoit d'user de ses ennemys come pouvans estre un jour amys»[872]. Elle parvint à lui persuader que le duc d'Alençon ne consentirait pas à traiter s'il ne laissait pas sa sœur libre. Henri alla trouver la prisonnière, et «avec une infinité de belles paroles» tâcha de la «rendre satisfaite», la «conviant à son amitié»[873]. Marguerite accompagna sa mère, qui allait reprendre les négociations à Sens. Mais si sa présence contenta le Duc, elle n'adoucit pas les exigences des coalisés. Les huguenots obtinrent tout ce qu'ils demandaient: le libre exercice du culte dans toutes les villes, sauf à Paris, la réhabilitation des victimes de la Saint-Barthélemy, huit places de sûreté. Jean Casimir eut promesse de 3 388 549 florins et François d'Alençon reçut en accroissement d'apanage la Touraine, le Berry et l'Anjou, une véritable principauté qui rapportait 300 000 livres de revenu. Damville garda le Languedoc (paix d'Étigny, près de Sens, 7 mai 1576)[874].

**Note 871:** (retour) *Mémoires de Marguerite*, éd. Guessard, p. 67.

**Note 872:** (retour) : *Ibid.*, p. 67-68.

**Note 873:** (retour) *Mémoires de Marguerite*, Éd. Guessard, p. 74-75.

**Note 874:** (retour) Comte Boulay de la Meurthe, *Histoire des guerres de religion à Loches et en Touraine*, t. I, 1906, p. 133-145.

Ces clauses étaient si humiliantes pour Henri III, qu'en les signant les larmes lui coulaient des yeux. Mais Catherine le jour même s'était empressée d'écrire à Damville--singulier confident--sa joie «de veoir l'aigreur qui faisoit obstacle à l'unyon et bonne intelligence qui doibt estre entre tous les princes, seigneurs et aultres subjects du Roy... par ce moien estainte et assoupie»[875]. Oubliait-elle que sa passion contre le gouverneur du Languedoc et les Montmorency était la cause originelle de l'alliance des politiques avec les huguenots et du succès de la prise d'armes? Mais elle avait quelque raison de prétendre qu'elle n'était pas responsable des conditions onéreuses de la paix. Et maintenant, écrivait-elle au Roi, qu'il se hâtât de faire payer aux reîtres les trois cent mille livres promises en acompte, car ces étrangers ne partiraient pas sans argent, «affin que si la paix ne vous réussit aussi incontinent come a faict la tresve, il vous plaise ne vous en prendre pas à moy, car si j'eusse esté creue lors de la tresve, le royaulme ne (ni) vous fussiez en l'estat que vous estes»[876]. Henri la boudait et ne montrait aucune envie de la revoir; mais elle ne laissait pas de travailler à l'exécution du traité. Elle fit donner à Condé Saint-Jean-d'Angely à la place de Péronne, que le gouverneur, d'Humières, appuyé par la noblesse catholique de Picardie, refusait de livrer au prince huguenot. Elle prodigua les assurances d'amitié à Damville. Elle proposa une entrevue au roi de Navarre, à qui la ville de Bordeaux, bien qu'il fût gouverneur de Guyenne, fermait ses portes. En même temps elle dicta pour Henri III un plan de conduite et de gouvernement[877]. «C'est comment voz prédécesseurs faisoient.» Pour éviter l'apparence d'une critique, elle parlait à peine des fautes commises, et encore était-ce pour les excuser ou les nier «.... Les malins (les méchants)... ont faict entendre partout que [vous] ne vous soucyez de leur conservation, aussi que n'éviez agréable de les veoir.» Elle a l'air de croire, bien qu'elle sache le contraire, que ce sont «mauvais offices et menteries» pour le faire haïr «et s'establir et s'accroistre». Elle reconnaît que «bien souvent les depesches nécessaires, au lieu d'estre bientost et diligemment respondues, ne l'ont pas esté, mais au contraire ont demouré, quelqueffois ung mois ou six semaines, tant que (tellement que) ceux qui estoient envoiez de ceulx qui estoient enchargez des provinces par vous, ne pouvant obtenir response aucune, s'en sont sans icelles [réponses] retournez». Sans doute ils auraient dû considérer «la multitude des affaires et négligence de ceulx à qui faisiez les commandemens». Mais «ils pensoient estre vrai ce que ces malins disoient». Malgré les ménagements de forme, l'exposé de ce qu'Henri aurait dû faire était la condamnation de ce qu'il avait fait, de sa mollesse, de sa paresse, de son favoritisme, de son mépris pour les contraintes et les obligations de sa charge. Qu'il prenne, remontrait Catherine, «une heure certaine» de se lever et fasse comme le feu roi son père. «Car quand il prenoit sa chemise et que les habillemens entroient, tous les princes, seigneurs, capitaines, chevaliers de l'Ordre, gentilz hommes de la Chambre, maistres d'Hostel, gentilhomme servants, il parloit à eux et le voioient, ce qui les contentoit beaucoup.»

**Note 875:** (retour) *Lettres*, t. V, p. 193, 7 mai 1576.

**Note 876:** (retour) *Ibid.*, t. V, p. 198, 15 mai 1576. Sur Jean Casimir et son royal débiteur, voir Germain Bapst, *Histoire des joyaux de la Couronne de France*, 1889, p. 137-142.

**Note 877:** (retour) C'est l'Avis qu'Hector de la Ferrière a publié au tome II *des Lettres de Catherine de Médicis*, p. 90-95, et daté du 8 septembre 1563, comme une exhortation de Catherine à son fils Charles IX immédiatement après la déclaration de sa majorité.--Grün, *La Vie publique de Montaigne*, p. 183-197 (ch. VI), avait déjà soutenu que les conseils de la Reine-mère étaient adressés à Henri III et non à Charles IX, mais il les plaçait à tort en 1574. A cette date, ils auraient fait double emploi avec le Mémoire qu'elle fit porter à Henri III à Turin (voir ci-dessus, p. 250-251). Voici sur le vrai destinataire les arguments de Grün, auxquels j'en ajouterai quelques autres pour établir que le document est de la fin de 1576. Si Catherine avait écrit à Charles IX, qui fut déclaré majeur dans sa quatorzième année, elle n'aurait pas parlé de la minorité de son prédécesseur, François II ayant, quand il devint roi, quinze ans accomplis. Elle n'aurait pas recommandé à ce roi de quatorze ans de tenir la Cour avec la reine, alors qu'il n'était pas marié et ne le fut que sept ans après. Il est trop spécieux de prétendre que Catherine, se proposant de marier son fils, pouvait parler de la chose comme déjà faite. Mais ce qui serait encore plus étrange, c'est qu'elle conseillât à Charles IX, qui n'avait encore rien fait, étant en tutelle, de changer de méthode. Imagine-t-on Catherine de Médicis reprochant à son fils les actes de sa régence à elle?

L'Avis suppose un roi majeur qui n'a pas régné aussi sagement qu'il aurait dû et il lui indique un «bon chemin», assurément parce qu'il en a pris un mauvais. Il ne convient pas à un enfant, au nom de qui sa mère avait gouverné et voulait continuer à gouverner. Mais tout paraît clair si on admet, comme on le doit, que Catherine écrivait cette sorte de leçon pour Henri III, après les fautes de ses deux premières années de règne.

En tête de l'Avis elle rappelle les avertissements qu'elle avait donnés à son fils avant d'aller à Gaillon: il lui restait maintenant à dire ce qu'elle estimait nécessaire pour le faire obéir dans son royaume. Ce n'est pas lors de ce voyage qu'elle a fait vers la fin février 1576 avec le Roi (L'Estoile, t. II, p. 122), et où elle a pu lui parier librement, qu'elle a dicté ce programme de conduite. Elle y fait d'ailleurs allusion à la paix que Dieu a donnée au Roi, c'est-à-dire à la paix d'Étigny (7 mai 1576), dont elle était si heureuse et lui si humilié. Le Mémoire, postérieur à ce traité, soit de quelques semaines ou même de quelques jours, a dû vraisemblablement être rédigé pendant qu'Henri III se tenait loin de sa mère et boudait.

«Cela fait, s'en alloit à ses affaires (au Conseil des affaires du matin) et tous sortoient hormis ceulx qui en estoient et les quatre secrétaires [d'État]. Si faisiez de mesme, cela les contenterait fort, pour estre chose accoustumée de tous temps aux roys voz père et grand-père.» Qu'il donne après une heure ou deux à ouïr les dépêches et affaires qui sans sa présence ne peuvent être expédiées. Qu'il ne laisse pas passer «les dix heures pour aller à la messe, accompagné comme ses père et grand-père de tous les princes et seigneurs «et non, dit-elle, come je vous voys aller que n'avez que vos archers». Après le dîner qui aura lieu à onze heures au plus tard «donnez audience pour le moings deux fois la semaine», ce qui est «une chose qui contente infiniment voz subjetz, et après vous retirer (retirez-vous) pour venir chez moy ou chez la Royne affin que l'on cognoisse une façon de Court, qui est chose qui plaist infiniment aux François, pour l'avoir accoustumé; et ayant demeuré demie heure ou une heure en public, vous retirer ou en vostre estude ou en privé, où bon vous semblera....»

Mais un roi n'a pas le droit de s'isoler longtemps. Sur les trois heures après midi, allez «vous promener à pied ou à cheval, affin de vous monstrer et contenter la noblesse et passer vostre temps avec ceste dernière à quelque exercice honneste, sinon tous les jours, au moins deux ou trois fois la semaine».... «Et après cela souper avec vostre famille, et l'après souper deux fois la sepmaine tenir la salle du bal, car j'ay ouï dire au roy vostre grand-père qu'il falloit deux choses pour vivre en repos avec les François et qu'ils aimassent leur roy: les tenir joyeux et occuper à quelque exercice», comme «combattre à cheval et à pied, courre la lance». Ainsi faisait aussi Henri II, «car les François ont tant accoustumé, s'il n'est guerre, de s'exercer que qui ne leur fait faire, ils s'emploient à autres choses plus dangereuses».

Qu'il rétablisse à la Cour «d'honneur et police» qu'elle y avait vus autrefois. «Du temps du roi vostre grand-père il n'y eust un homme si hardi d'oser dire dans sa Court injure à ung autre, car s'il eust esté ouy, il eust esté mené au prévost de l'hostel». Chacun alors faisait son office et se tenait à son poste: capitaines des gardes, archers, Suisses, prévôt de l'Hôtel. Les capitaines des gardes se promenaient dans les salles et par la cour. Les archers auraient empêché «que les pages et lacquais ne jouassent et tinssent les brelans qu'ils tiennent ordinairement dans le chasteau où vous estes logé avec blasfèmes et juremens, chose exécrable».... Le prévôt de l'Hôtel surveillait la basse-cour, ainsi que les cabarets et lieux publics autour de la résidence royale, et s'il se commettait «des choses mauvaises» punissait les délinquants. Le soir, quand la nuit venait, le Grand Maître faisait allumer «des flambeaux par toutes les salles et passages et, aux quatre coins de la court et degrez, des fallots». «Dès que le roy estoit couché on fermoit les portes» des appartements, dont on mettait les clefs «soubs le chevet de son lit», et «jamais la porte du chasteau n'estoit ouverte que le roy ne fust éveillé». L'accès à la résidence royale était rigoureusement hiérarchisé. «Les portiers ne laissoient entrer personne dans la court du château, si ce n'estoient les enfans du roi et les frères et sœurs, en coche, à cheval et littière; les princes et princesses descendoient dessoubz la porte; les autres, hors la porte».

Le service du Roi, au dîner et au souper, se faisait en grand apparat. Le gentilhomme tranchant apportait la nef et les couteaux, précédé de l'huissier de salle et suivi des officiers pour couvrir. Le maître d'hôtel allait avec le panetier quérir la viande, escorté «des enfans d'honneur et pages, sans valetailles ny autres que l'escuyer de cuisine». Et «cela estoit plus seur et plus honorable». «L'après dîner et l'après soupper, quand le Roy demandoit sa collation», c'était un gentilhomme servant «qui portoit en la main la couppe et après luy venoient les officiers de la panneterie et eschansonnerie». La Reine-mère comptait sur la vertu du cérémonial pour ranimer la foi monarchique.

Elle rappelait aussi à Henri III l'intérêt qu'il avait à examiner lui-même et à expédier rapidement les affaires. Elle lui recommandait de recevoir tous ceux de ses sujets qui venaient des provinces pour le voir, de s'informer «de leurs charges et, s'yls n'en ont point, du lieu d'où ils viennent», afin «qu'ils cognoissent que voulez sçavoir ce qui se faict parmi vostre royaume et leur faire bonne chère». Qu'il ne se bornât pas à leur «parler une fois», mais, quand il les trouvait en sa chambre ou ailleurs, qu'il leur dit «toujours quelque mot».

Il doit employer ses faveurs à maintenir son autorité. Catherine aurait désiré infiniment qu'à l'exemple du roi Louis XII, son fils eût une liste de ses serviteurs de toute qualité et un rôle des «offices, bénéfices et autres choses qu'il pouvoit donner» pour à chaque vacance récompenser qui bon lui semblerait (remarquez qu'elle ne dit pas le plus digne) et se délivrer de toutes les sollicitations, «importunitez et presses de la Court». Il aurait ainsi le mérite de la grâce qu'il ferait, l'ayant faite de lui-même, car s'il cédait «aux placets ou autres inventions, croiez, disait-elle, que l'on ne tiendra pas le don de vous seul».

Il le faudrait pourtant. «Le Roy vostre grand-père... avoit le nom de tous ceulx qui estoient de maison dans les provinces et autres qui avoient autorité parmy les nobles, et du clergé, des villes et du peuple; et pour les contenter et qu'ils tinsent la main à ce que tout fust à sa dévotion, et pour estre adverty de tout ce qui se remuoit dedans les dictes provinces... il mectoit peine d'en contenter parmy toutes les provinces une douzaine ou plus ou moings,... aulx ungs il donnoit des compagnies de gens d'armes; aux autres quand il vacquoit quelque bénéfice dans le mesme pays, il leur en donnoit, come aussi des capitaineries des places de la province et des offices de judicature, à chacun selon sa qualité.... Cela les contentoit de telle façon qu'il ne s'y remuoit rien, fust au clergé ou au reste de la province, tant de la noblesse que des villes et du peuple, qu'il ne le sçeut.» «C'est le meilleur remède dont vous pourrez user pour vous faire aisément et promptement bien obéir et oster et rompre toutes autres ligues, accoinctances et menées.» Qu'il mît aussi «peine» à s'assurer mêmes intelligences «en toutes les principales villes»--une puissance dont Catherine avait vu grandir l'esprit de faction et la force de résistance pendant les troubles--et qu'il y gagnât «trois ou quatre des principaulx bourgeois et qui ont le plus de pouvoir en la ville et aultant des principaulx marchans qui aient bon crédit parmy leurs concitoiens»; «que soubz main, sans que le reste s'en aperçoive ny puisse dire que vous rompiez leurs privillèges», il les favorise «tellement par bienfaits ou autres moiens.... qu'il ne se fasse ni die rien au corps de ville ny par les maisons particulières que n'en soiez adverti», et que les jours d'élection ils fassent toujours élire «par leurs amis et pratiques» des hommes qui vous soient tout dévoués. S'assurer des clients dans toutes les provinces et dans tous les ordres, relever le prestige monarchique, et cependant se rendre accessible et familier à la noblesse, régler sa Cour et ses Conseils, voir lui-même ses affaires et les expédier rapidement, tels étaient les moyens que Catherine recommandait à son fils pour restaurer son autorité et regagner l'affection de ses peuples.

Mais Henri III jugeait encore plus urgent de rompre le traité si favorable aux huguenots, ou, comme on disait, la paix de Monsieur. Il s'y croyait tenu en conscience par le serment fait à son sacre de défendre l'Église. Il constatait l'émotion des catholiques: la noblesse de Picardie, qui s'était armée contre le prince de Condé, faisait appel à tous les princes, seigneurs et prélats du royaume pour «empescher et destourner leurs finesses et conspirations (des hérétiques) par une sainte et chrétienne union, parfaite intelligence et correspondance de tous les fidèles loyaux et bons sujets du Roi». Le duc de Guise travaillait la bourgeoisie, comme le signalait déjà la Reine-mère à son fils le 25 décembre 1575. «Asteure que les villes cet liguet (se liguent) sur le nom d'un grant que vous saurès quelque jours»[878]. Il ne devait le connaître que trop.

**Note 878:** (retour) *Lettres*, t. V, p. 181.

Henri de Guise, le seul des chefs catholiques qui eût été heureux dans cette malheureuse guerre, avait battu à Dormans (10 octobre 1575) l'avant-garde des envahisseurs commandée par Thoré, et, pour surcroît de bonheur, il avait été blessé au visage d'un coup d'arquebuse. Cette balafre glorieuse le rendait encore plus cher au peuple de Paris, à qui il l'était déjà comme fils de François de Guise, blessé lui aussi au visage pour la défense du pays et mort victime du fanatisme protestant devant Orléans. Aussi pour empêcher que le ressentiment de cette paix honteuse n'aboutît à la formation d'un parti catholique hostile à la monarchie, Henri III était bien résolu à manquer de parole aux protestants. Il entreprit de détacher d'eux le duc d'Alençon, qui de son nouvel apanage avait pris le nom de duc d'Anjou, et les politiques, dont le concours leur avait été si avantageux. Il reçut «avec tout honneur» ce frère détesté et même fit bon visage à son favori Bussy. Il lui persuada facilement que son alliance avec les huguenots ne profitait qu'aux Guise. La Reine-mère, à son passage à Blois, où Henri III la pria de s'arrêter, eut «de contentement d'y voir son fils, le duc d'Anjou, si bien réconcilié que j'espère qu'il n'y aura désormais en eux (ses deux enfants) qu'une mesme volonté à la conservation de ceste couronne»[879].

**Note 879:** (retour) Lettre du 2 novembre 1576, *Lettres*, t. V, p. 223.--*Mémoires de Villeroy*, éd. Buchon, p. 109.

Les États généraux, dont le traité stipulait la convocation, se réunirent à Blois en décembre 1576. Les protestants, découragés par le rapprochement des deux frères, s'étaient abstenus, sauf dans deux ou trois bailliages, de prendre part aux élections. Henri III comptait sur cette assemblée toute catholique pour lui procurer les fonds nécessaires à la guerre. Il renvoya Sébastien de l'Aubespine, évêque de Limoges, qui avait assisté Catherine dans les négociations d'Étigny. Il se fit apporter la liste d'adhésion à la Ligue et «s'y signa le premier comme chef»; il déclara en plein Conseil que «ce qu'il avait fait à ce dernier Édit de pacification avoit été seulement pour ravoir son frère et chasser les reitres et autres forces étrangères hors de ce royaume,... mais en intention de remettre laditte religion (catholique) le plus tost qu'il pourroit à son entier....» Il poussa les trois ordres à voter le rétablissement de l'unité religieuse. C'était signifier à sa mère qu'elle devait changer de politique ou renoncer au gouvernement. Elle était plus pacifique que jamais, ayant constaté que le Roi était incapable de conduire ou même d'organiser la guerre. Elle accusait les évêques--tout bas--de lui avoir conseillé «de ne tenir ses promesses» aux hérétiques «et rompre tout ce qu'elle avoit promis et contracté pour luy»[880]; mais elle se garda bien de lui résister en face. Dans un nouvel Avis qu'elle lui adressa (2 janvier 1577)[881], elle louait son dessein de rétablir la religion en son royaume et de supprimer une secte dont la tolérance est «très desplaisante à Dieu». Mais discrètement elle glissait une recommandation pacifique sous la forme d'un souhait; elle espérait, disait-elle, que, conformément à la volonté bien connue du Roi, cette résolution pourrait s'exécuter sans en venir aux armes. Elle lui en indiquait les moyens, s'assurant sur son affection «pour excuser ce que j'en pourrois dire de mal à propos»[882].

**Note 880:** (retour) *Mémoires de Marguerite*, éd. Guessard, p. 88.

**Note 881:** (retour) *Lettres*, t. V, p. 231-236.

**Note 882:** (retour) *Ibid.*, p. 232.

Il devrait envoyer une ambassade de représentants des trois ordres au prince de Condé, au roi de Navarre et à Damville pour leur faire connaître son intention et celle des États, et si le roi de Navarre n'y entendait point, lui déléguer le duc de Montpensier (Louis de Bourbon) «lequel pour estre prince tel qu'il est de sa maison et d'aage, est à croire qu'il le respectera et croyra plus que nul autre». Montpensier, comme de soi-même, lui parlerait d'un mariage possible entre la princesse de Navarre, Catherine de Bourbon, sa sœur, et le duc d'Anjou, et lui annoncerait la venue, après les États, de la Reine-mère accompagnée de Marguerite, sa femme, qu'il réclamait. Le prince de Condé resté seul s'accordera. «Quant au maréchal d'Amville, c'est celuy-là, disait-elle, que je crains le plus, d'autant qu'il a plus d'entendement, de expérience et de suite». Aussi était-il nécessaire de le gagner à tout prix. Mais si ces trois-là, par leur obstination, rendaient la guerre inévitable, il faudrait lever trois armées avec les subsides des États et l'aliénation des biens du clergé. Le Roi marcherait lui-même en Guyenne après avoir fait nettoyer tout le pays devant lui par le duc de Montpensier, pour ne trouver rien qui ne lui obéisse. Et «en ce pendant» qu'il n'était ni «en paix ny en guerre», il devait renforcer les troupes des gouverneurs, assurer la garde des villes, enrôler des reîtres en Allemagne et députer aux princes de ce pays pour les détourner d'une nouvelle invasion[883].

**Note 883:** (retour) *Lettres*, t. V, p. 232.

Catherine avait pris depuis longtemps ses précautions contre Élisabeth d'Angleterre, la protectrice naturelle des huguenots, avec qui ses rapports, qui ne furent jamais cordiaux qu'en apparence, étaient depuis la Saint-Barthélemy aigres, froids, défiants. Le point faible de la puissance britannique, c'était l'Irlande catholique, plusieurs fois vaincue, jamais soumise, et, ici ou là, toujours prête à s'armer contre ces maîtres étrangers et hérétiques. Catherine pensait qu'une insurrection irlandaise serait une bonne riposte à une intervention anglaise, mais elle ne pouvait, sans se compromettre, entretenir des relations ouvertes avec les mécontents. Elle laissait faire un de ses anciens pages, gouverneur de Morlaix, capitaine de Granville, et grand ennemi, à ce qu'il semble, des Anglais, ce Troïlus de Mesgouez, qui ne s'est pas illustré dans le rôle amoureux que lui prête la légende[884]. En ces temps de désordre et de faible centralisation, où se déployaient et quelquefois se déchaînaient les libres initiatives, La Roche avait l'air de battre les mers d'Irlande, armateur ou corsaire, pour son propre compte et sous sa responsabilité[885]. On le voit en 1570 débarquer dans le territoire d'un des chefs de la rébellion latente, Desmond; il s'y attarde plusieurs mois, malgré les instances des Anglais et sa promesse, et, quand il se décide à partir, il emmène le frère de Desmond, Fitz-Maurice, et oublie quelques soldats dans un fort[886]. Il recueille en Bretagne les fugitifs et les bannis, il les cache, il les aide, il les arme. En juillet 1575, il accompagne à la Cour Fitz-Maurice, qui, allant en Espagne solliciter Philippe II, avait été contraint, alléguait-on, par la tempête d'aborder en France[887], et c'est à lui aussi que s'adresse à quelques jours de là, comme à l'intermédiaire naturel, un certain capitaine Thomas Bate, qui se disait chargé par le comte Quillegrew (lisez Kildare) d'offrir à la Reine-mère les moyens dont disposait ce lord irlandais, prisonnier à la Tour de Londres, pour faire de «grands services» au Roi de France en Irlande. Ce Thomas Bate, un espion d'Élisabeth, voulait tenter la Reine-mère et l'obliger à se découvrir. Catherine, flairant le piège, fit arrêter et enfermer au bois de Vincennes cet agent provocateur. Le chargé d'affaires anglais, Dale, qu'elle fit venir pour lui expliquer l'emprisonnement de ce sujet britannique, saisit cette occasion de se plaindre des menées de La Roche et de ses liaisons avec les rebelles irlandais. Elle protesta qu'elle ne savait rien de ces intrigues, mais elle admit comme possible que La Roche, qui était, disait-elle, au duc d'Alençon, l'eût entretenu de quelque projet et qu'il en eût été volontiers ouï, «comme les princes font bien souvent, principalement ceux qui sont de son âge et mesmement (surtout) quand on leur parle pour leur grandeur»[888]. Gentilhomme servant du duc d'Alençon, ami des Guise, les chefs du parti catholique, et gouverneur du Roi, La Roche était un personnage à plusieurs faces, hardi et ambitieux[889], dont on ne savait jamais exactement pour qui il opérait, ni même s'il n'opérait pas pour lui-même. Mais Élisabeth savait bien contre qui. C'est, disait-elle à l'ambassadeur de France «ung terrible, gallant contre elle»[890]. Les titres qu'il porte dans les lettres patentes de mars 1577, marquis de Coetarmoal, comte de Kermoallec et de la Joyeuse Garde, conseiller du Roi en son Conseil privé et chevalier de l'Ordre, sont probablement le prix de cette guerre sourde à l'Angleterre, en prévision d'une guerre ouverte. Mais l'autorisation qui lui est octroyée par ces mêmes lettres patentes de s'établir aux Terres Neuves d'Amérique, pour en jouir perpétuellement, lui et ses héritiers, n'est pas une récompense. Ce projet de colonisation (mars 1577) coïncide si bien avec la reprise de la lutte contre les huguenots qu'il y a de bonnes raisons de ne pas le prendre trop au sérieux. Quelque incohérente qu'ait toujours été la politique des Valois, il n'est pas vraisemblable qu'ils se fussent dessaisis d'une partie des navires bretons au moment où ils pouvaient craindre l'entrée en ligne de la marine anglaise. De même que Charles IX avait fait en 1571, sous prétexte d'un établissement outremer, dresser une flotte, qui était destinée à tenir le roi d'Espagne «en cervelle», Henri III accordait à La Roche le droit de lever, fréter, équiper tel nombre de gens, navires et vaisseaux qu'il avisera, non pas, comme le publiait la déclaration royale, pour aller aux Terres Neuves, mais pour prêter aide, le cas échéant, aux rebelles d'Irlande, si Élisabeth s'avisait de secourir les rebelles de France. Les agents anglais ne s'y trompèrent pas et, comparant l'importance de cette entreprise coloniale à l'insuffisance de celui qui en était chargé, ils avertirent leur gouvernement (juin 1577) qu'il y avait «quelque dessein traître contre l'Irlande»[891]. La guerre ayant fini (septembre 1577) avant que la flotte fût prête et qu'Élisabeth eût bougé, on nomma La Roche, pour sauver la face ou l'indemniser des avances d'argent qu'il avait faites, vice-roi, lieutenant général et gouverneur des Terres Neuves à découvrir et à conquérir (janvier 1578). Il partit avec un vaisseau de trois cents tonnes environ, mais il fut «bien battu par quatre navires anglais», qu'il «pensait piller»[892], et probablement regagna le port.

**Note 884:** (retour) Voir plus haut, ch. V, p. 208-209.

**Note 885:** (retour) L'histoire des rapports de la France avec les Irlandais pendant le règne d'Élisabeth reste à écrire. Il n'en est fait mention qu'en passant dans les volumes de Froude, *History of England from the fall of Wolsey to the defeat of the Spanish Armada*, t. VI-XIII, 1887.

**Note 886:** (retour) *Mémoires de Walsingham*, fév. 1570, *passim*, p. 34, 36, 49.--*Correspondance de La Mothe-Fénelon*, t. III, p. 444, 23 janvier 1571.--Cf. *ibid.*, p. 450, et t. IV, p. 485.

**Note 887:** (retour) Élisabeth fit remercier Henri III de n'avoir pas encouragé Fitz-Maurice, *Corresp. de La Mothe-Fénelon*, t. VI, p. 488 (13 juillet 1575).

**Note 888:** (retour) Sur cet épisode, voir la dépêche de Dale à son gouvernement, *Calendar of State paper foreing series, of the reign of Elizabeth*, 1575-1577 (t. XI), p. 101, et celle de Catherine à La Mothe-Fénelon, 29 juillet 1575, *Lettres*, t. V, p. 127-129.

**Note 889:** (retour) Paulet à Walsingham (Juin 1577): «On laisse entendre à la Cour (de France) que La Roche est un impudent drôle (an insolent fellow), qu'il dépend absolument des Guise, qu'un royaume est trop peu pour lui.» *Calendar of State paper*, 1575-1577 (t. XI), p. 594.

**Note 890:** (retour) *Correspondance de la Mothe-Fénelon*, t. VI, p. 468, 13 juillet 1575. Élisabeth, qui ne sait pas très bien le français, transporte dans notre langue des mots de la sienne et qui en viennent d'ailleurs, mais qui ont, en cours de route, changé de sens. Gallant, en anglais, signifie vaillant, hardi.

**Note 891:** (retour) *Calendar of State paper foreing series, of the reign of Elizabeth*, 1575-1577 (t. XI), n° 1467, p. 594. Voir l'échange de récriminations entre Paulet ambassadeur d'Angleterre, et Henri III et la Reine-Mère dans *Lettres*, t. V, p. 258, note 1 (20 juin 1577) et plus amplement t. V, p. 268, dépêche de Catherine à Mauvissière du 1er août, à propos des agissements de Fitz-Maurice et de La Roche. La Roche, dit-elle à Paulet, n'était «allé en nul lieu» et lui avait promis de n'entreprendre «aucune chose contre sadicte maistresse» (Élisabeth) et «s'il faisoit au (le) contraire, il ne faudroit (manquerait) d'estre bien chastié».

**Note 892:** (retour) Paulet à la reine Élisabeth, 7 juillet 1578, *Calendar of State papers*, 1578-1579 (t. XIII) no 71, p. 53.

La Reine-mère avait employé un autre moyen qu'elle pensait aussi efficace pour empêcher l'Angleterre de se déclarer en faveur des huguenots; elle avait remis en avant le projet de mariage du duc d'Anjou avec Élisabeth. Elle travaillait au dedans comme au dehors à préparer au Roi une victoire facile. Elle parvint non sans peine à rassurer Damville qui, sachant que le Roi lui en voulait mortellement de sa révolte passée, demandait des garanties. Les assurances ne coûtaient pas à Catherine. Elle lui faisait dire par le duc de Savoie, l'ami du Roi de France et l'allié de tous ses ennemis, que s'il se remettait, comme il devait, en son devoir, elle consentait, tant elle était sûre du contraire, que tout le mal qu'il aurait du Roi, on le lui fasse à elle-même et que Dieu lui en envoie autant[893]. Elle sollicitait sa femme, Antoinette de La Marck, ardente catholique, de le détacher des huguenots. Mais Damville voulait mieux que des paroles. Il obtint que le marquisat de Saluces lui fût donné de surcroît s'il réussissait à soumettre tout le Languedoc à l'obéissance du Roi. Catherine se porta garante de cet accord, affirmant que son fils «aymeroit mieulx mouryr que faillir à ses promesses»[894] C'était rompre à bon marché, la cession étant conditionnelle, l'alliance des protestants et des politiques (mai 1577).

**Note 893:** (retour) Au duc de Savoie, 9 janvier 1577, *Lettres*, t. V. p. 236.

**Note 894:** (retour) A Damville, 27 janvier 1577, *Lettres*, t. V, p. 240.--Cf. la lettre du 16 décembre, p. 228.--Sur la cession de Saluces, voir t. V, p. 240, note.

Catherine avait justement prévu qu'Henri III se dégoûterait vite de la guerre. Il avait donné à son frère le commandement de la principale armée et il le lui retira par jalousie après la prise d'assaut de la forte place d'Issoire (11 juin). L'argent manqua; les États généraux, qui avaient applaudi à son dessein de rétablir l'unité de foi, lui avaient refusé les moyens de l'imposer. Mais les huguenots, affaiblis par la défection des catholiques unis, acceptèrent la paix de Bergerac (7 septembre 1577).

L'Édit de Poitiers, confirmatif de ce traité, restreignait l'exercice du culte réformé à une ville par bailliage, outre les villes et bourgs où le libre exercice existait avant la dernière prise d'armes. Henri III, fier de cette paix--sa paix--qui réparait la honte de la paix de Monsieur, oublia les conseils de sa mère et ne pensa plus qu'à ses plaisirs.

Après la mort de Du Gast, un favori de grande allure, il avait commencé en 1576 à vivre dans l'intimité de dix ou douze jeunes gens beaux et bien faits, qu'il trouvait un plaisir équivoque à voir parés, coiffés, attifés avec une recherche et des raffinements de femmes. Les Mignons, comme on les appelait, Quélus, Maugiron, Saint-Luc, d'Arques, Saint-Mesgrin, etc., jaloux d'accaparer la faveur et les faveurs de leur maître, excitaient ses rancunes et ses défiances contre son frère. Ils assaillirent Bussy, qui les qualifiait crûment de mignons de couchette, et le manquèrent. Quelques jours après, aux noces de Saint-Luc (9 février 1578), ils narguèrent le duc d'Anjou que Catherine, conciliante, avait décidé à paraître au bal. Celui-ci, de dépit et de colère, quitta la fête et alla raconter à sa mère ce qui venait de se passer, «de quoy elle fut très marrie». Il lui dit son intention, qu'elle trouva «très bonne», de s'en aller pour quelques jours, à la chasse, «soulager et divertir un peu son esprit des brouilleries de la Cour». Mais le Roi, inquiet de cette brusque sortie, et appréhendant une fuite, envoya réveiller la Reine-mère et pénétra dans la chambre du Duc, suivi du sieur de Losses, capitaine des gardes, et de quelques archers écossais. Catherine, «craignant qu'en cette précipitation, il (le Roi) fist quelque tort à la vie» de son fils, accourut «toute déshabillée..., s'accomodant comme elle peust avec son manteau de nuit»[895]. Henri fouilla la chambre et le lit, et arracha des mains du suspect, malgré ses prières, une lettre où il croyait trouver la preuve d'un complot, et qui n'était qu'un poulet de Mme de Sauve. Mais, encore plus irrité de cette déception, il sortit, commandant à Losses de garder son frère et de ne le laisser parler à personne. Le prisonnier passa la nuit dans une mortelle inquiétude. Catherine, qui s'était tue ce soir-là pour ne pas exaspérer les passions, envoya le lendemain «quérir tous les vieux du Conseil, Monsieur le chancelier, les princes, seigneurs et mareschaulx de France», qui tous furent d'avis qu'elle «devoit remonstrer au

Roy le tort qu'il se faisoit», et tâcher de «r'habiller cela le mieux que l'on pourroit». Elle alla trouver Henri III «avec tous ces messieurs» et fit agir aussi le duc de Lorraine, son gendre, qui se trouvait à la Cour. Le Roi, «ayant les yeux dessillez», consentit à une réconciliation, s'excusant de ce qu'il avait faict sur «de zèle qu'il avoit au repos de son État». Le Duc se déclara «satisfaict si son frère recognoissoit son innocence». Sur cela la Reine-mère «des prit tous deux et les fist embrasser»[896].

**Note 895:** (retour) *Mémoires de Marguerite*, éd. Guessard, p. 135-137.

**Note 896:** (retour) *Ibid.*, p. 143-146.

Mais cinq jours après, le duc d'Anjou, qu'Henri III tenait consigné dans le Louvre, s'enfuit par la fenêtre de l'appartement de la reine de Navarre, sa sœeur, et se retira à Angers, capitale de son apanage.

Cette fuite serait-elle, comme en 1575, l'annonce d'une prise d'armes générale. Il y avait d'autant plus lieu de le craindre que le nombre des malcontents était plus grand. Pour suffire aux dépenses des dernières guerres, aux appétits de son entourage et à ses prodigalités, Henri III continuait et aggravait les expédients financiers de sa mère. Il augmentait les tailles, empruntait de force aux particuliers et aux villes, levait sur le clergé des décimes ordinaires et extraordinaires, aliénait les biens d'Église et projetait d'établir à la sortie du royaume un nouveau droit, la traite foraine domaniale, sur les blés, les toiles, les vins et le pastel (plante tinctoriale), au risque de tarir ces quatre sources de la richesse française[897]. Il généralisait les droits d'importation, revisait, pour les hausser, les anciens tarifs, et concentrait la levée des aides, des gabelles et des traites entre les mains de quelques Italiens experts à pressurer les contribuables[898].

**Note 897:** (retour) Sous le nom d'imposition foraine, domaine forain, rêve et haut passage, étaient levées ensemble trois espèces de droits sur les produits du sol et les marchandises, soit à la sortie du royaume, soit au passage de la ligne des douanes intérieures. En février 1577, Henri III greva les blés, les toiles, les vins et le pastel d'un nouveau droit, la traite foraine domaniale, qui était perçu en outre des précédents, mais seulement à la frontière du royaume.

**Note 898:** (retour) Mariéjol, *Histoire de France de Lavisse*, t. VI, 1, p. 223-233.

L'assemblée générale de la Ville de Paris, dans ses doléances au Roi de 1575, avait protesté déjà contre «des grandes daces et impositions nouvellement inventées ès fermes desquelles on n'a jamais voullu recevoir les naturels François», et elle concluait par ce sérieux avertissement: «Comme vous avez la domination sur vostre peuple, aussy Dieu est vostre supperieur et dominateur, auquel debvez rendre compte de vostre charge. Et sçavez trop mieulx, Sire, que le prince qui lève et exige de son peuple plus qu'il ne doibt alliene et perd la volunté de ses subjects de laquelle deppend l'obéissance qu'on luy donne»[899]. En 1578, l'orateur des États de Normandie, Nicolas Clérel, chanoine de Notre-Dame de Rouen, représentait au lieutenant général du Roi «les povres villageois de Normandie ... maigres, deschirez, langoureux, sans chemise en dos ny soulier en pieds, ressemblans mieux hommes tirez de la fosse que vivans», et il s'écriait: «Se souviendront point les inventeurs des Édits pernicieux à l'Estat du Roy et repos public que Dieu qui est par dessus les Roys les peut confondre en abisme comme il sait bien, quand il luy plaist, transférer les royaumes et monarchies où l'iniquité abonde et la justice est ensevelie, ainsi qu'il menace en Osée, chap. 13: *Aufferam*, inquit, *regem in indignatione mea*». Je vous ôterai votre roi dans ma colère (Osée. XIII)[900]. Nicolas Boucherat, abbé de Cîteaux, porte-parole des États de Bourgogne (mai 1578), ne craignit pas de rappeler à Henri III que Roboam avait, par «une aigre et dure réponse» aux plaintes de ses sujets, perdu l'obéissance de dix tribus[901].

**Note 899:** (retour) *Remontrances très humbles de la Ville de Paris et des bourgeois et cytoiens d'icelle.* Registres du Bureau de l'Hôtel de Ville de Paris, t. VII, p. 313-317.

**Note 900:** (retour) Ch. Robillard de Beaurepaire, *Cahiers des Etats de Normandie sous le règne de Henri III. Documents relatifs à ces assemblées*, t. I (1574-1581), p. 324 et 326.

**Note 901:** (retour) Weill, *Les Théories sur le pouvoir royal en France pendant les guerres de religion*, 1891, p. 151.

C'est au nom de ses privilèges que la Bourgogne repoussait l'établissement de nouvelles taxes, sans un vote de ses États généraux. Les autres provinces alléguaient aussi les droits historiques: la Bretagne, les stipulations du contrat de mariage de la reine Anne; la Normandie, la charte aux Normands de Louis le Hutin. La grande Ligue de 1576 était morte de l'étreinte royale, mais la surcharge des impôts ravivant ici et là l'esprit particulariste et s'ajoutant à toutes les autres causes de mécontentement, des ligues de toutes sortes se formaient et s'organisaient en Périgord, en Auvergne, en Dauphiné, en Provence, etc.

Au moins Henri III aurait-il dû s'attacher le duc de Guise, si populaire à Paris et dans la plupart des grandes villes. Mais il prétendait gouverner d'après les préjugés de puissance absolue, comme s'il n'avait rien ni personne à ménager. Il traita Guise avec hauteur et laissa voir l'intention de lui ôter la grande maîtrise pour en gratifier Quélus. Les Mignons, privés du plaisir d'humilier Monsieur, tournèrent «leur desbordée outrecuidance» contre ce nouvel ennemi. Mais ils trouvèrent à qui parler. Quélus et Maugiron, assistés de Livarot, furent, en un duel de trois contre trois, l'un tué, l'autre mortellement blessé par le jeune d'Entragues, Ribérac et Schomberg, qui étaient de la bande des Lorrains (27 avril 1578). Saint-Mesgrin, autre mignon, qui faisait à la duchesse de Guise une cour compromettante, fut, au sortir du Louvre, dans la nuit du 21 juillet, assassiné par une troupe que dirigeait, dit-on, le frère du duc, Mayenne. Guise avait quitté Paris en mai et le bruit courut qu'en prenant congé du Roi il lui avait signifié qu'il s'abstiendrait, à l'avenir, de porter les armes contre le duc d'Anjou, son frère et l'héritier présomptif de la couronne[902].

**Note 902:** (retour) *Négociations diplomatiques de la France avec la Toscane*, t. IV, 1872, p. 169.

La «paix du Roi» était aussi odieuse à beaucoup de catholiques qu'à la plupart des huguenots, ceux-là s'indignant qu'Henri III se fût arrêté en plein succès et n'eût pas interdit partout l'exercice public de l'hérésie, ceux-ci ne se résignant pas à perdre dans la plus grande partie du royaume la liberté de culte que «la paix de Monsieur» leur avait octroyée partout. Les politiques, dont le revirement avait décidé du succès de la dernière guerre, s'étonnaient de la défaveur de leurs chefs. Aussi les «brasseurs» de troubles, qui allaient de parti en parti et de province en province, porteurs de plaintes et de projets de coalition, trouvaient partout des oreilles complaisantes. Qu'adviendrait-il s'ils réussissaient à entraîner le duc d'Anjou, roi en expectative?

Catherine se le demandait avec inquiétude. Elle savait par deux expériences successives de quel poids serait la détermination du Duc. Lui seul était capable de grouper en faisceau compact pour une offensive commune les catholiques et les protestants, divisés et même opposés de sentiments, de griefs, d'intérêts, et, seul, il pouvait donner à l'insurrection un caractère de légitimité. Une prise d'armes qu'il désavouerait ou même n'avouerait pas ne serait jamais que partielle, sans grande chance de succès ou tout au moins de durée, mais celle dont il prendrait le commandement exposait à tous les hasards, par le nombre et la force des assaillants, la puissance et la personne royales. Il tenait dans ses mains la paix et la guerre.

Catherine était en conséquence décidée à payer au plus haut prix son alliance ou sa neutralité. Mais il lui fallait convaincre le Roi de la nécessité des sacrifices, et elle y trouvait bien des difficultés. Les négociations de 1576 avec Monsieur font date dans son histoire. Les critiques contre sa faiblesse ou sa complaisance avaient fait impression sur Henri III, jaloux et fier, dont l'orgueil royal avait été cruellement éprouvé et qui doutait d'être, comme il l'avait cru jusqu'alors, l'enfant «uniquement chéri». Dans la séance d'ouverture des États généraux de Blois, tout en donnant «des louanges immortelles» à la «vigilance, magnanimité» et «prudence» de sa mère, il avait parlé des tourmentes de sa «minorité», quoiqu'il eût à son avènement vingt-deux ans, en homme décidé à prendre lui-même à l'avenir le «gouvernail»[903]. «Il y a bien douze ans, disait en 1588 Catherine, que mon fils n'écoute plus mes conseils...»[904]. Elle exagérait assurément. Son fils continuait à l'aimer et l'estimait plus capable que personne de conduire les grandes affaires. Il revenait à elle en toutes ses difficultés comme à une mère très tendre et au serviteur le plus sûr. Par habitude de paresse ou quand il était malade, il lui abandonnait même toute la charge du gouvernement, mais il l'y contrecarrait souvent et lui faisait sentir toujours que c'était par délégation. Désormais, elle fut obligée de rendre compte de ses actes, d'expliquer sa politique ou de ruser et biaiser. Son règne était bien fini; elle tombait au rang de principal ministre.

**Note 903:** (retour) [Lalourcé et Duval], *Recueil de pièces authentiques*, t. II, p. 45.

**Note 904:** (retour) C'est l'aveu qu'elle faisait en gémissant à un capucin qui s'étonnait qu'elle eût permis le meurtre des Guise. Cette pièce intéressante a été publiée par Charles Valois, *Histoire de la Ligue. Œuvre inédite d'un contemporain*, Soc. Hist. France, I, 1914, app., p. 300.

# CHAPITRE IX

## CAMPAGNE DE PACIFICATION A L'INTÉRIEUR

Catherine avait couru après le duc d'Anjou, fugitif, «de peur qu'il fist encore le fou». Elle le trouva «resoleu hà (à) ne rien fayre, à cet qu'il m'a dist, qui puise desplayre au Roy son frère et alterer le repos de cet royaume», mais il refusa de revenir à la Cour. Elle souhaitait, sans trop y croire, qu'il se tînt tranquille «pour leser paser ten (tant) de fiers (italien feri, sauvages) humeurs qui sont aujourd'hui en cet royaume». Mais cette fois il disait vrai. Il ne pensait pas à troubler, comme elle put s'en convaincre quand elle retourna le voir en mai à Bourgueil et lui demanda[905]: «si l'on [ne] l'avoit pas recherché pour le faict des ligues et du bien publicq». «Il m'a, écrivait-elle à Henri III, franchement respondu que ouy et que l'on luy en avoit présenté des requestes, mais qu'il avoit renvoyé ceulx qui luy en avoient parlé et fait parler et qu'il ne luy adviendroit jamays, comme il leur avoit faist clairement entendre et congnoistre, de faire aulcune chose au préjudice de vostre service et de ce royaume, s'estant estendu sur cela et m'en a parlé, ce me semble fort franchement, se laissant entendre avoir bien congneu qu'il y a quelque chose de messieurs de Guyse meslé en ceci, et m'a dit que quasy tous les gouverneurs et lieutenans generaulx des provinces estoient mal contens et qu'ilz estoient [tous] ou la pluspart d'intelligence en cecy et qu'il estoit d'advis que leur fissiez quelque bonne démonstration pour les asseurer et maintenir en la bonne affection qu'ils vous doibvent»[906].

Le plaisir que causaient à la Reine-mère ces déclarations de fidélité n'était pas sans mélange. Ce «moricau», qui tout petit était et n'avait cessé d'être «guerre et tempeste en son cerveau»[907], avait repris pour son compte le projet de Coligny sur les Pays-Bas. Il invoquait les mêmes raisons: l'ancienne suzeraineté de la France sur les Flandres[908], la prétention de l'Espagne à la «monarchie» du monde, le devoir de protéger les opprimés, la nécessité de divertir contre l'étranger les forces qui déchiraient l'État. Mais son principal mobile, c'était l'ambition de jouer un rôle. Il allait courir d'aventure en aventure pour échapper à sa condition de sujet.

**Note 905:** (retour) Catherine à la duchesse de Nemours, Paris, 20 mars 1578, *Lettres*, t. VI, p. 9-10.

**Note 906:** (retour) *Lettres*, VI, p. 20, 7 mai 1578.

**Note 907:** (retour) Catherine au duc de Guise, 9 févr. 1563, *Lettres*, t. I, p. 618.

**Note 908:** (retour) Droits de suzeraineté que François Ier avait abandonnés à Charles-Quint, héritier de la maison de Bourgogne, par les traités de Madrid (14 janv. 1526) et de Cambrai (5 août 1529).

Le duc d'Albe n'avait pas réussi à exterminer les rebelles des Pays-Bas ni son successeur, don Luis de Requesens, à les regagner par des concessions. En mars 1576, après la mort de ce dernier, les troupes espagnoles, que Philippe II laissait sans solde, pillèrent avec fureur les campagnes et les villes. Les provinces du Sud, catholiques et qui jusque-là étaient restées fidèles, s'unirent contre cette soldatesque aux provinces du Nord, en majorité calvinistes, dont le prince d'Orange, Guillaume de Nassau, avait organisé et dirigeait la révolte. Les États généraux, chargés de la défense commune, cherchèrent assistance en Angleterre, en France et même auprès des Habsbourg d'Autriche. Après la paix de Monsieur, Henri III n'avait «rien eu à la teste» qu'une revanche sur les huguenots. Il «méprisa» les sollicitations des communautés et seigneurs des Pays-Bas, dont Mondoucet, ancien résident de France à Bruxelles, était venu l'entretenir. Mais le duc d'Anjou, «qui du vray naturel de Pyrrus n'aymoit qu'à entreprendre choses grandes et hasardeuses»[909], envoya sa sœur, la reine de Navarre, s'enquérir, sous prétexte d'une cure à Spa, des dispositions de l'aristocratie (mai 1577). A Cambrai, à Valenciennes, à Mons, où elle s'arrêta, Marguerite entendit des plaintes contre la domination espagnole et gagna quelques grands seigneurs à la cause de son frère. Aussitôt qu'il se fut enfui du Louvre (février 1578), le Duc, apprenant que les troupes des États généraux avaient été battues à Gembloux (30 janvier) par le nouveau gouverneur général, Don Juan d'Autriche, offrit ses services aux vaincus en des termes qui n'admettaient pas de refus. Les États, qui venaient de traiter le 7 janvier avec Élisabeth d'Angleterre, étaient très embarrassés de ce nouveau protecteur. Ils se résignèrent pourtant «à requérir, comme ils disent, le secours que le ducq d'Alenchon (Anjou) nous prétend faire», «afin qu'il ne nous soit contraire, voires qu'il nous assiste», mais sans vouloir lui livrer aucune «ville ou place»[910]. Le Duc commença des levées. Le prince de Condé, beaucoup d'autres huguenots, par esprit de prosélytisme, et même des catholiques lui promirent leur concours. Son grand favori, Bussy d'Amboise, était de feu pour cette conquête. Marguerite travaillait à rapprocher son mari et son frère bien-aimé[911].

**Note 909:** (retour) *Mémoires de Marguerite*, éd. Guessard, p. 85.

**Note 910:** (retour) Kervyn de Lettenhove, *Les Huguenots et les Gueux*, t. V, 1885, p. 43.--Groen van Prinsterer, *Archives ou Correspondance de la maison d'Orange-Nassau*, 1re série, t. VI, p. 367 et 370.

**Note 911:** (retour) Catherine à Henri III, 6 mai 1578, *Lettres*, t. VI, p. 10.

Mais la reine d'Angleterre ne voulait pas de Français dans les Pays-Bas. Elle avait soudoyé le comte palatin, Jean Casimir, ce condottiere du protestantisme, pour défendre les intérêts anglais et entretenir la révolte, et jugeait que c'était assez. Le comte de Stafford alla de sa part signifier au Duc que s'il ne se départait de son entreprise, elle mettrait «peine de l'en empescher», en même temps qu'elle lui laissait entrevoir l'offre de sa main comme prix d'un renoncement[912]. L'ambassadeur d'Espagne à Paris déclara que si les Français entraient en Flandre, son maître entrerait en France. Don Juan menaçait. Henri III s'indignait des projets d'agression de son frère contre un souverain ami.

Catherine était perplexe. S'opposer au dessein de l'ancien chef des huguenots et des catholiques unis, c'était l'induire en tentation de révolte; l'aider ou simplement le laisser faire, c'était courir le risque d'une brouille avec l'Angleterre et d'un conflit avec l'Espagne. Pour conjurer le danger d'une guerre civile ou d'une guerre étrangère, elle ne voyait d'autre moyen que d'amener le Duc à renoncer de lui-même à l'expédition. C'est à cette fin qu'elle était allée le trouver à Bourgueil. L'argument dont elle attendait le plus, c'était que les rebelles des Pays-Bas réclamaient son concours sans lui offrir de récompense.

Quand Lavardin, le favori du roi de Navarre, lui avait fait confidence au Lude[913], comme le tenant de Bussy, que «ceulx des Estatz ... bailleroient» à son fils «neuf villes», elle avait répliqué: «Voire (oui vraiment) en papier». Pas même sur le papier, ainsi qu'elle put le conclure du refus de François de lui montrer leurs lettres. Après bien des pourparlers (7-9 mai 1578), elle lui fit signer l'engagement d'abandonner ses projets d'intervention à moins que tous les États ne consentissent à le faire «leur Prince et Seigneur et pour cest effect» à lui «remectre franchement et sans aulcune feintise les principales villes et places d'icellui païs qu'ils tiennent». Auquel cas le Roi et elle promettaient de ne pas le contrecarrer et même, en attendant, l'autorisaient à entretenir 2 400 hommes de guerre sur la frontière de la Normandie (9 mai)[914].

**Note 912:** (retour) *Lettres de Catherine de Médicis*, mai, t. VI, p. 12-13. Cf. 6 juin, *ibid.*, p. 28.

**Note 913:** (retour) Le Lude, à 20 kilomètres de la Flèche (département de la Sarthe).

**Note 914:** (retour) *Lettres de Catherine de Médicis*, t. VI, p. 25 et note.

Pour l'assagir, elle pensait bourgeoisement à le marier. Elle lui expédia le maréchal de Cossé, l'un des chefs des politiques, avec un mémoire où elle passait en revue les princesses de la chrétienté qu'il pouvait épouser. Il y en avait quelques-unes qu'elle ne citait que pour mémoire: la fille d'Auguste, électeur de Saxe, un prince mal disposé pour la Maison de France et qui d'ailleurs, étant un luthérien, ne saurait empêcher la formation des armées allemandes d'invasion, en général calvinistes;--la princesse de Clèves dont le père, ayant un fils malsain et deux autres filles mariées, pourrait donner le «païs de Gueldres», mais peut-être pas tout de suite, et d'ailleurs la Gueldre était bien loin:--la princesse florentine, qui n'aurait pour tout apport que de l'argent. Mais elle recommandait une autre Italienne, la fille du duc de Mantoue. Outre qu'elle était fort belle, elle recevrait peut-être en dot le Montferrat, et le Montferrat joint au marquisat de Saluces dont le Roi gratifierait le Duc en le mariant, constituerait à celui-ci un bel État, qu'il pourrait agrandir grâce aux alliances de sa femme avec tous les princes et potentats d'Italie, surtout advenant la mort du roi d'Espagne qui était «avancé en age et moribond»[915]. Mais le parti de beaucoup le plus avantageux serait une des infantes, si Philippe II «bailloit» à son gendre la Franche-Comté et s'engageait à lui céder en échange les Pays-Bas ou le duché de Milan dès qu'il aurait des enfants, ce qui veut dire des garçons dans la langue de Catherine. Henri III et elle «embrasseront» même «fort volontiers» l'idée d'un mariage avec la sœur du roi de Navarre[916].

**Note 915:** (retour) Catherine fait le roi d'Espagne plus malade et plus âgé qu'il n'était pour les besoins de sa démonstration. Philippe II avait, en 1578, cinquante et un ans et il ne mourut que vingt ans après.

**Note 916:** (retour) *Lettres*, t. VI, note de la p. 12 à la p. 14: Mémoire envoyé à M. le maréchal de Cossé.

De tous ces projets le plus tentant était une pure chimère. La Reine-mère pouvait-elle croire que le roi d'Espagne, qui avait tant de fois repoussé ses combinaisons matrimoniales avec ou sans dot, consentirait maintenant à établir un de ses fils et ferait à ce prince français la part d'autant plus belle que la naissance d'un petit-fils lui aurait fait perdre à lui-même toute chance de ravoir le bien dotal. Au vrai, elle cherchait à désarmer le Duc, en lui faisant entrevoir l'espérance d'obtenir gratuitement ce qu'il aurait de la peine à se procurer par force. En désespoir de cause, elle alla le trouver à Alençon avec la reine de Navarre et fit un dernier effort pour l'arrêter (fin juin). Henri III, de loin, jouait même jeu. Il lui proposa d'échanger les terres de son apanage voisines de Paris, Meulan, Mantes, Château-Thierry, etc., contre le marquisat de Saluces, offrant, pour élargir cette principauté d'outremonts, de négocier avec le pape la cession d'Avignon et du Comtat Venaissin et promettant de le marier avec une infante ou avec la princesse de Mantoue et de travailler, quand il en aurait les moyens, à son agrandissement en Italie et en toutes les autres occasions où il verrait «que ce sera pour sa grandeur et advancement»[917]. Il mettait tant de conditions à son assistance et escomptait si légèrement la complaisance du pape et du roi d'Espagne que, chance pour chance, le duc d'Anjou aima mieux tenter celle d'une conquête aux Pays-Bas; il poursuivit ses armements, Henri III protesta dans toutes les Cours de sa bonne volonté impuissante et commanda aux gouverneurs et lieutenants-généraux de courir sus aux bandes qui s'autorisaient du nom de son frère[918].

Catherine, elle aussi, désavoua l'agression, assurant à la reine d'Angleterre que le Roi et elle ne désiraient «rien tant que de demeurer en paix, amitié et bonne voisinance» avec tous leurs «voisins»[919]. Elle écrivit à Philippe II «de grand regret» qu'elle avait «des jeunese» de son fils[920], mais ce n'étaient que paroles. Pouvait-on raisonnablement lui demander de risquer une guerre civile pour protéger les possessions espagnoles? Elle ordonna, dit-on, sous main, aux gouverneurs de laisser passer les forces qui se dirigeaient vers la frontière. Le Duc répondit ironiquement au secrétaire d'État, Villeroy, qui le priait et même le pressait de renoncer à son «voyage en Flandres»: «Je m'assure que vous ne serés des derniers à me venir trouver; vous serés le très bien venu»[921]. Au nonce, qui tout effaré alla prévenir Catherine du départ de son fils, elle aurait répondu avec humeur: «Tâchez donc de le rattraper»[922].

**Note 917:** (retour) *Ibid.*, app. p. 386-387, 2 juillet 1578.

**Note 918:** (retour) *Ibid.*, p. 34, note 2.

**Note 919:** (retour) *Ibid.*, p. 30.

**Note 920:** (retour) 8 août 1578, *Lettres*, t. VI, p. 34.

**Note 921:** (retour) Kervyn de Lettenhove, t. V, p. 115, note 1.

**Note 922:** (retour) *Ibid.*, p. 117.

Elle ne croyait pas à une riposte du roi d'Espagne, mais elle prit à tout hasard ses précautions. Elle recommanda au surintendant des finances, Bellièvre, d'assurer le paiement des 500 000 livres destinées aux Suisses et de pourvoir à la solde «des garnisons de Piedmont et Ytalie» ainsi qu'à l'entretien des «citadelles villes et forteresses de deçà»[923].

Mais la meilleure sauvegarde contre une attaque, c'était l'union du royaume. Catherine résolut d'aller pacifier le Midi, qui était de toutes les régions de la France la plus troublée par les haines religieuses, les conflits des ordres, les agitations sociales, les habitudes d'indépendance des gouverneurs et les velléités absolutistes d'un monarque sans volonté. Henri III, à qui Damville restait suspect malgré ses services récents, le poussait à se démettre du gouvernement du Languedoc, lui proposant en échange celui du maréchal de Bellegarde: Saluces et les pays d'outremonts. Damville avait refusé l'offre et Bellegarde, qui s'était trop pressé de résigner son commandement, s'étonnait que le Roi différât de l'y rétablir. Il méditait d'y rentrer de force avec l'aide du chef des réformés dauphinois, Lesdiguières, la connivence du duc de Savoie et l'argent des Espagnols du Milanais. Les lieutenants de Damville, Châtillon, gouverneur de Montpellier, fils de Coligny, ardent huguenot, qui ne lui pardonnait pas sa défection dans la dernière guerre, et le capitaine Parabère qui tenait la ville et la citadelle de Beaucaire et voulait s'en rendre maître, profitaient des mauvaises dispositions de la Cour pour s'insurger contre leur chef[924]. Des bandes huguenotes que la paix laissait sans emploi commettaient en Languedoc tant de pilleries et de meurtres qu'un seul de leurs capitaines, Bacon, avait, disaient les États de la province, volé «pour plus de cent mil escus» et «fait espandre tant de sang innocent qu'il n'est pas creable que Dieu n'en veulhe tirer vengeance»[925].

**Note 923:** (retour) *Lettres*, t. VI, p. 30-31, 22 juin 1578.

**Note 924:** (retour) Sur l'affaire de Parabère, *Lettres*, t. VI, p. 29, note; p. 57, note; p. 98, note, et app., p. 401 (lettre de Bellegarde au Roi du 9 sept. 1578), et le livre du comte Jules Delaborde, *François de Châtillon, comte de Coligny*, Paris, 1886, p. 181, sqq et p. 187.

**Note 925:** (retour) *Histoire du Languedoc de D. Vaissète*, éd. nouv., t. XII, Preuves, col. 1280-1282.

En Provence, le parti des Communautés de villes, ou, comme on disait, les Razats (les Rasés), que soutenait le Parlement d'Aix, était en lutte avec le comte de Carcès, chef de la noblesse. Le comte de Suze, que le Roi avait nommé à la lieutenance générale, ne savait se faire obéir ni des uns ni des autres. En Dauphiné, les divisions entre réformés et catholiques s'aggravaient d'un conflit entre le tiers état et la noblesse sur la question de la taille et de vagues aspirations de nivellement social parmi les paysans.

De la Guyenne au Dauphiné, les chefs protestants restaient en armes, et, sous prétexte ou pour la raison que la paix de Bergerac ne serait pas appliquée, ils refusaient, malgré leurs engagements formels, de restituer les places fortes qu'ils avaient occupées pendant les deux dernières guerres. Le roi de Navarre se plaignait de n'être gouverneur de Guyenne qu'en titre et accusait le maréchal de Biron, lieutenant général de la province, de n'agir qu'à sa guise ou par ordre de la Cour sans le consulter jamais. Il réclamait, non par amour, mais par dignité, sa femme, qu'Henri III, depuis sa fuite, retenait comme une sorte d'otage.

Catherine décida son fils à laisser partir Marguerite et elle partit avec elle pour travailler à la réconciliation des partis et à la pacification du royaume.

Elle était assistée d'un secrétaire d'État, Pinart, et de conseillers du Roi, choisis parmi les plus capables: Saint-Sulpice et Paul de Foix, celui-ci ancien ambassadeur à Rome, et celui-là en Espagne, et Jean de Monluc, l'heureux négociateur de l'élection de Pologne. Le cardinal de Bourbon l'accompagnait et le duc de Montpensier la rejoignit en cours de route. Sa vieille amie, la duchesse d'Uzès, la jeune duchesse de Montpensier, la princesse douairière de Condé lui tinrent quelque temps compagnie. Elle emmenait, entre autres dames et demoiselles d'honneur, Atri, une Italienne, Dayelle, une Grecque, et l'ensorceleuse Mme de Sauve. C'était une Cour de France en raccourci qui allait refaire en sens contraire, et pour les mêmes fins de consolidation monarchique, le grand tour de France entrepris en 1564 après la première guerre de religion.

De Bordeaux, une de ses premières étapes, elle écrivait à Bellièvre, son homme de confiance, d'empêcher à tout prix, c'est-à-dire en y mettant le prix, une invasion de Jean Casimir; elle, de son côté, s'efforcerait de «lever le roy de Navarre et ceulx de sa religion ors (hors) de defiense en quoy l'on lé met que le Roy les veult tous ruyner». Ainsi, en ôtant à Casimir la tentation de venir et au roi de Navarre celle de l'appeler, on éviterait l'orage. «Velà pourquoy je panse fayre ysi plus de service au Roy et au Royaume que de ne luy cervir auprès de luy que de dire (que je ne pourrais lui servir en disant) un mauvés avis.» Un mauvais avis! Elle veut dire un bon avis qui ne serait pas agréable. On a l'impression que, parmi les raisons de s'éloigner, il y en a une qu'elle ne dit pas: celle de regagner, à force de dévouement, la confiance et l'affection de son fils quelque peu altérées par les désaccords des derniers temps. Elle se disait résolue à ne repartir du Midi, où elle venait d'arriver, qu'après y avoir rétabli la paix. «Je playndré infiniment ma pouine (peine) d'estre ysi veneue et m'an retourner come un navire désanparé et set (si) Dieu me fayst la grase de fayre cet (ce) que je désire, j'espère que cet royaume cet santiré de mon traval (se sentira de mon travail) et que le repos y dureré»[926] (durerait, durera). Un de ses premiers actes fut la dissolution d'une confrérie qui, groupant les catholiques zélés de Bordeaux, attisait leur fanatisme[927]. Quelques jours après, en la salle de l'évêché d'Agen, elle harangua «fort grand nombre et des plus grands» de la noblesse de Guyenne sur les «occasions» de sa venue. La première était que Dieu ayant fait la grâce au Roi de mettre fin à la dernière guerre par la paix qu'il avait donnée à ses sujets, «il (le Roi) vous prie par moy... d'embrasser de cœur et d'affection l'union à laquelle je vous appelle». «L'autre occasion... a esté pour mener sa sœur, ma fille, au Roy de Navarre, lequel il aime, tient et estime pour son proche parent et allyé; il le vous a baillé pour son lieutenant en ceste Guienne et vostre gouverneur, veult et entend que vous luy obéissiez comme vous estant donné de luy, espérant qu'il sera tousjours bien avecques luy, le recognoistra pour son Roy et vous traictera comme ses subjectz». Elle leur recommandait en leurs doutes et leurs difficultés de recourir à sa fille, qu'elle avait «cherement nourrye et instruicte à honnorer et recognoistre le Roy son frère», laquelle y pourvoirait pour leur bien et conservation «selon qu'elle sçait estre de la vollunté du Roy son frère». Et solennellement elle protestait «que s'il advenoit (ce que Dieu ne veuille et que je ne pourroys jamais penser) qu'elle eust aultre intencion et moy mesme quand Dieu n'oubliroyt (lire m'oublierait) tant que d'estre envers le Roy qui est le vostre et le myen aultre que je ne doibtz, je vous prie ne vous (nous) tenyr ne elle [ne] moy pour ce que nous sommes et me préférer le service de vostre Roy à toutes autres considérations»[928]. C'était se proclamer, elle et sa fille, déchues, en cas de désobéissance, des privilèges de leur rang pour faire mieux sentir à ces gentilshommes la vertu de la fidélité.

**Note 926:** (retour) Bordeaux, 18 septembre 1578, *Lettres*, t. VI, p. 38-39. Cf. p. 63.

**Note 927:** (retour) 29 septembre, *Lettres*, t. VI, p. 40. Cf. Brantôme, éd. Lalanne, t. III, p. 382, et t. VII, p. 375.

**Note 928:** (retour) 15 octobre 1578, *Lettres*, t. VI, p. 75, et app., p. 398-400. Le copiste a mal lu, mais les passages fautifs sont faciles à comprendre et à rectifier.

Le roi de Navarre était allé au-devant de sa belle-mère et de sa femme jusqu'à La Réole. La première entrevue fut cordiale[929]. On se mit facilement d'accord sur le principe: observation de l'Édit de Poitiers et du traité de Bergerac, restitution des places fortes indûment occupées. Mais quand il en fallut venir à l'application, les difficultés commencèrent. Les protestants détenaient plus de deux cent neuf villes, villettes ou châteaux forts dont ils ne voulaient pas se dessaisir[930]. Le roi de Navarre était disposé à exécuter loyalement les articles de la paix et il savait bien pour quelles raisons très intéressées tant de capitaine huguenots, et par exemple Merle, qu'il qualifiait de «larron», se montraient si difficiles. Mais il devait compter avec son parti, qui était ardent et soupçonneux, et lui-même n'était pas sans griefs et sans rancunes. Quand il se trouva en présence du maréchal de Biron, il lui parla «plus brusquement, écrit la Reine-mère, que nous ne pensions», ma fille et moi, «dont ledict sieur mareschal monstra d'estre fort en collere». Les deux Reines et le cardinal de Bourbon eurent de la peine «à les accorder tellement quellement»[931], c'est-à-dire plutôt mal que bien. Catherine appréhendait par-dessus tout que son gendre, dont elle mésestimait l'intelligence et le patriotisme, ne s'entendît avec le roi d'Espagne par peur du roi de France. Elle n'était pas trop surprise qu'il eût envoyé un de ses serviteurs les plus confidents, Clervaut, à Casimir. Mais elle se préoccupait beaucoup d'une lettre qu'il avait écrite à D. Sancho de Leyva, vice-roi de la Navarre espagnole, et des «visitations» qu'il avait envoyé faire en Espagne[932]. Elle avait hâte de couper court à toutes ces trames par une prompte paix.

**Note 929:** (retour) Elle eut lieu à Casteras, une «maison», d'où la Reine-mère, sa fille et son gendre le même jour gagnèrent La Réole.

**Note 930:** (retour) *Lettres*, t. VI, app., p. 451.

Mais des deux parts on perdait le temps à chercher un lieu de rendez-vous qui ôtât les défiances. Catherine, impatientée, alla s'installer à Auch, où son rendre finit par la rejoindre. Les pourparlers commencèrent parmi les fêtes et les plaisirs. Les dames et les demoiselles d'honneur négociaient à leur façon. Mais, loin d'encourager cette diplomatie galante, la Reine-mère, affirme Marguerite sa fille, en montrait de l'humeur, persuadée que son gendre, très épris de Dayelle, et les gentilshommes huguenots qui avaient pareilles attaches tiraient les affaires en longueur «pour voir plus longtemps ses filles»[933]. Des coups de main interrompaient la trêve. Un soir, pendant le bal, un courrier vint dire au roi de Navarre à l'oreille que les catholiques avaient surpris La Réole (mi-novembre). Sans rien laisser paraître de ses sentiments, il avertit Turenne, son meilleur lieutenant, s'esquiva du bal avec lui et alla se saisir de Fleurance, petite ville catholique. Catherine ordonna de rendre La Réole aux protestants.

**Note 931:** (retour) 9 octobre 1578, *Lettres*, t. VI, p. 64.

**Note 932:** (retour) 4 octobre 1578, *Lettres*, t. VI, p. 53. Kervyn de Lettenhove a publié (*Les Huguenots et les Gueux*, t. IV, p. 579) une lettre du roi de Navarre à Philippe II. Elle est polie, froide, évasive. C'est probablement une réponse à des avances venues de Madrid et elle porte la date du 3 avril 1577. L'historiographe Palma Cayet rapporte qu'en 1578 le roi d'Espagne incita le roi de Navarre à se déclarer contre Henri III (Avant-propos de la *Chronologie Novenaire*, éd. Buchon, p. 5). La lettre du 3 avril 1577 prouve que ce n'était pas la première fois. Philippe II récidiva en 1580 et 1583 sans plus de succès, quelques avantages qu'il offrît (Palma Cayet, *Chronologie septenaire*, éd. Buchon, p. 200-201, et *Mémoires et Correspondance* de Du Plessis-Mornay, Paris, 1824, t. IV, p. 154). Le Béarnais, obligé de ménager tout le monde, ne pouvait rejeter avec mépris les propositions de son redoutable voisin. Mais il n'a jamais sollicité, quoi que suppose Kervyn de Lettenhove, ni accepté les secours de cet ennemi du protestantisme et de la France. Le maréchal de Biron, qui n'avait aucun intérêt à le disculper, disait à la Reine-mère (*Lettres*, t. VI, p. 71, 11 octobre 1578) que Philippe II avait poussé le roi de Navarre contre Henri III, évidemment en 1577, avant la paix de Bergerac (sept.) et qu'il lui avait même offert de se liguer avec lui. Mais il y avait en France des huguenots moins scrupuleux qu'Henri de Bourbon. Un an et demi plus tard, Bellièvre écrivait à Catherine (Bordeaux, 20 janvier 1581) que le bruit courait que Jean Casimir «s'est faict pensionnaire du roy d'Espaigne» et il faisait remarquer que «ceste mutation dudict Casimir semble estrange, actendu ce qu'il a faict cy devant», mais il ajoutait: «Nous avons descouvert en ce païs (la Guyenne où il était) à quoy en pouvoient estre les huguenots de France avec ledict Sr. roy d'Espaigne, tellement que je ne veulx [rien] asseurer dudict Casimir qui est d'un estrange naturel». *Lettres*, t. VII, app., p. 460.

**Note 933:** (retour) *Mémoires de Marguerite*, éd. Guessard, p. 158.

Ce fut seulement le 3 février 1579 que commencèrent à Nérac les discussions sérieuses. Les députés des Églises, après s'être fait attendre plusieurs mois, étaient enfin arrivés. Ils réclamèrent, contrairement aux articles de Bergerac, le libre exercice du culte dans tout le royaume et l'octroi d'environ soixante places de sûreté. Paul de Foix, Saint-Sulpice, le cardinal de Bourbon s'élevèrent contre cette prétention. Mais les députés tinrent ferme sur la question des lieux de refuge, «alléguant, écrit Catherine à Henri III, une seule raison, qui leur a esté par infiniz aultres solue (réfutée),... que sans la retraite qu'ils eurent à La Rochelle lors de la Sainct Berthèlemy, ilz estoient tous perdus, commes les aultres qui moururent en ce temps là»[934]. Lorsqu'ils eurent épuisé cet argument, ils allèrent trouver la Reine-mère un soir à son souper et lui demandèrent congé. Outrée de colère qu'ils lui eussent fait perdre le temps sans intention de conclure, elle «leur parla royallement et bien hault jusques à leur dire que [elle] les feroit tous pendre comme rebelles: sur quoy la reyne de Navarre se mist en devoir d'appaiser le tout, mesme plura (pleura) suppliant sa Majesté de leur donner la paix»[935]. La délibération continua. Catherine présidait les débats et y intervenait souvent, discutant, marchandant, lâchant les concessions une à une. Les conseillers du Roi tombaient de fatigue; un jour Monluc se trouva mal; un autre jour Paul de Foix dut sortir pour gagner son lit. Elle ne paraissait jamais lasse et, dans l'intervalle des conférences, elle faisait venir ses adversaires les plus intraitables et peinait à les convaincre.

Ses arguments, ses caresses, l'intervention de Turenne et du Roi de Navarre qui, eu égard aux événements des Pays-Bas, n'avaient pas intérêt à rompre, amenèrent les intransigeants du parti à rabattre de leurs prétentions. Ils n'obtinrent que quatorze places de sûreté et seulement pour six mois (convention de Nérac, 28 février 1579)[936].

**Note 934:** (retour) Nérac, 12 février 1579, *Lettres*, t. VI, p. 260. C'est, je crois, la seule allusion directe qui se trouve dans la correspondance relativement à l'odieux massacre. On voit que Catherine en parle tranquillement à son ancien complice Henri III, comme d'un événement auquel ils seraient étrangers.

**Note 935:** (retour) Récit de la conférence par le secrétaire du maréchal de Damville, dans *Lettres*, t. VII, app. p. 446.

**Note 936:** (retour) : *Lettres*, t. VI, p. 282.

Tout en négociant avec Henri de Bourbon et les réformés, Catherine dirigeait du fond de la France les grandes affaires du royaume et les relations avec les puissances étrangères. Le Roi, à Paris ou dans les environs, légifère, règle son conseil, crée des taxes nouvelles ou aggrave les anciennes. Il institue l'Ordre du Saint-Esprit, en rédige les statuts et en fixe minutieusement le costume. Il pèlerine à Notre-Dame de Chartres pour avoir des enfants, danse en ville avec la Reine deux fois la semaine, ou villégiature à Ollainville, une jolie résidence dont il a fait cadeau à sa femme. La Reine-mère, à Bordeaux, Agen, Port-Sainte-Marie, Auch, Toulouse, Nérac, travaille à lui procurer la paix. Elle se déplace sans cesse, malgré son catarrhe et ses rhumatismes, campe dans les grandes et les petites villes ou les châteaux. Elle traite ou correspond avec les protestants, avec les catholiques, avec les parlements, les gouverneurs, le clergé, la noblesse, les communautés, avec tout ce qui a une influence et peut la servir en son œuvre. Elle s'entremet auprès de son fils en faveur de Damville, qui s'inquiétait des dispositions de la Cour[937]. Elle conseille à Henri III d'empêcher Châtillon de secourir le capitaine rebelle de Beaucaire; elle fait intervenir le roi de Navarre comme chef du parti protestant à même fin. Elle voit le gouverneur du Languedoc à Toulouse et achève de le rassurer.

Elle a une police très bien faite, qui l'avertit de tous les remuements; elle arrête les courriers, lit les lettres, écoute ou sollicite les confidences. Elle sait que les «brouilleurs de provinces» ont des intelligences dans la région de Toulouse et qu'ils ont délégué quelqu'un à Paris pour se mettre en rapport avec les émissaires de Bourgogne et de Normandie[938]. Elle ne craint pas à l'occasion d'ouvrir une dépêche de l'ambassadeur de France à Madrid pour savoir plus vite le secret des intrigues espagnoles et y aviser[939]. «Il n'est, écrit-elle à Henri III, heure du jour ny de la nuict... que je ne pense aux moiens nécessaires» pour remédier doucement aux «mauvaises délibérations et praticques[940]».

Elle proposait au Roi, quelquefois sur sa demande, et le plus souvent d'elle-même, les mesures propres à calmer l'agitation ou à la prévenir. Elle constatait que les innovations fiscales soulevaient presque jusqu'à la révolte les «peuples» surchargés. La plupart des États provinciaux demandaient que les impôts fussent réduits aux chiffres du temps de Louis XII. Les Méridionaux protestaient «avec pour le moings aultant de véhémence» que les Normands, étant «gens plus chauds et coleres»[941]. Les Bretons avaient «intelligence en aucunes provinces de ce royaume et mesme du costé d'Angleterre pour y avoir secours quant l'occasion s'en présentera». Ils ne voulaient ni payer l'imposition foraine ni souffrir de garnisons royales dans leurs villes, les États du pays «s'estant... tous resoluz d'une vive voix» de s'y opposer «par voye de fait s'ils y sont contraints et d'y exposer vie et biens»[942].

**Note 937:** (retour) Les lettres de Damville à Catherine du 31 octobre 1577 au 24 mars 1579 montrent que le gouverneur du Languedoc cherchait un appui auprès d'elle (voir *Lettres*, t. VI, app. p. 464-481). Henri III, à la sollicitation de sa mère, écrivit à Damville (6 déc. 1578), qu'il chargeait sa mère d'agir contre Châtillon (*Lettres*, t. VI, app. p. 409), et lui témoigna (p. 461) le contentement qu'il avait de la prise de Beaucaire (6 mars 1579). Le roi de Navarre avait désavoué les entreprises de Châtillon (*Ibid.*, p. 67, 101, 246 et *passim*).

**Note 938:** (retour) *Lettres*, t. VI, p. 267, Nérac, 17 février 1579.

**Note 939:** (retour) *Ibid.*, p. 107.

**Note 940:** (retour) *Ibid.*, p. 73.

**Note 941:** (retour) *Ibid.*, p. 178.

**Note 942:** (retour) *Lettres*, t. VI, app., p. 403, avis donné à la Reine-mère et au duc de Montpensier, gouverneur de Bretagne, par le sieur de La Hunaudaye.

Ne serait-il pas possible, suggérait Catherine, de gratifier la Bretagne de quelque allégement pour calmer «cette grande crierie»[943]? Elle était aussi d'avis de retirer les édits soumis à la vérification du Parlement, et qui provoquaient tant de colères. L'imposition foraine, elle veut dire évidemment la traite foraine domaniale, cette surtaxe prélevée sur les vins et les blés à la sortie du royaume, frappait les pays agricoles et particulièrement la noblesse du Midi, dont les terres étaient toutes plantées en vignes et en blé. Elle avait bien représenté aux gens de Guyenne et du Languedoc, «que ce qui s'en prend n'est que sur l'estranger [acheteur] et que les deniers sont destinés pour le paiement de ce qui est deu, pour les guerres passées, aux Suisses dont l'alliance est si nécessaire». Mais ils répliquaient «qu'ils n'ont aulcun moyen de faire argent et joyr de leur revenu que par le débit de leurs bledz et vins». Aussi elle prie son fils «de prendre une bonne résolution pour les costez de deça et prendre en bonne part» ce qu'elle lui en dit[944].

**Note 943:** (retour) *Lettres*, t. VI, p. 103, 1er novembre 1578, et p. 201.

**Note 944:** (retour) 944 *Ibid.*, p. 125-126.

Il y a en outre des taxes dont ceux qui les lèvent ont tout le profit. Le Roi, qui n'en touche rien, ne pourrait-il pas les supprimer? Le clergé s'indigne des aliénations et refuse de payer les décimes. De sa propre autorité, elle fit surseoir aux poursuites, qui ruinaient les ecclésiastiques en frais de justice. Elle craignait les inspirations de la colère et de la misère. Elle ne cessait pas de recommander de «modérer toutes choses»[945]. Elle se réjouissait que son fils eût consenti une réduction de moitié sur les nouvelles traites et impositions foraines, car si, d'une part, il n'y a «aultre meilleur moyen pour satisfaire aux Suisses que par celuy de cesdictes traites et impositions foraines», d'autre part «il faut principalement en ce temps aller retenu et avoir aussy beaucoup de considérations avant que presser telles nouvelles subventions.»[946]946.

**Note 945:** (retour) A Bellièvre, 6 janvier 1579, *Lettres*, t. VI, p. 178.

**Note 946:** (retour) Au Roi, 2 février 1579, *Lettres*, t. VI, p. 248.

Comme elle sait Henri III ombrageux et susceptible, elle n'aborde certains sujets qu'avec beaucoup de précaution. Il en voulait à son frère de compromettre la sécurité du royaume par l'invasion des Flandres. Elle avait fait de son mieux pour détourner le Duc de cette aventure et ne s'y était résignée que pour éviter un plus grand mal. Mais quand la nouvelle lui vint, au cours de son voyage, que le roi de Portugal, D. Sebastien, avait été tué dans une bataille contre les Maures (Alcazar Kebir, août 1578), laissant pour successeur un vieillard décrépit, le cardinal Henri, elle jugea que Philippe II, fils d'une infante portugaise, aurait tellement à cœur de réaliser l'unité politique de la péninsule hispanique, ce rêve de ses prédécesseurs, en s'assurant cet héritage, qu'il y emploierait le meilleur de ses forces et se bornerait à se défendre aux Pays-Bas. Elle imagina même, pour avoir l'occasion d'intervenir à son heure dans les affaires du Portugal, de poser sa candidature à la succession du Cardinal, sous prétexte que trois siècles auparavant une princesse de sa famille maternelle, Mathilde, comtesse de Boulogne, avait été la femme--la femme répudiée et sans enfants--d'un roi de Portugal. Probablement l'idée lui vint qu'elle pourrait troquer sa prétention, qui n'était pas «petite», du moins elle le croyait[947], contre d'avantageuses compensations. Le succès des armes françaises dans les Pays-Bas pouvait donner quelque consistance à cette thèse légère. Mais elle n'osait pas conseiller directement au Roi, dont elle savait les dispositions, de soutenir le duc d'Anjou. Ce fut sous le couvert d'un entretien avec le maréchal de Biron qu'elle glissa l'insinuation. Biron lui avait représenté les méchants desseins de Philippe II contre le royaume, et entre autres sa proposition au roi de Navarre de faire ligue contre Henri III, avec le concours certain des princes de la «Jarmanie» (Germanie), et il avait conclu qu'aussitôt la paix assurée au dedans, il fallait déclarer la guerre au roi d'Espagne; qu'il n'y avait rien à craindre et beaucoup à espérer, que de cette façon le duc d'Anjou serait «obligé» et occupé. «Vous prendrez en bonne part, monsieur mon fils, ajoute-t-elle en manière d'excuse, que je vous représente mot pour mot tout ce qui s'est passé entre luy (Biron) et moy»[948].

**Note 947:** (retour) Nérac, 8 février 1579, *Lettres*, t. VI, p. 256.

**Note 948:** (retour) 6 octobre 1578, *Lettres*, t. VI, p. 71.

Un mois après elle s'enhardit. Elle louait le Roi d'avoir parlé, comme il l'avait fait, à Simier, que le duc d'Anjou lui avait dépêché pour lui dire les offres qu'il avait reçues, probablement des États généraux des Pays-Bas et du prince d'Orange. «Il ne se pouvoit mieux ni plus prudemment et à propos respondre... pour vostre dignité et pour conserver vostre amytié avec le roy d'Espagne.» Mais elle le suppliait de «gratifier» son frère en tout ce qu'il pourrait «honnestement», «sans toutefois en faire démonstration»[949]. Elle ne se départ jamais avec lui de ces ménagements. Elle résout tout et cependant affecte de le consulter en tout. Elle ne prend pas une décision sans l'en prévenir et sans lui demander son approbation. Elle le tient au courant de ses négociations, de ses conversations, de ses déplacements, de sa santé. Elle raconte ce qu'elle a dit et ce qu'on lui a dit avec une telle abondance de détails; elle rapporte si exactement les débats et les entretiens; elle fixe avec tant de bonheur la physionomie, le caractère, les façons et l'humeur des gens avec qui elle traite, qu'on croit entendre les propos et voir les personnes. C'est une histoire complète, fidèle et vivante de ce grand voyage de pacification, et c'est un document capital pour la connaissance de Catherine orateur, diplomate, écrivain.

**Note 949:** (retour) 8 novembre 1578, *Lettres*, t. VI, p. 111.

Quand elle s'aperçut que le règlement des affaires du Midi, au lieu de durer deux mois, comme elle l'avait espéré, s'allongeait indéfiniment et qu'elle put craindre l'effet de l'absence sur l'affection de son fils, elle laissa ou fit partir pour la Cour la duchesse d'Uzès, une amie de toujours, spirituelle, intelligente, qui avait côtoyé comme elle l'écueil enchanté de la Réforme et qui, comme elle, avait pris à temps le large. C'est la Duchesse qui, lors de la rencontre de Théodore de Bèze et du cardinal de Lorraine, quelques jours avant le colloque de Poissy, s'était tant moquée des apparentes concessions du Cardinal au ministre de Genève sur la question de la Cène: «Bonhomme aujourd'hui, mais demain?» Turenne, le roi de Navarre et le prince de Condé ne lui en auraient pas fait davantage accroire sur le désintéressement de leur zèle religieux. Elle est la seule personne à qui Catherine ait écrit avec tant de confiance, d'abandon, de bonne humeur et de bonne grâce railleuse. Elle lui annonçait, après son départ l'arrivée à Nérac des députés des Églises, dont quelques-uns étaient gentilshommes. Mais, dit-elle, ils ressemblent tous «à des ministres ou des oyseaulx que vous savés, car ysi je ne les auserès (oserai) nomer par leur nom, mais vous m'entendés»[950].

**Note 950:** (retour) *Lettres*, t. VI, p. 284, févr. 1579.

Un des chefs réformés, probablement Chaumont-Quitry, s'étant emparé des chevaux de la Duchesse, Catherine s'amuse de l'embarras de son amie. «... L'oiseau qui les a volés, s'an va cheu luy en Normandie. Je croy qu'il enn avoyt affayre pour son voyage»[951]. Ce vol de chevaux et la comparaison des huguenots avec les oiseaux «nuisans» reviennent plusieurs fois, mais toujours sur un ton de plaisanterie, sans aigreur ni colère. En Languedoc et en Provence: «N'i a pas... faulte de oiseaulx nuisans. Set (si) avyés encore de bons cheveaulx, y (ils) les ayment ausy byen que ceulx qui vous prindre (prirent) les vostres, o (au) reste fort jeans de bien et denset (qui dansent) bien la volte»[952]. Elle décrit agréablement le pays. Voici le mois de mars dans la région toulousaine, printemps trop chaud à son gré. «Et vous aseure qu'il n'y fest pas plus pleysant que quant en partistes, et les oiseaulx ne vole plus, car la seyson ayt fort avensaye, car dejea les feves sont en floyr (fleur) et les aumende (amandes) dure, les serice (cerises) groce; nous sommes à l'esté, mais qu'il ne pleust pas coment yl faist (probablement sauf qu'il ne pleut pas l'été comme il pleut maintenant)»[953]. Le temps change soudain et elle raille l'enthousiasme de Louise de Clermont pour ce Midi où elle avait ses terres:

«Vous aystes au plus venteulx peys et froit; n'enn fète plus feste deu chault du Languedoc»[954]. On a vu plus haut le rapprochement si drôle des cerveaux et des brusques variations de température du Dauphiné. Elle plaisante sur ses misères physiques, son catarrhe, qui a dégénéré en sciatique et qui l'oblige, comme le maréchal de Cossé, à monter en «un petit mulet pour me promener aultant que je volès: je croy que le Roy ryra, mès qu'yl me voye (quand il me verra) promener aveques luy comme le maréchal de Cosé.... Vous avés la chère (la chaise à porteurs) et moy le mulet car je ayme myeulx aler louyng (loin)»[955]. Elle a la passion du mouvement.

**Note 951:** (retour) *Ibid.*, p. 292, [3 mars] 1579.

**Note 952:** (retour) *Ibid.*, p. 381, mai 1579.

**Note 953:** (retour) *Ibid.*, p. 325, mars 1579.

**Note 954:** (retour) *Ibid.*, p. 339, avril 1579.

**Note 955:** (retour) *Ibid.*, p. 360, 8 mai 1579.

Mais sans aucun doute ce n'est pas pour lui écrire ses impressions de voyage que Catherine s'est séparée de cette confidente. Elle la prie, aussitôt qu'elle aura vu le Roi et la Reine, de lui donner de leurs nouvelles[956]. L'ambassadrice remplit à sa satisfaction le rôle qu'elle lui destinait: «Je suys bien ayse, lui écrit-elle, que [vous] gouvernés le Roy, la Royne, son frère et le Conseil; tenez moy en leur bonnes grases»[957]. C'était sa grande préoccupation. Quand elle se crut, faux espoir, à la veille de rentrer à Paris, elle l'interrogeait avec un peu d'inquiétude: «Mendé moy cet (si) je suys la bien reveneue et sovent de toute novelle, du Roy surtout et de la Royne et set (si) mon fils (le duc d'Anjou) c'et (s'est) governé sagement»[958]. Elle ne reçoit pas de lettre et le lui reproche affectueusement. «Je ne sé que panser, car vous n'estes pas encore d'eage de haublyer rien de cet que aimez»[959]. Elle ne se plaint que de vivre loin de ce fils qui lui «représante mary, enfans et amy»[960].

**Note 956:** (retour) Février 1579, *Lettres*, t. VI, p. 285.

**Note 957:** (retour) *Ibid.*, p. 339. Marguerite écrivait aussi en un autre temps à la duchesse d'Uzès: «Faites puisque vous gouvernez le Roy que je me ressente de votre faveur». *Mémoires*, éd. Guessard, p. 215.

**Note 958:** (retour) *Lettres*, t. VI, p. 360.

**Note 959:** (retour) Août 1579, *Lettres*, VII, p. 65.

**Note 960:** (retour) 13 février 1579, *Lettres*, t. VI. p. 338.

Le travail ni la fatigue ne lui pèsent. Elle n'était pas encore au bout de ses chevauchées qu'elle pensait à une traversée. Pour ajouter un nom de plus à la liste déjà longue de ses prétendants et aussi pour avoir le droit de suivre de plus près les affaires des Pays-Bas, Élisabeth affectait de n'être pas insensible à la recherche du duc d'Anjou. Mais elle voulait le voir avant de se décider--sans promettre de se décider. L'Union des dix-sept provinces n'avait pas survécu à la mort de D. Juan d'Autriche (2 octobre 1578) et à la place s'étaient formées deux ligues ennemies, l'une calviniste, l'Union d'Utrecht, et l'autre catholique, l'Union d'Arras (janvier 1579). Le nouveau gouverneur général, Alexandre Farnèse, duc de Parme, avait profité de la scission. Il avait traité avec l'Union d'Arras et ramené à Philippe II, par d'habiles concessions, la moitié des Pays-Bas. Le duc d'Anjou, abandonné par les provinces qui n'avaient pas lié franchement partie avec lui, et ne recevant aucun secours de son frère, avait été forcé de rentrer en France, et il y revenait aigri et humilié[961]. La mère s'était aussitôt entremise entre ses deux fils. Au Duc, elle affirmait «que le Roy l'ayme et qu'il luy aydera en tout ce qu'il pourra à luy mectre une couronne (celle d'Angleterre) sur la teste»[962]. Elle avait un si grand désir de le détourner des affaires de France et de l'occuper ailleurs que, sans être du tout convaincue de la sincérité des avances anglaises[963], elle ne laissait pas de lui conseiller d'aller en Angleterre faire sa cour à Élisabeth et lui assurait gravement qu'il en reviendrait content, «car elle (la Reine) sayt bien le tort qu'elle se feroit d'abuzer le frere d'un si grand roy, comme le grand Roy de France»[964]. Elle parlait de passer elle-même la mer pour aller négocier le mariage. «Ma comere, écrit-elle à la duchesse d'Uzès, encore que nostre heage (âge) soiet plus pour set repouser (se reposer) que pour feire voyage, si ese (si est-ce) qu'yl en fault encore feire un enn Engletere»[965]. Aucun effort ne lui coûtait pour soustraire le Duc «aus mauvés consels et à ceulx qui ont plus d'enbition que de proudomye (prud'homie)».

Quand elle apprit qu'il était arrivé subitement à Paris le 16 mars et que le Roi et lui vivaient au Louvre et couchaient ensemble «en grande concorde et amitié fraternelle». C'est, écrivait-elle à son amie, «une plus grent joye» qu'elle ressentit «yl i a longtemps»[966].

**Note 961:** (retour) C'est probablement alors qu'il a publié à Rouen sa *Lettre contenant l'éclaircissement des actions et déportemens du duc d'Anjou*, 1578, où il attaque vivement le Roi et la Cour. Catherine ordonna que tous les exemplaires fussent «bruslez secrétement» pour en ensevelir la mémoire. *Lettres*, 26 janvier 1579, t. VI, p. 236, et la note.

**Note 962:** (retour) 20 février 1579, *Lettres*, t. VI, p. 272.

**Note 963:** (retour) Au Roi, 21 février 1579, *Lettres*, t. VI p. 279.

**Note 964:** (retour) 24 mars 1579, *Lettres*, t. VI, p. 316.

**Note 965:** (retour) 14 avril, *Lettres*, t. VI, p. 337.

**Note 966:** (retour) A la duchesse d'Uzès, mars 1579, t. VI, p. 325.--24 mars 1579, à Damville, *Lettres*, t. VI, p. 318.--Cf. *Mémoires-journaux de L'Estoile*, éd.

Jouaust, t. I, p. 310 et 313.--Kervyn de Lettenhove, *Les Huguenots et les Gueux*, t. V, p. 367.

Mère heureuse--et elle l'était à ce moment--elle se louait de sa fille, la reine de Navarre, qui l'avait bien secondée dans ses négociations. Elle la présenta le 5 mars à la noblesse catholique de Guyenne, comme une autre elle-même, qu'elle chargeait de faire exécuter les articles de Nérac. «Elle sera tousjours protectrice des catholiques, leur dit-elle, prendra vos affaires en mains et aura soing de vostre conservation: adressez-vous à elle et asseurez-vous qu'elle y apportera tout ce que vous pourriez désirer»[967]. Elle la croyait «ayxtrémement bien aveques son mari» et se faisait illusion, sinon sur sa bonne volonté, du moins sur sa puissance à bien servir le Roi son frère[968]. Elle était contente d'elle même. Elle pense avoir à Nérac achevé l'œuvre de l'édit de Poitiers; elle a paru aux États du Languedoc, assemblés à Castelnaudary (avril), et elle en a obtenu les subsides demandés. Malgré quelques incidents fâcheux: surprises de places et de châteaux par les protestants ou les catholiques, duel de Turenne et de Duras, qui faillit mettre aux mains les gentilshommes des deux religions, elle se persuade qu'elle laisse la Guyenne en paix, comme si l'expérience ne l'avait pas convaincue de la vanité «des écritures».

**Note 967:** (retour) 5 mars 1579, *Lettres*, t. VI, en app. p. 453.

**Note 968:** (retour) 8 mai 1579, *Lettres*, t. VI, p. 360.

Elle dit adieu à sa fille et à son gendre (mai 1579). Marguerite «infiniment attristée» de cette séparation, «s'est enfermée toute seule en une chambre où elle a fort pleuré»[969]. Mais Catherine, bien que sa fille lui fît «grand pitié», se consola vite, trop vite, à la pensée qu'après neuf mois et demi de séparation elle verrait bientôt (en quoi elle se trompait) le Roi son fils. Elle traversa le Languedoc méditerranéen, évitant le rebord des Cévennes, qu'infestaient les bandouliers, et la plaine où sévissait la peste, toujours gaie, malgré sa sciatique, le voyage à dos de mulet et deux nuits passées sous la tente entre les étangs et la mer[970]. Elle obtint par argent ou menace la soumission de Bacon et d'autres capitaines «larrons». Elle cueillit au passage l'hommage de Montpellier, la cité huguenote, s'avançant le long des murailles jusqu'à la porte par un chemin bordé d'arquebusiers, et si étroit que le bout des arquebuses touchait presque à son chariot. Les consuls, en robes rouges et chaperons, vinrent au-devant d'elle «avec toute humilité», et le peuple même, admirant son courage, montra «quelque peu plus de bonne volonté» qu'elle n'espérait (29 mai)[971].

**Note 969:** (retour) Au Roi, 8 mai, t. VI, p. 358.

**Note 970:** (retour) A la duchesse d'Uzès, *Lettres*, t. VI, p. 360.

**Note 971:** (retour) 30 mai 1579, *Lettres*, t. VI, p. 379.

De Beaucaire, sa dernière étape en Languedoc, où elle arriva le 30 mai, elle poursuivit les négociations qu'elle avait engagées, de loin, en Provence. Elle y avait fait nommer gouverneur, malgré les préventions du Roi, le bâtard de son mari et de lady Fleming, Henri d'Angoulême, dont elle vantait l'habileté et le zèle. Tout d'abord elle s'imagina, tant les partis déclaraient de bonne volonté à lui obéir, qu'ils ne l'arrêteraient pas longtemps[972]. Elle rabroua fort l'ancien gouverneur, le comte de Suze, qui s'excusait de son insuccès sur le manque de forces «... Et en sela, écrit-elle au Roi, yl ne fault qu'i (qu'il) cet plaigne que d'avoyr creynt ceulx qu'i falloyt qu'il fist creyndre (si ce n'est d'avoir craint ceux de qui il fallait qu'il se fît craindre)» et elle ajoutait fièrement: «car de moy (quant à moi) [je] n'ay forses que vynt (vingt) cornettes, quy ne sont que de satin noyr»--c'étaient les cornettes de ses dames et demoiselles--«mès je m'aseure bien de vous fayre haubéyr et que je leur fayré plustost peur et mal, je antemps (j'entends) par la joustise, qu'ils n'auront la puysance de me fayre sortir, car vous y serés le mestre et haubéy aultant que Roy y feust jeamés»[973]. Mais la pacification n'alla pas aussi vite qu'elle l'espérait. Elle fut obligée de pousser jusqu'à Marseille pour faire sentir sa main de plus près. Les Razats, parmi lesquels il y avait des huguenots, roturiers ou nobles, avaient pris Trans (23 mai 1579) et massacré le châtelain, qui était le gendre du comte de Carcès, et la garnison; les Carcistes, que commandait Hubert de Vins, arrivés trop tard au secours de la place, pillèrent et tuèrent en représailles tout à l'entour[974]. Catherine, par déclaration délibérée dans le petit Conseil qui l'assistait, ordonna aux Razats comme aux Carcistes de poser les armes, ne consentant qu'à cette condition à les recevoir et les entendre. Elle obligea de Vins à licencier ses soldats, Corses, Italiens et Albanais; les Razats, à ramener à Toulon et Antibes l'artillerie qu'ils y avaient prise[975]. Alors elle manda auprès d'elle, à Marseille, les chefs et les représentants des deux partis. Dix-huit villes envoyèrent de nombreux députés, à qui s'étaient joints entre autres gentilshommes, le chevalier d'Oraison et le baron des Arcs. Devant la Reine et ses conseillers, leur avocat, un jeune Angevin, «habitué (établi) à Aix», chargea de Vins et ses gens de guerre des «meschancetez les plus inhumaines, villaines et exécrables que l'on sçauroit jamais penser», «de façon que chascun en avoit horreur», c'est Catherine qui le dit. Carcès demanda la communication écrite des faits allégués pour y répondre[976]. Mais il faut croire que sa défense n'était pas facile, car il craignait d'être arrêté et ne trouvait jamais suffisantes les garanties qu'on lui offrait. Il se faisait recommander par le duc de Mayenne, frère du duc de Guise, dont la présence en ces quartiers, quoiqu'elle s'expliquât par la cession du comté de Tende au duc de Savoie, ne lassait pas d'inquiéter la Reine-mère[977]. Il alla se plaindre aussi à Henri d'Angoulême que tout le monde «inclinoit aux Razats»[978]. Les Razats à leur tour, prenant «grande jalouzye» de cette entrevue, demandèrent que le gouverneur changeât «ses serviteurs domestiques» et prît d'Oraison pour lieutenant. Ils voulaient que tous les délinquants, sans acception de parti, fussent jugés et punis. Le parlement d'Aix montrait même passion de justice. Mais, écrivait Catherine, c'est «chause si malaysaye (malaisée) que je suis après an fayre fayre une partie et le reste un beau pardon général et fayre amis toute la noblesse [ce] qui est le principal»[279]. Henri III, tout en laissant sa mère libre d'agir, écrivait à Villeroy, son confident: «Je voudrais que Vins feust pendeu et M. de Carcès ausy». Les Razats, après avoir accepté le compromis de la Reine-mère, revinrent à leur première intransigeance et repoussèrent le projet d'amnistie. Catherine constatait mélancoliquement que les «furyes et rages» de ce pays-là étaient «encore plus grandes que nul aultre des païs» où elle avait passé[280]. Henri d'Angoulême, découragé, parlait de se retirer et elle-même écrivait à son fils que si elle n'était pas sa mère elle serait déjà bien loin[281]. Mais elle se ressaisissait vite. Elle remontra aux Razats qu'elle avait ordonné au gouverneur de composer sa compagnie de Français et de Gascons, «qui ont aussy bien de la teste qu'eux», qu'il ne ferait d'ailleurs que ce qu'elle lui commanderait pour le service du Roi, et que, ne quittant pas le pays, il rendrait inutile en fait l'office de lieutenant-général que, dans une intention d'apaisement, elle avait décidé de laisser au comte de Carcès[282]. Après une scène très vive entre les chefs des deux partis en sa présence, elle parvint à leur faire jurer «de garder la paix et l'ordonnance» et puis les fit tous embrasser[283].

**Note 972:** (retour) 2 juin 1579, au duc de Nemours, *Lettres*, t. VI, p. 383; *ibid.*, au duc de Nevers.

**Note 973:** (retour) *Lettres*, t. VII, p. 7.

**Note 974:** (retour) Au Roi, 9 juin 1579, *Lettres*, p. 4, et note 1. Trans, entre les Arcs et Draguignan (Var).

**Note 975:** (retour) 15-17 juin, *Lettres*, t. VII, p. 11.

**Note 976:** (retour) Au Roi, *Lettres*, t. VII, p. 20.

**Note 977:** (retour) Le comté de Tende appartenait au beau-père de Mayenne, l'amiral de Villars (Honoré-Lascaris de Savoie), qui consentit à le céder au duc de Savoie contre Miribel, Sathonay, etc., «sous le bon plaisir du roi Très-Chrétien», (maître de Saluces et suzerain de Tende). La Reine-mère s'entremit pour faciliter cet échange, qui fut conclu le 21 octobre 1579 à Montluel. Décidément, elle faisait trop bon marché des droits du Roi sur les pays d'outremonts et les passages des Alpes. Voir sur cette affaire Pietro Gioffredo, *Storia delle Alpi Marittime*, Turin, 1839, t. V, p. 574-576 et Comte de Panisse-Passis, *Les comtes de Tende de la maison de Savoie*, Paris, 1889, p. 173-174, et app., p. 340.

**Note 978:** (retour) *Lettres*, t. VII, p. 23.

**Note 979:** (retour) Au duc de Nevers, 28 Juin 1579, *ibid.*, p. 30.

**Note 980:** (retour) *Ibid.*, p. 25].

**Note 981:** (retour) *Ibid.*, p. 23 et 27.

**Note 982:** (retour) *Ibid.*, p. 27 et *passim.*

**Note 983:** (retour) *Lettres*, 1er Juillet 1579, t. VII, p. 36-37.

Elle croit que «ceste réconciliation est si bien faicte que tout ledict païs sera dorénavant en autant de paix, repos et tranquillité comme il estoit en desordre et danger». Mais il faut que là et ailleurs le Roi fasse observer l'Édit de pacification (de Poitiers) et y tienne la main ferme. Qu'il envoie en Provence le président de Morsans, un rude justicier, qu'elle avait déjà employé, en 1564, à châtier les factieux[984].--Qu'il délègue aussi des juges à Bordeaux. Qu'il n'appréhende pas d'appliquer le même traitement à tous les partis. Il a ordonné au maréchal de Biron de poursuivre les catholiques qui ont tenté de surprendre Langon. Pourquoi laisser impunie l'agression des protestants contre Castillonés[985]? Il convient de demander au roi de Navarre, qui va tenir ses États de Béarn, d'accorder à ses sujets catholiques la même liberté de religion qu'il a obtenue pour ses coreligionnaires de France, et c'est un devoir de lui remontrer qu'il est contraire à l'Édit de tenir un synode à Montauban[986]. L'observation stricte de l'Édit sans acception de personnes ni de religion, c'est la meilleure sauvegarde de la paix. Les fauteurs de troubles ne manquent pas de part et d'autre; les catholiques se prévaudraient des manquements des réformés, et les réformés des manquements des catholiques pour recommencer la guerre. Favoriser les uns ou les autres pour des considérations personnelles, refuser ici par caprice et céder là par crainte, c'est la plus dangereuse des politiques.

**Note 984:** (retour) Après la première guerre civile et pour mettre les catholiques à la raison. On voit qu'elle n'avait pas de préjugé religieux. Voir ch. V, p. 133.

**Note 985:** (retour) *Lettres*, t. VI, p. 364.

**Note 986:** (retour) Voir, sur toutes ces contraventions à l'Édit, sa lettre du 20 juillet 1579, t. VII, p. 52-56.

Elle avait à l'occasion le courage de défendre Henri III contre lui-même. Il n'oubliait ni ne pardonnait rien, aussi rancunier que sa mère, mais au contraire d'elle «franc et sincère». Incapable de subordonner ses sentiments à ses intérêts, il décourageait de le servir, par antipathie, prévention ou préjugé, des hommes de mérite et de bonne volonté. Catherine se désolait de ce manque d'esprit pratique et même parfois, mais rarement, elle s'enhardissait à lui faire la leçon. Elle avait eu quelque peine à le décider à nommer au gouvernement de Provence, Henri d'Angoulême, grand prieur de France, à qui elle ne gardait pas rancune de sa naissance. Suze criait à la spoliation; le maréchal de Retz, qui avait résigné en faveur de Suze, estimait la «récompense» qu'il avait reçue insuffisante. Les Carcistes dénigraient l'élu de la Reine-mère[987]. La Cour se passionnait pour ces griefs particuliers sans se préoccuper du bon gouvernement de la Provence, Henri III, qui n'aimait pas ce frère naturel, pour une raison qu'on ne sait pas ou peut-être sans raison, renvoyait à sa mère les plaintes dont il était importuné, en la priant d'y pourvoir. Elle finit par perdre patience. Elle avait, lui écrit-elle, choisi le grand prieur pour le bien de son service. Il est vrai qu'autrefois, elle lui avait conseillé de ne pas lui donner de gouvernement, mais «je vous dys à ceste heure que non pas icy, mais partout où le mettrez il vous servira fidellement et bien et a de l'entendement (et m'en croyez) pour vous bien servir... enfin il est comme le petit Charles[988] et croyez qu'ils ne fauldront à mon advis ni l'ung ni l'aultre à vous estre fidelz, car ils ne peuvent ny ne sont que ce que les ferez estre. Je les vous recommande tous deulx, l'ung pour estre fils de ce que plus aymois que moy (Henri II) et l'aultre pour l'estre de son fils et du mien[989]. Je vous supplie m'excuser si j'en ay trop dict et [m'] aymer toujours.» Les questions dont il s'embarrassait étaient faciles à régler. «Quand au Sr. de Suze, si [vous] bailliez au fils du marechal [de Retz] les gallères (le généralat des galères), ne les voullant Suze, les six mille francs demeureroient à Suze.... Voilà mon avis vous en ferez comme il vous plaira et surtout je vous supplye que ne me les renvoyez plus (les plaintes ou les plaignants)»... «Une bonne abbaye au fils de Suze et tout seroit content»[990]. Mais il est probable que tout le monde ne le fut pas. Et prenant la question de plus haut, la Reine-mère exposa au Roi les dangers d'une politique inconsistante, sans programme et sans suite, fluctuant au vent des sollicitations et des influences. «Ces passions particulières que viennent de vostre Court ruynent toutes nos affayres; et n'est plus temps de les dissimuler, car cela ne tend que à voulloir chascun avoyr ung coin de vostre royaulme. J'ayme tout le monde, mais je n'ayme rien quand on brouille noz affayres et à la fin j'espère mettre toutes ces provinces de façon que, au lieu que l'on vous veult tenir tousjour en crainte, vous y tiendrez les aultres; et en fault venir là ou aultrement vous ne seriez que comme j'ay esté quand n'aviez que dix ans, et, [sous] le feu Roy, vostre frère. Quand à moy, je m'asseure si commandez bien ferme et que faciez observer la paix, que vous vous verrez dans la fin de ceste année hors de paige (page) aussi bien comme disoit le Roy vostre grand père[991] que s'estoit mis le roy Loys VIII. Et vous supplye faictes vos affayres et après contentez les aultres; car nous avons tant voullu contenter tout le monde que [vous] en avez cuidé estre mal content. Ce qui conserve le bien de l'Estat, c'est vostre auctorité. Allez devant tout auprès[992], vous aurez moien de fayre tous ceulx qui le méritent et vous ont bien servy contens; et à ceste heure il semble que ce soit de peur et non pour les contenter ce que vous en faictes. Pardonnez-moy, je vous parle la vérité et d'affection comme je la vous doibz (dois)»[993]. Elle raisonne admirablement sur le papier.

**Note 987:** (retour) Catherine était de méchante humeur contre les Provençaux, une race mêlée, dit-elle, «fort partisans et surtout mauvais», 18 octobre 1579, *Lettres*, t. VII, p. 178.

**Note 988:** (retour) Charles de Valois, bâtard de Charles IX et de Marie Touchet. Catherine l'aimait beaucoup et lui laissa par testament la plus grande partie de ses biens. D'abord comte d'Auvergne, puis duc d'Angoulême, il resta fidèle à Henri III, mais il conspira contre Henri IV, dont sa sœur utérine, Henriette d'Entragues, était la maîtresse.

**Note 989:** (retour) Elle n'avait point de préjugés contre les bâtards, étant d'une famille où les bâtards abondaient et d'une époque où la descendance illégitime ne passait pas encore pour une tare.

**Note 990:** (retour) 9 Juin 1579, *Lettres*, t. VII, p. 8.

**Note 991:** (retour) François Ier. Voilà l'origine d'un mot fameux. Mais est-il possible que François Ier ait attribué le mérite de l'émancipation royale au père de saint Louis, qui ne régna que trois ans et n'eut pas le temps de donner sa mesure? Il est vraisemblable qu'il faut lire Louis XI au lieu de Louis VIII.

**Note 992:** (retour) *Lettres*, t. VII, p. 28. Il faut lire probablement: «Allez devant tout, après....»

**Note 993:** (retour) *Lettres*, t. VII, p. 27-28.

Mais si elle se permettait quelquefois de blâmer la politique d'Henri III, elle n'avait que ménagements pour ses inclinations. Elle savait qu'il ne changerait ni de conduite ni de favoris pour lui plaire, et que l'idée même d'une intervention, si discrète qu'elle fût, dans ce domaine réservé, lui était insupportable. Les mignons succédaient aux mignons, toujours écoutés, toujours puissants, toujours bien pourvus, toujours les maîtres de leur maître. Après Quélus, Maugiron et Saint-Mesgrin, c'étaient maintenant d'O, Saint-Luc, Arques, La Valette, qui accaparaient la faveur royale. Le Roi les envoyait souvent en mission auprès de sa mère, et elle, pour lui être agréable, avait dans ses lettres toujours un compliment pour ces messagers. Elle chargeait Arques (le futur duc de Joyeuse) de lui dire de sa part beaucoup de particularités sur les affaires du Midi et le mariage d'Angleterre, sûre qu'il saurait «très bien et saigement»--ce sagement revient deux fois--les lui «représenter». Ainsi s'était-il acquitté envers elle de tout ce que son fils lui avait commandé, «dont je suis bien satisfaite et fort aize de veoir qu'il se rende sy discret et capable, comme je voye qu'il est en vos dictes affayres et services»[994]. Elle avait une telle opinion de Saint-Luc, qui s'est «porté très bien et dignement», qu'elle le signalait spécialement avec le grand prieur au choix du Roi. «Employé lé (les) et leur fayte voyr le nombre (?) et les honneurs de ceux qui y commandet (commandent) afin que cet rendet (ils se rendent) aveques l'esperianse, ayant de l'entendement, pour vous povoyr feyre cervise, car lé vieulx s'an vont et yl fault dréser (dresser) des jeunes»[995]. Quand elle n'avait pas occasion de louer le favori, elle disait du bien de leurs parents. Le sieur de La Valette, frère du futur duc d'Épernon, «s'est très dignement acquitté de la charge» qu'il a plu au Roi de lui commettre auprès du duc de Savoie. Il est «fort capable de tout»[996]. Maugiron, lieutenant général en Dauphiné, est jugé à sa valeur maintenant que son fils est mort. «Combien qu'il soit fort bon homme et très affectionné à vous, [il] n'est aussi redoubté et honoré que je desirerois en ce pays». Elle est d'avis de le faire assister (si le Roi le trouve bon) de quelques seigneurs de la province, «auxquels il communiquera les grandes et importantes affaires»[997]. Mais Villequier, qui est grand favori et le beau-père d'O, l'un des mignons, obtient d'elle ce témoignage que «pendant qu'il a esté icy auprès de moy, j'ay, écrit-elle à son fils, receu beaucoup de consolation, aiant esté bien fort soullagée de luy par son prudent conseil et advis... *m'y trouvant quazy comme si j'eusse eu le bien d'estre desja de retour auprès de vous*»[998]. Elle le voit partir à regret, mais puisque le Roi lui a donné à elle le gouvernement de l'Ile-de-France et à lui la lieutenance générale, il convient, aussi longtemps qu'elle sera absente, qu'il soit là bas pour tous deux. Elle veut être agréable au Roi et se faire des amis de ceux qui le possèdent.

**Note 994:** (retour) 14 avril 1579, *Lettres*, t. VI, p. 339.

**Note 995:** (retour) 18 octobre 1579, t. VII, p. 178.

**Note 996:** (retour) 19-18 septembre 1579, t. VII, p. 137.

**Note 997:** (retour) 12 septembre 1579. t. VII, p. 126.

**Note 998:** (retour) 7 octobre 1579, t. VII, p. 159. On sait que Villequier avait en 1577 poignardé de sa main sa femme, qui était enceinte, par jalousie.

Il lui restait à régler les affaires du Dauphiné et de Saluces. Bellegarde, las d'attendre qu'Henri III le rétablît en son gouvernement, y était rentré avec les forces que Lesdiguières lui avait fait passer et celles qu'il avait levées avec l'argent d'Espagne. Il avait pris Carmagnole et Saluces (juin 1579) et y commandait malgré le Roi. En Dauphiné les huguenots étaient en guerre avec les catholiques, le tiers état en querelle avec la noblesse sur la nature de la taille. Certaines villes prétendaient se garder elles-mêmes contre les protestants et refusaient les garnisons royales. Les paysans promenaient un râteau en signe de nivellement social et s'appelaient de village en village avec des cornets à bouquin, à la mode des libres montagnards suisses. Dans le Vivarais, de l'autre côté du Rhône, ils se liguaient pour refuser les cens et redevances. «En la queue gist le venin», écrivait Catherine. Elle ne croyait pas si bien dire; mais comme elle était la confiance incarnée, elle pensait venir à bout de ces difficultés et vite.

En Provence, elle avait déjà constaté combien les communautés détestaient les gens d'armes pillards et massacreurs, autant dire les nobles. La question de religion était secondaire dans ce conflit, bien qu'elle s'y mêlât. Il y avait des huguenots parmi les Razats, comme il y avait des gentilshommes. Mais c'était avant tout la lutte des villes et des campagnes contre les seigneurs. La secousse religieuse prolongée par les guerres civiles ébranlait tout l'ordre social.

Catherine estimait la noblesse comme classe militaire et le rempart vivant du royaume. Elle la considérait comme l'intermédiaire obligé entre le roi et les «peuples» dans cet État de centralisation embryonnaire, qui, avant la création des intendants, n'eut point d'agents directs et absolument dociles pour se faire obéir. Elle n'aimait pas les gens du commun, criards, hargneux, défiants, tels qu'elle venait d'expérimenter les huguenots du Midi, une masse d'autant d'opinions que de têtes, sur qui ses belles paroles, ses grandes manières, ses vagues promesses et ses protestations de saintes intentions avaient si peu de prise. «Certainement, écrivait-elle à son fils, la licence des dictes communes est de fort grande consequance, non seullement en ce gouvernement [de Provence], mais en celuy de Daulphiné, estant l'une des choses à quoy j'ay le plus souvent pensé et pense encores à toutes heures»[999]. «Elles ont, lui disait-elle encore, quelques jours après, de très dangereulx et périlleux desseingz, à ce que j'entendz»[1000]. Elle reconnaissait qu'en Provence il y avait des torts de part et d'autre, «car les gentilshommes ont contrainct et voullu contraindre par violence les subjectz de leur payer des redevances plus grandes qu'ils ne les doibvent et lesdicts subjectz aussy se sont d'aultre costé voullu libérer des choses qu'ils doibvent»[1001]. Elle tint à rassurer la noblesse du Dauphiné, qui s'était peut-être émue de sa condescendance pour les Razats. Maugiron étant allé au-devant d'elle jusqu'à Montélimar avec une bonne troupe de gentilshommes, quelques conseillers du Parlement et l'évêque de Grenoble, elle ne manqua pas de leur déclarer, écrit-elle à son fils, «la grande affection et bonne volonté que leur portez à eulx et à tous les aultres de la noblesse, comme les principaulx de vostre Royaume et qui aydent à la manutention d'icelluy et soustien de votre coronne»[1002].

**Note 999:** (retour) 24 juin 1579, *Lettres*, t. VII, p. 24.

**Note 1000:** (retour) 9 juillet 1579, t. VII, p. 40.

**Note 1001:** (retour) *Lettres*, t. VII, p. 24.

**Note 1002:** (retour) *Ibid.*, p. 49.

Elle cause, elle questionne et, par les uns et les autres, apprend la raison du dissentiment des ordres; c'est qu'aux «Estatz particulliers de ce païs qui ont esté nagueres tenus, ceulx du tiers estat voullurent comprendre» la noblesse «au departement, contribution et levée» des nouveaux impôts. Elle approuve fort celle-ci de s'être «pour ceste occazion» fort remuée, «veoyant bien la grande et pernicieuse consequence de ceste proposition»[1003]. Le tiers avait toujours soutenu, contre l'ordre de choses existant, que le Dauphiné n'était pas un pays de taille personnelle, mais un pays de taille réelle, comme le Languedoc, d'où il s'ensuivait que l'impôt pesant sur la terre, d'après sa nature, et non sur les personnes, d'après leur situation sociale, les biens nobles devaient être exempts, quelle que fût la condition des propriétaires, et les biens roturiers taillables quand même ils appartiendraient à des nobles. C'est la thèse qu'il avait reprise aux derniers États à propos de la surtaxe. S'il avait eu gain de cause à cette occasion, de quel droit la noblesse, ayant été imposée une fois pour les biens roturiers qu'elle possédait, se serait-elle à l'avenir refusée à payer les contributions ordinaires sur ces mêmes biens roturiers? Le précédent aurait entraîné une révolution fiscale.

**Note 1003:** (retour) *Ibid.*, p. 50. Dans les pays où la taille était personnelle, elle était perçue sur le travail, le capital, les propriétés, en un mot sur tous les revenus, biens-fonds y compris. Les nobles en étaient exempts et quand ils acquéraient une terre par achat ou héritage, ils lui communiquaient leur privilège.

Mais le moment n'était pas venu de mettre à la raison les communes. «Estant les affaires, comme elles sont à présent... il faut bien regarder à les apaiser». A Montélimar, le même jour qu'elle célébrait les mérites de la noblesse, elle prit à part le vice-sénéchal de la ville, Jacques Colas, ancien recteur de l'Université de Valence, l'organisateur d'une Ligue de la paix contre les protestants et l'un des meneurs du tiers aux derniers États du Dauphiné. «C'est, dit-elle, ung esprit presumptueux et fol duquel les sieurs de la noblesse ont avec occazion fort grande jalouzie»[1004]. Mais elle jugeait bon de le ménager à cause de son influence. Les clients de la Cour ne lui prêtaient pas toujours l'aide qu'elle aurait pu attendre d'eux. Un neveu de Monluc, l'évêque de Valence (Charles de Gelas de Léberon), «pour craincte qu'il a comme ausy ont tous les principaulx de ce païs desdictes ligues et communes, faict le moins qu'il peut chose qui leur puisse déplaire»[1005]. Les villes, alarmées de sa déclaration de Montélimar ou de son escorte de gentilshommes, se concertaient et prenaient leurs précautions. A Valence, «les gens de guerre au moings» ne sortirent pas à sa rencontre et firent «une forte garde toute la nuict», ayant quelque peur qu'avec la noblesse elle ne se saisît de la ville[1006]. A Romans, où elle coucha, les habitants allèrent au-devant d'elle en nombre et bien armés. Leur capitaine, Pommier, un marchand drapier, lui fit une sommaire harangue de bienvenue, c'est-à-dire un compliment très sec. Pommier «a si grand crédict et autorité parmy ces ligues qu'au moindre mot qu'il dict, il faict marcher tous ceulx de ceste dicte ville et des environs»[1007].

**Note 1004:** (retour) *Lettres*, t. VII, p. 49. Cf. p. 29, note 1, Jacques Colas, catholique très ardent, aima mieux se faire Espagnol que de se rallier à Henri IV. Voir Ed. Colas de La Noue, *Le comte de La Fère*, Angers, 1892.

**Note 1005:** (retour) *Lettres*, t. VII, p. 49.

**Note 1006:** (retour) *Ibid.*, p. 50.

**Note 1007:** (retour) *Ibid.*, p. 50. Le document publié par J. Roman, dans le *Bulletin de la Société d'archéologie de la Drôme*, année 1877, sous le titre assez inexact de *La Guerre des paysans en Dauphiné*, p. 29-50 et 149-171, est le récit par un témoin des événements de Romans en 1579 et 1580. Pommier (ou Paulmier), à la tête des ouvriers drapiers et avec l'aide des paysans des environs, fit la loi dans la ville pendant deux ans et fut tué par les bourgeois. Sa rencontre avec la Reine est racontée pages 46-47.

Elle n'a pour toute arme contre ces mauvaises dispositions que sa parole. Depuis son arrivée dans le Midi, elle harangue autant qu'elle cause et elle continue à haranguer à Montélimar, à Valence, à Romans où elle parla deux fois le même jour. Elle n'a pas seulement affaire à des particuliers, mais à des groupes: députés des Églises, assemblées de la noblesse, réunions de bourgeois ou de ligueurs qui, tout amateurs d'éloquence qu'ils soient, ne sont pas faciles à convaincre. Elle a comme orateur de grands dons: une argumentation abondante, beaucoup de charme, une douceur insinuante, le talent de dire à chacun de ses auditeurs ou de ses auditoires ce qui est capable de l'émouvoir ou de le flatter. Au besoin elle sait parler ferme et, comme dit Brantôme, «royalement». Elle prêche partout le devoir de l'obéissance et l'avantage de l'union. Elle fait jurer haut la main à la «tourbe» réunie à Valence--c'étaient les principaux de la ville, mais qui n'étaient pas gentilshommes--de se départir des ligues et associations et de rendre tout devoir à M. de Maugiron, lieutenant général du Roi. Elle a même succès à Romans, le centre d'action du terrible Pommier, et décide les habitants, presque malgré eux, à laisser emmener à Lyon deux canons que M. de Gordes, l'ancien lieutenant général, leur avait confiés[1008].

**Note 1008:** (retour) *Lettres*, t. VII, p. 55; *Bulletin*, p. 47-48.

Elle avait donné rendez-vous à Grenoble aux représentants des trois ordres pour les entendre en leurs doléances. Elle reçut à part ceux de la noblesse et du clergé, «qui furent fort modestes en leurs remontrances», et leur dit la «parfaite amour et dillection» que le Roi son fils portait à ses sujets, les preuves qu'il en avait données sans y épargner sa propre vie du temps du feu Roi son frère et les «occasions» qui l'avaient mû d'apaiser les troubles de son royaume «par la douceur»[1009]. L'orateur du tiers état, un avocat de Vienne, Debourg, «fort factieux», demanda que le différend des ordres fût jugé par le Roi «en plus grande et aultre compagnie de Conseil que celle qui estoit par deça», mais le premier consul de Grenoble, et les députés de beaucoup de villes prièrent la Reine de le «vuider» avec les princes et seigneurs du Conseil qui l'accompagnaient. Elle, se sentant soutenue, n'oublia pas de «parler à iceluy Debourg ainsy qu'il appartenoit et de luy bien faire congnoistre et à tous les aultres factieux et faiseurs de menées qui avaient introduit ces ligues à si mauvaise intention que l'on voioit (voyait) par effectz [qu'ils] mériteraient grande pugnition»[1010]. Alors, dit-elle, la plupart des députés «monstrèrent à l'instant de se voulloir departir des choses mauvaises qui sont cachées sur (plutôt, sous) cela». Mais elle se contentait trop facilement; elle ne se demandait jamais si l'impression de ses paroles, de sa présence, de ses menaces était bien profonde et prévaudrait longtemps contre les passions, les rancunes, les défiances de toujours. Elle ne tarda pas à s'apercevoir qu'elle ne réussirait pas à faire peur. Elle fit arrêter un chirurgien, qui avait tenu à des gentilshommes des propos tendant à mauvaise fin, et un procureur au Parlement, Gamot, qui avait promené le râteau et propagé l'usage des cornets à bouquin[1011], et elle chargea le Parlement de leur faire leur procès. Mais les Communes intervinrent, et elle fut obligée de relâcher Gamot. Non sans peine elle parvint à reconcilier les trois ordres qui étaient «merveilleusement divisez» et à leur faire signer un accord général[1012].

**Note 1009:** (retour) 5 août 1579, *Lettres*, t. VII, p. 72.

**Note 1010:** (retour) *Lettres*, VII, p. 71.

**Note 1011:** (retour) Grenoble, 5 août 1579, *Ibid.*, t. VII, p. 73.

**Note 1012:** (retour) 1012 Grenoble, 10 août 1579, *Ibid.*, t. VII, p. 75.

Aussi inclinait-elle plus que jamais aux moyens de persuasion; il sera temps plus tard de punir. Elle n'était pas d'avis d'envoyer une armée contre Bellegarde, comme voulait le faire Henri III, ulcéré de son «infidélité»; on n'avait pas de forces suffisantes ni d'argent pour en lever. Surtout l'apparition des troupes royales risquait de provoquer une prise d'armes générale. Lesdiguières, avec les protestants du Dauphiné, leur barrera la route. Le roi de Navarre et le prince de Condé appuieront Lesdiguières, les ligues catholiques armeront pour se défendre. La «dextérité» valait mieux que la «force» contre le mal présent. «Entretenez doncques bien pour y remédier vostre édit dernier de pacification et les articles de la conferance de Nérac. Asseurez (rassurez) par ce moien les Huguenotz et les conduisez de façon qu'ilz satisfacent de leur part (comme ilz dient tousjours qu'ilz feront) auxdictz édictz de pacification et articles de conferance, et surtout qu'ilz n'aient aulcune occasion de s'excuser qu'ilz ne rendent les villes, car estant remises en vos mains, comme ilz sont tenuz, dedans peu de temps et qu'ils promettent fayre, vous estes en asseurée paix et repos»[1013].

Pour amener Bellegarde à se démettre de lui-même du gouvernement de Saluces, Catherine comptait sur le duc de Savoie, Emmanuel Philibert. C'était, elle le savait bien, un courtier intéressé. Il suivait attentivement les affaires de Dauphiné et de Provence. «Ce prince là, écrivait Villeroy à Henri III, met le nez partout et a intelligence avecque tous ceux de part et d'autre qui troublent vos affaires»[1014]. De Grenoble, où le Duc était allé la visiter, la Reine-mère donnait à son fils même avertissement. Vous «ne craché pas en vostre plus segret lieu que tout ne se sache ysi (ici) et me croyés[1015]». Il en voulait à Henri III d'avoir rompu ses desseins sur Genève, contre qui il s'était ligué à Lucerne avec les six cantons catholiques (8 mai 1578). Ce traité préparait à même fin une coalition où l'Espagne était destinée à entrer, et, tel qu'il était, il compromettait l'alliance perpétuelle de la France avec les Suisses. Le Roi très chrétien riposta en s'unissant à Berne et à Soleure pour la défense de la Rome calviniste (8 mai 1579)[1016]. En cette circonstance, comme en beaucoup d'autres, il voyait plus juste et plus loin que sa mère, qui, tout entière à son rêve de pacification intérieure et à sa politique d'expédients, aurait voulu s'assurer à tout prix le concours du duc de Savoie «.... Si j'eusse sceu, écrivait-elle à son fils, ce que j'ay sceu depuis, je ne vous eusse conseillé la prandre (Genève) en protection, mais que eussiez, comme pussiez bien (vous pouviez bien), si l'on l'eust voullu, achever l'alliance avec les cantons seullement de Berne et de Suryc (Zurich) et de Soleure, mais vous m'en escripvites de façon que je ne vous eusse ozé mander le contraire[1017]». Elle l'engageait, pour adoucir le ressentiment du Savoyard, à lui certifier par écrit qu'il n'avait pas eu l'intention de préjudicier aux droits que le Duc prétendait sur Genève, mais au contraire de l'aider à les y maintenir. Mais Emmanuel-Philibert n'était pas homme à se payer de ce billet à long terme. Forcé de renoncer à sa convoitise, il dut penser que Saluces pourrait un jour lui servir de compensation et il ne se soucia plus, s'il s'en était soucié jamais, d'y affermir l'autorité du Roi. On n'en eut que de bonnes paroles. Bellegarde traîna la négociation. Lesdiguières attendit le règlement de l'affaire de Saluces[1018].

**Note 1013:** (retour) Avignon, 9 juillet, *Lettres*, VII, p. 41.

**Note 1014:** (retour) *Ibid.*, t. VII, p. 40, note 2.

**Note 1015:** (retour) *Ibid.*, p. 83. Cf. 114. Il y a des détails sur le séjour du Duc à Grenoble dans les *Mémoires d'Eustache Piémond, notaire royal-delphinal*, Valence, 1885.

**Note 1016:** (retour) Ce traité fut négocié par Jean de Bellièvre, sieur de Hautefort, et signé par Nicolas de Harlay, sieur de Sancy, qui était protestant: Ed. Rott, *Histoire de la représentation diplomatique de la France auprès des cantons suisses, de leurs alliés et confédérés*, Berne et Paris, t. II, 1902, p. 231-234. Sur les prétentions et les projets du Duc, si contraires à la couronne de France, voir p. 225, et sur le traité de Lucerne, voir encore p. 233.

**Note 1017:** (retour) *Lettres*, t. VII, p. 117-118, 4 septembre 1579.

**Note 1018:** (retour) 12 septembre, *Lettres*, t. VIII, p. 126.

Catherine était impatiente de revoir après treize mois de séparation ce qu'elle avait «de plus cher en cet monde», son fils. Henri III décida d'aller au-devant d'elle jusqu'à Lyon. «Quant à la reyne ma mère, écrivait-il à Villeroy, je croys ce qu'elle mande de Daufiné, provinsse byen brouillée, mais j'espère [qu'elle] i (y) donnera ordre.... Je ay veu ce que dit Lesdiguières; toutes choses byen esloignées de ce qu'il nous fault comme aussy du maréchal de Belleguarde qui mant (ment) comme tous les autres, et, si j'ose dire, M. de Savoye... nous andort si nous le voulons estre. Bref toutes ces paroles et lètres des uns et des autres ne sont que songes et mensonges; bien abylle (habile) qui s'an peust guarder.... Et plus n'an diz (je n'en dis pas plus) sinon qu'il nous faust resouldre d'aller à Lyon, car la bonne famme (c'est sa mère qu'il veut dire) le veult et me l'escrit trop expressément pour y faillir.... Adieu. Je suis dans le lict de lasseté (lassitude) de venir de jouer à la paulme»[1019]. Ce mélange de pénétration et de paresse, de connaissance des hommes et de dégoût de l'action, de tendresse filiale et d'irrévérence, n'est-ce pas Henri III peint par lui-même? Mais, au moment de partir, il fut pris d'une douleur d'oreilles si aiguë que son entourage pendant vingt-quatre heures désespéra de sa vie (10 septembre)[1020]. Catherine, avertie de la crise, allait courir à Paris quand elle reçut la nouvelle que tout danger était passé. «Ma Comere, écrivait-elle à la duchesse d'Uzès, j'é aysté bien afligée et non sans cause, car c'èt ma vye et san cela je ne veulx ni vyvre ni estre.... Quant je y panse au mal qu'il a eu, je ne sè set [ce] que je suys, je loue mon bon Dyeu de me l'avoir redouné et luy suplye que se souyt (ce soit) pour son temps plus que ma vye et que tant que je vyve [je] ne luy voy mal. Croyés que c'et une extrème pouyne (peine) d'estre louyn de cet (loin de ce) que l'on ayme come je l'ayme et le savoyr malade, c'est mourir à petyt feu.» S'il eût continué d'être non pas en un si grand mal, mais seulement malade, elle eût tout laissé, «car je ne povés plus endurer d'uyr (ouïr) dire: yl a mal et ne le voyr»[1021].

**Note 1019:** (retour) *Lettres*, t. VII, p. 77, note 1.

**Note 1020:** (retour) 14 septembre, *Lettres*, t. VII, p. 129; *Ibid.*, 15 septembre, p. 130. Le Roi avait eu une première atteinte le 3 septembre et après une promenade au château de Madrid, une crise d'otite aiguë, le 10 septembre; *Mémoires-Journaux de L'Estoile*, éd. Jouaust, I, p. 332-333.

**Note 1021:** (retour) Lyon, 18 septembre, *Lettres*, t. VII, p. 134.

Elle s'imposa de rester pour assurer son repos et la paix du royaume. Henri III alla faire un pèlerinage à Chartres et de là un voyage en Normandie en vue de rétablir l'ordre dans cette province fort troublée[1022].--Elle continua, loin de lui, à négocier pendant un mois avec Bellegarde et Lesdiguières. Mais elle était pressée d'en finir. Son fils lui avait envoyé un «pouvoir» daté du 13 septembre, autorisant le maréchal de Bellegarde à commander au marquisat de Saluces[1023]. C'était une capitulation. Mais elle excellait à sauver la face. Le rebelle n'ayant pas consenti à passer la frontière, elle lui donna rendez-vous à Montluel, dans un château du duc de Savoie. Elle le reçut, entourée des princes et des conseillers de sa suite, en présence d'Emmanuel-Philibert, son hôte (17 octobre). Bellegarde se mit à deux genoux devant elle et déclara qu'il avait «extrème regret et déplaisir» de sa conduite et «qu'il vouldroit avoir perdu la moitie de son sang et que cela ne luy feust advenu». Il la pria d'«intercedder envers le Roy de luy pardonner» et, en signe d'obéissance, remit «à ladicte Dame es mains du Roy ledict marquisat». Elle prit acte de sa soumission, et «puisqu'il l'asseurait de la fidélité et affection qu'il vouloit toute sa vie porter au service du Roy son filz, comme son debvoir le luy commandoit», elle lui fit délivrer les lettres-patentes qui le rétablissaient en sa charge. Au prix d'une humiliation de forme, il devenait le possesseur paisible d'un gouvernement usurpé[1024].

**Note 1022:** (retour) Il y aurait eu des troubles assez graves et même une émeute à Rouen, si le secrétaire de Jérôme Lippomano est bien renseigné. Tommaseo, *Relations des ambassadeurs vénitiens*, t. II, p. 451.

**Note 1023:** (retour) *Lettres*, t. VII, app., p. 441-442.

**Note 1024:** (retour) *Lettres*, t. VII, app., p. 438-439.

Quant à Lesdiguières, il persista toujours à refuser les entrevues qu'elle lui proposait même en terre savoyarde[1025]. Elle en fut réduite à charger Bellegarde de négocier avec son complice un accord ou plutôt une trêve entre catholiques et protestants, qui fut publiée au commencement de novembre à Monestier de Clermont[1026].

**Note 1025:** (retour) *Actes et correspondances du connétable de Lesdiguières*, t. I, Introd., p. XXVIII-XXIX. *Lettres*, t. VII, p. 192, note. Roman, *Catherine de Médicis en Dauphiné*, Grenoble 1883; Dufayard, *Le connétable de Lesdiguières*, 1892, p. 57-61. Bellegarde mourut deux mois après sa réconciliation avec le Roi à Saluces (20 décembre). On a naturellement accusé Catherine de l'avoir fait empoisonner (voir les références de M. le Cte Baguenault de Puchesse, Introd. au t. VII des *Lettres*, p. XIII et XIV). Bellegarde a pu mourir très bien de la gravelle dont il souffrait depuis longtemps.

**Note 1026:** (retour) *Lettres*, t. VII, p. 192, note.

Il était temps qu'elle rejoignît son fils. L'agitation, qui semblait apaisée dans le Midi, avait gagné le Nord et l'Est. Pendant la dernière partie de son voyage il lui était venu de ces régions des nouvelles inquiétantes. Il y avait eu des soulèvements de paysans en Basse-Normandie et même une émeute à Rouen[1027]. Des grands seigneurs de la province, La Rocheguyon, Cantelou, Pont-Bellenger, étaient compromis dans ces remuements et même suspects d'avoir voulu enlever le Roi à Saint-Germain. Ils avaient pris le large et s'étaient retirés en Lorraine, à Commercy, dont La Rocheguyon était damoiseau[1028]. Le bruit courait que le seigneur de La Petite-Pierre, un protestant, poussé sous main, disait-on, par le duc de Guise, projetait une entreprise sur Strasbourg[1029]. Des soldats et des gentilshommes en petites troupes se dirigeaient de différents points du royaume vers la Lorraine et la Champagne, où elles se massaient. Quelques-unes de ces bandes envahirent la Franche-Comté, qui appartenait à Philippe II, pillèrent le plat pays et prirent trois châteaux. Catherine a certainement compris que cette attaque était, comme celle de l'an précédent, une simple diversion pour occuper les Espagnols, diviser leurs forces et faciliter au duc d'Anjou l'attaque des Pays-Bas.

**Note 1027:** (retour) Relation du secrétaire de Jérôme Lippomano, l'ambassadeur vénitien. Tommaseo, *Relations des ambassadeurs vénitiens*, t. II, p. 451.--Floquet, *Histoire du Parlement de Normandie*, t. III, 1841, règne de Henri III, n'en dit rien.

**Note 1028:** (retour) Damoiseau, nom donné à des vassaux de seigneurs ecclésiastiques. Le suzerain de Commercy, c'était l'évêque de Metz.

**Note 1029:** (retour) La Petite-Pierre ou Lützelstein, châtellenie lorraine dans les Vosges.

Mais elle craignait d'irriter les cantons suisses limitrophes de la province espagnole et qui était garants de sa neutralité[1030].

Elle écrivit au grand écuyer, Charles de Lorraine, et à Saissac et Du May, qui commandaient sous ses ordres ces batteurs d'estrade, pour leur représenter les conséquences possibles de ces courses et de ces menées: rupture de l'alliance avec les Suisses, représailles du roi d'Espagne, et, en cas de tentative sur Strasbourg, conflit avec le Corps Germanique[1031]. Elle les priait d'y bien réfléchir. Si elle leur parlait si doucement, c'est qu'elle savait leurs liaisons. Charles de Lorraine, grand ami du duc d'Anjou, fut son compagnon de guerre aux Pays-Bas; La Rocheguyon était le frère de son favori d'alors, La Rochepot. Il n'aurait pas fallu, par une sévérité hors de saison, tourner contre le Roi les forces destinées à combattre Philippe II. Aussi avait-elle bien recommandé à Henri III de fermer les yeux sur les remuements de la noblesse de Normandie. Il avait eu bien raison de châtier les paysans qui s'étaient «tant oubliés», gens de peu et sans attaches, mais donner arrêt contre les seigneurs réfugiés à Commercy, c'était chose dangereuse[1032]. Ils armeraient pour se défendre et appelleraient leurs amis à l'aide. Mieux valait suspendre l'action de la justice que de risquer une insurrection. Les ménagements lui parurent encore plus opportuns, quand elle apprit ce qu'elle appréhendait par-dessus tout, une nouvelle brouille entre ses deux fils.

**Note 1030:** (retour) Sur la neutralité de la Franche-Comté, voir Lucien Febvre, *Philippe II et la Franche-Comté*, Paris, 1911, p. 54-57. L'accord conclu en 1511 entre Maximilien d'Autriche et les Suisses et celui de 1522 entre Marguerite d'Autriche et François Ier mettaient la neutralité franc-comtoise sous la protection des cantons. Un an auparavant, les Français avaient envahi déjà la Franche-Comté. Le duc d'Anjou, avouant l'agression, avait écrit à «Messieurs des Ligues» (2 octobre 1578) qu'il avait en vue le «repos et tranquillité des Flandres», mais ils ne voulurent entendre à cette raison de diversion. Ils obtinrent d'Henri III qu'il obligeât son frère (*Id., ibid.*, p. 723 et note 2) à retirer ses troupes. Catherine ne s'exagérait pas les susceptibilités des gens des cantons.

**Note 1031:** (retour) *Lettres*, 13 octobre 1579, t. VII, p. 168.

**Note 1032:** (retour) 1032: Au Roi, Grenoble, 12 septembre 1579, t. VII, p. 128.

En août, le duc d'Anjou était allé visiter la Reine d'Angleterre, qui le reçut à Greenwich dans son intimité, causant longuement avec lui et déclarant, s'il faut en croire l'ambassadeur d'Espagne, qu'elle n'avait jamais vu un homme qui lui plût davantage et qu'elle accepterait plus volontiers pour époux[1033]. Les espérances qu'il conçut durent à son retour lui rendre plus sensibles les marques de mépris et de défiance que son frère ne lui épargnait pas. Cependant, lors de la crise d'otite dont Henri III faillit mourir, il se montra--du moins c'est Catherine qui le dit--«tel qu'il devoit». Mais quelques jours après (fin septembre), profitant d'un voyage du Roi à Chartres[1034], il sortit de Paris et se retira dans son apanage d'Alençon. Bellièvre jugea la situation si sérieuse qu'il pressa la Reine-mère de hâter son retour[1035].

**Note 1033:** (retour) Kervyn de Lettenhove, t. V, p. 391-393.

**Note 1034:** (retour) Henri III au duc de Montpensier, 30 septembre 1578, *Lettres*, t. VII, p. 149, note 2.

**Note 1035:** (retour) *Lettres*, t. VII, p. 156. La réponse de la Reine-mère où il est fait allusion aux dépêches de Bellièvre est du 6 octobre.

Henri III, inconscient du danger ou dédaignant de s'expliquer, laissa tomber la correspondance. La Reine-mère était affolée. «Je vous prie, écrivait-elle à Villeroy, que je aye plus sovent des novelles du Roy, car c'et mourir et ouyr cet que j'oye (ouïs) et ne rien savoyr de la Court»[1036].

Aussitôt qu'elle eut réglé l'affaire de Saluces, elle prit la route de Paris.

Le Roi «s'achemina» au-devant d'elle jusqu'à Orléans, et, comme il l'écrivait à son ambassadeur à Venise, Du Ferrier (9 novembre), il la revit «avec une extresme joye et contentement», heureux qu'elle eût pu supporter ce long et dangereux voyage et sentant son «obligation à la dicte dame du bien qu'elle a semé partout où elle a passé»[1037]. Cet accueil la payait de ses peines. Après seize mois de séparation (août 1578-novembre 1579), elle retrouvait son fils tel qu'elle le souhaitait, reconnaissant de ses efforts, et peut-être plus affectueux qu'elle ne l'avait quitté. A Paris, le Parlement et le peuple allèrent à sa rencontre à une lieue hors des murs, comme pour lui faire honneur de la pacification du royaume.

Le secrétaire de Lippomano, l'ambassadeur vénitien, qui écrivait sous la dictée de son maître, parlait d'elle avec enthousiasme. «C'est, dit-il dans sa Relation, une princesse infatigable aux affaires, faite à point pour prendre de la peine et pour gouverner un peuple aussi remuant que les Français. Puisqu'ils commencent à connaître son mérite, il faut qu'à leur honte, ils la louent et se repentent de ne l'avoir pas appréciée plus tôt»[1038].

**Note 1036:** (retour) 10 octobre 1579, *Lettres*, t. VII, p. 163-164.

**Note 1037:** (retour) *Lettres*, t. VII, p. 194, note 2, et 195, note 1.

**Note 1038:** (retour) *Relations des ambassadeurs vénitiens*, publiées et traduites par Tommaseo dans la Collection des Documents inédits, t. II, p. 449-451. J'ai, pour plus d'exactitude, changé quelques mots à la traduction de Tommaseo.

Mais il ajoutait, et la réserve était d'importance, qu'elle avait plutôt «assoupi que réglé les différends de la Guyenne, du Languedoc, de la Provence et du Dauphiné».

C'est la vérité même. Le succès de l'œuvre ne répondait pas à l'habileté de l'ouvrière.

# CHAPITRE X

## DIVERSION EN PORTUGAL

Catherine ne s'émouvait pas outre mesure de cette recrudescence d'agitation. Elle se croyait maintenant si sûre de l'amour du Roi qu'elle s'en estimait beaucoup plus forte. Confiante à l'excès dans son habileté et dans la vertu du nom royal, elle se flattait qu'en voyant agir ensemble la mère et le fils les huguenots et les politiques entendraient plus facilement raison. Mais c'était à la condition, comme elle le savait bien, que le duc d'Anjou ne prît pas parti contre son frère et qu'il restât en fait neutre et en apparence ami. Il n'était pas allé la saluer au passage à Orléans, sous prétexte qu'il avait été pris d'un «dévoiement d'estomac» au moment de monter à cheval, mais en réalité pour ne pas se rencontrer avec le Roi. Inquiète de cette mauvaise excuse, elle ne s'arrêta que quelques jours à Paris, juste le temps de se reposer, et repartit pour aller causer avec le Duc et le bien disposer en faveur de la paix.

Elle le rejoignit à Verneuil-en-Perche (près d'Évreux). Des conversations qu'ils eurent elle n'a pas tout écrit à Henri III, se réservant de lui en raconter plus long en tête-à-tête. Ils ont dû parler, quoiqu'elle n'en dise rien, des affaires des Pays-Bas où elle savait qu'il se «rembarquait». Peut-être lui a-t-il avoué qu'il venait de signer le 25 octobre avec le sieur d'Inchy, gouverneur de Cambrai, un accord secret qui lui assurait la possession de cette ville libre impériale, mais dépendante du roi d'Espagne[1039]. Très franchement il l'entretint des sollicitations qui lui étaient venues de divers points du royaume. Voulait-il lui faire peur afin de l'incliner à le soutenir en ses entreprises de Flandres? A-t-elle elle-même, par quelque vague promesse de secours, provoqué ses confidences? En tout cas elle sut de lui, comme elle le rapporte à Henri III, et de Christophe de Savigny, seigneur de Rosne-en-Barrois, qui était là, que les malcontents des deux religions, à Commercy et ailleurs, s'étaient assuré le concours de certains colonels de reîtres et du «Casimir» et qu'ils se cherchaient un chef. Le Duc expliqua que, pour mieux faire service au Roi, il avait «sans rien respondre jusques icy ecousté ce qu'ils lui ont voulu dire», bien résolu toutefois à ne jamais refaire chose qui pût déplaire à son frère. Il montrait, disait-elle, en tous ses propos, «ne désirer rien tant en ce monde» que de rendre au Roi «le très humble service» qu'il lui doit. Il ajouta «deux lignes» de sa main à cette lettre de sa mère pour confirmer l'assurance de sa fidélité[1040].

**Note 1039:** (retour) Kervyn de Lettenhove, *Les Huguenots et les gueux*, t. V, p. 469-470.

**Note 1040:** (retour) Au Roi, Verneuil-au-Perche, 23 novembre 1579, *Lettres*, t. VII, p. 199 et note 1 de la page 200.

A Évreux, jusqu'où elle s'avança pour décider les États de Normandie, en se rapprochant d'eux, à voter les nouveaux impôts, elle apprit qu'ils avaient repoussé toutes les surcharges. «Il a esté conclud que ce pays vous paiera seulement ce qu'ils ont accoustumé du principal de la taille, du taillon et ustancilles de la gendarmerie et solde de cinquante mille hommes de pied; c'est l'ordinaire; mais quant au parisis[1041], à une creue de III s. (sous) VI d. (deniers) et une autre de XVIII d. pour livre qui revient ensemble, à VI d. près, compris ledit parisis, à deux parts dont les six font le tout, ils n'en veullent rien payer et ont conclud de vous en faire visve remonstrance, vous voullant représenter les grandes pauvretés et charges de ce pays et font une comparaison que d'un corps bien composé il ne s'en peut tirer ny faire que quatre quartiers non plus que d'une année et que d'y en faire six ils ne le pourroient pour leur impuissance»[1042]. La noblesse de la province, pour marquer son mécontentement, n'avait envoyé qu'un délégué par «chacun des sept bailliages et vicontés, au lieu qu'il en souloit tousjours avoir grand nombre». Un gentilhomme protestant, bon serviteur du Roi, lui a révélé que les gentilshommes catholiques «sont après, tant qu'ils peuvent, à unir avec eux ceulx de la Relligion [réformée]» et qu'ils sont «du tout résolus» de faire appel et de se joindre aux étrangers. Leur raison, c'est qu'on «les mesestime et contemne»[1043]. Elle est si troublée de ce qu'elle voit et entend qu'elle écrit à Henri III, sans détours, contrairement à son habitude: «Vous supplie.... commander visvement à vos financiers qu'ilz regardent à vous faire un fonds pour vous faire aider sans plus fouller vos peuples, car vous estes à la veille d'avoir une révolte generalle, et qui vous dira le contraire ne vous dit la verітté»[1044].

**Note 1041:** (retour) Le «taillon», c'est l'imposition provisoire établie en 1543 sur les villes closes pour l'entretien de 50 000 hommes de pied, et maintenue depuis comme supplément ordinaire à la taille. Les «ustensiles» sont un autre supplément à la taille, mais affecté à la solde de la gendarmerie. Le parisis, calculé d'après la différence entre la livre parisis et la livre tournois, est une augmentation d'environ 7 pour 100.

**Note 1042:** (retour) Evreux, 25 novembre 1579, *Lettres*, t. VII, p. 201. Beaurepaire, *Cahier des Etats de Normandie*, t. I, p. 59-60 (art. III) et p. 71 (art. XXII des demandes des Etats).--Cf. La défense du Roi dans le discours du Premier Président de Rouen, 16 novembre 1579, p. 362-365.

**Note 1043:** (retour) *Lettres*, t. VII, p. 201-202.

**Note 1044:** (retour) *Ibid.*, p. 202.

A-t-elle vraiment peur ou bien exagère-t-elle le danger pour décider le Roi aux concessions qu'elle allait lui demander. Avec elle on ne sait jamais très bien.

Le Roi, dans un sursaut d'énergie, avait ordonné au maréchal de Matignon de rompre les rassemblements de Champagne et de forcer Commercy. Elle lui insinuait, sous réserve toutefois de son «meilleur advis», que la voie de la douceur serait peut-être préférable. Les gens de guerre que l'on disait réunis en Champagne pour cette entreprise de Strasbourg» s'étant dispersés, était-il prudent que Matignon attaquât Commercy? Ce serait provoquer là et ailleurs l'esprit de résistance. Et quel est le messager qu'elle lui propose d'expédier à La Rocheguyon pour le dissuader de mettre des soldats dans Commercy et au Maréchal pour lui recommander de ramener les siens? c'est un favori du duc d'Anjou, La Rochepot, qui était d'ailleurs le frère de La Rocheguyon[1045].

Le Duc conseillait, lui aussi, de tout apaiser, disait-elle dans une autre lettre. Il lui avait représenté que le Maréchal n'était pas assez fort, même renforcé, pour affronter les troupes massées à Commercy et les auxiliaires qui leur viendraient. «Et semble que ceux qui ont envie de mal faire et remettre vostre royaume en trouble n'attendent que de vous voir commencer pour, sur cette occasion, s'élever et faire entrer le Casimir en vostre royaume»[1046].

François, tout en protestant de sa fidélité, n'avait pas caché à sa mère qu'il avait lieu de se plaindre de son frère, qui ne tient pas «compte» de lui et qui «s'en défie». La Reine engageait donc le Roi, pour dissiper cette «humeur» dangereuse, à écrire au Duc, comme de lui-même, qu'il est heureux «de lui veoir une si bonne volonté» à l'aimer et le servir, mais que son éloignement et l'opinion «qu'il est mal content, cela nuit infiniment au bien» des affaires et à l'exécution de la paix; qu'il le prie de revenir à la Cour avec leur mère, d'être bien assuré de sa bonne grâce, dont il lui a donné déjà tant de marques, et de «n'adjouter foy aux passions de ceux qui veullent veoir les troubles en ce royaume» et que par là il peut «congnoistre estre ennemis de tous deux». Comme elle savait Henri III susceptible, elle ajoutait: «Vous lui saurez mieux dire, de sorte que c'est sottise à moy de le vous escripre»[1047]. Mais si elle s'en remettait à lui, et très justement, de la façon de faire les avances, elle ne lui cachait pas qu'elle les jugeait nécessaires.

**Note 1045:** (retour) 23 novembre 1579, *Lettres*, t. VII, p. 199.

**Note 1046:** (retour) Au Roi, 25 novembre, *Lettres*, t. VII, p. 201.

**Note 1047:** (retour) *Ibid.*, p. 202.

L'escapade de Condé montra combien elle avait raison. Ce Bourbon sectaire, le seul véritable huguenot de sa race, ne se résignait pas à vivre dans l'Ouest, hors de son gouvernement de Picardie, loin des Pays-Bas, de la reine d'Angleterre et de Jean Casimir. Il sortit de Saint-Jean d'Angely, traversa Paris déguisé et s'introduisit par surprise dans une des places les plus fortes de Picardie, La Fère (29 novembre 1579). Il avait trompé Catherine, à qui, le 13 novembre, il écrivait qu'en toutes choses «qui concerneront le service de vozdites Majestez» (le Roi et sa mère), s'il «vous plaist m'honorer de vos commandemens je monteray aussytost à cheval pour les exécuter promptement»[1048].

Comme d'usage, en désobéissant au Roi, il se défendait de vouloir rien faire qui lui déplût, et cependant il se remparait dans La Fère et réclamait son gouvernement contrairement aux stipulations de l'Édit de Poitiers (septembre 1577). Un des articles secrets portait en effet que la ville de Saint-Jean-d'Angely serait laissée au Prince pour sa retraite et demeure pendant le temps et terme de six ans, en attendant qu'il pût «effectuellement jouir de son gouvernement de Picardie auquel Sa Majesté veut qu'il soit conservé»[1049]. Condé alléguait pour sa justification que, lors de la signature de la paix, il avait protesté «que devant les six ans il entendoit retourner en son gouvernement»[1050]. Il ne se croyait pas lié par un contrat qu'il avait répudié en le signant: un *distinguo* qui sentait le casuiste.

La Reine-mère alla le trouver à Viry (près de Chauny) avec la princesse douairière de Condé, sa belle-mère, et le cardinal de Bourbon, son oncle, mais elle n'obtint pas qu'il rentrât à Saint-Jean-d'Angely[1051]. Les négociations continuèrent entre La Fère et Paris sans plus de succès. Le Prince, seul et guetté par les ligueurs de la province, était incapable de rien entreprendre, mais les huguenots du Midi remuaient. Rambouillet, que le Roi avait député en Guyenne, n'était pas parvenu, au bout de deux mois de sollicitations, à leur faire restituer les places de sûreté qu'ils détenaient indûment[1052]. Montmorency, qui s'était joint à Rambouillet pour persuader le roi de Navarre, n'avait pas mieux réussi, lors de l'entrevue de Mazères (9 décembre 1579)[1053]. Quelques jours après, le capitaine huguenot, Mathieu Merle, sur l'ordre d'«un des principaux chefs de la Religion»[1054]--il ne dit pas lequel--surprit Mende (25 décembre). Le roi de Navarre s'excusa de cette agression, qui, écrivait-il à Henri III, «n'a esté faicte de mon sceu ni de mon consentement». C'était un «faict particulier dont ceulx de la Religion en general portent beaucoup de desplaisir»[1055].

**Note 1048:** (retour) D'Aumale, *Histoire des princes de Condé*, 1889, t. II, p. 128 et 419 (appendice IX).

**Note 1049:** (retour) Art. XXIV, Du Mont, *Corps diplomatique*, t. V, 1re partie, p. 310.--Cf. *Lettres*, t. VII, p. 209.

**Note 1050:** (retour) *Lettres*, t. VII, p. 208.

**Note 1051:** (retour) Lettres du 16 et du 18 décembre, t. VII, p. 207-212.

**Note 1052:** (retour) Les négociations de Rambouillet, dans la *Revue rétrospective*, t. VI, 2e série, p. 125-132.

**Note 1053:** (retour) *Lettres*, t. VII, p. 214-215.

**Note 1054:** (retour) Merle, *Mémoires*, éd. Buchon, p. 748.

**Note 1055:** (retour) *Recueil des Lettres missives de Henri IV*, publié par Berger de Xivrey, t. I, p. 270.

Mais il ne disait pas qu'ils en eussent tous et il laissait clairement entendre qu'il n'était pas le maître de son parti. Au printemps de 1580 les coups de main recommencèrent. Les protestants prirent Montaigu (15 mars), les catholiques, Montaignac (en Périgord) (avril). On s'acheminait à la guerre ouverte.

Ce que la Reine-mère appréhendait par-dessus tout, c'est que les catholiques malcontents ne se joignissent aux réformés. «J'ay bien peur, écrivait-elle à Henri III, qu'il y ait quelque chose meslé en cecy d'autre faict que de la relligion», et elle lui en donnait pour preuve que les communes et les huguenots du Dauphiné, «au lieu qu'ils souloient estre si mal sont à présent si bien»[1056].

Elle aurait pu alléguer comme exemple de ces compromissions, si elle n'avait craint d'exciter l'humeur du Roi son fils contre son gendre, les fêtes que le duc de Lorraine venait de donner à Nancy à l'occasion du carnaval (11-18 février 1580)[1057]. La présence du fameux Jean Casimir y avait attiré des hôtes ou des visiteurs de marque: Mayenne, frère du duc de Guise, Rosne, le confident du duc d'Anjou, Bassompierre et cinq ou six colonels de reîtres, La Rocheguyon, le damoiseau de Commercy, et d'autres mécontents des deux religions. Jean Casimir tenait boutique ouverte en Allemagne de mercenaires et même il ne lui aurait pas déplu de s'assurer le monopole de ce marché. Il vendait de préférence ses services à ses coreligionnaires et soutenait volontiers aussi, toujours moyennant finances, les sujets catholiques en révolte contre les souverains catholiques, faisant ainsi les affaires de la Réforme et les siennes. Mais on ne le croyait pas incapable, à condition d'y mettre le prix, d'aider les papistes contre les protestants et par exemple de fournir des soldats au duc de Guise pour assaillir Strasbourg et au roi d'Espagne pour recouvrer les Pays-Bas. Il avait en 1576 conduit une armée allemande au secours du duc d'Anjou et des huguenots et il en voulait à Henri III d'ajourner le paiement des trois millions de livres que, vainqueur, il lui avait imposé comme indemnité de guerre; il guettait l'occasion de contraindre ce débiteur récalcitrant. Il était en rapports avec le duc d'Anjou, avec Lesdiguières, le chef des protestants dauphinois, avec le roi de Navarre, avec le prince de Condé, et il ne repoussait pas les avances du duc de Guise. On le sollicitait, on le craignait, on le surveillait. Le «Casimir» était le cauchemar de Catherine. Elle ne cessait pas depuis deux ans d'engager le Roi à s'acquitter. Il semble que, sur les instances de sa mère, il se soit décidé à charger le duc de Lorraine de négocier un concordat. Charles III était tout désigné pour ce rôle d'intermédiaire, voisin et ami de Jean Casimir, avec qui il avait été élevé à la Cour de France, gendre de Catherine, qui l'aimait et élevait en tendre grand'mère sa fille Christine. Ambitieux, mais timoré, serviable aux Guise, ces brillants cadets de sa maison, déférent pour Henri III, qu'il savait soupçonneux et irascible, il ménageait tout le monde. Il ouvrait sa maison aux conspirateurs, mais il ne conspirait pas. «Le duc de Lorraine, écrivait le 10 janvier l'agent florentin Saracini, a fait savoir à Sa Majesté, par courrier exprès, que Casimir lui demandait de passer dans ses États, faisant une levée de reîtres tout à l'alentour»[1058]. Mais il ne disait pas qu'il l'en empêcherait. Il réussit probablement à faire accepter au Palatin l'idée de versements en plusieurs termes[1059].

**Note 1056:** (retour) Au Roi, 18 avril, *Lettres*, t. VII, p. 247.--Cf. à Villeroy, même date, p. 249.

**Note 1057:** (retour) Voir les références dans Davillé, *Les Prétentions de Charles III, duc de Lorraine, à la couronne de France*, 1909, p. 26 sqq.

**Note 1058:** (retour) Desjardins, *Négociations diplomatiques de la France avec la Toscane*, t. IV, p. 282: avis du 10 janvier 1580.

**Note 1059:** (retour) *Calendar of State papers, foreign series*, 1579-1580, p. 167.

Des propos de table ou des conciliabules de ces condottieri et de ces grands seigneurs, presque rien n'a transpiré parce que probablement tout s'est passé en paroles. On sait que déjà Casimir avait promis à La Rocheguyon de lui fournir cinq mille reîtres contre la cession de Commercy. On peut supposer que le duc de Lorraine a dû le tâter sur l'entreprise que Guise, d'accord avec lui, tramait contre Strasbourg[1060]. Mais il est imprudent de pousser plus loin les hypothèses[1061].

Cette rencontre de personnages de divers pays et des deux religions était si symptomatique que la Reine-mère retourna auprès du duc d'Anjou, qui n'avait pas consenti à l'accompagner ou à la suivre à Paris. Elle alla le trouver à Bourgueil (près de Chinon) et passa plusieurs jours avec lui (14-17 avril 1580)[1062]. Elle lui parla des projets qu'on lui prêtait sur les Pays-Bas, mais ce n'était pas sa principale affaire et elle eut l'air de le croire quand il feignit de s'en départir, «considérant le peu que l'on a faict pour luy quand il y a esté»[1063]. Elle appréhendait par-dessus tout qu'il ne se rapprochât des huguenots et, pour cette raison, elle le dissuada d'épouser la sœur du roi de Navarre, Catherine de Bourbon, un parti qu'avant son voyage du Midi elle trouvait sortable. C'est qu'alors elle y voyait un moyen de se concilier le chef des protestants avec qui elle allait traiter. Les temps étaient changés et ses dispositions aussi. Ce mariage, lui dit-elle, exciterait contre lui «une grande inimitié de tous les catholiques du royaume et de la Chrestienté». Il lui fit remarquer, non sans malice, qu'elle et le Roi son frère ne voyaient point de «difficultés» à son mariage avec la reine d'Angleterre, «qui estoit du la mesme relligion». Mais elle lui représenta--c'est elle-même qui l'écrit à Henri III--«la grande différence d'acquérir à soy en se mariant un grand royaume comme le sien (celui d'Élisabeth) ou seullement cinquante mil livres de rente tout au plus, épousant la princesse de Navarre[1064]». Ce n'était pas assurément la peine de se brouiller avec le monde catholique à si bas prix.

**Note 1060:** (retour) Sur cette entreprise qui aurait permis aux Lorrains d'ouvrir ou de fermer le passage du Rhin aux auxiliaires allemands, voir les références dans Davillé, *Les prétentions de Charles III à la couronne de France*, 1909, p. 26, note 7; et y ajouter celles de P. de Vaissière, *De quelques assassins*, 1912, p. 210, note 1.

**Note 1061:** (retour) Voir toujours le consciencieux Davillé, dont je n'accepte pas d'ailleurs les hardiesses érudites, p. 27 sqq.

**Note 1062:** (retour) *Lettres*, t. VII, p. 238-247.

**Note 1063:** (retour) Au Roi, 15 avril, *Lettres*, t. VII, p. 241-242.

**Note 1064:** (retour) 15 avril, *Lettres*, t. VII, p. 241.

Elle lui proposa, au lieu de Catherine, sa petite-fille Christine, fille du duc de Lorraine. Mais il fit le sourd.

Au fond, il appréhendait autant qu'elle, mais pour d'autres raisons, le retour des troubles dans le royaume. Il souhaitait le maintien de la paix pour recruter dans les deux partis les soldats qui étaient nécessaires à son entreprise des Flandres. Sa mère l'entendit «plusieurs fois» dire qu'il y avait «un moyen très grand et fort aisé» de pourvoir aux menées et défiances de ceux de la religion. Ce serait que le Roi fit une paix nouvelle ou accordât un pardon général et qu'il allât jurer l'amnistie ou la paix en sa Cour de Parlement devant les princes, les grands officiers de la couronne, les principaux du royaume, et les procureurs des grands personnages qui n'y pourraient venir[1065]. Il offrait son humble service pour cette œuvre d'apaisement, et le maréchal de Cossé, qui était à Bourgueil, déclarait à Catherine et à beaucoup d'autres, comme elle le raconte avec intention à Henri III, que le Roi en devait donner expressément la charge à son frère afin de bien faire connaître à tous ses sujets qu'il voulait la paix et le repos du royaume. Elle répondit qu'elle n'était pas d'avis de faire un édit nouveau, celui que le Roi avait octroyé aux protestants suffisait; mais elle ne rejeta pas absolument l'idée d'envoyer un des siens avec un serviteur du Duc, s'informer de l'occasion des troubles, «combien que mon intention, expliquait-elle à Henri III, fust de n'en rien faire sans la résolution de vous mesme et de vostre volunté». Et toujours elle lui répétait qu'il y avait dans ces remuements autant de politique que de religion. Le lendemain elle le pressait de mander à Paris, suivant le conseil de son frère, les princes et les grands pour aller «jurer» devant eux en son Parlement «d'entretènement de la paix et le promectre solennellement et avec tant d'expression qu'il ne s'y puisse rien adjouster ny jamais trouver aulcune excuse»[1066]. Quant au «pardon général de tous les maux et faultes passées», que recommandaient le duc d'Anjou et le maréchal de Cossé, c'était aussi son opinion «fondée sur ce que il seroit très difficile de chastier ceulx qui les ont commis sans danger de rentrer aux troubles», mais elle s'en remettait à son «prudent avis». Elle l'engageait pourtant, s'il voulait bien pardonner cette fois, à déclarer «par parolles fort expresses» qu'à l'avenir il serait fait «justice» «sévèrement et exemplairement» des coupables, de quelque qualité, condition et religion qu'ils fussent. Elle était sûre que ce serment d'entretenir la paix servirait «grandement à aller au devant et empescher le mal qui se prépare». «Et quant il n'y auroit, affirmait-elle, que la bonne intelligence que l'on verra par là qui est entre vous et vostre dict frère, croiez que cela contiendra beaucoup de gens» [1067]. C'était l'intérêt du Roi de regagner son frère.

**Note 1065:** (retour) Tours, 18 avril, *Lettres*, t. VII, p. 246.

**Note 1066:** (retour) Tours, 19 avril, *Ibid.*, t. VII, p. 250.

**Note 1067:** (retour) : Tours, 19 avril, *Ibid.*, t. VII, p. 251-252.

La guerre éclata soudainement dans le Midi. Le roi de Navarre adressa un manifeste à la noblesse (15 avril) et, cinq jours après, une lettre au Roi pour justifier la prise d'armes[1068]. Son grand argument, c'est que ses coreligionnaires étaient désespérés par les agressions des catholiques. Mais les catholiques pouvaient répondre qu'ils ne faisaient que rendre coup pour coup. Au vrai, les chefs protestants avaient résolu, d'accord avec les députés des Églises, à l'assemblée de Montauban (juillet 1579), de garder les quinze places que les articles de Nérac, signés le 28 février, les obligeaient à restituer dans les six mois[1069], c'est-à-dire à la fin août. Leurs craintes et leurs inquiétudes n'étaient qu'un prétexte. Ils savaient bien que Catherine ne les forcerait pas à se dessaisir et qu'elle négocierait toujours, même s'ils prenaient encore quelques châteaux, comme ils en étaient bien tentés. Turenne avoue que, pendant leur séjour à Montauban, «chacun s'employait à se préparer à un nouveau remuement et à recognoistre des places»[1070]. Ils recommencèrent à tirailler avec les catholiques, et subitement, en avril 1580, sans être assurés du secours d'une armée étrangère, contre l'aveu des gens de La Rochelle et de beaucoup d'Églises[1071], malgré la froideur du duc d'Anjou et l'hostilité de Montmorency, ils mirent toutes leurs forces en campagne. L'ont-ils fait, comme le dit Turenne, pour dégager le prince de Condé, aventuré dans La Fère, ou, comme le croit Marguerite, de peur qu'Henri III, outré de leur désobéissance, ne vînt en personne régler la question des places et les obliger à tenir leur parole? Il est probable que le roi de Navarre a été entraîné par des compagnons plus ardents et des capitaines âpres au butin, qu'il ne pouvait mener qu'à la condition de les suivre.

**Note 1068:** (retour) *Lettres missives*, 15 avril, t. I, p. 288 sqq; lettre du 20 avril au Roi, *ibid.*, p. 296 sqq.

**Note 1069:** (retour) Anquez, *Histoire des assemblées politiques des Églises réformées*, 1859, p. 28, parle de deux assemblées: 1579 et 1580(?), sans dire en quel mois. La date de la première réunion, la seule certaine, est fixée par une lettre de Catherine au Roi du 15 juin 1579 (t. VII, p. 12). «... Le premier jour du mois prochain se doit faire un sinode général à Montauban où mon fils le roi de Navarre, le prince de Condé, le vicomte de Turenne, tous les principaulx et premiers, ensemble les députés de leurs églises se doivent trouver.» L'assemblée fut d'avis que le roi de Navarre ne restituât point les places, mais elle se prononça contre une prise d'armes avant qu'on sût la réponse d'Henri III aux remontrances qui lui seraient adressées (Anquez, p. 28). Ce cahier fut porté à Henri III par le sieur de Lezignant (ou Lusignan), *Lettres de Catherine*, 8 août, t. VII, p. 73.

**Note 1070:** (retour) *Mémoires du vicomte de Turenne, depuis duc de Bouillon*, 1565-1586, publiés pour la Société de l'Histoire de France par le comte Baguenault de Puchesse, 1901, p. 147.

**Note 1071:** (retour) Mariéjol, *Histoire de France de Lavisse*, t. VI, p. 199.

D'Aubigné, l'historien-poète, veut, lui, que la reine de Navarre et son entourage aient provoqué la prise d'armes. Henri III, le médisant Henri III, se serait plu à colporter l'histoire amoureuse de la Cour de Nérac, et les dames, pour se venger du diffamateur, auraient excité contre lui leurs maris et leurs amants[1072]. Mais si le ressentiment des femmes a fait battre les hommes de meilleur cœur, il y avait longtemps qu'ils en avaient «envie».

Marguerite aurait eu une raison de plus de détester le Roi, son frère, s'il est vrai, comme le rapporte l'agent florentin, Renieri, souvent bien informé, qu'il ait écrit à son mari que Turenne la «caressait»[1073]. Mais elle se défend dans ses Mémoires, avec beaucoup de vraisemblance, d'avoir voulu la rupture; elle a fait de son mieux pour réconcilier son mari et le maréchal de Biron; elle a remontré au Conseil de Navarre tous les dangers d'une agression, et, d'autre part, averti le Roi son frère et la Reine-mère de l'aigreur croissante des réformés. Si Catherine avait douté de Marguerite, elle ne l'aurait pas appelée à l'aide pour rétablir la paix. «Faictes luy congnoistre (à votre mari) le tort qu'il se faict et mettez peine de rhabiller cette faulte qui est bien lourde»[1074] (21 avril 1580).

**Note 1072:** (retour) D'Aubigné, *Histoire universelle*, publiée pour la Société de l'Histoire de France par de Ruble, t. V, p. 383-384.

**Note 1073:** (retour) «... Che Turenne chiava sua moglie». Caressait est un euphémisme, *Négociations diplomatiques de la France avec la Toscane*, t. IV, p. 320. Henri III n'était pas incapable de cette dénonciation. En tout cas, au début de la guerre, Turenne laissa la lieutenance de la Guyenne, qui le retenait près du roi de Navarre, et prit de son plein gré, du moins il le laisse entendre, le gouvernement du Haut-Languedoc, pour avoir tout le mérite ou assumer la responsabilité de ce qu'il ferait. Il ajoute: «J'avois outre cela un sujet qui me convioit à m'éloigner dudict Roy pour m'esloigner des passions qui tirent nos ames et nos corps après ce qui ne leur porte que honte et dommage.» *Mémoires*, p. 149. Il avoue la passion et se fait un mérite de l'avoir fuie. N'oublions pas qu'il écrit en sa vieillesse pour l'édification de ses enfants.

**Note 1074:** (retour) *Lettres de Catherine*, t. VII, p. 254.

Le roi de Navarre, qui savait mieux que personne les sentiments de sa femme, lui écrivait le 10 avril, quelques jours avant la déclaration de guerre: «Ce m'est un regret estresme qu'au lieu du contentement que je desirois vous donner... il faille tout le contraire et qu'aïez ce desplaisir de voir ma condition réduicte à un tel malheur»[1075]. Parlerait-il ainsi à une complice et pouvait-il signifier plus clairement qu'il entrait en campagne malgré lui et malgré elle? De la prétendue cause passionnelle de la prise d'armes, il convient de ne retenir que le nom pittoresque de guerre des Amoureux.

Catherine fut outrée de cette révolte qui récompensait si mal sa longanimité. «Le Roy, écrivait-elle à son gendre, quelle occasion vous donne-[t]-il de ce faire? Il vous demande que luy observiez ce que luy avez promis et juré et de quoy avez esté tous contens, car ce n'est pas une loy ny commandement qu'il vous ait faict par la puissance que Dieu luy a donnée sur tous estans ses subjects.... mais c'est bien paix et traicté faict et disputté comme de per à per» (de pair à pair). Elle ne voulait pas croire que Dieu l'eût assez «abandonné» pour avoir commandé la prise d'armes.... «Je ne croyray jamais qu'estant sorty d'une si noble race (les Bourbons), vouliez estre le chef et général des brigands, voleurs et malfaicteurs de ce royaulme.» Il fallait «remettre les choses comme la raison le veult... et faire exécuter ce que le Roy vous mande.... affin que ce pauvre royaume demeure en repos et qu'il n'y ait occasion de dire que l'avez troublé». Les formules de politesse: «Et vous prie, pour l'amour que je vous porte, excuser ce que je vous dis....»; «Je prie Dieu qu'il vous le fasse bien prendre» n'enlevaient rien à la vigueur de la leçon[1076].

**Note 1075:** (retour) *Lettres missives de Henri IV*, t. I, p. 528.

**Note 1076:** (retour) Chenonceaux, 21 avril 1580, t. VII, p. 252-253.

La révolte dispensa Henri III de la manifestation théâtrale de bonne volonté que lui avaient suggérée son frère et sa mère. Il se contenta de publier, près de deux mois après (3 juin), une déclaration confirmative des édits de pacification. Il avait nommé son frère lieutenant général du royaume (4 mai), mais il ne lui donna aucun commandement. Trois armées marchèrent contre les protestants. Condé n'attendit pas l'attaque de Matignon dans La Fère et s'enfuit en Allemagne (20 mai). Mayenne pénétra en Dauphiné[1077], où en septembre il prit la forte place de La Mure. Le roi de Navarre avait emporté la ville de Cahors, mais cet assaut de quatre jours (28-31 mai), d'où il sortit «tout sang et poudre»[1078] avec la réputation d'un héros, ne servit qu'à sa gloire. Biron le poussa si vivement que Marguerite criait grâce à sa mère dans une lettre à la duchesse d'Uzès. «... Faictes luy souvenir ce que je luy suis et qu'elle ne me veuille rendre si misérable, m'ayant mise au monde, que j'y demeure privée de sa bonne grace et protection. Si l'on faisoit valoir le pouvoir de mon frère (le duc d'Anjou), nous aurions la paix, car c'en est le seul moyen»[1079] (fin juin).

Le Roi et la Reine-mère étaient tout disposés à employer ce médiateur. Il s'entêtait, malgré leurs représentations, dans son dessein des Pays-Bas[1080]. Le 22 août 1580, il avait fait occuper par ses troupes la ville et la citadelle de Cambrai. Les États généraux, épouvantés des progrès du duc de Parme et poussés par le prince d'Orange, étaient cette fois résolus à payer son concours du prix qu'il y mettait et à le reconnaître pour prince et souverain seigneur. Mais le Roi, s'il le laissait partir, pouvait craindre, en pleine guerre civile, une guerre avec l'Espagne et, s'il l'en empêchait, une coalition des malcontents catholiques avec les huguenots. Pour échapper à l'un et à l'autre danger, il fallait que le duc d'Anjou, de lui-même, ajournât l'expédition. Catherine avait acheminé Henri III doucement, suivant son habitude, à confier à ce frère détesté la mission d'apaiser les troubles. Elle savait combien les négociations avec les protestants du Midi étaient laborieuses et elle espérait gagner du temps, beaucoup de temps. Le Duc, qui manquait d'hommes et d'argent, escomptait pour ses futures conquêtes l'appoint des forces huguenotes que la paix rendrait disponibles. Peut-être Catherine lui avait-elle laissé entendre que le Roi, en récompense d'un succès diplomatique, ne s'opposerait plus à ses entreprises. «Mesmes la Reine mère, dit un rapport anonyme, a beaucoup diminué des remontrances qu'elle souloit faire»[1081].

Quand les députés des États eurent rejoint le Duc à Plessis-les-Tours, ils demandèrent, avant de le reconnaître pour souverain, que le Roi s'engageât formellement à le soutenir de tous ses moyens. On leur aurait fait voir en guise de réponse une lettre où Henri III promettait à son frère de l'assister «jusques à sa chemise», mais en négligeant de leur dire que le Duc avait promis de ne jamais se prévaloir de cet engagement[1082]. Le traité qu'ils consentirent à signer (Plessis-les-Tours, 19 septembre) portait seulement que le nouveau souverain des Pays-Bas s'assurerait l'alliance et l'appui du roi de France.

**Note 1077:** (retour) *Lettres*, t. VII, p. 276-277 et références.

**Note 1078:** (retour) : *Lettres missives*, I, p. 302.

**Note 1079:** (retour) Citée par Baguenault de Puchesse, *Lettres*, t. VII, p. 274, note 1.

**Note 1080:** (retour) Henri III à Saint-Gouard, son ambassadeur en Espagne, *Lettres*, t. VII, p. 477.

**Note 1081:** (retour) Kervyn de Lettenhove, t. V, p. 578, note 3.

**Note 1082:** (retour) [De Licques], *Vie de Mornay*, p. 55, cité par Groen van Prinsterer, *Archives de la maison de Nassau*, t. VII, p. 403-404.

Le Duc partit immédiatement pour le Midi, et y fut bientôt rejoint par Bellièvre et Villeroy, les deux hommes de confiance d'Henri III et de Catherine, qui devaient lui servir d'aides et de conseils. Les négociations avec le roi de Navarre commencèrent en octobre et aboutirent assez vite à la paix de Fleix (26 novembre), qui confirmait les article de Nérac, mais laissait aux protestants pendant six ans encore les places de sûreté. La Reine-mère remercia Bellièvre avec effusion «de la bonne et grande et dextre façon» dont il avait usé «en la conférence de Flex et aux affaires qui se sont traictez de delà» auprès de son fils le duc d'Anjou[1083].--«De ma part, lui écrivait-elle encore le même mois, vous povés panser come je l'é reseus (reçu la nouvelle), que, oultre la pays (paix) du royaume, voyr une entière récosyliation de tous mes enfans»[1084]. Elle se réjouissait déjà, dans une lettre à la duchesse d'Uzès, d'avoir ses deux fils et sa fille Marguerite réunis autour d'elle «aveques joye et contentement et repos de set royaume», et comme elle s'endormait de fatigue en écrivant, elle répétait les mêmes mots, mais avec une addition qui trahit sa préférence maternelle: «aveques plus de repos en se royaume et contentement pour le Roy *mon fils amé*»[1085].

**Note 1083:** (retour) *Lettres*, t. VII, p. 310, décembre 1580.

**Note 1084:** (retour) *Ibid.*, p. 320.

**Note 1085:** (retour) *Ibid.*, p. 302.

Elle affectait de rapporter tout l'honneur de la négociation à Bellièvre pour se dérober aux exigences du duc d'Anjou. Il réclamait comme récompense de son grand service les moyens d'aller guerroyer en Flandres. Elle priait Bellièvre de lui redire après Villeroy «de ne se présipiter, et, en se perdent (perdant), nous perdre tous»[1086]. Mais il alléguait les raisons d'honneur et d'opportunité qui l'obligeaient à secourir au plus vite Cambrai qu'Alexandre Farnèse bloquait[1087]. Il pouvait invoquer les engagements pris par le Roi, et dont le dernier, du 26 novembre 1580, portait expressément qu'il aiderait et assisterait son frère de tout son pouvoir et se joindrait, liguerait et associerait avec les provinces des Pays-Bas qui auraient contracté avec lui, aussitôt qu'elles l'auraient effectivement reçu et admis en la principauté et seigneurie desdites provinces[1088]. Le Duc escomptant l'effet de ces promesses, recrutait partout des soldats et ordonnait à ses gentilshommes de monter à cheval. Mais Henri III se dérobait. Les États généraux des Pays-Bas, réunis à Delft pour ratifier le traité de Plessis-les-Tours, y mettaient pour condition que le roi de France donnât assurance sous son seing d'aider son frère de ses forces et moyens «pour tousjours maintenir ensemble les provinces»[1089]. Mais, au contraire, Henri III demandait l'annexion de l'une de ces provinces à la France comme prix de son concours. C'étaient des exigences inconciliables et il pensait en tirer parti.

**Note 1086:** (retour) *Ibid.*, p. 31.

**Note 1087:** (retour) Bellièvre à la Reine-Mère, Coutras, 11 décembre, *Lettres*, t. VII, app., p. 453.

**Note 1088:** (retour) Kervyn de Lettenhove, t. V, p. 599.

**Note 1089:** (retour) Kervyn de Lettenhove, t. V, p. 597, note.

La Reine-mère prétendait que le Duc restât dans le Midi ou qu'il se tînt tranquille jusqu'à la complète exécution de la paix. Est-il possible ou seulement raisonnable, lui disait-elle dans une de ces grandes lettres, qui sont de véritables mémoires politiques[1090], «que le Roy offence le Roy catholique et se mecte en danger de avoir la guerre contre luy, devant que d'avoir estably, comme il convient, les affaires de son royaume et d'estre asseuré de la fidélité de ses subjectz».

«Nous avons trop esprouvé, avouait-elle, le peu de respect... que ceulx de la nouvelle relligion des provinces de Languedocq et Daulphiné portent au Roy et mesmes à mondict filz le roy de Navarre pour nous asseurer de leur fidélité devant l'exécution et accomplissement de leurs promesses: j'ay la mémoire encores trop ressente de leurs deportemens en mon endroict»[1091].

**Note 1090:** (retour) Au duc d'Anjou, 23 décembre 1580, *Lettres*, t. VII, p. 304-309.

**Note 1091:** (retour) *Ibid.*, p. 305.

«D'avantage, mon filz, trouvez-vous qu'il soit à propoz que le Roy vostre frère et vous entrepreniez ceste guerre contre le plus puissant prince de la Crestienté, devant que de vous estre randuz plus certains de la volonté et amityé de vos voisins, spéciallement de ceulx qui ont intérest à la grandeur dudict Roy catolicque comme la Royne d'Angleterre et les princes de Germanie?» La reine Élisabeth, il est vrai, a fait plusieurs fois dire par son ambassadeur qu'elle était prête à former une Ligue avec la France, mais quand le chancelier Cheverny, Villequier et le secrétaire d'État, Pinart, sont allés le trouver, pour en traiter avec lui, il s'est déclaré sans pouvoirs.

Les cantons suisses font difficulté de renouveler l'alliance «pour les excessives sommes de deniers» qui leur sont dues et qu'il faut réunir le plus tôt possible sous peine de perdre quasi l'unique alliance et amitié dont la Couronne est «appuyée». Au contraire, les Espagnols ont de nombreuses intelligences dans le royaume, et loin d'assoupir les divisions, «desquelles se rendent tous les jours plus dangereuses par la licence effrénée qui croist et augmente à vue d'œil», une guerre étrangère fournira aux factieux «plus de moien de nuire et accomplir leurs desseings».

«Vous n'avez pas, continuait-elle, quasy de quoy faire monter à cheval ceulx desquelz vous entendez vous servir et [vous] voullez aller combattre une armée hors du royaulme, forte et gaillarde, (l'armée espagnole) qui ne désire rien tant que de se hazarder pour accroistre sa réputation à voz despens»[1092]. Il ne s'agissait pas seulement de «faire une course» jusqu'à Cambrai, mais d'y «conduire une grande quantité de vivres et rafraichissemens». Pour protéger un pareil convoi, il lui fallait une armée au moins égale à celle du duc de Parme, car s'il y allait sans approvisionnements, son armée apporterait aux habitants plus d'incommodité que de secours. Elle lui signalait sans ménagements les fautes commises. Ses premières bandes, battues presque aussitôt après avoir franchi la frontière, s'étaient vengées en ravageant le pays, et, comme pour mieux braver Philippe II et l'inciter aux représailles, avant même que le traité de Fleix fût exécuté, ses serviteurs, «jusques aux principaux», avaient fait arrêter à leur passage en France des Espagnols de qualité. Même à l'intérieur du royaume, les soldats enrôlés sous son nom avaient commis «tant d'insolences», de désordres et de ravages que les députés des États de Normandie et de Bourgogne étaient venus demander au Roi d'être déchargés «du payement des deniers ordinaires». Que serait-ce si Fervaques, à qui il en avait donné commission, faisait de nouvelles levées? Il ne servait de rien de dire qu'on empêcherait les pilleries des gens de guerre, «c'est chose du tout impossible tant ilz sont maintenant dépravez, mesmes (surtout) n'estant payez de leur solde, comme ilz ne peulvent estre». Quand ils auront achevé de détruire et de ruiner les sujets du Roi, où le Roi trouvera-t-il de quoi le soutenir? Et alors «que pourrez-vous faire pour les Estats des Pays Bas qui vous appellent?» Ses devoirs de Français et de fils de France passaient avant toutes ses promesses. «Vous nous dictes que vous avez engaigé vostre foy à ceulx de Cambrai et que vous vous estes obligé de les secourir, s'estant jectez entre vos bras. Mon fils, vous avez passé ce marché sans nous à mon très grand regret»... «Combien que vous ayez cest honneur que d'estre frère du Roy, vous estes néanmoings son subject, vous lui debvez toute obéissance, vous debvez aussi préférer le bien publique de ce royaulme, qui est le propre heritaige de voz prédécesseurs, duquel vous estes héritier présomptif, à toute aultre considération: la nature y a obligé vostre honneur de (dès) vostre naissance». Il devait fermer l'oreille aux mauvaises suggestions. «...L'on vous a conseillé de luy demander (au Roi) secours d'hommes et d'argent... Prenez garde que ce ne soit une invention de voz ennemys, lesquelz congnoissans que le Roy ne vous peult accorder maintenant voz demandes, espèrent par ce moyen vous desunyr et empescher que vous ne paracheviez d'exécuter la paix, par où vous pouvez vous asseurer pour jamais de l'amityé du Roy vostre dict frère et acquérir une gloire immortelle.»

**Note 1092:** (retour) *Lettres*, t. VII, p. 307. Cette grande armée à laquelle le duc d'Anjou n'avait rien à opposer, comptait 2 500 à 3 000 chevaux et 6 000 ou 7 000 hommes de pied.

Rien ne pressait d'ailleurs. «Au fort de l'hiver», «il est quasi impossible de porter la guerre» aux Pays-Bas. Qu'il ne ruinât pas inutilement le Roi et le royaume par de nouvelles levées. Quand la paix sera bien établie au dedans, il viendra trouver le Roi et ensemble ils résoudront, conclut-elle, «ce qui sera de faire pour vostre grandeur et l'honneur de ce royaulme».

C'était la raison même. Henri III, incertain de la paix intérieure et de l'alliance anglaise, ne pouvait, avec un trésor vide, des revenus réduits et grevés d'anticipations, se lancer dans une guerre contre le puissant roi d'Espagne. Mais, à ce compte, il n'aurait pas dû promettre à son frère, si vaguement que ce fût, de l'assister aux Pays-Bas puisqu'il n'avait ni les moyens ni la volonté de tenir sa parole. Catherine, qui n'avait pas toujours parlé aussi net, avait sa part de responsabilité dans ce double jeu.

Le duc d'Anjou consentit à rester encore quelques mois dans le Midi. Sa mère était toute occupée d'une négociation matrimoniale, qui, si elle avait abouti, l'aurait fait si grand qu'il eût pu dédaigner la souveraineté des Pays-Bas ou l'acquérir avec toutes les chances de succès. Les projets de mariage entre la reine d'Angleterre et un prince français dataient de loin et, suivant l'intérêt de la politique anglaise, ils paraissaient, disparaissaient, reparaissaient. En 1578, quand le duc d'Anjou, après sa fuite du Louvre, avait préparé la campagne des Flandres, Élisabeth avait signifié son opposition. Elle redoutait moins de voir à Dunkerque et Anvers les Espagnols, lointains et entravés par la révolte, que la France, riveraine de la Manche et du Pas de Calais et qui ferait bloc avec sa future conquête. Aussi avait-elle fait dire au Duc que, s'il ne se départait de l'entreprise, elle mettrait «peine de l'en empescher», mais en même temps elle lui laissait entrevoir l'offre de sa main comme prix d'un renoncement[1093].

Après l'échec de cette première tentative, elle ne parut pas éloignée de récompenser même la désobéissance. Il était clair que le duc d'Anjou n'était pas capable de chasser les Espagnols, mais qu'il avait assez de moyens pour les tenir en alarme, double garantie de la sécurité de l'Angleterre. L'envie de se marier revenait à Élisabeth et pour les mêmes raisons qu'en 1571. L'internement toujours plus étroit de Marie Stuart, s'il assurait en Écosse la suprématie du parti anglais, excitait dans le monde catholique une vive indignation. Don Juan avait rêvé d'aller, aussitôt après la soumission des Pays-Bas, délivrer la reine prisonnière[1094] et détrôner la reine hérétique. Lui mort (2 octobre 1578), le pape Grégoire XIII reprit le projet de débarquement pour attaquer le protestantisme en son «repaire». Il s'entendit avec les Guise, mais essaya sans succès d'entraîner Philippe II. Il expédia en Irlande quelques réfugiés anglais et vingt-cinq à trente Italiens et Espagnols, qui abordèrent le 17 juillet 1579 sur la côte de Kerry et appelèrent les Irlandais aux armes. L'ordre des Jésuites, associé à ce dessein, fit partir neuf missionnaires, qui, au risque de la mort et d'atroces supplices, se glissèrent en Angleterre pour la convertir. L'invasion des «séminaristes» affola le peuple anglais. Avec une inquiétude plus explicable, le gouvernement surveillait Alexandre Farnèse, grand général et fin diplomate, qui, par les armes et des concessions, venait de ramener à l'obéissance la moitié des Pays-Bas.

**Note 1093:** (retour) *Lettres de Catherine*, t. VI, p. 12-13, mai 1578.--Cf. p. 28.

**Note 1094:** (retour) Kervyn de Lettenhove, t. IV, p. 441 sqq et passim.

Élisabeth jugea le péril si grand qu'elle décida de se rapprocher de la France. Mais sa coquetterie donnait comme toujours un air de candeur aux inspirations de sa politique. Elle était femme et sensible, elle aimait les hommages, s'attendrissait aux protestations d'amour et s'exaspérait de rester fille. Simier, que le duc d'Anjou avait envoyé en reconnaissance, était un des courtisans les plus raffinés de la Cour de France, écrivant et parlant à merveille le pathos amoureux du temps. Quand le Duc était allé lui faire sa première visite à Greenwich (août 1579), il l'avait trouvée tout émue par les compliments et les façons galantes de son interprète. Elle s'engoua de ce Valois, si séduisant malgré sa petite taille et sa figure, et elle l'appelait tendrement «ma grenouille». Ils se séparèrent, l'un emportant des espérances et l'autre manifestant des regrets, qui annonçaient de prochaines épousailles[1095].

Mais l'opinion protestante se déchaîna contre ce mariage avec un prince français et papiste. Le Parlement, consulté sur le contrat dont le Conseil privé de la Reine et Simier avaient arrêté les clauses, supplia si fermement Élisabeth de refuser sa signature qu'il fallut le proroger. Elle proposa au Duc, comme moyen de se concilier les esprits, de renoncer au libre exercice du culte catholique. Mais la Reine-mère représenta doucement à sa future bru «que rien ne touche tant que ce qui est de la conscience et religion que l'on tient... Par ainsy je vous supplie luy laisser (à mon fils) ce qui est par vous déjà accordé et qui est de son salut d'avoir moien de servir Dieu et le prier et luy faire souvenir qu'il a ung maistre qui le conservera et aussi peut le chastier[1096]», s'il méfait. Derrière ces «retranchements» elle voyait venir la rupture, et dans les entretiens qu'elle eut avec le duc d'Anjou à Bourgueil, en avril 1580, elle ne s'était pas fait scrupule de l'entretenir d'un autre mariage avec sa petite-fille, Christine de Lorraine. Par orgueil et par calcul, Élisabeth ajournait le mariage, mais entendait garder le fiancé. Elle recevait du duc des lettres passionnées, et ne doutait pas qu'elles fussent sincères. Elle était touchée de ses plaintes et compatissait au désespoir qu'il affectait. Elle se laissa un jour dérober par Simier un mouchoir qui lui était destiné. Elle invita Henri III à nommer des commissaires pour rédiger un nouveau contrat, mais sans vouloir prendre d'engagement et en se réservant de les mander au moment voulu[1097]. Elle s'inquiétait et s'irritait de l'opposition de son peuple.

**Note 1095:** (retour) Froude, *History of England from the fall of Wolsey to the defeat of Spanish Armada*, t. XI, 1887, p. 494.

**Note 1096:** (retour) A la reine d'Angleterre, 8 février 1580, *Lettres*, t. VII, p. 225.

**Note 1097:** (retour) Catherine au Roi, *Lettres*, t. VII, p. 244.

Catherine se prêtait de bonne grâce à ces jeux de l'amour et de la politique. Elle ne croyait guère au mariage, mais elle négociait avec zèle comme s'il devait se faire. En tant que femme, les questions matrimoniales l'intéressaient. La recherche de son fils par cette grande souveraine la flattait, et elle y trouvait un moyen de distraire les Anglais pendant la guerre des Amoureux. Ses flatteries à la Reine, ses protestations de belle-maman avant la lettre, contribuèrent sans doute, avec l'âpre esprit d'économie, à détourner Élisabeth d'avancer à Condé, qui s'était enfui de La Fère, 300 000 écus dont il pensait se servir pour lever des reîtres en Allemagne. En août, quand la Reine se déclara prête à recevoir les commissaires, Catherine lui écrivit sa joie «de voyr ayfectuer cest heureus mariage». C'est «à cet coup» qu'elle mourra contente de se voir «honorée d'une tele fille», ajoutant «... Je prie à Dieu m'achever cet heur de vous voyr byentost mère». Et toute transportée «d'aise», elle s'excusait d'espérer que par la grâce de Dieu ce premier enfant serait accompagné «d'une belle lygnée»[1098]. Elle voulait oublier les quarante-sept ans de la prétendue.

Mais si tentée que parût la reine d'Angleterre de prendre époux, elle ne perdait pas de vue les intérêts de son pays. De tout temps ses avances matrimoniales aux Valois avaient eu pour principale fin de se prémunir contre l'alliance de l'Espagne et de la France et de les opposer l'une à l'autre sans en favoriser aucune à son détriment. Elle fit dire à Henri III que, s'il faisait la guerre au roi d'Espagne, elle l'y aiderait secrètement, mais à condition que ce ne fût pas dans les Pays-Bas. Les desseins du duc d'Anjou sur les dix-sept provinces lui donnaient de la jalousie, et ce n'était pas une susceptibilité d'amoureuse. Il ne fut plus question de contrat ni de commissaires, quand elle apprit que les États généraux avaient délibéré de reconnaître pour prince et seigneur le duc d'Anjou. «O Stafford, écrivait-elle à son envoyé extraordinaire en France, je trouve qu'on a mal agi envers moi. Dites à Monsieur que désormais il ne sera qu'un étranger pour moi si ceci s'accomplit.... Nous ne voulons pas placer si complètement notre confiance dans la nation française jusqu'à mettre entre ses griffes toute notre fortune pour être dans la suite à sa discrétion. J'espère ne pas vivre assez pour voir ce moment»[1099].

**Note 1098:** (retour) 18 août 1580, *Lettres*, t. VII, p. 277.

**Note 1099:** (retour) Wright, cité par Kervyn de Lettenhove, t. V, p. 542-543.

C'était au moment des pourparlers de Plessis-les-Tours. Le Duc, pour l'apaiser, offrit de lui communiquer les dépêches relatives aux Pays-Bas et d'admettre son ambassadeur en tiers dans les délibérations[1100]. Elle revint à son projet de ligue contre l'Espagne, qui était en train de s'annexer le Portugal. Mais quand le Roi demanda ce qu'elle ferait pour son frère aux Pays-Bas, l'ambassadeur anglais répondit qu'il n'avait «charge ny pouvoir de sa maistresse, d'entendre à ce party, mais seullement résouldre ce qu'il falloit faire pour traverser ledit roy catholique en Portugal»[1101]. Ce fut au tour du duc d'Anjou de bouder. Alors elle fit de nouvelles avances. Elle pressa l'envoi des commissaires[1102]. Le Duc, très refroidi, fit partir Marchaumont pour «entendre la façon dont» ils seraient reçus[1103]. Catherine arrêta le messager au passage, étant sûre, écrivait-t-elle à Villeroy, que la reine d'Angleterre prendrait «pour rompture de ceste négociation, et en (pour) mocquerie si elle veoid qu'on veuille encore retarder lesdicts commissaires». «Comme ladicte Royne est femme couroigeuze et mal endurante, elle ne fauldra pas de... faire si grand prejudyce à l'advansement de mondict fils (le duc d'Anjou) qu'elle n'espargnera rien des grandz moyens qu'elle a pour luy nuyre et faire non seulement contre luy, mais aussy contre le Roy du pis qu'elle pourra, comme de susciter une nouvelle guerre avec ceulx de la Religion, les assistans de moyens, praticques et intelligences en Allemaigne et partout ailleurs où elle pourra, et si (ainsi) elle se liguera avec le Roy d'Espagne et aydera par despit à sa grandeur et à la ruyne, tant qu'ilz pourront tous deux, de ce royaulme.» Mais si son fils l'épouse «il peult sans [aucun] doubte espérer estre [le] plus grand prince, après le Roy son frère, qui soit en la chrestienté».

**Note 1100:** (retour) Kervyn de Lettenhove, t. V, p. 545.

**Note 1101:** (retour) Catherine au duc d'Anjou, 13 décembre 1580, *Lettres*, t. VII, p. 305.

**Note 1102:** (retour) 12 janvier 1581, *Lettres*, t. VII, p. 320.

**Note 1103:** (retour) 17 janvier 1581, *Lettres*, t. VII, p. 323.

Avec les moyens de la Reine «sa femme, qui ne luy peuvent déffaillir» et l'assistance du Roi, son frère, et du royaume de France, il peut, comme la

Reine le laisse entendre, se faire élire roi des Romains[1104]. Elle se plaît à rêver tout éveillée.

Henri III nomma les commissaires, parmi lesquels trois princes du sang, le comte de Soissons, le duc de Montpensier et le prince Dauphin[1105], pour traiter, passer, accorder et contracter le mariage (28 février 1581). Après de laborieuses négociations, le contrat fut signé le 11 juin 1581, mais à l'épreuve on vit bien qu'il n'aurait pas plus d'effet que le premier.

**Note 1104:** (retour) A Villeroy, 17 janvier 1581, *Lettres*, t. VII, p. 323-324.

**Note 1105:** (retour) Le comte de Soissons, Louis de Bourbon, fils du prince de Condé, qui avait été tué à Jarnac, mais catholique, et le duc de Montpensier se firent excuser. *Lettres*, t. VII, p. 363 et note.

L'hiver fini et les négociations du Midi s'éternisant, le duc d'Anjou écrivit à sa mère (Libourne, 1er avril 1581) qu'il allait, comme il l'avait promis par sa déclaration de Bordeaux du 23 janvier, marcher au secours de Cambrai. Trois semaines après, il partit, et de peur des reproches et des empêchements, il s'achemina vers Alençon, sans visiter au passage sa mère et son frère. Catherine eut «un regret extresme», «voyant, écrivait-elle à Bellièvre, que son honneur et sa personne ne courront moyngs de hazard que feront les affaires du Roy... les ayant laissées imparfaictes et confuses»[1106]. Elle le suivit à Alençon, et, dans les trois jours qu'elle passa près de lui (12-15 mai), elle le pressa et le supplia sans succès d'ajourner l'entreprise des Flandres jusqu'au complet rétablissement des affaires du royaume. Mais elle n'obtint rien. De colère, elle s'en prit aux mignons du Duc, qui assistaient à l'entretien, les accusant d'avoir, par leurs brigues et conseils, provoqué toutes ces brouilleries, et déclarant qu'ils méritaient le gibet. François se plaignit qu'elle manquât à sa promesse de ne l'insulter ni lui ni les siens et il sortit sans vouloir ce jour-là en écouter davantage[1107]. Elle écrivit à Montpensier, que son fils aimait beaucoup, d'user de toute son influence pour le retenir[1108]. Le duc d'Anjou continua ses levées, et le 25 mai il leur donna rendez-vous à Gisors[1109]. Des grands et des seigneurs des deux religions, le grand écuyer, Charles de Lorraine, Guy de Laval, fils de d'Andelot, le catholique Lavardin et le huguenot Turenne, favoris du roi de Navarre, un ancien mignon du Roi disgracié, Saint-Luc, La Châtre, La Guiche se préparaient à le joindre avec des soldats et leurs gentilshommes. La Rochepot l'attendait en Picardie avec de l'infanterie[1110]. Ces bandes que leurs chefs n'avaient pas le moyen de payer vivaient sur l'habitant, pillaient le plat pays, saccageaient les villages qui résistaient. Les Parisiens effrayés appelèrent à l'aide Henri de Guise. Catherine retourna voir son fils à Mantes (fin juin ou commencement juillet). Le Duc, tout en confessant qu'il n'avait de «quoy exécuter telle entreprise et en rapporter l'honneur et avantage» qu'il s'était «promis», ne s'en voulut «desmouvoir», «dont je suis encores plus affligée que je ne vous puis écrire, disait-elle à l'ambassadeur de France à Venise, Du Ferrier, le voyant à la veille de perdre sa personne avec sa réputation et mettre ce royaume, auquel j'ay tant d'obligation, au plus grand danger où il fut oncques.... Vous pouvez de là comprendre en quelle douleur et perplexité je me trouve....»[1111].

**Note 1106:** (retour) 29 avril 1581, *Lettres*, t. VII, p. 373.

**Note 1107:** (retour) Lettre d'un agent anglais, Shauenbourg, du 26 mai, citée par Kervyn de Lettenhove t. VI, p. 138.

**Note 1108:** (retour) 28 mai 1581, *Lettres*, t. VII, p. 381.

**Note 1109:** (retour) Kervyn de Lettenhove, t. VI, p. 133.

**Note 1110:** (retour) Lettre de Renieri, agent florentin, du 16 mai, *Nég. diplom. de la France avec la Toscane*, IV, p. 365.

**Note 1111:** (retour) 1111: 29 juillet, *Lettres*, t. VII, p. 385.

La raison de son grand trouble, c'est qu'elle ne parvenait pas à calmer Henri III. Le Roi, indigné que son frère armât «sans son consentement, voires contre son gré et vouloir,» qu'il foulât ses sujets et le lançât dans une guerre avec l'Espagne, paraissait résolu à se faire obéir même par la force. Il convoqua les compagnies d'ordonnance à Compiègne. Il ordonna au sieur de La Meilleraye de rompre toutes les bandes, fussent celles de son frère. «Je vous le commande aultant que vous m'aymez et debvez obeissance à vostre Roy.... Aydez vous de la noblesse, du peuple, du toxain et de tout qu'il sera besoing, je vous en advoue et le vous commande»[1112].

Catherine voulait empêcher à tout prix cette lutte plus que civile. Convaincue qu'il importait au bien du royaume et du Roi de contenter le duc d'Anjou, elle changea de politique, sinon de sentiments. Sans doute elle aurait mieux aimé voir François à la Cour, paisible et docile, que de le servir en ses entreprises étrangères. Mais le seul moyen qui lui restât d'accorder les deux frères, c'était de soutenir les ambitions de l'un pour assurer la sécurité de l'autre. Une première fois à Blois ou à Chenonceaux, à son retour d'Alençon, en mai 1581, elle aurait essayé sans succès de décider le Roi à soutenir le Duc sous main[1113]. Elle lui avait représenté, raconte l'ambassadeur d'Espagne, Tassis, que le Duc, «se voyant sans souffisans moyens pour exécuter ce qu'il a en teste par faulte de la faveur de son frère, de rage ne voulsist convertir sa furye contre luy et allumer ce royaulme de nouvelle guerre civile»[1114]. A la longue elle lui persuada de souffrir ce qu'il n'aurait pu défendre, sans de gros risques. En juillet il était résigné, tout en continuant à désavouer l'agression. Le seigneur de Crèvecœur, lieutenant général du Roi en Picardie, rapporte l'agent florentin Renieri, vint à la Cour, «pour savoir de la bouche du Roi la vérité sur l'entreprise de Monsieur, à qui Sa Majesté répondit qu'elle ne se faisait pas de son consentement. Crèvecœur m'a dit que la Reine-mère lui demanda si le Roi pouvait empêcher la dite entreprise. Il dit que oui. De quoi elle se montra mécontente[1115]».

**Note 1112:** (retour) Kervyn de Lettenhove, t. VI, p. 133.

**Note 1113:** (retour) Sur ce premier échec à Blois, voir une dépêche de l'ambassadeur vénitien, citée dans *Lettres*, t. VII, p. 375, note.

**Note 1114:** (retour) Jean-Baptiste de Tassis, cité dans Kervyn de Lettenhove, t. VI, p. 140, note 2.

**Note 1115:** (retour) Renieri, 25 Juillet, *Négociations diplomatiques*, t. IV, p. 377.

Elle alla encore une fois, par acquit de conscience, trouver son fils à La Fère-en-Tardenois pour le détourner de cette aventure (7 août), mais déjà elle avait pris toutes les dispositions pour la protéger. Le sieur de Puygaillard, qui commandait les troupes royales, avait l'ordre de côtoyer l'armée d'invasion et d'empêcher les Espagnols de l'attaquer avec avantage. C'est sous la protection de ce lieutenant du Roi que le duc d'Anjou mena au secours de Cambrai les troupes que le Roi lui avait défendu de rassembler et qu'il avait abandonnées aux coups des populations. Il entra dans la ville le 18 août, la débloqua ensuite et marcha sur Cateau-Cambrésis, qui capitula le 7 septembre. Mais la Reine-mère restait anxieuse. «Je suis, écrivait-elle à Du Ferrier, le 23 août, en une extresme peine de l'issue du voyage auquel mon fils s'est embarqué»[1116]. Elle craignait que la fin ne correspondît pas au commencement.

**Note 1116:** (retour) Mariéjol, *Histoire de France de Lavisse*, t. VI, 1, p. 209. *Lettres*, t. VII, p. 391.

Cependant la reine d'Angleterre ne s'opposait plus aux projets du duc d'Anjou. Décidément inquiète du surcroît de puissance que donnait à Philippe II l'acquisition du Portugal et de ses colonies, elle cherchait à lui susciter partout des ennemis. Elle blâmait maintenant Henri III de ne pas soutenir son frère. Elle le poussait à faire valoir les droits de sa mère sur la couronne de Portugal et lui proposait de conclure une ligue défensive. Mais, toujours prudente et toujours économe, elle se refusait à rompre ouvertement avec l'Espagne, et même à payer tout ou partie des frais de la conquête des Pays-Bas[1117]. Quant à son mariage, elle l'ajournait après l'alliance. Or Henri III, pour être bien certain de son concours, exigeait qu'il se fît avant. On ne pouvait s'entendre. Élisabeth envoya l'un de ses plus habiles conseillers, Walsingham, exposer ses raisons au Roi et au duc d'Anjou. Le ministre anglais ne croyait pas ce mariage sortable et il le laissait trop voir. Aussi, comme, dans l'entretien qu'il eut avec Catherine au jardin des Tuileries, le 30 août, il ne lui parlait que de former la ligue, elle représenta nettement «qu'on pourrait mettre en œuvre plusieurs persuasions et artifices pour rompre des traitez qui ne seroient composez que d'encre et de papier»[1118]. Il ne fallait pas espérer que le Roi son fils attaquât les Espagnols avant que le duc d'Anjou fût l'époux de la Reine. Le Duc se plaignit à Élisabeth de la perdre en termes d'une «pation si afligée»[1119] qu'elle fut émue de sa douleur. Elle lui fit dire de ne pas désespérer, lui promit de l'argent et blâma Walsingham[1120]. Elle recommençait à fluctuer: aujourd'hui homme d'État et demain femme. Quand François, après ses premiers succès, fut obligé, faute de fonds et de soldats, de reculer sur Le Catelet et d'aller chercher en Angleterre secours et réconfort, elle le reçut à Greenwich, où elle passait l'hiver, comme un fiancé. Un jour qu'elle se promenait avec lui dans la galerie du château, suivie de Walsingham et de Leicester, l'ambassadeur de France, Mauvissière, s'approcha et respectueusement lui demanda ce qu'il devait dire à Henri III de ses intentions. «Écrivez à votre maître, répondit-elle, que le Duc sera mon mari»; et soudain elle baisa le Duc à la bouche, et lui passa au doigt un anneau qu'elle portait[1121] (22 novembre). Mais, le lendemain elle lui raconta qu'elle avait pleuré toute la nuit, en pensant au mécontentement de son peuple, à la différence de religion, au mal qui résulterait de leur union. Il la rassura; elle échangea avec lui des promesses écrites et célébra par des fêtes à Westminster ses futures épousailles. Mais en dépit de la parole donnée, elle ne laissait pas de s'estimer libre et se félicitait de l'être encore. Elle continuait à débattre avec Henri III le prix de sa participation à l'affaire des Pays-Bas. Les États généraux, qu'effrayaient les progrès des Espagnols et la prise de Tournai (30 novembre), ayant sommé l'absent de leur venir en aide, elle affectait en public le plus profond chagrin de son départ et, en particulier, elle dansait de joie à la pensée de ne le revoir jamais[1122]. Elle voulut l'accompagner jusqu'à Cantorbery et, tout en larmes, lui jura au départ qu'elle l'épouserait, le priant de lui écrire: à la Reine d'Angleterre, ma femme (12 février 1582). Les graves conseillers de la Reine, Burleigh, Walsingham, le comte de Sussex, étaient scandalisés par les contradictions de ses nerfs et de sa raison. Ils l'accusaient de fausseté, de mensonge. Pauvre psychologie. Elle était toujours, mais successivement sincère.

**Note 1117:** (retour) Lettre d'Henri III du 12 juillet, citée par Kervyn de Lettenhove, t. VI, p. 123, note 1 et mission de Somers, p. 123.

**Note 1118:** (retour) *Sommaire de la conversation secrète entre la Reine mère et moi, secrétaire*, (Walsingham), en appendice dans *Lettres de Catherine de Médicis*, t. VII, p. 496.

**Note 1119:** (retour) Kervyn de Lettenhove, t. VI, p. 153-154].

**Note 1120:** (retour) *Ibid.*, p. 163-164.

**Note 1121:** (retour) Dépêche de Mendoza, ambassadeur d'Espagne, à Philippe II, citée par Froude, *History of England from the fall of Wolsey to the defeat of the Spanish Armada*, t. XI (1879), p. 208, note 1.

**Note 1122:** (retour) Froude, *ibid.*, p. 212.

Une flotte anglaise alla débarquer sur la côte de Zélande le fiancé d'Élisabeth accompagné du comte de Leicester, son favori, et de cent gentilshommes anglais. Le Duc annonçait qu'aussitôt après s'être fait reconnaître par les diverses provinces il reviendrait en Angleterre pour épouser la Reine, mais elle était bien décidée à ne se marier jamais.

Depuis longtemps Catherine en était convaincue et elle pensait à un autre mariage; mais, pour ne pas irriter un amour-propre féminin, dont elle savait la susceptibilité, elle aurait voulu qu'Élisabeth elle-même libérât le duc d'Anjou de la servitude des fiançailles. Dans une lettre autographe qu'elle lui fit porter par Walsingham, après l'entrevue du 30 août, elle la suppliait de faire à son fils cet honneur de lui donner des enfants, «sinon qu'il en puisse bientost avoir [une femme] de qui il en ait». Mais «ce sera à nostre grand regrect, je dis nostre, car ce sera de tous trois (la mère et les deux fils), si le malheur estoit tel que vous vous résolussiez de n'espouser celui que tous vous avons voué et qui lui mesme se dit tout donné à vous»[1123]. Une idée, qui datait de loin, se précisait dans son esprit, c'est qu'il serait possible, la reine d'Angleterre se dérobant, de régler par un mariage tous les différends entre l'Espagne et la France et d'assurer la paix de la chrétienté et du royaume. Aussi quand le Duc était parti pour Cambrai, lui avait-elle fait signer (5 août 1581) l'engagement, vague dans les termes, mais très précis au fond de «se déporter entièrement de ses entreprises» aux Pays-Bas, si les propositions de sa mère pouvaient être suivies d'effet, et de restituer de bonne foi toutes les villes qu'il aurait occupées, aussitôt «que les choses seront accordées de part et d'autre»[1124], c'est-à-dire entre elle et Philippe II. Pendant qu'Élisabeth délibérait encore d'être ou de ne plus être fille, elle profitait des plaintes de Tassis sur l'agression française pour faire dire à cet ambassadeur d'Espagne et lui dire elle-même que «le vrai moyen pour estraindre» l'amitié entre les deux couronnes, c'était le mariage de son fils avec l'une des infantes, ses petites-filles. L'offre était claire, mais elle ne voulait pas avoir l'humiliation d'un refus. Tassis ayant consenti à dépêcher un exprès à Madrid pour avertir son gouvernement, elle écrivit elle-même à Saint-Gouard, l'ambassadeur de France auprès de Philippe II, de faire, si le Roi catholique lui en parlait, comme si les «choses viennent d'eux» et néanmoins de hâter les négociations[1125]. Elle s'imaginait que Philippe II agréerait ce moyen de composer «le faict de Flandres et de Portugal» et elle se proposait, s'il résistait, d'exercer sur lui la pression nécessaire.

**Note 1123:** (retour) Septembre 1581, *Lettres*, t. VII, p. 397.

**Note 1124:** (retour) Déclaration secrète du duc d'Anjou du 5 août 1581, citée par Kervyn de Lettenhove, t. VI, p. 157. Bibliothèque nationale, 3301, f. 14.

**Note 1125:** (retour) 23 septembre 1581, *Lettres*, t. VII, p. 401.

Trois siècles auparavant, un infant portugais (Alphonse) avait épousé en France une veuve richement pourvue, Mathilde ou Mahaut, comtesse de Boulogne (1235), mais quand il fut devenu roi, dans son pays, après la déposition et la mort de son frère, don Sanche (1248), il l'avait répudiée sans façon afin de prendre pour femme une fille naturelle du roi de Castille, qui lui apportait en dot les Algarves (1253). De son mariage avec Mahaut, il n'avait pas eu d'enfant ou du moins rien ne permettait de croire qu'il en avait eu. Alphonse III, d'abord excommunié par un pape pour sa bigamie, avait été réhabilité par un autre pape, à la sollicitation des évêques portugais, après la mort de Mahaut.

Catherine prétendait que, Mahaut ayant eu des enfants d'Alphonse, la descendance de l'épouse castillane régnait depuis trois siècles sans cause légitime et que la couronne appartenait de droit à la maison de Boulogne, sa propre maison, et à elle comme l'héritière de Mahaut[1126]. Le vieux cardinal Henri, successeur de son neveu, avait oublié, et pour cause, de l'inscrire parmi les divers prétendants qu'il avait invités, en prévision de sa fin prochaine, à lui exposer leurs titres à sa succession. Mais Catherine réclama. Sur ses instances, Henri III, qui avait chargé le sieur de Beauvais, son capitaine des gardes, de porter ses condoléances au Cardinal sur la mort de don Sébastien, adjoignit à cet homme de guerre «ung prélat d'Eglise et homme de lettres», l'évêque de Comminges, Urbain de Saint-Gelais, pour exposer les raisons de sa mère. «Ce ne seroit pas peu, écrivait-elle à son fils, le 8 février 1579, si ces choses réussissoient et que je puisse avoir cet heur que de mon costé et selon la prétention que j'y ay (qui n'est pas petite) j'eusse apporté ce royaulme-là aux François»[1127]. Son imagination aidant, elle découvrait sur le tard qu'elle était une royale héritière[1128]. Ce serait sa revanche--une revanche rétrospective--sur les ennemis du mariage florentin, qui avaient tant reproché à François Ier d'être allé choisir pour belle-fille une Médicis, mal dotée et d'illustration récente, sur l'espérance incertaine du concours de Clément VII.

**Note 1126:** (retour) La thèse de la Reine est clairement exposée, ce qui ne veut pas dire établie, par l'ambassadeur vénitien, Lorenzo Priuli, dans sa relation de 1582: Alberi, *Relazioni degli ambasciatori veneti al senato*, serie Ia, Francia, t. IV, p. 427-428.

**Note 1127:** (retour) 8 février 1579, *Lettres*, t. VI, p. 256. Henri III avait cédé, d'assez mauvaise grâce, à ce qu'il semble, aux importunités de sa mère.--Cf. t. VI, p. 117, 13 novembre 1578; t. VI, p. 214, 10 janvier 1579.

**Note 1128:** (retour) Elle venait de signer la paix de Nérac et elle était enorgueillie de ce succès diplomatique, qui n'eut pas, comme on le sait, de lendemain. C'était d'ailleurs son principe de ne laisser prescrire aucun droit. A la même époque elle apprit que des Urbinates, probablement mécontents de leur ancien duc mort ou de son successeur, étaient allés le dire à l'ambassadeur de France à Rome, le sieur d'Abain. Elle n'oubliait pas que son père avait été duc d'Urbin et qu'on l'appelait elle-même en son enfance la «duchessina». Elle écrivit à l'ambassadeur d'interroger les gens de ce duché, «où j'ay tel droict que je puis dire» qu'il «m'appartient comme le comté d'Auvergne qui est de mon propre et privé héritage» (30 décembre 1578). Elle lui recommanda de voir le pape, offrant, si celui-ci embrassait chaudement cette affaire, de bien gratifier son bâtard (Jacques Buoncompagni, châtelain de Saint-Ange). Mais Grégoire XIII ou les mécontents d'Urbin se tinrent cois, car il n'est plus question du duché dans la correspondance de Catherine.

Le cardinal Henri étant mort (31 janvier 1580) sans avoir réglé la question de succession, les gouverneurs des cinq grandes provinces, chargés de la régence, décidèrent qu'elle le serait par voie de justice, comme s'il s'agissait d'un procès civil. Des trois prétendants les plus sérieux, Antonio, prieur de Crato, fils naturel d'un frère du cardinal, Philippe, roi d'Espagne, fils d'une infante portugaise, et le duc de Bragance, grand seigneur portugais, gendre d'une autre infante, mais qui était inférieure en degré à la mère de Philippe II[1129], Antonio était le plus populaire, Bragance, le plus sortable et Philippe II, le plus puissant et le plus proche en parenté. Le roi d'Espagne avait tant d'intérêt à parfaire l'unité politique de la péninsule, ce rêve de ses prédécesseurs, qu'il était bien résolu à n'en pas laisser échapper l'occasion. Il faisait exposer ses droits par ses juristes, sans toutefois admettre qu'ils fussent contestables, simplement pour éclairer l'opinion. Cependant il massait sur la frontière de Portugal ses vieux régiments, tirait de sa disgrâce pour les commander son meilleur général, le duc d'Albe, et, en prévision d'un prochain voyage dans son nouveau royaume, faisait venir de Rome où il l'avait relégué, le plus habile de ses hommes d'État, le cardinal Granvelle, qui le remplacerait en son absence à Madrid.

**Note 1129:** (retour) Conestaggio, *Dell'Unione del regno di Portogallo alla Corona di Castiglia*, Venise et Vérone, 1642, p. 56.

Les régents, émus de ces mouvements de troupes, demandèrent un secours de six mille hommes au roi de France. La Reine-mère leur promit «toute l'aide, confort et bonne assistance» pour les aider à maintenir le gouvernement du Portugal «en sa dignité, splendeur et liberté». Henri III les admonesta «de tenir la main que le faict de ladicte succession se termine par les veoies ordinaires de la justice, tant pour conserver le droit à qui il appartient que pour garder la liberté de la patrie»[1130].

C'étaient de belles paroles qu'il eût fallu soutenir d'un envoi de soldats. Saint-Gouard, ambassadeur de France à Madrid, excitait depuis longtemps le Roi à prévenir les desseins de Philippe II. «Il importe pour le bien de la France, écrivait-il le 20 février 1580,... qu'il (le Portugal) demeure toujours royaume en son entier»[1131].

Mais la Cour de France ne se pressait pas d'agir. Le duc d'Albe eut le temps de vaincre D. Antonio, que la populace avait proclamé, et d'occuper Lisbonne (septembre) et le reste du Portugal. Même après la paix de Fleix (novembre 1580), Catherine en était encore à la période d'attente. Le 17 décembre, elle ordonnait au général des finances en Guyenne, Gourgues, de faire partir «un homme bien confident» sur un navire chargé de blé pour aller à Viana, Porto et Lisbonne, s'enquérir de l'état des choses, sous couleur de vendre son chargement, «car sans cette connaissance il ne se peut bonnement rien exécuter de ce que nous avions pensé debvoir faire sans rien altérer avec le roy d'Espagne ny nos aultres voisins de la prétention et droict que j'ay audict royaulme de Portugal»[1132] (17 décembre 1580).

Le roi D. Antonio s'était réfugié à l'étranger, mais Tercère, l'île la plus importante de l'Archipel des Açores, lui restait fidèle. Catherine laissa ses partisans acheter des vaisseaux et recruter des hommes en France, et, comme l'ambassadeur d'Espagne s'en plaignait, elle répondit «franchement» qu'elle les y avait autorisés et qu'elle avait pris «peine» que le Roi son fils ne le trouvât mauvais. Elle protestait qu'en Bourdelais et en Normandie, il ne se faisait aucun préparatif. Ainsi elle engageait sa responsabilité et dégageait celle d'Henri III. C'était un différend entre elle et le roi d'Espagne sur un litige, que celui-ci avait tranché par la force, à son détriment[1133].

**Note 1130:** (retour) *Lettres de Catherine*, t. X, p. 454 et note 2. Ces deux lettres, datées par l'éditeur de février ou mars 1580, doivent être postérieures à la demande des gouverneurs, qui elle-même se place en fin mars ou avril 1581. Voir, pour le récit des événements, Schäfer, *Geschichte von Portugal*, t. IV, p. 345 (coll. Heeren et Ukert).

**Note 1131:** (retour) Lettre de Saint-Gouard, app. aux lettres de Catherine, 20 février 1580, t. VII, p. 447.--Cf. 12 novembre 1579, t. VII, p. 228, notes.

**Note 1132:** (retour) A Bellièvre, *Lettres*, t. VII, p. 300.

**Note 1133:** (retour) A Saint-Gouard, lettre du 24 janvier 1581, *Lettres*, t. VII, p. 330.

Elle eut même l'idée, à ce qu'il semble, de donner toute autorité sur les armements que faisait le connétable de D. Antonio à son gendre, le roi de Navarre, qu'elle fit assister par son cousin, Philippe Strozzi, colonel général de l'infanterie française. «La résolution de tout, écrivait Strozzi à Catherine, est remise à la volonté de saditte majesté (Henri de Navarre).... Le tout ne se résoudra que après avoir parlé à elle et reçeu ses commandemens sur lesquels monsieur le comte de Vimiose (le connétable) est résolu de se régler de tout...[1134]» Henri III, qui avait peu de goût pour les aventures, avait probablement, pour marquer sa désapprobation, laissé attendre «quelque heure» le comte de Vimiose dans l'antichambre de sa mère avant de le recevoir[1135]. Mais Catherine, plus diligente, faisait verser au capitaine Carles, qui avait convenu avec Vimiose de mener des hommes aux Iles, les 1 500 écus qui lui étaient nécessaires pour aller rafraîchir les troupes du capitaine Scalin qui s'y trouvait déjà. Elle pressait le départ des renforts[1136], sachant que le roi d'Espagne avait expédié de Lisbonne aux Açores, le 15 juin, 8 vaisseaux et 8 ou 900 *bisognes* (recrues). Elle soutenait D. Antonio, tout en s'excusant de ne pas lui donner dans ses lettres le titre de roi, de peur que l'Espagnol pût croire qu'elle ne persistait plus «en son droit et prétention»[1137].

Quand Tassis se plaignit de nouveau à elle (septembre 1581) que Strozzi dressait en France une armée de cinq mille hommes pour aller attaquer les possessions de Philippe II, elle répliqua que poursuivre son droit en Portugal, ce n'était faire tort à personne ni faire la guerre au roi d'Espagne, mais conserver son bien, ajoutant «qu'elle n'y vouloit rien espargner d'aulcuns moyens» qu'elle avoit; que le Portugal était à elle. Il la priait de lui livrer D. Antonio, qui d'ailleurs n'était pas en France, mais en Angleterre. Et pourquoi le ferait-elle? D. Antonio n'était pas le sujet de Philippe II, mais le sien[1138].

**Note 1134:** (retour) Strozzi à la Reine-mère, Coutras, 6 avril 1581, *Lettres*, t. VII, p. 500. L'auteur de *l'Histoire de la Ligue*, publiée par Charles Valois (S.H.F.), t. I, 1914, p. 61-62, parle de pourparlers, après la paix de Fleix, entre le Vimiose et le roi de Navarre, pourparlers que la Reine-mère aurait fait échouer. Mais Strozzi parle à Catherine comme si elle était consentante, et son témoignage est d'un tout autre poids.

**Note 1135:** (retour) Lettre de la Reine-mère à Strozzi, t. VII, p. 383, 16 juillet 1581.

**Note 1136:** (retour) Probablement les 300 hommes, et aussi les poudres pour les habitants des îles dont il est question dans sa lettre à Mauvissière, 21 juillet, t. VII, p. 386. Les Iles, terme vague et qui désigne tantôt particulièrement les Açores, tantôt tous les archipels portugais, Açores, Madère, îles du Cap Vert.

**Note 1137:** (retour) A Mauvissière, *Lettres*, t. VII, p. 387.

**Note 1138:** (retour) A Saint-Gouard, 23 septembre 1581, *Lettres*, t. VII, p. 401.

Or c'est à cette même audience où elle se déclara reine de Portugal qu'elle proposa le mariage du duc d'Anjou avec une infante. Ses revendications personnelles et ses projets matrimoniaux étaient étroitement liés. Assurément, dans sa pensée, la dot de l'infante--une dot territoriale--devait être le prix de sa renonciation. Comme elle était trop intelligente pour supposer que Philippe II céderait le Portugal à son gendre, il fallait que les compensations fussent cherchées du côté des Pays-Bas, et c'est ce que les Espagnols comprirent. Elle avait fini par décider Henri III à intervenir en Portugal. D. Antonio fut reçu à Paris comme un prince (octobre 1581). «On tient pour chose très certaine, écrit le 31 octobre l'agent florentin, que l'entreprise du Portugal est résolue et l'on fait compte d'y mener 10 000 fantassins français, dont la Reine-mère fournit la moitié de ses propres deniers, et 4 000 Allemands»[1139].

Le comte de Brissac eut charge d'embarquer en Normandie 1 200 hommes pour les Iles[1140]. Strozzi devait, avec le gros de la flotte, partir de Guyenne. Catherine s'occupait de réunir des fonds[1141]. On allait être prêt et partir. Elle était confiante dans le succès de l'entreprise[1142]. Mais il fallait se hâter, car la saison s'avançait[1143], et mettre à la voile avant le 10 décembre[1144]. En Normandie les armements étaient achevés. Que Bordeaux poussât les siens! Mais, le 10 décembre, Strozzi était encore à Poitiers et attendait de l'argent[1145]. La Reine-mère annonçait, «bien marrye», qu'elle en demandait au clergé et à la ville de Paris, sans grande espérance d'ailleurs. Elle ne pouvait rien obtenir du Roi.

C'est une des raisons du retard de l'expédition, mais ce n'est probablement pas la seule. Le duc d'Anjou était alors en Angleterre et son mariage, si par hasard il se faisait, dispensait de l'aventure du Portugal, dont le principal, sinon l'unique objet, était de lui procurer une principauté aux Pays-Bas. Les affaires de France étaient toujours en mauvais état, et quand elles s'amélioraient sur un point, elles se gâtaient ailleurs. Bellièvre, occupé toute l'année 1581 à poursuivre les négociations interminables du Midi, se croyait sûr en novembre de la paix avec le roi de Navarre, et il en faisait honneur à la bonne volonté de la reine de Navarre, mais il lui restait à pacifier le Languedoc, une province, disait la Reine-mère, «plus débauchée que les autres»[1146].

**Note 1139:** (retour) 31 octobre 1581, *Négociations diplomatiques de la France avec la Toscane*, t. IV, p. 408.

**Note 1140:** (retour) Lettre du 27 octobre à Matignon, qui faisait l'office de lieutenant général du roi à la place de Biron et qui le remplacera en cette qualité en novembre 1581, *Lettres*, t. VII, p. 407.

**Note 1141:** (retour) Matignon à la Reine, 15 octobre, *Lettres*, t. VII, p. 499, appendice.

**Note 1142:** (retour) La Reine à Matignon, 28 octobre, *Lettres*, t. VII, p. 409.

**Note 1143:** (retour) A Matignon, 8 novembre, t. VII, p. 412.

**Note 1144:** (retour) 21 novembre, à Bellièvre, t. VII, p. 417.

**Note 1145:** (retour) *Lettres*, t. VII, app., p. 500.

**Note 1146:** (retour) Bellièvre à la Reine mère, 10 novembre 1581. *Lettres*, t. VII, app., p. 473, et réponse de la Reine-mère, 18 novembre, *Lettres*, t. VII, p. 416.

L'esprit de faction, dont Catherine, un an auparavant (23 décembre 1580), signalait la «licence effrénée,» se déchaînait plus ardent à la veille d'une agression directe contre la grande puissance catholique, l'Espagne. L'agent florentin Renieri, s'excusant de ne pouvoir, pour beaucoup de raisons, renseigner son gouvernement sur les partis en France, ajoutait toutefois: «Les gens passionnés sont nombreux, *neutri autem pauci* (mais les neutres sont rares), et je vous dirai une opinion et qui se vérifie certaine, c'est que les dites passions sont si véhémentes que, en ce qui touche aux affaires de la Couronne, et principalement à celles de Monsieur, frère du Roi, beaucoup font connaître la douleur qu'ils ont, que son Altesse ait mieux réussi en ses entreprises qu'ils ne le désiraient ni ne le pensaient, ne craignant pas de cette façon de se déclarer Espagnols *plus quam honestum decet* (plus que l'honneur ne le voudrait), de quoi toutefois quelques-uns disent qu'il ne se faut pas émerveiller [de leur impudence] pour être le nombre de ces gens-là si grand, et être composé de grands; et en outre *in hoc mundo* (entendez, en ce royaume) celui qui fait bien *saepissime* (le plus souvent) ne peut avoir un œuf, tandis que celui qui fait mal en a encore plus de neuf»[1147] (9 septembre 1581).

**Note 1147:** (retour) *Négociations diplomatiques avec la Toscane*, t. IV, p. 397-398.

C'en était fait du beau rêve où Catherine se complaisait, à son retour du Midi, d'une union si étroite avec son fils que leurs deux volontés n'en feraient qu'une. La question du duc d'Anjou avait empêché l'accord parfait. Henri était jaloux que sa mère s'intéressât à la grandeur de son frère et, quoiqu'elle lui représentât que c'était pour son bien, irrité qu'elle compromît à cette fin les finances et la sécurité de son royaume. Un Roi qui ne veut pas, une Reine-mère, autant dire un principal ministre, qui ne peut pas tout ce qu'il veut, c'étaient des personnalités accouplées dont l'une usait son effort à entraîner l'autre. Catherine gouvernait en apparence toujours avec même puissance, mais en fait elle était entravée par les résistances ou la force d'inertie de son compagnon. Henri suit, se cabre, s'arrête, repart. L'action de Catherine est à proportion faible ou forte.

Elle ne s'exerce librement (et encore?) que pendant les maladies du Roi ou ses dévotions, qui alternent avec ses débauches. Après la crise d'otite dont il avait failli mourir en septembre (1579), il souffrit le mois suivant d'une blessure au bras d'origine inconnue. Il était si délicat qu'en février 1580 la Reine-mère pria le pape de lui interdire sous peine d'excommunication de faire maigre pendant le carême[1148]. Peut-être avait-il observé avec trop de zèle les pratiques du carnaval? En juin, il lui vint une «enflure au pied», dont il alla se soigner seul à Saint-Maur, laissant sa femme avec sa mère[1149]. Il avait bonne mine en novembre--du moins Catherine le dit--mais en décembre la tumeur (lupa) qu'il avait à la jambe se ferma et l'humeur se porta au visage. «Le Roi, dit clairement l'agent florentin Renieri, fait la diète à cause du mal français», dont le traitement est à recommencer. Il a la figure remplie de boutons, le teint mauvais, il est maigre et mal en point. Ses fidèles serviteurs sont dans la peine et «doutent de sa vie»[1150]. Il quitta la Cour en janvier (1581) et se retira seul à Saint-Germain, où il resta jusqu'à la fin mars. En partant il chargea sa mère «d'expédier, commander et signer tout pendant six semaines»[1151]. Il l'aurait même nommée régente, comme en cas de maladie grave. Catherine jugea bon de démentir ce bruit et d'annoncer le retour prochain du Roi à la Cour dans une lettre à Du Ferrier, qui représentait la France à Venise, ce centre international d'information (23 mars)[1152]. Mais avec ou sans ce titre elle exerça plusieurs semaines de pleins pouvoirs.

**Note 1148:** (retour) 19 février 1580, *Lettres*, t. VII, p. 226-227.

**Note 1149:** (retour) *Lettres*, juin 1580, t. VII, p. 263-264.--Cf. le billet d'Henri III, p. 264, note.

**Note 1150:** (retour) *Négociations diplomatiques de la France avec la Toscane*, 25 décembre 1580, t. IV, p. 342.

**Note 1151:** (retour) *Id.*, *ibid.*, p. 345.

**Note 1152:** (retour) 23 mars 1581, *Lettres*, t. VII, p. 328.

Or ce fut pendant cette période que le duc d'Anjou quitta le Midi, fit des levées et prépara une seconde expédition des Pays-Bas. La Reine-mère n'avait pas réussi par conseils, remontrances et prières à le détourner de son projet. Elle reculait devant l'emploi de la force pour ne pas provoquer aux armes la multitude des mécontents. Mais Henri III, qui ne se décidait pas à courir sus à son frère, en voulait à sa mère de ne pas l'y pousser. Il la savait habile, mais il la jugeait faible et inclinant avec l'âge à ménager tout le monde et à tout apaiser. L'idée lui vint, non pas de l'exclure du gouvernement, mais de se fortifier lui-même d'agents d'exécution intelligents et énergiques, qu'avec sa tendance habituelle il choisit dans son entourage le plus intime.

Après la mort de Quélus, Maugiron, Saint-Mesgrin, qui n'étaient que de beaux éphèbes, apparaissaient au premier plan des mignons d'une autre espèce, qui ne sont plus seulement ou qui ne sont même plus du tout les compagnons de plaisir du Roi. Henri III ne se borne pas à les gratifier de pensions et de faveurs; il les veut puissants et riches pour les opposer à ses ennemis. Sa mère ne voyait de moyen de salut que dans le contentement du duc d'Anjou, il en cherchait un autre, qui était de s'entourer de serviteurs à son entière dévotion. Il disgracia Saint-Luc, qui avait un jour hasardé d'excuser la révolte de Bellegarde; il éloigna d'O, qui se plaignait de n'être pas assez favorisé. Il concentra ses grâces sur d'Arques et La Valette. Il les fit ducs et pairs pour les égaler aux princes de son sang. Il maria d'Arques, promu duc de Joyeuse, à une sœur de sa femme, Marguerite de Lorraine (24 septembre 1581), et il aurait fait épouser, s'il l'avait pu, à La Valette, le nouveau duc d'Epernon, une autre de ses belles-sœurs ou même la petite-fille de Catherine, Christine de Lorraine[1153]. Il leur réserva les grands offices de la Couronne. S'il ne réussit pas à décider le duc de Guise à se démettre de la grande maîtrise, il acheta l'Amirauté de France à Mayenne, qui l'avait en survivance du marquis de Villars, son beau-père, et la donna à Joyeuse (19 juin 1582). Il investit d'Epernon de la charge de colonel général de l'infanterie française, que Philippe Strozzi abandonna pour un titre de vice-roi dans le Nouveau Monde (novembre 1581), et peu à peu il accrut tellement son autorité sur les gens de guerre qu'il en fit une sorte de connétable moins le titre. Le chancelier Birague, vieux, fatigué et chagrin, dut céder les sceaux à Cheverny, un serviteur d'une complaisance à toute épreuve.

**Note 1153:** (retour) Entérinement au Parlement des lettres portant érection de la vicomté de Joyeuse en duché-pairie (7 sept. 1581) et de la châtellenie d'Epernon (27 novembre 1581).

Il pensait par les mêmes moyens se faire obéir dans les provinces. Il pressa le duc de Montpensier, un prince de sang, de résigner le gouvernement de la Bretagne et, aussitôt qu'il fut mort (22 septembre 1581), il y nomma le frère de la Reine, le duc de Mercœur. Il destinait à d'Epernon celui de la Guyenne, qu'il proposa au roi de Navarre d'abandonner, et, en attendant, il lui confia le commandement des trois grandes places fortes de l'Est, Toul, Metz et Verdun. Joyeuse eut la Normandie, qui était d'ordinaire dévolue à un prince de sang. Les parents des deux favoris participèrent à leur fortune. Le frère aîné de d'Epernon, Bernard Nogaret de La Valette, obtint Saluces et les territoires d'outre-monts; le père de Joyeuse attendait le Languedoc, que le Roi méditait d'enlever à Montmorency. Tant de changements, et à la même époque, sont évidemment l'indice d'un plan arrêté, et en soi ils peuvent se comprendre. Il était politique de substituer aux gouverneurs et aux grands officiers de la Couronne tièdes, peu dociles ou suspects, une aristocratie nouvelle qui, craignant beaucoup de celle qu'elle dépossédait, aurait, à défaut de reconnaissance, intérêt à bien servir. Il était conforme à la tradition du pouvoir absolu de montrer que les premières charges de l'État et même que la plus haute naissance tiraient de la faveur royale toute leur autorité. Richelieu n'eut pas d'autres maximes. Mais la création d'une aristocratie nouvelle n'était qu'un palliatif. Il manquait au gouvernement l'unité, qui est la condition même de la force. Catherine restait au pouvoir; son fils se faisait assister de deux grands officiers. Ce n'était pas une concentration, mais bien son contraire. Le Roi ne dirigerait pas ses mignons, étant par nature le serviteur de ses serviteurs, et il était impossible que ceux-ci le dirigeassent, étant eux-mêmes égaux et par conséquent rivaux, divergents d'opinions et d'ambitions. Ils ne parvenaient à s'entendre que contre la Reine-mère dont ils cherchaient à ruiner le pouvoir pour augmenter d'autant le leur. Leur élévation ajoutait à toutes les autres causes de mécontentement celle d'une faveur inouïe qui n'était fondée ni sur l'origine ni sur le mérite. Elle ne procurait pas à la royauté l'appoint d'un parti, d'une clientèle, d'une grandeur historique. Ce n'était pas assez, pour lutter contre les huguenots, les catholiques ardents et les politiques, contre les Guise, les Bourbons, les Montmorency et le duc d'Anjou, de deux simples gentilshommes de vieille race. La mauvaise administration financière du Roi exaspérait les peuples; ses prodigalités indignaient tous ceux qui n'en profitaient pas. Il n'avait jamais d'argent pour ses affaires et il en extorquait de tous côtés pour ses plaisirs. Les noces de Joyeuse coûtèrent 1 200 000 écus qui auraient fait un meilleur service en Flandre. Les grands et la noblesse s'irritaient de voir les pensions, les charges, les gouvernements passer à deux parvenus.

La Reine-mère gémissait de cette façon de gouverner si contraire à son système de tempéraments et de ménagement. Mais elle se gardait bien de protester tout haut. Elle «fait tout ce qu'elle peut, écrit l'agent florentin, pour complaire aux deux mignons»[1154]. Elle se montra si empressée aux fêtes du mariage de Joyeuse qu'elle fut obligée de prendre le lit pour se remettre de cet excès de bienveillance[1155]. Au moins aurait-elle voulu que les mignons se fissent pardonner leur fortune, à sa façon, qui était de caresser tout le monde. Mais d'Epernon, orgueilleux et autoritaire, n'entendait céder à personne. Elle essaya de le décider à se rendre agréable aux Guise, qu'il détestait, comme les ennemis du Roi et les rivaux possibles de demain. La duchesse douairière de Guise, mariée au duc de Nemours, désirait l'abbaye de Chailly, qui était vacante, pour un de ses enfants du second lit, le marquis de Saint-Sorlin, offrant de résigner celle de Martigny-le-Comte, dont on pourrait gratifier un des fils de Bellièvre. Catherine, désireuse de faire plaisir à la duchesse et à Bellièvre, et n'osant s'adresser elle-même à son fils, pria le favori de s'entremettre auprès du Roi pour lui faire agréer l'échange. «S'èt, lui écrivait-elle, le servyse du Roy que toutes défienses et mauvèse yntelygences sèset (cessent)...» et «tout cet (ceux) que le Roy fayst l'honneur de aymer, en doivet avoyr [d'affection] pour li (lui) acquérir aultant de servyteur. Puysque me volés aystre amy je vous parleré come vous tenant pour tel»[1156]. Mais que d'Epernon ait fait ou non cette démarche, les raisons d'hostilité subsistaient. D'Epernon eut quelques mois après une querelle avec Mayenne sur le droit qu'ils revendiquèrent tous deux de présenter la chemise au Roi à son lever[1157].

**Note 1154:** (retour) 7 septembre 1581, *Négociations diplomatiques de la France avec la Toscane*, t. IV, p. 396.

**Note 1155:** (retour) *Négociations diplomatiques avec la Toscane*, t. IV, p. 404, octobre 1581.

**Note 1156:** (retour) 13 novembre 1581, *Lettres*, t. VII, p. 415.

**Note 1157:** (retour) Juin 1582, *Négociations diplomatiques avec la Toscane*, t. IV, p. 421.

Le duc de Joyeuse était plus aimable, mais aussi ambitieux. Il voulait avoir de gré ou de force le gouvernement du Languedoc pour son père, qui y était lieutenant général, et il excitait le Roi, qui n'y était que trop disposé, contre Montmorency. Il fit nommer un de ses frères archevêque de Narbonne (14 mars 1582), ce qui lui donnait la présidence des États du Languedoc. Montmorency s'inquiétait de cet envahissement des Joyeuse. Il savait que le Roi lui gardait rancune de ses injures passées, malgré les preuves récentes de son dévouement, et qu'il le rendait responsable de la désobéissance des protestants du Midi. Il prenait ses précautions. Il n'avait pas cessé d'être en bons rapports avec le duc d'Anjou, à qui il fournissait des soldats; il se rapprocha du roi de Navarre, avec qui il n'avait jamais rompu. Il s'était assuré des amis à Rome, en protégeant Avignon et le Comtat contre les huguenots, et l'on croyait qu'il avait des intelligences avec Philippe II[1158].

**Note 1158:** (retour) *Négociations diplomatiques*, t. IV, p. 396-397.

Henri III ne dissimulait pas son intention de se débarrasser de lui. Mais la Reine-mère estimait qu'en pleine expédition des Flandres, et à la veille de l'expédition du Portugal, le plus sage serait d'intéresser Montmorency à la pacification de la province, en y mettant le prix. L'offre suivait la menace dans une instruction qu'elle avait dictée le 10 novembre 1581. «La Royne mère du roy, aiant tousjours désiré de veoir monsieur de Montmorency hors de la peyne où elle s'asseure (est sûre) qu'il est, pensant bien qui (qu'il) ne peult estre aultrement, se voiant hors de la bonne grace de son Roy et *tousjours en creinte et doubte où il est de sa vye*,... a pensé ne perdre ceste occasion du mander audict sieur de Montmorency que c'est à ce coup qu'il fault qu'il monstre par effect ce qu'il a tousjours faict dire à la dame Royne, que quand il verroit sa seurete, qu'il n'y auroit rien qu'il desirast tant que de pouvoir avoir la bonne grace de son Roy»[1159]. Le service qu'elle attendait de lui, c'est, comme elle l'écrivait à Bellièvre, de décider «aveques les deputez de ceulx de la religion pretendue réformée la restitution des places et l'entier accomplissement de l'Édit»[1160]. En récompense, «elle lui asseure et promect, dit l'instruction, que le Roy lui accordera de demeurer en son gouvernement avec la puissance que gouverneur absolut y doibt avoir et la survivance pour son filz et trouvera bon le mariage de sa fille avec le filz de Monsieur de Montpensier et donnera telle femme à son filz qu'il aura occazion d'estre content». Elle lui garantissait les mêmes avantages au cas où les protestants refuseraient de faire la paix, pourvu qu'il abandonnât leur parti. Elle ajoutait de sa main: «Ne fault taublyer à luy dire (à Montmorency) que il faut que le roi de Navarre souy catolique: c'est son bien et seureté (du roi de Navarre) et le repos de l'Estat»[1161].

Assurément Henri III y trouverait son avantage, mais que gagnerait le roi de Navarre à trahir sa cause pour ce gouvernement versatile. C'était trop demander à Montmorency. Cet homme si fin dut penser qu'on ne le ferait jamais «gouverneur absolu» puisqu'on y mettait pareille condition. Et il ne cessa plus de se défier.

**Note 1159:** (retour) Lettre du 10 novembre et instruction du même jour, *Lettres*, t. VII, p. 413-414.

**Note 1160:** (retour) La Reine à Bellièvre, 27 décembre 1581, *Lettres*, t. VII, p. 420.

**Note 1161:** (retour) Instruction, *Lettres*, t. VII, p. 414.

A tout le moins Catherine avait le plus grand intérêt à éloigner du Midi le chef des protestants et à l'attirer à la Cour. Elle y pensait beaucoup, et, comme toujours, raisonnant par hypothèse, elle croyait la chose possible. Elle comptait beaucoup sur Marguerite, dont elle avait apprécié tout récemment le zèle et l'intelligence. Elle décida Henri III à la rappeler, pensant que son mari ne résisterait pas au plaisir de la suivre. Le roi de Navarre s'y déclara d'abord assez disposé, pour ne pas dire non tout de suite, mais quand il eut pris le temps de réfléchir, «toutefois il a considéré, expliquait Bellièvre, que la paix n'est pas encores assés exéqutée et ne vouldroit que le mal qui se commectroit de deçà donnast occasion au Roy de le veoir mal voluntiers»[1162]. Catherine ne désespérait pas que Marguerite finît par l'entraîner. Elle ne savait pas ou se refusait à croire que le ménage de Navarre allait mal. Marguerite, qui n'était pas sans reproches, était indulgente aux faiblesses de son mari, mais il était exigeant jusqu'à l'indiscrétion. Sa liaison avec une des filles d'honneur, Fosseuse (Françoise de Montmorency), ayant eu les suites qu'on peut penser, il aurait voulu que sa femme se retirât avec sa maîtresse dans un coin des Pyrénées jusqu'à la délivrance de la jeune mère. Elle refusa et cependant poussa la condescendance envers lui jusqu'à secourir la favorite la nuit où elle accoucha, mais le lendemain, comme il la pressait d'aller lui faire visite comme à une malade pour empêcher les méchants propos, elle s'excusa de servir de couverture. Il en prit de l'humeur et le lui fit sentir. Marguerite ne fut que plus pressée de partir, ayant reçu du Roi 15 000 écus pour son voyage[1163]. Elle quitta le Midi le 26 février 1582, accompagnée de Fosseuse et de son mari. La Reine-mère alla au-devant de sa fille jusqu'en Poitou afin de voir son gendre et lui «donner asseurance de la volonté» et de la bienveillance «du Roy», mais il était si méfiant qu'il refusa d'aller au-devant d'elle jusqu'à Champigny et l'obligea, malgré son mauvais état de santé, à pousser jusqu'à Saint-Maixent, ville protestante[1164]. De leur conversation au château de la Mothe-Saint-Heraye (27-31 mars), on ne sait rien[1165], si ce n'est que le roi de Navarre s'en retourna en Gascogne, fort mécontent de sa femme et de sa belle-mère, qui emmenaient sa maîtresse.

**Note 1162:** (retour) La lettre de Bellièvre, 10 novembre 1581, *Lettres*, t. VII, app. p. 473.

**Note 1163:** (retour) Fin décembre, *Lettres*, t. VII, p. 420. *Mémoires de Marguerite*, p. 177-181.

**Note 1164:** (retour) Catherine à Matignon, 16 mars, t. VIII, p. 14 et le roi de Navarre à Scorbiac, *Lettres missives*, t. I, p. 445.

**Note 1165:** (retour) L'opuscule de M. Sauzé, *Les conférences de La Mothe-Saint-Heraye*, Paris, 1895, est une reconstitution nécessairement conjecturale.

Catherine avait pris le parti de sa fille. A son retour elle fit chasser Fosseuse et prétendit que son gendre trouvât bonne cette exécution. C'était, lui écrivait-elle, pour «ouster (ôter) d'auprès d'elle (Marguerite) tout ce que (qui) pouroit altérer l'amityé» des deux époux qu'elle avait conseillé de faire partir «ceste belle beste»[1166]. Mais lui dont l'amour fut de tout temps la grande et d'ailleurs l'unique faiblesse protesta vivement. Il envoya à Paris Frontenac, «ung petit galant outrecuidé et impudent», dire des injures à Marguerite. La vieille Reine était confondue de ces nouvelles façons. «.... Vous n'estes pas, lui écrivait-elle, le premier mary jeune et non pas bien sage en telles chouses, mais je vous trouve bien le premier et le seul qui face après un tel fet advenu tenir tel langage à sa femme». Henri II, «... la chouse de quoy yl estoit le plus mary (marri) c'estoit quand yl savoit que je seuse de ces nouveles là et quand Madame de Flamin fut grosse, yl trouva très bon quant on l'en envoya (la renvoya) et jeamès ne m'en feit semblant ny pire visage et moins mauvais langage». Et avec qui son gendre prenait-il pareille liberté? Avec la fille d'Henri II, avec «la sœur de vostre Roy qui (laquelle) vous sert, quand l'aurès considéré, plus que ne pensés, qui vous ayme et honore come s'ele avoyt autant d'honneur de vous avoir espousé que si vous fusiés fils de roy de France et elle sa sugète. Ce n'est pas la façon de traiter les femmes de bien et de telle maison de les injurier à l'apétit d'une p.... publique....» Elle exagérait sans doute l'amour conjugal de Marguerite et l'honneur que le Béarnais, ce roitelet, avait eu de l'épouser. Mais elle avait raison de donner sur la crête à ce jeune coq. «Eh quoi... ce sufisant personnage de Frontenac a dyst par tout Paris que si Fosseuse s'en aloit que vous ne vyendriés jeamès à la Court, à cela vous pouvés conestre come yl est sage et affectionné à vostre honeur et réputation que d'une folye de jeunesse en fayre une conséquence du bien et repos de ce royaume et de vous principalement....[1167]»

**Note 1166:** (retour) 12 juin, *Lettres*, t. VIII, p. 37.

**Note 1167:** (retour) 11 juin 1582, *Lettres*, t. VIII, p. 36-37.

L'attitude du roi de Navarre, les défiances de Damville, l'opposition des protestants du Languedoc, le mécontentement général contre le Roi et les mignons, tout poussait Catherine à suivre sa nouvelle politique. La paix intérieure dépendait des dispositions du duc d'Anjou. Son mariage avec Élisabeth était désespéré. Il venait d'être reconnu pour souverain par les États généraux des Pays-Bas (mars 1582), mais ce n'était qu'une force d'opinion. S'il était obligé d'abandonner les Pays-Bas, faute d'hommes et d'argent, les moyens ne lui manqueraient pas pour se venger sur son frère de son échec et de son abandon. Ce n'était pas assez de le laisser aller en Flandres, il fallait l'y soutenir et faire une diversion ailleurs pour assurer sa fortune et la tranquillité du royaume. L'aider à conquérir à la pointe de l'épée la main d'une infante était la solution idéale de toutes les difficultés. Ce mariage satisferait son ambition, car la Reine-mère ne l'imaginait qu'avec une principauté pour dot, et en le fixant hors du royaume, il l'arrachait à la tentation de brouiller au dedans. Il ôtait aux protestants et aux politiques l'appui de ce fils de France et fortifiait d'autant l'autorité royale. Philippe avait, il est vrai, qualifié la proposition de Catherine «d'extravagante[1168]», mais il céderait à la nécessité.

Henri III avait dit à Villeroy, qui revenait des Pays-Bas, où il avait assisté à la proclamation du duc d'Anjou comme souverain de Brabant (19 février 1582), qu'il n'avait «moyen ny aussy volonté d'entrer en guerre contre le roy d'Espagne, congnoissant que ce seroit la ruyne de ce royaulme». Mais, après cette déclaration de principe, il avait ajouté qu'il s'en remettait à l'avis de sa mère. Elle saisit l'occasion de lui exposer par écrit son programme de politique étrangère[1169] (17 ou 18 mars 1582).

**Note 1168:** (retour) Kervyn de Lettenhove, t. VI, p. 173, note 1, lettre de Philippe II à Tassis, du 19 mars 1582.

**Note 1169:** (retour) *Lettres*, t. VII, p. 341-344. Cette lettre est antidatée d'un an dans la correspondance. Elle ne peut pas être de janvier ou février 1581: en effet, il y est question du départ de l'archiduc Mathias, autre prétendant à la souveraineté des Pays-Bas, qui ne déposa sa charge de gouverneur général que le 7 juin 1581 et qui même ne sortit d'Anvers que le 29 octobre de cette même année;--de la «réception» du duc d'Anjou, qui ne peut s'entendre que de son entrée à Anvers et de son inauguration comme duc de Brabant et souverain des Pays-Bas (février-mars 1582);--du comte de Leicester, qui, on l'a vu, accompagnait le Duc sur la flotte anglaise. On peut fixer à un jour près la date de cette lettre-mémoire. Elle commence ainsi: «Hier arriva La Neufville», c'est-à-dire Villeroy (Nicolas de Neufville, seigneur de Villeroy), porteur des lettres du prince d'Orange. Or le 17 mars 1581 (*Lettres*, t. VIII, p. 15), Catherine remerciait le prince d'Orange des lettres qu'il lui avait fait remettre par le Sr de La Neufville. Le mémoire de Catherine à Henri III est du même jour que sa réponse au prince d'Orange du 17 mars, si Villeroy est arrivé le 16, ou du 18, s'il est arrivé le 17.

Elle a fait, dit-elle, tout ce qu'elle a pu pour détourner le duc d'Anjou de l'entreprise des Pays-Bas, dont il risquait de sortir avec peu d'honneur, vu les ressources dont il disposait. «... Si Dieu eust voullu que cette occasion (la révolte des Pays-Bas, contre Philippe II) se fust présentée du temps du Roy vostre père, je crois qu'il en eust eu une grande joye, en ayant les moyens, mais qu'en ce temps icy, je n'y en vois nul». Elle le constatait, il est vrai, à son très grand regret, n'ayant que ces deux fils, qu'elle voudrait voir «seigneurs de tout le monde».

Elle n'avait jamais manqué non plus de remontrer au Duc que le royaume avait déjà horriblement souffert des ravages des gens de guerre, que s'il faisait de nouvelles levées, il perdrait la bonne grâce du Roi en foulant les peuples et que «ce seroit sa totale ruyne», que piller le pays et demander aide, «ce n'estoit pas le moyen de luy en pouvoir donner», que son frère n'avait «Perou ny Inde».

Elle pourait assurer le Roi qu'elle ne «s'épargneroit» jamais en rien, comme elle avait toujours fait, pour son contentement, pour son service, pour la conservation du royaume. «Vous me faictes, disait-elle, cet honneur de m'escripre que je l'ay conservé et gardé d'estre divisé entre plusieurs: Dieu m'a tant favorisée que je le voie tout entier en vostre obéissance». Ceux-là seuls qu'elle avait empêchés de «parvenir à leurs desseings»--à leurs mauvais desseins--mais non les gens de bien et les bons serviteurs, lui avaient voulu «mal et haine» de sa conduite.

Ce n'était pas par vanité, on le voit bien, qu'elle rappelait ses services, elle voulait convaincre Henri III de son habileté comme de son dévouement pour l'amener à ses vues. «Avec vostre congé,... je ne puis dire qu'il faille laisser perdre vostre frère». Mais s'ensuivait-il qu'il aurait la guerre avec le roi d'Espagne ou des troubles dans son royaume? Non, assurément, «Vous me direz qu'il faut venir à l'une ou à l'autre de ces trois choses». Tout bien considéré, elle pensait qu'il pouvait éviter «tous ces inconvénients». Qu'il envoyât à son frère un homme qui lui fût agréable «ou tout au moings point odieux» pour lui représenter la détresse de ses finances et l'impossibilité de soutenir une guerre et lui dire ce qu'il pouvait et ne pouvait faire. L'important était d'assister le Duc aux Pays-Bas «jusques à ce que avec honneur il s'en puisse retirer». Ce moyen honorable, c'était, à son avis, qu'il retournât en Angleterre, comme il avait déclaré qu'il le ferait, quand les États généraux l'auraient reconnu, pour épouser la Reine. Celle-ci ne pourrait plus objecter contre ce mariage la crainte d'une rupture avec Philippe II, après s'être compromise jusqu'à faire conduire le Duc d'Anjou aux Pays-Bas, sur une flotte anglaise, en compagnie du comte de Leicester. Même s'il craignait un refus, il n'en devrait pas moins aller la trouver pour la «supplier de lui déclarer sa volonté...» «et que s'il ne peut avoir l'heur de l'espouser,... regarder de luy en faire [trouver] une [femme] et se joindre avecque vous et par mesme moyen mettre une paix générale par toute la chrestienté». L'idée de Catherine se devine. Elle voulait par cette marque de déférence intéresser Élisabeth au mariage de son ancien fiancé et la décider à négocier, de concert avec la France, une paix générale dont le prix serait la main de l'infante. Elle prévoyait que son fils, si longuement berné par la reine d'Angleterre, refuserait tout d'abord de faire une nouvelle démarche, mais elle pensait qu'il s'y résignerait, sachant qu'il n'avait pas d'autre moyen de s'assurer l'aide de son frère et que la reine d'Angleterre, n'étant pas sa femme, ne ferait pas la guerre pour l'amour de lui. Le Roi, de son côté, devait députer à Élisabeth pour aviser d'accord avec elle à la paix générale et lui dire son intention de marier son frère, qui avait déjà vingt-sept ans, et la prier de prendre à ce sujet une bonne résolution.

Le moment était d'ailleurs bien choisi pour oser sans risques et traiter avec succès. Philippe II n'avait ni la force ni même la volonté de s'attaquer à la France; il était trop préoccupé d'achever l'occupation du Portugal et de garder le peu qui lui restait en Flandres. Il suffirait de fortifier les places de Provence, du marquisat de Saluces et de Picardie, pour se prémunir contre une surprise. «Mais... si vostre frère se peut conserver où il est et que nous puissions conserver les Isles de Portugal, je crois fermement... qu'il (Philippe II) désirera de traicter à bon escient, et la raison le veut veoyant l'aage qu'il a, de ne voulloir laisser à ses enfans [mâles], qui se peuvent dire au maillot, une guerre commencée contre ung si grand ennemy que vous leur seriez, et si cette négociation ne se fait ainsy que nous désirons, je pense que pour le moings cela servira à le faire temporiser de rien faire contre vous.»

Ce qu'elle proposait, en somme, c'était, tout en se maintenant aux Pays Bas, de s'établir fortement aux Açores, une diversion qu'elle jugeait sans danger et capable de prévenir un danger. «Et (je) ne veois pas d'aultre moyen pour ne brouiller le Royaulme dedans ne dehors que [ce que] je vous ai dit cy-devant». L'affaire toutefois était de telle importance qu'elle suppliait le Roi de prendre l'avis de tant de gens de bien qui sont auprès de lui, «car je serois bien marrie que sur le mien seul... les choses n'advenant pas comme je le désire, ce Royaulme en pastisse et que n'en eusiez le contentement que [je] vous en désire». Le temps n'est plus où elle prenait hardiment ses responsabilités.

Ce changement de direction inspiré par un dessein d'union familiale était hasardeux. Jusqu'ici elle avait tiraillé contre l'Espagne à couvert. Il s'agissait maintenant de s'engager assez à fond pour se faire payer très cher le prix de la retraite. Ce mémoire à Henri III la peint tout entière avec ses qualités et ses défauts. Elle part d'observations très justes, mais elle prend ses désirs pour des réalités et compte trop sur une solution favorable. Il est très vrai, comme elle le constate, que Philippe II a trop d'affaires en Portugal et aux Pays-Bas pour penser aux représailles, qu'il est en ce moment dépourvu de soldats et d'argent et que l'on peut presque impunément exercer sur lui une pression. Mais il est douteux, quoiqu'elle le dise «vieil et caduc», qu'il soit, à cinquante-trois ans, pressé comme s'il allait mourir, de régler à perte ses différends avec ses voisins. Même mourant, il ne consentirait pas à céder les Pays-Bas, un patrimoine et si riche qu'il rapportait plus, en temps de paix, que le Pérou et les Indes, et encore moins le Portugal, sa conquête, qui achevait l'unité de la péninsule, ou même les Iles dont l'ambassadeur vénitien dit qu'elles seraient comme une épine en son œil. Tout au plus (ce n'est qu'une supposition) se serait-il résigné à lâcher les quelques établissements portugais du Brésil. Mais la Reine-mère pouvait-elle croire que le duc d'Anjou serait heureux jusqu'à l'apaisement de s'intituler roi du Brésil ou empereur d'Amérique. L'idée en paraît plaisante. Une hypothèse qu'elle n'examine pas non plus, c'est que Philippe II vive encore longtemps, comme il arriva, et qu'ayant un jour les mains libres, il veuille se venger des injures passées et de l'agression finale. La question méritait cependant d'être débattue. Où Henri III trouverait-il alors pour lui résister la force et les ressources qui lui manquaient maintenant pour l'attaquer en face? La situation de la France serait donc meilleure et celle de l'Espagne pire. Catherine supposait pour les besoins de la cause que Philippe II mourrait, laissant un enfant pour lui succéder, ou que le Roi son fils serait dans quelques années riche, obéi et puissant.

Un manque de psychologie tout aussi extraordinaire que cette erreur de logique, c'était sa méconnaissance du caractère d'Élisabeth. Cette vieille fille coquette n'était pas tellement sensible aux égards qu'elle en oubliât les intérêts. Elle avait des nerfs de femme, mais une tête d'homme, et elle ne marierait pas le duc d'Anjou pour faire plaisir à la Reine-mère. Elle trouvait plus de sécurité à maintenir la brouille entre la France et l'Espagne qu'à intervenir en tiers dans leur réconciliation, au risque de voir s'unir contre elle les deux grandes puissances catholiques. Elle avait un patriotisme trop jaloux et un sens trop net de ses devoirs pour favoriser et même pour souffrir une paix dont la première condition était l'établissement d'un prince français aux Pays-Bas et le résultat prochain, Henri III n'ayant pas d'héritier, la réunion de ces provinces à la couronne de France.

Il vaut mieux pour l'intelligence de Catherine supposer qu'en flattant la vanité d'Élisabeth elle pensait endormir sa vigilance et s'assurer le temps de dépêcher le mariage et la paix. Mais il aurait fallu en ce cas agir vite et porter tous ses efforts sur un point ou sur un autre, Pays-Bas ou Portugal. Or elle ne disposait que de ressources médiocres et elle ne pouvait ni arrêter les opérations dans les Pays-Bas sans mécontenter le duc d'Anjou, ni les pousser à fond sans heurter les sentiments d'Henri III et les inquiétudes de l'Angleterre. Elle-même croyait plus facile et peut-être légitime d'attaquer Philippe II en ce royaume de Portugal, qu'elle disait être son bien. Mais comment n'a-t-elle pas réfléchi qu'avec ses revenus propres et les quelques subsides qu'elle arracherait au Roi, il ne lui serait pas possible d'entretenir à la fois une flotte et une armée?

Henri III était assez clairvoyant pour apercevoir les points faibles du raisonnement maternel. Sa pensée de toujours sur les affaires des Pays-Bas, elle est dans un de ses courts billets à Villeroy, qui sont les témoins d'une politique personnelle qu'il n'avait pas la force et le courage d'appliquer. Il ne s'intéressait qu'à la possession de Cambrai, qui couvrait la frontière française. «Mais, disait-il, sy (aussi) ne faut-il pour Cambray que par moyens couverts l'on doyst et peust secourir, l'on face chose qui nous alumast le feu que nous ne pouryons esteyndre».[1170] Il laissa faire sa mère par faiblesse, par tendresse. Mais il était bien décidé à soutenir, aux moindres frais possibles, l'entreprise de son frère, qu'il jugeait injuste et très dangereuse.

**Note 1170:** (retour) *Lettres*, VII, p. 389, note. Ce billet n'est pas daté, mais il exprime très bien les sentiments d'Henri III en tous les temps.

Il n'avait pas mêmes préventions contre l'expédition du Portugal. Après tout c'était une querelle particulière entre Philippe II et sa mère où il pouvait intervenir. Le droit des gens du temps admettait qu'un souverain secourût ses alliés contre un autre souverain sans entrer en guerre avec lui. Les candidats à la succession portugaise revendiquaient par la force ce que Philippe II avait acquis par la force. Le roi de France n'était pas un belligérant, mais le soutien naturel de l'un des belligérants. Il aidait sa mère comme le gouverneur espagnol du Milanais avait aidé Bellegarde en révolte, sans qu'il y eût lieu à rupture[1171]. L'honneur même n'était pas en cause. Mais justement parce que le succès ou l'échec de l'affaire intéressait si peu la grandeur et la sécurité du royaume, il était à prévoir, comme il arriva, qu'Henri III n'y sacrifierait rien de ses plaisirs.

**Note 1171:** (retour) L'ambassadeur d'Espagne à Paris, Jean-Baptiste Tassis, ne quitta pas son poste, et celui de France à Madrid, Jean de Vivonne, sieur de Saint-Gouard, qui avait suivi Philippe II à Lisbonne, ne revint en France qu'à la fin de 1582 ou au commencement de 1583 (Guy de Brémond d'Ars, *Jean de Vivonne, sa vie et ses ambassades*, Paris, 1884, p. 133-137 et p. 140-147).

Catherine s'était aussitôt mise à l'œuvre. Elle envoya le secrétaire d'État Pinart demander à la reine d'Angleterre, si, oui ou non, elle se décidait, aux conditions déjà débattues, à épouser son fils, et Bellièvre au duc d'Anjou pour le bien convaincre que le Roi n'était pas responsable de l'échec du mariage anglais, ainsi qu'Élisabeth voulait le lui faire accroire. Elle avait beaucoup de peine à satisfaire ses deux fils, l'un se plaignant de ne pas recevoir d'argent, l'autre s'irritant des pilleries des gens de guerre et d'ailleurs poussé contre sa mère par les deux mignons, qui ne voulaient partager avec personne sa faveur et ses faveurs[1172]. Elle recommandait au Duc d'appeler au plus vite les reîtres qui étaient déjà à Saint-Avold et de faire les levées à la file pour ne pas fouler les peuples et courroucer le Roi. Elle le priait de commander à ceux qui avaient charge de lui recruter des soldats de s'adresser à Bellièvre et d'obéir en tout à ses ordres[1173]. Elle s'occupait de régler le passage des troupes et elle aliénait une partie de ses revenus et de ses domaines pour les payer et les nourrir, afin de les empêcher de mal faire. D'argent il n'en fallait pas demander au trésor. «Ces deux-là (d'Epernon et Joyeuse), écrivait l'ambassadeur florentin Albertani au grand-duc, ont accaparé de telle façon les finances que pendant deux ans, si le temps ne change, personne ne peut faire d'assignation [sur les recettes générales] et qu'aucun conseiller du Roi n'oserait présenter une demande de fonds (*richiesta di denari*) de quelque sorte que ce soit pour ne pas déplaire à ces deux hommes.»

**Note 1172:** (retour) *Négociations diplomatiques*, t. IV, p. 444, 22 juillet 1582.

**Note 1173:** (retour) 18 mai 1582, *Lettres*, t. VIII, p. 29 et 30.

Comme six mois auparavant, elle pressait le départ de la flotte qui devait enlever aux Espagnols les archipels portugais: en face de la côte d'Afrique, Madère et les îles du Cap Vert, où se croisent les routes de l'Inde et du Brésil; au large du Portugal, les Açores, un admirable poste pour guetter et surprendre les galions, qui tous les ans apportaient en Espagne l'or et l'argent du Nouveau Monde, c'est-à-dire la solde des armées[1174]. Catherine avait donc quelque raison de croire qu'en s'établissant fortement dans les Iles, elle amènerait Philippe II à composition. Dans l'entrevue qu'elle avait eue en octobre avec le roi de Portugal, D. Antonio, qu'elle soutenait sans le reconnaître, elle avait dû fixer un prix à son concours. L'ancien gouverneur de Philippe Strozzi savait que D. Antonio promit à la Reine-mère que «luy restabli en ses Estats elle auroit pour ses prétentions la région du Brézil»[1175]. Mais il fallait d'abord occuper les Iles. Brissac, qui commandait les vaisseaux de Normandie, fut le premier prêt et il aurait voulu partir au printemps de 1582, mais la Reine-mère, ayant appris «la grande force que le roy d'Espagne a mis ensemble et qui sont (*sic*) prestes aussi tost que nous à partir», décida que Brissac attendrait Strozzi afin de faire «ce qui pour cest heure nous sera aussi utile, et sans hazard de recevoir honte et dommage» (20 mars)[1176]. Les deux escadres se réuniraient à Belle-Isle et navigueraient de conserve.

**Note 1174:** (retour) : Priuli (Alberi, *Relazioni*, série Ia, t. IV, p. 426), dit que les Terceire (Açores), «saranno sempre un grandissimo spino negli occhi al Re di Spagna, essendo poste in sito dove necessariamente convengono capitar le flotte che vengono dalle Indie cosi orientali come occidentali.»

**Note 1175:** (retour) H. T. S de Torsay, *La vie, mort et tombeau de... Philippe Strozzi*, Paris, 1608, reproduit dans les *Archives curieuses de Cimber et Danjou*, 1re série, t. IX, p. 444.

**Note 1176:** (retour) Catherine à Brissac, Mirebeau, 20 mars 1582, t. VIII, p. 16.

L'ancien colonel général de l'infanterie française, transformé en commandant des forces navales et qui, dans toute la campagne, se montra si indécis[1177], ne semblait pas pressé de prendre la mer. Le 20 mai, deux mois après, la Reine-mère, qui avait des trésors d'indulgence pour ses parents florentins, s'étonnait de ce retardement «à cause du soubçon que les huguenotz en ont prins» et des souffrances des populations, «que c'est ce qui me tourmente le plus»[1178]. Elle lui annonçait dans une lettre, qui est probablement de la même époque, l'envoi d'une instruction, où comme elle disait de: «cet (ce) que [le Roy et moy] volons» et elle le priait de «ryn (rien) n'en paser, ny plus ny moyns et montrer à cet coup cet que volés et ne vous gouvernés en mer comme en terre». Mais la lettre ne s'en tient pas à cette seule recommandation. Qu'il se fasse aimer de tous et néanmoins qu'il ne fasse pas chose contraire à l'Instruction pour contenter quelques personnes. «Accordé vous avec Brisac et aveques tous, mès ne lesé pour cela de vous fayre haubeyr (et) à fayre aubserver cet que vous mandons...». Elle insistait, connaissant son irrésolution: «Ne vous lesés poseder de fason que l'on vous puyse en rien fayre varier de ce que voirés (verrez) dans l'ynstruction». Strozzi ayant été nommé, on le sait maintenant, vice-roi des pays à occuper, elle ajoutait: «Ne sufrés que l'on pislle ni [que l'on fasse] sagage (saccagements) ou desordres, car metés pouyne (peine) de vous y fayre aymer (évidemment là où il débarquerait), car cet (ce) que entreprenés n'est pas pour fayre une raflade (rafle), cet (c'est) pour vous en rendre le metre (maître) et le conserver à jamès....» Elle lui rappelait sa promesse: «Sovegné-vous de cet que m'avés dyst à Myrebeault[1179] du lyeu où yriès au mois d'augt (août). *Cet (si) voyès que le puysiés fayre, ne l'aublyé pas d'y aler*[1180]».

**Note 1177:** (retour) Voir la relation de la bataille des Açores, adressée à Bernard Du Haillan, historiographe de France, par un capitaine de l'armée, Du Mesnil Ouardel, dans *Lettres de Catherine*, t. VIII, app. p. 397 sqq.

**Note 1178:** (retour) 20 mai 1582, *Lettres*, t. VIII, p. 32.

**Note 1179:** (retour) Catherine séjourna à Mirabeau du 20 au 26 mars.

**Note 1180:** (retour) *Lettres de Catherine*, t. X, p. 20-21. L'éditeur a, contre toute vraisemblance, placé cette lettre en 1557, date à laquelle Philippe Strozzi avait seize ans et faisait son apprentissage des armes au Piémont sous les ordres du gouverneur, le maréchal de Cossé-Brissac. Ainsi ce novice aurait traité de pair à compagnon avec le chef de l'armée française d'outre-monts et même il aurait eu autorité sur lui. Mais tous les détails de la lettre se rapportent à l'expédition navale de 1582. Le Brissac dont il est question ce n'est pas le maréchal, mais son fils, le comte de Brissac. La lettre serait du commencement de mai, si, comme il est probable, elle accompagnait l'Instruction qui, elle, est datée du 3 mai 1582.

L'Instruction annoncée par cette lettre et que le porteur devait développer oralement, c'est assurément la note écrite de la main de Catherine, sous-signée par Henri III et datée du 3 mai (1582). Elle recommande à Strozzi d'aller droit à Madère et de revenir de là aux Açores, pour les remettre «toutes en l'aubéysance des Portugués». Quant à Brissac, il s'assurera des îles du Cap Vert. Elle ajoute: «qu'après avoir veu ce que susederoyt (ce qui succéderait, ce qui arriverait) audystes yles, quand set viendroyt sur le moys d'aust (août), y lésant cet qui seroyt pour la conservatyon dé dystes yles, qu'avecque le reste ledict Strozzi s'ann alat au Brézil»[1181]. Ainsi les deux amiraux commenceront par occuper les archipels portugais qui commandent les voies maritimes de l'Inde et de l'Amérique, et s'ils réussissent, Strozzi fera voile vers le Brésil.

**Note 1181:** (retour) *Lettres*, t. VIII, p. 28, note. L'Instruction a été découverte par M. le Cte Baguenault de Puchesse à qui les historiens du XVIe siècle et de Catherine ont tant d'obligations. Le lieu «où yries au mois d'augt», dont il est question dans la lettre précédente, est donc bien, comme on le voit par l'Instruction, le Brésil. Lettre et Instruction d'ailleurs subordonnent l'expédition du Brésil à l'occupation préalable des Açores, de Madère et du Cap Vert. On ne voit apparaître qu'au second plan le projet de descente en Amérique.

Catherine s'occupait avec tant d'ardeur de l'expédition des «Iles» que les ambassadeurs italiens ne savaient qu'imaginer. Ils la savaient pacifique et prudente, et elle se montrait hardie et belliqueuse. Un agent florentin parlait de ce revirement comme d'un «caprice» de femme [1182]. L'ambassadeur, Priuli, qui, pendant son séjour de deux ans et demi en France, avait eu le temps de la bien observer, dit qu'elle est avide de gloire (*desiderosissima di gloria*). Il ne paraît pas éloigné de croire, comme les Espagnols, que si elle a engagé l'entreprise portugaise contre le Roi catholique, c'est par un motif de vanité. L'expédition du Portugal, ce serait sa réponse aux blâmes et aux insinuations d'autrefois sur la médiocrité de sa dot et de son origine. En se posant en héritière d'une couronne, elle aidait à «rehausser grandement la noblesse de ses ancêtres»[1183]. Mais ni le Florentin, ni le Vénitien ne supposèrent jamais, comme le fait l'historien de la marine française[1184], que la Reine-mère eut l'intention de fonder au delà des mers un Empire colonial. Son «secret», qui ne contredit pas ses appétits de gloire, elle l'a dit très clairement à Priuli, pour qu'il allât le répéter aux très illustres seigneurs de Venise, ces maîtres en diplomatie. «La Reine-mère me dit à ce propos, quand j'allais lui baiser les mains à Orléans (mars ou avril 1582) et prendre congé d'elle, qu'elle avait donné ses soins aux affaires du Portugal à cette seule fin de voir si elle pouvait amener le Roi catholique à faire un faisceau de toutes les difficultés qui se présentent actuellement et pour les choses du Portugal et pour celles de Flandres et à en venir à une bonne composition au moyen de quelque mariage»[1185]. Il est très vrai qu'elle a donné l'ordre à Strozzi d'occuper les

Açores, Madère et les îles du Cap Vert, et, en cas de succès, de pousser jusqu'au Brésil. Elle a même marqué dans son Instruction qu'il s'agissait d'un établissement et non d'une rafle. Mais que peut-on en conclure, sinon qu'elle voulait traiter avec Philippe II les mains pleines? L'engagement qu'elle avait fait signer au duc d'Anjou à La Fère, le 5 août, avant la campagne des Flandres, son offre à Philippe II de régler les différends des deux Couronnes par un mariage, sa proposition à Élisabeth de se joindre à la France pour la conclusion d'une paix générale, sa lettre-programme à Henri III (du 17 mars 1582), sa déclaration à Priuli à quelques jours d'intervalle, tout un ensemble de témoignages prouve que l'expédition du Portugal était non un but, mais un moyen, non une guerre de conquête, mais un effort de pacification générale, un remède aux troubles du royaume et aux divisions de la famille royale.

**Note 1182:** (retour) Albertani au grand-duc, *Négociations diplomatiques avec la Toscane*, t. IV, p. 436.

**Note 1183:** (retour) Cf. sa lettre au Roi du 8 février 1579, citée ci-dessus, p. 332.

**Note 1184:** (retour) Ch. de la Roncière, *Le secret de la Reine et la succession du Portugal*, 1580-1585. Revue d'histoire diplomatique, t. XXII (1908) p. 481 sqq.

**Note 1185:** (retour) Alberi, *Relazioni*, serie Ia, Francia, t. IV, p. 426. Il y avait longtemps qu'elle pensait à ce mariage d'Espagne. Dans une lettre à Henri III, du 10 août 1579, elle lui rapportait sa conversation avec le nonce, qui se scandalisait du projet de mariage du duc d'Anjou avec la reine d'Angleterre, une hérétique. Elle lui avait dit que c'était la faute du pape, qui aurait dû «moienner son mariage» avec une des infantes, ses petites-filles, mais il n'en avait rien fait, et le Duc «voiant les choses ainsi négligées» avait «cherché sa fortune». *Lettres*, t. VII, p. 79.

La flotte partit enfin de Belle-Isle le 16 juin 1582. Elle comptait 55 navires, grands ou petits, portant, en outre des mariniers, 5 000 combattants, dont 1 200 gentilshommes, et elle se renforça aux Sables d'Olonne d'une huitaine de vaisseaux et de sept à huit cents soldats. D. Antonio était à bord du vaisseau amiral avec le comte de Vimiose et ses gentilshommes. Strozzi aurait dû, conformément à son Instruction, aller droit à Madère, mais il écouta D. Antonio, qui craignait que «si une fois le François y eust mis le pied, jamais on ne l'en eust sorty»[1186]. Il s'arrêta donc aux Açores, où Terceire continuait à tenir ferme pour le prétendant portugais et attaqua San Miguel, qui avait reçu une garnison espagnole. Il débarqua heureusement, mais ne poussa pas son succès à fond et manqua la citadelle. Il se hâta de rembarquer toutes ses troupes quand il apprit que la flotte espagnole approchait. Elle était forte de vingt-huit gros vaisseaux et de «six mille sept cens soldats tous vieils» et commandée par le marquis de Santa-Cruz, le meilleur marin de l'Espagne.

Les chefs français réunis en Conseil ne s'accordèrent pas. Il y avait beaucoup de couards dans cette armée de mer et probablement des traîtres. Strozzi ne sut pas imposer sa volonté, qui était de combattre. Il attaqua une première fois et, laissé seul, eut de la peine à se dégager. Il résolut, malgré les avis, de recommencer l'attaque, et suivi seulement de sept à huit navires, parmi lesquels celui de Brissac, il aborda bravement les vaisseaux ennemis et fut accablé par la force du nombre. Blessé d'une arquebusade, il mourut à l'instant qu'on l'amena devant l'amiral espagnol ou fut achevé de sang-froid (26 juillet 1582). Brissac, qui s'était bien conduit, s'éloigna dès qu'il vit la partie perdue. Santa-Cruz fit décapiter les gentilshommes et pendre les soldats et les mariniers qu'il prit, «comme ennemys de la paix publique, perturbateurs du commerce et fauteurs des rebelles à son Roy»[1187].

**Note 1186:** (retour) *Relation de Du Mesnil Ouardel*, app., *Lettres*, t. VIII, p. 397.--Cf. Conestaggio, *Dell'Unione del regno di Portogallo alla Corona di Castiglia*, 1642, liv. IX, p. 253-278.

**Note 1187:** (retour) Il s'en vante dans une relation dont il est question dans une lettre de Villeroy à Henri III, 12 septembre 1582, *Lettres*, t. VIII, p. 405.

Plus de trente navires retournèrent en France sans avoir combattu. C'était un désastre et une honte.

L'opinion s'émut du récit triomphal que Santa-Cruz publia de sa victoire et de ses exécutions (septembre)[1188]. Henri III en fut indigné. «J'ay l'escryst d'Espagne, il nous faust vanger avant l'an et jour, s'il est possible, de l'Espagnol»[1189]. Catherine, que les mignons avaient un jour humiliée jusqu'à lui faire refuser l'entrée de la chambre royale, venait, par un revirement subit, d'être chargée de tout le pouvoir, à la suite d'une crise de mélancolie aiguë, où le Roi «était lui-même en doute de ne pas devenir fou et finir sa vie violemment»[1190]. Elle profita de sa colère pour renforcer l'armée des Pays-Bas. Elle avait fait passer au Duc des reîtres. Elle leva des Suisses et enrôla en France des gens de pied et de cheval. Elle mit à leur tête le jeune duc de Montpensier, François de Bourbon, à qui elle envoya la solde des Suisses[1191]. Elle lui avança 3 000 écus pour les vivres de l'armée sur les 50.000 qu'elle cherchait à se procurer, «par emprunt soubz l'obligation particulliere d'aucuns des principaulx du Conseil du Roy»[1192].

**Note 1188:** (retour) Dès le 28 août, l'agent florentin à Paris, Busini, savait que la flotte de Strozzi et de Brissac avait été battue par les Espagnols. La nouvelle certaine du désastre, car des bruits contraires circulaient, arriva à Saint-Maur où était la Reine-mère le 11 septembre 1580 (*Lettres*, t. VIII, p. 405). La bibliographie de l'affaire des Açores dans *Lettres de Catherine*, t. VIII, introd. p. IX.

**Note 1189:** (retour) *Lettres*, t. VIII, p. 61, note 2.

**Note 1190:** (retour) Albertani au grand-duc, d'après un avertissement de Cavriana, un Mantouan très intelligent, qui avait été le médecin de Claude de Lorraine et qui le fut de Catherine de Médicis, *Négociations diplomatiques*, t. IV, p. 443, 15 juillet 1582.

**Note 1191:** (retour) 13 octobre 1582, *Lettres*, VIII, p. 67.

**Note 1192:** (retour) 29 octobre, *ibid.*, p. 68.

Pour prévenir un revirement du Roi, elle suppliait Montpensier de débarrasser au plus tôt le royaume de ces gens de guerre, dont les pilleries et les oppressions faisaient «horreur à en ouyr parler»[1193] et de les conduire droit à son fils le duc d'Anjou, qui en avait «bon besouing pour estre (étant) ceul»[1194]. Qu'il forcât «toutes les dyficultés» et passât immédiatement en Flandres «en sorte que après tant de maulx et dommaige que en a souffert le peuple, elle (cette armée) puisse enfin rendre quelque utile service à mondict fils»[1195]. Henri III écrivit expressément au sieur de Crèvecœur, son lieutenant général en Picardie, de faciliter le ravitaillement de ces troupes. Elle commanda elle-même au sieur de Puygaillard de les côtoyer avec les compagnies d'ordonnance jusque «sur la lizière de France»[1196]. D'après le duc de Parme qui exagérait, probablement à dessein, de moitié, cette armée de secours aurait monté à 22 000 fantassins et 5 000 chevaux[1197]. Le maréchal de Biron, qui passait pour le meilleur homme de guerre de France, devait la commander en chef: il l'avait devancée aux Pays-Bas.

**Note 1193:** (retour) 30 septembre, *ibid.*, p. 62.

**Note 1194:** (retour) 13 octobre, p. 67.

**Note 1195:** (retour) 29 octobre, p. 69.

**Note 1196:** (retour) : 31 octobre, p. 69.

**Note 1197:** (retour) Kervyn de Lettenhove, t. VI, p. 357, note 1 et note 3.

Les sujets du duc d'Anjou, dont beaucoup étaient des calvinistes ardents, lui en voulaient d'être Français, catholique et impuissant. Il pouvait leur reprocher avec autant de raison de lui laisser presque toute la charge de les défendre et de l'en récompenser par une hargneuse méfiance. Il n'obtenait pas des États généraux les subsides nécessaires à l'entretien de sa maison, il n'avait nulle autorité dans les villes. De France, dit-on, lui vint le conseil de s'emparer des places fortes du pays pour parler en maître à ces bourgeois indociles. Les troupes françaises campaient devant Anvers, où les magistrats, se défiant de la soldatesque, ne laissaient entrer que le duc d'Anjou et ses gentilshommes. Un jour qu'il en sortait, sous prétexte d'une revue à passer, des soldats postés tout exprès aux abords de la porte surprirent le corps de garde avant qu'il eût le temps de relever le pont-levis. Le reste de l'armée accourut et, pénétrant dans la ville dont elle se croyait déjà maîtresse, se dispersa pour piller. Mais les Anversois tendirent des chaînes, barrèrent les rues et, de derrière les barricades ou du haut des maisons, frappèrent ou assommèrent les agresseurs, dont un petit nombre échappa ou fut fait prisonnier (17 janvier 1583). Dans toutes les villes des Pays-Bas où il y avait une force française, le même coup de main fut tenté, mais il échoua partout, sauf à Dunkerque, Termonde et Dixmude.

La Saint-Antoine d'Anvers, le plus mémorable de ces guets-apens, souleva l'indignation et, pour le malheur du duc d'Anjou, raviva le souvenir de la Saint-Barthélemy. Les villes fermèrent leurs portes à ce prince félon. Catherine désavoua le fait «dont nous (le Roy et elle) n'avons jamais rien entendu qu'après le malheur advenu»[1198]. Mais ce n'est pas une preuve qu'elle l'ait ignoré ou même qu'elle ne l'ait pas suggéré. L'idée de s'emparer de nombre de villes des Pays-Bas s'accorde bien avec son projet d'échange. L'important pour elle, ce n'était pas de vaincre le duc de Parme, mais de se procurer assez de gages pour imposer à Philippe II sa solution matrimoniale.

Bellièvre, le diplomate insinuant, fut envoyé aux Pays-Bas pour réparer le mal. Il parvint à conclure avec les États un accord qui laissait Dunkerque au Duc, lui rendait les soldats faits prisonniers dans Anvers, mais l'obligeait à restituer les villes qu'il occupait et à licencier la plus grande partie de son armée (18 mars 1583)[1199]. Le Duc, sans argent comme toujours, quitta Dunkerque, qui se rendit aux Espagnols sans coup férir (15 juin 1583) immédiatement après son départ. Un agent étranger, qui le vit passer à Abbeville le 4 juillet, le dépeint «fort débile et comme apoplisé (frappé d'apoplexie) tellement qu'à grand'peine il chemine»[1200]. La Reine-mère alla le trouver à Chaulnes (11 juillet) et tenta de le ramener auprès du Roi son frère[1201]. Il promit, mais ne tint pas sa parole. Le Roi signifia sa volonté. Il ne souffrirait plus de nouvelles levées, qui foulaient le peuple, ni de nouvelles agressions aux Pays-Bas, qui risquaient de provoquer les représailles du roi d'Espagne. «Je l'ay faict exhorter, disait-il de son frère le 22 juillet, de se retirer de ses entreprises, cause de la ruine de la France.... qu'il se range près de moi pour y tenir le lieu qui luy appartient et vivre en paix avec les voisins»[1202].

**Note 1198:** (retour) Lettre à Danzay ambassadeur de France en Danemark, 20 février, t. VIII, p. 90; à Mauvissière, 8 mars, t. VIII, p. 91.

**Note 1199:** (retour) Du Mont, *Corps diplomatique*, t. V, p. 434.

**Note 1200:** (retour) : Kervyn de Lettenhove, t. VI, p. 422.

**Note 1201:** (retour) *Ibid.*, t. VI, p. 469.

**Note 1202:** (retour) *Id.*, p. 468.

Catherine ne pouvait passer outre, mais elle ne désespérait pas de réussir en Portugal. Immédiatement après la nouvelle du désastre des Açores, elle avait recommencé à armer. Elle eut l'idée singulière de confier à Brissac, qui n'avait été ni heureux ni héroïque, le commandement d'une nouvelle flotte, mais Henri III réclama pour son favori, Joyeuse, amiral de France, le droit de choisir le chef d'escadre. «Brissac n'a ni gaigné la bataille, ni raporté tele marque sur luy qu'à son ocasyon il faillust (fallut) désonorer autruy pour l'onorer», et il concluait: «Ou il faust conserver les personnes en honneur ou il ne s'en faust poinct servir. La Reyne sera mieulx et plus dilijammant servie».[1203] Elle n'avait qu'à obéir et à consulter Joyeuse. Le Roi, ayant bien marqué qu'il était le maître, la laissa continuer ses préparatifs. Mais il ne fut pas d'avis d'envoyer une armée navale ni «chefs si grants» que l'Amiral, «car se seroyt nous déclarer de tout, se (ce) que mes affaires ne portent pas»[1204]. On désigna Aymar de Chastes, un commandeur de l'ordre de Malte, pour diriger l'expédition. Elle se remua fort. Elle pria M. de Danzay, ambassadeur de France en Danemark, de s'informer si et à quel prix il pourrait lui procurer, là ou ailleurs, en Suède, ou à Lubeck et à Hambourg et autres villes de ces quartiers-là, «une vingtaine de grandz vaisseaux, le quart du port de XVII cens tonneaulx, autre quart de VIII cens et VI cens tonneaulx, equippez et artillez et s'il s'en trouvoit qui feussent en façon de roberges et gallions pour servir à voille et à rame, ce seroit ung grand plaisir»[1205]. Elle sollicita les bons offices de M. de La Gardie, «bon et naturel gentilhomme françoys», qui avait pris du service dans les armées du roi de Suède et qui fut l'ancêtre en ce pays du Nord d'une illustre famille[1206]. Elle s'occupa de faire payer Danzay de son traitement, qui était fort en retard, afin de stimuler son zèle[1207]. Elle avait hâte de recevoir une réponse. Comme elle était sans argent, elle fit demander au roi de Suède de lui céder «quelques ungs de ses grands vaisseaulx» en compensation de l'embargo qu'il avait mis sur les marchands français[1208].

**Note 1203:** (retour) Octobre 1582, Lettres, t. VIII, app. p. 407.

**Note 1204:** (retour) Henri III à Villeroy, *Lettres de Catherine*, t. VIII, p. 65, col. 2, note 1.

**Note 1205:** (retour) 13 novembre 1582, *Lettres*, t. VIII, p. 71.

**Note 1206:** (retour) *Ibid.*, p. 72.

**Note 1207:** (retour) *Ibid.*, p. 75.

**Note 1208:** (retour) 23 mai 1583, *Lettres*, t. VIII, p. 103.

Elle fit partir Aymar de Chastes avec 2 500 soldats pour secourir Terceire. Et ce qui prouve bien que l'intervention en Portugal n'est pour elle qu'un moyen de pression, c'est qu'elle répond à de nouvelles plaintes de Tassis, comme elle a répondu aux premières, qu'elle est prête à «postposer» son «intérest privé» «au repoz de la Crestienté». L'ambassadeur ayant laissé entendre «que son maistre seroit très aise d'entrer en des traités pour tirer des Païs-Bas mon dict fils, par le moïen duquel (desquels) l'on pourroit après convenir de tout ce qui estoit controverssé entre nous», elle lui fit observer, écrit-elle à Longlée, résident de France à Madrid, que «si son dict maistre avait envye d'en passer plus avant, il vous en pouvoit déclarer son intention». Elle terminait sa lettre en recommandant à Longlée d'aller visiter de sa part le plus souvent qu'il pourrait les infantes ses petites-filles[1209].

**Note 1209:** (retour) 25 mai 1583, Catherine à M. de Longlée, qui avait remplacé Saint-Gouard à Madrid avec le titre de résident, t. VIII, p. 104.

Ce n'était pas sans motif. Mais elle aurait voulu que le roi d'Espagne prît l'initiative de ce mariage pour n'avoir pas, comme la première fois, l'ennui d'un refus. Et puis, elle craignait si elle s'avançait trop de provoquer gratuitement les inquiétudes des huguenots et de la reine d'Angleterre.

La reculade du duc d'Anjou, les succès des Espagnols, qui en peu de temps s'étaient emparés de dix ou douze bonnes et grandes villes, tenaient en alarme le monde protestant. Le bruit courait que le Duc, qui était sans argent et désespéré, avait conclu un accord avec Parme. Catherine rassura Élisabeth, qui, malgré l'engagement signé par Henri III[1210] de la défendre contre tous ses ennemis et de ne traiter que de son consentement, affectait d'être inquiète. Elle reparla du mariage, dont elle ne voulait pas encore désespérer, lui écrivait-elle, l'assurant qu'elle n'avait jamais autant désiré le succès des entreprises de son fils que «de contentement de voir un général repos en toute la Chrestienté par le moyen» de ce mariage. «Je vous supplie croire que vous n'aurez jamais une meilleure sœur et amie ni qui désire plus vous voir contentement en l'amytié du Roy mon filz, comme je vous puis asseurer de l'avoir, ni qui s'emploie de meilleur cœur à y faire tous les offices.... en quoy [je] n'auray grande peine pour le voir si résolu de vous aymer»[1211].

**Note 1210:** (retour) Le 7 septembre 1582, *Lettres*, t. VIII, app., p. 409.

**Note 1211:** (retour) 26 juillet 1583, *Lettres*, t. VIII, p. 116.

Elle chargeait l'ambassadeur de dire à la Reine qu'il n'y avait «nulle apparence» «que soyons d'accord avec lui (le duc d'Anjou) pour pacifier avec le roy d'Espaigne au préjudice d'elle». Le Roi, son fils, «ne demande que la paix et repos en son royaume et avec ses voisins»[1212].

Élisabeth profita de l'occasion pour donner congé à son fiancé. Son ambassadeur, le sieur de Cobham, alla dire à la Reine-mère qu'il souhaitait que le mariage dont il était question--avec l'infante--réussît. Sur cela elle lui répondit qu'il ne parlait donc plus de celui de la Reine et de son fils. Il répondit «franchement et honnestement», raconte Catherine, que le Roi n'ayant point d'héritier, il fallait au duc d'Anjou une femme plus jeune que sa souveraine «qui estoit trop âgée pour avoir enfans. Et je luy ay sur cela respondu, selon la vérité, que quand bien il ne s'en espereroit des enfans que pourtant ne laisserions nous pas de souhaiter ledict mariage, et, quoiqu'il se feist pour le mariage de mondict filz, que ce ne seroit jamais sans sa bonne grâce et contentement»[1213].

**Note 1212:** (retour) *Lettres*, VIII, p. 115, 25 juillet, à M. de Mauvissière.

**Note 1213:** (retour) *Ibid.*, p. 120, 9 août, à Mauvissière.

Le même jour (9 août), elle écrivait à Longlée de dire au Roi catholique le désir qu'elle avait qu'il lui plût de donner une des infantes ses filles, ses petites-filles à elle, en mariage au duc d'Anjou et par même moyen accorder tous leurs différends, et donner repos à la Chrétienté. Elle demandait une réponse dans les six semaines[1214]. S'il lui tardait tant d'être fixée sur les intentions de la cour de Madrid, c'est que les affaires des Pays-Bas risquaient d'avoir leur répercussion dans le royaume. On avait dit au Roi et à sa mère qu'immédiatement après l'attentat d'Anvers, le prince d'Orange avait expédié le sieur de Laval au roi de Navarre et aux huguenots du Languedoc, «leur donnant avis de prendre garde à eux et mesme reprendre les armes pour se réunir et courre dorénavant une mesme fortune»[1215]. Ses efforts pour réconcilier le duc d'Anjou avec les États généraux n'avaient pas rassuré la Reine-mère; elle s'inquiétait de son mariage avec Louise de Coligny, fille de l'Amiral et veuve d'une autre victime de la Saint-Barthélemy, Téligny. Ce mariage «pourchassé depuis l'accident d'Envers» et qui fut contracté le 12 avril 1583, c'était, pensait Catherine, «pour avoir toujours davantaige d'apuy avec ceulx de la religion prétendue refformée de ce royaulme et les maisons qui s'en seront rendues prindpaulx chefz, mais je crains, ajoutait-elle, que ce soit plus en intention de troubler le repos que non pas de l'entretenir»[1216].

**Note 1214:** (retour) 9 août 1583, à Longlée, *Lettres*, t. VIII, p. 119.

**Note 1215:** (retour) Villeroy au maréchal de Matignon, 1er février, *Lettres*, VIII, p. 85, note 1.

**Note 1216:** (retour) 29 mars 1583, Catherine à Bellièvre, *Lettres*, t. VIII, p. 96.

Aussi lui faisait-elle dire par Bellièvre «que son bien, seureté et conservation principalle, ensemble celle des Estats generaulx desdicts Païs-Bas dépendra tousjours du repos qui sera maintenu en la France...» et que «quand il adviendra que les menées et praticques de ceulx qui le veullent rompre seront si fortes qu'elles pourront effectuer au dedans, nulz n'en recevront plus grand dommaige que les dicts Païs-Bas»[1217].

Les protestants du Languedoc, toujours intraitables, refusaient de restituer la place forte de Lunel. Châtillon recrutait des soldats pour le duc d'Anjou[1218]. Le Roi obligea sa mère à mander le gouverneur du Languedoc à la Cour. Elle l'assurait qu'il serait reçu honorablement et lui faisait toutes sortes de promesses. Il répondit qu'il y serait venu sous sa parole, si elle avait été dans le même degré d'autorité qu'autrefois, mais qu'il savait bien le contraire. Elle montra, non sans intention, la lettre à son fils, qui se mit en une colère extraordinaire[1219]. «Les affaires du Languedoc, écrivait Villeroy le 3 avril[1220], se brouillent tous les jours davantage....» En cette province, «des choses s'échauffent bien fort», ajoutait Catherine le lendemain et «mon cousin le duc de Montmorency est prest à y reprendre les armes»[1221]. Mais celui-ci se serait bien gardé de fournir à Henri III un prétexte pour abandonner le duc d'Anjou. Le roi de Navarre était si préoccupé de l'affaire des Pays-Bas qu'il faisait dire au prince d'Orange que «si les Estats peuvent faire trouver bon à Monseigneur (le duc d'Anjou) que le Roy de Navarre pour plus grande asseurance leur soit donné pour régent et lieutenant général, il acceptera volontiers ceste charge pour le zèle et affection qu'il a à leur conservation et défense»[1222].

**Note 1217:** (retour) A Bellièvre, 4avril, t. VIII, p. 97.

**Note 1218:** (retour) Catherine au duc de Montmorency, 29 janvier 1583, t. VIII, p. 85.

**Note 1219:** (retour) 30 mars 1583, *Négociations diplomatiques*, t. IV, p. 461.

**Note 1220:** (retour) *Lettres*, t. VIII, p. 97, note.

**Note 1221:** (retour) *Ibid.*, p. 97.

**Note 1222:** (retour) Instruction du 14 février au sieur Caluart, Groen von Prinsterer, *Archives de la maison de Nassau*, 1re série, t. VIII, p. 167.

Les événements d'Allemagne expliquent peut-être ce «zèle». L'archevêque-électeur de Cologne, Gebhard de Truchsess, ayant embrassé le luthéranisme et rendu public son mariage avec la comtesse Agnès de Mansfeld, son abjuration enlevait dans le Collège électoral la majorité aux catholiques et permettait aux protestants, le cas échéant, de disposer de la couronne impériale. C'était une éventualité d'une importance incalculable. L'Allemagne catholique armait pour déposer l'Archevêque et prévenir l'avènement d'un empereur hérétique. Le roi de Navarre, à son tour, délibérait d'envoyer Ségur-Pardaillan à la reine Élisabeth (juillet 1583) pour lui proposer la formation d'une Ligue protestante contre les princes papistes[1223]. Mais il différait le départ de son ambassadeur quand un éclat de colère d'Henri III faillit provoquer cette guerre civile que la Reine-mère s'efforçait de conjurer.

Marguerite avait en 1582, quand elle reparut à la Cour de France, vingt-neuf ans. C'était un milieu dangereux pour une femme de cet âge, aimable et belle et qui revenait de Gascogne avec un grand appétit de plaisirs. Aussi a-t-elle arrêté prudemment ses Mémoires à cette date, comme si elle eût craint d'avoir trop à dire pour sa justification. Pourtant, elle excelle dans le récit de sa vie antérieure à dissimuler qu'elle fut une des grandes amoureuses du temps. Elle réduit à un jeu de conversation ou à un pur commerce de sentiment les liaisons dont elle fut soupçonnée. Elle raconte avec un air de vierge innocente combien sa mère l'étonna, quand, pensant à la démarier quelques jours après la Saint-Barthélemy, elle lui demanda si le roi de Navarre son mari «estoit homme». «Je la suppliay, dit-elle, de croire que je ne me cognoissois pas en ce qu'elle me demandoit (aussi pouvois-je dire lors à la vérité comme cette Romaine à qui son mari se courrouçant de ce qu'elle ne l'avoit adverty qu'il avoit l'haleine mauvaise, luy répondit qu'elle croyoit que tous les hommes l'eussent semblable, ne s'étant jamais approchée d'aultre homme que de luy)»[1224]. Elle aimerait à laisser croire qu'elle n'eut d'autres aspirations que les plus nobles et d'autres passions que les intellectuelles.

**Note 1223:** (retour) 1223: Instruction du 6 juillet, *Mémoires et Corresp. de Du Plessis-Mornay*, Paris, 1824, t. II, p. 272-294.

**Note 1224:** (retour) *Mémoires de Marguerite de Valois*, éd. Guessard, p. 36.

Peut-être sa première éducation avait-elle été assez négligée. Ce fut dans sa demi-captivité du Louvre en 1576 qu'elle commença, dit-elle, à prendre goût à la lecture, où elle trouva, on peut la croire, soulagement à ses peines, et, si elle n'anticipe pas, «acheminement à la dévotion». Après l'élan d'enthousiasme de la Pléiade, l'esprit se repliait curieusement sur lui-même et s'interrogeait et s'étudiait. A la différence de Charles IX qui se piquait d'être poète, Henri III était plutôt porté vers la philosophie, l'histoire et les sciences. Il faisait débattre devant lui, dans l'Académie de musique et de poésie que son prédécesseur avait fondée, des sujets de philosophie morale: Des passions de l'âme et quelle est la plus véhémente;--de la joie et de la tristesse;--de l'ire;--de l'ambition. Marguerite s'adonna aux mêmes spéculations, «lisant en ce beau livre universel de la nature», et, des merveilles qu'elle y découvrait, remontant au Créateur, car «toute ame bien née faisant de cette congnoissance une eschelle, de laquelle Dieu est le dernier et le plus hault eschelon, ravie, se dresse à l'adoration de cette merveilleuse lumière et splendeur de cette incompréhensible essence, et, faisant un cercle parfaict, ne se plaist plus à autre chose qu'à suivre ceste chaisne d'Homère, cette agréable encyclopédie, qui, partant de Dieu mesme, retourne à Dieu mesme, principe et fin de toutes choses»[1225]. Elle s'élève à l'idée première sur les ailes de Platon.

**Note 1225:** (retour) *Ibid.*, p. 76.

Mais elle était femme, et malgré sa haute culture, elle fut toute sa vie l'esclave de ses inclinations. Elle aimait et haïssait de toute son âme. Elle se résignait bien dans certaines occasions à dissimuler ses antipathies, mais s'avouait impuissante à changer son cœur «hault et plein de franchise» ou «à le faire abaisser, puisqu'il n'y a rien que Dieu et le Ciel, disait-elle, qui le puissent amollir et le rendre tendre en le refaisant ou le refondant»[1226]. Aussi, quand elle revint à la Cour en 1582, et y trouva plusieurs personnes--les d'Epernon, les Joyeuse--«eslevées en des grandeurs qu'elle n'avoit veu ny pensé», elle ne cacha pas son mépris pour ces parvenus de la faveur royale, «tant elle avoit le courage grand! Hélas! trop grand certes, s'il en fust onq', ajoute Brantôme, son grand amoureux platonique, mais pourtant cause de tout son malheur»[1227]. Henri III s'attendait à plus de complaisance: il fit pour l'attirer à lui beaucoup d'avances qu'elle enregistrait sans gratitude comme autant d'hommages dus à son mérite, ou qu'elle suspectait comme la couverture de mauvais desseins. Elle restait ferme dans son affection, on pourrait dire presque son adoration pour le duc d'Anjou, ce frère détesté. Pendant les six mois qu'il avait passés dans le Midi, dans le voisinage de la Cour de Navarre, à l'occasion de la paix de Fleix (novembre 1580-avril 1581), Marguerite s'était éprise de son grand écuyer, le beau Harlay de Champvallon, qu'elle revit à la Cour de France. Le bruit courut qu'il lui était survenu même accident qu'à Fosseuse. Fait plus grave, la Reine-mère elle-même la soupçonnait d'avoir voulu, après les promesses de Chaulnes, «destourner s'il est possible» le duc d'Anjou «de la bonne volonté qu'il monstre avoir de se conformer aux intentions du Roy, monsieur mon filz, et luy faire prendre quelque mauvaise résolution»[1228].

L'intrigue, sans l'inconduite, c'était assez pour Henri III. Mais il prétexta l'inconduite. Avant de rentrer lui-même à Paris, il lui fit signifier d'en sortir et de rejoindre son mari. Puis il lança derrière elle une troupe d'archers et le capitaine de ses gardes, Larchant, qui la rejoignirent près de Palaiseau, l'obligèrent à se démasquer et visitèrent sa litière, comme s'ils y cherchaient quelqu'un. D'autres soldats arrêtèrent en route Mme de Duras et la demoiselle de Béthune et quelques autres personnes de sa suite. Le Roi se fit amener ces prisonnières à l'abbaye de Ferrières près de Montargis et les interrogea lui-même «sur les déportements de ladite reine de Navarre sa sœur, mesme sur l'enfant qu'il estoit bruit qu'elle avoit faict depuis sa venue à la Cour»[1229]. Il ne découvrit rien de certain, mais il donna l'ordre à Marguerite de continuer sa route vers le Midi.

**Note 1226:** (retour) Brantôme, t. VIII, p. 65.

**Note 1227:** (retour) *Ibid.*, t. VIII, p. 61.

**Note 1228:** (retour) A Bellièvre, 31 juillet 1583, *Lettres*, t. VIII, p. 116.

**Note 1229:** (retour) L'Estoile, t. II, p. 131.--Cf. sur cet épisode, Cte Baguenault de Puchesse, *Le Renvoi par Henri III de Marguerite de Valois*, Revue des questions historiques, 1er octobre 1901, et Armand Garnier, *Un scandale princier au* XVIe *siècle*, Revue du XVIe siècle, t. I, 1913.

Catherine était certes innocente de cet esclandre, si contraire à son humeur et si préjudiciable à sa fille. La lettre qu'elle écrivit ce jour même (8 août) à M. de Matignon[1230], lieutenant général du roi en Guyenne, n'en dit rien, et ce silence est significatif. Elle prévoyait, comme il arriva, que le roi de Navarre refuserait de recevoir une femme si publiquement diffamée. Mais elle n'osait contrecarrer Henri III. Elle lui fit demander par l'évêque de Langres, Charles de Perusse d'Escars, de renvoyer à leurs familles les dames de Béthune et de Duras, qu'il avait retenues, et après cette tentative d'intervention, que le Roi trouva «mauvaise», elle estima prudent «de remettre les choses au jugement et discrétion» de son fils, «puisqu'elles sont passées si avant»[1231]. Le roi de France, traitant son beau-frère en sujet, prétendait l'obliger à reprendre sa sœur sans vouloir s'excuser de son insulte, et le roi de Navarre le menaçait de répudier Marguerite s'il ne déclarait pas publiquement l'innocence de l'insultée. La négociation fut longue, difficile, comme on le devine, et quelque peu ravalée de questions d'argent et de places de sûreté.

La Reine-mère la suivait de très près; malade de la fièvre, elle avait fait partir pour le Midi le diplomate selon son cœur, l'homme fin et insinuant qu'elle employait dans les affaires délicates, Bellièvre. Elle n'avait pas un mot de blâme pour son fils. «Vous congnoissez, écrivait-elle au négociateur, son naturel qui est si franc et libre qu'il ne peult dissimuller le mescontentement qu'il reçoipt»[1232]. Elle ne se plaignait que de la mauvaise volonté du roi de Navarre, craignant que la guerre ne s'ensuivît «à la ruyne de ce pauvre royaume menacé de toutes partz et à l'infamye trop grande de toute nostre maison»[1233]. Elle se réjouit d'apprendre qu'il consentait, moyennant le retrait de quelques garnisons royales, à passer sur l'humiliation de sa femme.

Ses lettres montrent avec quelle impatience elle attendait la réunion des deux époux. Elle était alors convalescente; quand elle sut qu'ils s'étaient enfin rejoints à Port-Sainte-Marie, le 13 avril, elle écrivit à l'heureux courtier de cette réconciliation, qu'après Dieu il lui avait «rendeu la santé de avoyr par vostre preudense et bonne conduyte hachevé une si bonne heuvre et sy ynportente pour tout nostre meyson et honneur, d'avoir remys ma fille avecques son mary»[1234].

**Note 1230:** (retour) *Lettres*, t. VIII, p. 117 et 118, note.

**Note 1231:** (retour) Lettre du 21 août 1583 à Bellièvre, *Lettres*, t. VIII, p. 126.

**Note 1232:** (retour) 21 janvier 1584, *Lettres*, t. VIII, p. 171.

**Note 1233:** (retour) : 26 janvier 1584, *ibid.*, t. VIII, p. 172.

**Note 1234:** (retour) 25 avril 1584, *ibid.*, t. VIII, p. 180.

Marguerite avait tant de raisons de se féliciter d'être sortie de «la longueur» de ses «annuis»[1235] qu'elle informa aussitôt sa mère de «l'honneur et bonne chère» qu'elle a reçus «du roy», son «mari» et son «ami». Mais son contentement dura peu. Henri de Navarre ne l'avait reprise que par intérêt, et peut-être le lui fit-il sentir dès le premier jour, s'il fallait en croire Michel de La Huguerye, un diplomate marron, alors au service des princes protestants d'Allemagne, et le plus imaginatif, pour ne pas dire pis, des mémorialistes. «Je ne vey jamais [au repas du soir], dit-il de Marguerite, visage plus lavé de larmes ny yeux plus rougis de pleurs»[1236].

**Note 1235:** (retour) *Ibid.*, t. VIII, p. 416 et p. 183 n. 2.

**Note 1236:** (retour) *Mémoires de la Huguerye*, t. II, p. 316.

Catherine priait Dieu--ce qui prouve la nécessité d'une intervention puissante--que sa fille «puysse demeurer longuement» avec son mari et «y vivre en femme de bien et d'honneur et en prynsès (princesse) dont méryte ses condysions d'estre pour le lyeu dont ayl è naye»[1237]. Elle adressait à Bellièvre quelques conseils dont il devait recommander l'observation à la reine de Navarre. C'est la contre-partie de la morale au roi de Navarre et comme le résumé de l'expérience de la vieille Reine [1238]. Il importait surtout «aux prynsesses qui sont jeunes et qui panset (pensent) aystre belles»--plus belles peut-être qu'elles ne sont--de s'entourer «de jans d'honneur hommes et femmes», car «aultre (outre) que nostre vye nous fayst honneur au (ou) deshonneur, la compagnye que avons à nous (autour de nous, à notre service) y sert beaucoup». Que Marguerite n'objecte pas que sa mère a été moins difficile en d'autres temps, par exemple à l'égard de Mme de Valentinois et de Mme d'Etampes. C'est que François Ier, son beau-père, et Henri II, son mari, étaient ses rois, et qu'elle était tenue à l'obéissance. Mais bien qu'elle fût soumise à leurs volontés, ils ne lui demandèrent jamais et elle ne fit jamais chose contre son «honneur» et sa «réputatyon». Sur ce point, elle s'estimait irréprochable, et elle n'aurait point à sa mort à «en demander pardon à Dieu» ni à craindre que sa «mémoire en souyt (soit) moyns à louer». Elle ajoute, ce qui ouvre un jour curieux sur ses sentiments de parvenue, que si elle avait été fille de roi, elle n'eût pas enduré de son mari le partage.

**Note 1237:** (retour) En femme de bien et d'honneur, comme elle se doit de le faire eu égard au lieu d'où elle est née.

**Note 1238:** (retour) 25 avril 1584, *Lettres*, t. VIII, p. 180-182.--Cf. Baguenault de Puchesse, *Les Idées morales de Catherine de Médicis*, Revue historique, mai-juin 1900.

Depuis son veuvage, l'intérêt de ses enfants l'avait forcée d'accepter tous les services et de n'offenser personne; et d'ailleurs à la façon dont elle avait vécu jusque-là elle pouvait sans risques pour sa réputation «parler et aler et anter (hanter) tout le monde». Quand sa fille aurait son âge, elle pourrait faire de même «sans hofanse (offense) ni de Dyeu ni scandale du monde». Il n'y avait d'excuses à de certaines complaisances que l'ignorance ou quand les favorites «sont fammes sur quy l'on n'a puysance». Mais Marguerite était fille de roi, et «ayant espousé un prynse [qui] encore qui (bien qu'il) s'apèle roy, l'on set byen qui le (qu'il la) respecte tent, qu'ele faist ce qu'ele veult».

Elle ne devait donc plus comme autrefois «feyr (faire) cas de celes à qui yl (le roi de Navarre) feyra l'amour». Si son mari n'avait pas d'affection pour elle, c'est qu'elle ne montrait aucune humeur de ses infidélités. Il en a conclu qu'elle ne l'aimait pas, et même qu'elle était bien aise «qu'il ayme autre chause (chose) afin qu'ele en puyse fayre de mesme». Il faut donc qu'elle lui obéisse «en cet que la reyson veult et que les fammes de byen doivet à lor mary en ses aultres chauses»; mais qu'en même temps elle lui fasse connaître ce «que l'amour qu'ele luy porte et cet que ayl aist ne luy peuvest fayre endeurer». Assurément «yl ne le saret que trover tres bon et [que l'] aystymer et aymer d'avantege»[1239].

Parmi tous ces tracas, qui influaient sur son humeur et sa santé[1240], Catherine travaillait à dissoudre et à payer l'armée des Pays-Bas. Elle ne garda que quelques troupes chargées d'assurer la défense de Cambrai. Elle fit dire au duc d'Anjou qu'il ne comptât plus sur ses subsides; elle donna l'ordre à Crèvecœur et à Puygaillard, qui l'avaient escorté à l'aller jusqu'à Cambrai, de le protéger au retour, mais sans sortir du royaume[1241]. Elle fournissait à l'ambassadeur de France à Madrid des arguments pour décider Philippe II au mariage: il était à craindre que le Duc ne se rengageât dans les affaires des Pays-Bas et que le feu ne s'allumât en ces quartiers, plus violent que jamais; la querelle de Gebhard de Truchsess attirait dans la région du Rhin des reîtres des deux religions et menaçait tout le voisinage. Mais pouvait-elle croire qu'après le désastre des Açores et la débâcle d'Anvers le roi d'Espagne prendrait peur des velléités de revanche de son fils et du contre-coup de l'affaire de Cologne?

**Note 1239:** (retour) *Lettres*, VIII, p. 181. Voici la traduction en orthographe moderne de ce dernier passage qui est le plus difficile: Il faut donc que Marguerite obéisse à son mari «en ce que la raison veut et ce que les femmes de bien doivent à leur mari en toute autre chose», mais qu'en même temps elle lui fasse connaître ce «que l'amour qu'elle lui porte et ce qu'elle est (sa qualité d'épouse ou de reine) ne lui permettent pas d'endurer». Assurément «il ne saurait que le trouver très bon et que l'estimer et aimer davantage.»

**Note 1240:** (retour) : Le médecin Vigor écrit au Roi (5 sept. 1583) qu'elle a été malade et qu'il a dû la purger pour la débarrasser de ses «passions mélancholiques», *Lettres*, t. VIII, app. p. 424.--Cf. *ibid.*, p. 425, une lettre de Pinart au roi.

**Note 1241:** (retour) A Bellièvre, 21 août 1583, *Lettres*, t. VIII, p. 126; à Pibrac, chancelier du duc d'Anjou, p. 130-131; à Quincé, secrétaire du duc d'Anjou, t. VIII, p. 131; à Bellièvre, 4 septembre, p. 133; au chancelier de Cheverny,

p. 132; au colonel Wischer du régiment suisse, septembre 1582, p. 143, à Crèvecœur, 6 septembre, p. 135-136-137-138.

Elle espérait avec un peu plus d'apparence que si nous avions «ce bonheur» de garder l'île de Terceire «que ce nous sera plus de moyen de parvenir au bien de la paiz pour toute la chrestienté». Et comme elle aimait les complications, elle chargeait l'ambassadeur de dire à la duchesse de Bragance que nous embrasserions ses affaires de même affection que celles de Don Antoine «que nous n'abandonnerons jamais»[1242] (6 septembre 1583).

Or le jour même de cette dépêche à Longlée, survint à Paris la nouvelle que Terceire s'était rendue le 26 juillet. Ce n'était pas le moment d'irriter Philippe II, avec qui elle négociait, par de nouvelles courses aux Pays-Bas. Mais il lui était moins que jamais facile de manier le duc d'Anjou, qui était revenu en France «furieux, mélancholique et malade»[1243]. Il ne se pressait pas de licencier ses troupes. Il refusa de paraître à l'assemblée de Saint-Germain[1244], une réunion de notables, s'imaginant qu'elle était dirigée contre lui[1245]. Il priait sa mère d'aller le voir à Château-Thierry, promettant en ce cas de faire ce qu'elle lui conseillerait, mais elle ne croyait pas beaucoup à cette promesse, «Dyeu le veulle et que se ne souyt à la coteume (ce ne soit comme de coutume)»[1246]. Elle le trouva au lit brûlant de fièvre, consumé par la phtisie qui le tua[1247]. Elle n'en paraissait ni émue ni inquiète, ayant d'autres soucis. Il laissait entendre qu'il serait forcé de vendre Cambrai aux Espagnols, si le Roi ne lui donnait pas les moyens d'en payer la garnison.

**Note 1242:** (retour) A M. de La Motte-Longlée, 6 septembre 1583, t. VIII, p. 141.

**Note 1243:** (retour) *Mémoires de Nevers*, t. I, p. 91.

**Note 1244:** (retour) : Mariéjol, *Histoire de France de Lavisse*, t. VI. 1, p. 233 sqq.

**Note 1245:** (retour) : La Reine à Mauvissière, *Lettres*, t. VIII, p. 171.

**Note 1246:** (retour) A Bellièvre, 27 octobre 1583, *Ibid.*, t. VIII, p. 151.

**Note 1247:** (retour) A la duchesse de Nemours, 4 novembre, *Ibid.*, t. VIII, p. 152.

Livrer ce boulevard de la frontière française, c'est, écrit-elle à Bellièvre un marché «dont le seul bruict apporte et à toutte la France tant de honte et infamie que je meurs de desplaisir et d'ennuy quand je y pense»[1248]. Cri d'indignation qui émouvrait davantage si l'on était sûr qu'il jaillît de son patriotisme blessé et non pas seulement de la douleur de perdre avec cette ville tout le prix des sacrifices faits par le Roi et le royaume. Le Duc s'en prenait à tout le monde de ses malheurs. Lors d'une tentative de meurtre contre son mignon, d'Avrilly, il fit mettre à la torture l'assassin, un soldat miséreux, qui revenait des Iles, et lui arracha par la torture l'aveu qu'il avait projeté de le tuer lui aussi, à l'instigation de Philippe II, de l'abbé d'Elbene, serviteur de la Reine-mère, du duc de Guise et de beaucoup d'autres personnages. Catherine repartit pour Château-Thierry et interrogea elle-même le prisonnier, qui raconta très simplement qu'un inconnu lui avait offert quelque argent pour attenter sur la vie du mignon. A la description qu'il fit du corrupteur, on crut reconnaître Fervaques, un favori en disgrâce, qui voulait se venger d'un rival préféré. Catherine était très «marrie», comme elle l'écrivait à Villeroy, qu'il eût couru ce mauvais bruit, et à un moment en effet bien inopportun, contre le roi d'Espagne. Elle resta plusieurs jours près de son fils pour le calmer. On lui avait fait accroire ou il s'était persuadé que son frère profiterait de ses échecs en Angleterre et aux Pays-Bas pour le dépouiller «de tous les aventèges et prérogatives qui ly (lui) ont esté [accordés] par luy (Henri III) et le feu roy son frère (Charles IX), en luy donnent son apanage. Et sela le tormente, dit-elle, plus que chause qui souyt (chose qui soit)». Elle se fit écrire par Villeroy une lettre particulière destinée à rassurer le Duc et à «de remettre du tout au bon train que je désire pour se conformer aux intentions du Roy... au moings, s'ilz ne se voient, qu'ilz ayent bonne intelligence ensemble, qui est le seul moyen de leur bien et [du bien] de ce roiaulme»; car elle craignait toujours que «il feist encores des follies». Il lui avait bien promis qu'il ne ferait rien «qui trouble le royaume ni puyse depleyre au Roy, mès, disait-elle, [ce] sont paroles»[1249].

**Note 1248:** (retour) A Bellièvre, 22 novembre, *Ibid.*, t, VIII. p. 157.

**Note 1249:** (retour) 2 janvier 1584, *Ibid.*, t. VIII, p. 169.

Alors que tant de gens le poussaient à brouiller, il eût été dangereux de le désespérer. Les États généraux des Pays-Bas, tremblant pour Ypres, que les Espagnols assiégeaient, le sollicitaient de nouveau d'intervenir, bien résolus cette fois à intéresser le roi de France lui-même à les secourir. Le Duc arriva subitement à Paris (12 février 1584) chez sa mère, qu'il trouva au lit grelottant de fièvre, et, conduit par elle au Louvre, il se jeta aux genoux de son frère, le priant de lui pardonner et jurant de l'honorer et le servir désormais comme son maître et son roi. Henri l'embrassa et l'assura de toute son affection. «... Je n'eus jeamés, écrivait la Reine-mère à Bellièvre une plus grande joye depuis la mort du Roy monseigneur (Henri II) et m'aseure que si eusiés veu la façon de tous deux qu'en eusiés pleuré comme moy de joye»[1250].

Après que les deux frères eurent fêté ensemble le carnaval trois jours durant, François s'en retourna à Château-Thierry. Sa mère l'y suivit et le trouva fiévreux et harassé des plaisirs de Paris et de la Cour. Elle lui fit écrire «de très bonne encre» une dépêche à Montmorency pour lui annoncer sa réconciliation avec le Roi et une autre à l'un de ses capitaines, Rebours, qui pillait le pays, pour lui commander de prendre les ordres du lieutenant général de Picardie, Crèvecœur[1251]. Henri III laissait entendre à Duplessys-Mornay, alors à Paris et le principal conseiller du roi de Navarre, qu'il se préparait à faire la guerre aux Espagnols[1252]; et il est possible que cette espérance ait contribué à décider le chef du parti protestant à reprendre Marguerite. Les propositions des États généraux étaient bien tentantes; ils offraient au roi de France, «pour l'induire» à les assister, de lui remettre deux villes ayant un libre accès à la France, et en outre, si le Duc venait à mourir sans enfants légitimes, tous les Pays-Bas pour être et demeurer «perpétuellement unis et annexés à la Couronne de France aux mesmes conditions qu'ils estoyent avec son Alteze»[1253].

**Note 1250:** (retour) 11 mars 1584, *Lettres*, t. VIII, p. 176.

**Note 1251:** (retour) 29 mars 1584, *Ibid.*, t. VIII. p. 177.

**Note 1252:** (retour) Lettre de Du Plessy-Mornay au roi de Navarre, 9 mars 1584, *Mémoires et Correspondance*, t. II, p. 542-543, 545, 549.

**Note 1253:** (retour) Kervyn de Lettentove, t. VI, p. 158-519.

Le duc d'Anjou était rongé par son mal avec des répits qui donnaient à sa mère l'illusion d'un retour à la santé. Le 22 mars elle écrivait qu'il se portait bien, mais qu'il était «débille et ne pourroit [être] aultrement aiant esté si fort mallade et si bas que l'on l'a veu». Elle s'étonnait que le Roi n'eût pas envoyé visiter son frère et croyait qu'il suffirait de l'en faire souvenir[1254]. Mais Henri III même averti ne se dérangea pas. Le 18 avril, elle estimait que si le Duc «ne fet quelque gran desordre que sa vie est asseurée pour longtemps».[1255] Le 26 avril il eut un nouveau flux de sang qui faillit l'emporter[1256]. Le 10 mai, il paraissait guéri[1257]. Le 10 juin, il était mort.

**Note 1254:** (retour) A Villeroy, 22 mars, *Lettres*, t. VIII, p. 178-179.

**Note 1255:** (retour) 18 avril, à Bellièvre, *Ibid.*, t. VIII, p. 180.

**Note 1256:** (retour) A M. de Foix, *Ibid.*, t. VIII, p. 284.

**Note 1257:** (retour) Charles IX, miné comme le duc d'Anjou par la phtisie, trompa jusqu'à la fin les prévisions de son entourage. Le jour même de sa mort, Marillac, son premier médecin, assurait à la Reine-mère que «Sa Majesté se portoit bien et alloit guérir». *Mémoires du chancelier Cheverny*, éd. Buchon (Panthéon littéraire), p. 233.

La Reine-mère eut certainement du chagrin, mais pas aussi grand ni de telle nature qu'on le souhaiterait. Elle pleurait surtout sur elle, se «voyant privée de tous» ses enfants, elle veut dire en sa langue ses fils, «hormis d'un seul qui me reste, encore qu'il soyt, Dieu mercy, tres sain». Elle souhaitait pour elle et pour le royaume qu'il eût des garçons, ressentant outre son mal «ancore cetuy-là» qui pourrait survenir, «finisant cete race», à qui elle avait tant d'«obligation».

Il ne lui restait plus «grande consolation que de voyr ce qui reste du Roy monseigneur»--Marguerite et Henri--«bien ensemble». C'était son grand souci. «Je vous prie dyre à la Royne de Navare ma fille qu'elle ne soit cause de me augmenter mon affliction et qu'elle veille (veuille) reconestre le Roy son frère comme elle doit et ne veille fayre chouse qui l'ofence»...[1258].

Le duc d'Anjou avait légué à son frère par testament la ville de Cambrai. Henri III eut peur d'accepter et honte de restituer cette conquête à Philippe II. C'est probablement Catherine qui suggéra une combinaison à l'italienne. Le Roi renoncerait à la succession et elle, comme mère et héritière du défunt, entrerait en possession. A ce titre et vu «la dévotion» du clergé et du peuple de Cambrai, envers son fils et la Couronne de France, elle déclara prendre la «ville et cité de Cambray avec ce qui en dépend et le duché de Cambrézis, ensemble tous et chacuns les manans et habitans» sous sa «protection et sauvegarde»[1259]. Elle laissait en suspens la question de souveraineté et peut-être par cet expédient pensait-elle empêcher «aulcune alteration en la paix qui est entre le Roy catholicque et nous»[1260].

**Note 1258:** (retour) A Bellièvre, 11 juin 1584, *Lettres*, t. VIII. p. 190.

**Note 1259:** (retour) Déclaration du 20 juillet 1584, *Ibid.*, t. VIII, app., p. 444.

**Note 1260:** (retour) A M. de Maisse, 12 septembre 1584, *Ibid.*, t. VIII, p. 219.

Elle battait en retraite, comme toujours, sur un air de bravoure. En cas d'agression, «la France ne se trouvera poinct tant despourveue de moyens qu'elle n'ayt de quoy se deffendre et repoulser l'injure que l'on luy vouldra faire»[1261]. Mais les actes juraient avec les paroles.

Le 2 juillet 1584, elle avait défendu aux députés des États généraux d'avancer plus loin que Rouen, où ils venaient de débarquer[1262]. Le 9 avril 1585, elle leur refusa formellement tout concours[1263] et, avec de vagues assurances de bonne volonté, elle les abandonnait à leur sort[1264]. Son fils mort, il ne fut plus question que d'échapper aux représailles.

**Note 1261:** (retour) *Ibid.*, t. VIII, p. 219.

**Note 1262:** (retour) *Ibid.*, t. VIII, p. 193.

**Note 1263:** (retour) *Ibid.*, t. X. p. 470.

**Note 1264:** (retour) Sa revanche contre Philippe II se borna désormais à suivre avec une sympathie rancunière les déprédations du fameux corsaire anglais, Drake, dans les mers et les colonies espagnoles. Lettre à Châteauneuf, ambassadeur de France en Angleterre, 30 juin 1586, t. VIII, p. 18 et à Villeroy, 15 août 1586, t. VIII, p. 32. Dans sa galerie de portraits des souverains et des princes, elle avait admis celui de ce simple chef d'escadre, honneur significatif. Bonnaffé, *Inventaire*, p. 77, no 179.

Aussi bien Catherine n'avait jamais eu l'idée de fonder un empire colonial ni même de reculer les limites du royaume. Tout son effort tendit à pourvoir au dehors l'un de ses fils pour l'empêcher de «brouiller» contre l'autre au dedans. L'expédition des Açores et le projet de descente au Brésil, comme aussi sa participation à l'envahissement des Flandres, n'ont pas eu d'autre objet. Tout au plus peut-on supposer qu'elle a, par vanité personnelle, détourné vers le Portugal des forces qui eussent trouvé un meilleur emploi aux Pays Bas. Mais les conquêtes sur terre et sur mer l'intéressaient par-dessus tout comme un moyen de rétablir ou de maintenir l'accord entre ses enfants: préoccupation maternelle, qui, si légitime qu'elle paraisse, exclut l'idée d'une grande politique.

L'annexion de la ville de Cambrai fut tout le bénéfice--et si vite perdu--de ce dessein familial. Ces agressions couvertes irritèrent Philippe II plus qu'une guerre franche. Enfin elles épuisèrent le royaume. Il est d'usage d'imputer la détresse financière aux prodigalités d'Henri III. Mais il ne faudrait pas oublier le prix des entreprises continentales et maritimes pour faire vivre en paix deux frères ennemis.

# CHAPITRE XI

## LA LIGUE ET LA LOI SALIQUE

Depuis la mort sans héritier de François de Valois, duc d'Anjou (10 juin 1584), la question de la succession au trône était posée. Le seul fils survivant de Catherine, Henri III, n'avait pas d'enfant, ni, semblait-il, aucune chance d'en avoir jamais. Qui régnerait après lui? La loi salique désignait le roi de Navarre, chef de la maison de Bourbon, qui, comme celle de Valois, remontait à saint Louis. S'il avait été catholique, ses droits auraient été, non seulement reconnus, mais acclamés. Il avait des qualités qui, de tout temps, en ce pays de France, ont été populaires: la bonne humeur un peu fanfaronne, l'esprit gaillard, la riposte prompte, et, depuis la prise de Cahors, un renom mérité d'héroïsme. Même les expériences de son cœur «innombrable» ne lui auraient pas nui. Mais il était hérétique et relaps. La nation catholique craignait que, devenu le maître, il n'employât, selon le dogmatisme intransigeant de l'époque, tous les moyens en son pouvoir contre les ennemis de son Église. Et même à le supposer tolérant, elle ne jugeait pas qu'il pût être roi sans être oint de la sainte ampoule et couronné de la main des évêques.

Henri III avait à cœur de sauvegarder l'avenir du catholicisme, et d'autre part il se sentait lié par la loi de succession, en vertu de laquelle il régnait. Quand il sut que la fin de son frère était proche, il envoya un de ses deux principaux favoris, le duc d'Epernon, visiter le roi de Navarre et peut-être l'engager à se faire catholique. Mais il se garda bien de reconnaître publiquement ses droits. Rien ne pressait d'ailleurs. Agé seulement de trente-deux ans, ne pouvait-il pas espérer, même après dix ans de mariage, avoir un jour des enfants de sa femme? En tout cas il attendrait patiemment le coup de la grâce ou de la politique qui déciderait le roi de Navarre à se convertir. Il aimait la paix et la jugeait nécessaire à son royaume. Les expéditions du duc d'Anjou aux Pays-Bas et la diversion de Catherine aux Açores avaient vidé le trésor. Ce n'était pas le moment de recommencer la guerre contre les protestants, et, pour une inquiétude, de mettre le royaume à feu et à sang.

Comme si ce n'était pas assez de ce désaccord avec ses sujets catholiques sur la question de succession, il continuait à braver l'opinion, entremêlant les débauches et les pénitences, les excès du carnaval et les retraites pieuses. Il donnait et dépensait sans compter. Il vivait toujours plus isolé dans le cercle fermé de ses affections. Joyeuse, aimable et doux, cherchait à plaire à tout le monde; d'Epernon, dur et violent, avait une hauteur d'orgueil qui n'admettait pas de supériorité et une passion de commandement qui ne souffrait pas de résistance. Il ne connaissait que son maître et ne ménageait personne. Il narguait le peuple de Paris, qui lui rendait haine pour mépris. Il contrecarrait l'action de la Reine-mère et minait tant qu'il pouvait son crédit.

Cependant le parti catholique se préparait à la lutte. Il voulait en finir le plus tôt possible avec le cauchemar d'une dynastie protestante; il aiderait le Roi et au besoin le forcerait à exclure du trône le Béarnais. Il désignait pour héritier présomptif le cardinal de Bourbon, oncle germain du roi de Navarre, un vieux barbon de soixante-cinq ans à la tête légère, dont les droits passaient après ceux de son neveu, mais qui s'était laissé persuader sans peine que sa religion lui créerait un privilège.

Le véritable chef du parti était le duc de Guise, Henri, brave comme son père, François, et, comme lui, cher aux gens d'épée et au peuple de Paris. Ses frères, le cardinal de Guise et le duc de Mayenne, l'un grand seigneur d'Église et l'autre capitaine heureux, sinon habile; ses cousins germains, les ducs d'Aumale et d'Elbœuf, l'aidaient de leurs charges et de leurs bénéfices à défendre la cause catholique étroitement liée à celle de leur maison. Il pouvait compter aussi sur un petit cousin de la branche lorraine de Vaudemont, le duc de Mercœur, frère de la Reine régnante, nommé par Henri III gouverneur de Bretagne et marié par lui à la riche héritière des Martigues-Luxembourg, mais grand catholique.

A la différence des Guise, ces cadets essaimés en France et qui y avaient fait une si éclatante fortune, le chef de la branche aînée de Lorraine, le duc régnant, Charles III, s'étudiait à montrer autant de déférence pour Henri III, son beau-frère, que de zèle pour le catholicisme. Des quatre filles qu'il avait eues de son mariage avec Claude de Valois, il avait confié l'aînée, Christine, à Catherine de Médicis, qui l'aimait et l'emmenait partout avec elle. Il se gardait bien, connaissant la susceptibilité du Roi, de poser son fils, le marquis de Pont-à-Mousson, en prétendant à la couronne. Il laissait ses brillants seconds mener l'attaque contre la loi salique, espérant peut-être, s'ils réussissaient à la faire abolir, que son fils, qui était du sang royal de France par sa femme, et par lui de la branche aînée de Lorraine, apparaîtrait au Roi et aux Guise en lutte comme un candidat de conciliation.

C'était à Nancy[1265], sa capitale, mais non, il est vrai, dans le château ducal, que s'étaient réunis, quelques mois après la mort du duc d'Anjou (sept. 1584), Guise, Mayenne, le cardinal de Guise, le baron de Senecey, ancien président de la Chambre de la noblesse aux États de 1576, François de Roncherolles, sieur de Maineville, le principal agent du cardinal de Bourbon, et qu'ils avaient résolu de former «une ligue et association naturelle des forces et moyens communs». Les grandes villes montraient même ardeur pour la défense de leur foi. Paris n'avait pas attendu l'appel des princes. Un bourgeois, Charles Hotman, les curés de Saint-Séverin et de Saint-Benoît, Prévost et Boucher, un chanoine de Soissons, Mathieu de Launay, s'étaient concertés secrètement avec quelques autres bons catholiques, l'avocat Louis Dorléans, un maître des comptes, Acarie, le marchand Compans, le procureur Crucé, pour barrer la route au prétendant hérétique. Ces premiers adhérents de la Ligue parisienne en recrutèrent d'autres parmi les suppôts du Parlement, huissiers et clercs, commissaires et sergents, et dans les milieux besogneux et ardents de la basoche et de l'Université. Les mariniers et les garçons de rivière (débardeurs), les bouchers et les charcutiers, gagnés eux aussi, fourniraient, en cas d'émeute, des hommes de main. C'était la bourgeoisie moyenne et le peuple qui se mettaient en avant. Les grandes familles parlementaires étaient trop timorées ou trop loyalistes pour se risquer hâtivement dans cette aventure.

**Note 1265:** (retour) Sur l'assemblée de Nancy, voir Davillé, *les Prétentions de Charles III, duc de Lorraine, à la Couronne de France*, p. 71 et *passim*, ch. III.

La Ligue se chercha des appuis au dehors. Les conjurés de Nancy députèrent au pape un Jésuite, le P. Claude Mathieu, ancien Provincial de France et supérieur de la maison professe de Paris, pour exposer leur dessein et solliciter sa bénédiction et protection. Grégoire XIII loua l'intention, mais s'excusa discrètement d'autoriser l'entreprise si elle se faisait contre la volonté du Roi[1266].

**Note 1266:** (retour) P. Fouqueray, *Histoire des Jésuites*, t. II, p. 131.

Philippe II n'avait pas mêmes scrupules. Le moment lui paraissait venu de rendre aux Valois coup pour coup. Jusque-là, il avait souffert sans riposter toutes les provocations, uniquement attaché à réprimer les révoltes dans ses États, et depuis la mort de D. Sébastien, à s'assurer la couronne de Portugal. Mais après l'achèvement de l'unité politique de la péninsule,--ce legs de ses prédécesseurs et la grande œuvre de son règne--il avait les mains libres pour une action énergique au dehors. Son intérêt était d'accord avec ses rancunes. Souverain des Pays-Bas, dont une moitié, les provinces du Nord, se maintenait en révolte malgré l'assassinat de Guillaume de Nassau (juillet 1584) et les succès du duc de Parme, il ne pouvait, sous peine de perdre le reste, permettre l'avènement en France d'une dynastie huguenote. Roi catholique enfin, il se sentait tenu d'empêcher ce nouveau progrès de l'hérésie en Europe.

Le 31 décembre 1584, au château de Joinville, les ducs de Guise et de Mayenne, tant pour eux que pour le cardinal de Guise et les ducs d'Aumale et d'Elbœuf, le sieur de Maineville et le représentant du roi d'Espagne, s'engagèrent par traité à exclure du trône les Bourbons hérétiques, à déclarer le cardinal de Bourbon «successeur de la Couronne de France», à fonder une sainte Ligue perpétuelle, offensive et défensive, «pour la seule tuition, défense et conservation de la Religion catholique apostolique et romaine» «et pour l'extirpation de toutes hérésies en France et dans les Pays-Bas». Philippe II promettait un subside annuel de 600 000 écus, dont il ferait l'avance la première année par moitiés payables en mars et juillet[1267].

Le traité restait ouvert au duc de Mercœur, que son alliance de famille avec Henri III n'empêcha pas d'y adhérer, et au duc de Nevers, un des fauteurs de la Saint-Barthélemy, attiré du côté des Guise par le péril de la foi, mais retenu dans l'obéissance d'Henri III par son loyalisme, et qui, ne sachant quel parti prendre, alla solliciter à Rome un conseil que le successeur de Grégoire XIII, Sixte-Quint, un pape autoritaire, aussi ennemi de la rébellion que de l'hérésie, s'abstint de lui donner.

Le duc de Lorraine, continuant son double jeu, refusa de signer le traité pour ne pas offenser Henri III, mais consentit à avancer aux contractants, dans les six derniers mois de la première année, les deux tiers du subside espagnol de la seconde, soit 400 000 écus[1268].

**Note 1267:** (retour) Du Mont, *Corps diplomatique*, t. V, 1re partie, p. 441-443.

**Note 1268:** (retour) Davillé, p. 86.

Après entente avec la Ligue parisienne, les princes catholiques datèrent de Péronne, le berceau de la Ligue de 1576, une Déclaration des causes qui ont «meu Monseigneur le Cardinal de Bourbon, et les Pairs, Princes, Seigneurs, villes et communautez Catholiques de ce royaume de France, De s'opposer à ceux qui par tous moyens s'efforcent de subvertir la Religion Catholique et l'Estat» (30 mars 1585).

Il était trop à craindre, disaient-ils, que si la maison régnante s'éteignait sans lignée, «ce que Dieu ne vueille», il n'advînt «en l'establissement d'un successeur en l'Estat royal... de grands troubles par toute la Chrestienté et peut estre la totale subversion de la Religion Catholique, Apostolique et Romaine en ce royaume très-Chrestien». Il n'était que temps d'y pourvoir. «... Ceux qui par profession publique se sont tousjour monstrez persécuteurs de l'Église Catholique» (Navarre et Condé) étaient, surtout depuis la mort de Monsieur, «favorisez et appuyez». Ils faisaient partout «levées de gens de guerre, tant dehors que dedans le royaume»; ils retenaient «des villes et places fortes» qu'ils auraient dû remettre «de longtemps entre les mains du Roy». Ils pratiquaient les princes protestants d'Allemagne «pour avoir des forces afin d'opprimer les gens de bien plus à leur aise» et «renverser la Religion Catholique». Ils avaient à la Cour même des complices. «... D'aucuns (c'est-à-dire d'Épernon et Joyeuse)... s'estants glissez en l'amitié du Roy nostre Prince souverain» «se sont comme saisis de son authorité pour se maintenir en la grandeur qu'ils ont usurpée, favorisent et procurent par tous moyens l'effect des susdicts changemens et prétentions». Ils «ont eu la hardiesse et le pouvoir d'esloigner de la privée conversation de Sa Majesté non seulement les Princes et la Noblesse, mais tout ce qu'il a de plus proche (c'est-à-dire Catherine), n'y donnant accez qu'à ce qui est d'eux». Ils accaparent le gouvernement de l'État, dépouillant ceux qui en étaient investis, les uns «du tiltre de leur dignité et les autres du pouvoir de fonction», forcent les titulaires de certaines charges de les leur «quitter et remettre... moyennant quelques récompenses de deniers» et se rendent «par ce moyen» «maistres des armes par mer et par terre».

La promesse faite aux États généraux de 1576 de réunir tous les sujets «à une seule religion catholique» n'avait pas été tenue; le Clergé était «opprimé de decimes et subventions extraordinaires»; la Noblesse «anulie, asservie et vilennée»; les villes, les officiers royaux et le menu peuple «serrez de si prez par la fréquentation (fréquence) de nouvelles impositions, que l'on appelle inventions, qu'il ne reste plus rien à inventer, sinon le seul moyen d'y donner un bon remède».

«Pour ces justes causes et considérations», le cardinal de Bourbon, premier Prince du sang, Cardinal de l'Église catholique, apostolique et romaine, «comme à celuy qui touche de plus près de prendre en sauve-garde et protection» la religion et la conservation des bons et loyaux serviteurs du Roi et de l'État, et avec lui plusieurs Princes du sang, Cardinaux et autres Princes, Pairs, Prélats, Officiers de la Couronne, Gouverneurs de provinces, principaux Seigneurs, Gentilshommes, beaucoup de bonnes villes et communautés et bon nombre de fidèles sujets «faisans la meilleure et plus saine partie de ce Royaume» avaient «tous juré et sainctement promis de tenir la main forte et armes» à rétablir l'Église «en sa dignité et en la vraye et seule Catholique Religion» et la noblesse en ses franchises, garantir les droits des Parlements et des officiers, soulager le peuple, employer les deniers publics à la défense du royaume, et obtenir la réunion d'États généraux libres de trois ans en trois ans «pour le plus tard».

Les ligueurs protestaient de leur dévouement au Roi, promettant de poser les armes aussitôt qu'il aurait fait cesser «de péril qui menasse la ruine du service de Dieu et de tant de gens de bien». Ils sollicitaient les bons offices de Catherine auprès de son fils: «...Supplions tous ensemble très humblement la Royne mère du Roy nostre très honorée dame (sans la sagesse et prudence de laquelle le Royaume seroit dès pieça dissipé et perdu)... de ne nous vouloir à ce coup abandonner, mais y employer tout le crédit que ses peines et labourieux travaux luy devroyent justement attribuer et que ses ennemis lui pourroient avoir infidèlement ravy d'auprès du Roy son fils»[1269].

**Note 1269:** (retour) *Le Premier Recueil de pièces concernant les choses les plus mémorables advenues sous la Ligue...*, 1590, p. 85-97.

Henri III crut habile de répondre à cet acte d'accusation. Il s'étendit longuement sur le chapitre de la religion. Qui avait montré plus de zèle que lui pour les intérêts de l'Église? N'avait-il pas dès sa première jeunesse porté les armes pour elle? On lui reprochait de laisser les huguenots en paix. A qui la faute? Les États généraux de 1576 ne lui avaient-ils pas refusé les moyens de pousser la guerre à fond? D'ailleurs la paix à laquelle la mauvaise volonté des trois ordres l'avait réduit n'avait pas été sans avantages pour la religion. Le culte catholique avait été rétabli dans nombre d'endroits où les bandes protestantes l'avaient supprimé. La tranquillité avait repeuplé les campagnes. Il avait donné tous ses soins à conférer les bénéfices à des ecclésiastiques dignes de les occuper. On se préoccupait déjà du choix de son successeur. C'était «se deffier par trop de la grace et bonté de Dieu, de la santé et vie de sadite Majesté et de la fécondité de ladite dame Royne sa femme[1270] que de mouvoir à présent telle question et mesme en poursuivre la décision par la voie des armes». La guerre aux protestants, loin de prévenir un mal incertain, ne ferait que remplir le royaume «de forces estrangères, de partialitez et discordes immortelles, de sang, de meurtres et brigandages infinis». «Et voilà, s'écriait le Roi, comment la Religion Catholique y sera restablie, que l'Écclésiastique sera deschargé de decimes, que le Gentil-homme vivra en repos et seureté en sa maison et jouira de ses droicts et prérogatives, que les Citoyens et habitans des villes seront exempts de garnisons et que le pauvre peuple sera soulagé des daces et impositions qu'il supporte.» Il revendiquait le droit de distribuer comme il lui convenait les charges et les honneurs. Depuis quand les Rois ont-ils été «astrainchts à se servir des uns plustost que des autres: car il n'y a loy qui les oblige à ce faire que celle du bien de leur service». Mais, toutefois, il avait toujours grandement honoré et chéri les princes de son sang, et tels que l'on dit être «autheurs de telles plainctes ont plustost occasion de se louer de la bonté et amitié de sadicte Majesté que de s'en douloir et départir».

La guerre civile n'est pas «le chemin qu'il faut tenir pour régler les abus desquels l'on se plainct». Qu'on pose les armes, qu'on contremande les forces étrangères et qu'on délivre ce royaume du danger qu'il court. Alors le Roi «embrassera tres-volontiers les remèdes propres et convenables qui lui seront présentez pour y pourveoir»[1271].

**Note 1270:** (retour) Le secrétaire de Jérôme Lippomano, ambassadeur de Venise en France en 1577-1579, dit de Louise de Lorraine: «Elle est d'une constitution et complexion très faible; et c'est pourquoi on l'estime peu propre à avoir des enfants. Elle est plutôt maigre de corps qu'autre chose...» *Relations des ambassadeurs vénitiens sur les affaires de France au XVIe siècle*, publ. et trad. par Tommaseo, t. II, p. 632 (Coll. Doc. inédits, 1838).

**Note 1271:** (retour) 1271: *Le Premier Recueil de pièces*... 1590, p. 101-115.

Guise vit qu'il n'obtiendrait rien que par la force. Il assembla de toute part des troupes, il leva six mille Suisses dans les cantons catholiques, enrôla des lansquenets et des reîtres en Allemagne et fit partout des amas d'armes. Ses parents, les ducs d'Elbœuf, d'Aumale et de Mercœur soulevèrent la

Normandie, la Picardie, la Bretagne. Mayenne occupa Dijon, Mâcon, Auxonne. La Châtre lui donna Bourges; Entragues, Orléans. Le gouverneur de Lyon, Mandelot, mécontent de la Cour, rasa la citadelle qui tenait la ville en bride (5 mai). Le Midi et l'Ouest restèrent fidèles au Roi ou à la cause protestante, mais presque toutes les provinces du Centre et du Nord se déclarèrent pour la Ligue. Guise s'empara de Toul et de Verdun, et bien qu'il eût manqué Metz, où d'Épernon le prévint, il barra la route aux secours que le Roi attendait d'Allemagne.

A la fin de mai il avait réuni à Châlons, où il établit son quartier général, 25 000 fantassins et 2 000 chevaux, sans compter les troupes du duc d'Elbœuf et de Brissac et les garnisons qui occupaient les villages autour d'Épernay[1272].

**Note 1272:** (retour) Comte Édouard de Barthelemy, *Catherine de Médicis, le duc de Guise et le traité de Nemours, Revue des questions historiques*, t. XXVII, 1880, p. 489.

Henri était surpris par l'événement. Les Suisses qu'il venait de lever avec l'argent prêté par le banquier Zamet arriveraient-ils à temps? En son embarras, il recourut comme toujours à sa mère et la députa aux princes ligués. Il se comportait avec elle en enfant gâté; il la contrecarrait souvent; il écoutait volontiers les favoris et en particulier d'Épernon, qui la lui représentaient comme faible et timide, ou qui même insinuaient qu'elle était trop favorable aux Lorrains. Mais il savait par expérience quel fonds il pouvait faire sur sa tendresse? Avant même d'avoir connaissance du manifeste de Péronne, qui invoquait sa médiation, elle s'était mise en route pour aller trouver les chefs catholiques. Mais Guise n'était pas pressé de négocier sans avoir les mains pleines. Il la rejoignit seulement le 9 avril à Épernay «et, raconte-t-elle, estans entrez en propos, il a jecté des larmes, monstrant d'estre fort attristé». Pourtant elle n'en tira rien que des plaintes sur le voyage du duc d'Épernon en Guyenne, sur un entretien secret du Roi avec un agent de François de Châtillon, et sur le péril du catholicisme. Persuadée que c'étaient des prétextes et que la religion servait de couverture à ses exigences, elle s'efforça sans succès de savoir «des causes pour lesquelles ils se sont licenciez à faire un si grand mal que celuy qu'ils commençoient»[1273]. Mais il éludait les explications. Elle le soupçonnait d'empêcher Mayenne et le cardinal de Bourbon de venir à la conférence où elle les conviait[1274] et même il finit par s'en aller lui-même. Elle recourut alors au duc de Lorraine, qui, écrivait-elle à son fils, lui avait témoigné «un extresme regret de la grande faulte» où les Guise ses cousins «sont tombez et de s'estre tant oubliez d'avoir fait une si pernicieuse entreprise». Il assurait à sa belle-mère «que l'on ne feust point entré» en ces remuements, «si, dez qu'il alla à Joinville, il eust eu quelque commandement (instruction) de vous. Car il congnoissoit desjà le malcontentement qu'avoient ses dicts cousins; et combien qu'il ne sçeust leur delibération, si (toutefois) essaya-t-il tant qu'il peut (pût) de les destourner de rien faire à vostre préjudice». Elle ne savait pas ou cachait qu'elle savait le rôle équivoque de son gendre et proposait à son fils d'agréer ce médiateur, qui a «très bonne volonté», dit-elle, de lui faire «avec moy tout le très humble service qu'il pourra»[1275].

**Note 1273:** (retour) 1273 *Lettres*, t. VIII, p. 245.

**Note 1274:** (retour) *Ibid.*, p. 255, lettre du 16 avril 1585.

**Note 1275:** (retour) *Ibid.*, p. 250-251, 14 avril 1585.

Elle l'employa d'abord à ramener Guise à Épernay. Elle s'y morfondait, accablée de misères physiques: accès de goutte, crise de toux avec douleur au côté, mal à l'oreille, mal au pied, mal au cœur, pouvant à peine se tenir debout et ne se levant que le temps de refaire son lit, et cependant plus malheureuse encore de n'avoir personne avec qui négocier. Les chefs ligueurs, sachant son état, espéraient qu'elle perdrait courage et rentrerait à Paris. Le cardinal de Bourbon s'attardait à faire une «nonnaine» (neuvaine) à Notre-Dame de Liesse. Mayenne protestait que si le Roi l'assurait «de sa bonne grase» et lui commandait d'«aler lui faire cervice en Flandre»[1276], c'est-à-dire contre les Espagnols, il partirait immédiatement; mais, en attendant, il n'arrivait pas. Impatientée de leur mauvais vouloir, elle écrivit à son fils qu'elle allait «fayre parler au roy de Navarre» «et voy bien, disait-elle, qu'à la fin nous en tomberon là»[1277]. C'est peut-être la peur de ce rapprochement qui, coïncidant avec quelques échecs du parti à Marseille et à Bordeaux, décida les Guise et Bourbon à se hâter. Ils arrivèrent le 29 avril et consentirent une trêve d'armes de quinze jours.

A la première entrevue, ainsi que Catherine tenait son vieil ami le Cardinal «embrassé», il «pleura et soupira fort, raconte-t-elle, monstrant avoir regrect de se voir embarqué en ces choses cy.... et sur les remonstrances que je luy fis, il me confessa franchement avoir fait une grande folie, me disant qu'il en falloit faire une en sa vie, et que c'estoit là la sienne, mais qu'il y avoit esté poussé par le zèle qu'il a à nostre religion». Elle le fit parler--car elle le savait bavard--pour tâcher de découvrir «ses intentions», mais elle n'en tira que des déclarations de bonne volonté. Au jugement du bonhomme, l'unité de foi était facile à rétablir pourvu qu'on se hâtât. N'importe quel souverain trouverait bon que le Roi ne voulût qu'une religion en son royaume. Il se faisait fort «que tous les princes catolicques de la Chrestienté, *voire la royne d'Angleterre*», feraient «ligue... défensive» avec Henri III, «à l'encontre de princes»--il voulait dire le roi de Navarre et le prince de Condé--qui se soulèveraient contre lui[1278]. On peut juger par là de son intelligence.

**Note 1276:** (retour) 9 avril 1585, *Lettres*, t. VIII, p. 259.

**Note 1277:** (retour) *Ibid.*, p. 261.

**Note 1278:** (retour) *Ibid.*, p. 269.

Henri III consentait, quoi qu'il lui en coûtât, à révoquer son Édit de pacification, mais il trouvait trop humiliant d'accorder à ses sujets catholiques des places de sûreté, comme aux huguenots, en garantie de sa parole. Catherine savait qu'il faudrait céder sur ce point comme sur l'autre, ou sinon, «ceret (ce serait) enplatre qui ne guéryra la playe» [1279]. On le vit bien à Jalons, près de Châlons, où elle était allée chercher Guise et Bourbon, qui de nouveau se dérobaient. Quand le médecin du Roi, Miron, qui circulait entre Paris et Epernay, soignant le «catarrhe» de Catherine et la congestion de l'État, apporta la nouvelle que le Roi interdisait l'exercice de la religion prétendue réformée en tout son royaume, le cardinal de Bourbon, écrit Catherine à son fils, «prenant la parole a commencé, joingnant les mains, à rendre grace à Dieu de vostre saincte intention, disant... qu'il falloit du tout extirper et desraciner cette hérésie, c'efforçant de monstrer qu'il ne falloit pas seulement oster l'exercice de la prétendue religion, mais.... la desraciner entièrement et qu'ils ne demandoient rien que cela, répétant si soubvent la mesme chose» qu'elle l'avait prié d'abréger ce propos. Mais le duc de Guise «que je voyois bien à son contenance avoir grande poyne d'oyr parler ainsy franchement le cardinal de Bourbon» intervint pour dire «qu'en traictant du faict de la relligion, il falloit aussy adviser à leurs seuretés et de leurs colligués... et qu'ils avoient toujours joinct... les deux poincts de la relligion et leurs seuretés et que l'ung ne se pouvoit faire sans l'aultre». Catherine proposa de mettre par écrit, immédiatement «quelque bonne résolution» pour décharger le pauvre peuple de tant de maux, et de renvoyer à plus tard le règlement des sûretés. Elle s'adressa au Cardinal qu'elle voyait si bien disposé. Et lui tout d'abord consentit à ce qu'elle disait, mais il s'aperçut «qu'il s'estoit un peu trop ouvert au gré de Monsieur de Guise» et il en vint lui aussi aux sûretés. Le Duc demanda que le Roi leur fit connaître par écrit son «intention» sur ce point, «pour y adviser et répondre». Quoi que la Reine dît, elle ne réussit pas «à les ranger à leur debvoir»[1280].

Il ne fut pas facile de se mettre d'accord sur le lieu d'une nouvelle conférence, le Duc refusant de revenir à Epernay et la Reine d'aller à Châlons, où il commandait en maître.

Même au lit et ne pouvant écrire, Catherine parlait, dictait, ordonnait, veillait à tout. Elle signalait à son fils les mouvements des Ligueurs, écrivait aux gens de Metz de se garder, ne cessait de recommander au Roi «d'estre... le plus fort»[1281]. «Quand vous serez préparé, vous aurez tousjours la paix plus avantaigeuse»[1282]. Le «bâton porte paix», déclarait-elle pittoresquement[1283]. Le Roi n'a pas assez de forces, constate-t-elle avec mélancolie. Elle le presse de «hâter» ses «forces» et de «les avoir les plus grandes» qu'il pourra, car «aultrement chacun vous vouldra donner la loy et... quand ce viendra à leurs seuretés, en vous demandant des choses trop déraisonnables»[1284].

**Note 1279:** (retour) **Ibid.**, p. 275.

**Note 1280:** (retour) 7 mai 1585, t. *Lettres*, VIII, 278-279.

**Note 1281:** (retour) 25 avril 1585, *Ibid.*, p. 263.

**Note 1282:** (retour) *Ibid.*, p. 251 et p. 272.

**Note 1283:** (retour) *Ibid.*, p. 249.

**Note 1284:** (retour) *Ibid.*, p. 280.

A Sarry, où elle s'était fait porter pour attendre le Duc et le Cardinal, le marchandage sur les sûretés commença (12 mai). Les prétentions des chefs de la Ligue étaient exorbitantes. Ils demandaient pour le Cardinal Rouen et Dieppe; pour Guise, Metz; pour Mercœur, deux places à son choix en Bretagne; pour Mayenne, outre le château de Dijon qu'il tenait, celui de Beaune ou la citadelle de Chalon; pour le cardinal de Guise, le gouvernement de Reims, qui serait détaché de celui de la Champagne; pour d'Aumale, les places de Picardie qu'il avait occupées, et en outre le maintien ou le rétablissement dans leurs charges des gouverneurs ou des capitaines qui s'étaient déclarés pour leur parti. La Reine-mère rabattit le plus qu'elle put de ces exigences et sur le reste demanda l'avis du Roi. Henri III restreignit encore les concessions et plus particulièrement celles qui touchaient le duc de Guise et les cardinaux de Bourbon et de Guise. Quand le secrétaire d'État, Pinart, eut lu les réponses à leurs articles, le cardinal de Bourbon se leva, raconte Catherine, et «nous a dit en collere, estant fort rougy (rouge), que c'estoit les mectre à la gueulle aux loups, puisque vous ne leur bailliez poinct de seuretez particulières, non qu'ilz en demandassent pour eulx, mais pour le faict de la relligion». La Reine eut beau lui remontrer qu'ils avaient grande occasion d'être satisfaits des réponses du Roi; mais «comme gens qui ne se contentent pas de la raison et qui auroyent peult estre bien envye de mal faire, se sont tous ostez de leurs places, monstrans n'estre pas contens». La discussion reprit quelques heures après autour du lit de la Reine, qui, pour ne pas rompre, leur fit quelques offres, «des moindres, écrit-elle, qu'il m'a esté possible»[1285]. Mais le lendemain le cardinal de Bourbon et le Duc vinrent dans sa chambre lui déclarer qu'ils n'avaient aucun pouvoir de diminuer les articles arrêtés de concert avec leurs «colligués» et qu'ils allaient les avertir de la réponse du Roi. Elle leur reprocha de lui servir cette défaite après l'avoir tenue deux mois là et «entretenue et abuzée si longuement de tant de déguisement»--et elle menaça de partir dès le lendemain[1286]. Mais probablement elle n'en avait pas grande envie. Le duc de Lorraine, bailleur de fonds de la Ligue et avocat-conseil de la Reine-mère, s'entremit pour empêcher la rupture, écrit Catherine à son fils, et «désirant au contraire (comme j'ay tousjours congneu qu'il faisoit) que nous peussions prendre une bonne résollution au bien de vostre service et repos de vostre royaume, et, comme je pense, pour le bien aussi de ses cousins parlant à eulx et leur remonstrant le tort qu'ilz se faisoient, a renoué nostre négotiation»[1287]. Le débat reprit. Elle représenta à Guise qu'obliger le Roi à priver ses serviteurs restés fidèles de leur gouvernement pour en investir les ligueurs, c'était «partir avec lui son royaume». Mais l'autre soutenait que «ce qu'ilz désirent n'est que pour seureté de la relligion»[1288]. Quelque concession qu'elle fît, les chefs ligueurs trouvaient toujours que ce n'était pas assez[1289].

Le Cardinal en convenait lui-même dans une lettre à Mme de Nevers (29 mai). «La Reine nous parle de la paix, mais nous demandons tant de choses pour le bien de nostre relligion que je ne croi [pas] qu'on accorde nos demandes»[1290]. Guise informait aussi le duc de Nevers qu'il assemblait «des forces de toutes parts en diligence afin d'estre prest à conclure les choses le bâton à la main. Il se montrait si intransigeant parce qu'il avait avis de l'arrivée de 8 000 Suisses, que lui amenait le colonel Pfyffer.

**Note 1285:** (retour) 29 mai 1585, *Lettres*, t. VIII, p. 303 et 305.

**Note 1286:** (retour) *Ibid.*, p. 306, 30 mai.

**Note 1287:** (retour) *Ibid.*, p. 306.

**Note 1288:** (retour) *Ibid.*, p. 307.

**Note 1289:** (retour) *Ibid.*, p. 310, 31 mai.

**Note 1290:** (retour) *Lettres*, t. VIII, p. 292, note 1.

Catherine désespérait d'aboutir. Elle écrivait à Villeroy pour le redire à son fils «qu'il (le Roi) n'aura jeamès la pays (paix), s'yl ne feyt quelque chouse pour Monsieur le cardinal de Bourbon et qu'il set (se) trompe s'il panse autrement, car quelque chouse qu'yl (le Cardinal) dye, yl n'y en a poynt qui veulle plus avoir cet qu'il veult que luy... et aussi Monsieur de Guise... car heu deus contemps (contents), les autres y (ils) les fayront contenter»[1291]. Elle protestait qu'elle disait au Roi la vérité, et, sachant qu'à la Cour on l'accusait de faiblesse pour les Lorrains, elle offrit de se retirer: «J'attends en grande dévotion, écrit-elle à Henri III le 10 juin, ce qu'il vous plaira que je fasse, car je n'ose partir sans le savoir, veu ce que m'avez mandé que après que tout seroit faict ou failly, je ne partisse que je n'eusse de vos nouvelles; ce que je souhaite estre bientost, car ne vous servant icy de rien je désire infiniment vous voir et avoir parlé une heure à vous seul et après j'iray où et faire ce qui vous plaira; car je ne plains ma poyne, sinon quand elle ne vous sert de rien»[1292].

C'est la seconde fois qu'elle met son fils en demeure de lui laisser les mains libres ou de la rappeler. La veille, les Ligueurs lui avaient présenté leur «*Requeste au Roy et dernière résolution des Princes, Seigneurs... pour monstrer clairement que leur intention n'est autre que la promotion et avancement de la gloire honneur de Dieu et extirpation des hérésies sans rien attenter à l'Estat...*»[1293] C'était leur ultimatum. Ils demandaient un édit contre les hérétiques sans réserve ni restriction, offrant, si le Roi voulait l'exécuter, avec les forces dont ils disposaient, de se départir de toutes autres sûretés «que celles qui dépendent de sa bonne grace, de leur innocence et de la bien-veillance des gens de bien».

**Note 1291:** (retour) 3 juin 1585, *Ibid.*, p. 311.

**Note 1292:** (retour) *Ibid.*, p. 316.

**Note 1293:** (retour) *Recueil de pièces*, p. 325.

En même temps, ils faisaient avancer leurs troupes. Le colonel Pfyffer, qui les avait rejoints, leur amenait des Suisses et se faisait fort de débaucher les Suisses du Roi. La Reine n'avait pas cessé de craindre une attaque sur Paris «où yl (le duc de Guise), écrivait-elle déjà le 21 mai, espère faire un grand efest (effet) pour les yntelligense qu'il s'asseure d'y avoir, à ce qu'il dyst tout hault sans nomer personne. Faytes-y prendre guarde, et surtout autour de vostre personne, car vous voyés tant d'infydélités que je meurs de peur»[1294]. Elle insiste: «Jé aublié de dyre au Roy qu'il pregne guarde à luy et dans Parys qu'il n'i avyègne neule sedytyon, aprochans ceus [d']ysi»[1295]. Henri III prit des mesures en conséquence; la garde des portes fut renforçée; les chefs de la milice parisienne qui étaient suspects furent destitués, et remplacés par des officiers de robe longue et de robe courte. Il se donna une nouvelle garde du corps, les Quarante-Cinq, «pour estre toujours auprès de lui». C'étaient pour la plupart des cadets de Gascogne, qui n'avaient rien à espérer que de sa faveur, et qui lui étaient dévoués jusqu'à la mort et jusqu'au crime[1296].

**Note 1294:** (retour) *Lettres*, t. VIII, p. 290.

**Note 1295:** (retour) Lettre du 7 juin à Brulart, *Lettres*, t. VIII, p. 313.

**Note 1296:** (retour) Mariéjol, *Histoire de France de Lavisse*, t. VI, 1, p. 247.

Cependant sa mère le pressait de traiter avec les chefs ligueurs à tout prix. Il finit par céder et envoya Villeroy à Epernay porter les articles de sa capitulation. L'accord fut arrêté le 20 juin et signé le 7 juillet à Nemours. Le Roi prit à sa charge les forces levées par la Ligue, permit aux cardinaux de Bourbon et de Guise, aux ducs de Guise, de Mayenne et de Mercœur d'avoir une garde à cheval qu'il paya, concéda des places de sûreté à tous les chefs du parti, et des avantages et des faveurs à leurs clients et à leurs amis.

Naturellement, le traité conclu, les ennemis de Catherine l'accusèrent de l'humiliation de son fils. Pour se rendre nécessaire, elle aurait encouragé le duc de Guise à prendre les armes, et favorisé de tout son pouvoir le succès du parti catholique[1297]. Mais sa correspondance prouve qu'elle défendit de son mieux les intérêts du Roi, et qu'elle subit une paix humiliante pour éviter une guerre, dont les suites auraient pu être plus humiliantes encore, ou même funestes. Henri III n'aurait pu faire tête aux ligueurs qu'en appelant les réformés à l'aide, mais c'eût été reconnaître pour successeur le roi de Navarre, malgré son hérésie, et risquer de soulever le reste des catholiques. Entre deux maux, Catherine avait choisi le moindre.

Et vraiment, sauf ce calcul des chances et sa tendresse pour ce fils qu'elle savait incapable d'un effort suivi, quel autre motif aurait pu la déterminer à rapprocher au prix de tant de concessions Henri III et le duc de Guise? On n'imaginera pas que ce fut par excès de zèle religieux. Il est vrai qu'en vieillissant elle est devenue plus dévote. Et, sans vouloir rien préjuger de sa croyance d'alors au Purgatoire et à la rémission des péchés, il est remarquable toutefois qu'en 1568 elle ne se fût pas décidée, malgré les sollicitations du peintre Vasari, à faire les frais d'un service perpétuel en l'église de Saint-Laurent de Florence pour le repos de l'âme de son père, de sa mère et de son frère naturel, Alexandre. Mais les épreuves, qui allaient se multipliant, lui rappelèrent la nécessité de recourir à Dieu, ce maître souverain[1298].

**Note 1297:** (retour) Davillé, *Les prétentions de Charles III à la couronne de France*, p. 91, et références, note 2.

**Note 1298:** (retour) Déjà en 1575, quand les huguenots et les catholiques unis se préparaient à faire la loi à Henri III, elle lui recommandait d'apaiser l'ire céleste, en renouvelant les ordonnances contre les blasphémateurs, en nommant des gens de bien aux bénéfices ecclésiastiques et aux évêchés. *Lettres*, t. V, p. 145-146.

Le péril de son fils la fait souvenir alors qu'il y avait peut-être une âme en peine, celle d'Henri II, et, mêlant ses inquiétudes de mère à ses regrets d'épouse, elle fonda (23 janvier 1576) une messe perpétuelle en l'«église, collegial et chappelle royal Nostre Dame de Cléry» pour le roi Henri défunt, pour elle et les rois ses enfants, «et pour la paix et repos de ce royaume et pour la conservation d'icelluy». Elle donna et légua au chapitre une rente de 220 livres sur les revenus de la baronnie de Levroux--terre et baronnie incorporée et unie au domaine de Chenonceaux--à charge pour le doyen et les chanoines de dire tous les jours à perpétuité une messe basse au principal autel, à sept heures du matin, après la messe fondée en cette église par «deffunct et de bonne mémoire le roi Loys unziesme»--à qui, on se le rappelle, elle pensait beaucoup en ce temps-là--et chaque an «ung service et obit complet le dixième jour de juillet», jour anniversaire de la mort d'Henri II. *Lettres*, t. VIII, p. 412. Trois jours après (26 janvier 1576), Catherine affectait aux embellissements de Chenonceaux les revenus de la baronnie de Levroux; mais elle réservait expressément 220 livres pour la fondation de Cléry (*Lettres*, t. VIII, p. 24, note). En 1582, quand elle disposa de la baronnie en faveur de la comtesse de Fiesque (Alfonsina Strozzi), elle proposa aux chanoines et obtint d'imputer les 220 livres sur le duché d'Orléans qui lui avait été attribué.

Elle ne s'était jusque-là préoccupée, à ce qu'il semble, que du corps de son mari, à qui elle préparait un «sepulchre magnifique» à Saint-Denis. Maintenant, elle paraît tout à fait convaincue de l'efficacité des œuvres au sens catholique. Dans une lettre du 27 avril 1582, elle annonce à son ambassadeur à Venise, Arnaud Du Ferrier, qu'elle voue un présent à Notre-Dame de Lorette, et, comme il n'est achevé, elle désire que le bon Père Edmond Auger--ce Jésuite dont en 1573 elle dénonçait le prosélytisme au duc d'Anjou--demeure en Italie encore quelque temps afin que l'offrande soit présentée «de sa main» «comme une chose» qu'elle a «très au cœur»[1299]. C'est probablement la lampe (*lampade*) dont il est question dans un acte du 8 avril 1587 et dans une lettre du 2 août de la même année, qui devait brûler perpétuellement devant l'autel de la Madone et à l'entretien de laquelle elle affecta une somme annuelle de cent écus pris sur ses revenus de Rome[1300]. Après une entrevue de ses fils, Henri III et le duc d'Anjou, à Mézières, et une nouvelle réconciliation, elle écrivait de cette ville même son intention de donner aux Murate de Florence, les bonnes Murate, dont elle sollicitait les prières pour le Roi et pour elle, des biens-fonds en Toscane, d'un revenu de 6 000 écus[1301]. Par contrat du 5 juin 1584, elle les gratifia en toute propriété d'un grand domaine de quatre fermes qu'elle avait acheté au Val d'Elsa, à charge pour l'abbesse et les nonnes de chanter tous les jours le *Salve Regina* pour le salut, santé et conservation de son très cher fils, Henri III, roi de France, et de célébrer une messe solennelle des morts le 10 juillet pour l'âme d'Henri II. Elle demandait pour elle-même de dire à son intention, de son vivant, la veille de Sainte-Catherine, les vêpres, et le jour même (25 novembre) la messe; et à perpétuité, quand Dieu l'aurait rappelée à lui, les vêpres et matines des morts, le jour anniversaire de sa mort, et le lendemain l'office et messe des morts[1302]. Dans la lettre qu'elle leur écrivit le 14 août 1584, pour leur annoncer l'envoi de l'acte de donation, elle les prévenait aussi qu'elle mettait à leur disposition mille écus d'or d'Italie, dont la moitié devait être employée à l'achat du bétail pour les métairies dont elle les faisait propriétaires «et le surplus au paiement d'une statue de marbre qui me représentera, laquelle sera mise» en leur «église suyvant le pourtraict (le dessin)» qu'elle adressait au grand-duc de Toscane[1303]. La donation faite à Saint-Louis des Français à Rome (mai 1584) est plus connue parce qu'elle a duré [1304]. Après de longs procès contre Marguerite de Parme, veuve d'Alexandre de Médicis (voir l'appendice), Catherine avait recouvré une grande partie des biens-fonds des Médicis, entre autres le palais des Médicis--aujourd'hui palais du Sénat--situé tout à côté de l'église Saint-Louis et de l'hôpital de la nation française, ainsi que des maisons et boutiques et autres constructions contiguës à ce palais. De toutes ces dépendances, la Reine assigna le revenu aux gouverneurs et administrateurs de l'église et de l'hôpital aux mêmes conditions de prières et de messes. Sixte-Quint avait chargé Saint-Gouard, alors ambassadeur à Rome, de remettre à Catherine de sa part «une medaille qui, avec un cent de semblables, a esté trouvée dans une cassette d'airain, presque toute consommée de la rouille, parmy les fouilles qu'il a faict à Saint-Jehan de Latran près le baptistaire de Constantin». Le Pape était «après à verifier si ce aura esté ledict Constantin ou sainte Hélène, sa mère, qui les y aura mises, et lors il se déllibère d'y appliquer une infinité de très grandes indulgences[1305]». Saint-Gouard, marquis de Pisani, très fin courtisan sous sa rudesse apparente, n'aurait pas ajouté qu'il ne faillirait pas d'envoyer les indulgences à la Reine si elle n'y avait pas eu foi.

**Note 1299:** (retour) *Lettres*, t. VIII. p. 53.

**Note 1300:** (retour) *Ibid.*, t. IX, p. 227, et t. IX, p. 451. Sur les biens-fonds de Catherine à Rome et en Toscane, voir en appendice, *Les droits de Catherine sur l'héritage des Médicis*, p. 413-414.

**Note 1301:** (retour) *Lettres*, t. VIII, p. 112.

**Note 1302:** (retour) *Ibid.*, t. VIII, p. 442.

**Note 1303:** (retour) *Lettres*, t. VIII, p. 208.--En 1588, elle renonça à faire payer aux Murate les frais de la statue et même leur envoya un portrait d'elle «au vif très bien faict». *Lettres*, t. VIII, p. 208, note 3. C'est peut-être celui qui est dans le couloir du Musée des Uffizi au palais Pitti.

**Note 1304:** (retour) Texte de la donation, *Lettres*, t. IX, p. 493-494--Cf. t. IX, p. 451, 221 et 227.

**Note 1305:** (retour) Lettre de Pisani du 30 juin 1587 en app. dans *Lettres*, t. IX, p. 481-482.

Mais bien qu'elle multipliât les œuvres pies à mesure qu'elle approchait de sa fin--et cela autant et peut-être plus par habitude traditionnelle que par ferveur--elle continuait à distinguer la religion de la politique. Elle resta toujours ennemie des pratiques outrées: flagellations, retraites, processions et pèlerinages, où son fils cherchait l'aide de Dieu, oubliant de s'aider lui-même. A propos d'un voyage à pied à Notre-Dame de Cléry, elle écrivait avec humeur à Villeroy: «... La dévotyon ayst bonne et le Roy son père enn a fets dé voyages à Cléry et à Saint-Martyn-de-Tours, mès yl ne laiset (laissait) rien de cet qu'yl falloyt pour fayre ses afayres»[1306]. Elle n'était ni enthousiaste ni dupe des affectations de zèle. Elle savait ce qu'elles cachent le plus souvent d'ambition et, pour la sincérité des intentions, elle assimilait les souverains catholiques, Philippe II et le duc de Savoie, Charles-Emmanuel, bandés contre Genève et l'Angleterre protestante, aux chefs huguenots qui avaient tenté de la faire prisonnière à Meaux avec ses enfants[1307]. Ce n'est donc ni par sympathie personnelle, ni par illusion, ni par connivence, qu'elle souscrivait aux exigences des princes catholiques, mais parce qu'ils étaient les maîtres de l'heure. Une de ses maximes était de gagner du temps au prix des sacrifices nécessaires et de savoir attendre le tour de roue, celui-là favorable, de la fortune. En conséquence, le 18 juillet, quelques jours après la paix de Nemours, le Roi porta lui-même au Parlement un édit, qui révoquait tous les édits de pacification, n'autorisait plus qu'une seule religion dans le royaume, bannissait les ministres, obligeait les simples fidèles à se convertir ou à s'exiler dans les six mois, déclarait tous les hérétiques incapables d'exercer aucunes charges publiques, états, offices, dignités et leur ordonnait de restituer les places de sûreté.

**Note 1306:** (retour) 9 mars 1584, *Lettres*, t. VIII, p. 178, cf. L'Estoile, II, p. 149-150.

**Note 1307:** (retour) Lettre à Villeroy du 13 novembre 1586, *Lettres*, t. IX, p. 83. Sur les armements de Philippe II contre l'Angleterre et la préparation de l'*Armada*, voir les lettres d'Henri III et de ses ambassadeurs à Venise, Charrière, *Négociations de la France dans le Levant*, t. IV, p. 542-562 et les notes; et sur les projets de Charles-Emmanuel contre Genève, Rott, *Histoire de la représentation diplomatique de la France auprès des Cantons suisses*, t. II, 274, 279, 283 et références; et aussi le chapitre V du t. I d'Italo Raulich, *Storia di Carlo Emmanuele I duca di Savoia*, Turin, 1896, p. 230-314. Toutefois Catherine semble croire que les levées de soldats même en Italie menacent surtout l'Angleterre.

Il restait à imposer aux protestants et à leur chef cet arrêt d'extermination. Le roi de Navarre racontait plus tard à l'historiographe Pierre Mathieu, qu'en apprenant la paix de Nemours, il avait eu quelques heures de réflexion si douloureuse que la moitié de sa moustache avait blanchi. Son imagination avait peut-être au cours du temps traduit son émotion en une forme concrète, mais elle n'en a pas probablement exagéré le coup. Il devait craindre que le bloc catholique ne l'écrasât de sa masse et sous son élan. Mais il se ressaisit vite. Avec une dignité ferme, il demanda compte à la négociatrice de cette paix qui bannissait, lui écrivait-il, «une grande partie des subjets de ce royaulme et bons François» et qui armait, disait-il, «des conspirateurs... de la force et autoricté du Roy» contre eux et contre lui-même[1308]. Il déclarait fièrement qu'ayant cet honneur d'appartenir au Roi de si près et de tenir tel degré en ce royaume, il se sentait tenu de s'opposer «à la ruyne de la Couronne et Maison de France» de tout son pouvoir «contre ceulx qui la voudroyent entreprendre».

Et cependant Catherine ne désespérait pas, à ce qu'il semble, de l'amener à se convertir ou tout au moins à souffrir qu'il n'y eût «plus exercice en ce roiaulme que de la religion catholicque apostolticque et romaine[1309]». Mais supposer qu'il changerait d'Église et trahirait les proscrits pour assurer le repos de son fils, c'était bien mal le connaître et montrer peu de psychologie.

**Note 1308:** (retour) *Lettres missives*, t. II, p. 98, 21 juillet.--Cf. t. II, p. 88.

**Note 1309:** (retour) Lettre à Bellièvre du 31 mai 1585, *Lettres*, t. VIII, p. 308. Dans cette lettre elle dit que la conversion du roi de Navarre était le seul moyen «de veoir le repos bien asseuré en ce roiaulme».

Il est possible que ses préventions l'aient empêchée d'apprécier l'intelligence de son gendre. Elle avait d'ailleurs une si haute idée de sa finesse qu'elle pensait l'avoir toute accaparée. Elle le croyait un peu fol, et il est vrai qu'il l'était, mais seulement en amour, et elle l'imaginait incapable d'une politique personnelle, mené et stylé par ses maîtresses et ses conseillers. Dans une lettre à Henri III, lors des conférences d'Epernay, elle le comparait à son oncle le cardinal, ce vieillard sans cervelle. «...Monsieur de Guise, disait-elle est comme le maistre d'escole et fait tout ainsy du Cardinal que faisoit en Guyenne, quand j'y estois, le vicomte de Turenne du roy de Navarre»[1310]. Aussi était-elle d'avis de bien traiter tous les personnages influents de son entourage. Elle recommandait à Bellièvre, qui s'occupait plus particulièrement des affaires de Navarre, d'être plein de prévenances pour le sieur de Clervaut, qui représentait son gendre auprès de son fils. Elle-même restait en correspondance avec Turenne, ce Mentor imaginaire. A tout hasard, elle conseillait de se préparer à la guerre.

Mais Henri III y montrait peu d'inclination. Il en voulait aux ligueurs, ses sujets en révolte, de lui avoir fait la loi; il en voulait à sa mère de lui avoir forcé la main et imposé la paix. En ses crises de colère et de dignité, il ne consultait et ne ménageait personne. Il s'en prit au successeur de Grégoire XIII, Sixte-Quint, dont cependant il avait besoin pour aliéner des biens du clergé jusqu'à concurrence de deux millions d'or de revenu. Il fit défendre au nouveau nonce, Fabio Mirto Frangipani, archevêque de Nazareth, à qui il prêtait des sentiments ligueurs et espagnols, de s'avancer plus loin que Lyon. A Rome, Pisani, avisé le premier, alla solliciter du Pape comme une faveur le rappel de Frangipani, et ajouta incidemment que le Roi l'avait prié de s'arrêter à Lyon. Mais Sixte-Quint, violent et autoritaire, sans attendre les explications d'Henri III, fit donner l'ordre à l'ambassadeur (25 juillet 1585)[1311] de sortir de Rome le jour même et des États pontificaux dans les cinq jours. Cette querelle entre le Roi et le Pape remettait en question la paix de Nemours.

**Note 1310:** (retour) 29 mai 1585, *Lettres*, t. VIII, p. 302.

**Note 1311:** (retour) Guy de Bremond d'Ars, *Jean de Vivonne* (Pisani), *sa vie et ses ambassades*, 1884, p. 182-185.

Catherine ne fut, semble-t-il, informée qu'après coup. Son fils affectait de la tenir à l'écart des affaires[1312]. Elle saisit l'occasion de ce différend pour offrir ses bons offices, qu'on ne lui demandait pas. Au fond, elle trouvait au Roi autant de tort qu'au Pape, mais elle ne se serait pas aventurée à le lui dire. Elle commença par écrire à Pisani qu'elle était «très marrie de l'injure faite au Roi «en sa» personne»[1313]. Elle recommanda au cardinal Ferdinand de Médicis les intérêts de leur maison. Puis, ayant su quelque temps après que Sixte-Quint se préparait à excommunier le roi de Navarre et à le déclarer déchu de ses droits à la Couronne, elle adressa à Villeroy, n'osant l'adresser directement à Henri III, son avis sur les difficultés pendantes. Elle ne se préoccuperait pas, disait-elle, de la bulle annoncée s'il n'y avait lieu de craindre qu'elle n'apportât «plus de mal que ce que nous avons ou sommes prestz à avoir». Le roi de Navarre ne montrait pas grande envie de se soumettre à la volonté du Roi et ses dispositions n'en seraient pas changées. «... En tout cecy (renvoi de l'ambassadeur et obstination du roi de Navarre) je n'y vois mal que pour le Roy, car si je le voyois avoir les moyens pour estre fort, comme je voudrois qu'il le fust, je ne me soucierois pas d'un bouton de toutes les pratiques et menées, car il n'y aurait pape ny roy et moins encores ses subjets qui ne s'estimassent bien heureux les uns de luy complaire, les autres de luy obéir». On avait besoin du consentement du Pape pour tirer quelque argent du clergé. «... Jusque là si j'estais creue (et cette réserve prouve qu'elle ne l'était pas en ce moment), je ferois le doux à tous papes et roys pour avoir le moyen de avoir les forces telles que je peusse commander et non leur obéyr, car de commander et n'estre point obéy, il vaut mieux faire semblant de ne vouloir que ce qu'on peut, jusques à ce que l'on puisse faire ce que l'on doit»[1314]. Il ne faut pas s'émouvoir trop de l'insulte faite au Roi, car elle vient, dit-elle avec quelque dédain, d'un pape et non d'un prince. Et d'ailleurs «... vous savez comme l'on a affaire de luy pour avoir de l'argent et aussi pour l'empescher de faire quelque chose extraordinaire contre le service du Roy, veu le peu de raison qu'il a (Sixte-Quint passait très justement pour être colérique) et le peu de respect qu'il porte à tous les princes»[1315].

**Note 1312:** (retour) Rares sont les lettres d'un caractère politique en août et septembre 1585.

**Note 1313:** (retour) : 17 août 1585, *Lettres*, t. VIII, p. 347.

**Note 1314:** (retour) 14 septembre 1585, *Lettres*, t. VIII, p. 350-351.

**Note 1315:** (retour) 16 septembre 1585, *Ibid.*, p. 352.

Elle croyait si utile de «rhabiller ce désaccord» qu'elle offrait d'aller elle-même à Rome. Le Roi y avait envoyé M. de Lenoncourt, mais l'évêque d'Auxerre n'était pas l'ambassadeur qu'il eût fallu. Ce n'était pas, assurait-elle, par dépit qu'elle blâmait ce choix, bien qu'elle vît, «à dire la vérité», qu'on l'avait fait pour empêcher qu'elle n'y allât et ne fit «quelque chose» à son «avis»[1316]. Maintenant elle n'y pourrait aller que si son fils faisait entendre au Pape par le cardinal d'Este, protecteur des affaires de France, les raisons de son voyage et si Sixte-Quint renonçait à sa déclaration contre le roi de Navarre. Elle mettait tant de conditions à son envoi qu'il n'est pas bien sûr qu'elle en eût envie. Mais elle tenait à démontrer son affection à ce fils qui la boudait. C'est aussi à même fin qu'elle travaillait et réussit, après une négociation de près d'un an[1317], à décider le duc de Nevers à faire amende honorable à Henri III de sa velléité d'adhésion à la Ligue. Mais quelque zèle qu'elle montrât, elle n'avait plus même crédit. Le désaccord de la mère et du fils sur la politique à suivre allait grandissant. Henri III, par paresse, par scrupules dynastiques, par orgueil, par haine des Guise, ne se décidait pas à faire aux protestants la guerre sans merci à laquelle il s'était obligé.

**Note 1316:** (retour) 14 septembre 1585, *Ibid.*, p. 351.

**Note 1317:** (retour) : Documents publiés par M. le Cte Baguenault de Puchesse, *Lettres*, t. VIII, *passim*, et t. IX, app., p. 397 sqq.

Catherine appréhendait le danger de ces atermoiements. La Ligue marcherait contre le Roi, si le Roi ne marchait contre les hérétiques. Que le Pape publie la bulle privatoire contre le roi de Navarre, et il «se faut résoudre de faire, écrivait-elle à Villeroy, mais à l'intention de son fils, ce que du commencement de tout ce remument icy ceux (les ligueurs) qui les (le) ont commencé, en ont projeté. Car aussi bien si vous ne faictes de bonne voulonté, à la fin on sera contrainct d'en venir là»[1318].

**Note 1318:** (retour) 14 septembre, *Lettres*, t. VIII, p. 351.

Henri III parut décidé. Il se rapprocha de sa mère, et le 16 octobre il fit enregistrer par le Parlement une déclaration du 7, qui ordonnait à tous ses sujets protestants de se convertir dans quinze jours ou de quitter le royaume.

Mais il employa le moins possible les chefs de la Ligue à exécuter le dessein de la Ligue. Il ne confia pas d'armée au duc de Guise, et s'il consentit à donner à Mayenne le commandement de celle de Guyenne, il négligea de lui envoyer des renforts et de l'argent. Il eut ce contentement que Condé rejeta au delà de la Loire le duc de Mercœur, qui avait envahi le Poitou, et qu'il fut à son tour mis en déroute par Henri de Joyeuse, un frère du favori, et forcé de se réfugier à Guernesey (octobre). Ce double succès des protestants sur les ligueurs et des troupes royales sur les protestants l'enhardit tant qu'il avoua les bourgeois d'Auxonne, qui le 1er novembre avaient emprisonné leur gouverneur pour la Ligue, Jean de Saulx-Tavannes. Catherine elle-même, qui n'avait capitulé à Epernay que par peur d'un plus grand mal, en profita pour faire la leçon au duc de Guise. «Pour le fait de ce qui est avenu à Aussonne, vous avez grande occasion de le remercier (le Roi) et par vos effets luy faire connoistre l'assurance que vous avez de sa bonne grace et vous connoistrez par là qu'il vous a dict vray, que, vous comportant avec luy comme la raison veut, luy faisant connoistre que vous vous voulez conformer à toutes ses volontez et avez toute assurance de sa bonne volonté, qu'il feroit plus que ne sauriez désirer. Je vous prie donc me croire, et qu'il connoisse qu'estes content et que n'avez plus nulle défiance qu'il ne vous ayme»[1319]. Elle voulait à toute force qu'il se rendît auprès d'Henri III pour louer Dieu tous ensemble «de nous avoir donné la victoire (sur les protestants) par ses mains seulle, sans que nul des nostres aist été en hazard»[1320]. Mais Guise aurait mieux aimé que ce fût par celles de la Ligue.

**Note 1319:** (retour) *Ibid.*, p. 364, 8 novembre.

**Note 1320:** (retour) 15 novembre, *Ibid.*, p. 366.

Cependant les huguenots n'étaient pas tellement «étonnés» de leur échec qu'ils songeassent, comme elle l'espérait, à se faire catholiques. Le roi de Navarre avait renoué avec Montmorency-Damville, à qui Joyeuse voulait ôter son gouvernement de Languedoc, l'ancienne alliance des huguenots et des catholiques unis (entrevue de Saint-Paul de Cadajoux, près de Lavaur, 10 août 1585). Il avait député Ségur-Pardaillan à Élisabeth et aux Allemands pour demander à l'une la somme nécessaire à la levée d'une armée et offrir aux autres «auprès de qui il (l'ambassadeur) allait sans argent ni latin» de les payer en terres, faisant «des colonies en ce royaume de ceux qui y voudront venir».

La passion du roi de Navarre à défendre son parti déconcertait Catherine qui, à défaut de conversion, se fût contentée, semble-t-il, d'une défection. Je «croy, écrivait-elle à Bellièvre, que, quant le roy de Navarre auré byen considéré l'état de toutes chauses, et du présant et de l'avenir, qu'il conestra que tout son plus grent byen c'et de se remettre du tout à la volanté du Roy, ay (et) luy aider par tous moyen à fayr poser les armes,... et que ryen ne le peult fayre que luy, set remetent (se remettant), come yl douyt (il doit) pour son byen à cet que le Roy luy demandera». Son grand argument c'est qu'Henri III, qui avait toujours jusque-là ménagé ses sujets huguenots, serait encore plus accommodant quand ils auraient désarmé et qu'il serait «seul fort en son royaume». Mais quand Clervaut lui demandait: «Que fera le roi de France pour le roi de Navarre?», elle éludait la question. «Que sarét-yl fayre d'adventège (davantage) quand yl serèt son fils que ly concéler (conseiller) de fayre cet que (qui) le peult asseurer de demeurer cet qu'il est nay (né) en cet royaume, et le prenant en sa bonne grase et protection, que peult-yl désirer d'aventège?»[1321]. Le roi de Navarre n'était pas assez naïf pour se rendre à merci.

Elle résolut d'aller le convaincre et partit en juillet 1586 pour Chenonceaux, où elle était plus près du théâtre de la guerre et des négociations. Mais elle avait affaire à forte partie. Il lui fit dire, écrivait-elle à Bellièvre, 10 août 1586, «que yl desirèt de parler aveques moy et cet (se) dégorger et que yl savèt byen qu'yl avoit le moyen de pasyfier cet royaume et qu'yl avèt tousjour coneu que je le désirès», et qu'«yl me fayrèt conestre que yl desirèt me donner contentement»[1322].

Mais ce n'étaient que paroles pour l'amuser, pendant qu'il négociait sous main avec le maréchal de Biron, que le Roi avait envoyé contre les protestants de l'Ouest. Quand il eut obtenu de lui qu'il levât le siège de Marans, près de la Rochelle, et qu'il consentît une sorte de trêve (août 1586), il fit le «dyfisile» pour aller la voir. Catherine, qui n'avait rien su de cet accord qu'après sa conclusion, se désolait de voir se perdre l'argent de son fils et croître la réputation de son gendre. Le roi de Navarre obtint encore que, pendant les conférences, Biron éloignerait ses troupes et qu'il ne se commettrait aucun acte d'hostilité «es provinces du Hault et Bas Poictou, Angoumois, Xainctonge, païs d'Onys (Aunis et Brouage)»[1323].

**Note 1321:** (retour) Décembre 1585, à Bellièvre, *Lettres*, t. VIII, p. 376.

**Note 1322:** (retour) *Lettres*, t. IX, p. 28, 10 août 1586.

**Note 1323:** (retour) *Ibid.*, t. IX, p. 405 et 407.

Alors il fut encore moins pressé de convenir avec elle du rendez-vous. Il avait intérêt à gagner du temps, sachant que les princes protestants d'Allemagne avaient fait partir des ambassadeurs pour recommander à Henri III le rétablissement de la liberté religieuse, et que, faute d'argent, les armées royales commençaient à se ruiner.

Il multiplia les objections, ne trouva jamais les sûretés assez grandes, provoqua les défiances par des défiances. Mais elle s'entêta. Aucune fatigue ne lui coûtait quand il s'agissait de défendre les intérêts de son fils et aussi de satisfaire sa passion pour les exercices de haute école diplomatique. A soixante-sept ans, elle s'exposa, malgré son catarrhe et ses rhumatismes, aux froids de l'hiver, aux hasards des mauvais gîtes dans les châteaux forts ou les petites villes et aux coups de main des bandes et des voleurs. Des pillards arrêtaient ses courriers, dévalisaient ses fournisseurs, et se montraient «si asseuré (assurés), écrit-elle à Villeroy, que davant-hyer, où je diné, yl y ann'y avoit quatre; je ne l'é seu qu'après aystre partye[1324]». Elle alla chercher son gendre en plein pays protestant, au château de Saint-Brice, entre Cognac et Jarnac, sur la rive droite de la Charente. Elle était accompagnée du duc de Nevers, qu'elle voulait faire témoin de son zèle catholique et brouiller avec la Ligue par ses attentions, du duc de Montpensier, de quelques conseillers, de ses dames d'honneur et de sa petite-fille, Christine de Lorraine. Le roi de Navarre avait avec lui le vicomte de Turenne et le prince de Condé. La première entrevue (13 décembre) fut peu cordiale[1325]. Après les embrassades et quelques propos communs, écrit-elle à son fils, elle se plaignit à son gendre de la longue attente qu'il lui avait imposée, et lui du tort qu'on lui avait fait. Elle voulut lui démontrer que la déclaration de juillet contre les protestants n'avait pas «seulement esté pour le salut du royaume, mais aussi pour son bien particulier quand il voudra faire ce qu'il doibt». Il répliqua qu'on avait levé «plusieurs armées pour tascher à le ruyner», mais que «graces à Dieu» on ne lui avait pas «faict grand mal» et qu'il aurait «bientost de grandes forces de reytres». Elle soutint qu'il n'avait point de reîtres, et que «quand il en auroit, ce seroit sa propre ruyne, car il achèveroit de se faire hayr des catholicques, de qui il debvroit rechercher l'amytié». Comme elle le pressait de lui dire ses intentions, il objecta qu'il ne pouvait rien faire par lui seul et qu'il devait consulter les Églises. Elle lui représenta, dit-elle, «par les plus vives raisons que j'ay peu, comme elles sont très grandes et très véritables en cella, que vous luy tendiez les bras pour son grand bien, et que s'il tardoit plus à les recepvoir, il y auroit regret toute sa vie». Mais elle n'en tira rien, et encore «après beaucoup de difficultez», que la promesse d'en parler le soir à ses partisans[1326]. Les propos furent quelquefois très vifs, ainsi que nous le savons par d'autres témoignages, qui malheureusement sont suspects de quelque arrangement «.... Le Roy, qui m'est, aurait dit le roi de Navarre, comme père, au lieu de me nourrir comme son enfant, et ne me perdre, m'a faict la guerre en loup, et quant à vous, Madame, vous me l'avez faite en lionne.--Mais mon fils,... voulez-vous que la peine que j'ay prise depuis six mois ou environ demeure infructueuse?--Madame, ce n'est pas moy qui en suis cause; au contraire c'est vous. Je ne vous empesche que reposiez en vostre lict, mais vous depuis dix-huict mois m'empeschez de coucher dans le mien.--Et quoy! seray-je toujours dans ceste peyne, moi qui ne demande que le repos!--Madame, ceste peyne vous plaist et vous nourrit; si vous estiez en repos, vous ne sçauriez vivre longuement»[1327]. C'était la bien connaître.

**Note 1324:** (retour) 7 novembre 1586, *Lettres*, t. IX, p. 81.

**Note 1325:** (retour) Références sur ces conférences dans *Lettres*, t. IX, p. 76. Documents en app. t. IX, p. 402-430. Guy de Brémond d'Ars, *La Conférence de Saint-Brice*, R. Quest. Histor., octobre 1884.

**Note 1326:** (retour) Récit de la Reine-mère à son fils du 13 décembre, *Lettres*, t. IX, p. 112-114.

**Note 1327:** (retour) *Lettres*, t. IX, p. 114, note.

Il revint le lendemain avec Condé, et tous deux demandèrent deux mois pour faire venir les députés des Églises et écrire en Angleterre et en Allemagne, «comme ils y sont tenus envers leurs amys». Les conseillers de la Reine-mère, qu'elle tira à part pour les consulter, furent d'avis de n'accorder qu'un mois ou six semaines, mais les princes ne cédèrent pas[1328].

Les deux dernières entrevues furent plus courtoises, mais sans plus d'effet. Elle lui avait fait dire que c'était la volonté du Roi et la sienne qu'il revînt au catholicisme et fît cesser l'exercice de la religion réformée dans les villes qu'il occupait. Il s'étonna qu'elle eût pris la peine de le venir trouver pour lui renouveler une proposition dont il avait les oreilles rompues. Quand ils se revirent, elle insista jusqu'à l'importunité sur les avantages d'une conversion. Enfin, voyant qu'elle ne gagnait rien sur lui, elle offrit de lui accorder une trêve générale d'un an «à la charge qu'il n'y eût nul exercice de la religion [réformée] dans le royaume.» Mais il répondit que l'exercice de la religion ne pouvait être suspendu que par un concile libre et légitime. Ils se séparèrent sur la promesse vague de se revoir un peu plus tard en compagnie des députés des Églises «pour adviser aux moyens d'une bonne et perdurable paix»[1329] et en attendant ils prolongèrent la trêve de deux mois et demi sans conditions.

Elle avait eu double négociation à conduire, avec ce gendre qui se montrait intraitable, avec son fils, dont les instructions changeaient d'une lettre à l'autre. En janvier 1587, il écrivait à sa mère qu'il était résolu à la guerre, si le roi de Navarre refusait «de se réduire à la religion catholicque et y ranger ceulx de son oppinion»[1330]. Mais le même mois, il prévoyait une trêve d'un ou deux ans pour permettre la réunion d'une assemblée des États ou des principaux du royaume, qui aviseraient «au salut d'iceluy». Il faudrait pourtant que le roi de Navarre l'aidât «au faict de la religion». S'il se convertissait, il lui conserverait le rang «qui luy appartient en ce royaume» et ne souffrirait «qu'il luy en soit faict aucun tort». En outre, il lui donnerait une pension «telle que l'on a accoustumé de donner à un filz de France, qui est de cent mil livres tournois par an; mais il luy fault oster l'espérance d'avoir un appanage»; car c'est chose qu'il n'accorderait jamais. Toute cette affaire doit être conduite très secrètement pour ne pas encourager la désobéissance des huguenots ou provoquer l'inquiétude des catholiques[1331].

**Note 1328:** (retour) *Ibid.*, p. 115-116.

**Note 1329:** (retour) *Ibid.*, p. 118 note 1 et p. 121, 18 déc. 1586.

**Note 1330:** (retour) Janvier 1587, *Ibid.*, t. IX, p. 431.

**Note 1331:** (retour) *Ibid.*, IX, p. 436-437.

Peut-être Catherine a-t-elle employé d'autres arguments pour décider son gendre à changer de religion et de parti.

Après la mort du duc d'Anjou, la reine de Navarre avait plus intérêt que jamais à maintenir en étroite union son frère, qui n'avait pas d'enfant, et son mari, que la loi salique appelait à lui succéder. Mais il aurait fallu aimer les deux rois ou mieux encore être aimée d'eux. La réconciliation des deux époux n'avait pas été suivie de cet accord parfait que la Reine-mère recommandait à la protection divine. Le roi de Navarre s'était épris, et comme toujours follement, de Diane d'Andouins, veuve de Philibert, comte de Guiche et de Gramont, la belle Corisande[1332], comme il l'appelait, qui n'était pas d'humeur à se laisser traiter de haut ou mettre de côté. Elle s'estimait d'assez grande maison pour épouser le roi de Navarre et, en ayant l'espérance, comptait bien se débarrasser de cette intruse légitime. Marguerite, irritée des bravades de la maîtresse et des rebuffades de l'amant, s'était enfuie de Nérac, où elle ne se croyait plus en sûreté, et réfugiée dans Agen, ville de son apanage (mars 1585). Elle s'unit aux princes catholiques qui allaient imposer à Henri III l'humiliant traité de Nemours, leva des troupes, se retrancha, et, femme de l'héritier présomptif, se déclara contre l'héritier présomptif. C'était bien choisir son temps pour se ressentir des infidélités de son mari.

La Reine-mère s'était d'abord apitoyée sur le sort de sa fille, qui vivait à Agen «fort desnuée de moyens», et elle avait prié Villeroy de la faire secourir de quelque argent, «car à ce que j'entendz elle est en très grande nécessité, n'ayant pas moien d'avoir de la viande pour elle»[1333]. Mais ses bonnes dispositions ne durèrent pas. Henri III, qui ne pardonnait pas à la Ligue de vouloir le mettre en tutelle, avait de nouvelles raisons de détester sa sœur, qui s'y était affiliée. Il tenait la preuve authentique, bien qu'elle niât effrontément, qu'elle avait demandé asile au duc de Lorraine, cet allié honteux du parti catholique, en intention peut-être de se rapprocher du duc de Guise et des principaux chefs ligueurs. Catherine en fut malade de chagrin. En ces nouveaux troubles, écrit-elle à Villeroy, elle recevait de sa fille «tant d'ennuyz» qu'elle en avait «cuidé (pensé) mourir»[1334]. Dans une lettre à Bellièvre du 15 juin, elle parlait de cette «createure» que Dieu lui avait laissée «pour la punytyon» de ses péchés, «mon flo (fléau), disait-elle, en cet (ce) monde»[1335].

**Note 1332:** (retour) De Jorgains, *Corisande d'Andouins, comtesse de Guiche et dame de Gramont*, Bayonne, 1907, ne dit rien de cette rivalité.

**Note 1333:** (retour) 27 avril 1585, *Lettres*, t. VIII, p. 265.

**Note 1334:** (retour) 22 mai 1585, *Ibid.*, p. 291.

**Note 1335:** (retour) 15 juin 1585, *Ibid.*, p. 318.

Elle continuait à s'intéresser à elle, mais c'était par acquit de conscience, et il faut avouer que Marguerite mettait sa tendresse à une rude épreuve. Henri III ayant ordonné au maréchal de Matignon de la chasser d'Agen (25 septembre 1585), la Reine-mère fit offrir à la fugitive--était-ce un asile ou une prison?--le château d'Ibois (près d'Issoire); mais Marguerite refusa de sortir de Carlat (arrondissement d'Aurillac), où elle s'était retirée, et pendant plus d'un an (31 septembre 1585-13 octobre 1586), elle y vécut abandonnée à ses plaisirs, n'écoutant ni ordres ni remontrances.

Puis, à bout de ressources, elle partit sans chevaux et sans armes et «portée», dit Catherine, par «quelque aysprit (bon ou mauvais génie)»[1336], elle franchit les âpres montagnes du Cantal pour gagner Ibois, dont elle n'avait pas voulu un an auparavant. Mais l'humeur de la Reine-mère n'était plus la même, à supposer même que son offre d'antan ne fût pas un piège. Elle était scandalisée de la liaison publique de sa fille avec un tout petit gentilhomme, d'Aubiac, et avait résolu d'y mettre ordre à la façon du temps. Aussitôt qu'elle sut l'arrivée de Marguerite à Ibois, elle pressa le Roi avec une ardeur cruelle de la faire arrêter sans perdre une heure, «aultrement et (elle) nous fayra encore quelqu'aultre honte». «Tenés-i la mayn, écrit-elle à Villeroy, qu'yl (Henri III) euse de delygense (use de diligence)» et que, lui, Villeroy fasse ce qui sera nécessaire «pour à set coup, nous haulter (ôter) de se torment ynsuportable»[1337]. Mais Henri III n'avait pas besoin d'être excité. Avant même d'avoir reçu la lettre de sa mère, il avait ordonné à Canillac, gouverneur de la Haute-Auvergne, de se saisir de sa sœur et de l'enfermer dans le château d'Usson, haut perché sur un roc et ceint d'un triple rang de remparts[1338]. Sa lettre au Conseil des finances pour demander l'argent nécessaire à la garde de la prisonnière respire la haine, comme aussi cet ordre à Villeroy: «Je ne la veuz apeller dans les [lettres] patentes que seur (sœur) sans chere et bien aimée; ostez cella»[1339]. Il ajoutait: «La Reyne m'enjoint de faire pandre Obyac et que ce soit an la présence de seste misérable en la court du chateau d'Usson»[1340].

**Note 1336:** (retour) 23 octobre 1586, *Lettres*, t. IX, p. 513.

**Note 1337:** (retour) *Ibid.*, p. 513.

**Note 1338:** (retour) *Scaligeriana sive excerpta... Josephi Scaligeri*, 2e éd., La Haye, 168, p. 239. Usson «est une ville située en une plaine où il y a un roc et trois villes l'une sur l'autre en forme du bonnet du pape tout à l'entour de la roche et au haut il y a le château avec une petite villette à l'alentour».

**Note 1339:** (retour) Lettre de la première semaine de Janvier 1587, et non d'octobre 1586, citée par M. le Cte Baguenault de Puchesse, t. IX, p. 108-109, note 1. Henri III dit en effet qu'il sera à Saint-Germain le jour des Rois, nommément mardi prochain. Le jour des Rois, c'est le 6 Janvier 1587.

**Note 1340:** (retour) Henri III revint sur cette décision; il voulut probablement tirer de ce mignon de couchette ce qu'il savait des agissements de sa sœur (Merki, *La Reine Margot*, 1905, p. 350). Camillac expédia Aubiac à Aigueperse, où Lugoli, lieutenant du grand prévôt de France, qui l'attendait, l'interrogea et, avec ou sans ordre, le fit ensuite exécuter.

C'était pendant les conférences de Saint-Brice que le Roi arrêtait avec sa mère la détention et le châtiment de la coupable. Il n'est donc pas invraisemblable que Catherine ait offert à son gendre, s'il abjurait, de faire enfermer sa fille dans un couvent et de le remarier avec sa petite-fille, Christine de Lorraine. La conversion du roi de Navarre aurait été si avantageuse à Henri III que Catherine a pu penser, pour un résultat de cette importance, à faire annuler une union, qui était déjà dissoute en fait. Mais il répugne de croire qu'elle ait proposé ou laissé proposer à Henri de Navarre de le débarrasser de

Marguerite en la faisant mourir. L'histoire est, il est vrai, rapportée par Claude Groulard, premier président du parlement de Normandie, et celui-ci l'avait ouï raconter en 1588, moins d'un an après les conférences de Saint-Brice, par le maréchal de Retz, qui y avait assisté. Mais Groulard était un politique et, comme la plupart des politiques, il tenait Catherine pour le mauvais génie de la famille des Valois. Quand il répétait, en 1599, la conversation du maréchal de Retz à Henri IV, devenu roi de France, il y avait onze ans qu'il l'avait entendue et peut-être y avait-il inconsciemment ajouté. Le fait qu'Henri IV, à qui il en faisait le récit, lui «eust dict que tout cela estoit vrai»[1341] ne prouve guère. Henri IV estimait que son métier de roi était de régler les affaires d'État, non de renseigner les curieux. Quand ses historiographes, Pierre Matthieu par exemple, l'interrogeaient sur un événement du passé, il faisait la réponse que l'intérêt du moment lui suggérait[1342]. A la date où Groulard invoquait son témoignage, il avait obtenu de Marguerite de Valois qu'elle consentît au divorce et probablement lui convenait-il de laisser croire qu'il avait sauvé la vie à la femme qui venait, très opportunément pour l'avenir de sa dynastie, de lui rendre sa liberté. C'est à lui qu'Henri III, dans une lettre à sa mère du commencement de 1587, impute la suggestion de mesures rigoureuses contre sa sœur. «...Il ne fault pas, écrivait-il, qu'il attende de nous que nous la traitions inhumainement ny aussi qu'il la puisse répudier pour après en espouser une aultre»... «je voudrois qu'elle fust mise en lieu où il la peusse (pût) veoir quand il voudroit pour essayer d'en tirer des enffans et neantmoins fust asseuré qu'elle ne se pourroit gouverner aultrement que tres sagement, encores qu'elle [n'] eust volonté de ce faire.... Je pense bien que cette ouverture luy sera d'abordée de dure digestion, d'aultant que j'ay entendu qu'il a le nom de sa dicte femme très à contrecœur. Si est-ce toutesfois qu'il fault qu'il se resolve de n'en espouser jamais d'aultre tant qu'elle vivra et que, s'il s'oublioit tant que de faire aultrement, oultre qu'il mettroit sa lignée en doubte pour jamais, il me auroyt pour ennemi capital»[1343].

**Note 1341:** (retour) *Mémoires de Claude Groulard*, dans Michaud et Poujoulat, 1re série, t. XI, p. 582.

**Note 1342:** (retour) Il avait la mémoire imprécise et complaisante des hommes d'État et une imagination très vive. Nombre de légendes se sont ainsi établies sur sa foi. Il aurait entendu à l'entrevue de Bayonne concerter le projet de la Saint-Barthélemy, comme s'il était vraisemblable qu'on eût décidé le massacre des protestants devant cet enfant de onze ans et demi, d'une intelligence précoce, et qui n'aurait pas manqué d'en avertir sa mère, Jeanne d'Albret, cette hugnenote soupçonneuse. Il raconta au Parlement, pour enlever l'enregistrement de l'Édit de Nantes, qu'après le massacre de Paris, jouant aux dés avec le duc de Guise, il les lui avait vu abattre rouges de sang. En 1603, afin d'obtenir le rappel des Jésuites, il ne craignit pas d'affirmer à cette Cour, qui savait bien le contraire, que Barrière, son assassin, ne s'était pas confessé à un jésuite et même qu'il avait été dénoncé par un jésuite. Or il est certain que la dénonciation vint d'un dominicain florentin établi à Lyon. Il serait facile de multiplier les exemples de ces altérations volontaires ou non de la vérité.

**Note 1343:** (retour) Janvier 1587, *Lettres*, t. IX, p. 437.

Du récit de Claude Groulart comparé avec cette lettre, et en supposant qu'il soit exact, on peut simplement conclure que la Reine-mère a d'elle-même sans l'aveu de son fils, proposé à son gendre la solution du divorce et du remariage qu'elle lui savait agréable, mais à condition qu'il se fît catholique et elle savait combien il y répugnait. L'appât qu'elle lui tendait n'avait peut-être d'autre objet que de mesurer la force de son attachement au parti protestant.

Marguerite, dans les premiers temps de sa captivité, se crut perdue. Elle écrivait à M. de Sarlan, maître d'hôtel de Catherine: «Soubs son asseurement et commandement (de sa mère) je m'estois sauvée chez elle et au lieu du bon traitement que je m'y promettois je n'y ai trouvé que honteuse ruine. Patience! elle m'a mise au monde, elle m'en veut oster»[1344]. Avait-elle le soupçon de quelque dessein criminel ou parlait-elle de sa réclusion avec l'exagération de la douleur?

Mais elle ne s'abandonna pas longtemps. Elle séduisit ou acheta le marquis de Canillac, son geôlier[1345]. Le duc de Guise ne l'oubliait pas. Dès le 18 février 1587, la Reine-mère savait par une lettre du Roi que Canillac négociait avec les ligueurs. Elle refusait de croire à cette «infidellité», de la part d'un serviteur jusque-là si zélé. «Monsieur mon filz,... ce me seroit une telle augmentation d'affliction que je ne sçay comment je la pourrois supporter»[1346]. Mais deux jours après elle apprenait, sans y ajouter encore foi, que dans une réunion à Lyon, où se trouvaient quelques-uns des plus notables personnages de la Ligue, M. de Lyon (Pierre d'Épinac, archevêque de Lyon), le gouverneur Mandelot et le comte de Randan, gouverneur d'Auvergne, Canillac avait promis de mettre «la Reyne de Navarre en lyberté et en lyeu seur»[1347]. En effet Canillac s'entendit avec Marguerite et lui livra le château, d'où il avait fait sortir ou laissé expulser les Suisses qui le gardaient. Elle vécut là dénuée de ressources, reniée par les siens, mais toutefois à l'abri des tempêtes politiques et des catastrophes et se consolant de ses disgrâces par l'étude, la rédaction de ses Mémoires et d'autres plaisirs moins innocents[1348]. Henri III avait trop d'affaires pour penser à reprendre Usson.

**Note 1344:** (retour) : *Mémoires et lettres de Marguerite de Valois*, éd. Guessard, p. 298, lettre qui est citée à tort par l'éditeur des *Lettres*, t. VIII. p. 265, comme ayant été écrite après la fuite de Nérac.

**Note 1345:** (retour) Merki, p. 356 sq. Que Canillac ait été débauché du service du Roi par la beauté de sa prisonnière, comme le veut la légende, c'est possible, mais contrairement à la légende, il ne se laissa pas berner. Il lui vendit à bon prix la liberté et le château d'Usson, et peut-être reçut-il quelque chose de plus comme à-compte ou comme appoint. Séduction et rançon ne s'excluent pas nécessairement.

**Note 1346:** (retour) *Lettres*, t. IX, p. 176; lettre à Canillac, *ibid.*, p. 177.

**Note 1347:** (retour) *Lettres*, t. IX, p. 181. Sur les relations des Guise avec l'Archevêque, voir P. Richard *Pierre d'Épinac*, 1901, p. 272, qui les fait commencer un peu plus tard.

**Note 1348:** (retour) 1348: «Elle est libre, dit le célèbre philologue, Joseph Scaliger, qui la visita à Usson, faict ce qu'elle veut, a des hommes tant qu'elle veut et les choisit.» *Scaligeriana*, 1668, p. 239.

A Saint-Brice, le roi de Navarre s'était gardé de rompre avant que les secours d'Allemagne fussent rassemblés; il fit traîner ensuite les négociations tant qu'il put. Il donnait par exemple rendez-vous à Catherine à Fontenay, mais de Marans où il venait d'arriver, il se refusait à faire un pas vers elle. Il finit par lui envoyer le vicomte de Turenne, qui lui proposa sans rire le secours des protestants français et étrangers «pour restablir l'autorité du Roi anéantie par ceulx de la Ligue et acquérir un perdurable repos à ses sujets»[1349]. Elle comprit que le roi de Navarre se moquait d'elle; ce fut la fin des conférences (7 mars 1587).

Il y avait sept mois et demi qu'elle avait quitté son fils. Elle revint à Paris où sa présence était bien nécessaire. Elle ne pouvait pas traiter avec un parti sans alarmer l'autre. Avant même qu'elle eût joint le roi de Navarre, le duc de Guise écrivait à l'ambassadeur d'Espagne Mendoza qu'elle voulait «troubler le repos des catholiques de ces deux couronnes (France et Espagne), qui consiste en union».[1350] Il invita son frère, le duc de Mayenne, en prévision du compromis qu'il redoutait, à rentrer en son gouvernement de Bourgogne et à s'assurer de Dijon. Les chefs de la Ligue réunis à l'abbaye d'Ourscamp (octobre 1586) décidèrent d'inviter le Roi à observer l'Édit d'Union de point en point, et s'entrejurèrent de lui désobéir s'il faisait quelque accord avec les hérétiques. Sans attendre ses ordres, ils attaquèrent le duc de Bouillon, qui recueillait dans ses États les protestants fugitifs, et, contrairement à ses ordres, Guise assiégea pendant l'hiver de 1586-87 les places de Sedan et de Jametz, qui bridaient la Lorraine.

Le duc d'Aumale s'empara de Doullens, du Crotoy, etc., en Picardie. A Paris, la haute bourgeoisie parlementaire restait fidèle à Henri III par loyalisme et par peur des troubles; mais la moyenne bourgeoisie et le peuple s'indignaient de sa mollesse contre les hérétiques et imputaient à hypocrisie les pèlerinages, les processions et les retraites, toutes les mascarades de sa piété maladive. L'exécution de Marie Stuart (18 février) surexcita la haine contre les protestants, ces protégés de la «Jézabel anglaise». Les ligueurs les plus ardents complotèrent de se saisir de la Bastille, du Châtelet, du Temple, de l'Hôtel de Ville et de bloquer le Louvre. Ils trouvaient le duc de Guise bien froid, un «Allemand», comme ils disaient, et ils s'ouvrirent de leur dessein à Mayenne qui faisait sonner très haut ses succès en Guyenne. Mais Mayenne, ou par peur de la responsabilité ou par ordre d'Henri III, sortit de Paris. Le projet fut ajourné, mais la propagande reprit plus ardente. Les «prédicateurs... servoient de fuzils à la sédition». Des émissaires allèrent dans les provinces et les grandes villes porter des mémoires où la Ligue accusait le Roi de faire entrer en France une armée de reîtres hérétiques pour leur «donner en proie les bons catholiques»[1351].

**Note 1349:** (retour) : Mariéjol, *Histoire de France de Lavisse*, t. VI, 1, p. 257.

**Note 1350:** (retour) Cité dans *Lettres*, t. IX, p. 68, note 3.

**Note 1351:** (retour) Mariéjol, *Histoire de France de Lavisse*, t. VI, 1, p. 264 et 267.

Après avoir essayé sans succès de détacher le roi de Navarre du parti protestant, Henri III n'avait d'autre ressource que de se rapprocher du parti catholique. Il laissa un mois de repos à peine à sa mère et la fit partir à la mi-mai pour Reims où elle se rencontra avec le cardinal de Bourbon et le duc de Guise. Mais, après les conférences de Saint-Brice où les chefs ligueurs soupçonnaient une velléité de défection, elle n'était peut-être pas qualifiée pour rétablir la confiance. Après trois semaines de négociation (24 mai-15 juin), ils lui accordèrent seulement une prolongation de trêve pendant un mois pour le duc de Bouillon; mais ils refusèrent de restituer Doullens et le Crotoy au duc de Nevers, que le Roi avait fait gouverneur de Picardie afin de le brouiller décidément avec la Ligue. Pour dernière concession, ils offrirent de désigner au choix du Roi pour le gouvernement de Doullens trois candidats de leur parti, qui n'auraient pas été mêlés à la prise d'armes de la province.

Catherine était très émue de ce nouvel échec diplomatique, craignant que son fils ne l'accusât d'incapacité. Aussi s'excusait-elle, dans une lettre à Villeroy, sur le peu de temps dont elle disposait. «... Quant on va en quelque lyeu l'on ne peult enn vin (en vingt) jours acomoder les afeyres». Elle demandait sur la question de Doullens l'avis de son fils: «Je vous prye que je sache sa résolutyon, car telle qui la (celle qu'il) pansera la mylleure, je la troveré très bonne»[1352]. Elle n'a plus d'autre politique que de complaire à son fils.

**Note 1352:** (retour) *Lettres*, t. IX, p. 219, 11 juin 1587.

Henri III voyait bien que la diplomatie de sa mère ne viendrait pas à bout des défiances ligueuses. Il envoya le duc de Joyeuse contre le roi de Navarre, il chargea Guise et le duc de Lorraine de barrer la route à l'armée allemande d'invasion. Lui-même s'établit sur la Loire avec le gros de ses troupes pour défendre le passage du fleuve et empêcher la jonction des protestants de l'Ouest avec leurs auxiliaires étrangers. Il comptait que Joyeuse contiendrait le roi de Navarre et que Guise, trop faible pour empêcher les reîtres de piller la Lorraine--et ce serait la juste punition du zèle ligueur de son beau-frère--ne laisserait pas de les affaiblir. Il interviendrait alors avec ses forces intactes et ferait la loi à tout le monde. Mes ennemis, disait-il, me vengeront de mes ennemis. *De inimicis meis vindicabo inimicos meos.*

Il avait laissé sa mère à Paris avec pleins pouvoirs. Elle montra pendant cette campagne de 1587 une prodigieuse activité. Avec Bellièvre et Villeroy pour principaux collaborateurs, elle administra l'armée, les fortifications, les finances. Elle indique aux capitaines la route la plus courte à suivre pour se rendre à leur poste ou les pays qu'il convient de traverser pour ménager les autres[1353]. Elle envoie aux baillis de l'Ile-de-France et des villes et provinces circonvoisines l'ordre écrit de faire avancer les seigneurs, gentilshommes et autres gens de guerre, qui doivent rejoindre le Roi son fils[1354]. Elle recommande aux gouverneurs des pays maritimes de prendre garde aux attaques par mer[1355]; aux gouverneurs, aux manants et habitants des villes de veiller à la sûreté des ponts, places et passages des rivières[1356]. Elle expédie des tentes et des équipages d'artillerie, met des garnisons çà et là. Elle fait venir les Suisses au faubourg Saint-Jacques, règle leurs étapes, leur prépare des logis et du pain. Elle fortifie Paris et fait rentrer dans les villes fermées tous les grains de la région d'alentour[1357], s'efforce de trouver de l'argent, en demande au clergé, vend des charges, presse l'enregistrement au Parlement des édits bursaux. Les expéditions sont faites par le secrétaire d'État Brulart, mais elle les voit et les signe. Elle se retrouve bonne «munitionnaire» comme en 1552, lors de la campagne d'Austrasie.

**Note 1353:** (retour) *Ibid.*, p. 249.

**Note 1354:** (retour) *Ibid.*, t. IX, p. 251 et note 1.

**Note 1355:** (retour) *Ibid.*, t. IX, p. 254.

**Note 1356:** (retour) *Lettres*, t. IX, p. 255.

**Note 1357:** (retour) *Ibid.*, p. 260 et 261.

Elle avait plus de peine à manier les sentiments de son fils. Le duc de Lorraine, pour se venger des dévastations de l'armée allemande, avait offert de la poursuivre en France. Henri III accepta, mais aussitôt que les reîtres de Charles III furent entrés dans le royaume, il exigea qu'ils «abandonnassent l'écharpe jaune» et «de nom de forces du duc de Lorraine». Il lui commanda aussi de renvoyer les quinze cents lances espagnoles que le duc de Parme, gouverneur de Philippe II, lui avait expédiées des Pays-Bas. Avait-il peur que son beau-frère une fois vengé ne se servît contre lui de tous ces renforts, ou tenait-il à rappeler à ce complice masqué des ligueurs qu'il était le maître en son royaume? Quoi qu'il en soit, Charles III fut tellement ému de sa hauteur ou de sa défiance que les larmes lui en vinrent «aux yeulx»[1358].

Catherine s'était dès le début entremise pour apaiser un conflit, dont les suites pouvaient être si graves[1359], et ce fut naturellement au duc de Lorrains qu'elle demanda de céder. Elle savait l'antipathie d'Henri III contre tous les Lorrains, et, pensant qu'avec les forces dont il disposait il devait être encore plus difficile, elle ne se risquait pas à lui recommander la modération. Elle informait Villeroy que son gendre lui avait promis de «donner tele asseurance que le Roy en pourrét prendre toute sureté», et elle le chargeait d'annoncer à son fils cette concession--en fait une demi-concession qui tenait compte des peurs, non des susceptibilités d'Henri III. «... Quelque foys le Roy ne prent pas come ayst mon yntention et panse que je le face pour volouyr (vouloir) toute chause palyer au (ou) pour les aimer (les Lorrains) au (ou) pour aystre trop bonne, qui est aultant à dire que je ayme quelque chause plus que luy qui m'est très [cher] à jamès au (ou) que je soye une pouvre creature que la bonté mene»[1360]. Elle gémit que le Roi doute de son affection ou la croie sottement sensible. Deux suppositions humiliantes pour une mère aussi tendre et pour une femme d'État.

**Note 1358:** (retour) Davillé, p. 132.

**Note 1359:** (retour) Davillé p. 137. *Lettres*, t. IX, p. 279.

**Note 1360:** (retour) *Ibid.*, t. IX, p. 279-280, 15 nov. 1587.

L'intérêt de son fils est son unique règle. Assurément le duc de Lorraine a tort, mais doit-on se priver des secours qu'il procure et s'aliéner cet homme «qui nous a aysté tousjours amy, et mesme le chasser». Refuser son aide, c'est braver l'opinion du pape, du roi d'Espagne, de la chrétienté tout entière, et qui pis est, de ce royaume: «Je vous lèse (laisse) à penser qu'ele aubeysance il (Henri III) aura de cette vyle (Paris) et des autres et de beaucoup de provinces». Sous peine d'être accusé de connivence avec les huguenots, il faut se contenter des assurances du duc de Lorraine. Mais le Roi tint bon; et le Duc qui ne voulait pas céder se retira; mais, par un compromis que lui suggéra probablement Catherine, il envoya son fils, le marquis de Pont-à-Mousson, avec quelques troupes qui prêtèrent serment au roi de France. La Reine-mère avait appris le 25 octobre la victoire du roi de Navarre sur l'armée royale et la mort de Joyeuse à Coutras (20 octobre). «C'est ung grand malheur, écrivait-elle à son fils, que la perte que vous avez faite en Guyenne, dont je suis en très grande poyne depuis hier disner que le jeune Desportes me dict ces nouvelles si mal à propos» (si malheureuses en ce temps-ci); et, continue-t-elle, j'en eus une telle esmotion que je n'en ay pas esté bien à mon aise depuis»[1361].

Mais elle crut le mal réparé quand le Roi, par force d'argent d'ailleurs, obtint la retraite des Suisses (27 novembre) et des Allemands de l'armée de secours (8 décembre). Elle écrivit d'enthousiasme à Matignon, lieutenant général en Guyenne, de faire aussi bien de son côté, «car de desà nous n'avons plus ryen à fayre ca (qu'à) remersyer Dyeu, nous ayent (ayant) telement haydé que s'ét un vray miracle et a monstré à cet coup qu'il aime bien le Roy et le royaume et qu'yl est bon catolique» (le Roi, je suppose, et non Dieu). «Cete ayfect (cet effet) douyt (doit) convertyr tous les huguenots et [faire] conestre que Dieu n'en veult plus soufryr»[1362]. Elle était trop prompte à prendre ses désirs pour des réalités. Les huguenots, qui venaient de gagner leur première bataille rangée à Coutras, ne parlaient pas de se convertir, et les ligueurs, qu'exaltaient deux succès de Guise à Auneau et à Vimory, reprochaient au Roi de n'avoir pas exterminé les envahisseurs et même d'avoir défendu à Guise et au marquis de Pont-à-Mousson, qui d'ailleurs ne lui obéirent pas, de les pourchasser jusqu'à la frontière.

Les difficultés recommencèrent. Le duc d'Aumale voulait le gouvernement de la Picardie et préalablement s'installait de force dans toute la province «dont je demeure fort en peine, écrit la vieille Reine»[1363]. Le cardinal de Bourbon se montrait furieux d'une lettre qu'il avait reçue d'Henri III. Mayenne se plaignait à elle que le Roi lui eût commandé de licencier deux compagnies de gens de pied.

**Note 1361:** (retour) *Lettres*, 26 octobre 1587, t. IX, p. 259.

**Note 1362:** (retour) 12 décembre 1587, *Ibid.*, p. 312.

**Note 1363:** (retour) 16 mars 1587, *Ibid.*, p. 332.

Les chefs de la Ligue se réunirent à Nancy en janvier 1588 et arrêtèrent la liste de leurs exigences: octroi de nouvelles places de sûreté, destitution de d'Épernon et de son frère La Valette, publication du concile de Trente et établissement de l'Inquisition au moins «ès bonnes villes du royaume», confiscation et vente des biens des hérétiques, taxes énormes sur les suspects d'hérésie, mise à mort des protestants qui seraient pris en combattant et refuseraient de vivre «catholiquement» à l'avenir, etc.[1364].

C'était le moment où la grande «Armada» de Philippe II s'apprêtait à faire voile vers la Manche pour aller prendre en Flandre et débarquer en Angleterre l'armée du duc de Parme. Les chefs de la Ligue, associés à ce haut dessein catholique contre Élisabeth et le protestantisme européen, voulaient garder les ports de Picardie qu'ils occupaient et même ils tentèrent de s'emparer de Boulogne pour y recevoir au besoin la flotte espagnole. Bellièvre et La Guiche ne purent obtenir de Guise qu'il engageât le duc d'Aumale à restituer les places prises. Catherine était très mécontente. Elle écrivit à Bellièvre de sa main de dire au Duc qu'elle ne certifierait plus au Roi ce qu'il lui manderait, «car je suys bien marrye qu'yl (son fils) aye occasion de me dire come yl fyst yer (hier): «Vous m'avés dyst qu'il (les Guise) me contereront (contenteront) et vous voyé si j'é aucasion de l'estre» (1er avril 1588) [1365]. Et elle ajoute: «J'é tent de mal au dens que ne vous en dirés daventège.» Elle peinait à concilier des volontés inconciliables et ressentait d'autant plus vivement ses misères physiques. Le Roi, déclarait Villeroy, ne peut plus vivre comme il a vécu; «il veut être obéi». Mais les Guise étaient résolus à désobéir.

**Note 1364:** (retour) Davillé, p. 145.

**Note 1365:** (retour) *Lettres*, t. IX, p. 334.

Henri III avait envoyé à Soissons, pour faire une dernière tentative, Bellièvre, le conciliant Bellièvre. Peut-être le duc de Guise aurait-il continué les négociations sans conclure ni rompre, car, ayant lié partie avec Philippe II, il était obligé de subordonner ses mouvements à ceux du roi d'Espagne et la prise d'armes de la Ligue à l'apparition encore ajournée de l'Armada. Mais il devait compter plus encore avec les ligueurs parisiens qui, par zèle et aussi par peur, étaient impatients d'agir. Ils s'étaient élevés en armes contre les archers du roi, chargés d'arrêter trois prédicateurs factieux; ils avaient assailli le duc d'Épernon sur le pont Notre-Dame, et ils avaient lieu de craindre que le Roi, ainsi bravé, ne voulût prendre sa revanche. Aussi pressaient-ils leur chef d'arriver. Guise, pour avoir un prétexte d'intervenir, refusait obstinément toute concession à Bellièvre. Catherine lui faisait dire (22 avril) «de regret extresme que j'auray s'il ne donne contantement au Roi monsgr et filz»[1366]. Mais il lui importait beaucoup plus de contenter ses partisans que son maître: «... Je veoy, écrivait Bellièvre le 24 avril, ces princes estre tellement altérés des avis qui leur sont donnés du cousté de Paris que je crains fort que le succès ne soit pas tel que nous devons désirer pour le contentement du Roy et le repos de ce Royaulme»[1367]. Et, désespérant d'aboutir, il demanda son rappel.

**Note 1366:** (retour) 22 avril 1588, *Ibid.*, p. 336.

**Note 1367:** (retour) 24 ou 26 avril, *Ibid.*, p. 335, note 1.

Henri III était exaspéré, comme le prouve un billet à Villeroy: «La passion à la fin blessée se tourne en fureur; qu'ils ne m'y mettent point.» Il fit défendre à Guise de venir à Paris sous peine d'être rendu responsable des «émotions» qui pourraient s'ensuivre. Mais les ligueurs parisiens décidèrent leur chef à passer outre. Le 9 mai, quelques heures après le retour de Bellièvre, il entrait lui-même à Paris par la porte Saint-Denis avec neuf ou dix compagnons. Aussitôt qu'il fut reconnu, les acclamations, les cris de «Vive Guise!» «Vive le pilier de l'Église!» éclatèrent. La foule se pressait autour de lui, confiante, familière, heureuse de le voir, de toucher son manteau. Mais cette explosion d'enthousiasme populaire était pour lui un danger de plus; il pouvait craindre la peur du Roi, plus redoutable encore que son orgueil. Il alla droit à l'hôtel que la Reine-mère habitait depuis quelques années près du Louvre, pour s'expliquer et se faire comme une sauvegarde de sa politique conciliante contre le premier mouvement de la fureur de son fils[1368].

Le ligueur anonyme, qui a laissé de ces mémorables événements un récit, à ce qu'il semble, bien informé, raconte que la naine de Catherine, regardant d'aventure par la fenêtre, s'écria que le duc de Guise était à la porte, et que la Reine-mère, croyant à une plaisanterie, dit «qu'il falloit bailler le fouet à ceste nayne qui mentoit». Mais «à l'instant, elle cogneust que la nayne disoit vray». Il ajoute, sans souci de la contradiction, qu'elle «fut tellement esmeue d'ayse et de contentement qu'on la vit (singuliers signes de contentement!) trembler, frissonner et changer de couleur»[1369]. L'ambassadeur vénitien écrit, le jour même, qu'elle «resta toute sens dessus dessous»[1370], et ce n'était pas de joie. Au fait, Catherine ne cacha pas à Guise qu'elle eût mieux aimé le voir en une autre saison. Mais il lui importait avant tout d'empêcher entre son fils et le chef de la Ligue une rupture irréparable, et peut-être craignait-elle pis encore.

**Note 1368:** (retour) : Mariéjol, *Histoire de France de Lavisse*, t. VI, 1, p. 269.

**Note 1369:** (retour) Récit d'un ligueur anonyme, *Histoire de la Journée des Barricades de Paris, mai 1588*, *Archives curieuses*, t. XI, p. 368-369.

**Note 1370:** (retour) Cité par Berthold Zeller, qui cependant maintient, *Catherine de Médicis et la Journée des Barricades* (*Revue Historique*, t. XLI, sept.-déc. 1889, p. 267), que la Reine-mère était d'accord avec Guise.

Elle résolut, dans l'intérêt même d'Henri III, de s'entremettre en faveur de Guise. Elle le conduisit au Louvre dans son carrosse, raconte Jean Chandon, un maître des requêtes du Grand Conseil qui les vit arriver, et le mena droit au cabinet du Roi. Henri III debout reprocha au Duc d'être venu contre son commandement. D'après le même témoin qui l'ouït dire immédiatement après au chancelier Cheverny, présent à l'entrevue, Guise aurait répondu que la Reine-mère l'avait mandé. Catherine, avouant cette excuse qu'elle avait probablement suggérée, expliqua qu'elle avait fait venir le Duc «pour le mettre bien auprès du Roy comme il avoit esté toujours et pacifier toute chose». Henri III ne crut pas un instant que Catherine se fût permis à son insu d'envoyer cette invitation, ou eût dissuadé Bellièvre de transmettre sa défense. Il «prit, dit Jean Chandon, cette réponse pour argent comptant»[1371], c'est-à-dire pour ce qu'elle valait. Mais il ne pouvait plus incriminer le voyage de Paris, puisque sa mère en prenait la responsabilité.

Pendant les deux jours qui suivirent, Catherine chercha un moyen d'accord. Le mardi 10, elle eut une conférence avec le Duc et remit en avant la restitution des villes de Picardie. Guise aurait répondu, d'après l'anonyme ligueur, que ce n'étaient pas ses affaires et qu'il fallait penser à guérir tout le corps de l'État. Avec le Roi, les propos prirent un tour plaisant. Le Duc demanda la permission d'appeler à Paris l'archevêque de Lyon, Pierre D'Épinac, «d'intellect agent de la Ligue». Le Roi dit qu'il serait le très bien venu. Le Duc ajouta comme «en se jouant qu'il s'estoit toujours asseuré que sa Majesté ne le trouveroit mauvais puisque soubs main il leur auroit voulu oster et l'auroit fait pratiquer». Le Roi aurait dit aussi, pensant peut-être à son favori, le duc d'Épernon, dont les ligueurs exigeaient impérieusement le renvoi: «Qui aimoit le maistre, il aimoit son chien». Et l'autre de répliquer, mais est-ce croyable? «que cela estoit vray pourveu qu'il ne mordist et que le maistre, le chien et le valet doibvent estre discretz»[1372].

**Note 1371:** (retour) *Cabinet historique*, t. IV, 1858, p. 104-105, extrait de *La vie de Jean Chandon*..., publiée par un de ses arrières-petits-neveux, M.P.C. de B. (M. Paul Chandon de Briailles), Paris, 1857. Le témoignage de Jean Chandon est d'autant plus important que certains historiens en ont voulu tirer la preuve que Catherine, complice, avait en effet invité Guise à venir à Paris.

**Note 1372:** (retour) *Histoire de la Journée des Barricades de Paris, mai 1588*, *Archives curieuses*, 1re série, t. XI, p. 370-371. Voir aussi pour l'ensemble des faits *Histoire tres-veritable de ce qui est advenu en ceste ville de Paris depuis le septiesme de may 1588 jusques au dernier jour de juin ensuyvant audit an*, Paris, 1588 (attribué à l'échevin ligueur Saint-Yon), *Archives curieuses de Cimber et Danjou*, 1re série, t. XI, p. 327-350; récit royaliste: *Amplification des particularités qui se passèrent à Paris lorsque M. de Guise s'en empara et que le Roy en sortit*, mai 1588, *Archives curieuses*, t. XI, p. 351-363. Consulter, en se défiant des partis pris Robiquet, *Paris et la Ligue sous Henri III*, Paris, 1886, p. 313-358.

Le lendemain, c'en était fini du badinage. Henri, qui se trouvait dans la chambre de sa mère quand le Duc y arriva, tourna la tête et feignit de ne pas le voir. Guise s'assit sur un coffre et se plaignit à Bellièvre des mauvais rapports qu'on faisait contre lui. Le Roi avait appris que les ligueurs se préparaient à la bataille et il prenait lui-même ses dispositions. Dans la nuit du mercredi 11 au jeudi 12, il fit entrer dans Paris, contrairement au privilège qu'avait la ville de se garder elle-même, le régiment des gardes françaises et les Suisses cantonnés dans le faubourg Saint-Jacques. L'Université s'agita. Des étudiants et des bourgeois se retranchèrent place Maubert avec «des futailles vides». Au lieu de disperser par la force ces premiers rassemblements, Henri III, surpris, envoya Bellièvre à l'Hôtel de Guise déclarer à l'instigateur présumé de cette résistance qu'il n'avait «aucun mauvais dessein contre lui»[1373]. La Reine mère arriva presque aussitôt; et, rassurée de trouver le chef de la ligue «en pourpoint», elle lui «fit entendre le mécontentement que le Roi prenoit de cette émotion» et le pria d'y mettre ordre. Il «répondit que de tout cela il ne savoit autre chose que ce qu'aucuns bourgeois lui avoient rapporté. Et sur ce qu'on desiroit qu'il fit poser les armes aux bourgeois, il dit qu'il n'étoit point colonel ni capitaine, qu'elles avoient été prise sans lui et que cela dépendoit de l'autorité des magistrats de la ville».

**Note 1373:** (retour) Charles Valois, *Histoire de la Ligue, œuvre inédite d'un contemporain* (ligueur) (S.H.F.), t. I, 1914, p. 206.

Cette réponse, pourtant si évasive, ne la découragea pas. Elle «retourna au Louvre en esperance que les choses s'apaiseroient»[1374]. Mais, pendant ces allées et venues, le peuple, irrité par la présence des soldats, s'échauffait peu à peu et inaugurait l'arme des révolutions, les barricades. Gardes françaises et Suisses furent cernés entre des retranchements improvisés et Henri III, pour les sauver, fut obligé de solliciter l'intervention de Guise. Mais les ligueurs les plus ardents parlaient d'aller prendre ce «bougre» de roi en son Louvre. Le vendredi matin, quand la Reine-mère sortit, selon son habitude, pour aller entendre la messe à la Sainte-Chapelle, elle trouva les rues barrées et fut forcée de passer «à beau pied» par les défilés qu'elle se faisait ouvrir dans les remparts de pavés et de tonneaux, et qu'on refermait derrière elle. «Elle monstroit un visage riant et asseuré sans s'estonner de rien»[1375]. Mais quand, à travers les mêmes obstacles, elle fut revenue à son hôtel, «tout le long de son disner elle ne fit que pleurer»[1376]. Elle ne désespérait pas encore de conclure un accord. L'après-midi, dans un Conseil au Louvre, elle soutint seule que le Roi ne devait pas quitter Paris. «Hier, dit-elle, je ne cogneus point aux paroles de M. de Guyse qu'il eust d'autre envie que de se ranger à la raison: j'y retourneray présentement le veoir et m'asseure que je luy feray appaiser ce trouble»[1377]. Mais elle le trouva «froid» à calmer la passion du peuple, disant que «ce sont des taureaux échauffés qu'il est malaisé de retenir» et qu'aller au Louvre, comme elle le lui demandait, «se jetter foible et en pourpoint à la mercy de ses ennemis, ce seroit une grande faiblesse d'esprit»[1378]. Alors elle dit à l'oreille au secrétaire d'État Pinart, qui l'avait accompagnée, d'engager le Roi à quitter Paris. Il en était déjà sorti secrètement, laissant pleins pouvoirs à sa mère.

**Note 1374:** (retour) Charles Valois. p. 207. *L'Amplification des particularités* (récit royaliste), *Archives curieuses*, t. XI, p. 357, parle aussi de cette première visite de la Reine-mère au duc de Guise.

**Note 1375:** (retour) 1375 *Histoire de la Journée des Barricades* (ligueur), *Archives curieuses*, t. XI, p. 387.

**Note 1376:** (retour) *Mémoires-journaux de L'Estoile*, éd. des Bibliophiles, t. III, p. 144.--*Amplification des particularités, Archives curieuses*, p. 357.

**Note 1377:** (retour) Palma Cayet, *Chronologie novenaire*, éd. Buchon, Introd., p. 44.

**Note 1378:** (retour) *Mémoires-journaux de L'Estoile*, t. III, p. 144--Robiquet, *Paris et la Ligue sous le règne de Henri III*, 1886, p. 351 sqq.

Les chefs de la Ligue étaient embarrassés de cette fuite qu'ils n'avaient pas prévue. Ils ne pensaient qu'à mettre Henri III en tutelle et à commander en son nom. Mais le roi fainéant se dérobait aux maires du Palais. Sous peine de le pousser entre les bras des protestants et de soulever les catholiques qui n'étaient pas de la Ligue, ils ne pouvaient gouverner sans lui ni contre lui. Force leur était donc de conserver les dehors de l'obéissance et d'agir de concert avec celle à qui il avait délégué son autorité dans sa capitale en révolte. Les vues de Catherine s'accordaient sur certains points avec les leurs[1379]. Elle s'efforça d'adoucir son fils et de lui ramener le peuple. Elle encouragea les Corps constitués, Parlement, Cour des aides, et les Capucins à envoyer des députations à Chartres où il s'était arrêté, pour excuser ou pallier la journée des Barricades. La municipalité que la Révolution avait installée à l'Hôtel de Ville fit elle-même, mais par écrit, assurer Sa Majesté de son devoir et de sa fidélité (23 mai). Dans la requête qu'elle joignit à sa lettre et que contresignèrent le duc de Guise et le cardinal de Bourbon, elle rejetait les malheurs de la France sur d'Épernon et La Valette, son frère et réclamait leur disgrâce comme fauteurs d'hérétiques et dilapidateurs du trésor public. Elle priait aussi le Roi de marcher en personne contre les réformés de Guyenne et de laisser le soin de «maintenir» la ville de Paris et «de pourveoir aux choses nécessaires» pendant son absence à la Reine sa mère, «qui par sa prudence s'y est acquise beaucoup de croiance et amour du peuple». Elle «tiendra les choses très tranquilles et sçaura, comme Elle a faict cy devant en semblable occasion, se servir de personnes affectionnées au bien de vos Estats»[1380].

Catherine profita de la confiance qu'elle inspirait aux ligueurs pour les mieux surveiller. Elle signalait à son fils l'occupation du château de Château-Thierry par Guise, et ses projets sur Melun, Lagny, Corbeil, Étampes, et autres lieux autour de Paris[1381]. Elle l'avisait que le sieur de Bois-Dauphin, un des lieutenants du Duc, pratiquait «sur le château d'Angers» et qu'il espérait l'avoir pour de l'argent[1382]. Elle l'invitait à bien prendre garde à Chartres.

**Note 1379:** (retour) Comte Baguenault de Puchesse, *Les Négociations de Catherine de Médicis à Paris après la Journée des Barricades*, Extrait du Compte rendu de l'Académie des sciences morales et politiques, tirage à part, Orléans, 1903, p. 8 et 9.

**Note 1380:** (retour) *Registres des délibérations du Bureau de la Ville de Paris*, publiés par François Bonnardot, t. IX (1586-1590), Paris, 1902, p. 132-133.

**Note 1381:** (retour) 2 juin 1588, *Lettres*, t. IX, p. 357.

**Note 1382:** (retour) 17 juin, *Ibid.*, p. 371.

Mais en même temps elle négociait. Elle travaillait à décider les ligueurs à rabattre de leurs exigences et le Roi à faire des concessions. Henri III trouvait particulièrement dur de reconnaître la municipalité révolutionnaire et de donner au duc de Guise le commandement suprême des armées avec le titre de lieutenant général. Mais la Reine le pressait de faire la paix au plus vite et à tout prix, pour arrêter la propagation de la révolte que le duc de Parme favorisait de tous ses moyens. «...J'emeres myeulx, écrivait-elle à Bellièvre le 2 juin, doner la motyé de mon royaume et ly (au duc de Guise) doner la lyeutenance et qu'i (il) me reconeust et (ainsi que) tout mon royaume, que demeurer haletant au (où) nous sommes de voyr le Roy encore plus mal. Je say bien que [mon fils] ayent le ceour (ayant le cœur) qu'yl a que s'èt une dure medecine [à] avaler; mès yl èt encore plus dur de se perdre de toute l'hautoryté et aubeyssance. Yl serè très loué de set (se) remetre en quelque fason qu'i (il) le puyse fayre pour set heure, car le temps amene baucoup de chause que l'on ne peult panser byen souvent et l'on loue ceulx que ceve (qui savent) seder au temps pour se conserver. Je preche le precheur; mès ayscusés [moi en ce] que jamès je ne me vis en tel anuy (ennui) ny si peu de clarté pour en byen sortyr. Cet (si) Dyeu n'y met la meyn (main), je ne sé que se sera»[1383].

Le Roi envoya son médecin, Miron, à Paris, porteur de propositions qui furent repoussées, et se décida, en désespoir de cause, à subir la loi de ses sujets révoltés. Il adjoignit à la Reine-mère Villeroy, qui amena les princes à formuler leurs vœux: reconnaissance de la Sainte-Union, jouissance des villes de sûreté pour six ans, publication du concile de Trente (sauf les articles contraires aux libertés de l'Église gallicane), levée de deux armées, dont l'une, commandée par le duc de Guise, marcherait en Guyenne, c'est-à-dire contre le roi de Navarre (15 juin).

La municipalité, de son côté, demanda que la police de Paris fût, comme dans des villes de moindre importance, donnée au prévôt des marchands, que la Bastille fût rasée ou confiée à sa garde, que les gens de guerre fussent logés à 12 lieues de Paris, qu'il fût fait justice des hérétiques, etc. Le Roi finit par céder à peu près sur tout, et signa l'Édit sur l'Union de ses sujets catholiques, qui fut enregistré au Parlement de Paris le 21 juillet[1384]. Il y confirmait la promesse faite à son sacre d'extirper du royaume toutes les hérésies, «sans faire jamais aucune paix ou tresve avec les hérétiques», et commandait à ses sujets «de ne recevoir à estre Roy... prince quelconque qui soit hérétique ou fauteur d'hérésie». Il déclarait éteint, assoupi, et comme non advenu «tout ce qui est advenu et s'est passé les douze et treisiesme du moys de mai dernier et depuis en conséquence de ce jusques à la publication des présentes [lettres] en nostre Cour de Parlement de Paris».

Il se sépara du duc d'Epernon, que la Reine-mère n'aimait pas et que les Guise et le peuple de Paris haïssaient à mort, et l'envoya dans son gouvernement d'Angoumois. Il ne tint pas aux ligueurs d'Angoulême que Catherine ne fût complètement vengée de l'hostilité du favori[1385]. D'Épernon ayant introduit des soldats dans la ville contre l'ordre exprès du Roi--un ordre dont il semble bien qu'il n'ait pas eu connaissance--le maire dépêcha son beau-frère à la Cour pour dénoncer sa désobéissance. Villeroy, confident de la Reine-mère et qui avait eu à se ressentir de la hauteur du Duc, présenta le messager à Henri III et celui-ci le fit repartir avec l'ordre d'arrêter le gouverneur, mais toutefois «sans faire de mal à personne». Les gens d'Angoulême n'oublièrent que les moyens de douceur.

**Note 1383:** (retour) 2 juin, *Lettres*, t. IX, p. 368. Voir aussi la lettre découragée au duc de Nevers du 20 juin, *Ibid.*, p. 371.

**Note 1384:** (retour) *Le second Recueil contenant l'Histoire des choses plus mémorables advenues sous la Ligue*, Paris, 1590, p. 574-581 (autrement dit *Mémoires de la Ligue*, t. II).

**Note 1385:** (retour) Girard, *Histoire de la vie du duc d'Épernon*, Paris, 1663, t. I, p. 196 sqq. Girard, qui renvoie à de Thou, Davila et d'Aubigné, raconte le fait d'après ce que lui en a dit le duc d'Épernon lui-même.

D'Epernon, investi dans le château, criblé de tous côtés d'arquebusades, obligé de barricader toutes les portes, de se prémunir contre les pétards et de se défendre contre les assauts, fut contre toute espérance sauvé par un secours qui lui arriva de Saintes (10-11 août)[1386].

**Note 1386:** (retour) Sur cette «ténébreuse affaire», voir Nouaillac, *Villeroy*, p. 129-133.

Cependant Catherine, qui était, la paix conclue, restée à Paris, continuait à servir son fils sans mécontenter les ligueurs. Elle dissuada les gens du Parlement de députer au Roi pour demander le paiement de leurs gages et des rentes sur l'Hôtel de Ville. Elle confirma dans ses fonctions la municipalité révolutionnaire de Paris, qui avait, en témoignage d'obéissance, donné sa démission. Mais elle répondit par un refus aux requêtes des villes ligueuses, comme Abbeville et Bourges, qui, ayant été dépouillées par les rois de leurs privilèges, pensaient profiter des troubles pour en obtenir le rétablissement.

Elle eût voulu achever la réconciliation générale, en ramenant le Roi au Louvre. Elle alla le visiter à Chartres et s'efforça sans succès de le décider au retour. D'ailleurs il accueillit bien le Prévôt des marchands et les échevins. Il conféra à Guise, le 4 août, le commandement en chef de toutes les armées; au cardinal de Bourbon, comme à son plus proche parent, le privilège de créer un maître de chaque métier en toutes les villes de son royaume; aux autres chefs de la Ligue des faveurs de diverses sortes, mais il resta hors de Paris. Il en voulait, comme toujours, à sa mère de lui avoir conseillé la capitulation. Soudainement (8 septembre), il renvoya les principaux de son Conseil, qu'il savait partisans de la politique de concessions: le chancelier Cheverny, le surintendant des finances Bellièvre, les trois secrétaires d'État, Villeroy, Pinart et Brulart, et il les remplaça par des hommes sans attaches et sans passé: Montholon, un avocat de grand renom et de grande intégrité, dont il fit un garde des sceaux, et Beaulieu-Ruzé et Révol, qu'il nomma secrétaires d'État. Les chefs de la Ligue savaient Henri III si fantasque en ses sympathies qu'ils crurent à un changement de personnes et non de système. Mais il tint aussi sa mère à l'écart, et, tout en lui témoignant des égards, il prétendit gouverner par lui-même. Dans une lettre du 20 septembre à Bellièvre, elle se plaignait «du tort, dit-elle, qu'on m'a fest de aprendre au Roy qu'il fault byen aymer sa mère et l'honorer come Dyeu le comende, mès non ly (lui) donner tant d'aultoryté et creanse qu'ele puyse empecher de fayre cet (ce) que l'on veult»[1387].

**Note 1387:** (retour) *Lettres*, t. IX, p. 382.

Le jour de l'ouverture des États généraux à Blois (16 octobre), il la loua hautement, elle présente, devant les députés des trois ordres, d'avoir tant de fois conservé l'État, qu'elle ne devait pas seulement avoir le nom de «Mère du Roy», mais aussi de «Mère de l'Estat et du royaulme». C'était son oraison funèbre. Elle cessa d'être consultée en toute occasion et employée en toutes les affaires, comme il est facile d'en juger par sa correspondance politique qui, si abondante à d'autres époques, se réduit désormais à quelques lettres.

Elle n'avait plus le premier rôle. Quand le duc de Savoie, Charles-Emmanuel, le digne fils d'Emmanuel-Philibert, sous prétexte de se protéger contre la propagande des réformés dauphinois, s'empara de Carmagnole et de la ville de Saluces, les dernières des possessions françaises d'outremonts, Henri III fut sur le point de déclarer la guerre à ce princerot, qui osait s'attaquer au royaume de France. A la sommation qu'il lui fit porter de restituer les places prises, Catherine joignit une lettre où elle parlait trop mollement pour une reine-mère qui aurait souci de la grandeur de la Couronne. Elle lui conseillait par l'amour qu'elle avait toujours «engravé dans l'ame» pour sa mère, Marguerite de France, de ne pas donner occasion au Roi «de vous aystre aultre, dit-elle, que bon parent et voisyn»[1388]. Elle avait l'air de croire que le roi d'Espagne, beau-père de Charles-Emmanuel, se ressentirait de cette agression contre la France. Elle écrivait le même jour à la duchesse, Catherine, infante d'Espagne et sa petite-fille, pour lui représenter, en style de grand'mère, qu'ayant tant d'enfants à marier, auxquels il s'en ajouterait d'autres, elle n'avait pas intérêt à ce que «neul de ses (ces) deus grens Roys» fussent «mal contens» du Duc. Pouvait-elle penser que le roi d'Espagne prendrait le parti du roi de France? Il est vrai que Philippe II, ayant reçu la nouvelle de l'attaque de Saluces presque en même temps que celle du désastre de l'Armada, montra d'abord quelque ennui de cette complication italienne. Il savait les jalousies des États libres de la péninsule et pouvait craindre une alliance des Vénitiens, du grand-duc de Toscane, de Ferrare, et même des Suisses, avec la France pour ramener la Savoie à ses limites. Mais il avait trop d'intérêt à fermer aux Français les routes de l'Italie pour en vouloir à son gendre. Il fit dire à l'agent savoyard à Paris qu'il ne permettrait pas au roi de France de faire injure à son maître[1389]. Catherine était donc ou mal renseignée ou bien peu perspicace.

**Note 1388:** (retour) : Poigny, qui portait la sommation du Roi, arriva à Turin le 4 novembre (Italo Raulich, *Storia di Carlo Emanuele I, duca di Savoia*, Milan, 1896, t. I, p. 378). Les deux lettres de la Reine-mère, qui partirent avec celles d'Henri III, sont probablement de la fin d'octobre, et non du mois de novembre, comme l'ont cru les éditeurs des *Lettres de Catherine.* Voir t. IX, p. 390.--Sur l'attitude du pape, de Philippe II et les sentiments des États italiens,, Italo Raulich, *Storia*, t. I, p. 370.

**Note 1389:** (retour) Italo Raulich, p. 371.--Cf. Pietro Orsi, *Il Carteggio di Carlo Emanuele I*, dans le *Carlo Emanuele I*, Turin, 1891, p. 7.

Elle eut tout le succès qu'elle désirait dans une autre négociation--celle-ci d'un caractère presque domestique--le mariage de sa petite-fille, Christine de Lorraine, qu'elle aimait comme une fille.

Bonne grand'mère, elle lui avait cherché ou rêvé pour mari, aussitôt qu'elle eut dix-huit ans[1390], un prince souverain ou qui avait chance de l'être: le duc d'Anjou, dont Christine aima mieux rester la nièce; le duc de Savoie, qui avait de plus hautes prétentions et qui en effet épousa une autre petite-fille de Catherine, mais celle-là fille de Philippe II; et au pis aller, le prince de Mantoue, Vincent Gonzague, fils du duc régnant, «si plustost (auparavant) elle (Christine) n'est mariée en lieu auquel ledict prince ne fera difficulté de céder»[1391]. En compensation elle destinait à ce prétendant imaginaire la sœur cadette de Christine. Pendant qu'elle disposait à sa fantaisie de la main du Mantouan, l'idée lui vint d'un autre mariage italien, celui de son petit-fils, le marquis de Pont-à-Mousson, avec une de ses nièces à la mode de Bretagne, la fille aînée du grand-duc de Toscane, François de Médicis. Ce fut la première forme d'une alliance de famille entre ses parents de Lorraine et de Toscane.

**Note 1390:** (retour) Christine de Lorraine était née en 1565.

**Note 1391:** (retour) 11 novembre 1583, *Lettres*, t. VIII, p. 153 et p. 154.

Elle ne voulait pas, pour beaucoup de raisons, du mari qu'Henri III pensa un moment donner à Christine, le duc d'Epernon. Mais son gendre, le duc de Lorraine, lui épargna l'ennui de s'opposer à cette mésalliance[1392]. Elle parut définitivement fixer son choix sur un prince français, Charles-Emmanuel de Savoie, fils de la duchesse douairière de Guise, Anne d'Este, et du duc de Nemours, Jacques de Savoie, qu'elle avait épousé en secondes noces. Il était, par sa mère, arrière-petit-fils de Louis XII, parent ou allié des maisons de Savoie, de Ferrare, de France, et frère utérin de Guise et de Mayenne. La Reine-mère, qui aurait dû être plus sceptique sur l'effet de ces unions, s'enthousiasma pour ce projet, qui lui parut, après la paix de Nemours, un moyen de sceller la réconciliation des Lorrains et de son fils[1393]. Elle fit demander une dispense au pape (31 décembre 1585) à cause de la parenté des futurs conjoints, mais, la querelle ayant repris entre Henri III et le duc de Guise, le mariage fut ajourné d'année en année et définitivement rompu par un changement de règne en Toscane. Un soir que le grand-duc François de Médicis dînait à Poggio à Cajano, en compagnie de son frère le cardinal Ferdinand, et de la belle aventurière vénitienne, Bianca Capello, dont il s'était assez épris pour l'épouser, il mourut subitement. Quelques heures après, sa femme mourut aussi (9 octobre 1587); coïncidence tragique qui fut diversement interprétée[1394]. François n'ayant pas d'enfant mâle, Ferdinand lui succéda. Catherine, sans chercher à pénétrer le mystère de son avènement, saisit l'occasion d'établir Christine à Florence et d'occuper par représentation la place dont les calculs de Clément VII et les événements l'avaient privée. Jugeant que le Cardinal quitterait la pourpre et se marierait, elle engagea dès le 10 novembre une campagne matrimoniale qu'elle mena habilement[1395]. Le nouveau grand-duc trouva bon d'accorder par un mariage les prétentions contradictoires de sa maison et de Catherine sur les biens patrimoniaux des Médicis de la branche aînée, un litige que compliquait encore la mort de Marguerite de Parme, veuve en premières noces d'Alexandre de Médicis et usufruitière de ces biens (1586).

**Note 1392:** (retour) Lettre de l'agent anglais Geffrey à Walsingham, 18 avril 1583, *Lettres*, t. VIII, p. 411.

**Note 1393:** (retour) *Lettres*, t. VIII, p. 372.

**Note 1394:** (retour) Le cardinal Ferdinand de Médicis s'est-il après la mort subite de son frère, débarrassé sans autre forme de procès, d'une parvenue mal famée, suspecte d'avoir machiné l'accident dont mourut la première femme de François, Jeanne d'Autriche? c'est une explication qui n'est pas invraisemblable. La légende veut que Bianca Capello ait fait servir à son beau-frère un blanc-manger empoisonné, et que celui-ci, averti, se soit excusé d'y toucher, tandis que la grande-duchesse, sous peine de s'avouer coupable, était obligée d'en prendre et d'en laisser prendre à son mari. La réputation de tous ces Médicis était d'ailleurs si mauvaise qu'on soupçonna le Cardinal d'avoir fait empoisonner son frère et sa belle-sœur. Blaze de Bury, *Bianca Capello* (*Revue des Deux-Mondes*, 1er juillet 1884, p. 152-158), n'écarte pas l'idée d'une mort naturelle. Voir Saltini, *Tragedie Medicee domestiche*, Florence, 1898.

**Note 1395:** (retour) Lettre de Pisani, ambassadeur de France à Rome, *Lettres*, t. IX, p. 278.

Philippe II, qui s'était d'abord inquiété d'un rapprochement possible entre la Toscane et la France, finit par donner son approbation[1396]. Le duc de Savoie se plaignit «du tort qu'on faisoit à Monsieur de Nemours», son «frère», (son cousin)[1397]. Mais la Reine-mère passa outre. L'homme de confiance du grand-duc, le banquier florentin Orazio Rucellai, vint à Blois négocier les articles du contrat, qui furent signés le 24 oct. 1588[1398]. Catherine donnait à Christine deux cent mille écus et tous ses biens de Florence. Elle n'eut pas la joie de voir le mariage par procuration, qui, retardé par sa maladie et sa mort, n'eut lieu que le 27 février 1589.

Elle souffrait depuis longtemps d'accès de goutte et de rhumatismes, que ramenait périodiquement son formidable appétit, et d'une toux catarrheuse, qui avec l'âge allait s'aggravant. Dans la première quinzaine de décembre, elle faillit mourir d'une congestion pulmonaire. La défaveur ou la maladie de celle qui, par prudence ou amour maternel, travaillait à maintenir l'union des catholiques, laissa le Roi directement aux prises avec les catholiques ardents. Les États généraux lui imposaient la guerre contre les hérétiques et refusaient de lui voter les fonds pour la faire. Ils exigeaient, contrairement aux traditions de la monarchie, qu'il ratifiât d'avance les décisions arrêtées d'un commun accord par le Clergé, la Noblesse et le Tiers. Un avertissement lui vint qu'on voulait le mener à Paris. La conversation qu'il eut le 22 décembre avec Guise le troubla comme une menace. Le chef de la Ligue se serait plaint que ses actions les plus innocentes étaient pour son malheur toujours mal interprétées et lui signifia qu'il était résolu à céder la place à ses ennemis et à résigner ses fonctions de lieutenant-général. Henri III crut que Guise quittait cette dignité pour en obtenir une plus haute, la connétablie. Tremblant pour sa liberté et peut-être pour sa vie, il attira le sujet rebelle dans sa chambre et le fit tuer par les Quarante-Cinq (23 décembre 1588).[1399]

**Note 1396:** (retour) Lettre du 1er juin 1588, *ibid.*, t. IX, p. 32.

**Note 1397:** (retour) Lettre du duc de Savoie du 6 mars 1588, *Ibid.*, t. VIII, p. 488.

**Note 1398:** (retour) Correspondance de Rucellai, dans les *Négociations de la France avec la Toscane*, t. IV, p. 876 sqq.

**Note 1399:** (retour) Pour de plus amples détails sur la tragédie de Blois, voir Mariéjol, *Histoire de France de Lavisse*, t. VI, 1, p. 285-286.

Aussitôt après le meurtre, il descendit chez sa mère, dont l'appartement était situé au-dessous du sien. Un homme était là, le médecin de la Reine, Cavriana,--agent secret du grand-duc de Toscane--qui le lendemain écrivit au secrétaire d'État à Florence ce qu'il avait vu et entendu. Le Roi entra et lui demanda comment allait sa mère. Il répondit: Bien, et qu'elle avait pris un peu de médecine. Henri s'approcha du lit et dit à Catherine de l'air le plus assuré et le plus ferme du monde: «Bonjour, Madame. Excusez-moi. M. de Guise est mort: il ne se parlera plus de lui. Je l'ai fait tuer, l'ayant prévenu en ce qu'il avait le dessein de me faire.» Et alors il rappela les injures que depuis le 13 mai, jour de sa fuite de Paris, il avait pardonnées pour ne pas se salir les mains du sang de ce rebelle, mais, sachant et expérimentant à toute heure qu'il sapait ou minait (ce furent ses propres paroles) son pouvoir, sa vie et son État, il s'était résolu à cette entreprise. Il avait longtemps hésité; enfin Dieu l'avait inspiré et aidé, et il allait de ce pas lui rendre grâces à l'église, à l'office de la messe. Il ne voulait pas de mal aux parents du mort, comme les ducs de Lorraine, de Nemours, d'Elbœuf et Mme de Nemours, qu'il savait lui être fidèles et affectionnés. «Mais je veux être le roi et non plus captif et esclave comme je l'ai été depuis le 13 mai jusqu'à cette heure, à laquelle je commence de nouveau à être le roi et le maître». Il avait fait arrêter le cardinal de Bourbon et lui avait donné des gardes pour s'assurer de lui. Ainsi avait-il fait du cardinal de Guise et de l'archevêque de Lyon. Après cette déclaration, il s'en retourna avec la même contenance ferme et tranquille[1400]. Cavriana, qui était tout près, ne laisse pas entendre que Catherine ait répondu. Qu'aurait-elle pu dire à cet homme rasséréné et ragaillardi, comme le remarque l'Italien, par le plaisir de la vengeance? La moindre réserve l'aurait blessé. Cavriana ajoute que la Reine-mère «est souffrante» et qu'elle sort «d'une terrible bourrasque de mal» dont elle a failli mourir «et je crains, conclut-il, que le départ de Madame la princesse de Lorraine (pour la Toscane) et ce spectacle funèbre du duc de Guise n'empirent son état»[1401].

Plus tard, le bruit courut--et il a été recueilli par l'histoire--qu'elle aurait dit à son fils: «Avez-vous bien donné ordre à vos affaires?--Ouy, Madame, luy répondit-il.--Faictes advertir donc, luy dit-elle, Monsieur le Légat de ce qui s'est passé, affin que Sa Saincteté sache premièrement par luy vostre intention et que ne soyez prévenu par vos ennemis»[1402].

**Note 1400:** (retour) Le récit de Cavriana dans *Négociations diplomatiques de la France avec la Toscane*, t. IV, p. 842-843.

**Note 1401:** (retour) *Ibid.*, p. 846.

**Note 1402:** (retour) 1402: Palma Cayet, *Chronologie novenaire*, éd. Buchon, Introd., p. 85.

Mais ce dialogue, qui ne s'accorde pas avec le témoignage de Cavriana, est par lui-même invraisemblable. Henri III n'avait pas dit à sa mère qu'il eût l'intention de se défaire du cardinal de Guise--et peut-être n'y était-il pas encore résolu. Alors à quoi bon se hâter d'envoyer une justification au pape; l'exécution du duc de Guise, un laïque, ne le concernait point. Sixte-Quint ne protesta que contre le meurtre du Cardinal, ce prince de l'Église étant, à ce qu'il prétendait, uniquement justiciable de la Cour de Rome[1403]. Catherine savait très bien ces distinctions ultramontaines. Le Roi tout ce jour-là refusa de recevoir le légat Morosini, se bornant à lui faire dire par le cardinal de Gondi qu'il avait, pour sauver sa vie, fait arrêter les cardinaux de Bourbon et de Guise et l'archevêque de Lyon, et le soir, sur une nouvelle demande d'audience, il envoya encore Gondi l'assurer que ni le cardinal de Guise ni l'archevêque de Lyon n'étaient morts. Et en effet le cardinal de Guise ne fut tiré de sa prison et passé par les hallebardes que le lendemain matin. Alors seulement Henri III pria Morosini de le venir trouver et il lui expliqua que les desseins criminels des deux frères l'avaient forcé de se défaire d'eux, comme il l'avait fait, sans employer les formes ordinaires de la justice, qui, vu le malheur des temps et la puissance des coupables, risquaient de bouleverser l'État.

**Note 1403:** (retour) Guy de Brémond d'Ars, *Jean de Vivonne*, p. 299-302 sqq.

Mais naturellement, dans les jours qui suivirent, Henri III a dû, comme en toutes ses difficultés, recourir à sa mère. Après ce sursaut d'énergie sanglante, il oubliait d'agir contre le reste de ses ennemis. Il laissa sans secours la citadelle d'Orléans, que les ligueurs de la ville assiégeaient. Il renvoya aux Parisiens deux de leurs échevins qu'il avait fait arrêter le jour de la tragédie de Blois. Il mit en liberté la mère de ses victimes. Pensait-il avoir tué la Ligue avec les Guise ou retombait-il de tout son poids dans ses habitudes de mollesse et d'indolence? Catherine était, comme on peut le croire, embarrassée de lui donner des conseils. Il n'est pas douteux qu'elle déplorait ce crime comme une faute. «Ah! le malheureux! disait-elle de son fils au P. Bernard d'Osimo, un capucin, le 25 décembre. Ah! le malheureux. Qu'a-t-il fait.... Priez pour lui qui en a plus besoin que jamais, et que je vois se précipiter à sa ruine, et je crains qu'il ne perde le corps, l'âme et le royaume[1404]». Elle est, écrivait Cavriana le 31 décembre, «bouleversée (*turbata*) et, quoique très prudente et très expérimentée dans les choses du monde, elle ne sait toutefois quel remède donner à tant de maux présents ni comment pourvoir aux maux à venir[1405]?» Elle allait toutefois mieux, et le médecin espérait que dans huit jours elle pourrait reprendre son train de vie.

Mais elle n'attendit pas d'être complètement rétablie; son fils avait besoin d'elle. Le 1er janvier, elle sortit, comme il le désirait, pour aller voir le cardinal de Bourbon et lui annoncer, peut-être dans un dessein de réconciliation, qu'il lui faisait grâce[1406]. Le temps était très froid, même en cette année qui fut froide. Le vieillard reçut très mal sa vieille amie. «Madame, lui dit-il, si vous ne nous aviez trompés et ne nous aviez amenés ici avec de belles paroles et avec garantie de mille sûretés, ces deux [hommes] ne seraient pas morts, et moi je serais libre».

**Note 1404:** (retour) Le récit de cette entrevue que le capucin expédia immédiatement à Rome a été publié par M. Charles Valois, *Histoire de la Ligue, œuvre inédite d'un contemporain*, S.H.F., t. I, 1914, p. 300.

**Note 1405:** (retour) Desjardins, *Négociations diplomatiques avec la Toscane*, t. IV, p. 852.

**Note 1406:** (retour) 1406 Cavriana dit «la sua liberazione». Cela veut-il dire qu'Henri III avait l'intention de remettre le Cardinal en liberté, mais, dans ce cas, c'était assurément à de certaines conditions. La colère du vieillard, en montrant son intransigeance, aurait été cause qu'on le garda en prison.

Cette injuste accusation la toucha au vif; elle s'en retourna toute dolente. Ses poumons se reprirent et son état s'aggrava tellement que le 5 janvier au matin elle dicta ou plutôt se laissa dicter par son fils son testament et mourut le jour même à une heure et demie.

Deux personnes donnèrent des marques de profond chagrin: sa petite-fille très chère, Christine de Lorraine, et le Roi, «ce fils, dit Marguerite, que d'affection, de debvoir, d'esperance et de crainte elle idolastrait»[1407]. Aussi, dans sa lettre à l'ambassadeur de France à Rome, reconnaissait-il qu'il lui était «tenu non seulement du devoir commun de la nature», mais de tout le bonheur qu'il avait eu sur terre et que le «deuil et regret» que lui apportait «la privation du bien de sa présence» ne se pouvait comparer «au ressentiment de la perte des personnages qui vous sont aussi proches»[1408].

**Note 1407:** (retour) 1407 *Mémoires de Marguerite*, éd. Guessard, p. 49.

**Note 1408:** (retour) *Lettres*, t. IX, p. 395.

Mais il l'aimait à sa façon d'enfant gâté et de roi et jusqu'à la fin lui imposa la tyrannie de sa jalouse tendresse. De la recluse d'Usson, il n'était pas plus question dans le testament que si elle fût morte. Catherine déshéritait sa fille, tacitement, comme indigne, et ne lui faisait pas même l'aumône d'une parole de pardon. Elle instituait Henri III pour son seul et unique héritier, mais, il est vrai, avec tant de fondations et de donations qu'elle ne lui laissait en somme, sauf la ville de Cambrai, que la qualité d'exécuteur testamentaire, et encore à titre onéreux. Elle le chargeait de payer, annuellement ou en une fois, diverses sommes à des religieux attachés à l'église de l'Annonciade en son hôtel de Paris, à des filles à marier, aux pauvres, à ses femmes de chambres, à ses nains et naines, à ses deux médecins, à ses deux chirurgiens et apothicaires, à M. de Lanssac, son chevalier d'honneur, à ses dames et filles d'honneur, à son confesseur, Monsieur Abelly, à la duchesse de Retz, au comte de Fiesque, qui avait épousé une Strozzi, à l'abbé Gadagne, un de ses négociateurs, au petit La Roche, son écuyer tranchant et son grand porteur de dépêches, à Mme de Randan, née Fulvie Pic de la Mirandole, et à la comtesse de la Mirandole, à Claude de L'Aubespine, son secrétaire des finances, et à quelques autres personnes. Ses dettes, qu'on a évaluées à vingt millions de notre monnaie, étaient, avec les legs, si supérieures au peu qu'elle laissait à son fils que, s'il n'eût été roi, il aurait certainement répudié la succession. Elle en attribuait la meilleure part à trois légataires: à Louise de Lorraine, sa bru, la seigneurie et château de Chenonceaux; à son petit-fils Charles, le bâtard de Charles IX, tout ce qui lui appartenait de son propre: à savoir en Auvergne, les comtés de Clermont et d'Auvergne, avec les baronnies de La Tour et de La Chaise; en Languedoc, le comté de Lauraguais, avec les droits de justice et de péage à Carcassonne, Béziers, et sur les moulins de Baignaux, ainsi que la moitié des meubles, bagues et cabinets du palais qu'elle s'était fait construire à Paris; à Christine de Lorraine, sa petite-fille, sa maison et palais de Paris, avec ses appartenances et dépendances et l'autre moitié «de tous et chacuns des meubles, cabinets, bagues et joyaux». Elle transférait aussi à la future grande-duchesse de Toscane les «biens, droicts noms, raisons et actions» qu'elle avait au pays d'Italie, y compris ses prétentions sur le duché d'Urbin, et la somme de deux cent mille écus pistoles «provenant de la vente par elle faicte à Monsieur le grand-duc de Toscane, des biens situés et assis en la Toscane»[1409].

**Note 1409:** (retour) Testament de la Reine-mère, dans *Lettres*, t. IX, p. 494-498.

De l'affection de Catherine de Médicis pour sa petite-fille, de sa sympathie pour la maison régnante de Lorraine et de ses ménagements pour les Guise, cadets de cette maison, on a cru pouvoir conclure qu'elle avait souhaité et préparé l'avènement au trône de son gendre Charles III, ou plutôt de son petit-fils Henri de Lorraine, marquis de Pont-à-Mousson. Pour barrer la route au roi de Navarre, légitime héritier présomptif, elle aurait favorisé les catholiques qui subordonnaient le droit dynastique à la profession du catholicisme. La reconnaissance officielle des droits du cardinal de Bourbon était une première «escorne» à la règle de succession dynastique et elle en méditait une autre, l'abolition ou la suspension de la loi salique, dont l'un des deux Lorrains chers à Catherine serait appelé à profiter à la mort d'Henri III et du cardinal de Bourbon.

Il est vrai que l'Union catholique s'était faite contre le roi de Navarre. Mais Catherine pouvait s'excuser sur la nécessité ou alléguer qu'Henri de Bourbon, en s'obstinant dans l'hérésie, rendait inutiles les efforts pour le rapprocher du trône. Elle n'avait pas beaucoup de raisons de s'intéresser à lui: c'était un gendre détestable et un ennemi dangereux. Sauf les droits qu'il tenait de la loi salique, et qu'en sa qualité d'étrangère elle ne devait pas apprécier beaucoup, quel autre mérite pouvait-elle lui reconnaître que de contrecarrer à merveille les volontés du Roi son fils? L'historiographe Palma Cayet, compilateur méritoire, mais pauvre cervelle, se montre vraiment trop crédule quand il assure que la Reine-mère, à son lit de mort, avait recommandé à Henri III d'aimer les princes du sang et de les tenir toujours auprès de lui, et principalement le roi de Navarre. «Je les ay, lui fait-il dire, tousjours trouvés fidèles à la Couronne, estant les seuls qui ont intérest à la succession de vostre royaume[1410]». A-t-elle bien pu dire contre toute vérité qu'elle avait toujours eu à se louer des princes du sang? Si vraiment elle a conseillé à son fils de se rapprocher du roi de Navarre, c'est qu'après le meurtre des Guise il n'y avait plus d'accord possible entre le Roi et la Ligue; les leçons du passé n'y sont pour rien. Mais il est encore moins vraisemblable que, par amour des Lorrains, Catherine ait songé à préparer leur avènement au trône[1411]. Le bruit en avait couru, il est vrai. Un correspondant du comte palatin, Jean Casimir, écrivait à ce condottiere de l'Allemagne protestante, le 6 août 1586, que la Reine-mère avait fait espérer au duc de Lorraine que, vu sa parenté avec le Roi, il avait plus de chance que les Guise d'obtenir la Couronne. Ce n'était pas s'engager beaucoup. «En somme, ajoutait ce donneur de nouvelles, la vieille Reine veut ruiner Navarre et transférer la Couronne[1412]. C'est prêter un bien long dessein à une femme de cet âge et qui n'avait d'autre politique que l'avenir de son fils. Quel ramassis de contes bleus ou noirs deviendrait l'histoire si elle admettait pour vérités tous les racontars que s'empressaient de transmettre sans contrôle les agents officieux et même les agents officiels des princes!

**Note 1410:** (retour) Palma Cayet, p. 160.

**Note 1411:** (retour) Cette thèse a été reprise, à grand renfort de textes, par Davillé, ce bon travailleur, dont le livre d'ailleurs contient çà et là tous les arguments contre le rôle qu'il prête à Catherine.

**Note 1412:** (retour) Davillé, p. 108, note 2.

Il faut aussi se garder de trop solliciter les textes. En 1587, quand les protestants d'Allemagne envoyèrent une armée au secours des protestants de France, Guise, craignant pour la Ligue les suites de cette jonction, écrivit au duc de Lorraine de lever des soldats et de munir ses places pour barrer la route aux envahisseurs. Il l'assurait «que la France paiera le tout pourveu qu'on soit le plus fort», c'est-à-dire que s'il aidait à l'être, il serait indemnisé de sa peine et de ses dépenses. Henri III avait autant d'intérêt que le Duc à la défense de la frontière. «...Croyez que le Roy vous donnera le mesme secours que firent ses ayeulx (Louis XI) aux vostres (René de Lorraine) contre le duc de Bourgogne (Charles le Téméraire)»[1413]. Enfin, pour décider son cousin aux sacrifices d'hommes et d'argent, Guise employait les grandes raisons: il y trouverait «honneur, réputation, et commencement destablir *la belle fortune d'un gran monarque*». «Car de l'estime qu'on fera de vous despens non seullement vostre conservation, *mais ce que pouvez espérer*.» Quelle fortune et quelles espérances? Dans une lettre que les envahisseurs saisirent le 27 ou le 28 septembre sur un messager lorrain, Christine de Danemark, duchesse douairière de Lorraine, souhaitait à son fils Charles III bon succès sur cette armée allemande. «Et en ceste occasion, disait-elle, je désirerois bien que puissions jouyr de la couronne *qu'aultrefois m'avez escript*, et me semble que le temps ne seroit mal à propos d'y penser»[1414]. Les protestants conclurent, non sans apparence, de ces quelques mots que le Duc, en récompense du service rendu, se ferait reconnaître par Henri III héritier présomptif. Mais à la vérité ce n'est pas à la Couronne de France que pensaient la duchesse douairière de Lorraine et Guise. Les ducs de Lorraine se vantaient de descendre de Charlemagne, et plusieurs fois, au cours du XVIe siècle, ils employèrent leurs historiographes à le démontrer. En tête d'un ouvrage publié en 1509 ou 1510, et qui ouvre la série de ces généalogies tendancieuses, Symphorien Champier, médecin du grand-père de Charles III, le duc Antoine, et fameux polygraphe, avait inscrit ce titre significatif: *Le recueil ou croniques des hystoires des royaulmes daustrasie ou france orientale, dite à présent lorrayne.* Henri III savait ces prétentions et même il s'en irritait. Mais pour décider Charles III à donner Christine en mariage à son favori le duc d'Épernon, il lui laissa probablement entendre qu'il lui céderait Metz, et le reconnaîtrait pour roi d'Austrasie. D'Épernon, qui commandait à Metz, aurait eu en échange le gouvernement du Comtat Venaissin, à titre de vicaire du pape. Ce n'est pas une simple hypothèse. L'agent de Walsingham en France, Geffrey, écrivait à ce ministre d'Élisabeth, le 18 avril 1583: «Le duc de Lorraine ne la voullut donner (sa fille) à Monsieur d'Espernon [ce] qui a esté cause de rompre le desseing du *royaume d'Austrasie* et du comtat de Venisse»[1415]. Jean-Casimir, qui suivait avec une curiosité intéressée les affaires de France, notait dans son Diaire en juin-juillet 1583, c'est-à-dire avec quelque retard: «Lorraine et ses mignons veult il (Henri III) faire roy»[1416]. Mais si Charles III n'avait pas voulu payer d'une mésalliance le titre de roi, il n'y renonçait pas. Le 4 juin 1588, La Noue écrivait à Walsingham: «Si Sedan et Jamès (Jametz) (deux villes de la principauté protestante de Bouillon menacées par le duc de Guise) se perdent par faulte d'assistance, Metz suivra le mesme chemin, dont s'ensuivra *ung nouveau establissement du roiaume d'Austrasie*»[1417]. Rien de plus naturel que la duchesse douairière ait fait allusion, dans une lettre de septembre 1587, à ces espérances de la Maison de Lorraine soupçonnées de tout le monde et immédiatement réalisables.

**Note 1413:** (retour) *Ibid.*, p. 126.

**Note 1414:** (retour) Cette lettre est rapportée dans les *Mémoires de La Huguerye*, t. III, p. 148-150. La Huguerye était alors au service de François de Châtillon, qui avait rejoint l'armée d'invasion avec une petite troupe de huguenots, et bien que ce diplomate marron, qui passa du parti protestant au parti catholique plusieurs fois en sa carrière, soit un imaginatif, comme il a déjà été indiqué plus haut, il n'est pas vraisemblable qu'il ait inventé ce document ni même qu'il l'ait altéré, car il l'aurait en ce cas éclairci. C'est ce qu'a fait l'éditeur des Mémoires de la Ligue, *Le Second Recueil*... p. 338, qui précise ainsi ce passage: «car jamais ne se présenta une plus belle occasion de vous mestre le sceptre en la main et la Couronne sur la teste». Par contre, il supprime l'incidente «*qu'aultrefois m'avez escript*» et cependant elle est essentielle, comme on le verra.

**Note 1415:** (retour) *Lettres*, t. VIII, p. 412.

**Note 1416:** (retour) Cité par Davillé, *Les Prétentions de Charles III*, p. 46, note 1, d'après le journal de Jean-Casimir qu'a publié F. v. Bezold, *Briefe des Pfalzgrafen Johann Casimir*, t. II, Munich, 1884, p. 130.

**Note 1417:** (retour) Hauser, *François de La Noue*, app. p. 314.

Mais quand même la mère de Charles III aurait rêvé pour son fils la couronne de France, rien ne permet de supposer que Catherine de Médicis ait été complice de ses ambitions. Les sympathies de la Reine-mère pour le duc de Lorraine étaient grandes[1418]. Elle ne laissait pas échapper l'occasion de signaler à Henri III la volonté qu'il avait de le servir, mais tout le reste est conjecture. Elle n'eût pas osé recommander la candidature de Charles III ou du marquis de Pont-à-Mousson à Henri III, qui n'aimait pas les Lorrains et qui était sincèrement attaché à la loi de succession dynastique.

**Note 1418:** (retour) Ajouter aux textes déjà cités une lettre du 2 juin 1587, *Lettres*, t. X, p. 475.

L'intention que lui prête le cardinal Granvelle dans une lettre du 28 juin 1584, immédiatement après la mort du duc d'Anjou, de proposer le cardinal de Bourbon pour héritier présomptif, s'accorderait mieux avec son habitude d'ajourner la solution des difficultés. Exclure le roi de Navarre à cause de son hérésie et mettre à sa place son oncle, ce n'était pas méconnaître les titres des Bourbons ni la loi salique sur lesquels ils étaient fondés, mais déclarer que la règle immuable de succession dynastique comportait une exception, une seule, la profession de l'hérésie. Ce compromis permettait de gagner du temps. Peut-être aussi Catherine a-t-elle à même fin inspiré, quelques années plus tard, une consultation politico-juridique contre les droits immédiats du son gendre. L'auteur est un jurisconsulte italien, Zampini, qu'elle avait chargé en 1576 de démontrer que les États généraux étaient une assemblée consultative, qui donnait au Roi des avis, non des ordres. A sa demande, ou de lui-même (mais pourquoi cet étranger serait-il intervenu spontanément dans ce débat?) Zampini s'efforça de démontrer que les droits de l'oncle, indépendamment des croyances religieuses, l'emportaient sur ceux du neveu. Le fond de son argumentation était qu'Antoine de Bourbon, mort pendant le règne de Charles IX et du vivant de deux autres fils d'Henri II, n'avait jamais été lui-même héritier présomptif et par conséquent n'avait pu transmettre à son fils une qualité qu'il ne possédait pas. Après la mort du duc d'Anjou, le candidat éventuel à la couronne était non le fils d'Antoine, mais son frère le cardinal, qui était plus proche parent d'Henri III, «car le plus prochain en degré exclut tousjours celuy qui est le plus remot et esloigné»[1419]. Mais cette disposition du droit civil, à supposer même qu'elle pût prévaloir contre la règle de succession dynastique, n'écartait pas pour toujours le roi de Navarre--réserve faite de l'hérésie--elle l'ajournait simplement à la mort du Cardinal, dont il était l'héritier naturel. La thèse de Zampini décourageait, sans les désespérer, les partisans d'Henri de Bourbon et de la loi salique, et, vu la différence d'âge du Cardinal et d'Henri III, elle avait, sauf l'accident qu'on ne pouvait prévoir, les plus grandes chances de rester purement spéculative.

**Note 1419:** (retour) Matthieu Zampini, *De la succession du droict et prérogative de premier prince du sang de France déférée par la loy du Royaume à Monseigneur Charles, cardinal de Bourbon, par la mort de Monseigneur François de Valois, duc d'Anjou*, Lyon, 1589, p. 16.

C'est trop donner à l'hypothèse que d'imaginer Catherine méditant un changement de dynastie. Les difficultés étaient grandes et les chances des Lorrains petites. L'exclusion du roi de Navarre comme hérétique au profit du cardinal de Bourbon affirmait les droits des Bourbons catholiques, c'est-à-dire, sans compter le vieux cardinal, de François de Conti, du comte de Soissons et du cardinal de Vendôme, qui, quoique fils du héros de la Réforme, Condé, n'étaient pas de sa religion. Les ligueurs prétendaient que Conti et Soissons ayant combattu à Coutras dans l'armée du roi de Navarre, étaient, comme fauteurs d'hérétiques, civilement et politiquement déchus. Mais l'incapacité de tous les Bourbons et l'abrogation de la loi salique n'auraient pas résolu la question de succession à l'avantage des Lorrains. Il y avait parmi les parents d'Henri III des ayants droit ou plus qualifiés ou plus puissants. Philippe II, qui avait épousé la fille aînée d'Henri II, pouvait réclamer l'héritage pour sa fille, l'infante Claire-Isabelle-Eugénie, à plus juste titre que Charles III pour le marquis de Pont-à-Mousson, qui était le fils de la cadette, Claude de Valois. Même en admettant qu'au même degré les mâles dussent être préférés aux femmes, le duc de Savoie, Charles Emmanuel, fils d'une fille de François Ier, n'avait-il pas, comme représentant d'une ligne plus ancienne, de meilleurs droits à faire valoir? Et les Guise, qui pouvaient mettre les forces de la Ligue au service de Charles III, ne seraient-ils pas tentés de s'en servir à leur profit? Entre tant de concurrents catholiques et contre l'héritier légitime, quelles seraient les chances du duc de Lorraine? Et au vrai il n'a jamais ambitionné, et encore sans franchise, qu'un morceau de France.

Catherine était assez intelligente pour comprendre que l'élection de ce petit prince amènerait le démembrement de la France. Deux prétendants seuls pouvaient maintenir le royaume en son entier: le roi de Navarre et le roi d'Espagne, celui-ci pour en faire un autre Portugal, celui-là pour assurer la nationalité française. Catherine aimait aussi peu Philippe II qu'Henri de Bourbon. Le zèle de l'un pour le catholicisme lui était aussi suspect que l'obstination de l'autre dans le protestantisme. Mais le roi de Navarre avait pour lui la tradition, sa race, un parti puissant et tous les catholiques qui ne subordonnaient pas le droit dynastique au droit religieux. Catherine n'avait pas de préférence à marquer tant que son fils était vivant, mais, si tièdes qu'on suppose ses sentiments pour sa patrie d'adoption, il est croyable que, forcée de choisir, elle se fût prononcée pour le seul candidat capable de sauvegarder l'indépendance de la Couronne.

Mais on ne lui eût pas demandé son avis. Après la sanglante exécution de Blois, qui tuait l'Union catholique, son rôle à elle était fini. Odieuse aux ligueurs, qui la croyaient complice du meurtre des Guise, elle était, pour toutes les raisons du passé, suspecte aux protestants. Elle mourut dans l'épouvante de ce qu'elle put deviner, et encore eut-elle ce bonheur, dans la ruine de ses efforts, de ne pas voir l'assassinat de son fils et la fin des Valois.

Elle n'avait pas cessé, sauf dans les moments de grande pénurie financière, de faire travailler à la chapelle funéraire contiguë à l'abbaye de Saint-Denis où elle espérait aller retrouver son mari sous le mausolée de marbre. Mais, quand elle mourut, Paris était en pleine insurrection. Les ligueurs les plus ardents menaçaient, si son corps traversait la ville, de le traîner à la voirie ou de le jeter au fleuve[1420]. On le garda donc provisoirement à Blois, dans l'église de Saint-Sauveur, mais il avait été, paraît-il, si mal embaumé qu'il fallut le mettre en pleine terre. Il y resta vingt et un ans[1421].

**Note 1420:** (retour) L'Estoile, janvier 1589, éd. Jouaust, t. III, p. 233.

**Note 1421:** (retour) : Pasquier, *Œuvres*, t. II, liv. XIII, lettre 8, p. 377.

Henri III périt quelques mois après; Henri IV fut assez occupé pendant dix ans à conquérir son royaume sur ses sujets et sur les Espagnols pour faire des obsèques solennelles à sa belle-mère. Même quand il fut le maître absolument obéi, il oublia ou ajourna le transfert à Saint-Denis de celle qu'il avait si peu de raisons d'aimer. Ce fut la bâtarde d'Henri II, la bonne Diane de France, qui, mue de pitié, s'en chargea. L'année même de l'avènement de Louis XIII, elle fit exhumer la vieille Reine et transporter ce qui restait d'elle auprès du Roi son mari. Quand la chapelle des Valois, qui croulait faute de soins, fut démolie en 1719, le tombeau d'Henri II fut réédifié dans l'église abbatiale[1422]. C'est là que Catherine de Médicis repose, du moins en effigie. Quant à son cœur, même s'il avait été retrouvé, il n'y aurait pas eu place pour lui dans le monument gracieux qui, de l'église des Célestins où il avait été élevé, a passé aujourd'hui au musée du Louvre. L'urne de bronze doré que supportaient les trois cariatides de marbre de Germain Pilon réunissait les cœurs d'Henri II et de son vieil ami, le connétable Anne de Montmorency. La veuve, aussi déférente que l'épouse, s'était résignée à laisser s'affirmer jusque dans la mort un attachement qui, pour d'autres raisons, comme on le pense, que la faveur de Diane de Poitiers, avait été une des amertumes de sa vie conjugale[1423].

**Note 1422:** (retour) Paul Vitry et Gaston Brière, *L'Église abbatiale de Saint-Denis et ses tombeaux*, Paris, 1908, p. 21.

**Note 1423:** (retour) On croit communément que l'urne était destinée à recevoir et a reçu les cœurs, unis cette fois, d'Henri II et de Catherine, mais il n'est pas possible que le secrétaire de l'ambassadeur vénitien se soit trompé. Dans sa relation écrite peu de temps après 1579, et en tout cas du vivant de Catherine de Médicis, il dit qu'Anne de Montmorency fut l'âme (*anima*) du roi Henri II, «comme on le voit par la sépulture de leur cœur dans un même vase à l'église des Célestins». Des trois distiques gravés sur le soubassement, le plus ancien et le plus équivoque ne contredit pas ce témoin:

*Cor junctum amborum longum testantur amorem*

*Ante homines Junctus spiritus ante Deum.*

*Amor*, en langage poétique, peut très bien signifier l'amitié de deux hommes.--L'urne actuelle du Louvre est une reconstitution moderne.

# APPENDICE

## LES DROITS DE CATHERINE SUR LA SUCCESSION DES MÉDICIS

Le contrat de mariage[1424] de Catherine de Médicis portait qu'elle renonçait aux biens, meubles et immeubles de son père «au proffit et utilité de» Clément VII, mais son oncle étant mort en 1534, son cousin le cardinal Hippolyte en 1535, et son frère Alexandre de Médicis, duc de Florence, en 1537, et ainsi tous les mâles de la branche aînée ayant disparu, Catherine revint sur sa renonciation comme n'ayant été faite qu'en faveur du Pape. Elle poursuivit en Cour de Rome la restitution de ses biens patrimoniaux, que détenait Marguerite d'Autriche veuve de son frère assassiné. Le projet de transaction qui, après négociations et procès, fut en 1560 soumis aux deux parties, laissait à Marguerite la jouissance, sa vie durant, des biens situés en Toscane et la pleine propriété des joyaux; bracelets, pierres précieuses et autres meubles, ainsi que des biens-fonds des Médicis situés dans le royaume de Naples[1425]. Il attribuait à Catherine la nue propriété des immeubles de Toscane et du palais Médicis de Rome[1426] avec ses appartenances et dépendances.

Les revenus des fonds placés sur le Mont-de-la-Foi (Mont-de-Piété) étaient partagés entre Marguerite et Catherine, le capital (20 000 écus) restant à Catherine, à charge pour les deux héritières de désintéresser les créanciers du cardinal Hippolyte. La question de la villa Médicis (villa Madame)[1427] était réservée, d'autant que le cardinal Alexandre Farnèse y prétendait aussi en vertu d'une donation d'Henri II[1428].

**Note 1424:** (retour) : Le contrat de mariage dans *Lettres*, t. X, p. 478 sqq. (en français); une copie en latin (moins complète) dans Reumont-Baschet, *La Jeunesse de Catherine de Médicis*, p. 312-318.

**Note 1425:** (retour) *Lettres* t. IX, p. 438.

**Note 1426:** (retour) Dit palais Madame, à cause de Madame Marguerite, qui depuis la mort de son mari, l'occupait. Aujourd'hui palais du Sénat.

**Note 1427:** (retour) C'est la villa Médicis au Monte Mario, qu'il ne faut pas confondre avec la Villa Médicis du Pincio où est installée aujourd'hui l'Académie de France.

**Note 1428:** (retour) *Lettres*, t. IX, p. 446-447.

Mais Catherine n'accepta pas ce compromis, sauf en ce qui regardait les bijoux et les domaines napolitains. Elle réclama la restitution immédiate des capitaux versés au Mont-de-Piété et la pleine propriété des biens-fonds de Rome et de Toscane. On recommença à plaider et à négocier. En septembre

1582, le tribunal de la Rote, la suprême juridiction pontificale en matière civile, condamna Marguerite à payer à Catherine 20 000 écus et à lui abandonner l'usufruit du palais Médicis avec ses appartenances et dépendances. Marguerite mourut en 1586 avant de s'être exécutée. Catherine s'entendit assez facilement sur les questions de créance et des biens de Rome avec les héritiers de la duchesse, son beau-frère le Cardinal Farnèse, et son fils le duc de Parme.

Elle eut d'autres difficultés avec les Médicis régnant en Toscane. Côme, qui s'était fait proclamer duc à Florence, après l'assassinat d'Alexandre, avait pris à ferme de Marguerite, moyennant 8 500 écus d'or par an, tous les biens sis et situés en ville et duché de Florence: maisons, palais, villas, campagnes, maremmes, etc., qui étaient ensemble estimés un peu plus de 322 429 ducats[1429]. Après la mort de l'usufruitière, François de Médicis, successeur de Côme, ne se pressa pas de laisser entrer la propriétaire en possession. Il prétendait garder l'héritage en nantissement de 240 000 écus qu'il avait dépensés pour l'entretien de ces immeubles. Catherine offrait, à titre de transaction, de lui céder le tout contre la quittance des 340 000 écus qu'il avait prêtés à Henri III, estimant qu'elle lui abandonnait «plus de cent mil escus de la valeur desdits biens»[1430]. Mais François marchandait, et Catherine avait entamé une action contre lui lorsqu'il mourut. Le mariage de son successeur Ferdinand avec Christine de Lorraine arrêta le procès. Catherine constitua en dot tous ses biens de Toscane à sa petite-fille. À Rome elle céda au grand-duc le palais Médicis, dit palais Madame[1431], moins les appartenances et dépendances que garda Saint-Louis-des-Francais[1432], et elle reçut en échange le palais que Ferdinand habitait au temps de son cardinalat et où fut transférée l'ambassade de France.

**Note 1429:** (retour) *Lettres*, t. IX, p. 444-445.

**Note 1430:** (retour) 9 avril 1587, *Ibid.*, t. IX, p. 199.

**Note 1431:** (retour) L'ambassadeur Pisani avait déjà commencé les réparations et se préparait à s'y installer. Lettre du 17 juin 1587, *Ibid.*, t. VIII, p. 481.

**Note 1432:** (retour) Voir plus haut, p. 377, la donation à Saint-Louis-des-Francais.

# CONCLUSION

Si Catherine n'était pas l'auteur responsable de la Saint-Barthélemy, est-il paradoxal de prétendre qu'elle ferait assez belle figure dans l'histoire? Il n'y a rien à redire à ses mœurs; on ne lui connaît ni favoris de haut parage ni même simples valets de cœur. Elle fut, épouse ou veuve, la femme «de vie incoulpée», que célébrait Henri III. C'est une légende qu'elle a favorisé les écarts de jeunesse de ses fils pour les énerver et plus facilement les conduire. Elle eut le mérite, qui n'est pas petit, de défendre pendant trente ans l'État et la dynastie contre les forces anarchiques du temps. Entre toutes les reines de France du XVIe siècle--car Marie Stuart ne fit que passer--elle personnifie la civilisation et l'esprit de la Renaissance. Mais son crime est si grand qu'il a fait oublier vertus, qualités et services.

Seuls ou presque seuls les historiens de l'art, distraits de l'obsession du massacre par la nature de leurs études, trouvent de quoi admirer dans sa vie. Et c'est justice. En son mécénat, il n'y a de blâmable que le prix qu'il a coûté.

Née d'une Française de la plus haute aristocratie et de Laurent de Médicis, duc d'Urbin, petit-fils de Laurent le Magnifique, et comme lui chef de la République florentine, orpheline presque en naissant, mais élevée à Rome et à Florence, sous la tutelle de ses grands-oncles les papes Léon X et Clément VII, et transportée à quatorze ans, par son mariage avec un fils de France, de ces capitales de l'art et du catholicisme à la Cour de François Ier, la plus brillante de la chrétienté, elle aimait d'un goût atavique, que les impressions de l'enfance et de la jeunesse renforcèrent encore, le luxe, la représentation et la magnificence. Quand, à partir du règne de Charles IX, son fils, elle disposa librement des finances de l'État, elle s'entoura de dames et de demoiselles d'honneur, qu'elle voulut parées «comme déesses», multiplia les fêtes et bâtit des palais et des châteaux pour donner à la royauté et se donner à elle-même, le décor, les cortèges et l'éclat qui répondaient à ses rêves de grandeur. Son intelligence était vive et sa curiosité large et toujours en éveil. Elle recherchait la compagnie des doctes, des lettrés, des artistes, des collectionneurs. Elle collectionnait elle-même des tableaux, des objets d'art, des produits exotiques et, ce qui n'avait pas encore de nom, des bibelots. Elle amassait des cartes géographiques, des livres, des manuscrits. Elle savait probablement le latin et du grec, peu ou beaucoup. Elle patronna ou pensionna les écrivains italiens de son temps, Alamanni, l'Arétin, le Tasse et, parmi les prosateurs et les poètes de l'époque antérieure, elle était capable d'apprécier le franc réalisme de Boccace et l'idéalisme subtil de Pétrarque.

Grâce à cette teinture des langues antiques et à sa connaissance de la littérature italienne, sans oublier la française, elle fut mieux qu'un banquier de la République des lettres. Elle entremêla les ballets en usage à la Cour de chants, de musique et d'une action scénique, d'où allait sortir l'opéra. Elle inspira l'idée d'un nouveau genre dramatique, la tragi-comédie. Même s'il était vrai qu'elle a fait servir les moyens de séduction de son cercle de femmes à des fins politiques, elle souhaita que la poésie du moins restât chaste, comme le refuge de l'idéal. Elle recommanda expressément à Baïf, tout en le louant d'avoir adapté le *Miles gloriosus* de Plaute à la scène française, de se garder des «lascivetés» des anciens, et elle invita Ronsard, qui, à cinquante ans, continuait de chanter le vin et l'amour avec l'enthousiasme d'un jeune homme, à imiter, comme il fit, l'adorateur de Laure en ses délicatesses de pur sentiment.

Elle-même en sa jeunesse avait délibéré d'écrire avec sa belle-sœur Marguerite de France, sur le modèle du *Décaméron* ou de l'*Heptaméron*, un recueil de Nouvelles, mais qui seraient des histoires vraies. Mais elle a eu d'autres soucis et sa production littéraire, si l'on peut dire, consiste en une énorme correspondance presque toute politique, qu'elle a dictée et souvent même écrite de sa main dans une orthographe bizarrement phonétique, et où ressortent des lettres familières, en trop petit nombre, d'un agrément et d'un tour si français. Elle est assurément de la même famille intellectuelle que Marguerite d'Angoulême et Marguerite de France, mais, à la différence de la sœur et de la fille de François Ier, elle excelle aux sciences et aux mathématiques et se distingue encore de ces pures lettrées par ses goûts artistes. Elle a aimé les bâtiments jusqu'à en dresser avec ses architectes le plan, l'ordonnance et la décoration. Tous ses enfants, sauf François II, né maladif et mort jeune, et ses filles, Élisabeth et Claude, comprimées, l'une par l'étiquette de la Cour de Madrid, l'autre par la médiocrité de celle de Nancy, sont des esprits cultivés, raffinés, curieux de poésie, de philosophie, et de musique. Henri III parle et Marguerite de Valois écrit avec une perfection, rare pour le temps, de noblesse et d'élégance.

Mais les historiens politiques sont sans bienveillance. La plupart la représentent comme uniquement attachée à son intérêt, indifférente au bien et au mal, sans religion ni scrupules. Pour les moralistes et les romanciers, elle est l'incarnation du machiavélisme. Les protestants, et c'est bien naturel, l'exècrent et les catholiques en général la renient.

C'est là un jugement sommaire, inspiré par cette idée toute naturelle, mais quelquefois fausse, qu'ayant commandé un crime énorme, elle était née criminelle. D'où la conclusion que ses sentiments étaient viciés en leur source, qu'elle était incapable d'un acte généreux, qu'elle n'aimait rien ni personne et que dans sa vie tout fut calcul, égoïsme, ruse, perfidie, cruauté.

Catherine, la vraie Catherine, ondoyante et diverse, ne ressemble pas à ce portrait brossé à grands traits, tout en noir, et comme figé en sa malveillance. Elle n'a pas été toujours la même au cours de trente ans de règne; elle a varié comme un homme, plus qu'un homme. Elle a été poussée par l'ambition, entraînée par la lutte, exaspérée par les résistances, mais il ne semble pas qu'elle n'eût pas mieux aimé gouverner doucement.

Elle passait pour «bénigne», et il est probable qu'en temps normal elle le fût restée. Elle ne manquait pas de générosité ni de hardiesse, comme il parut en sa régence. Du vivant d'Henri II, un mari qu'elle aimait d'amour, elle avait osé, au risque de déplaire à ce persécuteur de l'hérésie, montrer quelque compassion pour les persécutés. Sous François II, elle réagit discrètement contre l'intolérance des Guise. Le règne de Charles IX, qui fut son règne, débuta par une initiative audacieuse: l'arrêt des persécutions et l'inauguration de la liberté de conscience. Assurément elle cherchait à s'attacher les adversaires des Guise, et il y avait du calcul dans ce changement de politique. Mais s'y serait-elle obstinée, malgré la résistance de la masse des catholiques et la pression du roi d'Espagne, Philippe II, et des papes Pie IV et Pie V, si elle n'avait pas naturellement répugné à la violence. Elle alla même si loin dans ses complaisances qu'elle fut accusée de favoriser les doctrines nouvelles, bien qu'elle prétendît les souffrir seulement pour le maintien de la paix publique et la conservation de l'État. Les chefs catholiques, alarmés, la mirent en demeure de se soumettre, si elle ne voulait se démettre, mais après la première guerre civile, quand la mort ou le discrédit des triumvirs lui eut rendu sa liberté d'action, elle revint à la pratique de la tolérance, comme au système de son choix. Elle ménagea les protestants, aussi longtemps qu'elle le put, et, si l'on peut dire, qu'ils le voulurent, sans dépasser toutefois les libertés consenties par l'Édit de pacification d'Amboise, et même en restant un peu en deçà, pour ne pas provoquer une nouvelle réaction. Une preuve entre quelques autres du parti pris de la plupart des historiens, c'est que, tout en la déclarant jalouse à l'excès de son pouvoir et impatiente de tout partage, ils lui dénient le mérite de ses bonnes intentions et l'attribuent tout entier au chancelier de L'Hôpital, grand homme de bien, médiocre homme d'État, qui ne sut pas comprendre comme elle que la meilleure façon de protéger les protestants, c'était de rassurer les catholiques.

On incrimine son ambition, qui fut, il est vrai, très grande, comme si elle n'était pas en soi légitime. Elle aimait le pouvoir pour lui-même d'une passion refoulée jusqu'à la quarantième année et d'autant plus ardente qu'elle était plus tardive, mais elle y tenait aussi comme à l'unique moyen d'assurer l'avenir de ses enfants. Elle ne l'a pas usurpé; elle ne l'a pas retenu illégalement; ses deux fils, Charles IX et Henri III, sauf des velléités d'action personnelle, fréquentes sous celui-ci, très rares sous celui-là, lui en ont laissé la charge, sachant qu'il ne pouvait être en des mains plus habiles et plus fidèles. Mais on peut justement redire à la façon dont elle l'a exercé. Encore faut-il distinguer entre les époques. Au début elle s'efforça de tenir les chefs de partis et les grands «unis sous sa main» par bonne grâce, promesses, dons et faveurs, car, son autorité sauve, elle était libérale, généreuse et même prodigue. Elle aimait à plaire et à faire plaisir. Elle chercha sincèrement, de la première à la seconde guerre civile, à réconcilier les Guise avec Condé, avec les Montmorency et même avec Coligny, qu'ils accusaient d'avoir fait assassiner le duc François, sous Orléans, par Poltrot de Méré. Mais elle se dégoûta vite de cette bonne volonté improductive. Femme et étrangère, mal servie ou même trahie par les pouvoirs intermédiaires: princes du sang, grands officiers de la couronne, gouverneurs, qui, en ces temps d'absolutisme théorique, mais de faible centralisation, étaient nécessaires au Roi pour se faire obéir d'un bout du royaume à l'autre, elle apprit à se défier de tout le monde. L'intérêt de ses enfants, qu'elle ne distinguait pas du sien, devint l'unique règle de sa conduite. Entre les rois de France, elle prit pour modèle «le roi Louis», c'est-à-dire Louis XI. Elle se plaignit un jour à Henri III comme d'une injure qu'il pût imaginer qu'elle était «une pauvre créature que la bonté mène». Persuadée qu'en se défendant elle défendait l'État et la dynastie, elle finit par n'avoir plus aucun scrupule sur les moyens. Quel malheur pour sa mémoire qu'elle n'ait pas toujours fait un emploi plus humain, sinon plus innocent, de ses grandes facultés!

Elle avait des qualités d'homme d'État auxquelles elle ajoutait les siennes propres; une intelligence vive, alerte et toujours en éveil, beaucoup de finesse, d'adresse, de souplesse, l'art d'agir à couvert et d'avancer sans avoir l'air de cheminer. Sa grande maîtrise sur ses sentiments, que sa fille Marguerite admirait tant pour être elle-même hautaine, primesautière, impulsive, était un don de nature que les obligations de la vie de Cour et les nécessités de la politique avaient porté à sa perfection. Même en ses plus vives émotions, elle ne se départait pas de son calme. Elle répugnait par prudence, et aussi par un instinct délicat des bienséances féminines[1433], aux éclats de voix et de passion. La souveraine qui a ordonné l'acte le plus violent de notre histoire n'a guère commis de violence de parole. Elle recommandait à Henri III, qui s'aliénait les plus grands personnages par ses médisances, de surveiller sa langue. Ami, ennemi, étiquettes changeantes.... «Comme la prudence conseilloit de vivre avec ses amis comme devant estre un jour ses ennemis pour ne leur confier rien de trop.... aussi l'amitié venant à se rompre et pouvant nuire, elle ordonnoit d'user de ses ennemis comme pouvant estre un jour amis». Avec les chefs de partis dont elle préparait la ruine, elle restait jusqu'à la fin douceur, compliments, flatteries, effusions et caresses.

**Note 1433:** (retour) Le jour où, dans une lettre de conseils à sa fille, longtemps après la mort de Diane de Poitiers, il lui échappa de traiter la maîtresse de son mari de p...., elle s'en excusait: «C'est un vilain mot à dire à nous autres (honnêtes femmes).»

Elle parlait bien, le plus souvent avec bonne grâce, un grand désir apparent de convaincre et de toucher, et, quand il le fallait, avec autorité. Elle n'était jamais à court de raisons et, avec la logique particulière aux femmes, ne s'embarrassait pat des contradictions. Bonne psychologue, elle démêlait très bien ce qui se cachait de calculs intéressés sous les affectations de zèle public et religieux. N'ayant pas de scrupules, elle n'en soupçonnait pas chez les autres. Les bonnes paroles, les vagues promesses, les engagements à échéance lointaine, les protestations de saintes intentions ne lui coûtaient pas. Elle abondait en expédients, dont quelques-uns de comédie, enchevêtrait les combinaisons et prolongeait les marchandages. Même quand la partie paraissait perdue, elle était d'avis de négocier encore, de négocier toujours, et, en cas d'opposition irréductible, de chercher à gagner du temps. C'était beaucoup, écrivait-elle à Henri III, de s'assurer, même au prix des concessions les plus pénibles, le moyen d'attendre un nouveau tour, celui-là favorable, de la roue de la fortune.

Elle avait une prodigieuse activité dont sa correspondance témoigne et qui s'étendait jusqu'aux détails d'administration. Elle fut toujours son principal ministre ou celui de ses fils. Ce n'est pas assez de dire qu'elle remplissait avec zèle les devoirs de sa charge; elle y avait du plaisir. Cette passion d'agir défia les fatigues, l'âge, la maladie. Toute sa vie, elle fut en mouvement et en voyage. En son extrême vieillesse, elle se faisait porter, ne pouvant plus chevaucher, d'un bout du royaume à l'autre pour régler sur place les affaires d'État et apaiser les troubles. On peut dire presque sans exagération qu'elle mourut debout. Elle prenait d'ailleurs doucement les tracas et les soucis du gouvernement. Elle était gaie en sa jeunesse et les misères du temps ne parvinrent pas à la rendre mélancolique. Elle garda à peu près jusqu'à la fin une sorte de vaillance sereine, que l'on admirerait davantage si l'on ne craignait pas qu'elle fût l'indice de quelque sécheresse de cœur.

Mais cet esprit plein de ressources avait ses lacunes et ses défauts. Elle était si fine que, pensant avoir accaparé la plus grosse part de toute la finesse du monde, elle en attribuait trop peu à ses adversaires. Elle se croyait tellement sûre de démêler les fils de l'écheveau politique qu'elle ne craignait pas de les embrouiller. Elle pécha souvent par ignorance et par incompréhension. Elle ne soupçonna jamais la sincérité intransigeante des passions religieuses. Au début de sa régence, elle s'imagina qu'elle mettrait d'accord à Poissy, sur une formule équivoque, les catholiques qui croyaient à la présence réelle, matérielle et charnelle du Christ dans l'Eucharistie, et les réformés, qui réprouvaient la consécration du prêtre à l'autel comme un abominable sacrilège. Elle se flatta d'obtenir du pape et du concile de Trente le silence sur les différends dogmatiques qui déchiraient la chrétienté, en même temps que les concessions les plus larges en fait de discipline et de culte. Elle pécha aussi par vanité. Après la reprise du Havre aux Anglais et l'incorporation définitive de Calais à la France--une négociation d'ailleurs bien conduite--elle ne douta plus de son habileté diplomatique et de son bonheur. Elle proposa au pape, à l'empereur et au roi d'Espagne, qui d'ailleurs n'acceptèrent pas d'aviser ensemble en Congrès aux moyens de rétablir l'unité chrétienne. Elle était si fière de se montrer au monde en compagnie de ces potentats qu'elle ne réfléchit pas aux soupçons que les protestants pouvaient concevoir de ses avances. Pendant son grand tour de France de 1564 à 1566 pour raviver la foi monarchique des «peuples», en leur faisant voir le jeune roi Charles IX, ce fut, entre autres raisons, par gloriole et contrairement à toute prudence politique, qu'elle obtint de Philippe II, à force d'instances, non qu'il la rejoignît lui-même à Bayonne, mais qu'il y envoyât sa femme Élisabeth de Valois et ses principaux conseillers. Elle avait tant souffert, dauphine et reine, de s'entendre traiter de fille, mal dotée et sans espérances, du premier citoyen d'une République, qu'elle étalait volontiers ses alliances pour faire oublier la médiocrité de son origine. Ne s'avisa-t-elle pas, afin de se rehausser elle-même en ses ascendants, de revendiquer la couronne de Portugal, comme héritière de Mathilde de Boulogne, la femme répudiée d'un roi de Portugal, morte trois siècles auparavant?

Elle a trop sacrifié à l'esprit de magnificence. Elle a dépensé beaucoup en bâtiments, en bijoux, en vêtements, en superfluités de luxe et de splendeur courtisane. Elle aurait voulu, à l'exemple des empereurs romains, faire largesse de jeux et de plaisirs au peuple et le mieux tenir en l'amusant. Les fêtes faisaient partie de son programme de gouvernement. Elle a gaspillé des millions en entreprises sans avenir comme de faire élire un de ses fils au trône de Pologne. Elle a poursuivi plus d'une chimère. Elle est très imaginative, c'est un trait de sa nature qu'on n'a pas assez remarqué. Il lui arrive souvent de voir les événements, non comme ils sont, mais comme elle les désire. Dans l'élaboration d'un projet et les débuts de la mise en œuvre, elle est tout enthousiasme. Elle n'envisage que les solutions favorables, se fait illusion sur ses chances, et ne doute pas du succès. Elle a exprimé un jour le regret que le malheur des temps l'empêchât, comme si le temps seul était en cause, de faire de ses deux fils «les seigneurs du monde». C'est l'aveu qu'elle a beaucoup rêvé.

Mais elle avait plus d'ambition que de volonté et plus d'élan que de force. Devant les résistances que duraient et les obstacles qu'il aurait fallu emporter de haute lutte, elle se décourageait vite et se détournait; elle n'est ferme, obstinée, résolue, que dans la défense des intérêts personnels et dynastiques. Elle prend, laisse, reprend et définitivement abandonne un projet. Le grave historien contemporain de Thou remarque qu'elle n'avait pas encore fini une construction qu'elle s'en dégoûtait et en commençait une autre. Il en fut ainsi de ses initiatives. Elle n'a pas montré plus de constance dans son essai de tolérance que dans sa lutte contre le parti protestant. Elle ne termine rien et vit dans l'inachevé. Elle n'a point d'esprit de suite, elle est femme.

Elle est mère, on paraît l'oublier, une mère très dévouée, qui, dit sa fille Marguerite, que pourtant elle traita si mal, aurait tous les jours donné sa vie pour sauver celle de ses enfants. L'amour maternel fut le mobile dirigeant et quelquefois exclusif et aveugle de sa politique. Il lui restait, quand elle prit le pouvoir à la mort de François II, trois fils et Marguerite à marier. Pendant presque tout le règne de Charles IX, elle fut occupée et préoccupée de les établir royalement. La reine d'Angleterre, Élisabeth, était le plus beau parti de la chrétienté, mais sa religion, l'aide qu'elle avait donnée aux huguenots dans la première guerre civile, son entêtement maladroit à retenir Le Havre et à revendiquer Calais, et enfin son âge--elle avait en 1563 trente ans--ne permettaient pas de croire qu'elle épousât le roi de France, qui en avait treize. Catherine n'avait pas laissé de lui offrir la main de son fils, peut-être pour faire peur à Philippe II, son gendre, d'un rapprochement avec l'Angleterre protestante et le disposer à souscrire à ses convenances matrimoniales. Elle prétendait qu'il mariât son fils et son héritier le fameux dément D. Carlos à Marguerite et sa sœur, Doña Juana, reine douairière de Portugal, en la dotant d'une principauté, à Henri, duc d'Anjou, frère puîné de Charles IX. Elle ne doutait pas de son assentiment, comme chef de la maison des Habsbourg, aux fiançailles du roi de France avec la fille aînée de l'empereur. Mais c'était une gageure de vouloir traiter doucement les réformés, comme elle faisait alors, et s'unir plus étroitement au champion de l'orthodoxie. Le roi d'Espagne avait la tolérance en horreur et il redoutait que l'hérésie calviniste, se glissant dans les Pays-Bas par la frontière française, n'achevât de débaucher ses sujets déjà trop insoumis: deux raisons entre beaucoup d'autres de ne pas aider à la fortune des Valois. À Bayonne, le duc d'Albe rudement jeta bas les châteaux que la Reine-mère avait construits en Espagne. Mais elle ne renonçait pas volontiers à bâtir en l'air.

Lorsque Philippe II envoya le duc d'Albe avec une armée aux Pays-Bas pour y châtier les protestants et les rebelles, les chefs huguenots espérèrent un moment que Catherine s'opposerait par la force à la marche des Espagnols et voyant qu'elle gardait une neutralité bienveillante ils se persuadèrent, contre toute apparence, qu'à Bayonne, les deux Cours avaient concerté la ruine des Églises réformées. Leurs inquiétudes leur tenant lieu de preuve et de raisons, ils tentèrent de se saisir du Roi et de la Reine-mère à Monceaux pour organiser le gouvernement et diriger la politique extérieure à leur gré. Catherine, furieuse de cet attentat qui jurait avec ses ménagements, se promit d'exterminer ce parti intraitable. Elle pensait que Philippe II, en faveur de cette cause commune, se montrerait plus facile sur la question des mariages. Mais après la mort de sa femme, il refusa d'épouser Marguerite, que sa belle-mère s'était hâtée de lui offrir, ou de la faire épouser à son neveu, le roi de Portugal, D. Sébastien, et, pour surcroît de mortification, il prit pour femme l'aînée des archiduchesses d'Autriche, dont elle avait arrêté les fiançailles avec Charles IX.

Alors pour se venger de tous ces mépris, elle se rapprocha des protestants, qu'elle n'était pas parvenue à réduire. D'Angleterre lui vinrent des propositions d'alliance sous la forme la mieux faite pour la tenter. La reine Élisabeth, qui détenait prisonnière la reine d'Écosse, Marie Stuart, veuve de François II et nièce des Guise, laissait entendre, pour distraire les sympathies françaises, qu'elle agréerait volontiers comme prétendant à sa main Henri, duc d'Anjou. C'était le fils préféré de Catherine, qui, le croyant déjà roi d'Angleterre, l'imaginait souverain des Pays-Bas et empereur élu d'Allemagne, grâce aux moyens de sa femme et l'aide de son frère. Elle fiança Marguerite à Henri de Bourbon, fils de la reine de Navarre, Jeanne d'Albret l'héroïne de la Réforme. Elle et Charles IX reçurent secrètement Ludovic de Nassau, qui venait les solliciter de délivrer les Pays-Bas de la tyrannie espagnole. Les huguenots, émus par les épreuves de leurs coreligionnaires étrangers, passaient déjà la frontière par bandes. Le jeune roi avide de gloire écoutait avec complaisance leur chef, l'amiral Coligny, qui le poussait à conquérir les Flandres. Catherine, rassurée par le concours probable de l'Angleterre, n'y contredisait pas.

Mais Élisabeth refusa de se joindre à la France contre l'Espagne et rompit le projet de mariage.

La Saint-Barthélemy fut l'issue tragique d'une aventure politico-matrimoniale où Catherine s'était laissée un moment entraîner par le mirage d'une dot et d'espérances plus que royales. Après cette exécution sanglante, elle se tourna encore une fois vers Philippe II et lui demanda la main d'une infante et une principauté pour son fils en récompense du grand service rendu à l'Espagne et au catholicisme. Il refusa. Elle ne lui pardonna plus et lui chercha partout des ennemis. Elle fit passer de l'argent aux Nassau, expliqua les massacres à sa façon, aux princes protestants et triompha trop vite de l'élection du duc d'Anjou au trône de Pologne, comme d'une borne mise à l'action envahissante des Habsbourg.

Ces brusques changements de front écartent l'idée d'un système politique. Les combinaisons matrimoniales étaient son principal objet; elle allait des alliances catholiques aux alliances protestantes et revenait des protestantes aux catholiques au gré de ses désirs ou de ses rancunes. La guerre indirecte qu'elle fit dorénavant à Philippe II, c'est moins la reprise du conflit traditionnel entre les maisons de France et d'Autriche, un moment suspendu par le traité du Cateau-Cambrésis, ni même une offensive discrète contre la prépondérance espagnole, que la revanche de cette éternelle marieuse. Assurément elle n'avait pas tort de penser que les unions de famille consolident les accords diplomatiques, mais encore aurait-il fallu régler les mariages sur la politique, et non la politique sur les mariages. Que de fautes et pour quel résultat! Charles IX n'eut pas l'aînée des archiduchesses d'Autriche qu'elle lui destinait; Henri III épousa une cousine pauvre du duc de Lorraine; le duc d'Alençon ne se maria pas et Marguerite de Valois fit avec le roi de Navarre, Henri de Bourbon, le ménage que l'on sait.

Sous le règne d'Henri III, la question des mariages passa au second plan mais les mêmes préoccupations maternelles dominèrent la politique intérieure et extérieure. Catherine aimait éperdument ce fils-là, que, du vivant de Charles IX, elle avait fait nommer lieutenant général, c'est-à-dire chef suprême des armées. Elle l'admirait pour sa beauté, sa distinction, son éloquence, et pour ses victoires de Jarnac et de Moncontour--une gloire d'emprunt due à l'habileté manœuvrière du maréchal de Tavannes. Cette idolâtrie coûta cher. Pour lui assurer un libre passage à travers l'Allemagne protestante jusqu'à ce lointain royaume où sa vanité maternelle le transportait et lui concilier les sympathies de l'aristocratie polonaise, alors en majorité tolérante, elle lâcha La Rochelle, que défendaient avec peine les survivants de la Saint-Barthélemy, et perdit peut-être l'occasion d'anéantir le parti protestant.

Autre conséquence, et celle-ci certaine. Le dernier de ses fils, le duc d'Alençon, prétendit, au départ du duc d'Anjou, occuper dans l'État même situation privilégiée que ce frère favori. Il demanda la lieutenance générale et, ne l'ayant pas obtenue, il projeta de s'enfuir à Sedan, sur la frontière, et d'imposer de là ses conditions. Catherine soupçonnait même les ennemis du roi de Pologne de pousser ce jeune prince ambitieux--Charles IX dépérissant à vue d'œil--à fermer, en cas de vacance du trône, l'entrée du royaume à l'héritier légitime. Elle le tint sous bonne garde à Vincennes avec le roi de Navarre, qui, converti de force à la Saint-Barthélemy, avait décidé, lui aussi, de gagner le large. Elle s'acharna contre les Montmorency, cousins de Coligny et amis du duc d'Alençon. Elle fit emprisonner à la Bastille le chef de cette puissante maison, François, qui n'était coupable que de n'avoir pas dénoncé clairement un complot où ses deux plus jeunes frères étaient entrés, et elle fit ôter le gouvernement du Languedoc à Damville, son frère cadet, un vengeur possible. Damville arma pour sauver les prisonniers et se sauver lui-même et il n'hésita pas, lui jusque-là catholique zélé, à s'unir aux huguenots du Midi. Des malcontents des deux religions se forma un nouveau parti, celui des politiques, dont l'intervention fit perdre à Catherine le bénéfice inhumain de la Saint-Barthélemy.

Elle ne sut pas garder la Pologne. Aussitôt que Charles IX fut mort, soit par crainte de déplaire au nouveau roi qu'elle savait mortellement las de son exil chez «des Sarmates», soit par désir passionné de l'embrasser plus vite, elle le dissuada et tout au moins ne lui conseilla pas de prendre le temps avant son retour, d'assurer l'avenir de la puissance française en Orient. Le grand dessein contre les Habsbourg tourna en fuite éperdue de Cracovie à la frontière autrichienne. Ce fut aussi sa faute--la faute de l'aveuglement maternel--si Henri III n'inaugura point son règne par la proclamation d'une amnistie générale. Elle avait une si haute idée de sa valeur militaire qu'elle le poussa, malgré l'avis de la plus sage partie du Conseil, à poursuivre la lutte à outrance contre les protestants et les catholiques unis. Ne lui suffisait-il pas de paraître pour vaincre? Pures illusions, et si vite dissipées.

Le «César» qu'elle imaginait ne résista pas à l'épreuve de quelques mois de campagne dans le Midi; le grand roi, qu'elle se flattait de former et aussi de conduire, s'aliéna en deux ans les princes, l'aristocratie, la noblesse et la nation par sa hauteur, sa paresse, ses mignons et son mauvais gouvernement. Le duc d'Alençon s'enfuit du Louvre et prit le commandement des rebelles, qu'une armée de protestants d'Allemagne renforça. Catherine, tremblante, accorda aux coalisés et à leur chef des conditions de paix si avantageuses que les conseillers de jeune barbe d'Henri III l'accusèrent d'incapacité ou même de faiblesse pour le fils coupable. Voyant l'effet de ces attaques perfides sur l'esprit et le cœur du Roi, elle l'aida, malgré qu'elle en eût, à réparer l'humiliation de sa défaite, au risque d'une nouvelle humiliation. Elle parvint à lui ramener le duc d'Alençon, promu depuis sa victoire duc d'Anjou, et Damville, et, grâce au concours ou à la neutralité des catholiques modérés, lui permit de battre les huguenots et de restreindre à deux villes par bailliage la liberté de conscience et de culte qu'il avait été forcé d'étendre à tout le royaume. Mais, après cette satisfaction d'amour-propre, elle ne songea plus qu'à lui procurer le repos qu'il estimait le plus grand des biens et qu'elle, expérience faite de son incurable inertie, regardait comme une impérieuse nécessité. A cinquante-neuf ans, elle partit pour le Midi lointain, qui était de toutes les régions de France la plus divisée par les passions religieuses, la résistance des réformés au dernier édit de pacification, la formation des ligues catholiques, la lutte ou même la guerre entre les ordres et l'esprit d'indépendance des gouverneurs. Elle s'y attarda dix-huit mois, au hasard des mauvais gîtes et des rencontres dangereuses, malgré le risque du «loin des yeux, loin du cœur», et s'efforça de réconcilier le Roi avec ses sujets et les sujets entre eux.

Mais elle ne réussit qu'à gagner du temps. Les protestants refusèrent d'exécuter la convention de Nérac qu'ils avaient débattue longuement et conclue avec elle. L'agitation recommença et s'étendit. Les États de Bretagne, de Normandie, de Bourgogne protestaient avec menaces contre l'aggravation des impôts. Il y eut des émeutes de paysans en Normandie et une tentative de complot où de grands seigneurs de la province étaient compromis. Le duc de Guise, que rendaient suspect les sympathies des catholiques ardents, avait quitté la Cour avec éclat. Henri III avait contre lui les huguenots et il n'avait pas pour lui tous leurs ennemis. Des «brasseurs» de troubles allaient de parti en parti et de province en province, et trouvaient partout des oreilles complaisantes. La retraite du duc d'Anjou en son apanage, qui annonçait une nouvelle rupture des deux frères, augmentait les chances de guerre civile et les dangers du Roi. Catherine voyait clairement que toute son habileté ne suffirait pas à contenir le mécontentement public et que l'aide du Duc y était indispensable. La casuistique politique du temps--la Reine-mère ne le savait que trop--reconnaissait aux princes du sang et à plus forte raison à l'héritier présomptif le droit de défendre les intérêts de l'État contre les fautes des gouvernants. Ces conseillers-nés de la Couronne, et qui en étaient comme les co-propriétaires, donnaient à une prise d'armes, en y adhérant, le caractère d'une Ligue du Bien public; ils lui ôtaient, en la combattant ou même en la désavouant, les meilleures chances de succès et de durée. Catherine a dû regretter plus d'une fois qu'Henri III ne comprît pas la situation privilégiée de Monsieur, «la seconde personne de France», ou que, s'il la comprenait, il ne fît pas violence à ses rancunes. Elle le savait si enclin à régler sa faveur sur ses sentiments qu'elle pouvait, connaissant sa haine pour son frère, appréhender pour elle-même les suites d'une tentative de conciliation. Mais elle continuait à l'aimer tant que, jugeant d'un intérêt vital de maintenir au moins une apparence d'accord entre ses deux fils, elle s'exposa jusqu'à lui déplaire pour le mieux servir. Elle lui insinua doucement et finit par lui persuader, non sans peine, quoique ce fût son bien, de déléguer à son frère l'honneur de traiter avec les protestants du Midi, qui s'étaient encore une fois soulevés. Elle accueillit avec empressement les avances de la reine d'Angleterre, qui coquetait avec la France aux mêmes fins politiques qu'en 1571, et elle négocia, avec autant d'ardeur que si elle eût pensé réussir, le mariage de son plus jeune fils avec une souveraine, dont la différence d'âge allait s'accentuant d'un fiancé à l'autre. Elle cherchait à le contenter ou à l'amuser pour le soustraire à la tentation de brouiller au dedans. Mais il ne se payait pas d'espérances ou de satisfactions de vanité.

Il avait repris les projets de conquête de Coligny sur les Pays-Bas pour s'y tailler une principauté indépendante et il aurait voulu que le Roi, à défaut de concours direct, lui permît de faire des levées en France, comme à l'étranger, et lui donnât de l'argent pour entretenir ses soldats. C'était demander à ce frère, qui le détestait, de rompre avec l'Espagne, la première puissance militaire du temps, d'achever la ruine de ses finances et d'abandonner son royaume au passage et aux ravages des gens de guerre. L'indignation d'Henri III fut un moment si vive qu'il convoqua les compagnies d'ordonnance et commanda aux gouverneurs de disperser par la force les bandes qui marchaient contre les Pays-Bas. Catherine, qui appréhendait, elle aussi, les conséquences de cette aventure, s'était efforcée d'en détourner le Duc, aussi longtemps qu'elle put, par conseils, remontrances, prières et promesses, mais quand elle le vit disposé à soulever le royaume plutôt que d'y renoncer, elle aima mieux courir le risque des représailles espagnoles que le danger d'une guerre plus que civile. Soutenir cette offensive en Flandre, sous main, ce serait, exposa-t-elle au Roi le moyen, sans provoquer une contre-attaque, de conjurer les troubles. Philippe II, «vieil et caduc» et qui avait tant d'autres affaires, se bornerait, sauf l'injure d'une agression directe, à se défendre, sans riposter, mais elle ne réussit qu'à rassurer Henri III sans le passionner. Il la laissa faire par faiblesse, par paresse, par peur d'une insurrection, et se désintéressa de l'entreprise. Il ne retrancha rien de ses plaisirs pour y aider et la favorisa au plus bas prix possible.

Catherine, au contraire, était si convaincue que la paix intérieure était liée à la fortune du Duc qu'elle, naturellement craintive et habituée à cheminer à couvert, osa braver en face la puissance espagnole. Sous prétexte des droits qu'elle disait tenir de la reine Mathilde, sa parente,--une revendication où il y avait d'ailleurs une bonne part de vanité--elle s'avisa de disputer la couronne vacante du Portugal à Philippe II, fils d'une infante portugaise, afin d'avoir une raison spécieuse de lui faire la guerre. Son intention n'était pas de lui enlever de force cet héritage, ni même, comme on l'a supposé récemment, de fonder une nouvelle France dans l'Amérique du Sud portugaise. Elle voulait simplement occuper les Açores et Madère, qui commandent les routes de l'Amérique et de l'Inde, et, après ce premier succès--mais seulement après--débarquer au Brésil. Que le Duc, déjà maître de Cambrai, se maintînt aux Pays-Bas, et qu'elle pût, de ces postes insulaires, saisir au passage les galions d'Espagne, alors elle se retournerait vers Philippe II pour traiter avec lui les mains pleines et l'amener par échange et composition à donner une infante en mariage au duc d'Anjou avec tout ou partie des Pays-Bas pour dot. Ainsi les mécontents seraient privés de leur chef naturel et le Roi débarrassé, aux dépens des Espagnols, du plus redoutable de ses sujets. Pacifique par nature et par calcul et redevenue belliqueuse uniquement par sollicitude maternelle, elle travaillait à la grandeur d'un de ses fils pour garantir le bonheur de l'autre. Et le fait est qu'après la mort du duc d'Anjou, il ne fut plus question d'expéditions navales et militaires.

Il est vrai que certains contemporains de Catherine et, par exemple, les Italiens expliquent autrement ses complaisances pour le duc d'Anjou. Ce ne serait pas par amour d'Henri III, mais en prévision d'une vacance du trône, qu'avertie par les morts précoces de François II et de Charles IX, elle aurait secondé le dernier de ses fils, héritier présomptif et souverain en expectative, pour s'assurer, le cas échéant, la première place dans un nouveau règne. Les secours qu'elle lui fit passer en Flandre, la poursuite de son mariage avec Élisabeth et la diversion en Portugal étaient destinés à lui prouver que, même au risque de heurter les sentiments du Roi, elle cherchait à faire de lui un prince souverain, en attendant la couronne de France. Mais ce n'est là qu'une hypothèse. Les politiques de l'école et du pays de Machiavel, sans oublier les pamphlétaires qui recueillent ou inventent toutes les raisons de dénigrer, ignorent ou refusent d'admettre que le sentiment a son rôle dans l'histoire. Ils ne prêtent que des calculs à cette souveraine, qui, quelque maîtrise qu'elle eût, avait les nerfs, le cœur et les prédilections d'une femme. Elle aimait tous ses enfants, et sur ce point on peut croire sa fille Marguerite, dont elle a puni sans pitié les fautes politiques, sinon l'inconduite. Mais il y en avait un qu'elle préférait de beaucoup à tous les autres et celui-là il n'est pas niable qu'elle l'a favorisé pendant tout le règne de Charles IX, avec une tendresse presque coupable. On vient de voir combien de fautes, et de quelles conséquences, elle a commises, avant et après son avènement, par excès de zèle et de passion maternelle. Les faits et la correspondance témoignent qu'elle n'a jamais cessé de l'aimer et que, malgré ses déceptions, elle l'a toujours autant aimé. Aussi, pour avoir le droit de conclure qu'elle s'est dès le début du règne réservée pour le règne prochain et qu'elle a réglé sa conduite sur cette vue d'avenir, il faudrait prouver que, pour le bien d'Henri III, elle aurait dû adopter une politique autre que celle qu'elle a suivie. Après la constatation, qui ne prit pas plus de deux ans, de l'impopularité du Roi et du pouvoir d'opinion de Monsieur, son frère et son successeur désigné, il n'y avait d'autre remède à l'action anarchique des partis que de contenter le duc d'Anjou. Le laisser en liberté sans le satisfaire, c'était l'induire en tentation de révolte, où il ne faillirait pas, comme auparavant, de succomber. Le tenir en prison, d'où il s'était d'ailleurs échappé deux fois, c'était fournir aux opposants des deux religions le mot d'ordre et le prétexte d'une prise d'armes générale. Une première guerre entre les deux frères avait affaibli l'autorité royale et fortifié le parti protestant, et le mal n'avait été réparé, et seulement en partie, que grâce au concours du Duc lui-même. Une seconde guerre, sous le même chef, menaçait de ruiner la monarchie et d'emporter le monarque. Pour le salut d'Henri III, il fallait éviter à tout prix la rupture. Les sacrifices d'hommes et d'argent en Portugal, aux Pays-Bas, et l'hostilité de l'Espagne furent la rançon de la paix intérieure. Mais le bénéficiaire savait très bien qu'elle ne travaillait pas pour lui. Ne lui avait-elle pas démontré plusieurs fois, de bouche et par lettre, les difficultés, les dépenses et les médiocres chances de succès de son entreprise? Ne l'avait-elle pas rappelé vivement à ses devoirs de sujet et d'héritier présomptif qui l'obligeaient à faire passer l'obéissance au Roi et l'intérêt du royaume avant ses appétits de conquêtes? N'avait-elle pas retardé l'expédition autant qu'elle l'avait pu et jusqu'au dernier moment essayé de l'empêcher? Si elle avait tenu à se concilier la faveur du roi de demain, elle n'aurait pas mis tant de mauvaise grâce et de lenteur à le servir. Sa principale préoccupation, qu'on ne peut dire égoïste, fut toujours de faire vivre en paix ses deux fils et, pour la sécurité de celui qui lui était le plus cher, de doter princièrement l'autre aux dépens de Philippe II.

Le même souci maternel suffit à expliquer son grand effort pour maintenir l'union entre les catholiques après la mort du duc d'Anjou. Henri III n'avait pas d'enfant ni aucune chance d'en avoir. Son successeur légitime était, selon la loi salique, le roi de Navarre, Henri de Bourbon, premier prince du sang, né catholique, élevé par sa mère dans le protestantisme, converti de force à la Saint-Barthélemy, et revenu au prêche après sa fuite. Les princes et la nation catholique ne voulaient pas pour roi de ce relaps. Ils formèrent une

Ligue pour obtenir d'Henri III, par injonctions d'abord et en dernier lieu à main armée, qu'il déclarât ce Bourbon hérétique déchu de tous ses droits à la couronne, qu'il reconnût pour héritier présomptif le vieux cardinal de Bourbon, et qu'il fît aux protestants une guerre d'extermination. Henri III résista tant qu'il put par respect du droit dynastique, par haine des sommations et par amour de ses aises. On a prétendu que Catherine, en menant son fils de capitulation en capitulation, avait l'arrière-pensée de préparer l'avènement au trône du duc de Lorraine, son gendre, ou du marquis de Pont-à-Mousson, son petit-fils. Mais elle n'en a jamais rien laissé voir. La lecture de ses lettres prouve au contraire que dans les négociations avec le duc de Guise, le cardinal de Bourbon et les autres chefs de la Ligue, elle chercha toujours à les apaiser, c'est-à-dire à les désarmer, au minimum de concessions possible. Sans doute elle estimait que si son fils était réduit à faire la guerre, il valait mieux pour lui marcher à la tête des catholiques contre les protestants que de s'aider de la minorité protestante contre la majorité catholique. Mais elle travailla de toutes ses forces à lui épargner cette alternative. Elle aurait voulu décider le roi de Navarre à se convertir pour détacher de la Ligue tous ceux des catholiques qui ne s'y étaient affiliés que par peur d'une dynastie protestante. Elle lui offrit même à cette condition de faire annuler son mariage avec Marguerite, cette grande amoureuse, devenue pour surcroît de griefs ligueuse, et qu'elle avait fait enfermer dans le château fort d'Usson. Peut-être a-t-elle eu une pauvre opinion, et si fausse, d'un prétendant qui refusait d'échanger la Bible contre l'expectative d'une couronne, mais elle a dû se dire qu'après tout c'était son affaire. Henri III n'avait que deux ans de plus que lui; sauf accident, la question de la vacance du trône ne se poserait pas de sitôt. Elle n'était pas femme, alors que tant de difficultés la pressaient, à s'inquiéter d'une échéance qui vraisemblablement ne se produirait qu'après sa mort. A supposer qu'elle fît des vœux, dont il n'y a pas un témoignage certain pour le marquis de Pont-à-Mousson, le fils de sa fille, elle savait bien que l'abrogation de la loi salique ouvrirait la voie à d'autres candidatures: celle de l'infante Claire-Isabelle-Eugénie, fille d'Élisabeth de Valois et de Philippe II, et celle du duc de Savoie, Charles-Emmanuel, petit-fils de François Ier par sa mère, Marguerite de France. En cas d'élection par les États généraux, le duc de Guise serait le candidat de la nation catholique, et il n'était pas croyable que ce cadet de Lorraine sacrifiât ses chances à son cousin de la branche régnante. La désignation comme héritier présomptif d'un vieillard sexagénaire, Bourbon, mais catholique, contentait les ligueurs, et, en excluant le roi de Navarre, uniquement pour son hérésie, elle ne heurtait pas de front les partisans de la loi salique. Ce compromis n'a pas dû déplaire à la vieille Reine, amie du Cardinal et des ajournements. Mais l'assassinat du duc de Guise à Blois souleva la noblesse et les grandes villes ligueuses contre le roi meurtrier et Henri III fut obligé, pour se défendre, d'appeler à l'aide le roi de Navarre et les protestants.

Catherine mourut sur ces entrefaites. Brantôme croit que si elle avait vécu, elle aurait reconstitué le bloc catholique. Au vrai, il n'était pas en son pouvoir de réparer l'irréparable; son rôle était fini et son système d'expédients hors de saison. En bien, en mal elle avait donné sa mesure. Elle avait réussi pendant trente ans à maintenir en équilibre l'édifice chancelant de la monarchie, malgré les plus violentes secousses. Aussi, à la juger sur sa force de résistance ou sur son bonheur, sera-t-on tenté de la ranger parmi les grandes souveraines. Mais elle ne mérite pas d'être placée si haut. Elle a eu de généreuses intentions et de nobles initiatives, mais il lui a manqué les moyens et même la volonté de mener à bien celles de ses œuvres qui dépassaient les fins immédiates de conservation et qui sont le triomphe de la tolérance, le maintien de l'autorité royale, l'accroissement de la puissance française. Elle a vécu au jour le jour.

Elle était trop préoccupée de l'intérêt des siens ou de son propre intérêt pour suivre une politique vraiment nationale. S'il faut entendre par amour du pays qu'elle avait une très haute idée, et d'ailleurs très légitime, de la grandeur de la maison de France où le hasard d'un mariage l'avait fait entrer, les preuves en surabondent dans sa correspondance. On peut alléguer aussi que plusieurs fois elle souhaita de pouvoir reconnaître par ses services les obligations qu'elle avait au royaume et à la dynastie. Elle se rappelait, après vingt-deux ans (10 août 1579), la défaite de Saint-Quentin (10 août 1557), «qui, dit-elle, nous coûta si cher». Il y a d'elle un mot touchant sur le «pauvre peuple français» et l'affirmation répétée que Dieu, aujourd'hui comme autrefois, ne l'abandonnera point. Elle ajoute, il est vrai, immédiatement: ni elle ni ses enfants. Mais pitié, regrets, confiance en Dieu, gratitude personnelle et même orgueil familial et dynastique ne sont pas un programme d'action. Le souvenir du désastre de Saint-Quentin à l'un des anniversaires serait peut-être révélateur d'une peine profonde et durable, si l'arrivée, deux jours auparavant, à Grenoble, où elle était alors, du vainqueur même du 10 août, Emmanuel-Philibert, duc de Savoie, n'expliquaient pas suffisamment cette réminiscence. Il est permis de se demander si son indignation, en apprenant que le duc d'Anjou aux abois délibérait de vendre Cambrai aux Espagnols, est le cri de honte du patriotisme blessé ou simplement la constatation douloureuse que tant d'efforts, de dépenses et de sacrifices, aboutissaient au néant. Son plus beau titre de gloire, c'est la reprise du Havre, après la première guerre civile, et la réunion définitive de Calais à la France. Mais il faut bien dire que, sous peine de soulever la masse catholique, à qui le Colloque de Poissy et les hardiesses religieuses de sa Régence l'avaient rendue suspecte, elle était obligée de reprendre aux Anglais ou déclarer annexées pour toujours les places fortes que les chefs huguenots leur avaient livrées ou promises. À la même époque elle céda contre un secours, sans répugnance, parce que sans risques, à Emmanuel-Philibert, devenu le mari de sa chère belle-sœur, Marguerite de France, quelques-unes des villes piémontaises que le traité du

Cateau-Cambresis avait laissées, au moins provisoirement, à la France. Elle n'eut pas un mot de protestation quand Henri III lui abandonna les autres à titre gracieux. Elle s'entremit en 1579 pour lui faciliter l'acquisition dans les Alpes Maritimes du comté de Tende que l'Amiral de Villars, qui en était seigneur, ne voulait céder qu'«avec l'agrément du Roi très chrétien». On ne voit pas qu'elle se soit beaucoup émue en 1588 de la conquête par Charles-Emmanuel, le successeur d'Emmanuel-Philibert, du marquisat de Saluces, la dernière des possessions françaises d'outremonts. Et cependant elle n'ignorait pas combien il importait à la France de garder ces portes des Alpes pour rassurer les États libres d'Italie contre la crainte de l'hégémonie espagnole. Faut-il croire qu'ayant marié sa petite-fille Christine de Lorraine, au grand-duc de Toscane, Ferdinand, et lui ayant fait donation de tous les droits des Médicis de la branche aînée, elle estimait qu'elle pouvait se désintéresser des affaires de la péninsule? Ses visées sur Florence, au temps d'Henri II, sa velléité de rouvrir en 1578 la question d'Urbin, close depuis un demi-siècle, la revendication, quel qu'en fût le mobile, de la couronne de Portugal sont les indices, entre beaucoup d'autres, d'une ambition très personnelle. Elle ne s'est pas élevée jusqu'à l'idée abstraite de l'État; elle a toujours travaillé pour ses enfants et pour elle.

Mais c'est son crime surtout, son grand crime, qui nuit à sa mémoire. Sans doute, ce ne fut pas uniquement sa faute si ses dispositions à l'égard des protestants passèrent de la bienveillance à l'hostilité. L'amour du pouvoir était, avec l'amour maternel, sa plus ardente passion. La plupart des réformés, en leur sectarisme béat, n'ont pas l'air de l'avoir compris. Au temps de ses plus grands services, ils se plaignirent toujours que ce ne fût pas assez. Ils exigeaient qu'elle se compromît pour eux, et cependant ils jetaient au travers de son ambition les droits des princes du sang, qui étaient destructifs de ceux des reines-mères, et ils lui signifiaient de toutes façons que, femme et étrangère, elle devait quitter la place. On ne pouvait être plus maladroit et, en quelque sorte, plus ingrat. Elle les soutint quelque temps par dégoût de la violence, par haine des Guise, par un juste orgueil de son initiative généreuse. Mais il lui eût paru ridicule de se perdre pour les sauver. Ils ne lui surent aucun gré, après la première guerre civile, de son retour à la modération. Ils l'accusèrent d'être allée à Bayonne concerter avec la Cour d'Espagne la ruine des Églises réformées de France et des Pays-Bas et ils en admirent pour preuve qu'elle ne voulut pas rompre avec Philippe II et libérer à tous risques et périls leurs coreligionnaires étrangers. Pour ces griefs d'ordre général auxquels s'ajoutaient quelques griefs personnels, leurs chefs tentèrent de l'enlever avec le Roi son fils et de se rendre maîtres du gouvernement et de l'État.

Le trait le plus ancien que les documents nous ont révélé du caractère de Catherine, c'est le souvenir des bienfaits et des injures. Le vicomte de

Turenne, son cousin à la mode de Bretagne, qui la vit à Florence à neuf ans, dit que personne ne se ressentait plus que cette enfant du bien et du mal qu'on lui faisait. Les réformés en firent la cruelle expérience. Leurs révoltes, bien qu'elles apparaissent auréolées de prestige religieux, n'en étaient pas moins criminelles. Il n'y avait pas de tribunal en France ni ailleurs qui pût les absoudre ou les excuser d'avoir à Meaux, sans meilleure raison que leurs inquiétudes ou leur passion de prosélytisme, attenté sur la liberté du Roi et de sa mère. Catherine les jugeait dignes de mort et ne pouvant ni les traduire en Cour de Parlement, ni les réduire par la force, elle employa sans scrupules contre les plus redoutables d'entre eux les armes que lui suggéraient sa tradition italienne et son impuissance. Des tentatives d'empoisonnement et d'assassinat, elle glissa jusqu'au massacre. Elle était d'un temps où la vie humaine comptait pour rien ou peu de chose, et d'un rang qui passait pour dispenser des formes de la justice. Mais elle a outrepassé les bornes du droit royal de punir. Elle a ordonné l'égorgement en masse de gens de guerre, qui étaient d'anciens rebelles sans doute, mais réhabilités par les édits, rentrés en grâce et en faveur, venus à Paris pour un mariage, c'est-à-dire pour une fête de réconciliation, et dont quelques-uns étaient les hôtes même du roi en sa maison du Louvre. Le fait qu'elle n'a pas prémédité de longue main cette exécution, suivie de celle d'une multitude innocente dans toutes les parties du royaume, n'ôte pas à ce crime de l'ambition et de la peur son caractère atroce. Et cependant les mœurs d'alors étaient si cruelles et le préjugé du pouvoir absolu des rois si généralement établi que, malgré ce forfait, la Reine-mère a trouvé un appréciateur indulgent à qui on ne se serait pas attendu. Un homme qu'elle n'aimait pas et qui le lui rendait bien, son gendre, le roi de Navarre, devenu roi de France et, depuis son retour au catholicisme, maître obéi de ses sujets des deux religions, le signataire de l'Édit de Nantes, Henri IV enfin, causait un jour avec Claude Groulart, premier président au Parlement de Rouen, de son prochain mariage avec une autre Médicis, Marie, nièce du grand-duc de Toscane, Ferdinand. Groulart, catholique violemment modéré et qui rendait Catherine responsable de tous les méfaits de la Ligue, lui fit observer que s'il se mariait à Florence «d'où le mal seroyt (était) venu en France, de là la guérison viendrait». «Quelques uns m'ont desjà dit cela», me respondit-il, et adjousta (ce que j'admiray). «Mais, je vous prie, dict-il, qu'eust peu faire une pauvre femme ayant par la mort de son mary cinq petits enfants sur les bras, et deux familles en France qui pensoient d'envahir la Couronne, *la nostre* et celle de Guyse? Falloit-il pas qu'elle jouast d'estranges personnages pour tromper les uns et les autres et cependant garder, comme elle a faict, ses enfans, qui ont successivement régné par la sage conduite d'une femme sy advisée? Je m'estonne qu'elle n'a encore faict pis».

Avait-il oublié la Saint-Barthélemy?

www.ingramcontent.com/pod-product-compliance
Ingram Content Group UK Ltd.
Pitfield, Milton Keynes, MK11 3LW, UK
UKHW041259160325
5017UKWH00023B/146